ストール
精神薬理学エセンシャルズ
神経科学的基礎と応用

第5版

Stahl's Essential Psychopharmacology
Neuroscientific Basis and Practical Applications
Fifth Edition

Author
Stephen M. Stahl
University of California at Riverside and at San Diego, Riverside and San Diego, California

Editorial Assistant
Meghan M. Grady

With illustrations by
Nancy Muntner

監訳

仙波純一 東京愛成会 たかつきクリニック

松浦雅人 田崎病院 副院長 / 東京医科歯科大学 名誉教授

太田克也 恩田第2病院 院長

メディカル・サイエンス・インターナショナル

Authorized translation of the original English edition,
"Stahl's Essential Psychopharmacology: Neuroscientific Basis and Practical Applications",
Fifth Edition
by Stephen M. Stahl

Copyright © 2021 by Stephen M. Stahl

This translation of Stahl's Essential Psychopharmacology: Neuroscientific Basis and
Practical Applications, Fifth Edition is published by arrangement
with Cambridge University Press.

©Fifth Japanese Edition 2023 by Medical Sciences International, Ltd., Tokyo

Printed and Bound in Japan

第5版への監訳者序

　ストールの『精神薬理学エセンシャルズ』の最新版である第5版を発行することができた。1996年に発刊された初版の翻訳を3年後に出版し，その後数年おきの改版を追うように翻訳を続けている。このように翻訳が継続できることは，多くの熱心な読者(精神科医だけでなく，薬剤師，製薬企業で開発や営業を担当する方々，さらには学生の皆さん)の支持があってのことと感謝している。翻訳も原著の改版後ほぼ2年以内に刊行できているのも，これらの方々の新知識を知りたいという熱意におされてのことである。

　薬物がどのように脳を介してヒトの心や行動に影響するのかを知るというのが精神薬理学の本質である。近年translational researchと呼ばれる研究戦略がこの精神薬理学領域でも提唱されている。精神薬理学における発見を利用して臨床に生かし，また臨床の所見から精神薬理学への理解を深めるというのが精神科領域でのtranslational researchの大きな目的であろう。これらの研究に携わる方々，さらには臨床での情報を研究者に手渡すべき臨床医にとっても，本書は大いに役立つはずである。

　今回の改訂のあらましを述べてみたい。この第5版は第4版と頁数はほぼ同じであるが，大幅に新規の記述が増えている。第1章～第3章までの神経科学の基礎では大きな変更はないが，最近の遺伝子研究の進歩にそって，精神疾患に関連する遺伝子の調節機構やRNA干渉などの項目が追加されている。薬物では30余りの新薬が紹介されている。統合失調症と抗精神病薬を扱った第4章と第5章では，新薬の追加とともに大きく改訂されている。気分障害とその薬物療法を扱った章は，抗うつ薬と気分障害をあわせ第7章として1つにまとめられ，より読みやすい体裁になったと思われる。睡眠を扱った第10章では，オレキシン系睡眠薬の作用機序や睡眠-覚醒障害についての記述が増えた。第12章の認知症ではLewy小体認知症やいわゆる認知症の行動・心理症状(BPSD)について，さらにはParkinson病の精神症状についての記述が追加された。最近話題になっている，うつ病治療に使用される幻覚薬についても，その薬理学的な特徴が第13章で紹介されている。その他の章でも図版の多くは改訂され，ますます洗練されてきている。一方，前版にくらべて，向精神薬の臨床での使用法や精神疾患の神経生理学的な記述は簡略化されている。前者に対しては，読者がより詳しい知識を求めるのであれば，姉妹本である『精神科治療薬の考え方と使い方』を参照されたい。

　ストールはこの20年余りにわたって，『精神薬理学エセンシャルズ』だけでなく，多くの関連書籍を発行している。本書の序文にも書かれているが，そのリスト全体はCambridge University Press内のストールのホームページEssential Psychopharmacology Online (www.stahlonline.org)でみることができる。このうちの『精神科治療薬の考え方と使い方』については，その最新版(原書の第7版)の翻訳もまもなく発行予定である。これ以外にも精神科薬物療法の学習者のために，症例集や問題集なども発刊されている(そのうちの1つは『ストール先生からの挑戦状！精神薬理学　Q＆A』として翻訳発行されている)。

　多才で精力的なストールはこれらの学術書を発行するだけに留まらない。2015年にはSteve Stahlの筆名で"Shell Shock：A Gus Conrad Thriller"という軍事サスペンス小説も

執筆しているらしい．このようにますますストールは元気なのであるが，先日彼と監訳者である筆者は同い年であることに気づいた．どうも彼がこの『精神薬理学エセンシャルズ』を改訂し続ける限り，彼に引きずられて筆者も翻訳を続けなければならない運命のようである．

　今回の翻訳も多くの方のご協力をいただいている．基礎的な神経科学を扱った第1章〜第3章までは筆者が翻訳したが，前版の同章をご担当された木村行男先生の翻訳を参考とさせていただいた．臨床を扱ったその他の章については，一部訳者が交代したところもあるが，主として前版を担当していただいた先生にそのまま今回の翻訳もお願いしている．また，田崎病院副院長・東京医科歯科大学名誉教授の松浦雅人先生と恩田第2病院院長の太田克也先生がそれぞれ監訳を分担している．

　今回の翻訳では，株式会社メディカル・サイエンス・インターナショナル書籍編集部の堀内仁さんには多大な励ましをいただいた．ここに感謝いたします．

2023年2月

監訳者を代表して
仙波純一

第5版の序

第5版で新しくなったことは？

　この"*Stahl's Essential Psychopharmacology*"の第5版では，読者は本書内のすべての図が新しい色や陰影，アウトラインなどによって改訂され，新鮮になり，アップデートされているのに気づかれることであろう。約半数の図はまったく新しくなっている。気分安定薬を気分障害の治療に統合したため，章数が1つ減っているが，本文自体の長さと図表の総数はほぼ同じある。ただし，すべての章はそのほとんどが大幅に編集されており，変更点の詳細は以下のとおりである。また参考文献の数を今回2倍に増やした。全体として14の薬物に新しい用途と適応を提示し，18のまったく新しい薬物を紹介し述べている。
　第4版から追加・変更された内容の注目点は以下のとおりである。

- 基礎的神経科学の章では，干渉RNA（iRNA）を新たに網羅した。
- 神経科学にもとづく命名法neuroscience-based nomenclature，すなわち薬物の名称を用途ではなく作用機序にもとづく方法を反映するようにすべての章を再構成した。
- したがって，うつ病に対する薬物は「抗うつ薬」ではなく「抗うつ作用をもつモノアミン再取り込み阻害薬」，精神病に対する薬物は「抗精神病薬」ではなく「抗精神病作用をもつセロトニン/ドーパミンアンタゴニスト」などとなっている。
- 精神病の章では：
  - 線条体ドーパミンの直接および間接経路を新たに網羅
  - 微量アミン，受容体，薬理学を新たに網羅
  - 古典的な精神病のドーパミン理論を改訂
  - 2つの新しい精神病理論（セロトニンおよびグルタミン酸）
  - 統合失調症の精神症状に加え，認知症関連の精神症状とParkinson病の精神症状を網羅
  - ルラシドン，cariprazine，ブレクスピプラゾールを含む既承認薬に対し，新しい適応症を更新し網羅
  - 精神病に対して開発中の5つの薬物を記述：承認済みのlumateperoneや，開発中のxanomeline, pimavanserin，微量アミン関連受容体1型（TAAR1）アゴニスト
  - すべての薬物の受容体結合データを更新
  - 遅発性ジスキネジアと新薬治療を新たに網羅：deutetrabenazineおよびバルベナジン
  - 現在，うつ病に対して，より頻繁に用いられている精神病に対するセロトニン・ドーパミン系薬の使用を新たに網羅
- 気分障害に関する章では：
  - 混合性の気分状態を新たに網羅
  - γ-アミノ酪酸A（$GABA_A$）受容体のサブタイプおよび神経ステロイド結合部位を新たに網羅
  - 神経栄養因子およびうつ病における神経可塑性を新たに網羅

- うつ病における炎症を新たに網羅
- 気分安定薬を再定義
- levomilnacipranやボルチオキセチンを新たに拡大し網羅
- うつ病における認知機能の治療を網羅
- 新しい薬物：神経活性ステロイド，ケタミン/esketamine，デキストロメトルファン併用，dextromethadone
- 治療抵抗性とモノアミン再取り込み阻害薬の増強療法を拡大し網羅。ブレクスピプラゾール，ケタミン，esketamine，およびcariprazineやpimavanserinの試験を含む
- ケタミンやesketamineなどによるN-メチル-Dアスパラギン酸（NMDA）アンタゴニスト治療後の神経可塑性による下流の変化に関する新しい仮説を拡大し網羅
- 新しい適応とルラシドンやcariprazineなどの新しい薬物による双極性うつ病の治療を拡大し網羅

- 不安の章では：
  - 強迫症（OCD）を衝動性の章へ移動
  - 不安症ではなく心的外傷性障害として，心的外傷後ストレス障害（PTSD）を網羅
  - 不安症よりも不安症状の強調
  - GABAは気分の章へ移動
  - 個々の不安症の治療に関する議論を改訂
  - 不安症状に対する精神療法と精神薬理学の併用を新たに強調
- 痛みの章では：
  - 線維筋痛症診断の新しい基準
- 睡眠の章では：
  - オレキシンの神経科学を大幅に拡大し網羅
  - ヒスタミンの神経科学を拡大し網羅
  - 睡眠/覚醒サイクルの全体にわたる神経伝達物質を拡大し網羅
  - 睡眠を誘発するために異なる機序をもつ薬物の異なる閾値レベルについての概念を提示
  - 新薬であるレンボレキサントを含む二重オレキシン受容体アンタゴニストの内容を拡大し網羅
  - ナルコレプシーに対する新しいヒスタミン3（H_3）アンタゴニストであるpitolisantに関する解説
  - 新規の覚醒促進型ノルエピネフリン・ドーパミン再取り込み阻害薬（NDRI）であるsolriamfetolに関する解説
  - サーカディアンリズムに関する議論の拡充
- 注意欠如・多動症（ADHD）の章では：
  - メチルフェニデートとamphetamineの多様な新しい製剤の網羅
  - 発売目前の新薬に関する議論：viloxazineなど
  - ADHDにおける精神刺激薬の効果に必要な閾値の概念の提示
  - ADHDにおける神経発達を拡大し網羅
- 認知症の章では：
  - アセチルコリン受容体とコリン受容体を新たに網羅

- 認知症における記憶，精神病，激越の回路に関する理論の紹介
- アミロイドカスケード仮説の強調を中止
- 認知症の行動症状に対する新しい治療法の出現を新たに強調。この治療法には，すべての原因による認知症の精神病症状に対する pimavanserin, Alzheimer 型認知症の激越に対するブレクスピプラゾールと dextromethorphan/bupropion などがある
- Alzheimer 型認知症の大幅な拡充，および血管性認知症，Lewy 小体型認知症，前頭側頭型認知症，Parkinson 病認知症，臨床特徴，神経病理学を新たに網羅
- 衝動性，強迫性，物質乱用に関する最後の章では：
  - 治療抵抗性うつ病に対する心理療法と幻覚薬/解離薬の新しい組み合わせを新たに網羅
  - オピオイド使用障害とその治療を更新し拡大して網羅
  - エンドカンナビノイド神経伝達系と，娯楽，乱用，および治療での大麻使用を更新し拡大して網羅
  - エクスタシーとシロシビンを更新
  - 衝動性-強迫性障害を更新

第5版で変わらないこととは？

　この新しくなった第5版でも変わっていないものは，これまでの4つの版にもあった教育的スタイルである。つまり，本文は精神薬理学の基礎を簡潔で読みやすい形式で示そうと心がけている。われわれは疾病の機序だけでなく薬物の機序についても，現在の系統的論述を重要視している。参考文献の総数は第4版から2倍になっているが，以前の版と同様に，本書は原著論文を広範囲に参照しているのではなく，むしろ教科書や総論，厳選した論文によっている。各章には限定的な参考文献のリストしか用意していないが，読者がより詳しい教科書やさらには専門的文献を参照できるようにしている。

　本書の情報構成は，プログラム学習の法則，すなわち記憶の定着を高めるといわれている反復学習と相互学習を読者に適用し続けている。したがって，初学者には，まずはじめから終わりまで本書のカラー図解とその説明文だけを概観することを推奨する。実質的に本書で網羅されているすべての内容は，図解中にも示されている。図解を見終えたら，最初に戻り，カラー図解をもう一度みながら本文を読み進めるとよい。そして本文を読み終えたら，本書のいろいろな図解を参照するだけで全体をすばやく復習することができる。このような方法で本書を活用すれば，反復学習だけでなく，カラー図解をとおした視覚的な学習との相互作用によって一定のプログラム学習ができるようになる。図解をとおして学んだ視覚的概念が，特に「視覚的な学習者」（つまり，概念を読んでから理解するよりも視覚化して理解したほうが情報を保持しやすい人）にとって，文章から学んだ抽象的な概念を補強できることを期待している精神薬理学に精通した人たちにとっては，本書をはじめから終わりまで容易に読みとおすことができるに違いない。本文とカラー図解の間を行ったり来たりしているうちに，相互学習が根づくはずである。本文全体を読みとおした後には，もう一度よく図解を眺めることにより，簡単に本書全体を見直すことができるはずである。

Essential Psychopharmacology シリーズの書籍や教育サービスはどのように発展してきたのか？

Essential Psychopharmacology シリーズの拡大

　"*Stahl's Essential Psychopharmacology*"の第5版はこの書籍シリーズの，海軍でいえば旗艦に相当するものであるが，*Essential Psychopharmacology* シリーズがさらに拡大したため，全艦隊が揃ったわけではない。興味のある方には，"*Stahl's Essential Psychopharmacology*"の第5版に付随する多くの書籍と広範なオンライン情報一式が利用可能になっているので，そちらも参照してほしい。現在，以下の6冊の処方ガイドがある。

- 向精神薬については，『精神科治療薬の考え方と使い方』（"*Stahl's Essential Psychopharmacology：Prescriber's Guide*"）。これは現在第7版
- 特に小児や青年期の患者で使用される向精神薬については，"*Stahl's Essential Psychopharmacology Prescriber's Guide：Children and Adolescents*"
- 神経疾患の薬物については，『神経内科治療薬処方ガイド』（"*Essential Neuropharmacology：The Prescriber's Guide, 2nd edition*"）
- 鎮痛薬については，"*Essential Pain Pharmacology：The Prescriber's Guide*"
- 重篤な精神疾患，特に司法場面で治療する薬物については，新しい本として，"*Management of Complex Treatment-resistant Psychotic Disorders*"（Michael Cummingsとの共著）
- 向精神薬については，英国での医療実践に合わせた"*Cambridge Prescriber's Guide*"（Sep HafiziとPeter Jonesとの共著）が英国で発行予定である

　この教科書と処方ガイドをどのように臨床実践に応用するかについて関心のある読者に対しては，現在3冊のケーススタディー本がある。

- "*Case Studies：Stahl's Essential Psychopharmacology*"
著者自身の臨床実践から得た40症例を取り上げている
- "*Case Studies*, Volume 2"
State University of New York, SyracuseのThomas Schwartzの実践による症例と併せて
- "*Case Studies*, Volume 3"
University of California Riverside Department of Psychiatryの症例と併せて（Takesha CooperとGerald Maguireとの共著）

　客観的に自分の専門知識のレベルを評価したい，米国で精神医学の認定委員会による再認可board recertificationのための認定証certification creditを維持したい，また指導方法や教授法の基礎を学びたいと思っている教員や学生のためには，以下の2冊の書籍がある。

- 『ストール先生からの挑戦状！　精神薬理学Q & A』（原著初版）（"*Stahl's Self-Assessment Examination in Psychiatry：Multiple Choice Questions for Clinicians*"）
現在第3版

- *"Best Practices in Medical Teaching"*

精神薬理学の専門トピックスを視覚的に広範に網羅することに関心のある読者には，以下の *Stahl's Illustrated* シリーズがある。

- *"Antidepressants"*
- *"Antipsychotics：Treating Psychosis, Mania and Depression*, 2nd edition"
- *"Mood Stabilizers"*
- *"Anxiety, Stress, and PTSD"*
- *"Attention Deficit Hyperactivity Disorder"*
- *"Chronic Pain and Fibromyalgia"*
- *"Substance Use and Impulsive Disorders"*
- *"Violence：Neural Circuits, Genetics, and Treatment"*
- *"Sleep and Wake Disorders"*
- *"Dementia"*

実用的で詳細な治療のヒントとガイダンスのために，新たに導入されたハンドブックシリーズとして以下の書籍がある。

- *"The Clozapine Handbook"*（Jonathan Meyer との共著）
- *"Handbook of Psychotropic Drug Levels"*（Jonathan Meyer との共著）
- *"Suicide Prevention Handbook"*（Christine Moutier と Anthony Pisani との共著）

最後に，サブスペシャリティー・トピックスとして現在刊行中のシリーズがある。

- *"Practical Psychopharmacology"*
  エビデンスにもとづく研究を治療に応用している（Joseph Goldberg との共著）
- *"Violence in Psychiatry"*（Katherine Warburton との共著）
- *"Decriminalizing Mental Illness"*（Katherine Warburton との共著）
- *"Evil, Terrorism and Psychiatry"*（Donatella Marazziti との共著）
- *"Next Generation Antidepressants"*（Chad Beyer との共著）
- *"Essential Evidence-Based Psychopharmacology*, 2nd edition"（Dan Stein と Bernard Lerer との共著）
- *"Essential CNS Drug Development"*（Amir Kalali, Sheldon Preskorn, Joseph Kwentus との共著）
- *"Cambridge Textbook of Neuroscience for Psychiatrists"*（Mary-Ellen Lynall と Peter Jones との共著）

オンラインオプション
Essential Psychopharmacology Online

　現在，読者にはこれらの書籍の追加的な内容を，Essential Psychopharmacology Online（www.stahlonline.org）から手に入れるという選択肢もある．さらに，www.stahlonline.orgは現在以下のサイトにリンクされている．

- "*CNS Spectrums*（www.journals.Cambridge.org/CNS）"

"*CNS Spectrums*"は著者が編集長を務めている雑誌であり，Neuroscience Education Institute（NEI）の機関誌で，NEIの会員は無料でオンライン上で閲覧できる．この雑誌は，精神医学，精神保健，神経学，神経科学，および精神薬理学だけでなく神経科学における現在のトピックスについてのわかりやすい図解入りレビューを特色としている．

Neuroscience Education Institute（NEI）のウェブサイト（www.neiglobal.com）

- 本書およびStahlシリーズにある他の書籍を利用する際には米国医師生涯教育 continuing medical education（CME）単位にアクセス
- "*Stahl's Essential Psychopharmacology*"の内容を網羅する評価ベースの認定プログラムであるMaster Psychopharmacology Programにアクセス
- 本書のすべての図のダウンロード可能なPowerPointスライドの購入

　読者に十分理解してもらいたいことは，精神科学と精神保健の分野は今や非常に刺激的な時代に入っており，臨床家が今日の治療法を活用し，精神薬理学領域を変革すると思われる将来の薬物を先取りする魅惑的な機会をもたらしているということである．本書がこの魅惑的な旅における読者の第一歩となることを祈っている．

Stephen M. Stahl, MD, PhD, DSc（Hon.）

指導者であり，同僚であり，
科学における父親であった
Daniel X. Freedman
を偲んで

Shakilaへ

監訳者・訳者一覧

監訳者

仙波純一	東京愛成会 たかつきクリニック
松浦雅人	田崎病院 副院長 東京医科歯科大学 名誉教授
太田克也	恩田第2病院 院長

訳者（翻訳章順）

仙波純一	東京愛成会 たかつきクリニック
太田克也	恩田第2病院 院長
重家里映	医療法人社団 翠会 和光病院 精神科
藤原真代	東京医科歯科大学大学院医歯学総合研究科精神行動医科学分野 平塚病院
吉田典子	医療法人社団 翠会 成増厚生病院 精神科
原恵利子	楽天グループ株式会社 産業医
宮島美穂	東京医科歯科大学大学院医歯学総合研究科精神行動医科学分野 講師
石倉菜子	あいせいかいココロのクリニック 院長
小山恵子	楓の森メンタルクリニック 院長

目次

1 化学的神経伝達 —— 1

2 精神薬理学的な薬物作用を示す標的としての
トランスポーター,受容体,酵素 —— 35

3 精神薬理学的な薬物作用を示す標的としての
イオンチャネル —— 63

4 精神病,統合失調症
そして神経伝達物質ネットワーク
ドーパミン,セロトニンおよび
グルタミン酸 —— 93

5 精神病,気分障害,その他の疾患のドーパミンと
セロトニン受容体を標的とする薬物:
いわゆる「抗精神病薬」 —— 181

6 気分障害と神経伝達物質ネットワーク
ノルエピネフリンとGABA —— 271

7 気分障害の治療薬:いわゆる「抗うつ薬」と
「気分安定薬」について —— 313

8 不安・心的外傷とその治療 —— 397

9 慢性痛とその治療 —— 419

10 睡眠覚醒障害群とその治療:ヒスタミンと
オレキシンの神経伝達物質回路 —— 443

11 注意欠如・多動症(ADHD)とその治療 —— 493

12 認知症:原因,対症療法,および神経伝達物質
ネットワーク(アセチルコリン) —— 533

13 衝動性,強迫性,および嗜癖 —— 587

参考文献 —— 633

索引 —— 665

注　意

　本書に記載した情報に関しては，正確を期し，一般臨床で広く受け入れられている方法を記載するよう注意を払った．しかしながら，著者(監訳者，訳者)ならびに出版社は，本書の情報を用いた結果生じたいかなる不都合に対しても責任を負うものではない．本書の内容の特定な状況への適用に関しての責任は，医師各自のうちにある．

　著者(監訳者，訳者)ならびに出版社は，本書に記載した薬物の選択・用量については，出版時の最新の推奨，および臨床状況に基づいていることを確認するよう努力を払っている．しかし，医学は日進月歩で進んでおり，政府の規制は変わり，薬物療法や薬物反応に関する情報は常に変化している．読者は，薬物の使用にあたっては個々の薬物の添付文書を参照し，適応，用量，付加された注意・警告に関する変化を常に確認することを怠ってはならない．これは，推奨された薬物が新しいものであったり，汎用されるものではない場合に，特に重要である．

- 薬物の表記は，わが国で発売されているものは一般名・商品名ともにカタカナに，発売されていないものは英語で記すよう努力した．
- 疾患名は，『DSM-5病名・用語翻訳ガイドライン(初版)』(日本精神神経学会精神科病名検討連絡会 編)を参考にした．なお，「うつ病(DSM-5)」は，DSM-5で定義されているうつ病を表す．「(DSM-5)」はすべてに表記するのは煩雑なため，初出時のみに表記した．
- 日本では，エピネフリンの一般名がアドレナリンになり，ノルエピネフリンがノルアドレナリンとなっているが(日本薬局方より)，本書では原文どおりにエピネフリン，ノルエピネフリンを用いた．
- 神経伝達物質の略語の多用は混乱が生じるため，同じ伝達物質が頻出の章内に限り，原則つぎのように表記している．例えば，初出「ドーパミン(DA)」，以降はDA．ただ，神経細胞や神経経路を指している場合(例：ドーパミン神経細胞，ドーパミン神経経路など)は，略語の使用を避けた．

1章 化学的神経伝達

- 解剖学的神経伝達と化学的神経伝達の基本 — 1
  - 神経細胞の全体構造 — 3
- 化学的神経伝達の原理 — 6
  - 神経伝達物質 — 6
  - 神経伝達：古典的神経伝達，逆行性神経伝達，容量神経伝達 — 6
  - 興奮-分泌結合 — 10
- シグナル伝達カスケード — 11
  - 概要 — 11
  - 二次メッセンジャーの形成 — 12
  - 二次メッセンジャー以降からリンタンパクメッセンジャーに至る系 — 15
- 二次メッセンジャー以降から遺伝子発現を引き起こすリンタンパクカスケードに至る系 — 18
- 神経伝達により遺伝子発現が引き起こされる過程 — 21
- 遺伝子発現の分子機序 — 21
- エピジェネティクス — 25
  - エピジェネティクスの分子機序とは？ — 28
  - エピジェネティクス表現型の状態維持または状態変化の過程 — 29
- RNAについての小論 — 30
  - 選択的スプライシング — 30
  - RNA干渉 — 32
- まとめ — 32

　現代の精神薬理学psychopharmacologyは，おおむね化学的神経伝達chemical neurotransmissionをめぐる物語といってもよいであろう。脳に働く薬物の作用を理解し，疾患の中枢神経系central nervous system（CNS）に対する影響への把握や，精神科治療薬の行動への影響の解明等，これらを行うためにはまず化学的神経伝達の用語とその原理に精通していなければならない。この重要性は，精神薬理学を学ぼうとする人たちにとって，強調してもしすぎるということはない。本章は，本書全体の基礎を形作るものであり，今日の科学のなかでも最も刺激的な分野の1つ，すなわち疾患や薬物がどのように中枢神経系に作用するのかという神経科学への旅へと導く道標となるものである。

解剖学的神経伝達と化学的神経伝達の基本

　神経伝達とは，どのようなものであろうか？神経伝達は，解剖学的，化学的，電気的などのさまざまな視点から述べることができる。神経伝達の**解剖学的な**基本構造は，神経細胞neuron（図1-1〜図1-3），そしてそれらを結ぶシナプスsynapse（図1-4）と呼ばれる結合である。これは，**解剖学的にみた神経系**と呼ばれることもあり，神経細胞どうしが複雑に「配線で結ばれて」シナプス結合を形成しているが，それは何百万の電話機が何千もの回線のなかに接続されているようなものではない。したがって，**解剖学的にみた脳**とは複雑な配線図であり，「配線」が接続されているところ（すなわち，シナプス）ならばどこへでも電気的インパルスelectrical impulseを運ぶことができる。シナプスは神経細胞上のさまざまな部位に形成が可能である。軸索樹状突起シナプスaxodendritic synapseとして，ある神経細胞の軸索から樹状突起dendriteに向けて形成されるだけでなく，軸索細胞体シナプスaxosomatic synapseとして，ある神経細胞の軸索から細胞体somaに向けて形成

1 化学的神経伝達

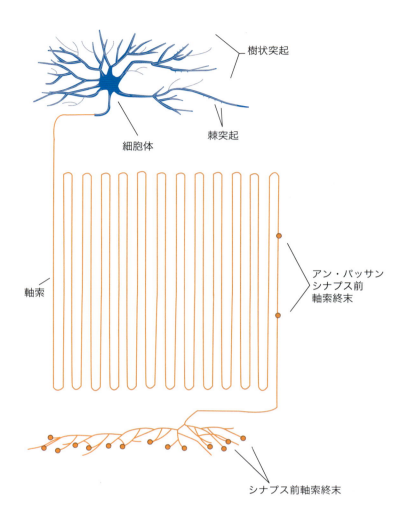

図1-1　神経細胞の全体構造
これは，神経細胞の全体構造を模式的に示した図である。すべての神経細胞は細胞体をもち，この細胞体は神経伝達の司令塔であり，細胞核を含んでいる。また，すべての神経細胞はシナプス情報を送るだけでなく，シナプス情報を受け取るような構造となっている。神経細胞は，軸索を経由してシナプス情報を送り，この軸索は通過するとき（アン・パッサン）または軸索が終了するときにシナプス前終末を形成している。

されたり，また（軸索軸索シナプスaxoaxonic synapseとして）神経細胞の軸索から他の神経細胞の軸索に向けて，特に起始部や受け手の神経細胞の軸索終末に形成されたりすることさえある（図1-2）。このようなシナプスは「非対称性asymmetric」といわれるが，この理由は構造的にみて一方向に連絡していく，言い換えれば，ある神経細胞の軸索から樹状突起，細胞体，あるいはつぎの神経細胞の軸索へと順行性に連絡していくからである（図1-2，図1-3）。このことは，シナプス後の構成要素とは異なるシナプス前の構成要素が存在することを意味する（図1-4）。具体的にいえば，まるで充填された銃の弾薬のように神経伝達物質neurotransmitterがシナプス前神経終末で取り込まれ，シナプス後神経細胞に向かって，その受容体めがけて引き金が引かれるようなものである。

　神経細胞は，脳内で化学的連絡を行う細胞である。ヒトの脳には数百億の神経細胞が存在し，それぞれの神経細胞が数千もの他の神経細胞と連結している。したがって，ヒトの脳にはシナプスと呼ばれる何兆もの特異的な連絡部位が存在することになる。神経細胞は，大きさ，長さ，形状もまちまちで，それらが神経細胞の構造を決めることになる。神経細胞が脳内のどの部位に存在しているかによっても，その機能が定められている。神経細胞が機能不全に陥ると，行動症状が認められることもある。薬物が神経機能を変化させると，行動症状の軽減，悪化あるいは発現を招くこともある。

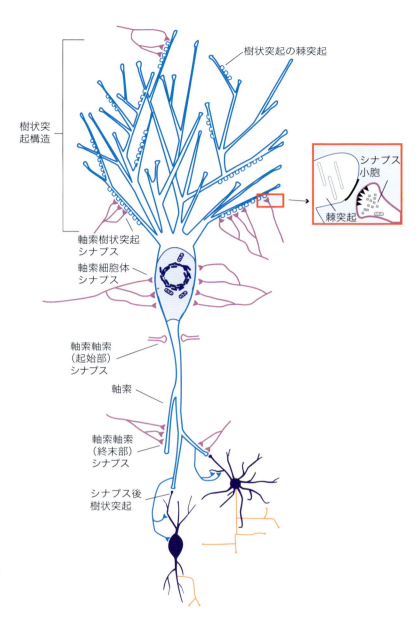

図1-2 軸索樹状突起，軸索細胞体，軸索軸索の間のシナプス結合 神経細胞は移動後にシナプスを形成する。本図に示したとおり，シナプス結合は，2つの神経細胞の軸索と樹状突起の間に形成できるだけでなく（軸索樹状突起シナプス），2つの神経細胞の軸索と細胞体の間（軸索細胞体シナプス），あるいは軸索と軸索の間（軸索軸索シナプス）にも形成される。神経伝達は，1番目の神経細胞の軸索から順行性に2番目の神経細胞の樹状突起，細胞体，あるいは軸索に伝わる。

神経細胞の全体構造

本書では，神経細胞の一般的構造をしばしば模式図を用いて解説していくことになるが（図1-1～図1-3），実際には多くの神経細胞は特異的な構造をしており，それは神経細胞が脳内のどこに存在しているのか，またどのような機能をもっているのかによっている。一方で，すべての神経細胞は，somaと呼ばれる細胞体をもち，樹状突起を経由して他の神経細胞からシナプス情報を受け取るような構造をしているが，ときには樹状突起上に存在する棘突起spineを経由して受け取ったり，しばしば樹状突起が複雑に分岐した樹状突起構造を経由して受け取ったりすることもある（図1-2）。また神経細胞は，軸索axonを経由して他の神経細胞にシナプス情報を送るための構造をしており，この軸索は通過するとき（アン・パッサン en passant[*1・5頁]，図1-1）または軸索が終了するときにシナプス前終末（シナプス前軸索終末，

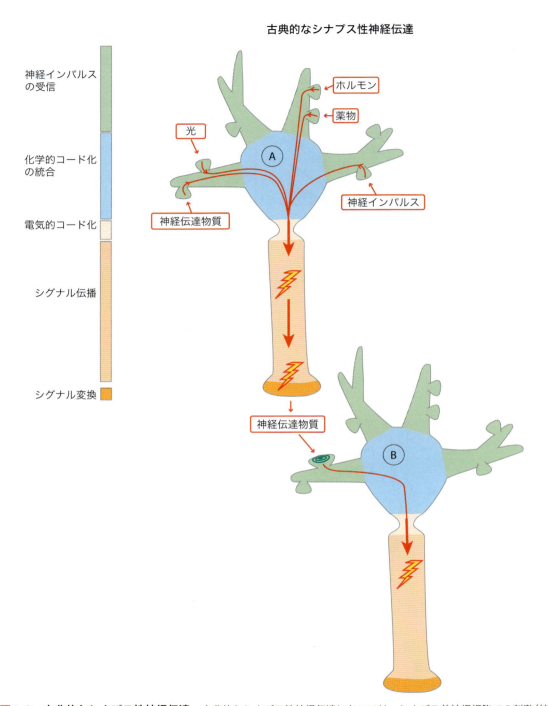

図1-3 古典的なシナプス性神経伝達 古典的なシナプス性神経伝達においては，シナプス前神経細胞での刺激（神経伝達物質，光，薬物，ホルモン，神経インパルスによる刺激など）により電気的インパルスが生じ，軸索終末に送られることになる。このような電気的インパルスは化学メッセンジャーに変換され，シナプス後神経細胞の受容体を刺激するために放出される。したがって，神経細胞内での伝達は電気的に行われることもある。神経細胞間での伝達は化学的に行われる。

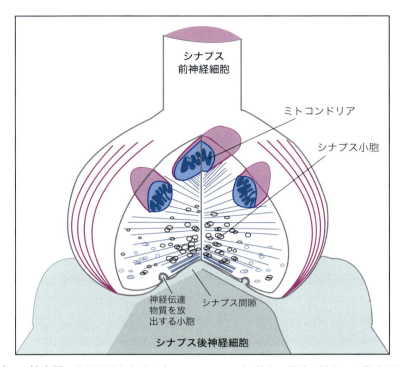

図1-4　シナプスの拡大図　化学的神経伝達を生じさせるシナプス特有の構造を拡大した模式図を示す。具体的には，シナプス前神経細胞から軸索終末が伸展し，シナプス後神経細胞でシナプスが形成される。シナプス前神経細胞からの神経伝達のためのエネルギーは，シナプス前神経細胞のミトコンドリアから供給されている。化学的な神経伝達物質はシナプス小胞で蓄えられ，いつでもシナプス前神経細胞の発火に応じて放出できるようになっている。シナプス間隙とは，シナプス前神経細胞とシナプス後神経細胞との隙間をいう。シナプス間隙には，神経細胞どうしの結合を補強するために分子の「シナプス糊 synaptic glue」というべきタンパクや足場となるタンパク（足場タンパク scaffold protein）が存在する。受容体はシナプス間隙のどちらの側にも存在し，化学的神経伝達の鍵となる構成因子である。

図1-1～図1-4）を形成している。

　神経伝達は**解剖学的な**基礎構造をもっているが，基本的には非常に洗練された**化学的働き**をもっている。したがって，解剖学的にみた神経系を補足するものが，**化学的にみた神経系**であり，それは神経伝達の化学的基盤を形成している。つまり，化学的シグナルがどのようにコード化され，解読され，変換され，途中で送信されるかということである。精神薬理学的な薬物が神経伝達に関与する重要分子を標的にしているため，化学的な神経伝達の原理を理解するには，これらの薬物の作用機序を把握することが基本的に必要不可欠となる。神経伝達に影響を与える特定の化学的部位を標的とする薬物については，第2章，第3章で述べる。

　化学的にみた神経系を理解することは，「神経生物学に関して造詣の深い」臨床医になるための前提条件でもある。このような臨床医は，脳回路 brain circuitry，機能的神経画像 functional neuroimaging，遺伝学などに関して得られた刺激的な新しい知見を解釈して最良の形で臨床場面に活かせるし，精神疾患とその症状の診断法や治療法を改良できる可能性がある。特定の脳領域での神経伝達の化学と，これらの原理が，さまざまな特定の向精神薬を用いて治療されるさまざまな特定の精神疾患にどのように適応されるかについては，本書の残りをとおして述べていく。

＊1 訳注：本来，"en passant" とは「通過の途中で」を意味するフランス語。軸索の途中で形成されるシナプス（終末）構造のこと。

化学的神経伝達の原理

神経伝達物質

　十数個にも及ぶ既知の神経伝達物質あるいは神経伝達物質と推測される物質が脳内に存在する。精神薬理学者にとっては，向精神薬が標的としている以下の6種類の重要な神経伝達物質系について熟知することが特に重要である。

- セロトニン serotonin
- ノルエピネフリン norepinephrine
- ドーパミン dopamine
- アセチルコリン acetylcholine
- グルタミン酸 glutamate
- γ-アミノ酪酸 γ-aminobutyric acid（GABA）

　それぞれの神経伝達物質については，これらを標的としている特定の薬物を扱う臨床関連の章で詳しく述べる。

　ヒスタミン histamine，神経ペプチド neuropeptide，ホルモン hormone などのその他の重要な神経伝達物質と神経調節物質 neuromodulator についても，本書中の関与する臨床関連の章をつうじて簡潔に述べる。

　神経伝達物質のなかには薬物と非常に類似したものもあり，このような神経伝達物質は「自然摂理の薬局方 God's pharmacopeia」と呼ばれている。例えば，よく知られていることではあるが，脳は脳自身でモルヒネ（すなわち β-エンドルフィン β-endorphin）やマリファナ（すなわちエンドカンナビノイド endocannabinoid）を産生する。また，脳は自身で Prozac（fluoxetine の米国商品名）や Xanax（アルプラゾラムの米国商品名），さらには幻覚薬 hallucinogen さえも作れるかもしれない。薬物というものは脳に内在する神経伝達物質に類似していることが多く，薬物のなかにはそのような内在性の神経伝達物質よりも先にみつけだされたものもある。例えば，β-エンドルフィンが発見される以前からモルヒネは臨床場面に使用されていたし，カンナビノイド cannabinoid 受容体やエンドカンナビノイドが発見される以前からマリファナ煙は吸われていた。また，ベンゾジアゼピン benzodiazepine 受容体が発見される以前からジアゼパムやアルプラゾラムは処方されていたし，セロトニントランスポーター serotonin transporter（SERT）部位が分子的に解明される以前から，抗うつ薬のアミトリプチリンや fluoxetine が臨床場面に導入されていた。このような事実は，中枢神経系に作用する薬物の圧倒的多数が神経伝達の過程に働くということを強く支持するものである。実際に，この作用は，脳が自身の化学物質を使うときには，脳自体の働きをまねるやり方で起きることもある。

　それぞれの神経細胞の情報の入力 input には，いろいろな神経回路からくる多種多様な神経伝達物質が関与しうる。機能している神経回線内での神経細胞へのこれらの入力方法を理解することによって，治療薬の選択方法や併用方法を考える際に合理的な根拠を築くことができるようになる。この点については，さまざまな精神疾患を扱う各章で広く述べる。現代の精神薬理学者が精神疾患の患者で生じる異常な神経伝達への影響を及ぼすためには，特定の神経回路での神経細胞に的を絞って考えることが必要かもしれないということである。このような神経細胞のネットワークは，多種多様な神経伝達物質を介して情報の出力と入力を行っているため，精神疾患をもつ患者に対して，特に単一の神経伝達物質の作用機序をそなえた単一の薬物が症状の軽減に有効でない場合，さまざまな神経伝達物質の作用をもちあわせた複数の薬物を使用することは，理にかなっているだけでなく必要とも思われる。

神経伝達：古典的神経伝達，逆行性神経伝達，容量神経伝達

　古典的神経伝達 classic neurotransmission は，神経細胞の軸索を介して，その神経細胞のある部位から他の部位まで電気的インパルスを送る電気的行程からはじまる（図1-3の神経細胞Ⓐを参照）。しかし，このような電気的インパルスは，他の神経細胞へ直接的にとんでいくものではない。神経細胞間の古典的神経伝達は，ある神経細胞が他の神経細胞の受容体部位に化学メッセン

ジャー，すなわち神経伝達物質を投げつけることに関与している（図1-3の神経細胞Ⓐと神経細胞Ⓑの間のシナプスを参照）。これはシナプス結合部位で頻発するが，シナプス結合部位だけで起こるわけではない。ヒトの脳内では，1,000億個に及ぶ神経細胞がそれぞれ数千個ものシナプスを形成して他の神経細胞と連結し，1兆個と推測される化学的神経伝達を行うシナプスが形成される。

　シナプス部位におけるすべての神経細胞**間**の伝達は化学的に行われ，電気的に行われるのではない。すなわち，1番目の神経細胞内で発生した電気的インパルスは，1番目と2番目の神経細胞の間にあるシナプス部位で化学的シグナルに変換される。この過程は興奮-分泌結合 excitation-secretion coupling として知られ，化学的神経伝達の第1段階である。これは，必ずしもそうとは限らないが，おもに一方向性に生じ，1番目の神経細胞の**シナプス前**軸索終末から2番目の**シナプス後**神経細胞に向かう（図1-2，図1-3）。最終的に，2番目の神経細胞内における神経伝達では，1番目の神経細胞から得られた化学的情報を電気的インパルスに戻すか，あるいはおそらくもっと洗練された方法で，1番目の神経細胞から得られた化学的情報を用いて，神経細胞の分子的・遺伝的機能を変えるために2番目の神経細胞内で化学的神経伝達の一連の反応を誘発する，のいずれか一方が行われる（図1-3）。

　化学的神経伝達に対する興味深いねじれ現象として，シナプス後神経細胞がシナプス前神経細胞に「返答」できることが発見されている。神経細胞は，1番目の神経細胞と2番目の神経細胞を連結するシナプス部位の間で，2番目から1番目に向かう逆行性神経伝達 retrograde neurotransmission を行うことができる（図1-5の右）。一部のシナプス部位で逆行性神経伝達物質として特異的に作られる化学物質としては，エンドカンナビノイド endocannabinoid（EC，「内在性マリファナ」としても知られている）が含まれる。この物質はシナプス後神経細胞内で産生され，シナプス前部位にあるカンナビノイド受容体，例えば，カンナビノイド1 cannabinoid 1（CB1）受容体などに放出・拡散される（図1-5の右）。2つ目の逆行性神経伝達物質としては，気体状の神経伝達物質である一酸化窒素 nitric oxide（NO）がある。これはシナプス後部位で合成され，シナプス後神経細胞膜からシナプス前神経細胞へと拡散し，この部位で環状グアノシン一リン酸 cyclic guanosine monophosphate（cGMP）に感受性のある標的物質と相互作用する（図1-5の右）。3つ目の逆行性神経伝達物質としては，神経成長因子 nerve growth factor（NGF）などの神経栄養因子 neurotrophic factor がある。NGFはシナプス後部位から放出されてシナプス前神経細胞に拡散する。そこで，NGFがシナプス小胞に取り込まれ，逆行性の輸送系を介して細胞核にまではるばる戻り，細胞核内のゲノム genome と相互作用する（図1-5の右）。このような逆行性神経伝達物質がシナプス前神経細胞に伝える必要のあることは何なのか，そしてこのことがシナプス前神経細胞とシナプス後神経細胞の間で行われる伝達をどのように調節または制御することになるのかは，今後の集中的・積極的な研究対象である。

　シナプス部位での「反対方向」，すなわち逆行性の神経伝達に加えて，ある種の神経伝達ではシナプスをまったく必要としないものがある！ シナプスを介さない神経伝達は，**容量神経伝達** volume neurotransmission または非シナプス性拡散神経伝達 nonsynaptic diffusion neurotransmission と呼ばれている（図1-6〜図1-8に例示）。ある神経細胞から別の神経細胞に送られた化学メッセンジャーは，送られた神経細胞のシナプスとは離れた部位に拡散によってあふれ出すこともある（図1-6）。したがって，神経伝達は神経伝達物質の拡散する範囲内に適合する受容体があれば，どの受容体でも生じる可能性がある。これは，携帯電話による現代の情報伝達にも似ていて，携帯電話基地局の範囲内で機能するようなものである（図1-6）。この概念は化学的にみた神経系の一端を担っているが，ここでは神経伝達物質が化学的に「ふっと吹き出すもの」のように放出されることで神経伝達が生じる（図1-6〜図1-8）。脳はこのようにして，配線の集合体というだけでなく，洗

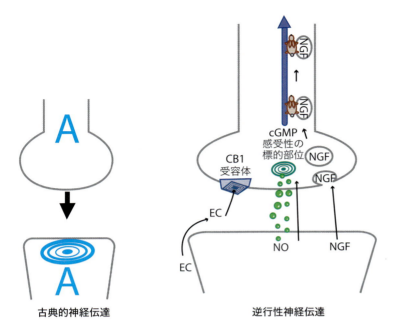

図1-5　逆行性神経伝達　すべての神経伝達が古典的神経伝達，つまり上（シナプス前神経細胞）から下（シナプス後神経細胞）への順行性伝達ではない（左）。シナプス後神経細胞は，逆行性神経伝達を介して下から上への伝達，すなわちシナプス後神経細胞からシナプス前神経細胞に伝達を行うこともできる（右）。シナプス部位で逆行性神経伝達物質として特別に作られるいくつかの神経伝達物質には，エンドカンナビノイド（EC，「内在性マリファナ」ともいう）がある。この物質はシナプス後神経細胞で産生され，放出され，シナプス前部位にあるカンナビノイド1（CB1）受容体などの受容体に拡散される。また，気体状の神経伝達物質である一酸化窒素（NO）もシナプス後部位で合成され，シナプス後神経細胞膜からシナプス前神経細胞内へと拡散し，この部位で環状グアノシン一リン酸（cGMP）に感受性のある標的物質と相互作用する。さらに，神経成長因子（NGF）などの神経栄養因子もあげられる。NGFはシナプス後部位から放出されてシナプス前神経細胞に拡散する。そこでNGFはシナプス小胞に取り込まれ，逆行性の輸送系を介して細胞核にまではるばる戻り，細胞核内のゲノムと相互作用する。

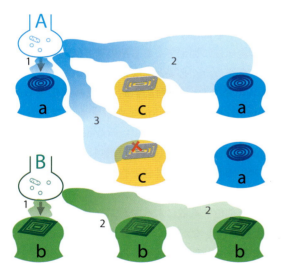

図1-6　容量神経伝達　神経伝達はシナプスがなくても生じることがある。このような神経伝達は，容量神経伝達あるいは非シナプス性拡散神経伝達と呼ばれる。ここでは，2種類の解剖学的にみたシナプス（神経細胞A，神経細胞B）が対応するシナプス後受容体（a, b）と連絡しているようすを示す（1）。しかし，神経伝達物質A，神経伝達物質B，神経伝達物質Cに対する受容体（a, b, c）も存在する。これらの受容体は解剖学的にみた神経系のシナプス結合から離れている。神経伝達物質AまたはBが，分解前にシナプスとは離れた部位へと拡散可能であれば，本来のシナプス部位とは離れたところにある他の受容体部位と相互作用することもできる（2）。神経伝達物質AまたはBが，それを認識できない別の受容体cに向かった場合は，たとえその場に拡散していても，受容体cと相互作用することはない（3）。したがって，ある神経細胞から別の神経細胞に送られた化学メッセンジャーは，拡散により自身のシナプスとは離れた部位にあふれ出すこともある。神経伝達は，神経伝達物質の拡散する範囲内に適合する受容体で生じる可能性がある。これは，通話可能な範囲で機能する携帯電話を使った現代の情報伝達に類似している。この概念は化学的にみた神経系と呼ばれ，ここでは神経伝達が化学的に「ふっと吹き出すもの」のように生じる。脳はこのようにして，配線の集合体というだけでなく，洗練された「化学的成分の溜まり場」でもある。

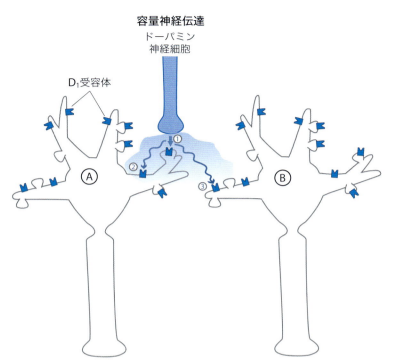

図1-7　**容量神経伝達：ドーパミン**　容量神経伝達の一例としては，前頭前皮質内におけるドーパミンの神経伝達がある。前頭前皮質内ではドーパミン再取り込みポンプが少ないため，ドーパミンが近傍のドーパミン受容体に拡散することができる。したがって，シナプス後神経細胞Ⓐを標的にしてシナプスから放出されたドーパミン(矢印①)は，ドーパミン再取り込みポンプが存在しなければ自由に拡散して，ドーパミンを放出したシナプスの外側にあって同じ神経細胞Ⓐ上に存在するドーパミン受容体，すなわち隣接する樹状突起上の受容体にも到達できる(矢印②)。ここに示すように，ドーパミンは近傍の神経細胞Ⓑ上にあるシナプス外のドーパミン受容体にも到達できる(矢印③)。

練された「化学的成分の溜まり場chemical soup」でもある。化学的にみた神経系は，いろいろな神経伝達物質の受容体に働く薬物の作用を伝えるうえで特に重要である。というのも，このような薬物はこのような受容体が解剖学的にみた神経系によってシナプスに神経支配されている部位だけに機能するわけではなく，関連する受容体が存在するならばどこでも働くからである。容量神経伝達を変化させることは，いくつかの向精神薬が脳内で働く主要な方法である可能性が実際にある。

容量神経伝達のわかりやすい一例は，前頭前皮質prefrontal cortex内におけるドーパミンの作用である。ここでは，神経伝達の際に前頭前皮質に放出されたドーパミンの作用を消失させるためのドーパミン再取り込みポンプ〔ドーパミントランスポーターdopamine transporter (DAT)〕が非常に少ない。このことは，ドーパミン再取り込みポンプが豊富に存在する線条体striatumなどの他の脳領域とは大きく異なっている。したがって，前頭前皮質内のシナプス部位でドーパミンの神経伝達が生じたときには，ドーパミンは自由にそのシナプス部位からあふれ出て，「あふれ出た」部位にシナプスが存在していないにもかかわらず，近傍のドーパミン受容体に拡散してそれらを刺激する(図1-7)

容量神経伝達のもう1つの重要な例は，モノアミン神経細胞上に存在する自己受容体autoreceptor部位でのことである(図1-8)。神経細胞の細胞体樹状突起の終末(図1-8の神経細胞の頂上部)では，神経細胞の軸索終末(図1-8の神経細胞の底部)から神経伝達物質が放出されるのを抑制するのは自己受容体である。反回性軸索の側副枝recurrent axon collateralとその他のモノアミン神経細胞のなかには，細胞体樹状突起受容体を直接的に神経支配するものも存在するかもしれないが，このような細胞体樹状突起自己受容体somatodendritic autoreceptorともいわれる受容体も樹状突起からの遊離された神経伝達物質を受け取ることがあるようである(図1-8の中央と右)。ここにはシナプスはなく，シナプス小胞もな

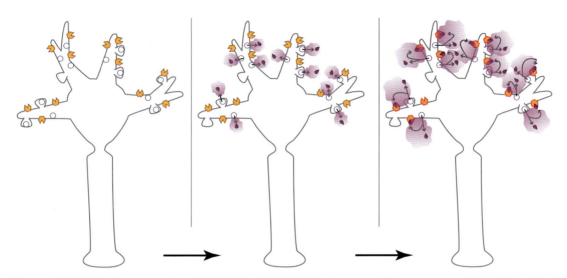

図 1-8　容量神経伝達：モノアミン自己受容体　容量神経伝達のもう1つの例は，モノアミン神経細胞上に存在する自己受容体が関与するものである。自己受容体は神経細胞の細胞体や樹状突起（左，神経細胞の頂上部）に存在し，通常は神経細胞の軸索終末（左，神経細胞の底部）から神経伝達物質が放出されるのを抑制し，それによってその神経細胞の上から下への神経インパルスの流れを抑制する。また，この神経細胞の樹状突起（中央，神経細胞の頂上部）から放出されたモノアミンは，これらの自己受容体（右，神経細胞の頂上部）と結合し，その神経細胞内での神経インパルスの流れ（右，神経細胞の頂上部）を抑制することになる。これらの神経細胞の細胞体樹状突起領域にシナプス伝達が生じないにもかかわらず，このような作用は容量神経伝達により生じる。

く，いまだ解明中の機序により神経細胞から「あふれ出た」神経伝達物質が，神経細胞自体のもつ受容体上に存在するだけである。細胞体樹状突起にある自己受容体によって神経細胞が制御されるという性質は非常に興味深い研究課題であり，第7章で説明することになる多くの抗うつ薬の作用機序に理論上関連している。ここで覚えておいてほしい重要な点は，すべての化学的神経伝達がシナプス部位で生じているわけではないということである。

興奮-分泌結合

1番目，すなわちシナプス前神経細胞での電気的インパルスは，**興奮-分泌結合**excitation-secretion couplingと呼ばれる過程によって，そのシナプス部位で化学的シグナルへと変換される。電気的シグナルはシナプス前軸索終末に侵入するとすぐに，軸索終末で蓄えられていた神経伝達物質を放出させる（図1-3，図1-4）。電気的インパルスは，神経細胞膜を介したイオン電荷を変化させることによってイオンチャネルion channelを開口させる。ここでは**電位感受性カルシウムチャネル**voltage-sensitive calcium channel（VSCC），**電位感受性ナトリウムチャネル**voltage-sensitive sodium channel（VSSC）の両方を開口させる。ナトリウムイオン（Na^+）が，軸索膜内にあるナトリウムチャネルを介してシナプス前神経細胞に流入すると，活動電位action potentialの電荷が軸索に沿って移動してシナプス前神経終末まで到達し，そこでカルシウムチャネルも開口させる。カルシウムイオン（Ca^{2+}）がシナプス前神経終末に流入すると，細胞膜内側にシナプス小胞を固定し，シナプス小胞に含まれる化学物質をシナプスに放出する。1番目の神経細胞のシナプス前軸索

終末では，あらかじめ神経伝達物質が産生・蓄積されており，化学的連絡chemical communicationが行いやすいようになっている。

興奮–分泌結合の過程とは，このようにして電気的刺激を化学的反応に変換することである。この過程は，ひとたび電気的インパルスがシナプス前神経細胞に流入すると即座に発生する。また神経細胞は，神経伝達物質に連結したイオンチャネルをシナプス後部位で開口させることによって，シナプス前部位から得られた化学的情報を変換して電気的情報に戻すこともできる。この過程も，神経伝達物質によりイオンチャネルが開口すると即座に発生し，神経細胞内へのイオン電荷の流れを変え，最終的にはシナプス後神経細胞内で活動電位へと変える。したがって，神経伝達の過程では，化学的シグナルから電気的シグナルへの変換，また電気的シグナルから化学的シグナルへの変換を絶え間なく行っている。

シグナル伝達カスケード
概要

神経伝達は，シナプス前軸索とシナプス後神経細胞間のシナプスを介する情報伝達というよりも，はるかに広範囲な過程の一部分とみなされる。つまり，神経伝達は，シナプス前神経細胞（図1-3の神経細胞Ⓐ）にあるゲノムからシナプス後神経細胞（図1-3の神経細胞Ⓑ）にあるゲノムに至る情報伝達，そして逆行性神経伝達（図1-5の右）を介してシナプス後神経細胞にあるゲノムからシナプス前神経細胞にあるゲノムに戻る情報伝達とみなすこともできる。このようなシナプス前神経細胞とシナプス後神経細胞両方の間で交わされる連鎖的な化学的情報の過程は，シグナル伝達カスケードsignal transduction cascadeと呼ばれている。

化学的神経伝達によって生じたシグナル伝達カスケードでは，このように非常に多くの分子が関与する。神経伝達物質である一次メッセンジャーにはじまり，二次，三次，四次へと，それ以降のメッセンジャーに伝わっていく（図1-9〜図1-30）。最初の反応は1秒以内に生じるが，長期間に及ぶ出来事は下流のメッセンジャーdownstream messengerによってもたらされる。これら下流のメッセンジャーの活性化には数時間から数日間を要するが，これはシナプスまたは神経細胞で何日にもわたって持続したり，あるいはその寿命まで続いたりすることさえある（図1-10）。シグナル伝達カスケードは，ある意味では分子の「早馬便pony express[*2]」に似ていて，順番に騎手の役目をしている特定の分子が，遺伝子を発現させたり，「休眠中sleeping」の分子や不活性な分子を活性化させたりするような機能を発揮する目的部位に情報が届くまで，つぎつぎに特定の分子にメッセージを手渡しで託していくようなものである（図1-9〜図1-19に例示した）。

このような「分子の早馬便」の概要，すなわち，一次メッセンジャーの神経伝達物質からはじまり，いくつかの「分子の騎手molecular rider」を介して多様な生物学的反応の創出に至るようすを図1-9に示した。具体的には，図1-9の左上にある一次メッセンジャーの神経伝達物質が化学的二次メッセンジャーの産生を活性化し，その結果として化学的二次メッセンジャーが，三次メッセンジャー，すなわちキナーゼkinaseと呼ばれる酵素を活性化する。この酵素は，タンパクにリン酸基を付加して四次メッセンジャーのリンタンパクphosphoproteinを産生する（図1-9の左上からの流れ）。また，別経路のシグナル伝達カスケードを図1-9の右に示した。このシグナル伝達カスケードでは，神経伝達物質である一次メッセンジャーがイオンチャネルを開口させてカルシウムイオン（Ca^{2+}）を神経細胞内に取り込み，これが二次メッセンジャーとして働く（図1-9の右）。そしてCa^{2+}は，さまざまな三次メッセンジャー（図中の右），つまりホスファターゼphosphataseと呼ばれる酵素を活性化してリンタンパク（四次メッセンジャー）からリン酸基を取り除くことにより，三次メッセンジャーの作用を逆転させる（図1-9

[*2]訳注："pony express"とは，米国中西部で行われたことがある早馬による速達郵便制度。経路沿いに設置された厩舎駅で騎手が馬を乗り換えて郵便物や品物を運んだ。

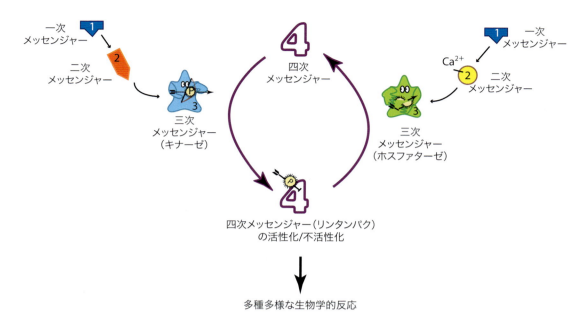

図1-9 シグナル伝達カスケード シナプス後受容体の刺激後に発現する一連の出来事はシグナル伝達カスケードとして知られている。シグナル伝達カスケードでは，キナーゼとして知られている三次メッセンジャーである酵素が活性化される。この酵素はタンパクにリン酸基を付加してリンタンパクを産生する（左上からの流れ）。別経路のシグナル伝達カスケードでは，ホスファターゼとして知られている三次メッセンジャーである酵素が活性化される。この酵素はリンタンパクを脱リン酸化する（右上からの流れ）。キナーゼとホスファターゼの間の活性バランスは，それぞれの酵素を活性化する2種類の神経伝達物質のバランスによって定められ，遺伝子発現やシナプス形成などといった多様な生物学的反応に転換される下流の化学的活性化の程度を決めている。

の右）。キナーゼとホスファターゼの間の活性バランスは，それぞれの酵素を活性化する2種類の神経伝達物質のバランスによって定められ，活性型四次メッセンジャーに転換される下流の化学的活性度chemical activityの程度を決めている。この活性型四次メッセンジャーは，遺伝子発現gene expressionやシナプス形成synaptogenesisといった多様な生物学的反応を起こすことができる（図1-9）。電気的・化学的情報を変換するシグナル伝達カスケード内におけるそれぞれの分子領域は，精神疾患に関連した機能不全を起こす可能性のある部位である。また，この分子領域は，向精神薬にとって標的となりうる部位でもある。したがって，多種多様なシグナル伝達カスケードを構成する要素は，精神薬理学で重要な役割を演じていることになる。

脳内における最も重要なシグナル伝達カスケードのうちの4種類を図1-11に示す。これらの4種類には，Gタンパク結合型伝達系G protein-linked system，イオンチャネル結合型伝達系ion channel-linked system，ホルモン結合型伝達系hormone-linked system，神経栄養因子結合型伝達系neurotrophin-linked systemがある。これら4種類の重要なシグナル伝達カスケードに対して，それぞれで数多くの化学メッセンジャーがあるが，Gタンパク結合型伝達系とイオンチャネル結合型伝達系は神経伝達物質によって発動される（図1-11）。今日の臨床場面で使用される向精神薬の多くは，この2種類のシグナル伝達カスケードのどちらかを標的としている。Gタンパク結合型伝達系を標的とした薬物については第2章で，イオンチャネル結合型伝達系を標的とした薬物については第3章でそれぞれ述べている。

二次メッセンジャーの形成

4種類の各シグナル伝達カスケード（図1-11）

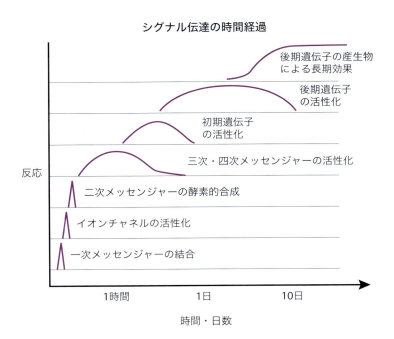

図1-10 シグナル伝達の時間経過 シグナル伝達の時間経過を示す。シグナル伝達の過程は，一次メッセンジャーとの結合（最下段）にはじまり，イオンチャネルの活性化，あるいは二次メッセンジャーの酵素的合成に至る。この過程はその後，三次メッセンジャーおよび四次メッセンジャー（多くはリンタンパク）を活性化することができる。これにより遺伝子が活性化された場合は，新規タンパクが産生され，このタンパクは神経機能を変化させることがある。ひとたび活性化がはじまって，タンパクの活性化あるいは新規タンパクの産生に起因して神経機能が変化すると，その状態は少なくとも何日にもわたって持続し，さらに長期間に及ぶ可能性もある。したがって，化学的神経伝達が誘発したシグナル伝達カスケードの最終的な効果は，その発現が遅れるだけでなく，発現後は長期間続くことにもなる。

は，細胞外の一次メッセンジャーから細胞内の二次メッセンジャーへとその情報を送っている。Gタンパク結合型伝達系の場合，二次メッセンジャーは化学物質である。一方，イオンチャネル結合型伝達系の場合，二次メッセンジャーはCa^{2+}などのイオンであることがある（図1-11）。ホルモン結合型伝達系のなかには，ホルモンが細胞質内にある自身の受容体をみつけだし，この受容体と結合してホルモン-核内受容体複合体hormone-nuclear receptor complexを形成したときに，二次メッセンジャーが産生されることもある（図1-11）。神経栄養因子結合型伝達系に対しては，さまざまな二次メッセンジャーの複雑な組み合わせが存在する（図1-11）。これには，多数の略語でつづられた煩雑な名前のキナーゼ酵素であるタンパクなどがある。

シナプス前神経細胞から放出されて細胞外にある一次メッセンジャーが，シナプス後神経細胞に入って細胞内二次メッセンジャーへと伝わっていくことは，いくつかの二次メッセンジャー系において詳細に知られている。例えば，Gタンパクと結合した二次メッセンジャー系などがある（図1-12〜図1-15）。このような二次メッセンジャー系には，以下に示す4種類の重要な構成要素がある。

- 一次メッセンジャーである神経伝達物質
- 神経伝達物質に対する受容体で，すべて7回膜貫通領域の構造をもっている受容体スーパーファミリーreceptor superfamilyに属するもの（図1-12〜図1-15の「7」と表記されたもの）
- 神経伝達物質受容体（図中の「7」）の特定の構造と二次メッセンジャーを合成できる酵素系（図中の「E」）の両方に対して結合能をもっているGタンパク
- 二次メッセンジャーに対する酵素系そのもの（図1-12〜図1-15）

第1段階では，神経伝達物質が対応する受容体に結合する（図1-13）。これにより受容体の構造が変化してGタンパクに結合できる段階となる。

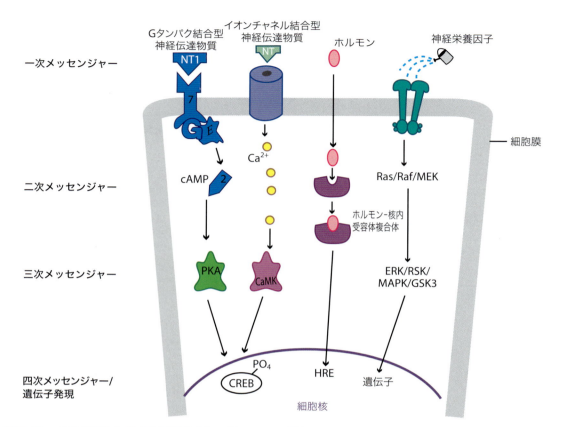

図 1-11　さまざまなシグナル伝達カスケード　ここに，脳内における最も重要なシグナル伝達カスケードの 4 種類を示す。これらには，G タンパク結合型伝達系，イオンチャネル結合型伝達系，ホルモン結合型伝達系，神経栄養因子結合型伝達系がある。それぞれのシグナル伝達カスケードは，それぞれ固有の受容体と結合する別々の一次メッセンジャーからはじまっていくだけでなく，それ以降もまったく異なる下流の二次・三次メッセンジャー，そして，それにつづいて産生される化学メッセンジャーの活性化をもたらす。神経細胞では多岐にわたるシグナル伝達カスケードが働くことで，神経細胞は多くの化学的伝達系に対して，驚異的に多様性のある生物学的方法で対応できるようになっている。神経伝達物質（NT）は G タンパク結合型伝達系とイオンチャネル結合型伝達系の両方を活性化させ（左），これら 2 種類の系の両方とも細胞核内にあるタンパクをリン酸化することで細胞核内の遺伝子を活性化する。このタンパクは，cAMP 応答配列結合タンパク（CREB）と呼ばれる。G タンパク結合型伝達系では，cAMP とプロテインキナーゼ A（PKA）の関与したカスケードを介して機能する。一方，イオンチャネル結合型伝達系は，カルシウムイオン（Ca^{2+}）を伴って，Ca^{2+}/カルモジュリン依存性（プロテイン）キナーゼ（Ca^{2+}/CaMK）と呼ばれる別のキナーゼの活性化を介して機能する。また，エストロゲンや各種ステロイドのようなある種のホルモンは，神経細胞内に入って細胞質内にある自己の受容体をみつけだし，この受容体と結合してホルモン-核内受容体複合体を形成するものもある。この複合体は，その後に細胞核内へ入り，細胞核内にあるホルモン応答配列（HRE）と相互作用して特定の遺伝子の活性化を誘導する。最後に，神経栄養因子結合型伝達系（一番右）では，煩雑な多数の略語でつづられた一連のキナーゼ酵素を活性化させ，遺伝子発現の引き金となる。この発現した遺伝子によりシナプス形成や神経細胞の生存といった機能を調節することができる。Ras は G タンパク，Raf はキナーゼであり，このカスケード中にある他の構成要素もタンパクである。
（下記略語は図中の矢印順に表記）
MEK：分裂促進因子活性化プロテインキナーゼ/細胞外シグナル調節キナーゼ，ERK：細胞外シグナル調節キナーゼそのもの，RSK：リボソーム S6 キナーゼ，MAPK：MAP キナーゼそのもの，GSK3：グリコーゲンシンターゼキナーゼ 3

シグナル伝達カスケード　15

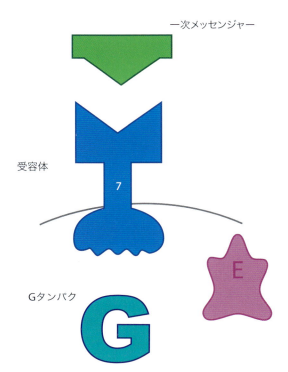

図1-12　**Gタンパク結合型伝達系の構成要素**　Gタンパク結合型二次メッセンジャー系における4種類の構成要素を示す。1番目の構成要素は神経伝達物質そのもので，ときには一次メッセンジャーを指していることもある。2番目の構成要素はGタンパク結合型神経伝達物質受容体で，7回膜貫通領域をもつタンパクである。3番目の構成要素はGタンパクで，(受容体と酵素)を結びつけるタンパクである。二次メッセンジャー系の4番目の構成要素は酵素(図中のE)で，活性化されると二次メッセンジャーを合成できる。

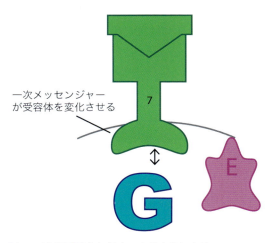

図1-13　**一次メッセンジャー**　この図では神経伝達物質が受容体にはめこまれている。一次メッセンジャーは，受容体がGタンパクと結合できるように，受容体構造の形状を変えるという役目を果たす。ここでは，受容体が神経伝達物質と同じ緑色に変わり，Gタンパクに結合できるように神経伝達物質受容体の底部の形状が変化することで示した。

このようすは，図1-13中で受容体(図中の「7」)が緑色に変わり，底部の形状が変化することで示した。つぎの段階では，神経伝達物質-受容体複合体というこの新しい構造体にGタンパクが結合する(図1-14)。これら2つの受容体，すなわち，神経伝達物質受容体そのものと，細胞膜の内側で連結した別型の受容体ともいうべきGタンパクは，お互いに協力しあっている。この共同作業は，図1-14中でGタンパクが緑色に変わり，右側部の形状が変化して二次メッセンジャーを合成する酵素(図中の「E」)と結合可能な段階になっていることで示した。最終段階では，酵素，この場合でいうとアデニル酸シクラーゼadenylate cyclaseがGタンパクに結合し，二次メッセンジャーとして機能する環状アデノシン一リン酸cyclic adenosine monophosphate(cAMP)を産生する(図1-15)。この過程は，図1-15中で酵素が緑色に変わり，cAMP(図中の「2」と表記されたもの)を合成していることで示した。

二次メッセンジャー以降からリンタンパクメッセンジャーに至る系

近年，二次メッセンジャーと，細胞機能に二次メッセンジャーがもたらす最終的効果を結び付ける複雑な分子の連結の解明に取り組もうとする研究がはじまっている。これらの連結のなかでも，特にシグナル伝達カスケードにおける，三次メッセンジャー，四次メッセンジャー，それ以降の化学メッセンジャーについて，図1-9，図1-11，図1-16〜図1-30に示した。図1-11に示した4種類の各シグナル伝達カスケードは，それぞれ固有の受容体と結合する別々の一次メッセンジャーからはじまっていくだけでなく，それ以降もまったく異なる下流の二次・三次メッセンジャー，そして

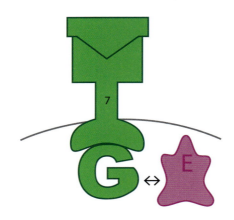

ひとたびGタンパクが受容体に結合すると，Gタンパクは形状を変える．その結果，Gタンパクは二次メッセンジャーを合成可能な酵素と結合できるようになる

図1-14　Gタンパク　二次メッセンジャーを合成するつぎの段階は，構造変化した神経伝達物質受容体がGタンパクに結合することである。ここでは，Gタンパクが神経伝達物質-受容体複合体と同じ緑色に変わることで示した。二元要素の神経伝達物質-受容体複合体にGタンパクが結合すると，今度はGタンパクの構造変化を引き起こす。ここでは，Gタンパクの右側部の形状が変化することで示した。これによって，二次メッセンジャーを合成できる酵素に対してGタンパクが結合できるようになる。

ひとたびGタンパクと酵素が結合すると，二次メッセンジャーが放出される

図1-15　二次メッセンジャー　二次メッセンジャー合成の最終段階は，三元要素の神経伝達物質-受容体-Gタンパク複合体に，メッセンジャー合成酵素が結合することである。ここでは，酵素が三元要素の複合体と同じ緑色に変わることで示した。ひとたび酵素がこの三元要素複合体に結合すると，活性化されて二次メッセンジャーを合成できるようになる。すなわち，二次メッセンジャーが合成されていくのは，四元複合体として一緒になった四元要素すべての共同作業による。このようにして，一次メッセンジャーからの情報は，中間産生物である受容体，Gタンパク，酵素を介して二次メッセンジャーへと伝わっていく。

それに続いて産生される化学メッセンジャーの活性化をもたらす。多岐にわたるシグナル伝達カスケードを神経細胞がもっているために，多数の化学的な情報伝達系を反映した驚くほど多様性のある生物学的方法で，神経細胞は反応できるようになっている。

シグナル伝達の最終的な標的物質はどのようなものであろうか？　これにはおもに2種類の標的物質がある。リンタンパクと遺伝子である。例えば，遺伝子に向かう経路に沿って進む過程で中間産生される標的物質の多くはリンタンパクで，例えば四次メッセンジャーであるリンタンパクは，図1-18，図1-19に示したように，シグナル伝達によって活性化されてすばやく働きだせるようになるまで，神経細胞内で休止中dormantのままである。

シグナル伝達の標的物質としての四次メッセンジャーであるリンタンパクの作用は図1-9に示したが，さらに詳細な内容を図1-16～図1-19でみることができる。ここでは，あるシグナル伝達系は二次メッセンジャーであるcAMPを介して三次メッセンジャーであるキナーゼを活性化できる

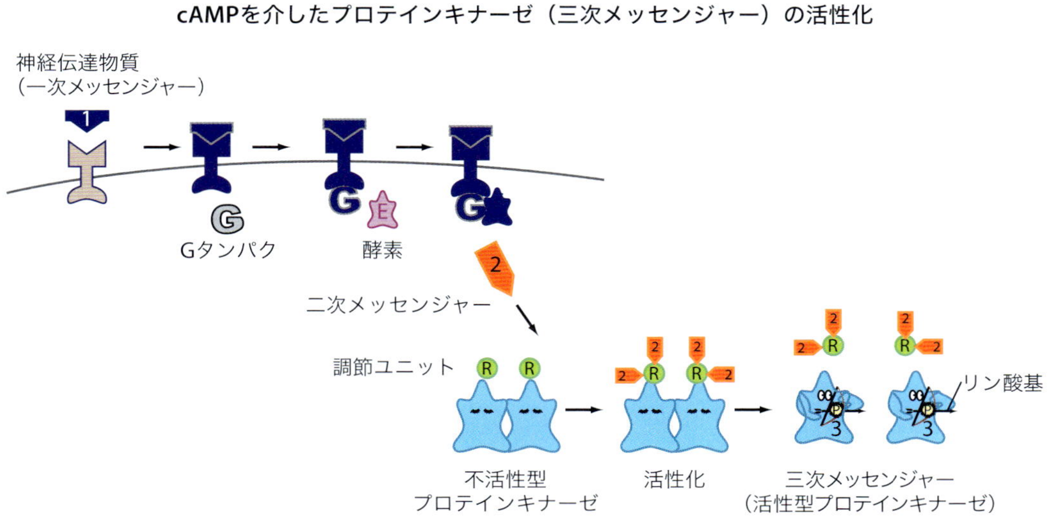

cAMPを介したプロテインキナーゼ（三次メッセンジャー）の活性化

図1-16　プロテインキナーゼ（三次メッセンジャー）　二次メッセンジャーであるcAMPを介して，三次メッセンジャーであるプロテインキナーゼが活性化されるようすを示す。図1-12～図1-15ですでに示したとおり，神経伝達物質は二次メッセンジャー（cAMP）の産生によって，遺伝子活性化の過程を開始する。二次メッセンジャーのなかには，プロテインキナーゼといわれる細胞内酵素を活性化するものがある。この酵素が同じ酵素と対をなして2つの調節ユニット（R）をもっていると，この酵素は不活性の状態である。このとき，二次メッセンジャーの2つの酵素が調節ユニットに相互作用し，二量体プロテインキナーゼからそれらは解離される。この解離により，一量体となったプロテインキナーゼがそれぞれ活性化され，その他のタンパクをリン酸化させる準備が整った状態となる。

が（図1-16），別のシグナル伝達系は二次メッセンジャーであるCa^{2+}を介して三次メッセンジャーであるホスファターゼを活性化できる（図1-17）。キナーゼが活性化される場合，2つの二次メッセンジャーが，それぞれが休止中あるいは「休眠中」の状態にあるプロテインキナーゼの各調節ユニットを標的とする（図1-16）。ある種のプロテインキナーゼが不活性の状態にあるときというのは，これらが調節ユニットに結合しながら二量体dimer（同じ酵素が2つ結合したもの）中に存在しており，したがって活性型ではない構造のままでいるということである。この例では，同じ2つのcAMPがそれぞれの各調節ユニットに結合すると，調節ユニットが酵素から解離し，二量体が崩れて2つの酵素に戻る。するとプロテインキナーゼが活性化され（図1-16の右下の弓矢を引いた状態），無防備な四次メッセンジャーであるリンタンパクに向けてリン酸基を射る（図1-16）。

しかし一方で，プロテインキナーゼに対抗するものも産生され，これはプロテインホスファターゼと呼ばれる（図1-17）。ここでは，さらに別の一次メッセンジャーによってイオンチャネルが開口していくと，二次メッセンジャーであるCa^{2+}の流入が促進され，それによりホスファターゼ酵素であるカルシニューリンcalcineurinが活性化される。Ca^{2+}の存在下ではカルシニューリンが活性化され，四次メッセンジャーであるリンタンパクからリン酸基をハサミのような手で切り取ろうとする（図1-17）。

図1-18と図1-19で何が起きているのかを比較することで，キナーゼとホスファターゼの間で相反した出来事が起きていることがわかる。図1-18では，三次メッセンジャーであるキナーゼが，さまざまな四次メッセンジャーであるリンタンパクにリン酸基を与える。このリンタンパクには，例えば，リガンド依存性イオンチャネルligand-gated ion channel，電位感受性イオンチャネルvoltage-sensitive ion channel，調節酵素regulatory enzymeなどがある。図1-19では，三次メッセンジャーであるホスファターゼが，これらの系

カルシウムイオン（Ca²⁺）を介したホスファターゼ（三次メッセンジャー）の活性化

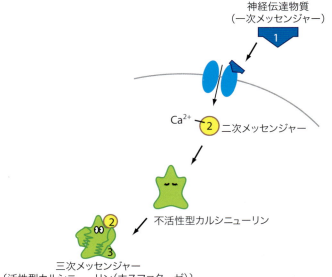

図1-17　ホスファターゼ（三次メッセンジャー）　二次メッセンジャーであるカルシウムイオン（Ca²⁺）を介して，三次メッセンジャーであるホスファターゼが活性化されるようすを示した。ここで示したのは，カルシニューリンと呼ばれる不活性型ホスファターゼにCa²⁺が結合するようすである。それによってカルシニューリンが活性化され，この活性型カルシニューリンが四次メッセンジャーであるリンタンパクからリン酸基を取り除く。

からリン酸基を取り除いている。ときにはリン酸化は休止中のリンタンパクを活性化することもある。また他のリンタンパクに対しては，脱リン酸化は活性化作用をもつこともある。四次メッセンジャーであるリンタンパクを活性化することで，神経伝達物質の合成と放出を変化させ，イオンのコンダクタンスを変化させることができ，通常は化学的神経伝達の装置を活性化の準備段階あるいは休止段階のいずれかに維持することができる。四次メッセンジャーであるキナーゼとホスファターゼのリン酸化と脱リン酸化のバランスが，化学的神経伝達の過程で必要不可欠な多数の分子を調節するきわめて重大な役割を担っているのである。

二次メッセンジャー以降から遺伝子発現を引き起こすリンタンパクカスケードに至る系

神経伝達がしばしば修飾しようとする最終的な細胞機能は遺伝子発現であり，これは遺伝子の稼働状態（遺伝子機能のスイッチオン）と未稼働状態（遺伝子機能のスイッチオフ）のどちらかである。図1-11に示した4種類のシグナル伝達カスケードは，遺伝子転写 gene transcription に影響を及ぼす分子産生物で終結している。神経伝達物質により生じる2種類のシグナル伝達カスケード*³は，調節ユニットのリン酸化に反応するCREB系に作用することが示されている（図1-11の左）。CREBとは，cAMP応答配列結合タンパク（cAMP反応性要素結合タンパク）cAMP response element-binding protein であり，遺伝子発現を活性化できる細胞核内の転写因子 transcription factor であり，特に最早期遺伝子（前初期遺伝子）immediate (early) gene として知られている遺伝子群である。Gタンパク結合型受容体によりプロテインキナーゼA（PKA）が活性化されると，この活性型PKAは細胞核内に移行または移動してCREB上にリン酸基を付加できるようにする。こうして転写因子を活性化し，近傍の遺伝子を活性化する。これによって遺伝子発現がもたらされ，最初にRNAが発現し，つづいて発現した遺伝子によってコードされたタンパクが発現する。

興味深いことに，イオンチャネル結合型受容体

---

*³訳注：Gタンパク結合型伝達系とイオンチャネル結合型伝達系のこと。

プロテインキナーゼ（三次メッセンジャー）は重要なタンパクにリン酸基を付加する

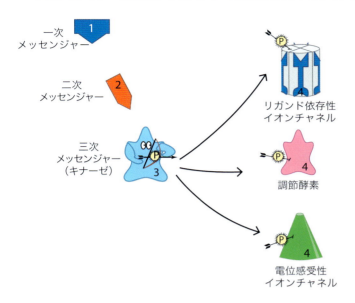

図1-18　重要なタンパクにリン酸基を付加するキナーゼ（三次メッセンジャー）　ここには，三次メッセンジャーである活性型のキナーゼが，リガンド依存性イオンチャネル，電位感受性イオンチャネル，さまざまな調節酵素などの系における多様なリンタンパクにリン酸基を付加するようすを示す。リン酸基を付加することがリンタンパクを活性化することもあれば，また他のリンタンパクを不活性化することもある。

もまた細胞内の二次メッセンジャーであるCa^{2+}の濃度を高め，CREBをリン酸化して活性化できる。カルモジュリンcalmodulinとして知られているタンパクは，Ca^{2+}と相互作用し，Ca^{2+}/カルモジュリン依存性（プロテイン）キナーゼcalcium/calmodulin-dependent(protein)kinase（Ca^{2+}/CaMK）と呼ばれるある種のキナーゼを活性化できる（図1-11）。このキナーゼは，図1-9，図1-17，図1-19に示したようなホスファターゼとはまったく異なった酵素である。ここではキナーゼは活性化されるが，ホスファターゼは活性化されない。このキナーゼが活性化されると細胞核内に移行できるようになり，Gタンパク結合型伝達系により活性化されるキナーゼと同様に，CREBにリン酸基を付加し，この転写因子を活性化し，その結果遺伝子発現が引き起こされる。

　ここで留意してもらいたい重要なことは，Ca^{2+}は，このようにキナーゼとホスファターゼの両方を活性化できるという点である。キナーゼとホスファターゼには非常に多くの種類があり，ときに混同しやすく，Ca^{2+}が作用した最終結果は，どの基質が活性化されたのかということによっている。この理由は，キナーゼとホスファターゼの種類が異なれば，標的とする基質も大きく異なるからである。したがって，いろいろなシグナル伝達カスケードの正味の影響を理解するためには，ここで述べている特定のシグナル伝達カスケード，そしてシグナル伝達系でメッセンジャーとして機能する特定のリンタンパクを把握しておくことが重要である。図1-11で図解した例では，Gタンパク結合型伝達系とイオン結合型伝達系は協働してより多くの活性化キナーゼを産生し，このためCREBの活性度もさらに高くなっている。しかし，図1-9，図1-16～図1-19では，これらのシグナル伝達カスケードが相反するように働いている。

　遺伝子は図1-11に示したホルモンシグナル伝達カスケードの最終的な標的でもある。いくつかのホルモン，例えば，エストロゲンestrogen，甲状腺ホルモンthyroid hormone，コルチゾールcortisolなどは，細胞質受容体cytoplasmic receptorに作用して結合し，ホルモン-核内受容体複合体を形成する。この複合体は，細胞核に移行し，遺伝子内の構成要素に影響を与えうる配列〔ホルモン応答配列hormone response element（HRE）と呼ばれる〕をみつけると，近傍の遺伝子の活性

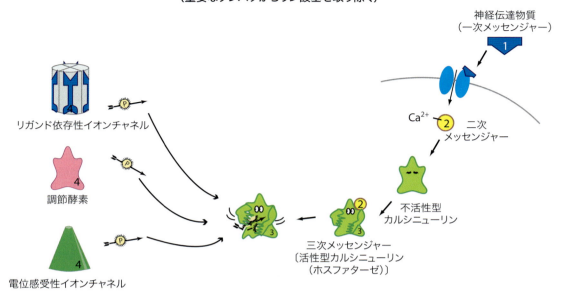

図1-19　重要なタンパクからリン酸基を取り除くホスファターゼ（三次メッセンジャー）　図1-18とは対照的に，ここでは三次メッセンジャーはホスファターゼである．この酵素はリガンド依存性イオンチャネル，電位感受性イオンチャネル，さまざまな調節酵素などの系におけるリンタンパクからリン酸基を取り除く．リン酸基を取り除くことがリンタンパクを活性化することもあれば，また他のリンタンパクを不活性化することもある．

化を誘発する転写因子として機能する（図1-11）．

最後に，非常に煩雑な呼び名をもった下流のシグナルカスケード系メッセンジャーがかかわる複雑きわまりないシグナル伝達系が存在し，このような伝達系は神経栄養因子とその関連分子によって活性化される．一次メッセンジャーである神経栄養因子によってこの伝達系が活性化されると，ほとんどがキナーゼである酵素が活性化され，最終的にキナーゼのなかの1つが細胞核内の転写因子をリン酸化して遺伝子転写をはじめるまで，1つのキナーゼは他のキナーゼを活性化していく（図1-11）．RasはGタンパクの1つであるが，シグナル伝達カスケード内で紛らわしい名前がついたキナーゼを活性化する．すなわち，専門的なことに興味のある熱心な読者向けに説明すると，このシグナル伝達カスケードでは，まずRasがRafを活性化することからはじまる．RafはMEK（MAPKキナーゼ/ERKキナーゼ，あるいは分裂促進因子活性化プロテインキナーゼ/細胞外シグナル調節キナーゼ mitogen-activated protein kinase kinase/extracellular signal regulated kinase kinase）をリン酸化して活性化する．さらに，MEKは，ERKキナーゼ（細胞外シグナル調節キナーゼそのもの），RSK（リボソームS6キナーゼ），MAPK（MAPキナーゼそのもの），GSK3（グリコーゲンシンターゼキナーゼ3）を活性化し，最終的には遺伝子発現を変化させる．混乱しただろうか？　これらの名前を記憶することは重要ではないが，要点は，神経栄養因子が重要なシグナル伝達系の引き金となってキナーゼ酵素を活性化し，活性化されたキナーゼ酵素がそのつぎの段階のキナーゼ酵素を活性化して，最終的に遺伝子発現を変化させるということである．このことは覚えておく価値がある．なぜなら，このシグナル伝達系が，神経細胞の多くの必要不可欠な機能を調節する遺伝子の発現に関係していることがあるからである．そのような機能には，例えば，シナプス形成や神経細胞の生存だけでなく，さまざまな

脳回路で行われる学習，記憶，さらには疾患の発現などに必要な可塑性変化などがある。薬物も環境も遺伝子発現を標的としているが，そのような作用が精神疾患の原因や，精神疾患に対する有効な治療法の作用機序にどのように寄与しているのかなど，まだ解明されはじめたばかりである。

ところで，理解すべき最も重要なことは，非常に多様な遺伝子が4種類すべてのシグナル伝達系によって標的となっている点である。これらのシグナル伝達系の標的は，神経伝達物質の合成酵素を産生する遺伝子にはじまって，成長因子growth factor，細胞骨格タンパクcytoskelton protein，細胞接着タンパクcellular adhesion protein，イオンチャネル，受容体，細胞内シグナルタンパクそのものなど多岐に及ぶ。図1-11に示したシグナル伝達カスケードのいずれかにより遺伝子が発現すると，それにより量的には多いことも少ないこともあるが，前述したどのようなタンパクであっても複製することができる。このようなタンパクの合成は，多種多様な機能を発揮する神経細胞にとっては明らかに必要不可欠なことである。個体での行動に変化を及ぼすような神経細胞では，きわめて多様な生物学的反応が生じているが，これは4種類の主要なシグナル伝達カスケードによって引き金を引かれた遺伝子発現によっている。このような神経細胞の機能には，シナプス形成，シナプスの強化，神経発生neurogenesis，アポトーシスapoptosis，大脳皮質回路内で行われる情報処理の効率の向上または低下にはじまり，学習などの行動反応，記憶，抗うつ薬投与に対する抗うつ反応，精神療法による症状軽減などが含まれ，そしておそらくは精神疾患の発現も含まれるであろう。

神経伝達により遺伝子発現が引き起こされる過程

遺伝子がどのようにしてコードされたタンパクを発現させるのであろうか？ これまで述べてきたが，シグナル伝達系での「分子の早馬便」は，神経伝達物質-受容体複合体から得られた化学的情報でコードされているメッセージを運び，この化学的情報は，「分子の騎手」によってつぎからつぎへと手渡しされ，これがシナプス前神経細胞のゲノム内に存在する適切なリンタンパクの郵便受け（図1-9，図1-16～図1-19），あるいはDNAの郵便受け（図1-11，図1-20～図1-30）に配達されるまでつづけられるのである。神経細胞自体の機能を変える最も有効な方法は，遺伝子の稼働状態・未稼働状態を変化させること（スイッチのオン・オフの切り替え）であるため，神経伝達によって遺伝子発現が調節される過程の分子機序を理解することは重要である。

神経伝達を標的にできるような遺伝子はどれくらい存在するのであろうか？ ヒトゲノムは，23本の染色体上にある**300万のDNA塩基対**のなかに，**約20,000個の遺伝子**を含んでいると想定されている。しかし，驚くべきことに遺伝子はDNA領域のわずか数パーセント程度を占めるだけである。残りの96％のDNA領域については，タンパクをコードする機能をもたないため，かつては「junk DNA（不要なDNA）」と呼ばれていた。しかし今日では，これらのDNA領域は構造のため，また遺伝子が発現されるか，されないか，あるいは休止しているかを調節するため，非常に重要であることも知られている。ヒトがもつ遺伝子の数量ではなく，遺伝子発現の有無，時期，頻度，環境をみることが，神経機能を調節する重要な要因であると考えられる。今日では，遺伝子発現に対する同じ要因が，精神薬理学的な薬物の作用機序と中枢神経系における精神疾患の機序の根底にあるとも考えられている。

遺伝子発現の分子機序

化学的神経伝達は神経伝達物質による受容体の占拠を転換して，遺伝子を稼働状態（スイッチオン）にする転写因子を最終的に活性化する三次，四次，それ以降のメッセンジャーを産生する（図1-20～図1-30）。大部分の遺伝子は2つの領域から構成され，1つは**コード化領域**coding region，もう1つは遺伝子転写（つまり，DNAがRNAに転写される）を受けもつエンハンサーenhancerとプロモーターpromoterからなる**調節領域**regulatory regionである（図1-20）。DNAのコード化領域は，それに対応するRNAに転写するときの直接の鋳型templateであり，**RNAポリメラーゼ** RNA polymeraseと呼ばれる酵素の助けを借りて，DNAはRNAに「転写」される。しかし，このためにはRNAポリメラーゼが活性化されていなければならず，そうでないと機能しない。

幸いにも，遺伝子の調節領域はこのような活性化を導くことができる。調節領域は**エンハンサー因子** enhancer elementと**プロモーター因子** promoter elementをもち（図1-20），転写因子の助けを借りて遺伝子発現を開始させることができる（図1-21）。転写因子自体もリン酸化を受けると活性化され，遺伝子の調節領域に結合できるようになる（図1-21）。この結合によりRNAポリメラーゼが活性化され，それにつづいて遺伝子自体のコード化領域が自己をメッセンジャーRNA（mRNA）へと**転写**されていく（図1-22）。ひとたび転写されると，いうまでもなく，このmRNAが自己を**翻訳**しつづけ，それに対応したタンパクを合成する（図1-22）。しかし，タンパクにまったく翻訳されず，その代わりにつぎに述べるように調節的な機能を発揮する多くのRNAがある。

最早期遺伝子（前初期遺伝子）として知られている遺伝子群がある（図1-23）。最早期遺伝子には***cJun***遺伝子や***cFos***遺伝子などといった奇妙な名前がついていて（図1-24，図1-25），「ロイシンジッパーleucine zipper」と呼ばれるファミリーに属する（図1-25）。これらの最早期遺伝子は，ちょうど戦場で本隊の前に特殊作戦部隊が速やかに送られるように，神経伝達物質の入力に対して即座に反応する働きをしている。このような最早期遺伝子の緊急展開部隊は，最早期遺伝子がコードするタンパクを産生することによって，神経伝達のシグナルに最初に反応するものである。この例として，***cJun***遺伝子，***cFos***遺伝子から産生されたJunタンパク，Fosタンパクがある（図1-24）。これらは核タンパクnuclear proteinである。つまり細胞核内にこれらは存在して働くのである。神経伝達を受けてから15分以内に働きはじめるが，30分〜1時間しか持続しない（図1-10）。

JunタンパクとFosタンパクが共同してチームを作ると，それはロイシンジッパー型の転写因子を形成し（図1-25），その結果として多くの種類の後期遺伝子を活性化する（図1-26，図1-27，図1-29）。このように，JunタンパクとFosタンパクは，不活性型遺伝子のさらに大きな部隊を目覚めさせるように機能する。活動的な遺伝子としての任務につくために，個々の兵士に相当する「後期」遺伝子のどれを徴兵するかは，多数の因子に依っている。とりわけ重要なのは，情報を送っているのはどの神経伝達物質なのか，どれくらいの頻度で神経伝達物質が情報を送っているのか，そしてその神経伝達物質が同一神経細胞の他の部位に同時伝達している別の神経伝達物質と協調または対立のどちらの立場をとって働いているのか，などである。JunタンパクとFosタンパクが一緒になってロイシンジッパー型の転写因子を形成すると，この転写因子により，酵素にはじまって受容体や構造タンパクに至るまで，考えうるどのようなものでも，その物質を産生するための遺伝子を活性化できるようになる（図1-27）。

まとめると，これで一次メッセンジャーによる神経伝達から遺伝子転写に至るまでの過程をたどっていくことができるであろう（図1-9，図1-11，図1-28，図1-29）。一次メッセンジャーである神経伝達物質から二次メッセンジャーであるcAMPが合成されると，すぐにcAMPはプロテインキナーゼである三次メッセンジャーと相互作用できるようになる（図1-28）。cAMPが不活性状態あるいは休眠状態にあるこの酵素と結合すると，この酵素を目覚めさせ，それによってプロテインキナーゼを活性化する。ひとたびプロテインキナーゼが目覚めると，三次メッセンジャーであるプロテインキナーゼの仕事は，それをリン酸化することによって転写因子を活性化することである（図1-28）。この過程は，活性型プロテインキナーゼが細胞核にまっすぐに向かっていき，休眠状態の転写因子をみつけだすことからはじまる。転写因子上にリン酸基を付加することにより，プロテインキナーゼは転写因子を「目覚めさせて」四次メッセンジャーを産生できるようになる（図1-

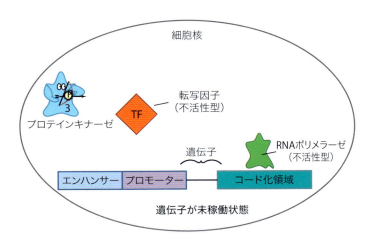

図1-20　遺伝子の活性化（第1段階）：遺伝子が未稼働状態（スイッチオフ）　ここに示した遺伝子を活性化する構成要素としては，酵素であるプロテインキナーゼ，遺伝子の活性化能をもつ一種のタンパクである転写因子（TF），遺伝子の転写時にDNAからRNAを合成する酵素であるRNAポリメラーゼ，エンハンサーやプロモーターなどのDNA調節領域，そして遺伝子本体などがある．転写因子がまだ活性化されていないために，図中の遺伝子は未稼働状態になっている．この遺伝子に対するDNAは，調節領域とコード化領域の両方を含んでいる．調節領域はエンハンサーとプロモーターの2つの要素をもち，これらの要素は活性型転写因子と相互作用すると遺伝子発現を開始する．コード化領域は，遺伝子が活性化されると，コード化に対応するRNAに直接転写される．

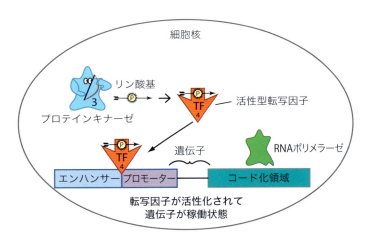

図1-21　遺伝子の活性化（第2段階）：遺伝子が稼働状態（スイッチオン）　転写因子（TF）がプロテインキナーゼによってリン酸化されたので，この時点では転写因子が活性化される．そのため，この活性型転写因子は遺伝子の調節領域に結合できる．

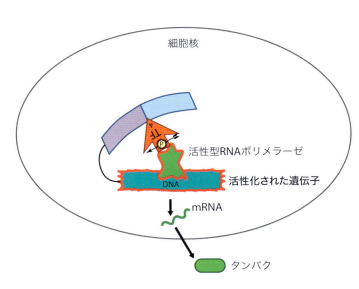

図1-22　遺伝子の活性化（第3段階）：遺伝子産生物　活性型転写因子が遺伝子の調節領域に結合しているので，この時点では遺伝子本体も活性化され，その結果として酵素のRNAポリメラーゼが活性化される．これにより，遺伝子がメッセンジャーRNA（mRNA）に転写され，そのつぎに対応するタンパクに翻訳される．翻訳されたタンパクはこの特定の遺伝子の活性化による産生物である．

最早期遺伝子に対する転写因子を活性化する三次メッセンジャー

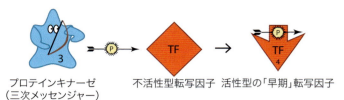

図1-23　最早期遺伝子（前初期遺伝子）
最早期遺伝子として知られている遺伝子群がある。三次メッセンジャーであるプロテインキナーゼが転写因子（TF），すなわち四次メッセンジャーを活性化しており，その結果として最早期遺伝子を活性化できるようになることを示している。

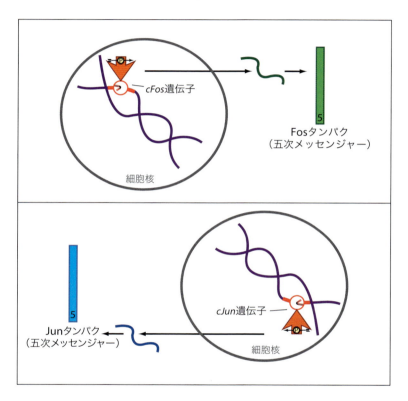

図1-24　最早期遺伝子による後期遺伝子の活性化（第1段階）
上段には，活性型転写因子が最早期遺伝子である*cFos*遺伝子を活性化し，産生物であるFosタンパクが産生されるようすを示す。*cFos*遺伝子が活性化されている間，もう1つ別の最早期遺伝子である*cJun*遺伝子も同時に活性化され，Junタンパクが産生されることを下段に示した。FosタンパクとJunタンパクは五次メッセンジャーと考えることができる。

28）。ひとたび転写因子が目覚めると，遺伝子に結合してタンパク合成を引き起こす。この場合では最早期遺伝子の産生物であり，これが五次メッセンジャーとして働く。その際，最早期遺伝子が産生した2種類のタンパクが結合してさらに別の活性型転写因子が形成され，これが六次メッセンジャーとなる（図1-29）。最終的には，六次メッセンジャーにより後期遺伝子の産生物の発現を引き起こす。これは，活性化された遺伝子の産生物であり，七次メッセンジャーであるタンパクと考えることもできる。その後，この後期遺伝子の産生物が，神経細胞の機能に重要ないくつかの生物学的反応を媒介することになる。

もちろん，神経伝達物質が誘発して細胞核に至る分子のカスケードは，自身の受容体の合成における変化だけでなく，酵素や他の神経伝達物質に対する受容体など，シナプス後部位にある多数の重要なタンパクの合成における変化を引き起こす。もしこのような遺伝子発現における変化が，結合能の変化やこれらの結合が営む機能の変化を引き起こすのならば，どのように遺伝子が**行動を修飾する**かを理解しやすくなる。神経機能の詳細，すなわち神経機能に由来した行動は，遺伝子と遺伝子産生物によって調節されている。精神機

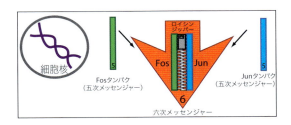

図1-25 最早期遺伝子による後期遺伝子の活性化（第2段階） Fosタンパクと Junタンパクが合成されるとすぐに，両者はパートナーとして共同し，Fos-Jun結合型タンパクを形成することができる。この結合型タンパクは，この時点で後期遺伝子に対する Fos-Jun 転写因子として六次メッセンジャーとして働く。

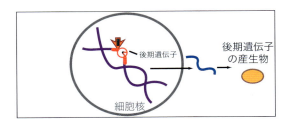

図1-26 最早期遺伝子による後期遺伝子の活性化（第3段階） Fos-Jun 転写因子は，ロイシンジッパーと呼ばれるタンパク群に属する。活性型最早期遺伝子の *cFos* 遺伝子と *cJun* 遺伝子の産生物によって形成されたロイシンジッパー型転写因子は，この時点でゲノムに戻って別の遺伝子をみつけだす。みつけだされた遺伝子は他の遺伝子よりも遅れて活性化されるので，後期遺伝子と呼ばれる。このようにして，最早期遺伝子の産生物自体が転写因子である場合，最早期遺伝子は後期遺伝子を活性化する。後期遺伝子の産生物は，神経細胞が必要とするタンパクならばどれでもあてはまり，酵素，トランスポーター，成長因子などがある。

能とそれが引き起こす行動は，脳内の神経細胞どうしの結合に由来しているので，遺伝子は行動を大きく調節している。しかし，行動は遺伝子を修飾できるのであろうか？ 学習，そして環境から得た経験は，実際，どの遺伝子が発現されるかを変化させ，それによって神経細胞の結合に変化をもたらすことができる。このような方法を用いて，ヒトの経験，教育，そして精神療法さえもが，特定シナプスの結合と「結合強度」を調整する遺伝子の発現を変化させているかもしれない。そのつぎに，最初の経験によって引き起こされ，またその最初の経験から生じた遺伝子変化によってもたらされた，長期の行動の変化を引き起こすかもしれない。このようにして，遺伝子が行動を修飾し，行動が遺伝子を修飾する。ただし，遺伝子がじかに神経機能を調節するわけではない。むしろ遺伝子は，神経機能をつかさどるタンパクをじかに調節する。神経機能の変化は，タンパク合成が変化しそれらが引き起こす出来事が生じはじめるまで待たねばならない。

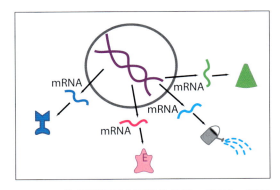

図1-27 後期遺伝子の活性化の例 受容体，酵素，神経栄養因子，イオンチャネルなどは，すべてそれぞれの遺伝子の活性化によって発現している。このような遺伝子の産生物は，何時間あるいは何日にもわたって継続的に神経機能を修飾する。

エピジェネティクス

ジェネティクス genetics とは，細胞が特定の RNA の転写，あるいは特定のタンパクの翻訳を行うための DNA コードである。しかし，ヒトゲノム中に約20,000個の遺伝子が存在しているからといって，脳内であってさえ，あらゆる遺伝子が発現しているという意味ではない。エピジェネ

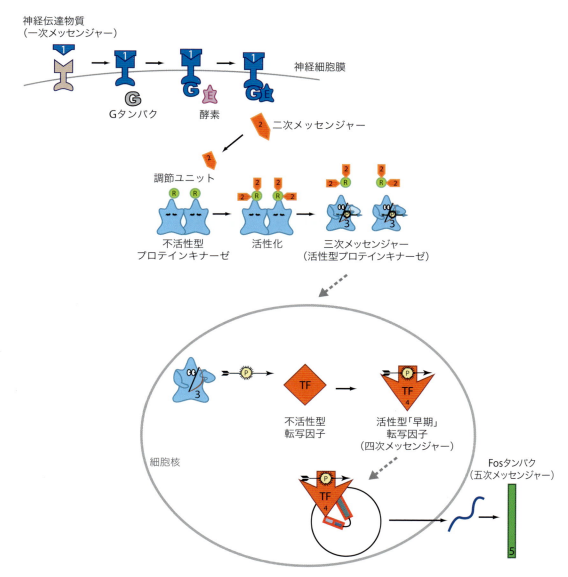

図 1-28 神経伝達物質による遺伝子調節 細胞外神経伝達物質である一次メッセンジャーにはじまり，細胞内二次メッセンジャー，三次メッセンジャーであるプロテインキナーゼ，四次メッセンジャーである転写因子（TF），そして最早期遺伝子の産生物である五次メッセンジャー（Fos タンパク）に至るまでの神経伝達物質による遺伝子調節を 1 つの図にまとめた。

ティクス epigenetics とは，並行しているシステムで，どのような遺伝子からであっても，実際に（その遺伝子が関与して）対応する RNA やタンパクが産生される状態にあるかどうか，あるいは，そのような遺伝子がむしろ無視されているか休止の状態にあるかどうか，のいずれの段階にあるのかを決定するものである．もしも，ゲノムがすべてのタンパクで表現された「言葉」の目録であるとするならば，エピゲノム epigenome はそれらの「言葉」を使って一貫した文章として表現された「物語」と表現できる．すべての作成可能なタンパクを表現するゲノム目録は，脳内に存在する 1,000 億を超える神経細胞の 1 つ 1 つのなかに同様の形態で存在し，実際に体内に存在する 200 種

エピジェネティクス 27

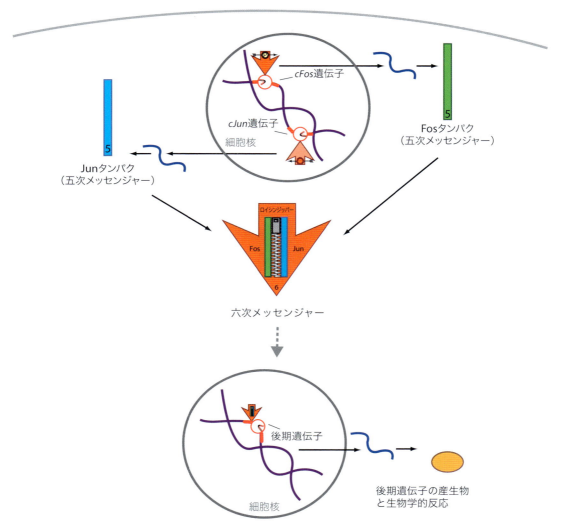

図1-29 後期遺伝子の活性化 後期遺伝子の過程を1つの図にまとめた。上段では，最早期遺伝子の*cFos*遺伝子と*cJun*遺伝子が発現し，五次メッセンジャーであるFosタンパクとJunタンパクが形成されている。つぎの段階では，FosタンパクとJunタンパクが結合してロイシンジッパーという六次メッセンジャーの転写因子が産生される。最終的に，形成されたロイシンジッパー型転写因子は，後期遺伝子を継続的に活性化し，その結果としてその後期遺伝子の産生物の発現と，その産生物によって引き起こされる生物学的反応が導かれる。

類を超える細胞のすべてで同じである．したがって，精神疾患において正常な神経細胞がどのようにして機能不全の神経細胞に変化していくのか，また同時に，細胞がどのようにして肝細胞ではなく神経細胞に変化していくのかの計画は，どの特定の遺伝子が発現あるいは休止するかの選択である．さらに，機能不全に陥った神経細胞は，異常な塩基配列が受け継がれた遺伝子の影響を受けて生じるが，そのような配列は発現すると精神疾患

をもたらすのであろう．したがって，脳の物語というのは，どういった遺伝子が受け継がれたのかということに依存しているだけでなく，異常な遺伝子が発現したのか，あるいは，正常な遺伝子であっても休止状態にあるべきなのに発現してしまったのか，それとも発現すべきなのに休止状態になってしまったのかということにも依存している．神経伝達，遺伝子本体，薬物，そして環境のすべてが，どの遺伝子を発現させるのか，あるい

は休止状態におくのかを調節しているのである。したがって，それらすべてが，脳の物語が学習・記憶などといった感動させる話であるか，薬物乱用，ストレス反応や精神疾患などといった悔やまれる悲劇であるか，あるいはまた薬物治療や精神療法による精神疾患の改善であるかに影響を与えている。

エピジェネティクスの分子機序とは？

　エピジェネティクスの機序とは，細胞核内に存在するクロマチンchromatinの構造を変えて遺伝子の稼働状態・未稼働状態（スイッチのオン・オフ）を調節するものである（図1-30）。細胞の特徴は，基本的にその細胞がもつクロマチン，すなわちヌクレオソームnucleosomeを構成単位にもつ物質によって決められる（図1-30）。ヌクレオソームは，ヒストンhistoneと呼ばれるタンパクの八量体に二重鎖DNAが巻きついた構造をとっている（図1-30）。遺伝子読み取りの有無，すなわち遺伝子が読み取られているか（すなわち，発現している），読み取られていないか（すなわち，休止状態にある），のエピジェネティクな制御はクロマチンの構造を変化させることでなされる。こういったクロマチンの構造を変化させる化学的修飾には，メチル化に加えて，アセチル化，リン酸化，その他の化学変化が含まれ，神経伝達，薬物，環境によって調節されている（図1-30）。例えば，ある領域のDNAまたはヒストンがメチル化されると，これによりクロマチン構造が凝集され，転写因子がDNAのプロモーター領域に分子的に接近できないようになる。その結果，遺伝子上でこのDNA領域が休止状態になって遺伝子発現を起こさず，そのためRNAやタンパクは産生されない（図1-30）。休止状態のDNAとは，対象となった細胞の個性に属さない分子的特質を意味する。

　ヒストンは，ヒストン・メチルトランスフェラーゼhistone methyltransferase（HMT）と呼ばれる酵素によってメチル化され，そしてヒストン・デメチラーゼhistone demethylase（HDM）と呼ばれる酵素によって脱メチル化されて戻る（図1-30）。ヒストンのメチル化により遺伝子を休止状態におくことができるし，逆に脱メチル化により遺伝子を活性状態におくことができる。また，DNAをメチル化することもできるが，これによっても遺伝子は休止状態におかれる。DNAの脱メチル化はこれを逆転させる。DNAのメチル化は，DNAメチルトランスフェラーゼDNA methyltransferase（DNMT）という酵素，脱メチル化はDNAデメチラーゼDNA demethylaseという酵素によってそれぞれ制御されている（図1-30）。メチルトランスフェラーゼには多くの種類が存在する。そして，すべてその基質にメチル基転移を行う部位をもち，S-アデノシルメチオニンS-adenosyl-methionine（SAMe）を介してL-メチル葉酸L-methylfolate（L-MF）がメチル基の供与体となる（図1-30）。例えば，メチル化が神経伝達，薬物，または環境による影響を受けると，これがエピジェネティクス的には遺伝子の発現または休止状態を制御することになる。

　DNAのメチル化は，最終的にはヒストンの脱アセチル化を導くことにもなり，これはヒストンデアセチラーゼhistone deacetylase（HDAC）と呼ばれる酵素の活性化によってもたらされる。また，ヒストンの脱アセチル化には，遺伝子発現の際に（遺伝子を）休止状態におく作用がある（図1-30）。メチル化と脱アセチル化はともにクロマチン構造を凝集するが，それはあたかも分子ゲートが閉じられたようである。これにより，転写因子は遺伝子を活性化するプロモーター領域に接近できなくなる。したがって，遺伝子は休止状態におかれ，RNAへの転写，タンパクへの翻訳が起きない（図1-30）。一方，脱メチル化とアセチル化は，まさにその逆のことを行う。すなわち，クロマチン構造の凝集を解き，それはあたかも分子ゲートが開かれたようである。したがって，遺伝子のプロモーター領域に転写因子が接近できるようになって，遺伝子を活性化する（図1-30）。このようにして，活性化された遺伝子は，対象となった細胞の分子的個性の一部となる。

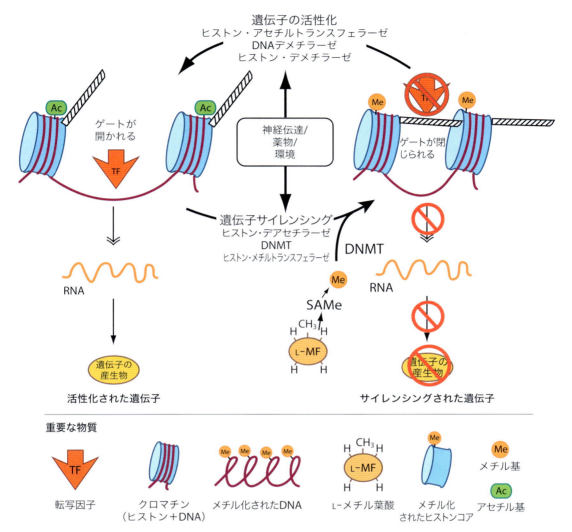

図1-30 **遺伝子活性化と遺伝子サイレンシング（遺伝子の抑制）** ヒストンがアセチル化や脱メチル化を受けると分子ゲートが開かれ，転写因子が遺伝子に接近できるようになり，遺伝子が活性化される。ヒストンがL-メチル葉酸を介してSAMeからメチル基が供与されたり，脱アセチル化を受けたりすると，分子ゲートは閉じられる。これにより転写因子の遺伝子への接近が妨げられ，遺伝子サイレンシングが生じる。

Ac：アセチル基，DNMT：DNAメチルトランスフェラーゼ，L-MF：L-メチル葉酸，Me：メチル基，SAMe：S-アデノシルメチオニン，TF：転写因子

エピジェネティクス表現型の状態維持または状態変化の過程

　例えばDNMT1（DNAメチルトランスフェラーゼ1）などのある種の酵素は，細胞の状態を維持しようと努め，ある特定のDNA領域をメチル化してさまざまな遺伝子を生涯にわたって休止状態におこうとする。例えば，この過程をとおして，神経細胞は神経細胞の状態で，肝細胞は肝細胞の状態でいる。これは，細胞が他の細胞に分裂するときも同様である。おそらく，メチル化はある1つの種類の細胞では必要とされないが，別の種類の細胞では必要とされるような遺伝子で維持されていると考えられている。

　以前は，ひとたび細胞が分化すると，遺伝子活

性化と遺伝子サイレンシングのエピジェネティクな様式は，その細胞に生涯をとおして保たれると考えられていた。しかし今日では，成熟し分化した神経細胞でもエピジェネティクスが変化するかもしれない多種多様な環境が存在することが知られている。1つの神経細胞に対する初期のエピジェネティクな様式は，実際それぞれの神経細胞が各自で生涯にわたって「個性」をもてるよう，神経発達neurodevelopmentの段階でそもそもそなわるものであるが，ある神経細胞では，個性の軌跡を変えながら，生涯をとおして語られる経験に反応するという筋書のようである。したがって，このことが神経細胞のエピゲノム内で新規の変化を引き起こすことになる。神経細胞に何が起きたか(例えば，児童虐待の経験，成人期のストレス，栄養失調，豊かな新しい出会い，精神療法，乱用薬物，向精神薬による治療)によって，今日では，以前は休止状態におかれた遺伝子が活性化されたり，以前は活性化されていた遺伝子が休止状態に導かれたりすることができると考えられている(図1-30)。このようなことが起きたときには，神経細胞の性質上，好ましい神経発達，好ましくない神経発達の両方が起こりうる。好ましいエピジェネティクな機序が働くのは，ヒトが学習したい(例えば，空間記憶の形成)，あるいは精神薬理学的な薬物の治療効果を経験したいと行動するときであろう。一方，好ましくないエピジェネティクな機序が引き金となるのは，ヒトが薬物乱用に陥ったとき，あるいはさまざまな形態の「病的な学習」(例えば，恐怖条件づけfear conditioning，不安症anxiety disorder，慢性疼痛chronic painなどに陥る)を経験したときであろう。

　これらのエピジェネティクな機序がどのようにして悪事に巻き込まれていくのかということは，非常に興味深い神経生物学的・精神医学的な謎のままである。とはいうものの，大勢の科学探偵がこれらの事件を捜査し，エピジェネティクな機序がどのように精神疾患をもたらすかを解明しはじめている。エピジェネティクな機序を利用することで，中毒の治療，恐怖の消失，慢性疼痛の悪化予防が可能となるかもしれない。また，「事態がますます複雑になって」，疾患が不可逆的に完成してしまい，望ましくない運命に容赦なく進んでいってしまう前に高リスク患者を同定することで，統合失調症などの精神疾患の進展を予防できるようになるかもしれない。

　成熟細胞内で維持されているエピジェネティクな様式を変化させる1つの機序としては，DNMT2，DNMT3などとして知られているDNMT型酵素によって，新たにメチル化されたDNAを介したものがある(図1-30)。これらのDNMT型酵素は，成熟細胞内ですでに活性化された神経細胞遺伝子を標的として，このような遺伝子を休止状態にする。もちろん，ヒストンの脱アセチル化により，ヒストン近傍ですでに活性化された遺伝子も同様に休止状態へとおかれるが，これはHDACという酵素によって導かれる。それとは逆に，脱メチル化やアセチル化は，どちらも休止状態の遺伝子を活性化させる。重要な問題は，数千種類の遺伝子のなかから，ストレスや薬物，食事などの環境要因に応じて遺伝子を休止状態におくのか，あるいは活性化に導くのかを神経細胞はどのようにして知るのかということである。精神疾患が発症するときには，これらの機序はどのようにうまくいかなくなるのであろうか？物語のこの部分は，依然として奇妙な謎であるが，一部の神経細胞の物語が，どのようにして精神医学的な悲劇へと進展するのかを解明したいと願っている多くの研究者によって，いくつかの非常に興味深い探偵の仕事がすでに行われている。これらの研究から，主要な神経細胞の特質を表すエピジェネティクスを治療により変化させることで，さまざまな精神疾患にまつわる物語を加筆修正するための段取りが整い，この物語がハッピーエンドを迎えられるようになるかもしれない。

RNAについての小論
選択的スプライシング

　すでに述べたように，われわれヒトの20,000個の遺伝子をコードするRNAはメッセンジャーRNA(mRNA)と呼ばれ，DNAとタンパクの中間体の役割を果たす。われわれの20,000個の遺伝

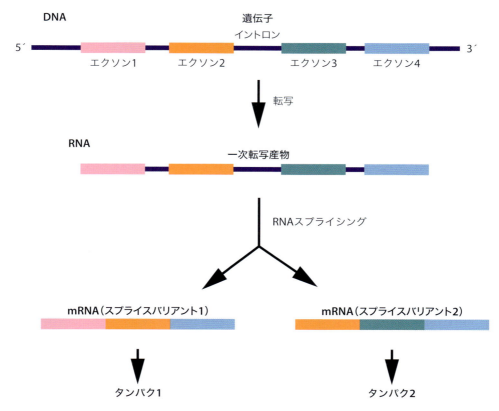

図1-31　選択的スプライシング　DNAがメッセンジャーRNA（mRNA）に転写されたとき，これは一次転写産物と呼ばれる。一次転写産物はつぎにタンパクに翻訳されうるが，中間段階が生じることがあり，そこではmRNAがスプライスされ，特定の部位が認識されたり完全に除去されたりする。このことは，1つの遺伝子は1つ以上のタンパクを生み出すことができることを意味している。

子は20,000個のタンパクしか作らないのでは？と思われるかもしれないが，そうではない。mRNAがタンパクへと進展していくのには，昔かたぎの映画制作者が映画を制作するときと似た作業であることがわかってきた。つまり，映画制作者がフィルムを最初に記録されたとおり忠実に現像するように，mRNAはDNAからのエピソードを忠実に記録する。DNA転写の場合は，この「最初のドラフト」は一次転写産物 primary transcriptと呼ばれる（図1-31）。しかし，撮影後の編集前のフィルム映像がそのまま直接映画に「翻訳」されないように，多くの場合，「未加工の」mRNAもすぐにタンパクに翻訳されるわけではない。さて，ここが興味深いところである。それは，編集editingである。つまり，mRNAは「スプライスされる」（つなぎ合わされる）のである。あたかもそれは映画制作者が本番の撮影がおわり映画フィルムを切り取ったりつないだりするようなものである。彼らはフィルムをつなぎ合わせた部分を他の場面に挿入したり，ときには編集室の床に捨ててしまうこともある。スプライスされたmRNAに対しては，これらの部分はタンパクには翻訳されないであろう（図1-31）。この「選択的スプライシング alternative splicing」は，映画が異なったエンディングになったり，短い予告編に編集されたりするように，1つの遺伝子が多くのタンパクを生み出すことができることを意味している。したがって，RNA編集のおかげでもあるが，脳の分子の真の多様性はわれわれの20,000個の遺伝子よりも著しく幅広いのである。

RNA干渉

mRNA以外のRNAとして知られていて，タンパク合成に対してコードしないある種のRNAが存在する．その代わりに，直接的な調節機能をもっている．これらのRNAには，リボソームRNA ribosomal RNA（rRNA），転移RNA transfer RNA（tRNA），および核内低分子RNA small nuclear RNA（snRNA），それとともに他の多くのノンコーディングRNA noncoding RNA〔例えば，ヘアピンの形をしているのでそう呼ばれる低分子ヘアピンRNA small hairpin RNA，マイクロRNA microRNA（miRNA），干渉RNA interference RNA（iRNA），および低分子干渉RNA small interfering RNA（siRNA）など〕がある．miRNAがDNAから転写されると，miRNAはタンパクへの翻訳に進まない．その代わり，ヘアピンループを形成しエクスポーチン exportin 酵素により細胞質に輸送され，そこで「ダイサー dicer」と呼ばれる酵素で小片に切り刻まれる（図1-32）．iRNAの小片はRISCと呼ばれるタンパク複合体に結合し，RISCはつぎにmRNAに結合してタンパク合成を抑制する（図1-32）．したがって，RNAの形態はタンパク合成とタンパク合成阻害の両方を引き起こすことができる．将来の治療法では，Huntington病などの遺伝子疾患におけるタンパク合成阻害のため，iRNAを利用できるようになるかもしれない．

まとめ

この時点で，読者は化学的神経伝達が精神薬理学の基本であることを十分に理解されたであろう．神経伝達物質は多数存在する．神経細胞すべてが，古典的にはシナプス前部位からシナプス後部位への非対称的な神経伝達により多数の神経伝達物質から入力情報を受け取る．脳内に1兆個存在するシナプスで起きるシナプス前部位からシナプス後部位への神経伝達は，化学的神経伝達の鍵となるものであるが，神経伝達ではシナプス後部位からシナプス前部位の神経細胞へと逆行するものもある．またこの他の神経伝達，例えば容量神経伝達などは，まったくシナプスを必要としていない．

また読者は，神経伝達物質によって引き起こされる複雑ではあるが洗練された分子カスケード，すなわち情報を受け取った神経細胞内でその情報を分子単位で伝達していき，最終的にそこに送られた情報を実行するためにその神経細胞の生化学的機序を変化させるような分子カスケードについて深く理解されたであろう．したがって，化学的神経伝達の機能とは，シナプス前部位の神経伝達物質をシナプス後部位の受容体と会話させるだけではなく，むしろ**シナプス前部位のゲノムとシナプス後部位のゲノムとで意見交換**をさせるようなものである．すなわち，DNAからDNAへ，シナプス前部位の「司令塔」からシナプス後部位の「司令塔」へ，またはその逆の伝達である．

化学的神経伝達の情報は，つぎに示す3とおりの連続した「分子の早馬便」を介して運ばれる．すなわち，(1)神経伝達物質やそれにかかわる酵素と受容体の合成・梱包のためにシナプス前部位のゲノムから発せられるシナプス前の神経伝達物質の合成経路，(2)受容体占拠からはじまり，二次メッセンジャーを介してはるばるゲノムまで到達し，シナプス前部位の遺伝子を稼働状態（スイッチオン）にするシナプス後部位の経路，(3)シナプス後部位で新規発現した遺伝子からはじまり，シナプス後神経細胞全体に生化学的産生物である分子のカスケードとして情報を運んでいくシナプス後部位の経路，という3経路である．

さらに，神経伝達物質が受容体に結合した時点，イオンの流れが変わった時点，あるいは二次メッセンジャーが産生された時点であっても，神経伝達が終了していないということは明らかなはずである．シナプス前部位での神経伝達物質の放出後，このような出来事がはじまってからおわるまでにかかる時間は数ミリ秒から数秒以内である．神経伝達の最終目標は，完全かつ持続的な方法で，標的となるシナプス後神経細胞での生化学的活動を変化させることである．シナプス後部位のDNAは，「分子の早馬便」であるメッセンジャーが樹状突起上に存在することの多いシナプス後受容体から，神経細胞内にあるリンタンパ

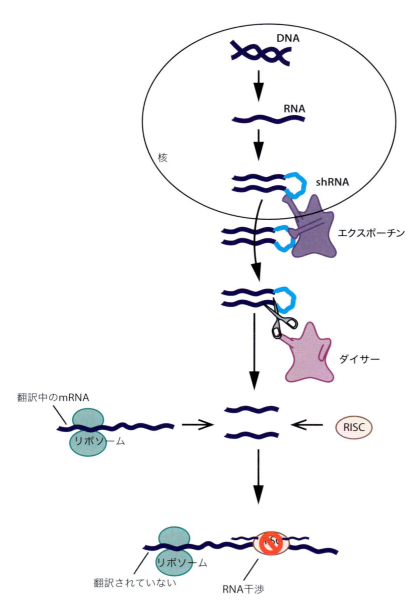

図1-32　RNA干渉　ある種のRNAはタンパク合成をコードせず，その代わりに調節的な作用をもつ．この図で示すように，小分子ヘアピンRNA（shRNA）はDNAから転写されるが，タンパクには翻訳されない．その代わり，ヘアピンループを作成しエクスポーチン酵素により細胞質に輸送され，そこでダイサーという酵素によって小片に切り刻まれる．小片はRISCと呼ばれるタンパク複合体に結合し，RISCはつぎにmRNAに結合してタンパク合成を抑制する．

ク，あるいはシナプス後神経細胞の細胞核内にある転写因子と遺伝子に伝達されるまで，待機している必要がある．このため，神経伝達により標的とするシナプス後神経細胞に影響を及ぼして生化学的反応が開始されるには，ある程度の時間を要する．通常，神経伝達物質による受容体占拠から遺伝子発現に至るまでに要する時間は，数時間程度である．そのうえ，神経伝達によって引き起こされた最終メッセンジャー，すなわち転写因子と呼ばれるものは，遺伝子活動のごく初期しか作用しないので，遺伝子が誘発する一連の生化学的反応を介して遺伝子の活性化が完全に開始されるためには，より長い時間を要することになる．このような生化学的反応は，神経伝達の開始後に多くの時間や日数を費やしてから起きはじめ，ひとたび反応が起きると数日間または数週間も継続可能である．

このようにして，シナプス前神経細胞からの化学的神経伝達の短い一吹きは，大きなシナプス後部位反応を引き起こすことができる．この反応

は，発現までに数時間から数日間を要し，数日間から数週間，あるいは生涯にわたってさえ持続することができる。このような化学的神経伝達の過程全体を構成すると考えられるものは，1つ残らず，薬物による修飾の候補物質となる。大多数の向精神薬は，神経伝達物質そのものの段階，その酵素の段階，また特にその受容体の段階などで化学的神経伝達を調節する過程に作用する。将来の向精神薬は，疑いもなく生化学的な伝達カスケード上で直接作用し，特にシナプス前部位の遺伝子とシナプス後部位の遺伝子の発現を調節するこれらの因子に直接作用するものであろう。また，精神疾患や神経疾患は，これらと同様の化学的神経伝達の側面に影響していると知られているか，あるいはそう推測されている。神経細胞は，学習，人生経験，遺伝子プログラミング，エピジェネティクな変化，薬物，疾患などに反応し，神経細胞の生涯にわたってシナプス結合を動的に変化させていく。そして，これらすべての重要な過程を調節する基礎を築いていく際の重要な側面となるものが化学的神経伝達である。

（訳　仙波純一）

2章 精神薬理学的な薬物作用を示す標的としてのトランスポーター，受容体，酵素

- 薬物作用を示す標的としての神経伝達物質トランスポーター―36
  - 分類と構造―36
  - 向精神薬の標的としてのモノアミントランスポーター（SLC6遺伝子ファミリー）―39
  - 向精神薬の標的としてのその他の神経伝達物質トランスポーター（SLC6，SLC1遺伝子ファミリー）―41
  - ヒスタミンと神経ペプチドに対するトランスポーターはどこに？―43
  - シナプス小胞トランスポーター：サブタイプと機能―43
- 向精神薬の標的としてのシナプス小胞トランスポーター（SLC18遺伝子ファミリー）―43
- Gタンパク結合型受容体―44
  - 構造と機能―44
  - 向精神薬の標的としてのGタンパク結合型受容体―45
- 向精神薬の標的としての酵素―55
- 向精神薬の標的としてのシトクロムP450代謝酵素―59
- まとめ―60

　向精神薬psychotropic drugは多くの作用機序をもっているが，神経伝達に大きな影響を与える特異的な分子の部位をすべて標的としている。したがって，向精神薬がどのように働くのかを把握するためには，神経伝達の解剖学的な基礎構造と化学的な実体を理解することが必要である（第1章）。今日の臨床場面では，100種類以上の向精神薬が利用されているものの（『精神科治療薬の考え方と使い方』を参照），これらすべての治療薬が作用する部位は数カ所だけである（図2-1）。具体的には，約1/3の向精神薬は，1つの神経伝達物質に対するトランスポーターのうちの1つを標的としている。他の1/3の向精神薬は，Gタンパクに結合した受容体を標的としていて，酵素を標的としている向精神薬はおそらく10%程度にすぎない。これらの3つの作用部位すべてについて，本章で解説する。さまざまな種類のイオンチャネルを標的とする向精神薬の影響力については，第3章で述べることにする。このように，わずか数カ所の分子の部位が神経伝達を調節していることを理解することによって，精神薬理学者は，実質的にほとんどすべての精神薬理学的な薬物の作用機序の理論を把握できるようになるであろう。

　実際，このような標的分子は，現在どのように向精神薬が命名されているかの基礎を形作っている。つまり，向精神薬をその適応症（例えば，抗うつ薬や抗精神病薬）で名づけるのではなく，薬理学的な作用機序に対して〔例えば，セロトニントランスポート阻害薬やドーパミンD_2およびセロトニン2A（$5HT_{2A}$）アンタゴニスト〕名づけようとする新しい動きが進行中なのである[*1]。適応症に対して薬物を名づけていくと，おわりのない混乱に陥ってしまう。なぜなら，多くの薬物はもともとの使用を超えた適応（例えば，うつ病に対して使用されるいわゆる抗精神病薬）で使用されるからである。したがって，本書では薬物に対する新しい命名法（神経科学にもとづく命名法neuroscience-based nomenclature）を用いる。これは可能な限り適応症ではなく作用機序にもとづいた

[*1]訳注：下記のneuroscience-based nomenclatureは，NbN（https://nbn2r.com/）としてほぼ完成している。

向精神薬の5つの分子標的

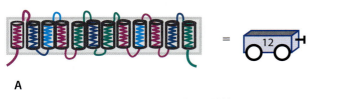
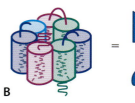

A　12回膜貫通領域をもつトランスポーター（向精神薬の約30％）

B　7回膜貫通領域をもつGタンパク結合型受容体（向精神薬の約30％）

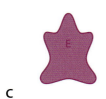

C　酵素（向精神薬の約10％）

D　4回膜貫通領域をもつリガンド依存性イオンチャネル（向精神薬の約20％）

E　6回膜貫通領域をもつ電位感受性イオンチャネル（向精神薬の約10％）

図2-1　**向精神薬の分子標的**　臨床診療で使われる向精神薬は多様であるが，そのおもな作用部位はわずかである。約1/3の向精神薬は，12回膜貫通領域をもつ神経伝達物質に対するトランスポーターのうちの1つを標的としている（**A**）。一方，他の1/3は，7回膜貫通領域をもつGタンパク結合型受容体を標的としている（**B**）。残りの1/3の向精神薬が標的とする作用部位としては，酵素（**C**），4回膜貫通領域をもつリガンド依存性イオンチャネル（**D**），そして6回膜貫通領域をもつ電位感受性イオンチャネル（**E**）などがある。

ものである。本章と次章では，向精神薬が標的とする既知の機序すべてを説明していく。この機序は，向精神薬がそのように名づけられるに至った基礎となっているものである。

最後に，向精神薬の多くの標的に対して遺伝子変異体 genetic variant が知られているので，薬物遺伝学 pharmacogenomics と呼ばれる領域では，このような遺伝子変異体は，その標的にかかわる薬物に対して，患者がよい臨床効果を得るのか，あるいは逆に副作用を被るかの確率を，どの程度上昇あるいは低下させるかを測定するための努力が続けられている。向精神薬の標的となる遺伝子変異体の臨床的応用に対する科学的基礎はなお進歩しつつあるが，本書全体で特異的な標的が述べられるときには，現在の治験について簡単に言及するにとどめる。

薬物作用を示す標的としての神経伝達物質トランスポーター

分類と構造

通常，神経細胞膜は，細胞外分子の侵入防止と細胞内分子の漏出防止をつかさどる防御壁として機能することにより，神経細胞を一定に保つように内部環境を維持しようとする。しかし，細胞機能の必要性に応じて特定分子の放出や取り込みが行えるように，細胞膜は選択的な浸透性をもたなければならない。このよい例が神経伝達物質である。神経伝達物質は神経伝達の過程で放出され，また多くの場合，放出後の再捕獲機序 recapture mechanism によりシナプス前神経細胞に返送さ

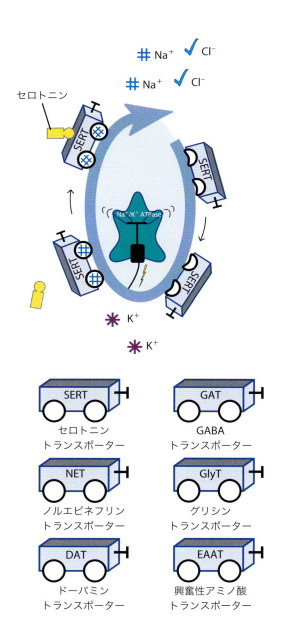

図2-2A　Na$^+$/K$^+$-アデノシン三リン酸ホスファターゼ（Na$^+$/K$^+$-ATPase）　多くの神経伝達物質のシナプス前神経細胞への輸送は，受動的に行われるわけでなく，むしろエネルギーが必要とされる。このエネルギーは，ナトリウムポンプとも呼ばれる酵素Na$^+$/K$^+$-ATPaseよって供給される。Na$^+$/K$^+$-ATPaseは，神経細胞からナトリウムイオン（Na$^+$）を絶えず汲み出すことにより，Na$^+$に対する下り坂の濃度勾配をつくっている。Na$^+$の「下り坂」輸送は，神経伝達物質の「上り坂」輸送と連結されていている。これは，ほとんどの場合，塩素イオン（Cl$^-$）の共輸送，また場合によってはカリウムイオン（K$^+$）の対向輸送に関与している。神経伝達物質トランスポーターの具体例としては，セロトニントランスポーター（SERT），ノルエピネフリントランスポーター（NET），ドーパミントランスポーター（DAT），GABAトランスポーター（GAT），グリシントランスポーター（GlyT），興奮性アミノ酸トランスポーター（EAAT）などがある。

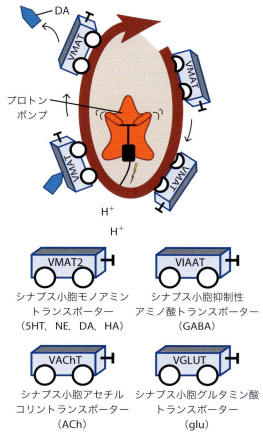

図2-2B　シナプス小胞トランスポーター　シナプス小胞トランスポーターは，プロトンポンプとも呼ばれるH$^+$-アデノシン三リン酸ホスファターゼ（H$^+$-ATPase）を利用して神経伝達物質をシナプス小胞に輸送する。プロトンポンプはシナプス小胞から絶えず正電荷の水素イオン（H$^+$）を汲み出して，そのエネルギーを利用している。そのため，シナプス小胞内の電荷を一定に保ちながら，神経伝達物質はシナプス小胞内に入っていけるのである。シナプス小胞トランスポーターの具体例としては，セロトニン（5HT），ノルエピネフリン（NE），ドーパミン（DA），ヒスタミン（HA）を運ぶシナプス小胞モノアミントランスポーター2（VMAT2），アセチルコリン（ACh）を運ぶシナプス小胞アセチルコリントランスポーター（VAChT），GABAを運ぶシナプス小胞抑制性アミノ酸トランスポーター（VIAAT），グルタミン酸（glu）を運ぶシナプス小胞グルタミン酸トランスポーター（VGLUT）などがある。

れる。この再捕獲（または再取り込みreuptake）は，その後の神経伝達で神経伝達物質を再利用するために行われる。さらに，神経伝達物質が細胞内に入るとすぐに，その大部分はシナプス小胞へ

表2-1 シナプス前モノアミントランスポーター

トランスポーター	略語	遺伝子ファミリー	内在性基質	偽基質[†]
セロトニントランスポーター	SERT	SLC6	セロトニン	エクスタシー（MDMA）
ノルエピネフリントランスポーター	NET	SLC6	ノルエピネフリン	ドーパミン
				エピネフリン
				amphetamine
ドーパミントランスポーター	DAT	SLC6	ドーパミン	ノルエピネフリン
				エピネフリン
				amphetamine

MDMA：3,4-メチレンジオキシメタンフェタミン（合成麻薬）
[†]訳注：false substrate（pseudosubstrate）。トランスポーターの基質とはなるが，本来とは異なる物質。

表2-2 神経細胞，グリア細胞に対するGABAトランスポーターとアミノ酸トランスポーター

トランスポーター	略語	遺伝子ファミリー	内在性基質
GABAトランスポーター1（神経細胞とグリア細胞）	GAT1	SLC6	GABA
GABAトランスポーター2（神経細胞とグリア細胞）	GAT2	SLC6	GABA，β-アラニン
GABAトランスポーター3（おもにグリア細胞）	GAT3	SLC6	GABA，β-アラニン
GABAトランスポーター4（神経細胞とグリア細胞）（ベタイントランスポーターとも呼ばれる）	GAT4 BGT-1	SLC6	GABA，ベタイン[†]
グリシントランスポーター1（おもにグリア細胞）	GlyT1	SLC6	グリシン
グリシントランスポーター2（神経細胞）	GlyT2	SLC6	グリシン
興奮性アミノ酸トランスポーター1〜5	EAAT1〜EAAT5	SLC1	L-グルタミン酸
			L-アスパラギン酸

[†]訳注：ベタインは，トリメチルグリシン〔$(CH_3)_3N^+CH_2COO^-$〕のこと。コリン酸化生成物で，代謝におけるメチル基転移の中間体。

と再送される。これは神経伝達物質をシナプス小胞内に貯蔵することで，代謝を防止し，今後の神経伝達で一斉放射する際にすぐに使えるようにするためである。

神経伝達物質の両方の輸送型式，つまりシナプス前部位での再取り込みだけでなくシナプス小胞での貯蔵でも，それは12回膜貫通領域をもつタンパク「スーパーファミリーsuperfamily」に属している分子トランスポーターを利用する（図2-1A，図2-2）。つまり，神経伝達物質トランスポーターは，一般に細胞膜の出入りを12回行う構造をしているのである（図2-1A）。このようなトランスポーターは，神経伝達物質が細胞膜を通過する前にその神経伝達物質と結合する一種の受容体である。

近年，神経伝達物質トランスポーターの詳細な構造が解析され，この解析結果から神経伝達物質トランスポーターの亜分類法が提唱されている。すなわち，神経伝達物質に対する**細胞膜トランスポーター**plasma membrane transporterは，大まかに2つのサブクラスsubclassに区分される。このようなトランスポーターには，シナプス前部位に存在するものと，グリア細胞膜glial membraneに存在するものとがある。1つ目のサブクラスは，ナトリウムイオン（Na^+）/塩素イオン（Cl^-）が結合したトランスポーターからなっており，溶質輸送体SLC6遺伝子ファミリーsolute carrier SLC6 gene familyと呼ばれる。これには，モノア

表2-3 シナプス小胞神経伝達物質トランスポーター

トランスポーター	略語	遺伝子ファミリー	内在性基質
シナプス小胞モノアミントランスポーター1と2	VMAT1 VMAT2	SLC18	セロトニン ドーパミン ヒスタミン ノルエピネフリン
シナプス小胞アセチルコリントランスポーター	VAChT	SLC18	アセチルコリン
シナプス小胞抑制性アミノ酸トランスポーター	VIAAT	SLC32	GABA
シナプス小胞グルタミン酸トランスポーター1〜3	VGLUT1〜VGLUT3	SLC17	グルタミン酸

ミン類のセロトニンserotonin，ノルエピネフリンnorepinephrine，ドーパミンdopamineに対するトランスポーター（表2-1，図2-2A）だけでなく，γ-アミノ酪酸γ-aminobutyric acid（GABA）やアミノ酸のグリシンglycineに対するトランスポーターなどが含まれる（表2-2，図2-2A）。もう1つのサブクラスは，高親和性のグルタミン酸トランスポーターからなっており，同様に溶質輸送体SLC1遺伝子ファミリーと呼ばれる（表2-2，図2-2A）。

さらに，神経伝達物質に対する**細胞内シナプス小胞トランスポーター**intracellular synaptic vesicle transporterには，3つのサブクラスがある。1つ目はSLC18遺伝子ファミリーで，セロトニン，ノルエピネフリン，ドーパミン，ヒスタミンhistamineに対するシナプス小胞モノアミントランスポーターvesicular monoamine transporter（VMAT）と，シナプス小胞アセチルコリントランスポーターvesicular acetylcholine transporter（VAChT）から成り立っている。2つ目はSLC32遺伝子ファミリーで，シナプス小胞抑制性アミノ酸トランスポーターvesicular inhibitory amino acid transporter（VIAAT）から成り立っている。最後はSLC17遺伝子ファミリーで，VGLUT1〜VGLUT3などのシナプス小胞グルタミン酸トランスポーターvesicular glutamate transporter（VGLUT）から成り立っている（表2-3，図2-2B）。

向精神薬の標的としてのモノアミントランスポーター（SLC6遺伝子ファミリー）

モノアミンに対する再取り込み機序では，それぞれのモノアミン神経細胞に特異的なシナプス前トランスポーターが利用されている（図2-2A）。しかし，この再取り込み機序では，3種類すべてのモノアミン神経細胞，加えてヒスタミン神経細胞では，同じシナプス小胞トランスポーターが利用されている（図2-2B）。すなわち，シナプス前トランスポーターはそれぞれ異なり，セロトニンに対してはSERT，ノルエピネフリンに対してはNET，ドーパミンに対してはDATがある（表2-1，図2-2A）。これら3種類のモノアミンは，その後シナプス小胞モノアミントランスポーター2 vesicular monoamine transporter 2（VMAT2）と呼ばれる同一のシナプス小胞トランスポーターによって，それぞれの神経細胞のシナプス小胞内に移送される（図2-2B，表2-3）。

これら3種類のシナプス前モノアミントランスポーター（SERT，NET，DAT）は，そのアミノ酸配列と，モノアミンに対する結合親和性が特異的である。しかし，それぞれのシナプス前モノアミントランスポーターは，1対1で対応する神経細胞のアミン以外のアミン類に対してもかなりの親和性をもっている（表2-1）。したがって，他の輸送可能な神経伝達物質あるいは薬物が，所定のモノアミントランスポーターの近傍に存在する

と，その物質はシナプス前神経細胞に運搬できるトランスポーターに便乗して輸送されることもある。

例えば，NETはノルエピネフリンと同様にドーパミンに対しても高い親和性をもっているし，DATはドーパミンと同様にamphetamineに対しても高い親和性をもっている。またSERTは，セロトニンと同様に「エクスタシー」〔乱用薬である3,4-メチレンジオキシメタンフェタミン3,4-methylenedioxymethamphetamine(MDMA)〕に対しても高い親和性をもっている（表2-1）。

神経伝達物質はどのように輸送されるのであろうか？　モノアミンは受動的に決められたシナプス前神経細胞へと輸送されるのではない。なぜなら，神経細胞はシナプス前部位にモノアミンを濃縮するためにエネルギーを必要とするからである。このエネルギーは，ナトリウムイオン(Na^+)の「下り坂」輸送（濃度勾配に従う方向）とモノアミンの「上り坂」輸送（濃度勾配に逆らう方向）を連結させるSLC6遺伝子ファミリーのトランスポーターによって供給される（図2-2A）。したがって，モノアミントランスポーターは実質的にナトリウム依存性の共輸送体（コトランスポーター）cotransporterである。これは，ほとんどの場合，塩素イオン(Cl^-)も一緒に運ばれる共輸送cotransport，また場合によってはカリウムイオン(K^+)の対向輸送countertransportに関与している。このすべてがモノアミン輸送と，Na^+/K^+-アデノシン三リン酸ホスファターゼNa^+/K^+-adenosine triphosphatase(Na^+/K^+-ATPase)活性の両者を連結させることによって可能となる。Na^+/K^+-ATPaseは，ときに「ナトリウムポンプsodium pump」とも呼ばれる酵素であり，神経細胞からNa^+を絶えず汲み出すことにより，Na^+に対する下り坂の濃度勾配をつくっている（図2-2A）。

SLC6遺伝子ファミリーに由来するモノアミン神経伝達物質トランスポーターの構造は，最近，モノアミンに対する結合部位だけでなく，2つのNa^+に対する結合部位ももつと提唱されている（図2-2A）。さらに，これらのモノアミントランスポーターが，二量体dimer，すなわちお互いに共同作業を行う2つの物質として存在しているかもしれない。しかし，モノアミントランスポーターが共同作業を行う方法についてはよく解明されておらず，図中にも示してはいない。まだ完全に判明しているわけではないが，モノアミントランスポーター上には単極性うつ病を治療するために使われる多くの選択的セロトニン再取り込み阻害薬selective serotonin reuptake inhibitor(SSRIとして知られる)やその他の薬物に対する結合部位が別に存在している。これらの薬物はトランスポーターと結合すると，モノアミンの再取り込みを阻害し，基質部位（ここにモノアミン自身がトランスポーターに結合する）とは結合せず，神経細胞内に輸送されることはない。したがって，抗うつ薬はアロステリックallosteric〔「他の部位に（結合する）」という意味〕であると呼ばれる。

Na^+が存在しない状態では，モノアミントランスポーターはモノアミン基質部位に対する親和性が低く，この場合はNa^+もモノアミンも結合しない。この一例は，図2-2A中のセロトニントランスポーター（SERT）に示されている。ここでは，輸送用「荷車」の車輪がパンクしていて，SERTはNa^+が存在しない状態ではセロトニンに対する親和性が低下するため，SERTがNa^+とは結合せず，同様にセロトニンがモノアミン基質部位と結合していないようすを示している。このトランスポーターを阻害する薬物に対するアロステリック部位も空席となっている（図2-2Aで座席が空いている状態）。しかし，Na^+が存在している図2-2A（左側の荷車）では，Na^+が結合することによって車輪に「空気が満たされ」て，これによりセロトニンがSERT上のモノアミン基質部位に結合できるようになる。この状態になると，セロトニン神経細胞にセロトニンを戻す準備が整えられ，濃度勾配に従ってNa^+とCl^-が神経細胞へ共輸送され，神経細胞からK^+が対向輸送される（図2-2A）。しかし，薬物がSERT上の抑制性アロステリック調節部位すなわち図2-2AにあるSERTの荷車の座席（つまり選択的セロトニン再取り込み阻害薬であるfluoxetineなど）に結合すると，SERTの基質で

あるセロトニンに対する親和性が低下し，セロトニン結合が妨げられる．

このことがなぜ重要なのであろうか？　シナプス前モノアミントランスポーターが阻害されることは，モノアミンを活用するあらゆるシナプスでの神経伝達に重大な影響を及ぼす．図2-2Aに示すように，シナプス前神経伝達トランスポーターによりセロトニンが正常に再獲得されることで，シナプス内でのセロトニンの蓄積を防ぎ，セロトニンを一定の濃度に保てるのである．通常，シナプス前神経細胞から神経伝達物質が放出された後，神経伝達物質には，そのシナプス性受容体上で短いダンスをするくらいの時間しかない．なぜなら，神経伝達物質がモノアミントランスポーター上に乗って遡上し，シナプス前神経細胞に戻ってしまうため，このダンスパーティーはすぐに終わってしまうからである（図2-2A）．神経伝達物質の正常なシナプス活動を高めたい場合，あるいは神経伝達物質のシナプス活動が低下した状態を回復させたい場合，図2-2Aで示すようにこれらのモノアミントランスポーターを阻害することで達成できる．これはさほど劇的なこととは思えないかもしれないが，実際は化学的神経伝達をこのように変化させること，すなわちシナプスでのモノアミン活性を高めることは，モノアミントランスポーターを阻害するすべての薬物のもつ臨床効果の土台となっている．このような薬物には，注意欠如・多動症attention-deficit/hyperactivity disorder（ADHD）を治療するほとんどの薬物が含まれる．メチルフェニデートやamphetamineなどのADHDに対する「中枢刺激薬」だけでなく，乱用薬であるコカインcocaineもすべてDATとNETに作用する．また，単極型うつ病を治療するほとんどの薬物は，SERT，NET，DAT，あるいはこれらのトランスポーターのいくつかの組み合わせに作用する．しかし，これらの薬物を単純に「抗うつ薬」と呼ぶのは誤っている．なぜなら，これらの薬物はうつ病のすべての病型に対する第1選択薬ではなく，単極型うつ病に加え，非常に数多くの他の適応でも使われるからである．特に，モノアミントランスポーターを阻害する多くの薬物は，単極型うつ病の治療にだけ有効なわけではない．それらは，全般不安症から社交不安症やパニック症に至る不安症の多くの病型の治療に，また線維筋痛症での神経障害性疼痛，ヘルペス後神経痛，糖尿病性末梢神経障害性疼痛，その他の疼痛症の軽減に，さらには摂食障害，衝動・強迫性障害impulsive-compulsive disorder，強迫症，心的外傷後ストレス障害（PTSD）などの心的外傷およびストレス因関連障害の改善にも使用される．それらはなお，さらなる治療効果ももっている．さらに，双極性うつ病や混合性の特徴を伴ううつ病など，うつ病の一部の病型では，モノアミントランスポーターを阻害する薬物を第1選択として用いない．モノアミントランスポーターを阻害する薬物をもはや単に「抗うつ薬」と呼ばないのも不思議ではない．

モノアミントランスポーター阻害薬で治療する疾患の高い有病率を考えれば，これらの薬物が，向精神薬のなかで最も処方機会の多いことは別段驚くに値しないであろう．実際，モノアミントランスポーター阻害薬は米国だけでも毎日この一瞬一瞬にも処方されている（1年間に何百万もの処方数）と推定されている．また，処方上で今日必須である100の向精神薬のうち，約1/3がこれら3種類のモノアミントランスポーターの1つあるいはそれ以上を標的とすることで作用している．したがって，読者はモノアミントランスポーターや，このトランスポーターに対してさまざまな薬物がどのように作用するのかを理解することは，精神薬理学で重要な薬物グループのなかの1つがどのように働くかを把握するために，重要であるかがわかるであろう．

向精神薬の標的としてのその他の神経伝達物質トランスポーター（SLC6, SLC1遺伝子ファミリー）

前項で詳述した3種類のモノアミンに対するトランスポーターに加えて，さまざまな異なる神経伝達物質やその前駆体に対するトランスポーターがいくつかある．これにはさらに12種のトランスポーターを加えることになるが，臨床使用され

る向精神薬は1種類だけで，この向精神薬はこれらのトランスポーターのいずれにも結合することが知られている．神経伝達物質のアセチルコリンacetylcholineの前駆体であるコリンcholineに対するシナプス前トランスポーターが存在するものの，このトランスポーターを標的とする薬物は知られていない．また，体内に広く存在する抑制性神経伝達物質のGABAに対するトランスポーターもいくつか存在し，これらはGAT1〜GAT4として知られている（表2-2）．シナプス前神経細胞，近傍のグリア細胞，さらにシナプス後神経細胞においてさえ，これらのサブタイプが局在する正確な部位については議論が続いているが，GABAに対する重要なシナプス前トランスポーターがGAT1であることは明らかである．このGAT1は抗痙攣薬のtiagabineで選択的に阻害され，それによりシナプス部位でのGABA濃度を上昇させる．抗痙攣作用に加えて，シナプス部位でのGABA濃度を上昇させることで，不安，睡眠障害，疼痛に効果があると考えられている．このGAT1に対する阻害薬として，tiagabine以外のものは臨床使用できるものはない．

最後に，2種類のアミノ酸神経伝達物質，すなわちグリシンとグルタミン酸glutamateに対して，多様なトランスポーターが存在する（表2-2）．統合失調症schizophreniaや他の疾患を治療するために，新規薬物が臨床試験の段階に入っているものの，臨床場面ではグリシントランスポーターを阻害することが知られている薬物で使用されているものはない．グリシントランスポーターは，コリントランスポーターとGABAトランスポーターと同様に，SLC6遺伝子ファミリーに属し，類似した構造をもっている（図2-2A，表2-1，表2-2）．しかし，グルタミン酸トランスポーターは，SLC1遺伝子ファミリーという独特なファミリーに属していて，やや特有の構造をもっており，SLC6遺伝子ファミリーに属するトランスポーターと比較してやや異なった機能をもっている（表2-2）．

具体的には，グルタミン酸に対する数種類のトランスポーターが存在し，これらは興奮性アミノ酸トランスポーターexcitatory amino acid transporter（EAAT1〜EAAT5）として知られている（表2-2）．シナプス前神経細胞，シナプス後神経細胞，あるいはグリア細胞において，これら5種類のトランスポーターが局在する正確な部位については研究段階である．しかし，グルタミン酸のグリア細胞への取り込みは，グルタミン酸が放出されると，再利用のためにグルタミン酸を再捕獲する重要な輸送系としてよく知られている．グリア細胞への輸送により，グルタミン酸はグルタミンglutamineに変換されることになる．その後，グルタミンがシナプス前神経細胞に入っていくと，グルタミン酸へと再変換される．臨床場面に使われる薬物のうち，グルタミン酸トランスポーターを阻害するものは知られていない．

SLC6遺伝子ファミリーを介した神経伝達物質の輸送と，SLC1遺伝子ファミリーを介したグルタミン酸の輸送の間に存在する1つの違いは，SLC1遺伝子ファミリーの（グルタミン酸）トランスポーターが（Na^+の存在下で）グルタミン酸を共輸送していると，Cl^-はNa^+と一緒に共輸送されないらしいということである．また，グルタミン酸輸送系では，ほとんど恒常的にK^+が対向輸送されることを特徴としているのに対して，SLC6遺伝子ファミリーのトランスポーターでは必ずしもそういうことはない．SLC6遺伝子ファミリーのトランスポーターは二量体として働いていると考えられているが，グルタミン酸トランスポーターはむしろ三量体trimerとして一緒に働いていると考えられている．これらの違いの機能的な意義については不明なままであるが，グルタミン酸トランスポーターを標的とした臨床的に有用な精神薬理学的な薬物が発見されれば，この意義はより明らかになるかもしれない．グルタミン酸の神経伝達を増強するよりも，多くはむしろこれを減弱させるほうが好ましいことが多いと考えられているので，治療標的としてのグルタミン酸トランスポーターの将来的な有用性も明らかではない．

ヒスタミンと神経ペプチドに対するトランスポーターはどこに？

興味深い観点ではあるが，明らかにすべての神経伝達物質が再取り込みトランスポーターによって調節されているわけではない。中枢性神経伝達物質であるヒスタミンは，シナプス前トランスポーターをもっていないことは明らかである〔しかしヒスタミンは，モノアミンの輸送のときに使われるトランスポーターと同じVMAT2によってシナプス小胞へと輸送される（図2-2Bを参照）〕。したがって，ヒスタミンの不活性化は，すべてが酵素によるものと考えられている。同じことは神経ペプチドneuropeptideに対してもいえる。これは，神経ペプチドに対する再取り込みポンプとシナプス前トランスポーターが発見されていないため，神経ペプチドにはこうした輸送系が欠如していると考えられているからである。神経ペプチドの不活性化は，拡散diffusionや隔離sequestration，酵素による分解enzymatic destructionによるもので，シナプス前部位での輸送によるものではないことは明らかである。これらの神経伝達物質のいくつかに関して，将来的に対応するトランスポーターが発見されることは常にありうるが，現時点では，ヒスタミンあるいは神経ペプチドのどちらにも，それに対するシナプス前トランスポーターは知られていない。

シナプス小胞トランスポーター：サブタイプと機能

モノアミンに対するシナプス小胞トランスポーター（VMAT）はSLC18遺伝子ファミリーに属し，すでに述べた。これらを図2-2Bと表2-3に示す。また，同様にSLC18遺伝子ファミリーに属するシナプス小胞アセチルコリントランスポーター（VAChT）についても，図2-2Bと表2-3に示した。GABAに対するシナプス小胞トランスポーターはSLC32遺伝子ファミリーに属し，シナプス小胞抑制性アミノ酸トランスポーター（VIAAT）と呼ばれており，これも図2-2Bと表2-3に示した。最後に，グルタミン酸に対するシナプス小胞トランスポーターは，シナプス小胞グルタミン酸トランスポーター（VGLUT1〜VGLUT3）と呼ばれ，SLC17遺伝子ファミリーに属し，これも図2-2Bと表2-3に示した。機序や基質が不明な12回膜貫通領域をもつ新規のシナプス小胞トランスポーターはSV2Aと呼ばれ，シナプス小胞内に局在し，抗痙攣薬レベチラセタムが結合する。おそらくは神経伝達物質の放出を抑制して痙攣発作を低下させるのであろう。

神経伝達物質はどのようにしてシナプス小胞内に入るのであろうか？ シナプス小胞トランスポーターの場合，神経伝達物質の貯蔵は「プロトンポンプproton pump」として知られているプロトンATPアーゼproton ATPase〔H^+-アデノシン三リン酸ホスファターゼ（H^+-ATPase）〕によって促進され，これがシナプス小胞からエネルギーを使って絶えず正電荷positive chargeの水素イオン（H^+）を汲み出している（図2-2B）。そして，汲み出されたH^+の代わりに，正電荷をもった神経伝達物質がシナプス小胞内に入っていくことで，神経伝達物質は濃度勾配に逆らって濃縮される。このようにして，神経伝達物質は輸送されるというよりは，いわば「対向輸送される」のである。つまり，シナプス小胞内の電荷を一定に保ちながら，H^+が積極的に細胞外に輸送されている間に，神経伝達物質はシナプス小胞内へと入っていくのである。この概念は，図2-2BにVMATがH^+と交換する形でドーパミンを輸送しているようすで示してある。これは図2-2Aでの輸送形態と対照的である。そこでは，シナプス前細胞膜上でモノアミントランスポーターはNa^+やCl^-と一緒にモノアミンを共輸送しているが，ここではプロトンポンプよりもむしろナトリウム–カリウムATPアーゼ〔Na^+/K^+-ATPase（ナトリウムポンプ）〕の助けを借りているのである。

向精神薬の標的としてのシナプス小胞トランスポーター（SLC18遺伝子ファミリー）

シナプス小胞トランスポーター，すなわちアセチルコリン（SLC18遺伝子ファミリー），GABA（SLC32遺伝子ファミリー），グルタミン酸

（SLC17遺伝子ファミリー）に対するトランスポーターが，ヒトに対して用いられる薬物の標的とされているかは不明である。その一方で，モノアミンに対するシナプス小胞トランスポーター，すなわちSLC18遺伝子ファミリーに属してVMATとして知られているトランスポーターのうち，特にドーパミン神経細胞に存在するシナプス小胞トランスポーターは，ある種の薬物の強力な標的となる。これらの薬物には，amphetamine（輸送された基質として），テトラベナジン，その誘導体であるdeutetrabenazineとバルベナジン（阻害薬として，第5章参照）などが含まれる。したがって，amphetamineには2つの標的が存在し，1つは前述のモノアミントランスポーター，もう1つはここで述べているVMATである。対照的に，メチルフェニデートなどADHDに対するその他の薬物，およびいわゆる「中枢刺激薬」である乱用薬のコカインは，モノアミントランスポーターのみを標的部位とする。それはセロトニントランスポーターでSSRIについて述べたのとほぼ同じである。

Gタンパク結合型受容体
構造と機能

　向精神薬に対するもう1つの主要な標的は，Gタンパクに結合する受容体の部類である。これらの受容体はすべて7回膜貫通領域をもっていて，このことは受容体が細胞膜に7つの橋をかけていることを意味している（図2-1）。また，細胞膜領域の各貫通部分が中心部を囲むように輪をなして並んでいて，この中心部には神経伝達物質に対する結合部位がある。薬物は，受容体上のこの神経伝達物質の結合部位，あるいは他の部位（アロステリック調節部位）と相互作用することができる。これにより，通常ならこの受容体で生じる神経伝達物質の作用を，部分的または完全に，模倣したり阻害したりすることによって，受容体作用を幅広く変化させることができる。このようにしてGタンパク結合型受容体G protein-linked receptorにおける薬物作用が下流の分子的反応を変えることができる。例えば，どのリンタンパクが活性化あるいは不活性化されるか，その結果として神経伝達によりどの酵素，受容体，あるいはイオンチャネルが修飾されるかなどである。また，Gタンパク結合型受容体における薬物作用は，下流の遺伝子が発現しているか休止しているか，またそれによりどのタンパクが合成されるか，そしてどの機能が増幅されるかを決定することができる。これらの薬物の作用は，シナプス形成synaptogenesisから受容体や酵素の合成に至るまで，またGタンパク結合型受容体をもった神経細胞により支配された下流の神経細胞との情報伝達に至るまで及んでいる。

　Gタンパク結合型受容体における神経伝達へのこれらの作用は，第1章のシグナル伝達signal transductionと化学的神経伝達のところで詳述した。第1章の記述内容から，特定の神経伝達物質から生じるシグナル伝達でのGタンパク結合型受容体の機能と役割について，読者は十分な知識を得ることができるであろう。それはGタンパク結合型受容体に作用する薬物が，これらの受容体が発信したシグナル伝達をどのように修飾するかを理解できるようになるからである。これを理解しておくことは大切である。なぜなら，Gタンパク結合型受容体から生じたシグナル伝達でのこのような薬物誘発性の修飾は，精神症状に多大な作用をもたらすからである。実際に，臨床場面で使われる向精神薬がもつ薬物作用のうち，最も単純かつ一般的な薬物作用は，1つないしそれ以上のGタンパク結合型受容体の作用を修飾し，結果的に治療効果または副作用をもたらす。さまざまな薬物の標的としての10種類以上のGタンパク結合型受容体については，これからさまざまな臨床についての章で述べられる。本章では，さまざまな薬物がどのようにしてGタンパク結合型受容体を刺激あるいは阻害するのかを記述し，また本書全体をとおして，Gタンパク結合型受容体に作用する特定の薬物が，どのようにして異なった精神症状を改善するかだけでなく，特徴的な副作用を引き起こすかについても紹介していくことにする。

図2-3　アゴニスト・スペクトラム　アゴニスト・スペクトラムを示す。内在性の神経伝達物質は受容体を刺激するので，アゴニストである。薬物のなかには受容体を刺激するものも存在するので，同様にアゴニストとなるものがある。薬物は受容体を内在性の神経伝達物質よりも弱く刺激することができ，これらの薬物は部分アゴニストあるいはスタビライザーと呼ばれる。アンタゴニストはアゴニストの作用を阻害するので，アンタゴニストはアゴニストの反対であるとよく間違って考えられる。実はそうではなく，アンタゴニストはアゴニストの受容体への結合を阻害するものの，アゴニストが存在していないとアンタゴニスト自体は何も起こさない。そうした理由で，アンタゴニストは「静止的」とも呼ばれるのである。一方，逆アゴニストはちょうどアゴニストと正反対の作用をもたらす。すなわち，逆アゴニストはアゴニストを阻害するだけでなく，アゴニストが存在していない状態でも受容体活性を本来の水準以下に減弱させることができる。このように，アゴニスト・スペクトラムは，完全アゴニストから部分アゴニストを経て，「静止的」アンタゴニストをはさんで最後に逆アゴニストへと展開している。

向精神薬の標的としてのGタンパク結合型受容体

　Gタンパク結合型受容体は，数多くの神経伝達物質や向精神薬と相互作用する受容体の大きなスーパーファミリーである（図2-1B）。Gタンパク結合型受容体をサブタイプに分類する方法はたくさんあるが，臨床診療で使われている向精神薬を使って特異的な受容体を標的としたい臨床医にとっては，薬理学的に分類したサブタイプを理解することが，おそらくは最も重要なことであろう。つまり，内在性の神経伝達物質はすべての受容体サブタイプに対して相互作用するが，多くの薬物は神経伝達物質自身よりも特定の受容体サブタイプに対して選択性が高く，そのため薬物が特異的に相互作用する受容体の薬理学的サブタイプが定まる。この概念は，ちょうど神経伝達物質はすべてのドアの錠前を開けられるマスターキーであるのに対して，薬理学的に分類した特定の受容体サブタイプと相互作用する薬物は，ドアの錠前1つだけを開けられる1個の特殊キーとして機能する，とたとえられる。ここでは，薬物が「アゴニスト・スペクトラムagonist spectrum」と呼ばれるものに沿って，Gタンパク結合型受容体の薬理学的受容体サブタイプと多様な方法で相互作用するという概念について展開していくこととする（図2-3）。

アゴニストが存在していない状態

　「アゴニスト・スペクトラム」に対する重要な概念としては，アゴニストが存在していないことは，Gタンパク結合型受容体のシグナル伝達でまったく何も起きていないことを必ずしも意味してはいないことである。アゴニストはGタンパク結合型受容体に立体的な構造変化conformational changeをもたらすと考えられており，この構造変化により受容体の完全な活性化とそれに伴った完全なシグナル伝達が導かれる。アゴニストが存在していない状態でも，受容体系のなかには同様の構造変化を起こすものも存在するであろうが，その頻度はきわめて低い。このような状態での受容体の構造変化は**恒常的活性**constitutive activityといわれるもので，この恒常的活性は特に受容体密度が高い受容体系と脳領域においてみられることがある。このようにして，きわめて低い頻度ではあるが，数多くの受容体のなかで何かが生じると，検出可能なシグナル伝達の出力が生

アゴニストが存在していない状態：恒常的活性

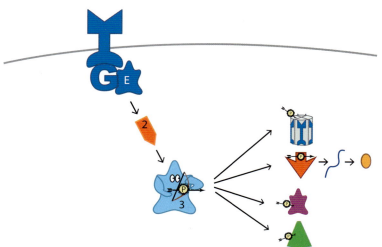

図2-4 恒常的活性　アゴニストが存在していない状態は，Gタンパク結合型受容体に関連した活性がないことを意味していない。むしろこの状態では，受容体は構造変化に伴って，低いレベルの活性，すなわち恒常的活性を引き起こしている。したがって，シグナル伝達はなお生じてはいるが，低い頻度である。このような恒常的活性が，検出可能なシグナル伝達を引き起こすかどうかは，その脳領域の受容体密度に影響される。

じることもある。これについては，図2-4において，少しではあるが無ではない量のシグナル伝達として示されている。

アゴニスト

アゴニスト agonist はGタンパク結合型受容体に構造変化をもたらし，これにより二次メッセンジャーを可能な限り最大限に産生しはじめる（すなわち，**完全アゴニスト full agonist** の作用）（図2-5）。一般に完全アゴニストとは，内在性の神経伝達物質そのものを指すが，薬物のなかには内在性の神経伝達物質のように完全アゴニストと同様に働くものもある。化学的神経伝達の観点からみてこれが意味するものは，下流のシグナル伝達の最後までが完全アゴニストによって引き起こされるということである（図2-5）。このようにして下流のタンパクは最大限にリン酸化され，遺伝子も最大限の影響を受ける。どのような理由であれ，神経伝達物質が欠乏することにより，Gタンパク結合型受容体における神経伝達物質のアゴニスト作用が消失すると，この豊かな下流の化学的シグナル伝達の大偉業が消えてしまうことになる。したがって，（神経伝達物質による）この内在性の作用を回復させるアゴニストを使うことは，シグナル伝達が衰えることで望ましくない症状が発現する状態において有効となる可能性がある。

完全アゴニストの作用を使ってGタンパク結合型受容体を刺激するおもな方法には2通りある。1つ目は，いくつかの薬物がGタンパク結合型受容体自体にある神経伝達物質結合部位に直接的に結合し，完全アゴニストと同じ最後までのシグナル伝達効果をもたらすものである（表2-4）。これらは直接作用型アゴニスト direct-acting agonist という。2つ目は，多数の薬物がもつ作用として**間接的に**内在性の完全アゴニストである神経伝達物質自体の濃度を上昇させるものである（表2-5）。そしてこの増加した内在性のアゴニストはGタンパク結合型受容体上の神経伝達物質結合部位に結合する。神経伝達物質を不活性化する機序が阻害されたときには，完全アゴニストの増大が生じる。完全アゴニストが示す間接作用の最も重要な例は表2-5ですでに記述した。つまり，モノアミントランスポーターのSERTやNET，DAT，そしてGABAトランスポーターであるGAT1の阻害である。また，完全アゴニストの間接作用を起こす別の例としては，神経伝達物質の酵素的分解の阻害がある（表2-5）。この2つの例は，モノアミンオキシダーゼ monoamine oxidase（MAO）の阻害と，後の章で詳しく説明するアセチルコリンエステラーゼ acetylcholines-

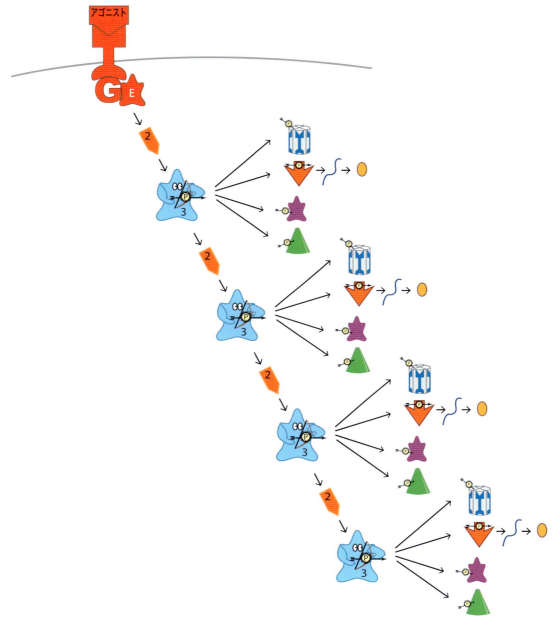

図2-5 完全アゴニスト：最大限のシグナル伝達 完全アゴニストがGタンパク結合型受容体に結合すると，受容体の立体構造が変化して最大限のシグナル伝達が引き起こされる。このようにして，タンパクのリン酸化や遺伝子の活性化などといったシグナル伝達の下流の作用はすべて最大限になる。

terase（AChE）の阻害である。

アンタゴニスト

一方，完全アゴニストの作用がかえってやりすぎのこともあり，しかもシグナル伝達カスケード

表 2-4　向精神薬が直接標的とする重要な G タンパク結合型受容体

神経伝達物質	直接標的とされる G タンパク結合型受容体と薬理学的サブタイプ	薬理作用	治療作用
ドーパミン	D_2	アンタゴニストまたは部分アゴニスト	抗精神病作用, 抗躁作用
セロトニン	$5HT_{2A}$	アンタゴニストまたは逆アゴニスト	Parkinson 病の精神症状における抗精神病作用
			認知症関連の精神病症状における抗精神病作用
			薬物性パーキンソン症状の軽減
			おそらくは統合失調症における陰性症状の軽減
			おそらくは双極性障害における気分安定化作用・抗うつ作用
			不眠と不安の改善
		アゴニスト	精神異常発現 psychotomimetic 作用
			難治性のうつ病やその他の疾患に対する実験的な治療, 特に精神療法を伴って
	$5HT_{1B/1D}$	アンタゴニストあるいは部分アゴニスト	おそらくは認知機能改善および抗うつ作用
	$5HT_{2C}$	アンタゴニスト	抗うつ作用
	$5HT_6$	?	?
	$5HT_7$	アンタゴニスト	おそらくは認知機能改善および抗うつ作用
	$5HT_{1A}$	部分アゴニスト	薬物性パーキンソン症状の軽減
			抗不安作用
			SSRI や SNRI の抗うつ作用の増強
ノルエピネフリン	α_2	アンタゴニスト	抗うつ作用
		アゴニスト	ADHD での認知障害や行動障害の改善
	α_1	アンタゴニスト	不眠(悪夢)の改善
			Alzheimer 病における激越の改善
			起立性低血圧の副作用やおそらくは鎮静作用
GABA	$GABA_B$	アゴニスト	カタプレキシー
			ナルコレプシーにおける眠気
			おそらくは徐波睡眠の促進
			慢性疼痛や線維筋痛症での疼痛軽減
			おそらくはアルコール使用障害やアルコール離脱に対する有用性
メラトニン	MT_1	アゴニスト	不眠とサーカディアンリズムの改善
	MT_2	アゴニスト	不眠とサーカディアンリズムの改善
ヒスタミン	H_1	アンタゴニスト	不安や不眠に対する治療効果
			鎮静や体重増加などの副作用
	H_3	アンタゴニスト/逆アゴニスト	日中の眠気の改善

表 2-4 [つづき]

神経伝達物質	直接標的とされるGタンパク結合型受容体と薬理学的サブタイプ	薬理作用	治療作用
アセチルコリン	M_1	アゴニスト	認知機能改善および抗精神病作用
		アンタゴニスト	鎮静や記憶障害の副作用
	M_4	アゴニスト	抗精神病作用
	$M_{2/3}$	アンタゴニスト	口渇，かすみ目，便秘，尿閉
			代謝調節異常（脂質異常症や糖尿病）に関連しているかもしれない
	M_5	?	?
オレキシンA, B	$OX_{1,2}$	アンタゴニスト	不眠に対する睡眠作用

ADHD：注意欠如・多動症，GABA：γ-アミノ酪酸，SNRI：セロトニン・ノルエピネフリン再取り込み阻害薬，SSRI：選択的セロトニン再取り込み阻害薬

表 2-5 向精神薬が間接標的とする重要なGタンパク結合型受容体

神経伝達物質	間接標的とされるGタンパク結合型受容体と薬理学的サブタイプ	薬理作用	治療作用
ドーパミン	$D_{1,2,3,4,5}$ アゴニスト作用	メチルフェニデートやamphetamineによるドーパミン再取り込み阻害/遊離	ADHD，うつ病，覚醒の改善
セロトニン	$5HT_{1A}$ アゴニスト（シナプス前細胞体樹状突起に存在する自己受容体）	SSRI/SNRIによるセロトニン再取り込み阻害作用	抗うつ作用，抗不安作用
	$5HT_{2A}$ アゴニスト（シナプス後受容体，おそらく $5HT_{1A}$, $5HT_{2C}$, $5HT_6$, $5HT_7$ シナプス後受容体も関与）		
	$5HT_{2A/2C}$ アゴニスト	MDMAによるセロトニン遊離	特に精神療法を伴うPTSDの「エンパソーゲンempathogen[†]」による実験的治療
ノルエピネフリン	すべてのノルエピネフリン受容体アゴニスト	ノルエピネフリン再取り込み阻害作用	抗うつ薬，神経障害性疼痛，ADHD
アセチルコリン	M_1（おそらく M_2〜M_5 も関与）	アセチルコリンエステラーゼ阻害薬によるすべてのアセチルコリン受容体でのアセチルコリン自体の増加を介したアゴニスト	Alzheimer病における認知機能

ADHD：注意欠如・多動症，MDMA：3,4-メチレンジオキシメタンフェタミン，PTSD：心的外傷後ストレス障害，SNRI：セロトニン・ノルエピネフリン再取り込み阻害薬，SSRI：選択的セロトニン再取り込み阻害薬
[†]訳注：共感を生むような多幸感をもたらす向精神薬を指していう。

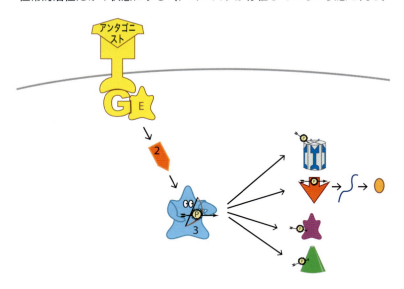

図2-6 「静止的」アンタゴニスト　アンタゴニストは，Gタンパク結合型受容体に結合しようとするアゴニスト（完全アゴニストと部分アゴニストの両方）を阻害する。このため，アンタゴニストはアゴニストの作用によって生じる最大限のシグナル伝達を妨げ，その代わりに受容体の構造をアゴニストが存在していないときと同じ状態に変化させて本来の状態に戻す。またアンタゴニストは，Gタンパク結合型受容体に結合しようとする逆アゴニストを阻害して構造変化した受容体を本来の状態に戻すことにより，逆アゴニストの作用も阻害する。アンタゴニストは，アゴニストが存在していない状態ではシグナル伝達にまったく影響を与えない。

の最大限の活性化が，神経伝達物質による過剰刺激の状態になっていて，必ずしも望ましくない可能性がある。このような場合，内在性の神経伝達物質のアゴニスト作用を阻害することが好ましいこともある。これがアンタゴニストantagonistの特性である。アンタゴニストはGタンパク結合型受容体に構造変化をもたらし，シグナル伝達には変化をもたらさない。それには，アゴニストが存在していない状態において起こりえたどんな「恒常的」活性でさえも変化させないということを含んでいる（図2-4と図2-6とを比較）。このようにして，本当のアンタゴニストは「中立的neutral」であり，アンタゴニスト自体は活性をもたないので「静止的silent」と呼ばれることもある。

日常臨床ではGタンパク結合型受容体に対する重要なアンタゴニストの例は，直接作用型の完全アゴニストの例よりもはるかに多い（表2-4）。アンタゴニストは，精神疾患に対して治療作用を仲介する物質として，また望ましくない副作用の原因物質としても有名である（表2-4）。アンタゴニストのなかには，逆アゴニストinverse agonistであることが判明するものもあるかもしれないが（後述の「逆アゴニスト」の項を参照），日常臨床で使われるアンタゴニストの大部分は単純に「アンタゴニスト」とみなされる。

アンタゴニストは，アゴニスト・スペクトラム上のすべての作用を阻害する（図2-3）。アゴニストが存在している状態では，アンタゴニストは，存在するアゴニストの作用を阻害するが，アンタゴニスト自体は何も起こさない（図2-6）。アンタゴニストは，単純にアゴニストが存在していないときと同じ状態に受容体構造を戻すだけである（図2-4）。興味深いことに，アンタゴニストは部分アゴニスト partial agonist（後述の「部分アゴニスト」の項を参照）の作用も阻害する。部分アゴニストは，Gタンパク結合型受容体に構造変化をもたらすと考えられているが，この変化は完全アゴニストがもたらす構造変化と，アゴニストが存在していない状態での受容体の本来の構造との中間である（図2-7，図2-8）。アンタゴニストは，アゴニストが存在していないときと同じ状態（図2-4）にGタンパク結合型受容体の構造を戻すことによって，部分アゴニストの作用を逆転させる。さらにアンタゴニストは，逆アゴニスト（後述の「逆アゴニスト」の項を参照）の作用も逆転する。逆アゴニストは，Gタンパク結合型受容体の構造

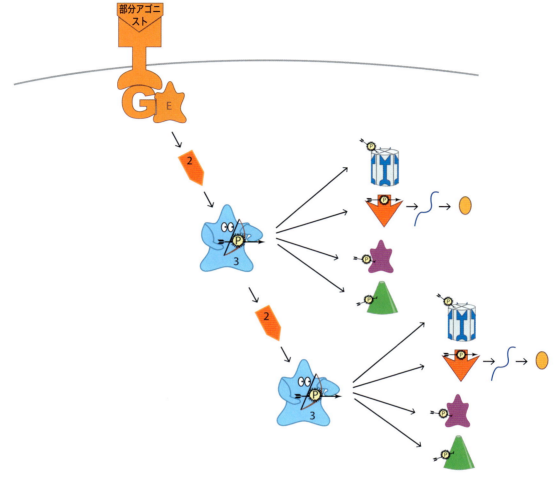

図2-7　部分アゴニスト　部分アゴニストは，Gタンパク結合型受容体に作用してシグナル伝達を増強させるが，完全アゴニストがするような最大限のシグナル伝達までは引き起こさない。このようにして，完全アゴニストが存在していない状態では，部分アゴニストはシグナル伝達を増強させる。しかし，完全アゴニストが存在している状態では，部分アゴニストは実際にはさまざまな下流のシグナル伝達の強度を減弱させる。このため，部分アゴニストは，ときにスタビライザーとも呼ばれることがある。

を完全に不活性化させ，もともとそなわっていた恒常的活性さえも消失させると考えられている（図2-9）。アンタゴニストは，これを受容体本来の活性状態に戻して恒常的活性を取り返そうとするが（図2-6），これは神経伝達物質であるアゴニストが存在していない状態で受容体がとっていたのと同じ状態である（図2-4）。

したがって，真のアンタゴニストはそれ自体何も活性をもたないことや，なぜしばしば「静止的」と呼ばれるかは理解しやすい。静止的アンタゴニストは，薬物に誘発されて生じたGタンパク結合型受容体の構造変化（図2-3，図2-10）のスペクトラム全体を，同じ場所，すなわちアゴニストが存在していない状態での構造（図2-4）に戻す（図2-6）。

部分アゴニスト

部分アゴニストは，アンタゴニスト以上で完全

アゴニスト以下であるようなシグナル伝達を作り出すことができる。完全アゴニストの作用から得られるシグナル伝達を，完全になくすまでのことはせず，少しだけ小さくするのが，部分アゴニストの特徴である（図2-7）。また，部分アゴニストの作用は，静止的アンタゴニストの作用から得られるシグナル伝達を少しだけ大きくするが，ずっと完全アゴニストまでもっていくわけではないものともいえる。この部分アゴニストのアゴニスト・スペクトラム上の完全アゴニストあるいは静止的アンタゴニストへどの程度近いかによって，シグナル伝達の下流の出来事における部分アゴニストの影響が決まることになる。

アゴニストとアンタゴニストの間での望ましい「部分性 partiality」の量，すなわちアゴニスト・スペクトラム上で部分アゴニストをどこにおくべきかということは，試行錯誤の繰り返しであり，また議論の的でもある。理想的な治療薬というものは，「ゴルディロックスの解決 Goldilocks solution*2」と呼ばれるように，「強すぎる」（too "hot"）のでもなく，「弱すぎる」（too "cold"）のでもなく，「ちょうどよい」（"just right"）程度でGタンパク結合型受容体を介してシグナル伝達を誘導するものであろう。このような理想的状態は臨床場面によってまちまちで，完全アゴニストによる作用と静止的アンタゴニストによる作用の間の望ましいバランスをどのようにとるかによっているのであろう。

脳全体で神経伝達が不安定な場合，例えば「調子が狂っている」（"out-of-tune"）神経細胞が理論的には精神症状をもたらしているときなど，強すぎずまた弱すぎない程度の下流の作用により，Gタンパク結合型受容体からの出力を安定させるシグナル伝達の状態をみつけだすことが望まれるであろう。このため，部分アゴニストは「スタビライザー stabilizer」とも呼ばれるが，この理由は，完全アゴニストの作用が強すぎる状態と，アゴニストがまったく作用しない状態という両極端の範囲内で，安定した解決策をみつけだす能力が理論上は部分アゴニストにそなわっているためである（図2-7）。

部分アゴニストは完全アゴニストよりも作用が弱いため，部分的なアゴニスト作用が部分的な臨床効果を意味しているとして，部分アゴニストは「弱い」と呼ばれることもある。確かにそのような場合もあろうが，この種の治療薬にはシグナル伝達を安定させて「調整する」（"tuning"）作用があることを理解し，一部の個々の薬物にしかあてはまらないような治療薬全体の臨床効果を意味する用語は使わないほうがより賢明である。いくつかの部分アゴニストが臨床場面で使われており（表2-4），さらに多くの部分アゴニストが臨床開発の段階に入っている。

部分アゴニストを明るさ・暗さでたとえる

これまでの考え方は，神経伝達物質は照明スイッチのように受容体に働くだけで，神経伝達物質が存在している状態ではシグナル伝達のスイッチを入れ，神経伝達物質が存在していない状態ではシグナル伝達のスイッチを切るというものであった。今日では，Gタンパク結合型受容体ファミリーを含む数多くの受容体が，むしろ光量調節器 rheostat のように機能できることが判明している。すなわち，完全アゴニストは光量調節器を目一杯に回すが（図2-8A），部分アゴニストは光量調節器を適度に回している（図2-8B）。完全アゴニストまたは部分アゴニストが存在していない状態では，部屋は暗闇のなかである（図2-8C）。

部分アゴニストにはそれぞれ，分子のなかに組み込まれた独自の設定点をもっていて，そのため部分アゴニストを増量しても照明をそれ以上明るくすることはできない。つまり，どれだけの用量の部分アゴニストを使っても，結果的にある程度の明るさしか得られない。部分アゴニストが示す部分性の程度は，その種類によってまちまちである。そのため，理論上は明るさの程度はすべて照

---

*2 訳注：「ゴルディロックスの解決」は，「ゴルディロックスと3びきのクマ」という童話にもとづく。クマの親子の家に迷いこんだゴルディロックスという名の女の子には，お父さんグマやお母さんグマのためのものではなく，子グマのためのお粥や椅子，ベッドが用意されていて，それが身のたけに合って「ちょうどよい」ものであったという物語。

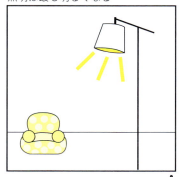
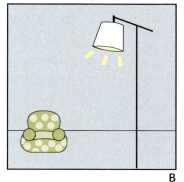

完全アゴニスト：
照明は最も明るくなる

部分アゴニスト：
照明は絞られるが，まだ明るさはある

アゴニストが存在していない状態：
照明は切られている

図2-8　アゴニスト・スペクトラムを照明にたとえた説明図　アゴニスト・スペクトラムを説明するには，光量調節型の照明器具でたとえるのがわかりやすい。完全アゴニストは光量調節器を目一杯に回して，照明を最も明るくする（**A**）。部分アゴニストも正味のアゴニストとして働いて照明をつけるが，光量調節器としての部分アゴニストにももともと定められている程度にしか明るくできない（**B**）。照明がすでに明るければ，部分アゴニストは「照明をうす暗くする」ように働き，正味のアンタゴニストとなる。一方，完全アゴニストまたは部分アゴニストが存在していない状態では，部屋の状況は照明器具のスイッチが消されたときと同じである（**C**）。

明スイッチの「オン」から「オフ」への範囲内におさまるが，部分アゴニストはそれぞれ自分に見合った明るさの程度を独自にもっている。

　部分アゴニストについて興味深いことは，完全アゴニストである内在性の神経伝達物質が全体量としてどれくらい存在しているかによって，部分アゴニストは正味のアゴニスト net agonist としても，あるいは正味のアンタゴニスト net antagonist としても働けるということである。したがって，完全アゴニストである神経伝達物質が存在していない状態では，部分アゴニストは正味のアゴニストとなる。すなわち，シグナル伝達の休止状態 resting state から，部分アゴニストはGタンパク結合型二次メッセンジャー系から生じたシグナル伝達カスケードをある程度は増強しはじめる。しかし，完全アゴニストである神経伝達物質が存在している状態では，同じ部分アゴニストが正味のアンタゴニストとなる。すなわち，部分アゴニストは，シグナル伝達の最大出力を下げて，より低い水準に落とすが，出力を完全になくすわけではない。このようにして部分アゴニストは，神経伝達物質が不足して活性が落ちるとこれを**増強**し，神経伝達物質が過剰になって活性があがるとこれを**阻害**するということを同時に行うことができる。これが，部分アゴニストがスタビライザーと呼ばれるもう1つの理由である。

　光量調節器のたとえに戻ると，アゴニストが存在せず光量調節器が回されていない状態であると，部屋は暗闇のなかである（図2-8C）。一方，完全アゴニストである内在性の神経伝達物質が豊富に存在していて光量調節器が目一杯に回されている状態であると，部屋は最も明るい（図2-8A）。内在性の神経伝達物質が存在していない暗闇の部屋に部分アゴニストを加えると明るくなるが，この明るさは部分アゴニストが光量調節器に働く強さに見合う分だけである（図2-8B）。暗闇の部屋を点灯開始時点として比較すれば，部分アゴニストはまさしく正味のアゴニストとして働いている。その一方，部屋が最も明るい状態で部分アゴニストを加えると，部分アゴニストは部屋の明るさを下げて光量調節器の中間程度まで光量を落とす作用がある（図2-8B）。これは，最も明るい部屋に対する正味のアンタゴニスト作用である。このようにして，暗闇の部屋または最も明るい部屋に部分アゴニストを加えると，両方の部屋の明るさは同じになる。明るさの度合いは，部分アゴニス

逆アゴニスト：アンタゴニストを超えた作用（恒常的活性さえも阻害）

図2-9　逆アゴニスト　逆アゴニストは，Gタンパク結合型受容体に構造変化をもたらし，これを不活性化する．これにより，シグナル伝達は，アゴニストから生じたものだけでなく，アンタゴニストあるいはアゴニストが存在していない状態で生じたものよりも減弱される．逆アゴニストの影響力は，脳領域内での受容体密度により異なる．すなわち，受容体密度が低いために恒常的活性では検出可能なシグナル伝達が生じない場合は，恒常的活性を減弱させても，感知できるほどの影響は何もないであろう．

トの特性で決められて光量調節器が部分的に回されている度合いである．しかし，暗闇の部屋では部分アゴニストが正味のアゴニストとして働いているのに対して，最も明るい部屋では部分アゴニストが正味のアンタゴニストとして働いている．

同一分子中にアゴニストとアンタゴニストの両方をもつことは，治療に対してまったく新しい次元を開くものである．この概念によれば，理論上は神経伝達物質が不足している状態であっても，また過剰にある状態であっても，どちらの場合でも部分アゴニストで治療できるかもしれないことになる．神経伝達物質の活性段階で過剰状態と欠乏状態の両方が混じり合っている状態であっても，部分アゴニストのような薬物を使えば同時に治療できるかもしれない．

逆アゴニスト

逆アゴニストは，単純にアンタゴニストにとどまらず，中立的でもなければ静止的でもない．逆アゴニストの作用は，Gタンパク結合型受容体において構造変化を誘導してこれを完全に不活性状態の形状に固定する（図2-9）．すなわち，このような構造変化によりシグナル伝達が機能的に減弱され（図2-9），アゴニストが存在していない状態でのシグナル伝達（図2-4），あるいは静止的アンタゴニストが存在している状態でのシグナル伝達（図2-6）よりもさらにシグナル伝達が減弱される．逆アゴニストが作用した結果，Gタンパク結合型受容体系のもつ恒常的活性さえも停止させてしまう．もちろん，ある受容体系に恒常的活性が存在しない場合は，おそらく受容体密度が低い状態であれば，活性が低下することもなく，逆アゴニストはアンタゴニストのようにみえるであろう．

このため，さまざまな意味で逆アゴニストは，アゴニストと**正反対**の作用をもたらす．アゴニストが受容体本来の活性状態からシグナル伝達を増強した場合は，逆アゴニストはシグナル伝達を減弱させ，受容体本来の活性状態でのシグナル伝達を下回らせることさえある．したがって，**逆アゴニスト**はアゴニストのようにシグナル伝達を増強するわけでもなく（図2-5），アンタゴニストのようにシグナル伝達を増強するアゴニストを単純に阻害するわけでもない（図2-6）．むしろ，逆アゴニストは，アゴニストがもつ作用とは正反対の作用を誘発するような方法でGタンパク結合型受容体に結合し，いわば受容体本来の活性状態でのシグナル伝達を**減弱**させることになる（図2-9）．臨床的観点からみて，逆アゴニストと静止的アンタゴニスト間の関連する違いが何であるかは明確ではない．実際，長年にわたって静止的アンタゴニストと考えられていた薬物，例えばセロトニン2A〔serotonin 2A（5HT$_{2A}$）〕アンタゴニストやヒスタミン1〔histamine 1（H$_1$）〕アンタゴニスト/抗ヒスタミン薬のなかには，脳内のある領域においては逆アゴニストとして働いていることが判明しているものもある．このように，逆アゴニストを静止的アンタゴニストから臨床的に区別できるとする考え方はいまなお発展途上であり，アンタゴニストと逆アゴニストの臨床的な相違はまだ解明されていない．

以上をまとめると，Gタンパク結合型受容体はアゴニスト・スペクトラムに沿って作用する．そして薬物とは，完全アゴニストにはじまって，部

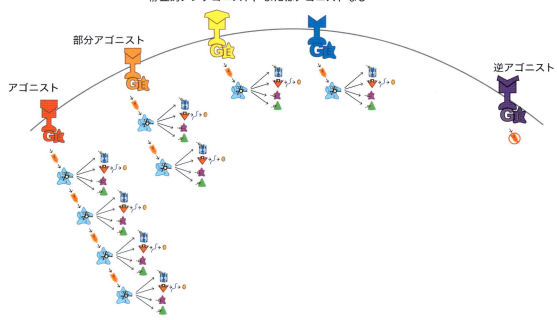

図2-10　アゴニスト・スペクトラム　アゴニスト・スペクトラムの関連性をまとめて示す。完全アゴニストは最大限のシグナル伝達を引き起こす。一方，部分アゴニストは，アゴニストが存在していない状態と比較すればシグナル伝達を増強させるが，完全アゴニストが存在している状態と比較すればシグナル伝達を減弱させる。アンタゴニストは恒常的活性に戻す作用があり，このためアゴニストが存在していない状態では作用を示さない。しかし，アゴニストが存在している状態では，アンタゴニストはシグナル伝達を減弱させる。逆アゴニストはアゴニストと正反対の機能をもち，実際にはアゴニストが存在していない状態で生じているシグナル伝達よりもさらにシグナル伝達を減弱させる。

分アゴニストや静止的アンタゴニスト，逆アゴニストに至るまでのどのような状態でも作りあげるために，Gタンパク結合型受容体に構造変化を誘導できるものをいう(図2-10)。このスペクトラムに沿ってシグナル伝達のスペクトラムを考えると(図2-10)，アゴニスト・スペクトラムに沿った各作用点上の薬物によって，シグナル伝達がこれほどまでにそれぞれ異なっている理由や，それに応じて薬物の臨床効果に大きな差がある理由が容易に理解できるであろう。

向精神薬の標的としての酵素

　シグナル伝達に関する第1章で詳細に述べたように，酵素は化学的神経伝達の多様な段階に関与する。すべての酵素が，理論上は酵素阻害薬 enzyme inhibitor として作用する薬物の標的となる。しかし実際には，精神薬理学の臨床で使われていて現在知られている薬物のうち，酵素阻害薬は少数にすぎない。

　酵素活性とは，ある分子を別の分子に変換する作用，要するに基質を生成物に作り変える作用をもっていることである(図2-11)。各酵素に対する基質は非常に特異的かつ選択的であり，生成物も同様である。基質が酵素に近寄って(図2-11A)，酵素の活性部位に結合すると(図2-11B)，作り変えられた分子の実体，すなわち生成物と呼ばれるものになって酵素から離れる(図2-11C)。酵素阻害薬も他の酵素と比較してそれぞれ非常に特異的かつ選択的である。酵素阻害薬が存在していると，酵素は対応する基質と結合できない。また，この結合は不可逆的なこともあれば(図2-12)，可逆的なこともある(図2-13)。

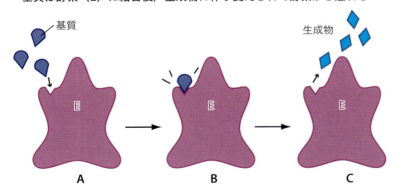

図2-11　**酵素活性**　酵素活性とは，ある分子を別の分子に変換する作用をもっていることである。したがって，基質は酵素による修飾を受けて生成物に変換されるといわれる。酵素は基質が特異的に結合できる活性部位をもっている(**A**)。基質が酵素の活性部位をみつけてそこに結合すると(**B**)，その結果として，基質は分子的に変換されて生成物に作り変えられる(**C**)。

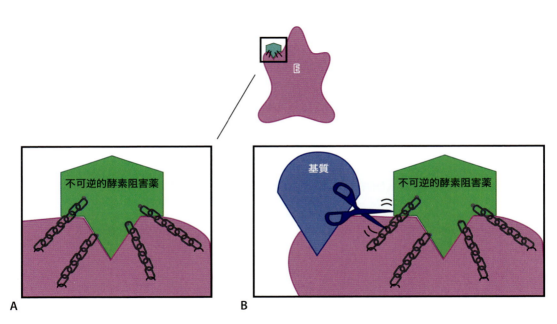

図2-12　**不可逆的酵素阻害薬**　薬物のなかには酵素の阻害薬となるものがある。ここでは不可逆的酵素阻害薬を示しており，阻害薬は酵素と鎖で繋がれているように描かれている(**A**)。競合的基質は不可逆的酵素阻害薬を酵素から除去することはできない。このようすは基質が自分のハサミを用いてうまく鎖を切ることができない状態として図に示した(**B**)。このような結合は恒常的に続くので，不可逆的酵素阻害薬は，ときに「自殺的阻害薬」とも呼ばれる。なぜなら，酵素は不可逆的酵素阻害薬と結合すると実質的に自殺を試みるからである。この場合の酵素活性は，細胞のDNAが新しい酵素分子を合成するまでは回復させることができない。

不可逆的酵素阻害薬irreversible enzyme inhibitorが酵素に結合すると，酵素阻害薬が基質によって置き換えられることはない。したがって，この阻害薬は不可逆的に結合する(図2-12)。このようすは，図中で不可逆的酵素阻害薬と酵素が鎖で繋がれていて(図2-12A)，基質は自分のハサミを用いて鎖を切り離すことができない(図2-12B)ように描かれている。このような不可逆的酵素阻害薬は，ときに「自殺的阻害薬 suicide inhibitor」とも呼ばれる。なぜなら，この阻害薬が酵素タンパクと不可逆的に共有結合して恒常的に酵素を阻害し，そのため酵素の機能を永久に失わせることにより，本質的には酵素を「殺す」こととなるからである(図2-12)。この場合の酵素活

向精神薬の標的としての酵素　57

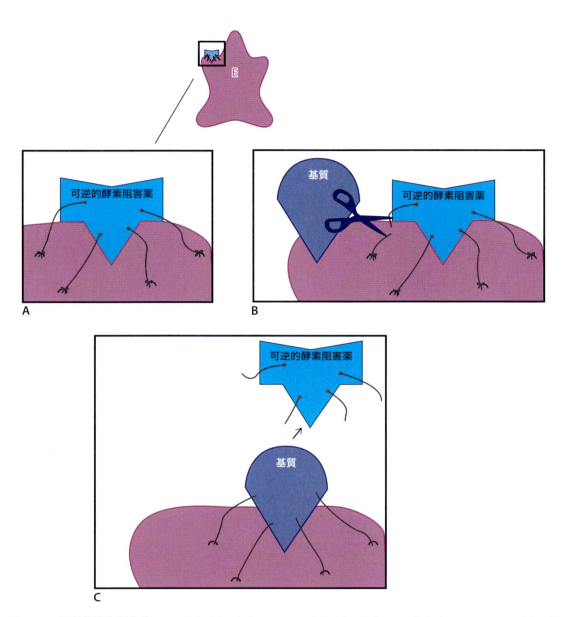

図2-13　可逆的酵素阻害薬　不可逆的酵素阻害薬のほかに可逆的酵素阻害薬という薬物があり，ここでは酵素と紐で繋がれているように示した（**A**）。可逆的酵素阻害薬は，対象となる酵素と結合する基質に対して競合的に拮抗する。可逆的酵素阻害薬の場合，基質はその分子的特徴のため可逆的酵素阻害薬を除去することができる。このようすは基質が可逆的酵素阻害薬と酵素を繋いでいる紐を自分のハサミを用いて切っているように描いた（**B**）。基質が可逆的酵素阻害薬との競合的拮抗に成功した結果，基質は可逆的酵素阻害薬を押し出して置き換わることになる（**C**）。基質にはこのような能力がそなわっているため，こういった阻害形式は可逆的と呼ばれる。

性は，新しい酵素分子が合成されてようやく回復する。

しかし，可逆的酵素阻害薬 reversible enzyme inhibitor の場合は，酵素の基質は，酵素との結合をめぐってその可逆的酵素阻害薬と競合することが可能で，これにより文字どおり阻害薬を押し出す（図2-13）。基質と阻害薬のどちらが「勝利する」か，または優位に立つかは，どちらが酵素に対する親和性が高いか，そこでの濃度が高いか，で決まる。このような結合が「可逆的」と呼ばれるの

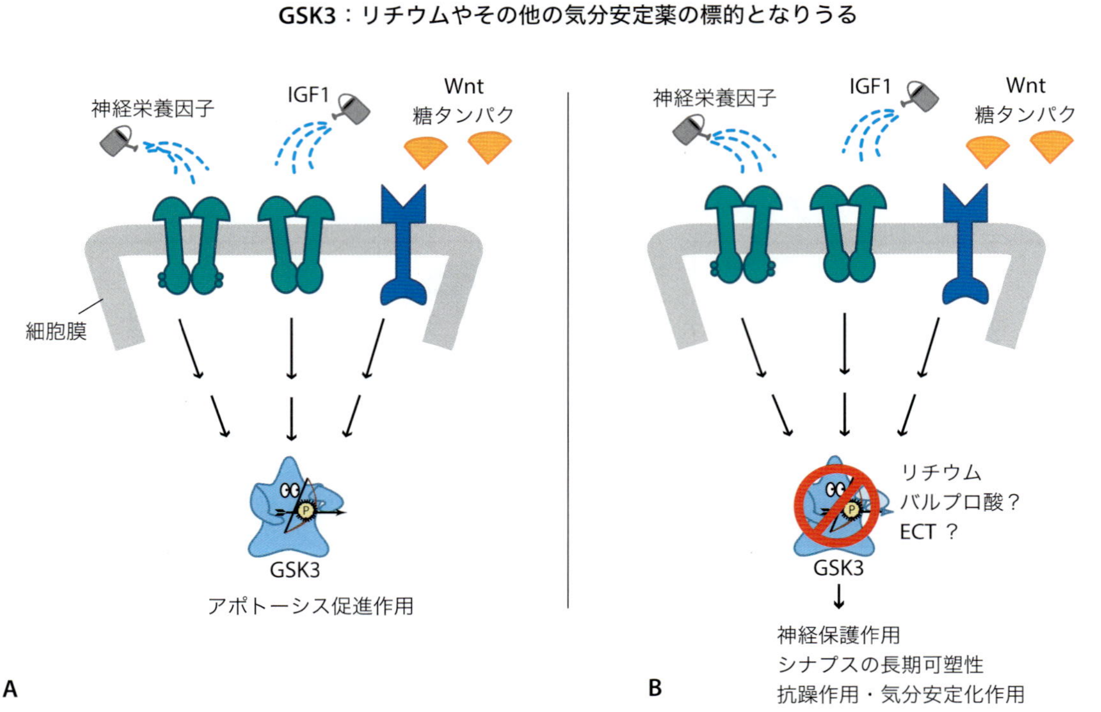

GSK3：リチウムやその他の気分安定薬の標的となりうる

A

B

図2-14　受容体チロシンキナーゼ tyrosine kinase　受容体チロシンキナーゼは，新しい向精神薬の標的となる可能性を秘めている．ある種の神経栄養因子や成長因子の伝達や，その他のシグナル伝達系のなかには，下流のリン酸タンパクであるグリコーゲンシンターゼキナーゼ3（GSK3）と呼ばれる酵素を介して作用し，細胞死を促進（アポトーシス促進作用）するものがある（**A**）．リチウムや，おそらくある種の気分安定薬は，この酵素を阻害する可能性がある．これにより，神経保護作用やシナプスの長期可塑性がもたらされ，さらには気分安定化作用にも関連する可能性がある（**B**）．
ECT：電気痙攣療法，IGF1：インスリン様成長因子1，Wnt：分泌性糖タンパク

である．このようすは，図中で可逆的酵素阻害薬が紐で繋がれていて（図2-13A），そのため基質は自分のハサミを用いて紐を切り，可逆的酵素阻害薬を切り離し（図2-13B），自分自身の紐で酵素本体に結合することができる（図2-13C）ように描いてある．

これらの概念はすべての酵素系にあてはめることができる．酵素のなかには神経伝達にかかわるものも存在し，神経伝達物質の産生や分解の際，さらにはシグナル伝達の際などにも関与している．わずかな酵素のみが，今日の臨床診療で使われる向精神薬の標的となっていることが知られている．それは，モノアミンオキシダーゼ（MAO），アセチルコリンエステラーゼ（AChE），グリコーゲンシンターゼキナーゼ glycogen synthase kinase（GSK）である．MAO阻害薬については抗うつ薬に関する第7章で，アセチルコリンエステラーゼ阻害薬については認知機能に関する第12章で，さらに詳しく述べる．簡潔にいうと，GSKについては，抗躁薬であるリチウムは神経栄養因子のシグナル伝達系に関与する重要なこの酵素を標的としている可能性がある（図2-14）．すなわち，ある種の神経栄養因子や成長因子growth factorの伝達系や，その他のシグナル伝達系のなかには，下流の特異的リポタンパクであるグリコーゲンシンターゼキナーゼ3（GSK3）と呼ばれる酵素を介して作用し，細胞死を促進（アポトーシス促進作用 proapoptotic action）するものがある．リチウムには，この酵素の阻害作用がある（図2-14B）．GSK3の阻害は生理学的に意味のあることと考えられる．なぜなら，この作用が神経保護作用 neuroprotective actionとシナプスの長期可塑性

long-term plasticityをもたらす可能性があり，リチウムが関与する反応として知られている気分安定化作用 mood-stabilizing action や抗躁作用 antimanic action に関連しているかもしれないからである。抗躁薬であるバルプロ酸と，うつ病に対する神経刺激療法である電気痙攣療法 electroconvulsive therapy（ECT）もやはりGSK3への作用をもっている可能性がある（図2-14B）。新規のGSK3阻害薬の開発が進められている。

向精神薬の標的としてのシトクロム P450 代謝酵素

薬物動態学的な作用は，シトクロム P450 cytochrome P450（CYP450）酵素系として知られている肝臓と腸管の薬物代謝系を介している。**薬物動態学** pharmacokinetics とは，生体がどのように薬物に反応するのか，特に薬物の吸収 absorption，分布 distribution，代謝 metabolism，排泄 excretion をどのように行うかについて研究する学問である。CYP450酵素とそれが示す**薬物動態学的**な作用は，**薬力学的** pharmacodynamics な作用と対比させて考えなければならないが，本書ではおもに薬力学的な作用に重きをおいて説明している。本章の前半部分と第3章でも述べる特異的な薬物に対しての薬力学的作用は，向精神薬の作用機序として知られており，これらの薬物の治療効果と副作用を説明するものである。しかし，ほとんどの向精神薬はこの薬物代謝を行うCYP450酵素を，基質としてあるいは阻害薬や誘導体として，標的としてもいる。そこで，CYP450酵素について簡単に概説し，これらの酵素と向精神薬との相互作用について順を追って述べることにする。

CYP450酵素は，図2-11〜図2-13で図解したように，基質を代謝物（生成物）に変換するのと同じ原則に従う。図2-15は，向精神薬が腸管壁から吸収され，肝臓内のCYP450酵素（大きな青色で示した）まで運ばれて生体内変換された後，腎臓を経由して身体から排泄できるように循環血液中へと戻されていくようすを示している。特に腸管壁内または肝臓内に存在するCYP450酵素は，基質である薬物を循環血液中の生体内変換された代謝物へと転換する。腸管壁と肝臓を通過した後，薬物の一部は未変化体として，また一部は生体内変換された代謝物として循環血液中に存在することになる（図2-15）。

いくつかの既知のCYP450酵素系がある。向精

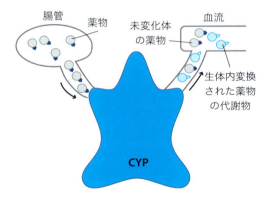

図2-15　シトクロム P450（CYP450）酵素　CYP450酵素系は，生体が抗精神病薬を含む多くの薬物を代謝するときに関与する。腸管壁や肝臓に存在するCYP450酵素は，薬物を生体内変換し，生成された代謝物を循環血液中に送り出す。腸管壁と肝臓を通過した後（左），薬物の一部は未変化体として，また一部は生体内変換された代謝物として循環血液中に存在することになる（右）。

図2-16　6種類のCYP450酵素　CYP450酵素系は数多く存在し，ファミリー，サブタイプ，遺伝子生成物によって分類される。ここでは最も重要なCYP酵素として6種類，すなわちCYP1A2，CYP2B6，CYP2D6，CYP2C9，CYP2C19，CYP3A4を示す。

神薬の代謝で最も重要な酵素のうちの6種類を図2-16に示す。既知のCYP450酵素として30種類以上が知られているが，今後，おそらくさらに多くのCYP450酵素が発見されて分類されることになるであろう。なお，すべての個人がまったく同じCYP450酵素の遺伝子型をもっているわけではなく，どの個人に対する酵素型でも現在容易に薬物遺伝学的な検査で知ることができる。これらの酵素は非常に多くの向精神薬の分解に全体として関与しており，それぞれ異なったCYP450酵素をコードする遺伝子での変異はこれらの酵素の活性を変化させることがあり，その結果標準的な用量での薬物濃度を変化させる。ほとんどの人は主要なCYP酵素による「正常な」薬物分解率を示し，これは「迅速代謝群 extensive metabolizer」と呼ばれる。ほとんどの薬物用量はこれらの人に対して定められている。しかし，これらの酵素の遺伝的変異をもつ人もおり，中間代謝群 intermediate metabolizer や低代謝群 poor metabolizer であることがある。この場合は，低下した酵素活性が，薬物濃度上昇，薬物相互作用，および活性代謝産物の低下などの危険性を増大させることがありうる。このような患者では，彼らがもつCYP450酵素変異体で代謝できる，標準用量よりも少ない用量にすることが必要かもしれない。一方，超迅速代謝群 ultra-rapid metabolizer である患者もおり，彼らは酵素活性が高く，治療域以下の薬物血中濃度で，さらに標準用量では不十分な効果となる。遺伝的変異が不明なときは，向精神薬の効果や副作用が変化してしまいかねない。これらのCYP450酵素の遺伝子型は現在容易に検査が可能であり，どのような患者が特定の薬物の用量調節が必要になるかを予測するために用いられている。そのため，特に向精神薬の標準用量に反応しない患者や耐えられない患者において，精神薬理学の実践は薬物代謝にかかわる遺伝子の検査へとしだいに移り変わっている。このことを，薬物遺伝学的使用のための遺伝子型判定 genotyping と呼ぶ。ときには遺伝子型判定と，血中の実際の濃度を測ることができる治療薬物モニタリング therapeutic drug monitoring とを組み合わせる

ことが有用である。これにより，どのCYP450酵素系が存在しているかを調べる遺伝子型判定からの予測を確認することになる。治療薬物モニタリングを組み合わせた薬物遺伝学的検査（表現型判定 phenotyping とも呼ばれる）を用いることにより，とりわけ治療抵抗性の患者の治療に役立てることができる。

CYP450酵素とその遺伝子変異体が関与する薬物相互作用には絶えず新しいものがみつかっている。薬物を併用する積極的な臨床家はこのことに常に注意を払わなくてはならず，そのためにはどういった薬物相互作用が重要であるか絶えず最新情報を得ておく必要がある。ここでは，CYP450酵素系での薬物相互作用に対する一般的概念を示したにすぎない。個別の事柄については，処方前に包括的かつ最新の薬物療法の参考書（例えば，本書の姉妹書である『精神科治療薬の考え方と使い方』）を参照して理解しておくべきである。

まとめ

日常臨床で使われる1/3近くの向精神薬が神経伝達物質トランスポーターに結合し，他の1/3の向精神薬がGタンパク結合型受容体に結合する。このような2つの分子作用部位，これらの神経伝達に対する影響，そしてこれらの部位に作用するさまざまな薬物については，本章ですべて概説した。

具体的には，神経伝達物質に対する細胞膜トランスポーターとしては2種類のサブクラス，細胞内シナプス小胞トランスポーターとしては3種類のサブクラスがある。モノアミントランスポーター（セロトニンに対してはSERT，ノルエピネフリンに対してはNET，ドーパミンに対してはDAT）は，単極型うつ病，ADHD，さらに不安から疼痛に至るまでの他の多くの疾患を治療する既知の大部分の薬物に対する重要な標的となっている。これら3種類すべてのモノアミントランスポーターに対するシナプス小胞トランスポーターは，VMAT2（シナプス小胞モノアミントランスポーター2）と呼ばれ，これはモノアミンやヒスタミンをシナプス小胞に貯蔵するだけでなく，遅発

性ジスキネジアなどの運動障害を治療するために最近導入された薬物によって阻害されたりもする。

　Gタンパク結合型受容体は，向精神薬の最も一般的な標的で，これらの受容体作用は治療作用と副作用の両方をもたらす。Gタンパク結合型受容体での薬物作用は，アゴニスト・スペクトラムのなかで示したように，完全アゴニスト作用にはじまって，部分アゴニスト作用やアンタゴニスト作用，さらには逆アゴニスト作用にまで至る。内在性の神経伝達物質は完全アゴニストであり，臨床場面で使われる薬物のなかにも完全アゴニストは存在する。しかし，Gタンパク結合型受容体に直接作用する薬物の大部分は，アンタゴニストとして働く。少数は部分アゴニストとして働き，いくつかは逆アゴニストとして働く。Gタンパク結合型受容体に相互作用する薬物は，それぞれ作用した受容体に構造変化をもたらすが，この構造変化によりアゴニスト・スペクトラム上での薬物の作用点が定義されることになる。このようにして，完全アゴニストは構造変化を誘導してシグナル伝達を開始し，二次メッセンジャーの生成をできる限り行う。1つの新しい概念として部分アゴニストというものがある。これはアゴニストのように作用するが，その作用はより弱い。アンタゴニストは構造変化をもたらして，受容体本来の活性状態に戻して安定させるので，「静止的」ともいわれる。アゴニストまたは部分アゴニストが存在している状態では，アンタゴニストは受容体を本来の活性状態に戻し，アゴニストの作用を取り消す。また，新しい受容体作用をもつ薬物として逆アゴニストというものがある。これは，受容体に構造変化をもたらしてすべての活性を止めるが，受容体が本来もつ恒常的活性さえも止める。アゴニスト・スペクトラムを理解することにより，臨床作用などのシグナル伝達に対する最終的な影響を予測できるようになる。

　最後に，少数の向精神薬は治療効果をもたらすために酵素を標的とする。いくつかの酵素は，伝達物質の合成や分解だけでなくシグナル伝達を含む神経伝達に関与しているが，向精神薬が標的としていることが知られているのは，実際にはわずか3種類だけである。大多数の向精神薬はシトクロムP450といわれる薬物代謝酵素を標的とし，これは，向精神薬の薬物動態学的特徴には関連するが，薬力学的特徴には関連しない。

（訳　仙波純一）

3章 精神薬理学的な薬物作用を示す標的としてのイオンチャネル

- 精神薬理学的な薬物作用を示す標的としてのリガンド依存性イオンチャネル — 63
  - リガンド依存性イオンチャネル，イオン調節型受容体，イオンチャネル結合型受容体 — 63
  - リガンド依存性イオンチャネル：構造と機能 — 64
  - 五量体サブタイプ — 66
  - 四量体サブタイプ — 66
  - アゴニスト・スペクトラム — 68
  - リガンド依存性イオンチャネルの多様な形態 — 75
  - アロステリック調節物質：PAMとNAM — 78
- 精神薬理学的な薬物作用を示す標的としての電位感受性イオンチャネル — 81
  - 構造と機能 — 81
  - 電位感受性ナトリウムチャネル(VSSC) — 82
  - 電位感受性カルシウムチャネル(VSCC) — 85
- イオンチャネルと神経伝達 — 88
- まとめ — 91

　精神薬理学的に重要な多くの薬物は，イオンチャネルを標的とする。シナプス性神経伝達の重要な調節物質としてのイオンチャネルの役割は第1章で述べた。そこで本章では，これらの分子部位を標的とすることがシナプスの神経伝達をどのように変化させているのか述べていく。この変化はつぎに多様な向精神薬の治療作用に結びついている。特に，精神薬理学的な薬物作用を示す標的としてのリガンド依存性イオンチャネルと電位感受性イオンチャネルを取り上げる。

精神薬理学的な薬物作用を示す標的としてのリガンド依存性イオンチャネル

リガンド依存性イオンチャネル，イオン調節型受容体，イオンチャネル結合型受容体

　リガンド依存性イオンチャネル，イオン調節型受容体，イオンチャネル結合型受容体という用語は，実のところ（表記は異なるが），同じ受容体／イオンチャネル複合体に対する異なった用語である。通常，イオンは電荷をもっているために細胞膜を貫通することができない。神経細胞でのイオンの流出入経路を選択的に調節するために，神経細胞膜はあらゆる種類のイオンチャネルで装飾されている。精神薬理学で最も重要なイオンチャネルは，カルシウムイオン(Ca^{2+})，ナトリウムイオン(Na^+)，塩素イオン(Cl^-)，カリウムイオン(K^+)を調節する。イオンチャネルの多くはさまざまな薬物によって修飾されるが，このことについては本章全体で述べていく。

　イオンチャネルは2種類に大きく区分され，それぞれの種類のイオンチャネルはいくつかの名前をもっている。1つは神経伝達物質によって開口されるイオンチャネルで，**リガンド依存性イオンチャネル** ligand-gated ion channel，**イオン調節型受容体** ionotropic receptor，**イオンチャネル結合型受容体** ion channel-linked receptorと名づけられている。これらのイオンチャネルや関連受容体については次項で述べる。もう1つは膜をまたがる電荷 chargeあるいは電位 voltageによって開口するイオンチャネルで，**電位感受性イオンチャネル** voltage-sensitive ion channel，あるいは**電位依存性イオンチャネル** voltage-gated ion channelと呼ばれる。これらのイオンチャネルについては本章の後半で述べる。

門番として働く受容体で神経伝達物質がリガンドとして作用することによってイオンチャネルが開閉するようすの模式図を図3-1に示す。神経伝達物質がイオンチャネル上に存在する門番として働く受容体に結合すると，その受容体に構造変化を生じさせイオンチャネルが開口する（図3-1A）。受容体に結合する神経伝達物質や薬物，ホルモンなどは，**リガンド**ligand（文字どおり「結んでいるtying」）と呼ばれることがある。このように，受容体により開閉が調節されるイオンチャネルは，しばしば**リガンド依存性イオンチャネル**と呼ばれる。また，このようなイオンチャネルは受容体でもあるので，**イオン調節型受容体**，あるいは**イオンチャネル結合型受容体**とも呼ばれる。これらの用語は，本章ではリガンド依存性イオンチャネルと同じ意味で使われる。

非常に多くの薬物がこのような受容体/イオンチャネル複合体の周囲にあるさまざまな部位に作用し，この複合体の多種多様な作用を修飾する。これらの修飾は，イオンチャネルを介したイオンの流入を速やかに変化させるだけでなく，イオンの流入を遅らせることで，これらの受容体で開始したシグナル伝達によって生じた下流の反応を変化させることができる。下流の反応については第1章で多岐にわたって述べたが，これらの反応には，リンタンパクの活性化と不活性化，酵素活性や受容体の感受性，イオンチャネルの伝導性conductivityの変化などが含まれる。その他の下流の反応としては遺伝子発現の変化などがあり，これによりどのようなタンパクを合成し，どのような機能を増強するかが決められる。このような機能としては，シナプス形成にはじまって，受容体や酵素の合成，イオン調節型受容体をもつ神経細胞の神経支配を受ける下流の神経細胞との情報伝達に至るまで，実に多岐にわたる。リガンド依存性イオンチャネルに作用する薬物がこれらの受容体から生じたシグナル伝達をどのように修飾させるのかを理解するために，読者は第1章で紹介したシグナル伝達系の機能について精通している必要がある。

薬物がイオン調節型ionotropic（ionotrophicとも呼ばれる）受容体から生じたシグナル伝達を修飾することで，精神症状に非常に大きな作用をもたらすことが可能となる。今日の臨床で使われる向精神薬の約1/5（ベンゾジアゼピンなどの不安や不眠を治療する薬物を含む）はこれらの受容体に作用することが知られている。イオン調節型受容体は速やかにイオンの流入を変化させるため，これらの受容体に作用する薬物の効果発現は非常に速い。このような理由で，イオン調節型受容体に働く抗不安薬anxiolyticや睡眠薬hypnoticの多くは，臨床効果が速やかに発現することがある。これは，第2章で紹介したGタンパク結合型受容体に働く薬物の多くが示す薬理作用とは対照的である。このような薬物のなかには気分への作用などの臨床効果を示すものもあるが，この作用はシグナル伝達カスケードを介して細胞機能が活性化されて変化しはじめるのを待ってようやく発現することがある。本章では，受容体/イオンチャネル複合体の周囲にある多様な分子部位を各種薬物がどのように刺激あるいは阻害するのかを述べる。本書全体をとおして，特定のイオン調節型受容体に働く特定の薬物が，どのようにして特定の精神疾患に特定の作用を示すのかを紹介していく。

リガンド依存性イオンチャネル：構造と機能

リガンド依存性イオンチャネルは，受容体またはイオンチャネルのどちらであろうか？　その答えはどちらも正しく，リガンド依存性イオンチャネルは一種の受容体であり，またイオンチャネルも形成する。このような理由から，リガンド依存性イオンチャネルは，「チャネル」（リガンド依存性イオンチャネル）とも呼ばれ，「受容体」（イオン調節型受容体/イオンチャネル結合型受容体）とも呼ばれるのである。これらの用語はイオンチャネル/受容体の二重機能があることを把握しようとする意図があり，またなぜこの受容体/イオンチャネル複合体に対して1つ以上の用語があるか

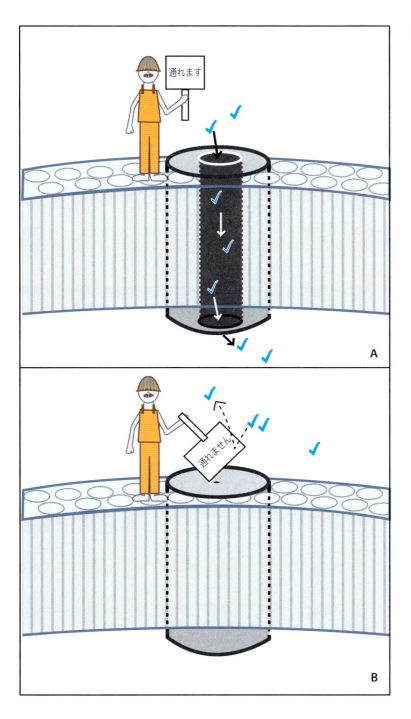

図3-1　リガンド依存性イオンチャネルの門番　リガンド依存性イオンチャネルの模式図である。(**A**)受容体が分子の門番のような役目をしていて，この門番は神経伝達からの指示に従ってイオンチャネルを開口し，細胞内へのイオンの流入を許可している。(**B**)門番がチャネルを閉口状態のままにした結果，イオンは細胞内に流入できない。リガンド依存性イオンチャネルはイオンチャネルを形成する受容体の1つのタイプで，このためイオンチャネル結合型受容体，あるいはイオン調節型受容体とも呼ばれている。

の説明にもなっているのであろう。

　リガンド依存性イオンチャネルは，いくつかのアミノ酸の長鎖から構成され，これらのアミノ酸長鎖はイオンチャネルの周囲にサブユニットとして組み立てられている。これらのサブユニットに飾られているのは，神経伝達物質にはじまり，イオンや薬物に至るすべてのものに対する多様な結合部位である。すなわち，これらの複合タンパクにはいくつかの結合部位が存在し，そこである種のイオンがチャネルを通り抜けたり，別のイオンがチャネルに結合したりしている。そこでは，1種類の神経伝達物質あるいは2種類の共存伝達物質cotransmitterは，離れて明確に異なった結合部位に作用する。またそこで，非常に多くのアロステリック調節物質allosteric modulator（すなわち，神経伝達物質が結合する部位とは異なる部位に結合する内在性の物質または薬物）が，イオンチャネル開口の感受性を亢進または低下させているのである。

五量体サブタイプ

　多くのリガンド依存性イオンチャネルは，5種類のタンパクサブユニットから構成されていて，このため五量体pentamericと呼ばれている。リガンド依存性イオンチャネルの五量体サブタイプはそれぞれが4回膜貫通領域をもっている（図3-2A）。これらの膜タンパクは細胞膜への出入りを4回繰り返す（図3-2A）。このサブユニットが5組選ばれると（図3-2B），空間を保ちながら輪を囲むように集合し，中央部にイオンチャネルをもち，完全な機能をもった五量体構造の受容体を形成する（図3-2C）。受容体の結合部位は，各サブユニット上のいろいろな場所に存在する。受容体の結合部位のなかにはイオンチャネル内に存在するものもあるが，多くはイオンチャネル外部の異なった部位に存在する。この五量体構造は，$GABA_A$受容体，ニコチン性アセチルコリン受容体nicotinic cholinergic receptor，セロトニン3（$5HT_3$）受容体，ある型のグリシン受容体などに典型的である（表3-1）。五量体のリガンド依存性イオンチャネルに対して直接作用する薬物を表3-2に示す。

　受容体の構造がこれほどまでに複雑でなかったと仮定したら，五量体構造をもつイオン調節型受容体には実に多くのサブタイプが存在することになるであろう。五量体構造をもつイオン調節型受容体のサブタイプは，構成された5組のサブユニットのうち，どのサブユニットが選ばれ，それらがどのように組み合わさって完全な形状の受容体となったかによって定義される。すなわち，4回膜貫通領域をもつ各サブユニットに対していくつかのサブタイプが候補として存在し，その集まり方によってサブタイプの異なる完全な形状の受容体をいくつか組み立てることができるようになっている。内在性の神経伝達物質はイオン調節型受容体のあらゆるサブタイプに結合するが，臨床で使われるいくつかの薬物，そして臨床試験中の薬物の多くは，これらの受容体サブタイプの1つ以上に選択的に結合できるが，結合した受容体サブタイプ以外には結合しない。このことは，機能的かつ臨床的な影響を及ぼすかもしれない。特定の受容体サブタイプ，そしてそれに対して選択的に結合する特定の薬物については，それらの具体的な臨床使用を扱う章で述べる。

四量体サブタイプ

　イオン調節型グルタミン酸受容体は，前項で述べた五量体のイオン調節型受容体とは異なった構造をしている。グルタミン酸に対するリガンド依存性イオンチャネルは，図3-2Aで示したような完全な4回膜貫通領域をもっているのではなくて，完全な3回膜貫通領域をもつサブユニットと，4番目のリエントリーループre-entrant loopをもつ構造から成り立っている（図3-3A）。このサブユニットが4組選ばれると（図3-3B），空間を保ちながら輪を囲むように集合し，完全な機能をもつイオンチャネルを形成し，4つのリエントリーループがイオンチャネルの輪郭を整えている（図3-3C）。このように，イオンチャネルでの四量体構造のサブタイプ（図3-3）と五量体構造のサブタイプ（図3-2）は類似していて，サブユニットが4組か5組かの違いだけである。受容体への結合部

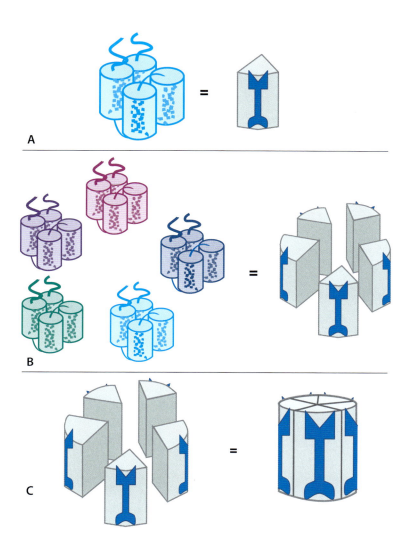

図 3-2 リガンド依存性イオンチャネルの構造 五量体構造をもつリガンド依存性イオンチャネルにおいて，各サブユニットの4回膜貫通領域はクラスターを形成する(**A**)。このサブユニットの模式図を右側に示す。このようなサブユニット5組が空間を保ちながら輪を囲むように集合し(**B**)，中央部に機能をもつイオンチャネルを形成する(**C**)。このリガンド依存性イオンチャネルには，5組すべてのサブユニット上に受容体の結合部位があり，これはイオンチャネルの内側と外側の両方に存在する。

位は各サブユニットのいろいろな部位に存在し，イオンチャネル内にもいくつかあるが，多くはイオンチャネル外部の異なった部位に存在する。

　この四量体構造をもつ受容体は，α-アミノ-3-ヒドロキシ-5-メチル-4-イソオキサゾール-プロピオン酸alpha-amino-3-hydroxy-5-methyl-4-isoxazole-propionic acid(AMPA)受容体，カイニン酸kainate，およびN-メチル-D-アスパラギン酸N-methyl-D-aspartate(NMDA)受容体として知られるイオン調節型グルタミン酸受容体に典型的である(表3-3)。四量体構造のイオン調節型グルタミン酸受容体に直接的に作用する薬物を表3-2に列挙した。グルタミン酸受容体に作用す

表3-1　五量体構造をもつリガンド依存性イオンチャネル

4回膜貫通領域をもつ五量体サブタイプ	
神経伝達物質	受容体サブタイプ
アセチルコリン	ニコチン受容体(例：α_7ニコチン受容体，$\alpha_4\beta_2$ニコチン受容体)
GABA	$GABA_A$受容体(例：α_1サブユニット，γサブユニット，δサブユニット)
グリシン	ストリキニン感受性グリシン受容体
セロトニン	$5HT_3$受容体

5HT：セロトニン，GABA：γ-アミノ酪酸

表3-2 向精神薬が直接標的とする重要なリガンド依存性イオンチャネル

神経伝達物質	直接標的とされるリガンド依存性イオンチャネルの受容体サブタイプ	薬理作用	薬効分類	治療作用
アセチルコリン	$\alpha_4\beta_2$ニコチン受容体	部分アゴニスト	NRPA(バレニクリン)	禁煙補助
GABA	$GABA_A$受容体ベンゾジアゼピン結合部位	完全アゴニスト,相動性抑制	ベンゾジアゼピン	抗不安作用
	$GABA_A$受容体非ベンゾジアゼピンPAM部位	完全アゴニスト,相動性抑制	「Zドラッグ系睡眠薬」(ゾルピデム,zaleplon, ゾピクロン,エスゾピクロン)	不眠の改善
	$GABA_A$受容体神経ステロイド部位(ベンゾジアゼピン非感受性)	完全アゴニスト,持続的抑制	神経活性ステロイド(アロプレグナノロン allopregnanolone)	産後うつ病,急速作用の抗うつ薬,麻酔薬
グルタミン酸	NMDA受容体NAMチャネル部位/Mg^{2+}部位	アンタゴニスト	NMDAアンタゴニスト(メマンチン)	Alzheimer病における認知向上
	NMDA受容体チャネル開口部位	アンタゴニスト	phencyclidine(PCP),ケタミン,デキストロメトルファン,dextromethadone	解離性幻覚薬,麻酔薬,情動調節障害 pseudobulbar affect, Alzheimer病での焦燥,急速作用の抗うつ薬,治療抵抗性うつ病
セロトニン	$5HT_3$受容体	アンタゴニスト	ミルタザピン,ボルチオキセチン	認知向上,抗うつ薬
	$5HT_3$受容体	アンタゴニスト	制吐薬	化学療法誘発性嘔吐の軽減

5HT:セロトニン,GABA:γ-アミノ酪酸,NAM:負のアロステリック調節物質,NMDA:N-メチル-D-アスパラギン酸,NRPA:ニコチン受容体部分アゴニスト,PAM:正のアロステリック調節物質

る選択的アゴニストによるこの受容体のサブタイプ,さらにこのサブタイプを構築する特異的な分子サブユニットを表3-3に列挙した。イオン調節型グルタミン酸受容体に対するサブタイプ選択的薬物については研究段階で,現時点で臨床では使われていない。

アゴニスト・スペクトラム

第2章で詳しく解説したGタンパク結合型受容体に対するアゴニスト・スペクトラム agonist spectrumの概念は,リガンド依存性イオンチャネルについてもあてはまる(図3-4)。すなわち,**完全アゴニスト** full agonistはイオン調節型受容体の立体構造を変化させ,受容体への結合部位で生じた反応の許す限り,イオンチャネルの開口頻度を増加させることができる(図3-5)。さらにこれが引き金となって,受容体の結合部位から引き起こされた下流のシグナル伝達が最大限にもたらされる。リガンド依存性イオンチャネルは,完全アゴニストが単独のときよりも広く(すなわち,より高頻度で)開くこともできる。しかし,これには2つ目の受容体結合部位,すなわち後述するように,正のアロステリック調節物質 positive allosteric modulator(PAM)の助けを借りる必要がある。

アンタゴニスト antagonistは休止状態 resting stateに受容体を安定させるが(図3-6B),これはアゴニストが存在していないときの受容体の状態

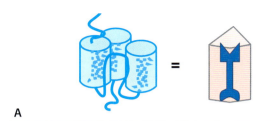
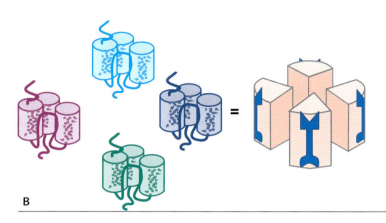
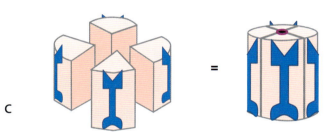

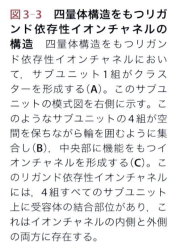

図3-3 四量体構造をもつリガンド依存性イオンチャネルの構造 四量体構造をもつリガンド依存性イオンチャネルにおいて，サブユニット1組がクラスターを形成する（**A**）。このサブユニットの模式図を右側に示す。このようなサブユニットの4組が空間を保ちながら輪を囲むように集合し（**B**），中央部に機能をもつイオンチャネルを形成する（**C**）。このリガンド依存性イオンチャネルには，4組すべてのサブユニット上に受容体の結合部位があり，これはイオンチャネルの内側と外側の両方に存在する。

と同じである（図3-6A）。アンタゴニストが存在しているときとアゴニストが存在していないときとの間で受容体の状態に違いはないので，アンタゴニストは「中立的neutral」あるいは「静止的silent」といわれる。休止状態とは，イオンチャネルが完全に閉口しているということではない。つまり，アゴニストが存在していない状態（図3-6A）あるいはアンタゴニストが存在している状態（図3-6B）のいずれの場合であっても，イオンチャネルを介したイオンの流入がある程度はみられる。これは，アゴニストが存在していないとしても，またアンタゴニストが存在していたとしても，散発的かつ不定期にイオンチャネルが開口することに起因するものである。このことは恒常的

表3-3 四量体構造をもつリガンド依存性イオンチャネル

3回膜貫通領域とリエントリーループをもつ四量体サブタイプ	
神経伝達物質	受容体サブタイプ
グルタミン酸	AMPA（例：GluR1〜GluR4サブユニット）
	カイニン酸（例：GluR5〜GluR7，KA1〜KA2サブユニット）
	NMDA（例：NMDAR1，NMDAR2A〜NMDAR2D，NMDAR3Aサブユニット）

AMPA：α-アミノ-3-ヒドロキシ-5-メチル-4-イソオキサゾール-プロピオン酸，NMDA：N-メチル-D-アスパラギン酸

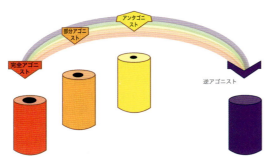

図3-4 **アゴニスト・スペクトラム** アゴニスト・スペクトラムとイオンチャネルに対応する作用を示す。アゴニスト・スペクトラムは，受容体への結合部位で生じた反応の許す限り，イオンチャネルの開口回数を増加させ，最大限にイオンを流入させることができる完全アゴニスト（左端）にはじまり（単純化するため，より広い開口で示した），イオンチャネルが頻繁には開口しない休止状態を保つアンタゴニストを経て（中央），イオンチャネルを閉口状態や不活性状態にする逆アゴニストにまで至る（右端）。完全アゴニストとアンタゴニスト両極端の間には部分アゴニストが存在し，これは受容体の休止状態と比較すれば開口回数を増加させ，イオンの流入を促進するが，完全アゴニストほどではない。アンタゴニストはスペクトラム上のいずれの薬物も阻害することができ，どの場合もイオンチャネルを休止状態まで戻す。

活性 constitutive activity と呼ばれるもので，Gタンパク結合型受容体に関する第2章でも解説してある。イオンチャネル結合型受容体のアンタゴニストは，アゴニストの作用を逆転させ（図3-7），受容体の立体構造をもとの休止状態に戻すが，恒常的活性を阻害することはまったくない。

部分アゴニスト partial agonist は受容体の立体構造を変化させ，受容体が休止状態にあるときと比較すればイオンチャネルの開口頻度を増加させ，イオンの流入を促進するが，完全アゴニストが存在している状態と比較すれば，その程度は小さくなる（図3-8, 図3-9）。アンタゴニストは，完全アゴニストの作用を逆転するのと同様に，部分アゴニストの作用も逆転させ，受容体をもとの休止状態に戻す（図3-10）。部分アゴニストは，このようにしてイオンの流入と下流のシグナル伝達を起こすが，その作用はアゴニストが存在していない状態よりは心持ち大きく，完全アゴニストのものよりは若干小さい。Gタンパク結合型受容体のときとまったく同様に，部分アゴニストの作用はアゴニスト・スペクトラム上で完全アゴニストま

図3-5 **アゴニストの作用**
(**A**)イオンチャネルは休止状態にあり，この状態ではイオンチャネルはまれにしか開口しない（恒常的活性）。(**B**)アゴニストがリガンド依存性イオンチャネル上の結合部位を占拠していて，イオンチャネルの開口回数を増加させている。ここでは，赤色のアゴニストが受容体に結合して受容体をオレンジ色に変化させて，イオンチャネルが大きく開口しているように描いてある。

アゴニストが受容体に結合していない状態ではイオンチャネルが休止状態である **A**

アゴニストが受容体に結合している状態ではイオンチャネルの開口回数が増加している **B**

図3-6　アンタゴニスト単独の作用　(**A**)イオンチャネルは休止状態にあり，この状態ではイオンチャネルはまれにしか開口しない。(**B**)リガンド依存性イオンチャネルの受容体上で，アンタゴニストは通常ではアゴニストが占拠している部位に結合している。しかし，これは何も起こさず，休止状態と比較して，イオンチャネルの開口の程度や回数は変化していない。ここでは，濃黄色のアンタゴニストが受容体に結合して受容体を淡黄色に変化させているが，イオンチャネルの状態には影響を与えていないように描いてある。

イオンチャネルは休止状態　**A**

アンタゴニストは受容体に結合しているが，アンタゴニストが存在しない休止状態と比較して，イオンチャネルの開口回数は変化していない　**B**

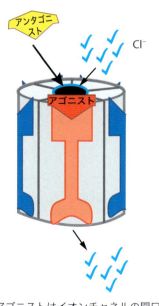

図3-7　アゴニストが存在している状態でのアンタゴニストの作用　(**A**)アゴニストがリガンド依存性イオンチャネル上の受容体に結合していて，休止状態と比較すればイオンチャネルの開口回数が増加している。ここでは，赤色のアゴニストが受容体に結合して受容体をオレンジ色に変化させて，イオンチャネルが大きく開口しているように描いてある。(**B**)濃黄色のアンタゴニストが赤色のアゴニストを結合部位から追い出し，アゴニストの作用を逆転させて受容体を休止状態に戻している。このようにして，イオンチャネルはアゴニストが作用する前のもとの休止状態に戻されるのである。

アゴニストはイオンチャネルの開口回数を増加させる　**A**

アンタゴニストがアゴニストと置き換わり，イオンチャネルを休止状態に戻す　**B**

図3-8 部分アゴニストの作用
(**A**)イオンチャネルは休止状態にあり，この状態ではイオンチャネルはまれにしか開口しない。(**B**)部分アゴニストがリガンド依存性イオンチャネル上の受容体を占拠して受容体に構造変化をもたらし，休止状態と比較すればイオンチャネルの開口の程度と回数を増加させるが，完全アゴニストほどではない。ここでは，濃いオレンジ色の部分アゴニストが受容体に結合して受容体を淡いオレンジ色に変化させて，イオンチャネルは完全ではないがある程度は開口しているように描いてある。

たは静止的アンタゴニストにどの程度近いかによって，部分アゴニストの強さと下流のシグナル伝達への影響が決められることになる。

　理想的な治療薬とは，強すぎず，弱すぎず，ちょうどよい程度でイオンの流入とシグナル伝達を起こせるものであろう。このような治療薬は第2章で示したように「ゴルディロックスの解決」(52頁の訳注を参照)と呼ばれるが，リガンド依存性イオンチャネルの場合にも同様の概念をあてはめることができる。このような理想的状態は臨床場面によってまちまちで，完全アゴニストによる作用と静止的アンタゴニストによる作用の間の望ましいバランスによって決まる。不安定な神経伝達が脳全体に存在するような場合，そういった程よいバランスをみつけだすことで，強すぎずまた弱すぎない下流の作用点のどこかで，受容体の出力を安定させることができるかもしれない。このような理由で，部分アゴニストは「スタビライザーstabilizer」とも呼ばれるが，それは，完全アゴニストの作用が強すぎた状態と，アゴニスト作用のまったくない状態という極端な範囲の間で，

安定した解決策をみつけだす能力が理論上は部分アゴニストにそなわっているからである(図3-9)。

　Gタンパク結合型受容体の場合とまったく同様に，部分アゴニストはリガンド依存性イオンチャネルに対しても，そこに存在する内在性の完全アゴニストである神経伝達物質の濃度によって，正味のアゴニスト net agonist または正味のアンタゴニスト net antagonist のどちらにもなりうると思われる。したがって，完全アゴニストである神経伝達物質が存在していない状態では，部分アゴニストは正味のアゴニストとして働く(図3-9)。すなわち，部分アゴニストは，休止状態の受容体を活性化させ，イオンチャネル結合型受容体から生じたイオンの流入と下流のシグナル伝達カスケードをいくらか亢進させるように働きはじめる。しかし，完全アゴニストである神経伝達物質が存在している状態では，部分アゴニストは正味のアンタゴニストとなる(図3-9)。すなわち部分アゴニストは，シグナル出力のレベルをある程度は落とすが，これをまったく消失させるわけでは

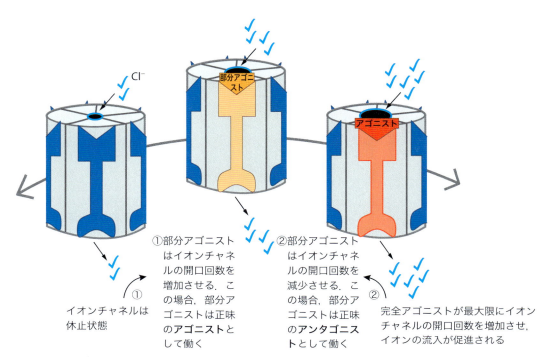

図3-9　**部分アゴニストの正味の作用**　部分アゴニストは，正味のアゴニストあるいは正味のアンタゴニストのいずれかとして働くが，どちらになるかはアゴニストの存在する量で決まる．完全アゴニストが存在していない状態では（左），休止状態と比較すれば部分アゴニストはイオンチャネルの開口回数を増加させる．したがって，部分アゴニストは正味のアゴニスト作用をもつことになる（左から右へ/①の矢印）．しかし，完全アゴニストが存在している状態では（右），完全アゴニストだけのときと比較すれば部分アゴニストはイオンチャネルの開口回数を減少させる．したがって，部分アゴニストは正味のアンタゴニストとして働くことになる（右から左へ/②の矢印）．

ない．このように，部分アゴニストは神経伝達物質の活性が低下した状態ではこれを**押しあげ**，神経伝達物質の活性が過剰となった状態ではこれを**阻害する**ということを同時に行う．これも部分アゴニストがスタビライザーと呼ばれる理由である．リガンド依存性イオンチャネルに対して，同一分子がアゴニストとアンタゴニストの両方であることは，治療に対してまったく興味深い新しい次元を開くものである．この概念によれば，理論上は完全アゴニストが不足している状態であっても，また完全アゴニストが過剰にある状態であっても，どちらの場合でも部分アゴニストで治療できることになる．第2章でGタンパク結合型受容体について解説したように，神経伝達物質の活性が過剰と欠乏の両方が混じり合っている状態であっても，リガンド依存性イオンチャネルに対する部分アゴニストを使えば，理論上は治療できるかもしれない．リガンド依存性イオンチャネルに対して部分アゴニストを臨床で使いはじめたのはつい最近のことで（表3-2），さらにいくつかの部分アゴニストが臨床開発中である．

リガンド依存性イオンチャネルに対する**逆アゴニスト** inverse agonist は，単純なアンタゴニストとは異なり，中立的でもなければ，静止的でもない．逆アゴニストについては，第2章でGタンパク結合型受容体との関連で説明してある．リガンド依存性イオンチャネルに対する逆アゴニストは，まずイオンチャネルを閉口させ，つぎに受容体を不活性状態にして安定させるように受容体を構造変化させると考えられている（図3-11）．このようにして，受容体を不活性状態の構造に変化させることで（図3-11B），受容体は休止状態（図3-11A）よりも機能的なイオンの流入を減少させ，それに続くシグナル伝達も低下させる．これ

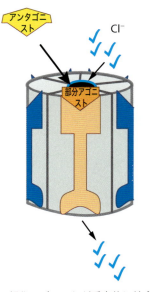
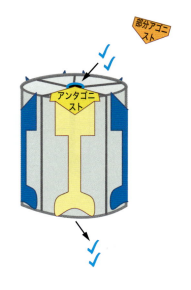

部分アゴニストが受容体に結合し，休止状態と比較すればイオンチャネルの開口回数を増加させる **A**

アンタゴニストによりイオンチャネルは休止状態に戻っている **B**

図3-10 部分アゴニストが存在している状態でのアンタゴニストの作用 （**A**）部分アゴニストが受容体の結合部位を占拠していて，受容体の休止状態よりもイオンチャネルの開口回数を増加させている．ここでは，濃いオレンジ色の部分アゴニストが受容体に結合して受容体を淡いオレンジ色に変化させて，イオンチャネルがある程度は開口しているように描いてある．（**B**）黄色のアンタゴニストが濃いオレンジ色の部分アゴニストを受容体の結合部位から追い出し，部分アゴニストの作用を逆転させている．こうして，イオンチャネルはその休止状態に戻る．

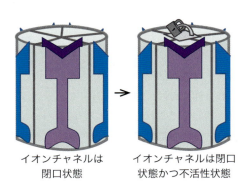

イオンチャネルは休止状態 **A**

イオンチャネルは閉口状態　イオンチャネルは閉口状態かつ不活性状態

逆アゴニストはイオンチャネルの開口回数を著しく減少させ，最終的にはイオンチャネルを不活性状態にして安定させる **B**

図3-11 逆アゴニストの作用 （**A**）イオンチャネルは休止状態にあって，まれにしか開口していない．（**B**）逆アゴニストがリガンド依存性イオンチャネル上の受容体の結合部位を占拠し，イオンチャネルを閉口させる．これはアゴニストの作用とは正反対で，ここでは，濃い紫色の逆アゴニストが受容体を淡い紫色に変化させて，イオンチャネルが閉口しているように描いてある．最終的に，逆アゴニストはイオンチャネルを不活性状態にして安定させる．ここでは，イオンチャネル自体に鍵がかかっているように描いてある．

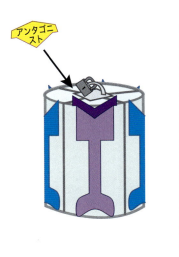
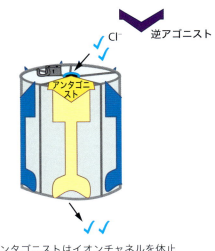

逆アゴニストはイオンチャネルを
不活性状態にして安定させる

A

アンタゴニストはイオンチャネルを休止
状態に戻している

B

図3-12　逆アゴニストが存在している状態でのアンタゴニストの作用　(**A**)逆アゴニストがリガンド依存性イオンチャネル上の受容体の結合部位を占拠し，イオンチャネルを不活性状態にして安定させている。ここでは，濃い紫色の逆アゴニストが受容体を淡い紫色に変化させて，イオンチャネルを閉口状態のまま鍵をかけているように描いてある。(**B**)濃黄色のアンタゴニストが濃い紫色の逆アゴニストを受容体の結合部位から追い出し，イオンチャネルを（淡い紫色から淡黄色に変化させて）休止状態に戻している。このようにして，アンタゴニストの逆アゴニストへの作用はアゴニストへの作用と同様である。つまりイオンチャネルを休止状態に戻すのである。しかし，逆アゴニストが存在している状態では，アンタゴニストはイオンチャネルの開口回数を増加させるのに対して，アゴニストが存在している状態では，アンタゴニストはイオンチャネルの開口回数を減少させる。このように，アンタゴニストは，それ自体では何も起こさないが，アゴニストあるいは逆アゴニストのどちらの作用も逆転させることができる。

は，アゴニストが存在していない状態，あるいは静止的アンタゴニストが存在している状態のいずれの場合での機能よりも低下させる。アンタゴニストは，逆アゴニストによる不活性状態を逆転させて，イオンチャネルを休止状態に戻す（図3-12）。

したがって，多くの点で逆アゴニストはアゴニストと**正反対**である。アゴニストが本来の状態からシグナル伝達を増強するとすれば，逆アゴニストは本来の状態以下にシグナル伝達を減弱させる。また，受容体の休止状態を安定させるアンタゴニストとは対照的に，逆アゴニストは受容体の不活性状態を安定させる（図3-11，図3-13）。イオン調節型受容体において，逆アゴニストによる不活性状態が，静止的アンタゴニストによる休止状態とは臨床的に区別できるかどうかは，まだ明らかにされていない。依然として，逆アゴニスト

は薬理学的に興味深い概念である。

以上をまとめると，イオンチャネル結合型受容体はアゴニスト・スペクトラムに沿って作用する。そして，受容体のあらゆる活性状態を引き起こせるように，完全アゴニストから部分アゴニスト，静止的アンタゴニスト，逆アゴニストに至るまで，イオンチャネル結合型受容体で構造変化を引き起こすことのできる薬物を紹介した（図3-4）。アゴニスト・スペクトラムに沿ってシグナル伝達を考えると，アゴニスト・スペクトラム上での各作用点で示される薬物が，それぞれ著しく異なり，その臨床効果も異なっている理由を容易に理解できる。

リガンド依存性イオンチャネルの多様な形態

リガンド依存性イオンチャネルの形態には，図

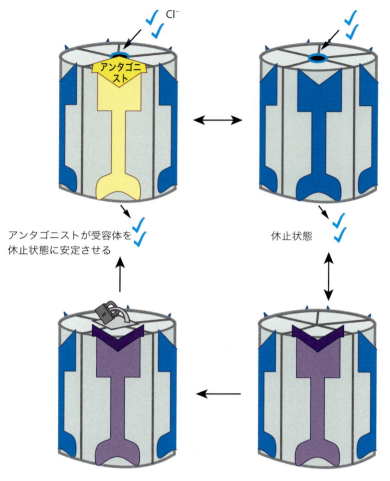

図3-13 アンタゴニストによる逆アゴニストの作用の逆転
アンタゴニストは，リガンド依存性イオンチャネルに構造変化を起こして受容体を休止状態に安定させる（左上）。これは，アゴニストや逆アゴニストが存在していないときの休止状態と同じである（右上）。逆アゴニストは受容体に構造変化を起こしてイオンチャネルを閉口させる（右下），逆アゴニストが長時間にわたって受容体に結合していると，結果的にイオンチャネルを不活性状態にして安定させる（左下）。この不活性なイオンチャネルの安定した構造はアンタゴニストにより速やかに逆転され，受容体を休止状態にふたたび安定化させるのである（左上）。

3-4～図3-13に示したアゴニスト・スペクトラムによって決まるもの以外にもさまざまな形態がある。これまでに述べてきたイオンチャネルの状態は，おもにアゴニスト・スペクトラム上で働く薬物の急性投与により生じたものである。これは，完全アゴニストによるイオンチャネルの最大限の開口状態から，逆アゴニストによる最大限の閉口状態までに至る範囲にある。アゴニスト・スペクトラム上で働く薬物の急性投与により生じたこのような構造変化は時間がたつにつれて変化していくことがある。なぜなら，これらの受容体には適応力がそなわっているためである。特に，受容体が薬物に対して慢性的あるいは過剰に曝されるとそうなりやすい。

図3-14で示したようなイオンチャネルの休止状態，開口状態，閉口状態についてはすでに解説してある。最もよく知られた適応状態は，脱感作desensitizationと不活性inactivationの状態であり，これも図3-14に示してある。また，逆アゴニストの急性投与により生じる不活性化についても簡単に解説してきたが，これはまず速やかな構造変化によりイオンチャネルを閉口し，時間をかけてその構造を不活性状態にして安定させる。アンタゴニストは，この不活性状態の構造を比較的速やかに逆転させることが可能で，イオンチャネルをふたたび休止状態に安定させる（図3-11～図

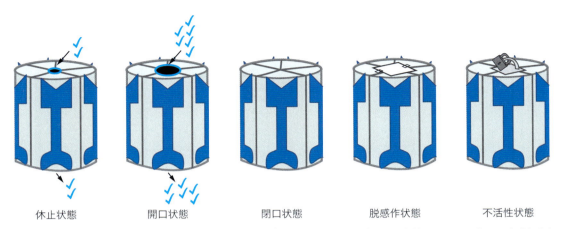

| 休止状態 | 開口状態 | 閉口状態 | 脱感作状態 | 不活性状態 |

図3-14　リガンド依存性イオンチャネルの5つの状態　ここでは，リガンド依存性イオンチャネルのよく知られた5つの状態をまとめる。休止状態では，リガンド依存性イオンチャネルはまれに開口し，それに伴って恒常的活性はもっているが，これは検出できるかできない程度のシグナル伝達を引き起こす。開口状態では，リガンド依存性イオンチャネルが開口したことにより，チャネルを介するイオンコンダクタンスが高くなってシグナル伝達を起こす。閉口状態では，リガンド依存性イオンチャネルが閉口したことによりイオンの流入が起こらなくなってシグナル伝達も減弱され，休止状態よりも減弱されてしまうことさえある。チャネルの脱感作状態とは，アゴニストが受容体に結合したままであったとしても，受容体がアゴニストに反応しなくなっているような適応状態である。チャネルの不活性状態とは，閉口状態が長く続いたことでイオンチャネルが不活性な立体構造で安定化した状態である。

3-13）。

　脱感作は，図3-14で示したように，リガンド依存性イオンチャネルの別の状態である。イオンチャネル結合型受容体の脱感作は，長期間のアゴニストへの曝露により生じることがあり，おそらくこれは受容体が過剰な刺激から自分自身を守る方法なのであろう。アゴニストがリガンド依存性イオンチャネルに作用すると，はじめに受容体のイオンチャネルを開口するような構造変化を引き起こすが，アゴニストへの曝露が長く続くと，そのうちアゴニストがまだ受容体に結合したままの状態であっても，受容体が実質的にアゴニストに反応しなくなるような構造変化が生じる。こういった受容体は脱感作状態になったと考えられる（図3-14，図3-15）。このような脱感作状態では，はじめのうちはアゴニストを除去することで比較的速やかにもとの状態へと戻すことができる（図3-15）。しかし，アゴニストが数時間単位で長く留まると，受容体は単純な脱感作状態から不活性状態へと移っていく（図3-15）。この状態は，アゴニストを除去してももとに戻るわけではない。なぜなら，アゴニストがない状態でも，受容体がふたたびアゴニストへの新たな曝露に対して感受性をもつ休止状態に戻るのに数時間かかるからである（図3-15）。

　不活性状態は，ニコチン性アセチルコリン受容体において最も特徴的にみられるであろう。この受容体はリガンド依存性イオンチャネルであり，通常，内在性神経伝達物質であるアセチルコリンacetylcholineに対して反応する。アセチルコリンは，体内に豊富に存在するアセチルコリンエステラーゼacetylcholinesteraseにより速やかに加水分解され，そのためニコチン受容体が脱感作状態や不活性状態になるような機会はほとんどない。その一方で，薬物であるニコチンはアセチルコリンエステラーゼにより加水分解されない。そしてニコチンはニコチン受容体を強烈かつ持続的に刺激し，それによりたばこ1本を吸うくらいの時間内に速やかに脱感作されるだけでなく，ほとんどの喫煙者が次の1本を吸うくらいの間はニコチン受容体は持続的に不活性化されることもよく知られている。なぜたばこはその長さなのか，なぜほとんどの喫煙者は約16時間の覚醒時間に約1箱（20本）吸うのか不思議に思ったことはないであ

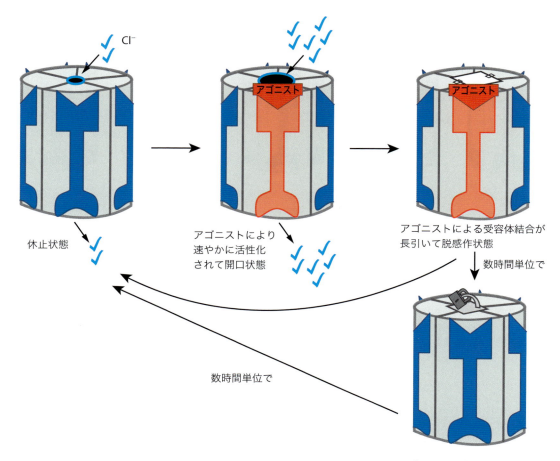

図3-15　アゴニストによるイオンチャネルの開口，脱感作，不活性化　アゴニストにより，休止状態と比較すればイオンチャネルの開口回数が増加し，イオンコンダクタンスも高くなる。アゴニストへの曝露が長く続くと，イオンチャネルが脱感作状態に陥り，この状態になるとアゴニストが受容体に結合したままであったとしても，イオンチャネルはアゴニストに反応しなくなる。アゴニストを速やかに除去すると，脱感作状態をきわめて早く回復させることができる。しかし，アゴニストが長時間にわたって受容体に結合すると，構造変化を生じさせイオンチャネルの不活性化を引き起こすことがある。この状態になるとアゴニストを除去しても直ちには回復しない。

ろうか。それはすべて，ここで述べたニコチン受容体のもつ作用性質に対して，ニコチン投与回数を調節しなければならないことと関係している。ニコチンや他の物質に対する嗜癖については，衝動性と物質乱用に関する第13章でより詳しく述べる。アゴニストによって引き起こされる多様な受容体状態の間に生じるこのような移行のようすについては図3-15に示した。

アロステリック調節物質：PAMとNAM

　リガンド依存性イオンチャネルは，チャネルに結合する神経伝達物質以外のものによっても調節されている。すなわち，これらは神経伝達物質ではないものの，神経伝達物質が結合する部位とは異なる部位で受容体/イオンチャネル複合体に結合できる分子である。このような部位はアロステリック〔「他の部位（に結合する）」という意味〕と呼ばれ，アロステリック調節部位に結合するリガンドはアロステリック調節物質 allosteric modula-

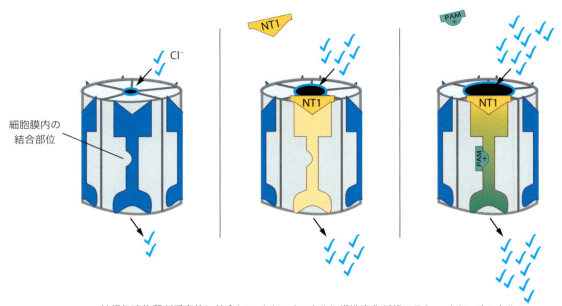

神経伝達物質が受容体に結合してイオンチャネルに構造変化が起こると，イオンチャネルの開口回数が増加する．しかし，神経伝達物質とPAMの両方が，対応する受容体とアロステリック調節部位にそれぞれ結合すると，イオンチャネルの開口回数を増加させ，細胞内へのイオンの流入が促進される

図3-16　正のアロステリック調節物質（PAM）　アロステリック調節物質は，イオンチャネル結合型受容体上で神経伝達物質（NT）の結合部位とは異なる部位（アロステリック調節部位）に結合するリガンドである．アロステリック調節物質はそれ自体では何も起こさないが，神経伝達物質の作用を増強したり〔正のアロステリック調節物質（PAM）〕，阻害したりする〔負のアロステリック調節物質（NAM）〕．PAMは，アゴニストも結合している状態でアロステリック調節部位に結合すると，アゴニストだけが結合しているときよりもイオンチャネルの開口回数を増加させ，細胞内へのイオンの流入を促進する．

torと呼ばれる．このようなリガンドは神経伝達物質ではなくて調節物質modulatorである．なぜなら，神経伝達物質が存在していない状態ではそれ自体にほんのわずかしか活性がないか，あるいはまったく活性がないからである．したがって，アロステリック調節物質は，神経伝達物質が存在している状態ではじめて働くことになる．

アロステリック調節物質には2種類ある．1つは神経伝達物質のもつ作用を増強するもので，正のアロステリック調節物質 positive allosteric modulator（PAM）と呼ばれる．もう1つは神経伝達物質のもつ作用を阻害するもので，このため負のアロステリック調節物質 negative allosteric modulator（NAM）と呼ばれる．

特に，神経伝達物質がその部位に結合していない状態では，PAMまたはNAMがアロステリック調節部位に結合しても，PAMとNAMは何も起こさない．しかし，神経伝達物質がその部位に存在している間に，PAMがそのアロステリック調節部位に結合すると，PAMはイオンチャネルに構造変化を起こし，神経伝達物質（完全アゴニスト）だけのときよりもさらにイオンチャネルの開口を広げ頻度を増加させる（図3-16）．このため，PAMが「正の」と呼ばれるのである．PAMの代表例はベンゾジアゼピンである．ベンゾジアゼピンは，リガンド依存性塩素イオンチャネルであるGABA$_A$受容体でのγ-アミノ酪酸 γ-aminobutyric acid（GABA）の働きを増強する．すなわち，GABAがGABA$_A$受容体に結合した状態では，イオンチャネルの開口により塩素イオン（Cl$^-$）の流入が促進される．そして，ベンゾジアゼピンがGABA$_A$受容体/イオンチャネル複合体上の他の

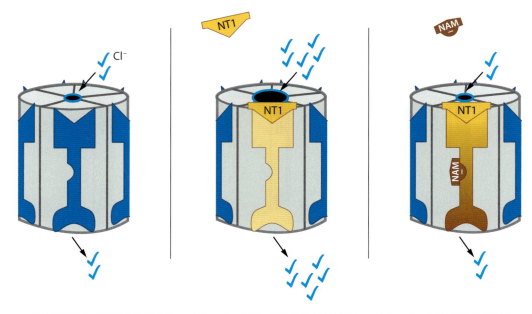

神経伝達物質が受容体に結合してイオンチャネルに構造変化が起こると，イオンチャネルの開口回数が増加する。しかし，神経伝達物質とNAMの両方が，対応する受容体とアロステリック調節部位にそれぞれ結合すると，イオンチャネルの開口回数を減少させ，細胞内へのイオンの流入が抑制される

図3-17　負のアロステリック調節物質（NAM）　アロステリック調節物質は，イオンチャネル結合型受容体上で神経伝達物質（NT）の結合部位とは異なる部位（アロステリック調節部位）に結合するリガンドである。アロステリック調節物質は，それ自体では何も起こさないが，神経伝達物質の作用を増強したり〔正のアロステリック調節物質（PAM）〕，阻害したりする〔負のアロステリック調節物質（NAM）〕。NAMは，アゴニストも結合している状態でアロステリック調節部位に結合すると，アゴニストだけが結合しているときよりもイオンチャネルの開口回数を減少させ，細胞内へのイオンの流入を抑制する。

部位にあるベンゾジアゼピン受容体（アロステリック調節部位）にアゴニストとして作用することで，イオンチャネルはさらに開口が大きくなるか頻度が多くなり，Cl^-の流入という観点からみると，GABAの作用が増強される。臨床的にみると，この増強作用は，抗不安作用，催眠作用，抗痙攣作用，短期記憶障害，筋弛緩作用などとして現れる。この場合はベンゾジアゼピンがPAM部位で完全アゴニストとして作用している。

一方，NAMは神経伝達物質（完全アゴニスト）が受容体の結合部位に存在している状態でアロステリック調節部位に結合すると，リガンド依存性イオンチャネルに構造変化を起こし，神経伝達物質だけのときに通常起きる作用を阻害または減弱させる（図3-17）。このため，NAMが「負の」と呼ばれるのである。NAMの一例はベンゾジアゼピンに対する逆アゴニストである。このような逆アゴニストは研究段階にすぎないが，予想されるとおり，完全アゴニストとしてのベンゾジアゼピンとは正反対の作用を示し，リガンド依存性イオンチャネルを介した塩素イオンコンダクタンス[*1]を著しく低下させる。その結果，パニック発作，てんかん性発作，ある程度の記憶力改善を引き起こす。これは完全アゴニストとしてのベンゾジアゼピンとは正反対の臨床効果である。このように，同一のアロステリック調節部位はPAMによる作用とNAMによる作用のいずれかをもっているが，どちらの作用を示すかは結合したリガンドが完全アゴニストであるか逆アゴニストであるか

[*1]訳注：塩素イオンコンダクタンスとは，膜やチャネルでの塩素イオン（Cl^-）の通りやすさを示す数値である。

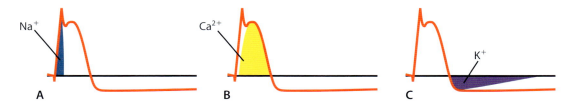

図3-18　活動電位を構成するイオンの成分　活動電位を構成するイオンの成分をグラフ化して示す。まず，電位感受性ナトリウムチャネルが開口して，ナトリウムイオン（Na^+）をマイナス電荷環境となった神経細胞内へと勢いよく「滑降」させる（**A**）。そして，急激なNa^+の流入から生じた電位ポテンシャルの変化は，電位感受性カルシウムチャネルの開口を誘導し，カルシウムイオン（Ca^{2+}）を流入させる（**B**）。最終的に，活動電位の消失後，Na^+が細胞外に汲み出され，カリウムイオン（K^+）が細胞内に流入することで，神経細胞内の本来の電気的環境に回復する（**C**）。

ということによっている。NMDA受容体に対するNAMには，phencyclidine（PCP，「エンジェルダストangel dust」とも呼ばれる），およびPCP類縁構造物である麻酔薬のケタミンなどがある。ケタミンは難治性うつ病や自殺念慮に対する治療としても使用されている。これらの薬物は，カルシウムチャネル内のある部位に結合するが，チャネルが開いているときだけ，阻害するためにチャネル内部に入ることができる。PCPとケタミンのいずれか一方が受容体上のNAM部位に結合すると，グリシン・グルタミン酸の共伝達cotransmissionがチャネルを開口することを抑制することになる。

精神薬理学的な薬物作用を示す標的としての電位感受性イオンチャネル

構造と機能

イオンチャネルのすべてが神経伝達物質であるリガンドによって調節されているわけではない。実際に，神経伝導nerve conduction，活動電位action potential，神経伝達物質の放出などの重要な側面はすべて，**電位感受性**イオンチャネルまたは**電位依存性**イオンチャネルとして知られている他のイオンチャネルによって調節されている。なぜなら，イオンチャネルの開閉がそこにある細胞膜を介するイオン電荷ionic charge，あるいは電位ポテンシャルvoltage potentialによって調節されているからである。神経細胞内の電気的インパルスelectrical impulseは活動電位としても知られるが，これはさまざまな神経化学的，電気的に生じる神経伝達の総和によって引き起こされている。これに関しては，神経伝達物質とシグナル伝達の化学的基礎について解説した第1章で詳しく述べた。

電気的な側面から活動電位を図3-18に示した。第1段階は，ナトリウムイオン（Na^+）が，Na^+欠乏によりマイナス電荷環境になった神経細胞内へと勢いよく「滑降」していくことである（図3-18A）。これは，電位感受性ナトリウムチャネルvoltage-sensitive sodium channel（VSSC）がゲートを開いてNa^+を流入させることで可能となる。その数ミリ秒後にカルシウムチャネルが同じように働こうと，急激なNa^+の流入から生じた電位ポテンシャルの変化により，電位感受性カルシウムチャネルvoltage-sensitive calcium channel（VSCC）が開口する（図3-18B）。最終的には，活動電位の消失後，Na^+がふたたび細胞外に汲み出され，カリウムイオン（K^+）がカリウムチャネルを通って細胞内に流入することで，神経細胞内の本来の電気的環境に回復する（図3-18C）。今日，いくつかの向精神薬がVSSCやVSCCに働くと知られていたり，または想定されていたりする。これらのイオンチャネルについては，次項で述べる。向精神薬の標的としてのカリウムチャネルについては解明が進んでいないため，詳述し

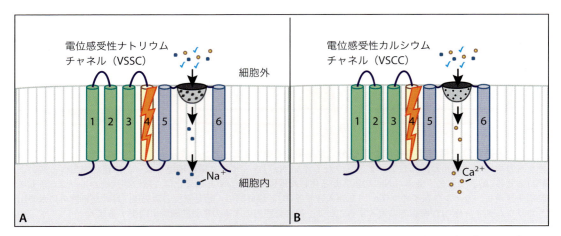

図3-19 電位感受性ナトリウムチャネル（VSSC）と電位感受性カルシウムチャネル（VSCC）の「イオン濾過器」
α細孔形成サブユニット（αサブユニット）の5回目と6回目の膜貫通領域の間にある細胞外のアミノ酸ループは「イオン濾過器」のように機能する（ここでは，水切り籠として模式化）。(**A**) 電位感受性ナトリウムチャネル（VSSC）のαサブユニットにおいて，イオン濾過器がナトリウムイオン（Na^+）だけを細胞内に取り込めるようにしている。(**B**) また，電位感受性カルシウムチャネル（VSCC）のαサブユニットにおいて，イオン濾過器がカルシウムイオン（Ca^{2+}）だけを細胞内に取り込めるようにしている。

いこととする。

電位感受性ナトリウムチャネル（VSSC）

　VSSCとVSCCのイオンチャネル構造の特徴は，多くの点で類似している。両者にはイオンチャネル本体である「細孔（ポア）pore」が存在し，それを介して細胞膜の一方から他方へイオンを通している。しかし，電位感受性イオンチャネルは，細胞膜中に穴，すなわち細孔（ポア）が存在するだけではなく，さらに複雑な構造をしている。電位感受性イオンチャネルでは，アミノ酸長鎖からサブユニットが構成されており，異なった4種類のサブユニットが結合して細孔の基軸部が形成されている。このサブユニットはαサブユニットとして知られている。さらに，別のタンパクがこの4種類のサブユニットにかかわっていて，こういったタンパクは調節作用を示すようである。

　さて，電位感受性イオンチャネルを最初から組み立てて，このイオンチャネルを形成しているタンパクの各部分がもつ既知の機能を論じてみることにしよう。細孔を形成するタンパクで構成されたサブユニットは6回膜貫通領域をもっている（図3-19）。4回目の膜貫通領域は細胞膜内外の電位変化を検出できるので，この領域が電位感受性イオンチャネルのうちで最も電気的感受性の高い部位である。したがって，4回目の膜貫通領域は電圧計のように機能し，この領域で細胞膜内外でのイオン電荷の変位を検出すると，サブユニットを構成する残りのタンパクに指令を出してイオンチャネルに構造変化を起こし，その開閉を決定する。このような一般的構造がVSSC（図3-19A）とVSCC（図3-19B）の両方にそなわっているが，サブユニットを構成するタンパクのアミノ酸配列は，明らかにVSSCとVSCCで異なっている。

　電位感受性イオンチャネルの各サブユニットは，5回目と6回目の膜貫通領域の間に細胞外アミノ酸ループをもっている（図3-19）。この領域は「イオン濾過器ionic filter」のように機能し，細孔の外側の開口部を覆うことができる部位に存在している。このようすは，図3-19Aではナトリウムチャネルに分子的に立体配置された水切り籠を介して，ナトリウムイオン（Na^+）だけを濾過するように模式化されて描かれている。また，図3-19Bでは同様にカルシウムチャネルを介してカルシウムイオン（Ca^{2+}）だけを濾過するように描か

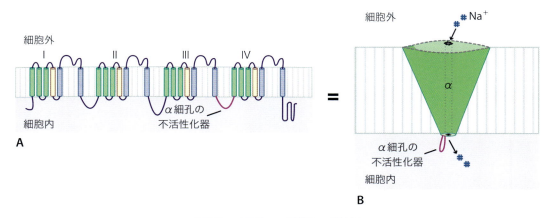

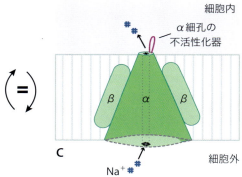

図3-20　電位感受性ナトリウムチャネル(VSSC)のα細孔(ポア)　VSSCのα細孔は，4組のサブユニットから成り立っている(**A**)。3番目のサブユニットと4番目のサブユニットを連結する細胞内のアミノ酸ループがα細孔の不活性化器のように機能し，イオンチャネルに「栓」をする。ここでは，電位感受性のα細孔を示していて，上側を細胞外としたもの(**B**)と，上側を細胞内としたもの(**C**)を示す。

れている。

　ナトリウムチャネルを構成するサブユニット4組が一緒に連結されて，VSSCの1つの完全なイオンチャネル細孔を形成する(図3-20A)。これら4組のサブユニットの間を連結する細胞質内のアミノ酸ループは，VSSCのさまざまな機能を調節する部位である。例えば，VSSCの3番目のサブユニットと4番目のサブユニットを連結するループ上には，イオンチャネルを閉じる「栓」のように機能するアミノ酸が存在する。「α細孔の不活性化器」は，アミノ酸ループ上で浴槽用ボール栓のように働き，α細孔の内膜の表面上に存在するイオンチャネルを完全に止める(図3-20A，B)。これは，α細孔中の穴を物理的に阻害するもので，旧式の浴槽用栓が浴槽からお湯が漏れないように栓をしているのを連想させる。VSSCのα細孔形成サブユニット(αサブユニット)の模式図も図3-20Bに示しており，そこでα細孔中央部にある穴，そして内側から穴に栓をしようと準備しているα細孔の不活性化器が描かれている。

　本書では，電位感受性イオンチャネルを表現する図の多くは，図の上側が細胞外を示している。この形式は図3-20A，Bにもあてはまる。また図3-20Cでは，細胞内が図の上側になると電位感受性イオンチャネルがどのようにみえるかも示した。なぜなら，本書全体で電位感受性イオンチャネルはシナプス前神経細胞膜上でみられることが多く，この神経細胞では図3-20Cで示した方向の

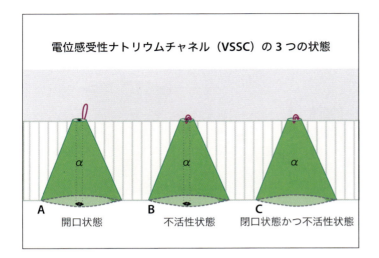

図3-21 電位感受性ナトリウムチャネル(VSSC)の状態 VSSCのようなイオンチャネルには，開口状態，すなわちイオンチャネルが開口して活性化されており，α細孔(ポア)を介してイオンの流入を起こすことができる状態がある(**A**)。VSSCはまた，不活性状態，すなわちイオンチャネルはまだ閉口していないものの，α細孔の不活性化器により「栓」がされてイオンの流入が阻害されている状態になることもある(**B**)。最後に，イオンチャネルでの構造変化がチャネルを閉口させる，すなわち第3の状態に至ることもある(**C**)。

ように，細胞内が上で，細胞外が下，すなわちシナプスが下向きになっているからである。いずれの場合にしても，チャネルが閉口している，あるいは不活性化されているとNa^+は神経細胞外にとどめられる。一方，チャネルが開口している，あるいは活性化されていてα細孔(ポア)を不活性化するアミノ酸ループによりα細孔が栓で塞がれていないときは，Na^+は神経細胞外から神経細胞内へと流入する。

VSSCには1種類かそれ以上の調節タンパクが存在することがあり，そのなかにはβサブユニットと呼ばれるものがある。これは膜貫通領域内に存在してα細孔形成サブユニット(αサブユニット)の側面に位置している(図3-20C)。これらのβサブユニットの機能は明確に解明されていないが，どうやらαサブユニットの作用を修飾してチャネルの開閉に間接的な影響を与えていると考えられる。βサブユニットがリンタンパクである可能性も考えられ，しかもβサブユニットのリン酸化あるいは脱リン酸化の状態により，βサブユニットがイオンチャネル調節に及ぼす影響の程度を調節しているようである。実際に，αサブユニットそのものがリンタンパクである可能性もある。αサブユニット本体のリン酸化の状態はシグナル伝達カスケードによって調節されており，そのためイオンの環境変化に合わせてイオンチャネルの感受性が増強または減弱している可能性もある。これについては，第1章のシグナル伝達カスケードのなかで述べた。場合によってイオンチャネルは，神経伝達により生じた三次メッセンジャー，四次メッセンジャー，あるいはそれ以降のメッセンジャーとして作用することも考えられる。βサブユニットとαサブユニット自体はどちらも，向精神薬，特に抗痙攣薬が作用するさまざまな部位をもっていると考えられ，このような抗痙攣薬のなかには気分安定薬，あるいは慢性疼痛の治療薬として有用なものもある。具体的な薬物については，気分安定薬(第7章)と疼痛(第9章)を扱う章で詳しく述べる。

VSSCでの3種類の異なった状態を図3-21で示した。まず，イオンチャネルが開口して活性化している状態である。これはαサブユニットを介して最大限のイオンの流入を起こすことができる状態である(図3-21A)。ナトリウムチャネルにイオンの流入を止める必要が生じると，以下のような2つの状態をとる。1つは，できるだけ速やかにα細孔の不活性化器を所定の位置に動かすように働く状態であり，イオンの流入をすばやく止めたので，この状態ではイオンチャネルはまだ閉口されていない(図3-21B)。もう1つは，イオンチャネルの形状に構造変化を起こして閉口状態にすることである(図3-21C)。細孔の不活性化機構は高速な不活性化のため，チャネルの閉鎖機構はより安定な不活性化状態のためかもしれないが，

これは完全には解明されていない。

ナトリウムチャネルには数多くのサブタイプが存在する。しかし，脳の部位別，機能別，薬物の作用別にそれぞれのサブタイプをどのように区別するかの詳細については解明がはじまったばかりである。精神薬理学者にとって，現段階で興味がもたれる事実としては，さまざまなナトリウムチャネルがいくつかの抗痙攣薬の作用部位になっているようで，このうちいくつかは気分安定作用，あるいは疼痛緩和作用をもっているということであろう。現時点で使用できる抗痙攣薬の大部分は，おそらくさまざまな種類のイオンチャネルに存在するさまざまな作用部位に働いていると考えられる。特定の薬物がもつ具体的な作用については，特定の疾患を扱う章で詳しく述べる。

電位感受性カルシウムチャネル（VSCC）

名前からだけでなく，数多くの点でVSCCとVSSCは類似している。ナトリウムチャネルの兄弟分のように，VSCCにも6回膜貫通領域をもつサブユニットがあり，4回目の膜貫通領域が電圧計のように機能する。そして，5回目と6回目の膜貫通領域の間を連結する細胞外のアミノ酸ループはイオン濾過器のように機能する(図3-19)。しかし今回だけは，ナトリウムイオン(Na^+)ではなくてカルシウムイオン(Ca^{2+})を濾過して細胞内に流入させる水切り籠として働く(図3-19B)。もちろん，ナトリウムチャネルとカルシウムチャネルの間で正確なアミノ酸配列は異なるが，全体的な構成と構造は非常に類似している。

VSSCと同様に，VSCCでも4組のサブユニットが連結して細孔を形成する。カルシウムチャネルの場合，これは$α_1$サブユニットと呼ばれる(図3-22A，B)。サブユニットを連結するアミノ酸鎖にも機能的活性があって，カルシウムチャネルの機能を調節できるが，この場合の機能はナトリウムチャネルのものとは異なる。すなわち，VSCCには，VSSCの項で述べたような栓として働く$α$細孔の不活性化器が存在しない。その代わりに，VSCCの2番目のサブユニットと3番目のサブユニットを連結するアミノ酸が「スネア（鉤棒）snare」のように働いて，シナプス小胞を引っかけるようにとらえて連結し，シナプス性神経伝達の際に神経伝達物質がシナプスへと放出されるのを調節する(図3-22A，図3-23)。図3-22Bでは図の上側が細胞外，図3-22Cでは図の上側が細胞内の方向になっていて，これをみればカルシウムチャネルが空間的にみてどのようにさまざまな立体構造をとっているのかわかるであろう。すべての場合において，イオンチャネルが開口してイオンが流れるようになると，イオンの流れは細胞外から細胞内へと向かう。

いくつかのタンパクがVSCCの$α_1$細孔形成サブユニット（$α_1$サブユニット）の側面に位置していて，これらは$γ$，$β$，$α_2δ$と呼ばれている(図3-22C)。そこに示してあるのは，細胞膜をまたがる$γ$サブユニット，細胞質$β$サブユニット，そして$α_2δ$と呼ばれる奇妙なタンパクである。そう呼ばれるのはこのタンパクは細胞膜を貫通する$δ$部分と細胞外にある$α_2$部分の2つから成り立っているからである(図3-22C)。VSCCの$α_1$サブユニットにかかわるこれらすべてのタンパクの機能については，解明がはじまったばかりである。しかし，すでにある種の向精神薬，例えばプレガバリンやガバペンチンなどの抗痙攣薬は$α_2δ$サブユニットを標的としていることが解明されている。この$α_2δ$サブユニットはチャネルの構造変化を調節してその開閉方法を変化させることに関与しているようである。

予想されるように，VSCCにはいくつかのサブタイプが存在する(表3-4)。数多くのVSCCがあることは，「カルシウムチャネル」という用語があまりに広義であり，混同しやすいことを示している。例えば，前項で述べた**リガンド依存性イオンチャネル**に関連したカルシウムチャネル，特にグルタミン酸やニコチン性アセチルコリンイオン調節型受容体に関連したカルシウムチャネルは，本項で述べているVSCCとはまったく異なった種類に属するものである。これまで言及してきたように，前項までに述べたイオンチャネルに関連したカルシウムチャネルは，VSCCとは区別するた

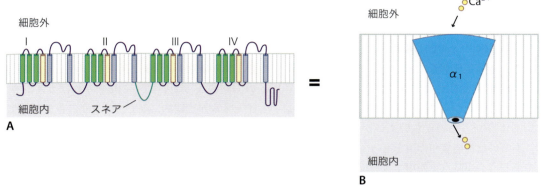

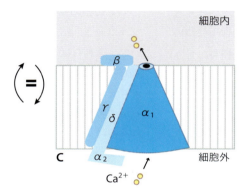

図3-22　電位感受性カルシウムチャネル(VSCC)のα_1細孔(ポア)　VSCCの細孔は，α_1サブユニットと呼ばれ，4組のサブユニットから成り立っている(**A**)。2番目のサブユニットと3番目のサブユニットを連結する細胞質ループがスネア(鉤棒)のように機能してシナプス小胞と連結し，それによって神経伝達物質の放出を調節する(**A**)。ここでは，α_1サブユニットを模式的に示していて，上側を細胞外としたもの(**B**)と，上側を細胞内としたもの(**C**)を示す。

めに，リガンド依存性イオンチャネル，イオン調節型受容体，あるいはイオンチャネル結合型受容体と呼ばれている。

　VSCCの特異的サブタイプのなかでも，精神薬理学的にみて最も興味がもたれるものは，シナプス前部位に存在するもの，神経伝達物質の放出を調節するもの，そしてある種の向精神薬の標的となるものである。このような機能をもつVSCCのサブタイプを表3-4に示したが，これらのサブタイプはN型チャネルあるいはP/Q型チャネルとして知られている。

　VSCCのサブタイプで有名なものには，この他にL型チャネルがある。L型チャネルは，その機能が解明途中の中枢神経系にあるだけでなく，血管平滑筋にも存在する。血管平滑筋ではL型チャネルが血圧を調節しており，ジヒドロピリジン系「カルシウムチャネル拮抗薬」dihydropyridine "calcium channel blocker"という分類に属する薬物が降圧薬として相互作用し，血圧を下げる。また，R型チャネルとT型チャネルも興味深く，ある種の抗痙攣薬や向精神薬もそこで相互作用を示すと考えられているが，これらのチャネルの正確な役割については，なお解明中である。

　シナプス前部位に存在するN型およびP/Q型のVSCCは，分子の「スネア(鉤棒)」を介してシナプス小胞と分子的に連結できるので，神経伝達物質の放出を調節するという特別な役割がそなわっている(図3-23)。すなわち，これらのチャネルは

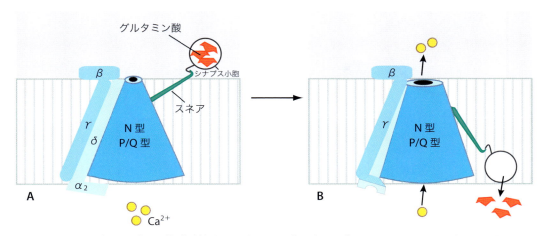

図3-23　N型およびP/Q型の電位感受性カルシウムチャネル（VSCC）　精神薬理学に最も密接に関連したVSCCは，N型チャネルとP/Q型チャネルと呼ばれている。これらのイオンチャネルはシナプス前部位に存在し，神経伝達物質放出の調節に関与している。α₁サブユニットで2番目のサブユニットと3番目のサブユニットを連結する細胞内アミノ酸は，シナプス小胞を引っかけるようにとらえて連結しているスネアを形成する（**A**）。神経インパルスが到達するとスネアが「撃ち放たれ」，神経伝達物質を放出する（**B**）。

表3-4　電位感受性カルシウムチャネル（VSCC）のサブタイプ

型	細孔形成サブユニット	存在部位	機能
L型	$Ca_v1.2, 1.3$	細胞体，樹状突起	遺伝子発現，シナプス統合
N型	$Ca_v2.2$	神経終末　樹状突起，細胞体	神経伝達物質の放出　シナプス統合
P/Q型	$Ca_v2.1$	神経終末　樹状突起，細胞体	神経伝達物質の放出　シナプス統合
R型	$Ca_v2.3$	神経終末　細胞体，樹状突起	神経伝達物質の放出　連続した発火，シナプス統合
T型	$Ca_v3.1, 3.2, 3.3$	細胞体，樹状突起	発火のペースメーク，連続した発火，シナプス統合

文字どおりシナプス小胞に引っかけられている。専門家によっては，このようすをシナプス小胞という弾丸の中に神経伝達物質という弾薬を込めて撃鉄が引かれた銃が（図3-23A），神経インパルスが到達するとすぐにシナプス後神経細胞に向けて撃つ準備を整えていると考える人もいる（図3-23B）。N型およびP/Q型のVSCCと，シナプス小胞を連結させる分子的な関連物質，すなわちスネアタンパクの詳細な構造を図3-24に示した。イオンチャネルを開口させCa^{2+}を流入させるというチャネル機能が薬物によって妨げられた場合，シナプス小胞はVSCCにつながれたままになる。したがって，神経伝達は抑制されうる。このことは神経伝達が過剰な状態，例えば，疼痛，てんかん性発作，躁病，あるいは不安などにおいては好都合かもしれない。この作用はある種の抗痙攣薬の作用を説明できるかもしれない。

実際のところ，シナプス前部位にN型およびP/Q型のVSCCが存在する意義は，神経伝達物質の放出なのである。神経インパルスがシナプス前部位に侵入すると，これにより細胞膜を介する電位が変化し，VSCCが開口してCa^{2+}が流入できる

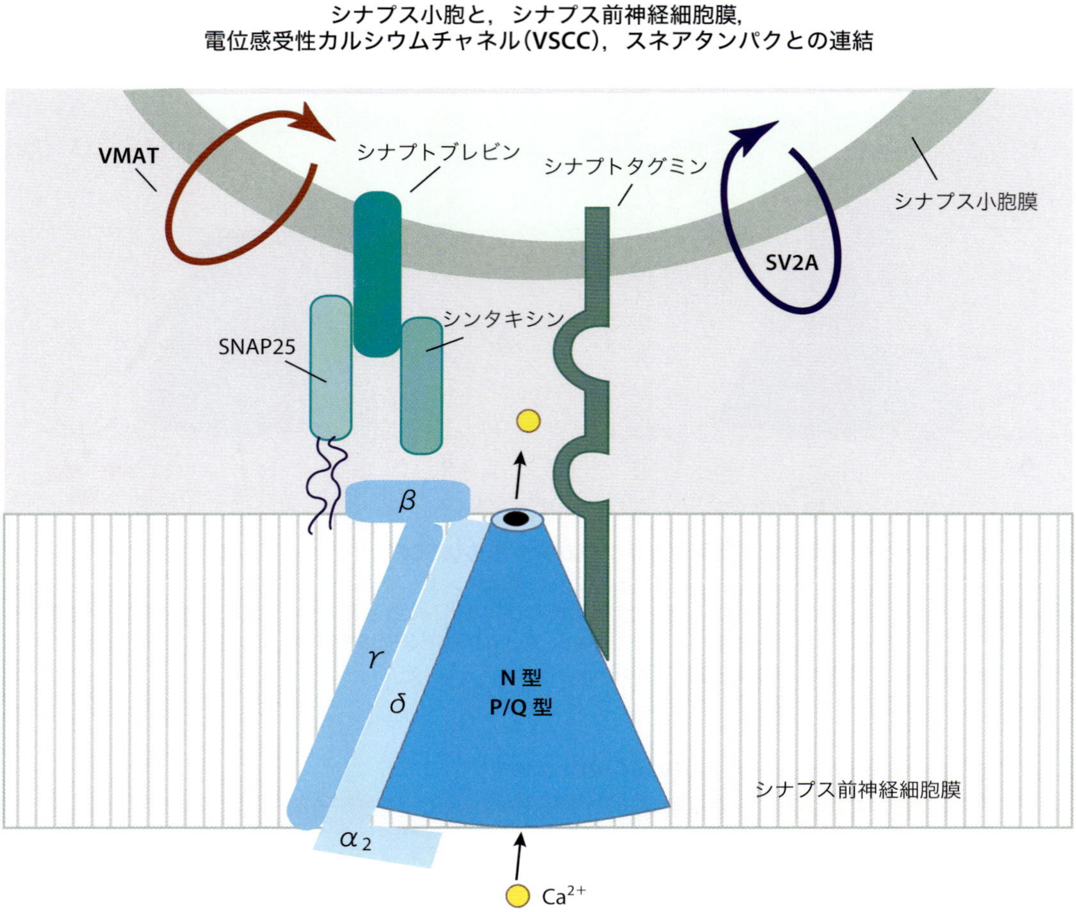

シナプス小胞と，シナプス前神経細胞膜，電位感受性カルシウムチャネル（VSCC），スネアタンパクとの連結

図3-24　スネアタンパク　電位感受性カルシウムチャネル（VSCC）と，スネアタンパクと呼ばれるシナプス小胞を連結させるタンパクを示す。スネアタンパクには，SNAP25（シナプトソーム関連タンパク25 synaptosomal-associated protein 25），シナプトブレビン synaptobrevin，シンタキシン syntaxin，シナプトタグミン synaptotagmin などがある。VMAT（シナプス小胞モノアミントランスポーター vesicular monoamine transporter）を左上に，もう1つのトランスポーターである SV2A を右上に示した。SV2A トランスポーターの作用機序はまだ解明されていないが，抗痙攣薬のレベチラセタムはこの部位に結合することが知られている。

ようになる。これにより，シナプス小胞はシナプス前神経細胞膜に結合して一体となり，神経伝達を達成するためにシナプスに向けて中にある神経伝達物質を放出する（図3-25，図3-26）。この電気的インパルスの化学的情報への変換は，Ca^{2+}によって引き金を引かれることで生じ，興奮-分泌結合 excitation-secretion coupling と呼ばれることもある。

　抗痙攣薬は，さまざまな VSSC と VSCC に作用すると考えられており，これについては関連した臨床の章で詳しく述べる。これらの抗痙攣薬の多くは精神薬理学においていくつかの用途があり，慢性疼痛から片頭痛，双極性躁病から双極性うつ病，双極性障害の維持療法，そしておそらく不安や睡眠補助への薬物として使われている。これらの個別的な使い方や，作用機序の仮説の詳細については，さまざまな精神疾患を扱う臨床の章で深く述べる。

イオンチャネルと神経伝達

　リガンド依存性イオンチャネルや電位感受性イオンチャネルのさまざまなサブタイプを別々に説

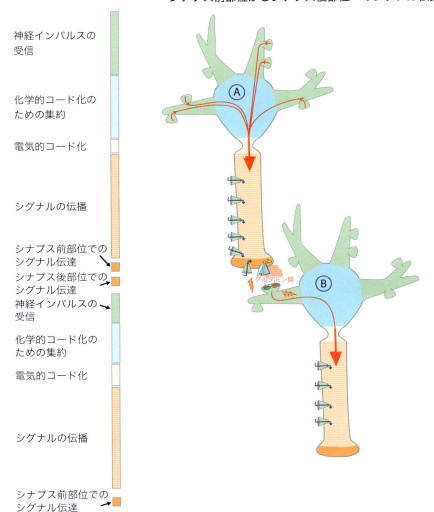

図3-25　シグナルの伝播　シナプス前神経細胞からシナプス後神経細胞にシグナルが伝播するようすをまとめた。神経インパルスは神経細胞Ⓐで生じ，活動電位が軸索に沿って並んだ電位感受性ナトリウムチャネル（VSSC）を介して，電位感受性カルシウムチャネル（VSCC）まで送られる。VSCCは軸索終末に存在し，神経伝達物質を満たしたシナプス小胞と連結している。VSSCから神経インパルスを受けてVSCCが開口されると，カルシウムイオン（Ca^{2+}）の流入によりシナプスに神経伝達物質が放出される。神経伝達物質が神経細胞Ⓑの樹状突起上にあるシナプス後受容体に到達すると，その神経細胞膜の脱分極と，その結果としてシナプス後部位でのシグナル伝播の引き金が引かれる。

明したが，実際にはこれらのサブタイプは神経伝達の際に共同して働いている。これらのイオンチャネルすべてで働く作用が程よく調整されていると，イオンチャネルによって作成可能となった電気的情報と化学的情報が魔法のように組み合わされて脳の情報伝達が生じるようになる。図3-25，図3-26では，神経伝達の際にイオンチャネ

ルが調整されて働くようすを示した。

入力されたすべての情報を集約し，さらに電気的インパルスに変換するという神経細胞の能力によって，化学的神経伝達が開始されることは第1章に示した。本章では，イオンチャネルがどのようにしてこの過程に関与していくのかを示した（図3-26）。神経細胞は他の神経細胞からの入力

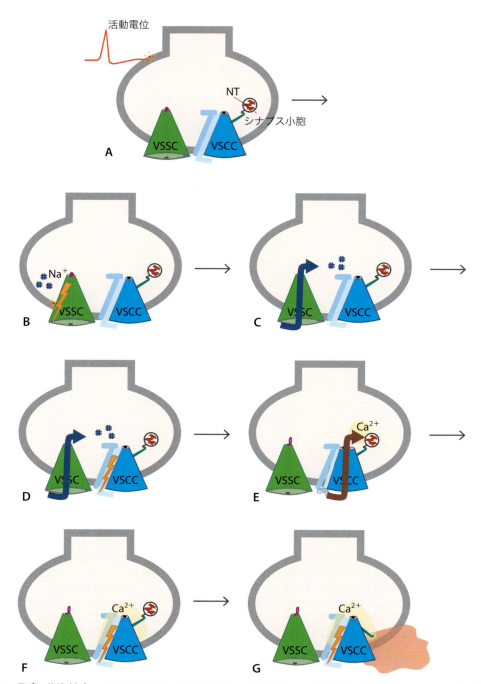

図3-26　興奮-分泌結合　興奮-分泌結合の詳細を示す。神経細胞により活動電位がコード化され，軸索に沿って並んでいる電位感受性ナトリウムチャネル（VSSC）を介して軸索終末に運ばれる（**A**）。そのナトリウムチャネルによるナトリウムイオン（Na^+）の放出が引き金となって，軸索終末にある VSSC が開口し（**B**），シナプス前神経細胞内に Na^+ が流入する（**C**）。Na^+ の流入は電位感受性カルシウムチャネル（VSCC）の電荷を変化させ（**D**），チャネルを開口させ，カルシウムイオン（Ca^{2+}）を細胞内に流入させる（**E**）。Ca^{2+} の細胞内濃度が上昇すると（**F**），シナプス小胞はシナプス前神経細胞膜に付いて一体となり，神経伝達物質（NT）の放出が引き起こされる（**G**）。

を受けて集約した後，これらの入力情報を活動電位にコード化する．そしてその神経インパルスは，軸索に並んでいるVSSCを介して，軸索に沿って送信される（図3-25）．

活動電位は導火線に火をつけるものといえよう．この導火線は軸索起始部から軸索終末へと発火していく．火のついた導火線の先の移動は，1列に並んでいるVSSCが順番につぎからつぎへと開口し，神経細胞にNa^+を流入させ，それによって産み出された電気的インパルスが隣のVSSCに伝わることで行われる（図3-25）．電気的インパルスが軸索終末に到達すると，シナプス前神経細胞膜にあるVSCCに出会う．ここではすでに神経伝達物質がシナプス小胞に充填されていて，発射準備が整っている（図3-25の神経細胞Ⓐの軸索終末）．

VSCCの電圧計により電気的インパルスが検出されると，カルシウムチャネルの開口によるCa^{2+}の流入が号砲となり，興奮−分泌結合を介して神経伝達物質がシナプス前軸索終末からシナプスの化学物質で満たされた細胞外へと放出される（図3-25の神経細胞Ⓐの軸索終末，およびこれを拡大した図3-26を参照）．興奮−分泌結合の過程の詳細は図3-26に示した．図3-26Aでは，活動電位がまさにシナプス前神経終末に侵入しようとしており，VSSCは閉口していて，その隣でVSCCも閉口しているがシナプス小胞とスネアで連結している．神経インパルスが軸索終末に到達すると，まずVSSCに働き，上流のナトリウムチャネルの開口により細胞外から細胞内に正電荷のNa^+を流入させようとする．これはナトリウムチャネルの電圧計で検出される（図3-26B）．これが列の最後のナトリウムチャネルを開口させ，それにより細胞内にNa^+が流入する（図3-26C）．Na^+が流入した結果，カルシウムチャネル周辺に電位変化が起きて，これをVSCCの電圧計が検出する（図3-26D）．これに続いてカルシウムチャネルが開口する（図3-26E）．この時点で，不可逆的な化学的神経伝達が引き起こされ，電気的情報が化学的情報へ変換されはじめる．VSCCを介したカルシウムイオンの流入により，今度はカルシウムチャネル本体，シナプス小胞，神経伝達物質の放出機構（スネアタンパク，VSCC側面の各種サブユニットなど）の周辺での局所的なCa^{2+}の濃度が上昇する（図3-26F）．このことによって，シナプス小胞がシナプス前神経細胞膜の内側に取り込まれて一体となり，神経細胞膜外からシナプスに向けて神経伝達物質を放出する（図3-26G）．このような驚嘆すべき過程は，ほとんど瞬間的かつ同時に多くのVSCCから生じ，多数のシナプス小胞から神経伝達物質を放出する．

ここまできても，化学的神経伝達で起こる一連の現象の半分程度しか述べていない．残り半分はシナプスの反対側で起こる．すなわち，放出された神経伝達物質の受け取りが神経細胞Ⓑで起こり（図3-25），ここで新たな神経インパルスが神経細胞Ⓑで開始されるのである．このような過程の全体，すなわち神経インパルスが生じて神経細胞Ⓐに沿って伝播して神経終末に到達し，そして神経細胞Ⓑに化学的神経伝達の情報を送り，最終的には神経細胞Ⓑに沿ってこの第2の神経インパルスを伝播する過程を，図3-25にまとめた．ここでは，シナプス前神経細胞ⒶにあるVSSCがその場で神経インパルスを伝播し，シナプス前神経細胞ⒶにあるVSCCが神経伝達物質であるグルタミン酸を放出する．シナプス後神経細胞Ⓑの樹状突起上にあるリガンド依存性イオンチャネルがこの化学的入力をつぎに受け取り，そしてこの化学的情報は神経インパルスにふたたび戻され，神経細胞ⒷにあるVSSCを介して，再変換された神経インパルスが神経細胞Ⓑ内に伝播される．また，シナプス後神経細胞Ⓑにある電位感受性イオンチャネルは，グルタミン酸による化学的シグナルを長期増強long-term potentiationと呼ばれる別の種類の電気的現象に翻訳し，神経細胞Ⓑの機能を変化させる．

まとめ

イオンチャネルは，数多くの向精神薬の重要な標的である．これらの標的は，化学的神経伝達とシグナル伝達カスケードの重要な調節因子なので，このことは別に驚くべきことでもない．

イオンチャネルには代表的なものが2種類ある。リガンド依存性イオンチャネルと電位感受性イオンチャネルである。リガンド依存性イオンチャネルの開口は，神経伝達物質により調節されている。一方，電位感受性イオンチャネルの開口は，チャネル内外の膜電位の変化により調節されている。

リガンド依存性イオンチャネルは，イオンチャネルでもあり受容体でもある。一般的に，リガンド依存性イオンチャネルは，イオン調節型受容体ともイオンチャネル結合型受容体とも呼ばれる。リガンド依存性イオンチャネルのサブタイプの1つに五量体構造のものがあり，これには$GABA_A$受容体，ニコチン性アセチルコリン受容体，セロトニン3（$5HT_3$）受容体，ある型のグリシン受容体などが含まれる。また，リガンド依存性イオンチャネルの別のサブタイプとして四量体構造のものもあり，これにはAMPA受容体，カイニン酸受容体，NMDA受容体サブタイプなど，多くのグルタミン酸受容体が含まれる。

リガンドは，完全アゴニストにはじまって，部分アゴニスト，アンタゴニスト，逆アゴニストに至るアゴニスト・スペクトラムに沿ってリガンド依存性イオンチャネルに作用する。リガンド依存性イオンチャネルを調節するものには，アゴニストとして作用する神経伝達物質だけでなく，その受容体上で他の部位（アロステリック調節部位）に結合する分子もある。このような分子は，神経伝達物質というアゴニストの作用に対して，正のアロステリック調節物質（PAM）としてその作用を増強するもの，負のアロステリック調節物質（NAM）としてその作用を減弱するもののいずれかである。これらの受容体にはいくつかの状態が存在し，休止状態，開口状態，閉口状態，脱感作状態，不活性状態がある。

2番目の重要なイオンチャネルは，電位感受性イオンチャネルあるいは電位依存性イオンチャネルと呼ばれる，膜を介する電荷によりイオンチャネルが開閉するためである。精神薬理学者の研究対象となる代表的な電位感受性イオンチャネルには，電位感受性ナトリウムチャネル（VSSC）と電位感受性カルシウムチャネル（VSCC）がある。大多数の抗痙攣薬は，これらイオンチャネル上のさまざまな部位に結合し，この機序を介して抗痙攣作用を示すと思われるが，あわせて気分安定薬，慢性疼痛の治療薬，不安に対する薬物，睡眠薬としても作用する。

（訳　仙波純一）

4章 精神病，統合失調症 そして神経伝達物質ネットワーク ドーパミン，セロトニンおよびグルタミン酸

- 精神病の症状 — 93
- 精神病とその神経伝達物質ネットワークの3つの主要な仮説 — 95
- 精神病と統合失調症の古典的なドーパミン仮説 — 95
  - ドーパミンとその神経回路 — 95
  - 精神病の陽性症状の古典的なドーパミン仮説：中脳辺縁系のドーパミン過剰 — 107
  - 古典的な統合失調症のドーパミン仮説への当然の結果として：中脳皮質におけるドーパミン低下と統合失調症の認知症状，陰性症状，感情症状 — 111
- 精神病と統合失調症のグルタミン酸仮説 — 111
  - グルタミン酸とその神経回路 — 111
  - 精神病のNMDAグルタミン酸機能低下仮説：前頭前皮質のGABA介在神経細胞のグルタミン酸シナプスにおける不完全なNMDA神経伝達 — 124
- 精神病と統合失調症のセロトニン仮説 — 132
  - セロトニンとその神経回路 — 132
  - 精神病のセロトニン過活動仮説 — 150
  - 精神病のドーパミン，NMDA，セロトニン神経伝達に関するまとめと結論 — 161
- 原型の精神病障害としての統合失調症 — 161
  - 統合失調症の陽性症状および陰性症状以外の症状 — 163
  - 統合失調症の原因は何か？ — 168
- 他の精神疾患 — 177
  - 気分に関連した精神病，精神病性うつ病，精神病性躁病 — 178
  - Parkinson病精神病 — 178
  - 認知症に関連した精神病 — 178
- まとめ — 179

精神病psychosisは定義が難しい用語であり，メディアのみならず，不幸なことにメンタルヘルスの専門家の間でもしばしば誤って用いられる。精神病という概念の周辺にはスティグマと恐怖が満ちており，ときには侮蔑的な「キチガイ」という用語が精神病に対して用いられる。本章では精神病的な症候群の一般的な記述を行い，精神病のすべての種類がいかにしてドーパミン，グルタミン酸およびセロトニンの神経伝達物質系に結び付くのかを探求する。特殊な精神障害の概観を，統合失調症を強調したうえで，ここで述べるが，しかし，精神病が診断を決定づける症状である場合か合併する症状である場合かを問わず，すべての障害の診断基準をあげるということではない。そのような情報については，『精神疾患の診断・統計マニュアル』（Diagnostic and Statistical Manual of Mental Disorders）の第5版（DSM-5）および「国際疾病分類の第11回改訂版（ICD-11）」（International Statistical Classification of Diseases and Related Health Problems）などの標準的な資料を参照してほしい。本章では，統合失調症schizophreniaに重点をおいて述べるが，第5章で論じる，精神病を治療するいろいろな治療薬のすべての標的となるさまざまな疾患に合併する症候群として精神病にアプローチしていく。

精神病の症状

精神病は症候群である。すなわち，多くのさまざまな精神疾患に伴って出現しうるが，それ自体はDSMやICDのような診断的体系で特定の疾患とされない症状が混合したものである。最も狭義の意味での精神病は，妄想と幻覚である。妄想

delusionは，しばしば奇妙であり，不十分な合理的な根拠しかなく，逆の合理的な議論や証拠によって訂正不能な固定化された信念である。**幻覚hallucination**は，実際の外部からの刺激を伴わずに出現し，どの感覚器の種類でも起こりうる（特に聴覚で多い），知覚的な体験である。それにもかかわらず正常な知覚のように真に迫っていて明確であり，自覚的に支配することができない。幻覚と妄想は精神病の重要な特徴であり，しばしば精神病の「陽性症状」と呼ばれる。精神病では，解体した話し言葉，解体した行動，現実検討の粗大なゆがみ，そして感情表出の低下や意欲の低下などのいわゆる精神病の「陰性症状」もみられる。

精神病それ自体は，統合失調症の一部であろうと他の障害であろうと，妄想性paranoidのものであったり，解体型／興奮性disorganized/excitedのものであったり，またはうつ病性depressiveのものであったりする。さらに，知覚のゆがみや運動機能障害はどのような精神病にも合併することがありうる。**知覚のゆがみ**には，幻声で苦しむこと，非難や糾弾または脅迫・処罰してくる声がきこえてくること，幻影がみえること，触覚・味覚・臭覚などの幻覚を報告すること，または見慣れた物や人が変化したように感じることの報告が含まれる。**運動機能障害**には，風変わりな姿勢，硬直，明らかな緊張の身振り，不適切なニヤリとした笑いやクスクス笑い，奇妙な動作の繰り返し，自分自身に話しかけたり・ブツブツいったり・モゴモゴいったりすること，声がきこえたかのようにあたりを眺め回すことなどがある。

妄想性精神病paranoid psychosisでは，妄想的な投影，敵意をもった好戦的な態度，誇大的な態度などが認められる。精神病のこの型は統合失調症や多くの薬物誘発性精神病で出現する。**妄想的な投影**とは，人が自分のことを話していると思い込むこと，自分が迫害されているまたは陰謀をめぐらされていると思い込むこと，または人や外からの力によって自分の行動が制御されていると思い込むことなど，妄想的な信念に心が奪われることである。偏執的な妄想の特別なタイプはParkinson病でもみられるかもしれない。すなわち，自分の配偶者は不誠実である，または自分の配偶者または恋人が盗みを働くという信念である。**敵意をもった好戦的な態度**とは，敵意の感情を言葉で表すこと，さげすんだ態度を示すこと，敵意を示すこと，不機嫌な態度，イライラや憤慨しているようすをあらわにすること，他者に問題があると非難する傾向の増大，憤りの感情の表出，文句をいったり欠点を探したりすること，人に対しての疑いを表出することである。これも特に統合失調症や薬物誘発性精神病でみられる。**仰々しい誇大的な態度**とは，優れているというそぶりを示すこと，褒めそやしたり激賞したりする声がきこえてくること，自分が特異な能力をもっている・自分は有名人である・神聖な使命を帯びているなどと信じることである。これは統合失調症や躁的精神病においてしばしばみられる。

解体型／興奮性精神病disorganized/excited psychosisでは，思考の解体，失見当識，および興奮が認められる。**思考の解体**は，見当違いまたは支離滅裂な返答をすること，話の主題がずれていくこと，新作言語を用いること，ある単語や句を繰り返すことなどを特徴とする。どの精神障害でも解体はみられることがある。**失見当識**とは，自分がいる場所，季節や年月日，あるいは自分の年齢などがわからないことなどをいい，認知症を伴った精神病や薬物誘発性の状態でよくみられる。**興奮**とは，感情表現を自制できないこと，せっかちな話しぶりを示すこと，高揚した気分を示すこと，優れているというそぶりを示すこと，自分や自分の症状を劇的に表現すること，大声で騒々しく話すこと，過活動や落ち着きのなさを示すこと，そして多弁になることをいう。興奮は躁病または統合失調症のきわめて特徴的な症状である。

精神病性うつ病depressive psychosisは，精神運動制止，アパシー，および不安で自分を罰したり非難したりすることなどを特徴とする。**精神運動制止とアパシー**は，ゆっくりとした話し方，自分の将来に対する無関心，顔の表情変化の乏しさ，身体の動きが遅い，最近の記憶がない，話がつっかえる，自分自身や自分の問題に対する無感情，だらしのない外見，低くささやくような話し

方，そして質問に答えられないという形で現れる。精神病の陰性症状と区別することはとても困難である。**不安で自分を罰したり非難したりする** こととは，自分自身を非難するまたはとがめたりする傾向の増大，特定のことに関する不安，はっきりとしない将来の出来事に対する憂慮，自分を卑下した態度，抑うつ気分の出現，罪や後悔の念を表すこと，希死念慮，望まない思考および特定の恐怖などで頭がいっぱいになること，無価値であると感じたりまたは罪深いと感じることである。これらは精神病性うつ病でしばしばみられる。

まとめると，「精神病」という術語は，患者の心の容量，感情的な反応および現実を認知する能力が障害されている症状のセットとして考えることができる。このような精神病症状の一群を短く論じても，いずれの精神病性障害の診断基準を構成することにもならない。さまざまな精神病に合併する行動障害の本質を読者が概観できるように，精神病の多くの異なったタイプや原因の一部として出現する症状のいくつかのタイプを記載しているにすぎない。

精神病とその神経伝達物質ネットワークの3つの主要な仮説

精神病のドーパミンdopamine(DA)仮説はよく知られており，実際のところ古典的になってきたが，精神薬理学において最も長続きしている考えの1つである。しかしながら，DAは精神病に関連づけられる唯一の神経伝達物質ではない。統合失調症のみならずParkinson病に伴った精神病，認知症のいくつかの種類に伴った精神病，そして多くの精神症状をきたす薬物による精神病など，いくつかの種類の精神病で病態生理や治療においてグルタミン酸とセロトニンの神経回路もまた関与するというエビデンスが増えつつある。このように，仮説として精神病に関連づけられている主要な神経伝達物質系が現在3つある(図4-1，表4-1)。つぎに，DA，グルタミン酸およびセロトニンという3つの神経伝達物質ネットワークにおける経路と受容体について広範囲に述べながら，これら3つの仮説についてそれぞれ述べていく。

精神病と統合失調症の古典的なドーパミン仮説

過去50年間にメンタルヘルスの臨床家や研究者に，精神病に関連する神経伝達物質は何かと質問したら，はっきりとドーパミン(DA)，特に中脳辺縁系経路のドーパミン2(D_2)受容体におけるDAの過活動と答えたであろう。amphetamineによるDAの放出が統合失調症における精神病と似た妄想性精神病を引き起こすので(表4-1)，このいわゆる精神病のドーパミン仮説は道理にかなう。そして50年の間，D_2受容体を遮断する薬物が本質的にすべての精神病の治療の大黒柱であった。さらに，このドーパミン仮説はとても有力であることが証明されたので，すべての精神病の陽性症状は中脳辺縁系経路の過剰なDAによって引き起こされ，したがってすべての治療はこの経路のD_2受容体を遮断しなければならないということがいまだに(強く)当然と考えている者がいる。しかしながら，結論からいうと，中脳辺縁系のDAよりも精神病にさらに関連するものがあり，そしてD_2遮断薬よりも精神病の治療にさらに貢献するものがある。後者については第5章で述べる。古典的あるいは最新のドーパミン仮説を振り返る前に，精神病のみならず精神病を治療する薬物を使用する際にも，DAの神経伝達を十分に理解することが重要である。よってドーパミン受容体と脳の回路の解説からはじめていく。

ドーパミンとその神経回路

統合失調症におけるドーパミン(DA)の重要な役割を理解するために，最初にDAがどのように産生され，代謝され，そして調節されるかについて概説し，それからドーパミン受容体の機能を示し，最後に脳における重要なドーパミン経路の部位について示していく。

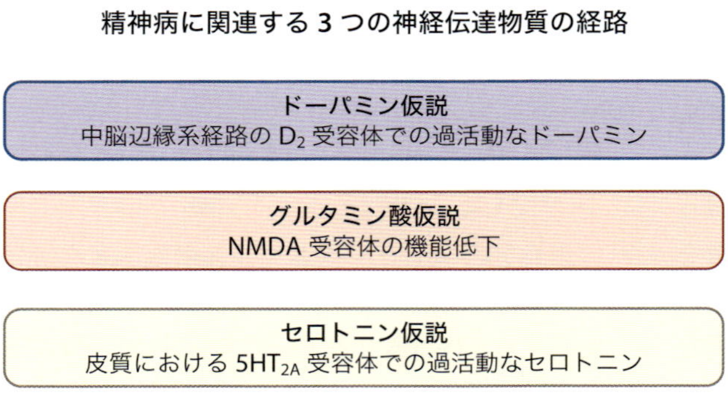

精神病に関連する3つの神経伝達物質の経路

- ドーパミン仮説
  中脳辺縁系経路の D_2 受容体での過活動なドーパミン
- グルタミン酸仮説
  NMDA 受容体の機能低下
- セロトニン仮説
  皮質における $5HT_{2A}$ 受容体での過活動なセロトニン

図4-1 精神病に関連する神経伝達物質の経路 精神病は理論的に3つの主要な神経伝達物質の経路に関連づけられてきた。中脳辺縁系経路のドーパミン2(D_2)受容体での過活動なドーパミン概念の中心に長年のドーパミン仮説がある。グルタミン酸仮説は前頭前皮質にある危機的なシナプスでの N-メチル-D-アスパラギン酸 N-methyl-D-aspartate(NMDA)受容体の機能が低下していることを提唱している。それが下流にある中脳辺縁系ドーパミン経路における過剰を引き起こしていると考えられている。セロトニン仮説は皮質における、特にセロトニン2A($5HT_{2A}$)においてセロトニン活動が過剰であると仮定している。これもまた、中脳辺縁系ドーパミン経路における過剰を結果として引き起こしている。これら3つの経路のうち1つまたはそれ以上が精神病の発症に関連していると思われる。

表4-1 薬理学的モデルが、ドーパミン、セロトニン受容体アゴニストおよびNMDAグルタミン酸受容体アンタゴニストと精神病症状を関連させる

	精神刺激薬 (コカイン、amphetamine)	解離性麻酔薬 (PCP、ケタミン)	幻覚薬 (LSD、シロシビン)
提唱されている機序	D_2 アゴニスト	NMDA アンタゴニスト	$5HT_{2A}$ アゴニスト(そしてより低い範囲で $5HT_{2C}$)
幻覚のおもなタイプ	聴覚	視覚	視覚
頻度が高い妄想	偏執的被害妄想	偏執的被害妄想	神秘的
病識	なし	なし	あり

5HT:5-ヒドロキシトリプタミン(セロトニン)、D_2:ドーパミン2、LSD:リゼルグ酸ジエチルアミド、NMDA:N-メチル-D-アスパラギン酸、PCP:phencyclidine

ドーパミン神経細胞におけるドーパミンの合成と不活性化

ドーパミン神経細胞は神経伝達物質であるドーパミン(DA)を利用する。DAはアミノ酸であるチロシンがチロシンポンプまたはトランスポーターによって細胞外領域および血流から神経細胞内に取り込まれた後、ドーパミン神経終末においてチロシンからDAが産生される(図4-2)。チロシンからDAへの変換は、まず律速段階酵素であるチロシンヒドロキシラーゼ tyrosine hydroxylase (TOH)という酵素によって、それからドーパデカルボキシラーゼ dopa decarboxylase(DDC)という酵素によって行われる(図4-2)。DAはそれからシナプス小胞モノアミントランスポーター2 vesicular monoamine transporter 2(VMAT2)によってシナプス小胞に取り込まれ、神経伝達に使用されるまでそこで蓄えられる。シナプス小胞での保存から逃れた過剰なDAは、神経細胞内のモノアミンオキシダーゼ monoamine oxidase (MAO)-AやMAO-Bという酵素によって分解される(図4-3A)。

線条体や他の脳部位において、ドーパミン神経終末にはドーパミントランスポーター dopamine transporter(DAT)と呼ばれるシナプス前トランスポーター(再取り込みポンプ)がある。これはDAに特有のものであり、シナプスからDAをシナプス前神経終末に再吸収することによって、DAによるシナプス活動を終結させる。DAは他の

精神病と統合失調症の古典的なドーパミン仮説

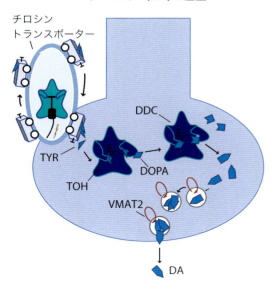

ドーパミン（DA）の産生

図4-2　ドーパミン（DA）の産生　DAの前駆物質であるチロシン（TYR）は，チロシントランスポーターによりドーパミン神経終末に取り込まれ，チロシンヒドロキシラーゼ（TOH）という酵素によりドーパ（DOPA）に変換される。その後，ドーパはドーパデカルボキシラーゼ（DDC）という酵素によりDAに変換される。産生された後，DAはシナプス小胞モノアミントランスポーター2（VMAT2）によりシナプス小胞に取り込まれ，神経伝達時にシナプスに向けて放出されるまでシナプス小胞内に蓄えられる。

神経伝達で引き続き再利用されるためにシナプス小胞にふたたび蓄えられる（図4-3A）。DATはDATが存在するシナプスにおいてDAを不活性化する主要な経路であり，神経細胞外のカテコール-O-メチルトランスフェラーゼcatechol-O-methyltransferase（COMT）によって補助的に不活性化される。

　DATはすべてのドーパミン神経細胞の軸索終末において必ずしも高密度で認められるわけではない（図4-3B）。例えば，前頭前皮質ではDATは比較的低密度であるので，他の機序，主としてCOMTによってDAが不活性化される（図4-3B）。DATが存在しない場合には，DAはシナプスから逃れることができ，放出された状態になる。ついには近在するノルエピネフリンnorepinephrine（NE）神経細胞に近づきそしてノルエピネフリントランスポーターnorepinephrine transporter（NET）に出くわし，そして「偽」の基質としてノルエピネフリン神経細胞に取り込まれることによりDAが不活性化する（図4-3B）。

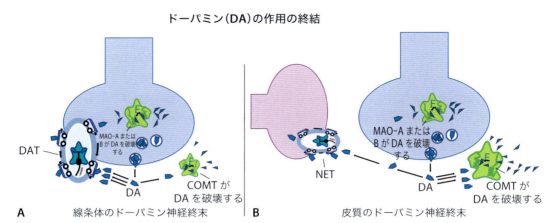

ドーパミン（DA）の作用の終結

A　線条体のドーパミン神経終末　　　B　皮質のドーパミン神経終末

図4-3　ドーパミン（DA）の作用の終結　DAの作用はさまざまな機序をとおして終結される。（**A**）DAはドーパミントランスポーター（DAT）によりシナプス間隙からシナプス前神経細胞内へ輸送され，将来の使用にそなえてふたたび蓄えられる。あるいは，DAは細胞外にてカテコール-O-メチルトランスフェラーゼ（COMT）によって破壊される。DAを破壊するその他の酵素には，モノアミンオキシダーゼ（MAO-AおよびMAO-B）がある。これらはシナプス前神経細胞内やグリア細胞などの他の細胞の細胞内にあるミトコンドリア内に存在する。（**B**）前頭前皮質において，DATは相対的に密度が疎であるので，DAの不活性化の優勢な方法は細胞内のMAO-AまたはMAO-B，そして細胞外のCOMTによってである。DAはまたシナプスから離れ，近在の神経細胞にあるノルエピネフリントランスポーター（NET）によって取り込まれる。

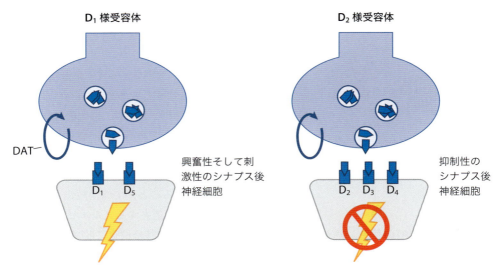

図4-4　シナプス後ドーパミン受容体　2つのグループのシナプス後ドーパミン受容体がある。D_1様受容体は、D_1とD_5受容体を含むが、興奮性であり、シナプス後神経細胞を刺激する。D_2様受容体は、D_2、D_3およびD_4を含むが、抑制性であり、シナプス後神経細胞を抑制する。
DAT：ドーパミントランスポーター

ドーパミン受容体

　ドーパミン（DA）の受容体はドーパミン神経伝達物質の重要な制御装置である（図4-4）。ドーパミントランスポーター（DAT）とシナプス小胞モノアミントランスポーター2（VMAT2）についてはすでに言及した。どちらも受容体の類型である。ドーパミン受容体には他に多すぎる種類が存在する。少なくとも5種類の薬理学的サブタイプと、さらに多くの分子アイソフォームが含まれる（図4-4）。現在、ドーパミン受容体は2つのグループに分けられる。第1のグループはD_1様受容体であり、D_1とD_5受容体が含まれる。D_1様受容体は興奮性であり、アデニル酸シクラーゼと正の関連を示す（図4-4の左）。第2のグループはD_2様受容体であり、D_2、D_3およびD_4受容体が含まれる。D_2様受容体は抑制的でありアデニル酸シクラーゼとは負の関連を示す（図4-4の右）。このように、神経伝達物質DAは興奮性でもあり抑制性でもあり、どのドーパミン受容体のどのサブタイプに結合するかによる。

　5つのドーパミン受容体はすべてシナプス後に位置するが（図4-4）、D_2とD_3受容体はシナプス前に位置することもある。シナプス前では抑制的活動により、さらなるDAの放出を抑制するための自己受容体として活動している（図4-5）。図4-5のD_3シナプス前自己受容体（右側）を伴ったシナプスよりD_2シナプス前自己受容体（左側）を伴ったシナプスのほうが多くのDAがシナプス間隙で蓄積していることに注目せよ。これは、D_3受容体のほうがDAに対して感受性がより強いからであり、D_3受容体を活性化するシナプス間隙におけるDAの濃度を低下させ、そしてD_2シナプス前受容体を伴った神経細胞よりもさらなるDA放出を停止させることによる。シナプス前D_2/D_3受容体は「門番」のように作用し、DAによって占拠されていないときにはDAの放出を許し（図4-6A）、一方、シナプス間隙にDAが増加して、門番であるシナプス前自己受容体が占拠されるとDA放出

シナプス前ドーパミン受容体

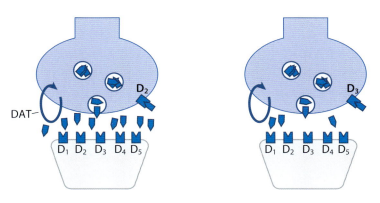

図4-5　シナプス前ドーパミン受容体　D_2とD_3はシナプス前受容体にも存在し，そこでは，抑制的活動のため，ドーパミン(DA)のさらなる放出を抑制する自己受容体として活動する。D_2自己受容体はD_3自己受容体よりもDAに対して感受性が低い。したがって，D_3自己受容体が活性化された場合(右)よりもD_2自己受容体が活性化された場合(左)のほうがシナプスにおけるDAの濃度は高くなる。
DAT：ドーパミントランスポーター

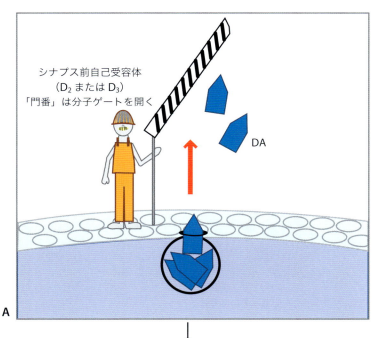

図4-6　シナプス前ドーパミン自己受容体　シナプス前D_2とD_3自己受容体はドーパミン(DA)に対する「門番」である。(**A**)ドーパミン自己受容体にDAが結合していない(門番の手にDAがない)ときには分子ゲートを開けて，DAの放出を許可する。(**B**)DAがドーパミン自己受容体に結合している(門番の手にDAがある)ときには分子ゲートを閉じて，DAの放出を妨ぐ。

を抑制する(図4-6B)。このような受容体は,軸索終末(図4-7)またはドーパミン神経細胞の反対側にある細胞体樹状突起領域(図4-8)に存在する。どちらの箇所でもそれらはシナプス前と考えられており,これらのD_2またはD_3受容体が占拠されるとネガティブフィードバック入力がなされるか,またはドーパミン神経細胞からのDAの放出を遮断する作用がなされる(図4-7B,図4-8B)。

このように,ドーパミン神経細胞はどのドーパミン受容体が存在しているかによってきわめて異なった調節がなされることがありうる。D_3シナプス前自己受容体を伴ったシナプスがD_2シナプス前自己受容体を伴ったシナプスと異なる方法でDA放出が制御される(図4-5)ということのみならず,中脳辺縁系神経細胞と黒質線条体(中脳線条体)神経細胞とを比較する(図4-9)ことによっても例証される。脳幹の腹側被蓋野ventral tegmental area(VTA)から前頭前皮質に投射する中脳皮質系ドーパミン神経細胞はD_2またはD_3自己受容体をVTAにおける細胞体に有しているが,前頭前皮質ではシナプス前またはシナプス後にD_2/D_3受容体をまばらにしか有していない(図4-9A)。前頭前皮質における軸索終末に自己受容体が欠如しているために,DAの放出はこの機序によって遮断されることはない。したがって,図で大きな青い楕円によって示されているように,放出されたシナプスから自由に広く拡散する。さらに,すでに述べたように中脳皮質系ドーパミン神経細胞は前頭前皮質においてシナプス前神経終末に,あってもわずかしかDATを有していない。シナプスのDAをシナプス前神経細胞に取り込むDATがなければ,またはシナプスにおけるDAが

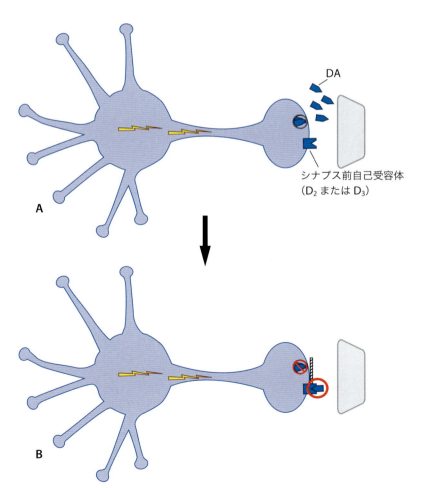

図4-7 シナプス前ドーパミン自己受容体 図で示すように,シナプス前D_2とD_3自己受容体は軸索終末に存在することがある。ドーパミン(DA)がシナプス間隙において増加すると(**A**),DAがシナプス前自己受容体に結合できるようになり,DA放出を抑制する(**B**)。

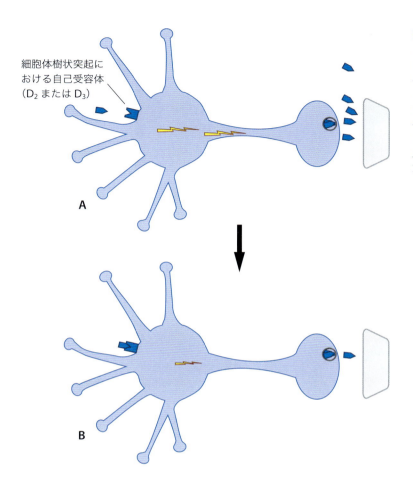

図4-8 細胞体樹状突起ドーパミン自己受容体 図で示すように，D_2とD_3自己受容体は細胞体樹状突起領域にも存在することがある(**A**)。ドーパミン(DA)がここの受容体に結合すると，ドーパミン神経細胞内における神経インパルスの流れを止め(**B**における神経細胞内の稲妻の消失)，さらなるDA放出を抑制する。

蓄積するとDAの放出を停止させるD_2/D_3シナプス前自己受容体がなければ，DATとD_2/D_3シナプス前自己受容体を併せもつ終末に比較すると(図4-9B，図の青い楕円の大きさに注目せよ)シナプス前終末からより広範囲にDAが拡散することを許してしまう(図4-9A)。これはおそらくよいことである。なぜなら，前頭前皮質における優勢なシナプス後受容体はD_1受容体であり，D_1受容体はDAに対して最も感受性が低いので，D_2/D_3受容体と比較しD_1受容体を活性化させるには，存在するDAがより高い濃度であることが要求される。DAのより大規模な拡散はまた容量神経伝達(第1章および図1-6と図1-7を参照)の可能性も意味する。したがって，前頭前皮質では1つのシナプス前終末からのDAが拡散範囲内のどのD_1受容体とも，そしてさらにDAが放出されたシナプスを越えて，結合することができる。一方，中脳線条体ドーパミン神経細胞には，VTAや黒質における細胞体のみならず，線条体におけるシナプス前神経終末やシナプス後領域においても，シナプス前D_2またはD_3受容体のどちらかが存在している(図4-9B)。さらに，これらのドーパミン神経細胞の線条体のシナプス前神経終末にはDATが存在している。前述したように，D_2自己受容体を伴った神経細胞はD_3自己受容体を伴った神経細胞に比較しより広範囲の拡散半径を有しており，線条体におけるDAの放出を制御するさまざまな可能性を提供してくれる(図4-9B)。

古典的なドーパミン経路と重要な脳部位

脳内における5つの古典的なドーパミン経路を図4-10に示した。それらは漏斗下垂体ドーパミン経路，視床ドーパミン経路，黒質線条体ドーパミン経路，そしてドーパミン仮説として最も重要

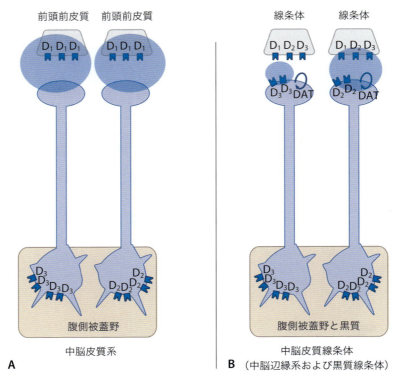

図4-9　中脳皮質系と中脳皮質線条体神経細胞の比較　(A)中脳皮質系神経細胞は腹側被蓋野(VTA)から前頭前皮質(PFC)に投射する。VTAではドーパミン(DA)の放出は細胞体樹状突起におけるD_2またはD_3自己受容体によって制御される。しかし，PFCではDAの放出を抑制するD_2またはD_3シナプス前自己受容体がほとんど存在しない。かつ，シナプスからDAを回収するドーパミントランスポーター(DAT)もほとんど存在しない。したがって，DAはシナプスからより自由に拡散することができる（大きな青い楕円）。シナプス後では，優勢なドーパミン受容体はD_1であり，これは興奮性である。(B)中脳辺縁系神経細胞(VTAから線条体に投射する)からのDAの放出はVTAにある細胞体樹状突起におけるD_3自己受容体，シナプス前D_3自己受容体および線条体におけるシナプス前のDATによって制御される（左）。黒質線条体神経細胞〔黒質(SN)から線条体に投射する〕からのDA放出はSNにおけるD_2自己受容体，シナプス前D_2自己受容体および線条体におけるシナプス前のDATによって制御される（右）。D_2自己受容体はD_3自己受容体よりもDAに対して感受性が低い。したがって，より広範囲に拡散することが許される（青い楕円の大きさで表現）。線条体におけるシナプス後にはD_1，D_2，およびD_3受容体のすべてが存在する。

な中脳皮質ドーパミン経路と中脳辺縁系ドーパミン経路である。統合失調症におけるこれらの経路を検討するうえで，神経科学の進歩によってより最近の洗練された仮説がいくつか提唱されているが，最初に古典的なアプローチについて考えてみよう。

漏斗下垂体ドーパミン経路

視床下部から下垂体前葉に投射するドーパミン神経細胞を漏斗下垂体ドーパミン経路(図4-11)と呼ぶ。ふつうの状況ではこれらの神経細胞は持続的に活動的(tonically active)であり，プロラクチンの分泌を**抑制**している。しかし，出産後の状態ではこれらのドーパミン神経細胞の活動は低下する。したがって，授乳期間におけるプロラクチンの血中濃度は上昇するので乳汁分泌が起こる。障害または薬物によって漏斗下垂体ドーパミン神経細胞の機能が低下した場合でも，プロラクチンの血中濃度は上昇する。プロラクチンの血中濃度が上昇すると，乳汁漏出(特に男性における乳汁の分泌)や無月経(排卵や月経期の消失)，そしておそらく性機能の低下などの問題が生じる。このような問題は，D_2受容体を遮断する多くの抗精神病薬による治療後に出現する可能性があり，これについては第5章でさらに述べる。治療されてい

古典的なドーパミン経路と重要な脳領域

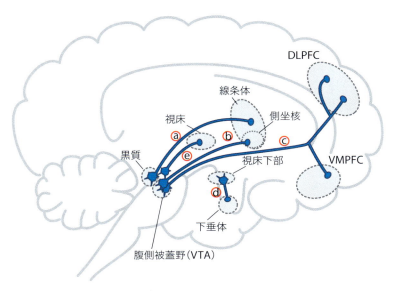

図4-10　脳内における5つのドーパミン経路　(a)黒質線条体ドーパミン経路は黒質から基底核または線条体に投射し，錐体外路神経系の一部をなして運動機能や運動そのものを調節する。(b)中脳辺縁系ドーパミン経路は中脳の腹側被蓋野(VTA)から側坐核へ投射する。快楽の感覚，薬物乱用による強烈な多幸感，そして精神病の妄想や幻覚などの多くに関与すると考えられている大脳の辺縁系の一部である。(c)中脳皮質ドーパミン経路も中脳のVTAから投射するが，その軸索を前頭前皮質の領域に送る。前頭前皮質において統合失調症の認知症状〔背外側前頭前皮質 dorsolateral prefrontal cortex(DLPFC)〕および感情症状〔腹内側前頭前皮質 ventromedial prefrontal cortex(VMPFC)〕を調節する役割を担っている可能性がある。(d)漏斗下垂体ドーパミン経路は視床下部から下垂体前葉に投射し，プロラクチン分泌を調節する。(e)第5のドーパミン経路は中脳水道周囲の灰白質，腹側中脳，視床下部の核，外側傍小脳脚核など多数の領域から視床へ投射する経路である。その機能は現在よくわかっていない。

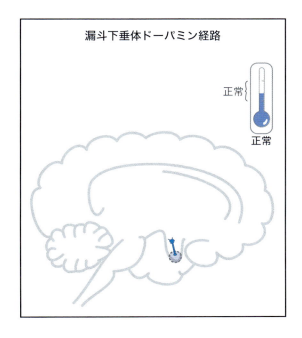

図4-11　漏斗下垂体ドーパミン経路　視床下部から下垂体前葉に投射する漏斗下垂体ドーパミン経路は，血液循環へのプロラクチン分泌を調節する。ドーパミンはプロラクチン分泌を抑制する。未治療の統合失調症では，この経路の活動は「正常」と考えられている。

ない統合失調症患者では，漏斗下垂体ドーパミン経路は相対的に保たれているであろう（図4-11）。

視床ドーパミン経路

霊長類において視床を支配するドーパミン経路が最近になって報告された。ここでは，中脳水道周囲灰白質，腹側中脳，さまざまな視床下部の核，および外側傍小脳脚核など多くの領域から軸索を送っている（図4-10）。その機能についてはまだ研究中であるが，視床を通って皮質や他の脳領域に送られる情報を調節することにより，睡眠や覚醒の機序に関与しているのかもしれない。統合失調症におけるこのドーパミン経路の機能異常に関して，現段階でエビデンスはない。

黒質線条体ドーパミン経路

脳におけるもう1つの重要なドーパミン経路は黒質線条体ドーパミン経路である。これは，脳幹の黒質にあるドーパミン細胞体から軸索が線条体に投射する（図4-12）。古典的には，黒質線条体ドーパミン経路は錐体外路神経系の一部で，皮質-線条体-視床-皮質 cortico-striato-thalamo-cortical（CSTC）回路またはループ（図4-13A）における視床と皮質とを経由して運動を調節すると考えられてきている。DA が CSTC 回路や線条体における運動をいかに制御するか，さらに洗練された解剖学的モデルを図4-13B〜図4-13F に，「直接的」そして「間接的」ドーパミン経路として示す。いわゆる直接的経路（図4-13B の左，図4-13C，図4-13E）には興奮性 D_1 受容体があり（図4-13E，また図4-4の左も参照），そして線条体から直接的に淡蒼球内節へ投射し，運動を**刺激する**（「行け」経路 "go" pathway）（図4-13C）。いわゆる間接的経路（図4-13B の右，図4-13D，図4-13F）には抑制性 D_2 受容体があり（図4-13F，また図4-4の右も参照），そして間接的に淡蒼球外節と線条体を経て淡蒼球内節へ投射する。通常，この経路は運動を**抑制する**（「止めよ」経路 "stop" pathway）（図4-13D を参照）。DA は間接的経路における D_2 受容体のこの活動を抑制しており（図

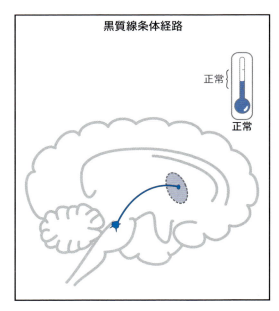

図4-12　黒質線条体ドーパミン経路　黒質線条体ドーパミン経路は黒質から大脳基底核または線条体に投射する。これは錐体外路神経系の一部であり，運動を調節するうえで重要な役割を担っている。ドーパミン（DA）が不足すると，振戦，硬直，無動/寡動を伴う Parkinson 症候群を引き起こす可能性がある。DA が過剰であると，チックやジスキネジアのような多動を引き起こす可能性がある。未治療の統合失調症では，この経路の活動は「正常」と考えられている。

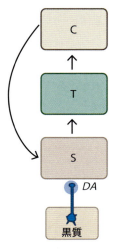

図4-13A　皮質-線条体-視床-皮質（CSTC）回路　最も単純な表現では，黒質線条体ドーパミン経路は皮質-線条体-視床-皮質ループとして知られている回路において，視床と皮質の連結を経由して運動を制御していると考えられている。

C：皮質，DA：ドーパミン，S：線条体，T：視床

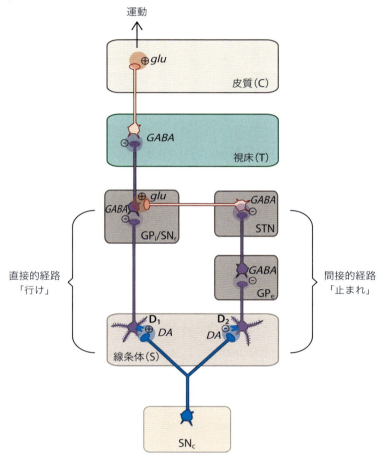

図4-13B　運動制御に関する直接的および間接的ドーパミン経路　運動をドーパミン(DA)が制御する直接的な経路(左)には興奮性のD₁受容体が存在しており，線条体から淡蒼球内節(GP$_i$)へ投射し，結果として運動を刺激する。運動をDAが制御する間接的な経路(右)は淡蒼球外節(GP$_e$)と視床下核(STN)を経て淡蒼球内節(GP$_i$)へ投射する。この経路には抑制性のD₂受容体が存在しており，ふつうは運動を抑制される。

D₁：ドーパミン1受容体，D₂：ドーパミン2受容体，GABA：γ-アミノ酪酸，glu：グルタミン酸，GP$_e$：淡蒼球外節，GP$_i$：淡蒼球内節，SN$_c$：黒質網様部，SN$_r$：黒質緻密部，STN：視床下核

4-13F)，これは「止めよ」経路に対して「止めるな」といっている，あるいは「もっと行け」といっていることになる。肝心なのは，DAは運動を，直接的にも間接的にも，運動経路において刺激しているということである。これらの経路の出力が同調することは運動の滑らかな遂行へ導くと考えられている。

統合失調症におけるこのドーパミン経路の機能異常に関して現時点ではエビデンスは何もないが(図4-12，図4-13)，これらの運動経路における

DAの欠乏が，硬直，無動/寡動(すなわち動かない，または動作が遅い)および振戦によって特徴づけられるParkinson病などの運動障害を引き起こす。基底核におけるDAの欠乏は，仮説上は，アカシジア(一種の落ち着きのなさ，静座不能)やジストニア(特に顔や首などのねじれるような動き)を引き起こしうる。これらと同じ運動障害をこの経路におけるD₂受容体を遮断する薬物により再現することができる。これらの薬物は薬物誘発性パーキンソニズム〔よりよく知られているが

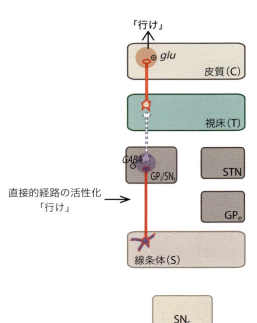
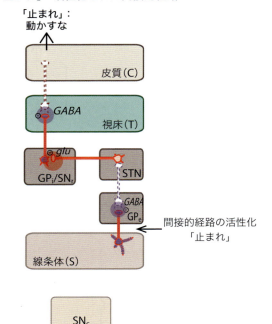

図4-13C 直接的ドーパミン経路(行け)の活性化
線条体から淡蒼球内節(GP$_i$)に投射するγ-アミノ酪酸(GABA)神経細胞は活性化される。放出されたGABAは視床に投射するもう1つのGABA神経細胞の活動を抑制する。視床におけるGABAの放出が欠如しているので、グルタミン酸神経細胞は活性化されて皮質においてグルタミン酸を放出することにより運動を刺激する。
GABA: γ-アミノ酪酸, glu: グルタミン酸, GP$_e$: 淡蒼球外節, GP$_i$: 淡蒼球内節, SN$_c$: 黒質網様部, SN$_r$: 黒質緻密部, STN: 視床下核

図4-13D 間接的ドーパミン経路(止まれ)の活性化
線条体から淡蒼球外節(GP$_e$)に投射するγ-アミノ酪酸(GABA)神経細胞は活性化される。放出されたGABAは視床下核(STN)に投射するもう1つのGABA神経細胞の活動を抑制する。STNにおけるGABAの放出が欠如しているので、グルタミン酸神経細胞は活性化されて淡蒼球内節(GP$_i$)においてグルタミン酸を放出し、この場合は代わりにGABA神経細胞を刺激し、視床におけるGABAの放出を促す。そして皮質におけるグルタミン酸の放出を抑制し、したがって運動を抑制する。
GABA: γ-アミノ酪酸, glu: グルタミン酸, GP$_e$: 淡蒼球外節, GP$_i$: 淡蒼球内節, SN$_c$: 黒質網様部, SN$_r$: 黒質緻密部, STN: 視床下核

より正確ではない名前である錐体外路症状extrapyramidal symptom(EPS)と呼ばれることがときどきある〕を引き起こす。これについては、精神病を治療するための薬物に関する第5章でより詳しく述べる。

　DAの活動性が低すぎることのみならず、過剰でも運動障害を引き起こす。したがって、黒質線条体におけるDAの過活動は、舞踏病、ジスキネジア、そしてチック(Huntington病、Tourette症候群などの状態において)などのさまざまな多動を引き起こすと考えられている。Parkinson病の治療のためにレボドパを投与することによりこの経路のD$_2$受容体を慢性的に刺激すると、異常な多動性のおよびジスキネジア様の運動障害の出現を、仮説上ではあるが、もたらすと考えられている〔レボドパ誘発性ジスキネジアlevodopa-induced dyskinesia(LID)と呼ばれる〕。黒質線条体経路におけるこれらと同じD$_2$受容体を慢性的に遮断すると、仮説上ではあるが、遅発性ジスキネジアというもう1つの多動性の運動障害を引き起こすかもしれない。遅発性ジスキネジアおよびその治療については精神病の薬物に関する第5章でさらに述べる。

中脳辺縁系ドーパミン経路

　中脳辺縁系ドーパミン経路は脳幹の(すなわち中脳の)腹側被蓋野(VTA)にあるドーパミン細胞

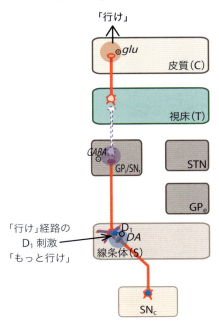
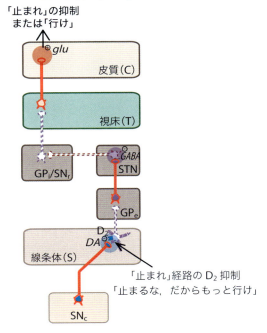

図4-13E 「行け」経路のドーパミン1（D_1）受容体による刺激 黒質線条体経路から放出されたドーパミンは淡蒼球内節（GP_i）に投射するγ-アミノ酪酸（GABA）神経細胞にあるシナプス後D_1受容体に結合する。これにより直接的な「行け」経路の一過性の活性化が生じる。本質的には「もっと行け」といっていることになる。

D_1：ドーパミン1受容体，DA：ドーパミン，GABA：γ-アミノ酪酸，glu：グルタミン酸，GP_e：淡蒼球外節，GP_i：淡蒼球内節，SN_c：黒質網様部，SN_r：黒質緻密部，STN：視床下核

図4-13F 「止まれ」経路のドーパミン2（D_2）受容体による抑制 黒質線条体経路から放出されたドーパミンは淡蒼球外節（GP_e）に投射するγ-アミノ酪酸（GABA）神経細胞にあるシナプス後D_2受容体に結合する。これにより間接的な「止まれ」経路の抑制が生じる。したがって，この場合は代わりに「行け」といっていることになる。

D_2：ドーパミン2受容体，DA：ドーパミン，GABA：γ-アミノ酪酸，glu：グルタミン酸，GP_e：淡蒼球外節，GP_i：淡蒼球内節，SN_c：黒質網様部，SN_r：黒質緻密部，STN：視床下核

体から辺縁系の一部である腹側線条体の側坐核に投射する（したがって中脳辺縁）（図4-10，図4-14A〜D）。この経路からのDAの放出は，意欲，喜び，および報酬（図4-14A）を含むいくつかの正常な情動行動において重要な役割を担っていると考えられている。これは単純化しすぎているかもしれないが，中脳辺縁系ドーパミン経路は実際，正常な報酬（おいしい物を食べる，性的に興奮する，音楽をきく）（図4-14A）のみならず，報酬が高すぎる（図4-14B・C）または低すぎる（図4-14D）ときにも経験する，情動すべての報酬や強化の最終的な共通経路common pathwayであろう。この経路における過剰なDAは古典的には，薬物乱用による人工的な報酬（薬物誘発性の「ハイ（高揚気分）」）（図4-14B）（第13章の薬物乱用に

関する解説も参照）のみならず，精神病の陽性症状（図4-14C）を引き起こすと考えられている。一方，この経路の過少なDAは単極性や双極性のうつ病および統合失調症の陰性症状などの状態においてみられるアンヘドニア〔快楽消失（楽しい経験をする能力が低い）〕，アパシー，および精力の欠如などの症状を引き起こす（図4-14D）。

精神病の陽性症状の古典的なドーパミン仮説：中脳辺縁系のドーパミン過剰

前述したように，この中脳辺縁系ドーパミン経路の過活動（DA過剰）は，精神病の陽性症状（すなわち，妄想や幻覚）を仮説上，精神病の最終的な共通経路common pathwayとして説明している。それらが統合失調症における症状の一部であろう

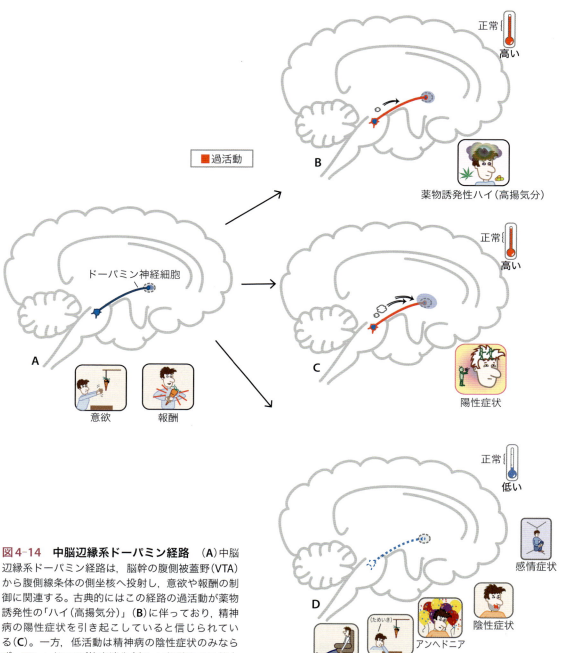

図4-14　中脳辺縁系ドーパミン経路　(A)中脳辺縁系ドーパミン経路は，脳幹の腹側被蓋野(VTA)から腹側線条体の側坐核へ投射し，意欲や報酬の制御に関連する。古典的にはこの経路の過活動が薬物誘発性の「ハイ(高揚気分)」(B)に伴っており，精神病の陽性症状を引き起こしていると信じられている(C)。一方，低活動は精神病の陰性症状のみならず，アンヘドニア〔快楽消失(楽しい経験をする能力が低い)〕，アパシー，精力の欠如に関係している。

統合失調症の陽性症状の古典的なドーパミン仮説

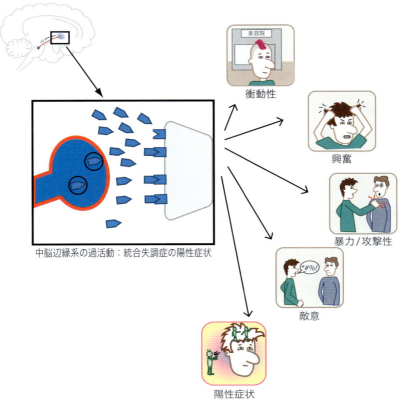

図4-15　中脳辺縁系ドーパミン仮説　中脳辺縁系ドーパミン経路におけるドーパミン神経細胞の過活動は，理論的に妄想や幻覚などの精神病の陽性症状をもたらす。中脳辺縁系の過活動はまた，衝動性，興奮，暴力/攻撃性および敵意にも関連しているであろう。

と，薬物誘発性精神病の一部であろうと，躁病，うつ病，Parkinson病または認知症に伴う陽性症状であろうとである。中脳辺縁系のドーパミン神経細胞の過活動は，精神病の陽性症状を伴うどの疾患においても，衝動性，興奮，攻撃性および敵意のような症状を引き起こすことに重要な役割を果たしているであろう（図4-15）。中脳辺縁系のDA過活動が，コカインやメタンフェタミンなどの精神刺激作用物質の直接的な薬理学的結果であるかもしれないが，統合失調症，躁病，うつ病，Parkinson病，またはAlzheimer病および他の認知症を伴う中脳辺縁系のDA過活動が，ドーパミン神経細胞のみならず，前頭前回路，グルタミン酸神経細胞およびセロトニン神経細胞の調節不全

の間接的な結果である可能性も高い。これらの脳回路については，グルタミン酸とセロトニンに関する後の項で述べる。

統合失調症における精神病の陽性症状のドーパミン仮説に関する新しい発展

　古典的には，黒質から背側線条体へのドーパミン（DA）投射（図4-12）は運動を制御し，それと平行する腹側被蓋野（VTA）から腹側線条体（側坐核）への経路は情動を制御すると考えられてきた（図4-14A）。過度に単純化した観念は，運動のための背側または「上の」線条体（「脳神経内科医の線条体」）と情動のための腹側または「下の」線条体（「精神科医の線条体」）（図4-16A）が存在すると

いう考えである。これらの概念は解剖学、げっ歯動物を使用した薬理学的研究、およびヒトにおける薬物研究などから主として得られてきた。これらは発見を得るためには価値があるが、ヒトを対象とした神経画像研究の最近の結果からは、解剖学的な違いが機能と互いに関連している（運動vs. 情動）という別々に異なった特定の目的のための専用の経路という考えを修正する必要がありそうだ。なぜなら、生きているヒトの線条体におけるDA活動を神経画像で調べてみると、服薬していない統合失調症患者では期待された腹側線条体にだけみられるはずのDA過剰は認められなかったのである。代わりに、DA過剰は連合線条体と呼ばれる線条体の中間部分に特に認められ、その連合線条体はVTAからではなく黒質から入力を受けているのである（図4-16B）。これらの所見は統合失調症のDA過剰を理解するためにはドーパミン経路のさらに洗練された組み立てが必要であることを示唆する。すなわち、統合失調症の陽性症状をもたらすには、VTAからの投射のみではなく

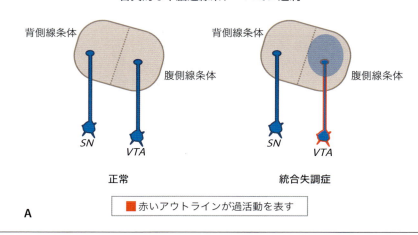

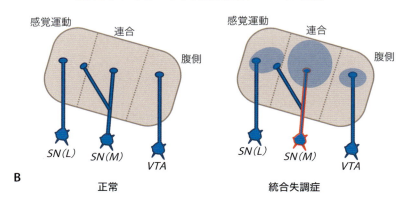

図4-16　統合された中心である中脳辺縁系ドーパミン過剰　（**A**）線条体の機能の古典的理解は、背側線条体が運動を制御し、腹側線条体が情動を制御し、腹側線条体におけるドーパミンの過活動が統合失調症の陽性症状に関連しているということであった。（**B**）服薬していない統合失調症患者の神経画像のデータは、腹側線条体ではドーパミン活動が変化しておらず、その代わりとして連合線条体と呼ばれる線条体の中間部分において過剰であることが示唆されている。連合線条体は腹側被蓋野（**VTA**）よりもむしろ黒質から入力を受けている。黒質線条体投射と中脳辺縁系投射とに分けるよりも、むしろ中間線条体経路という概念であろう。
SN(L)：外側の黒質、SN(M)：内側の黒質、VTA：腹側被蓋野

おそらく内側および外側の黒質からの投射におけるDA過剰もまた特に重要であるのかもしれない(図4-16B)。これらの所見は，腹側線条体と黒質との経路が運動成分のみならず感情成分も有しているという考えが，注目すべき発展であることを示している。衝動や習慣もまた理論的には背側線条体に位置づけることができる(第13章で述べる)。このように，背側線条体はすべてが運動に関連しているわけではなさそうであり，脳神経内科医の線条体だけではなさそうだ！　背側線条体はまた感情の制御においても重要な役割を果たしていそうである。要点は，中脳から線条体への投射を別々で明瞭な機能を伴う平行な経路として考えるよりも(図4-16Aのように)，その代わりとして神経画像から得られた新しい考えはVTA-黒質複合体が統合された中心であり，その経路は黒質線条体/中脳辺縁系よりも中脳線条体と考えることができる(図4-16B)。統合失調症のDA過剰は，この意味において純粋に中脳辺縁系よりも黒質線条体なのである。

古典的な統合失調症のドーパミン仮説への当然の結果として：中脳皮質におけるドーパミン低下と統合失調症の認知症状，陰性症状，感情症状

　もう1つのドーパミン経路もまた腹側被蓋野(VTA)にある細胞体から生じるものの，前頭前皮質の領域に投射し，**中脳皮質ドーパミン経路**と呼ばれる(図4-17～図4-19)。背外側前頭前皮質に向かうこの経路の分枝は，認知機能と実行機能を制御するという仮説が設けられている(図4-17)。一方，前頭前皮質の腹内側部への分枝は情動と感情を制御するという仮説がたてられている(図4-18)。統合失調症の症状をもたらす中脳皮質ドーパミン経路の正確な役割については依然議論の段階にあるが，しかし多くの研究者が，統合失調症の認知症状と一部の陰性症状は背外側前頭前皮質に向かう前頭前皮質投射におけるDA活動の不足によるものであり(図4-17)，一方，統合失調症の感情症状と他の一部の陰性症状は腹内側前頭前皮質への中脳皮質投射におけるDA活動の不足によるものであると信じられている(図4-18)。陰性症状によって示される行動面での欠陥状態は，中脳皮質DA投射の適切な機能の低下または欠如を確かに意味する。そして，主要な理論ではこの中脳皮質投射のDAの不足は，NMDA型グルタミン酸系における神経発達の異常の結果であるが，これについてはつぎのグルタミン酸に関する項で述べる。

精神病と統合失調症のグルタミン酸仮説

　精神病のグルタミン酸仮説は，前頭前皮質における危機的なシナプスとしてグルタミン酸受容体のN-メチル-D-アスパラギン酸N-methyl-D-aspartate(NMDA)サブタイプの機能が低下していることを提唱している(表4-1，図4-1)。NMDAグルタミン酸機能の破綻は，統合失調症では神経発達異常によるものであり，Alzheimer病や他の認知症では神経変性異常によるものであり，そして解離性麻酔薬であるケタミンやphencyclidine(PCP)などのNMDA受容体を破壊する活動によるものである(図4-1，表4-1)。いかにグルタミン酸の機能異常がさまざまな疾患における精神病の陽性症状，陰性症状および認知症状をもたらすか，そしてまたいかにグルタミン酸の機能低下が下流の，すでに述べたようなドーパミン(DA)過剰を引き起こすのかを理解するために，まずグルタミン酸について，そしてその受容体および経路について概説する。

グルタミン酸とその神経回路

　グルタミン酸は中枢神経系において主要な興奮性の神経伝達物質である。そしてときどき脳の「マスタースイッチ」とみなされることがある。なぜなら，グルタミン酸は中枢神経系神経細胞のほとんどすべてを興奮させたり刺激したりすることができるからである。近年，グルタミン酸は，統合失調症，一般的な精神病の陽性症状，そしてまたうつ病を含む数多くの他の精神疾患の仮説化された病態生理において重要な理論的役割を獲得した。グルタミン酸は統合失調症やうつ病を治療す

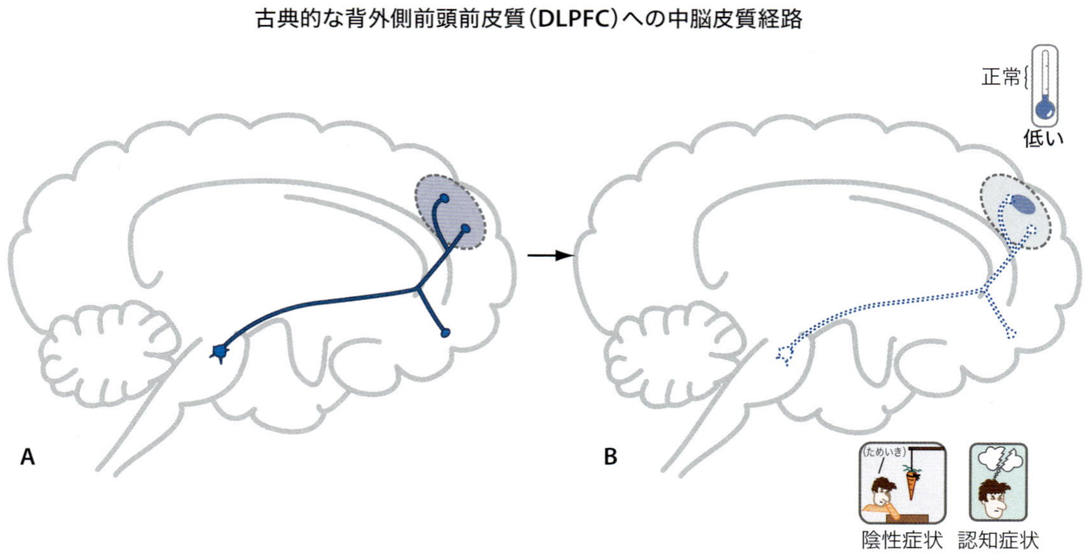

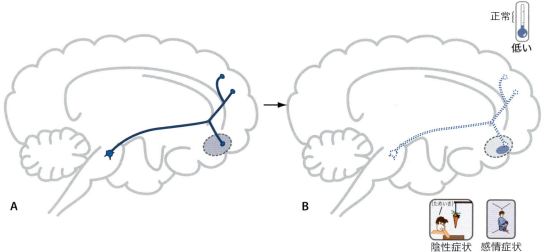

図4-17　背外側前頭前皮質(DLPFC)への中脳皮質経路　中脳皮質ドーパミン経路は腹側被蓋野(VTA)から前頭前皮質へ投射する。特にDLPFCへの投射は認知機能と実行機能に関連している(**A**)。この経路の活動低下は，古典的には統合失調症の認知症状とある一部の陰性症状に関連していると信じられてきた。

図4-18　腹内側前頭前皮質(VMPFC)への中脳皮質経路　中脳皮質ドーパミン経路は腹側被蓋野(VTA)から前頭前皮質へ投射する。特にVMPFCへの投射は情動と感情に関連している(**A**)。この経路の活動低下は古典的には統合失調症の陰性症状と感情症状に関連していると信じられてきた。

るための新規な精神薬理学的薬品の重要な標的でもある。したがって，グルタミン酸の産生，代謝，受容体の調節，そして主要なグルタミン酸の経路は，脳の機能にとって非常に大切であり，これから概説する。

グルタミン酸の産生

グルタミン酸glutamate(またはグルタミン酸塩glutamic acid)はアミノ酸の一種であり，神経伝達物質として機能する。そのおもな用途は神経伝達物質としてではなく，タンパク質の生合成の

統合失調症の認知症状，陰性症状，および感情症状の古典的な中脳皮質経路ドーパミン仮説

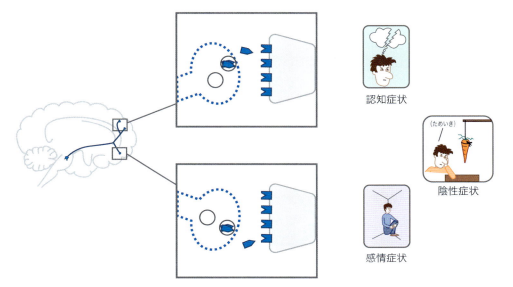

図4-19　中脳皮質経路ドーパミン仮説　中脳皮質ドーパミン経路におけるドーパミン神経細胞の活動の低下は，統合失調症の認知症状，陰性症状，および感情症状を理論的にはもたらす。

ための基本組成となるアミノ酸としてである。グルタミン酸が神経伝達物質として利用されるときには，グリア細胞のグルタミンから産生される。グリア細胞は，神経伝達の際にグルタミン酸が放出された後，より多くのグルタミン酸を再利用（リサイクル）させたり再生させたりすることも援助する。グルタミン酸がグルタミン酸神経細胞から放出されるとシナプスの受容体に作用し，そして興奮性アミノ酸トランスポーターexcitatory amino acid transporter（EAAT）と呼ばれる再取り込みポンプによって近傍のグリア細胞に取り込まれる（図4-20A）。シナプス前グルタミン酸神経細胞とグルタミン酸神経伝達の生じるシナプス後部位にもEAATは存在するが（図には示されていない），これらのEAATはグルタミン酸の再利用や再生においてグリア細胞のEAATほど重要な役割を果たしていないようである（図4-20A）。

グリア細胞に取り込まれた後，グルタミン酸はグリア細胞内でグルタミンシンターゼと呼ばれる酵素によってグルタミンに変換される（図4-20Bの③）。グルタミン酸は単に再利用されるのではなくグルタミンに変換されるが，これはタンパク質合成のプールで消えてしまうというよりも，むしろ神経伝達物質として再利用されるためであろう。グルタミン酸は特異的中性アミノ酸トランスポーター specific neutral amino acid transporter（SNAT，図4-20Cの④）と呼ばれるポンプまたはトランスポーターによってグリア細胞内から細胞外へ対向輸送により放出される。グルタミンはまたグリア細胞のアラニン・セリン・システイントランスポーター alanine-serine-cysteine transporter（ASC-T，図には示されていない）と呼ばれる二次的トランスポーターによってもグリア細胞外へ輸送されることがある。グリア細胞のSNATとASC-Tが内側方向に作動するときには，グルタミンとその他のアミノ酸はグリア細胞内に輸送される。ここで，それらが逆方向に作動して，グルタミンをグリア細胞内から細胞外に輸送する。その後，放出されたグルタミンは再取り込みのために内側方向に作動している別のタイプの神経細胞のSNATにより神経細胞内にすばやく取り込まれる（図4-20Cの⑤）。

いったん神経細胞内に取り込まれると，グルタミンはミトコンドリア内のグルタミナーゼと呼ば

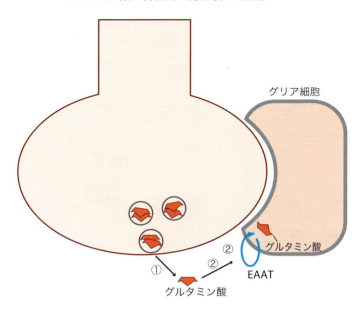

図4-20A　グルタミン酸の再利用と再生(第1段階)　グルタミン酸はシナプス前神経細胞から放出された後(①),興奮性アミノ酸トランスポーター(EAAT)によってグリア細胞に取り込まれる(②)。

れる酵素によってグルタミン酸にふたたび変換されて,神経伝達物質として利用できるようになる(図4-20Dの矢⑥)。その後,グルタミン酸はシナプス小胞グルタミン酸トランスポーターvesicular glutamate transporter(VGLUT,図4-20Dの⑦)によってシナプス小胞内に輸送され,神経伝達の際に再度放出されるのにそなえて蓄えられる。グルタミン酸は放出されると作用を停止するが,それは他の神経伝達物質系のような酵素による分解ではなく,神経細胞またはグリア細胞のEAATを介する除去による。そして,全体的な循環がふたたびはじまる(図4-20A〜図4-20D)。

グルタミン酸の共存伝達物質であるグリシンとD-セリンの産生

　グルタミン酸系は,あるグルタミン酸の重要な受容体のうちの1種が機能するためには,グルタミン酸に加えて共存伝達物質が必要であるという点で興味深い。その受容体とは,NMDA受容体であり,これについては後述する。共存伝達物質は,アミノ酸のグリシン(図4-21)か,グリシンと密接に関連したもう1つのアミノ酸のD-セリン(図4-22)のどちらかである。

　グリシンはグルタミン酸神経細胞によって産生されるということは知られていないが,グルタミン酸神経細胞はNMDA受容体に必要なグリシンをグリシン神経細胞またはグリア細胞のどちらかから得なければならない(図4-21)。グルタミン酸シナプスが利用するグリシンのうちグリシン神経細胞が寄与する量はほんのわずかである。なぜなら,グリシン神経細胞から放出されたグリシンの多くは,グリシントランスポーター2 glycine transporter 2(GlyT2)と呼ばれるグリシン再取り込みポンプによって,グリシン神経細胞内に戻されてしまうからである(図4-21)。

　したがって,グルタミン酸のシナプスが利用しているほとんどのグリシンの供給源は,近傍のグリア細胞であると考えられている。グリシンそのものは,グリシントランスポーター1 glycine transporter 1(GlyT1)によってシナプスからグルタミン酸神経細胞のみならずグリア細胞にも取り込まれる(図4-21)。グリシンはまたグリア細胞の特異的中性アミノ酸トランスポーターspecific neutral amino acid transporter(SNAT)によってもグリア細胞内に取り込まれる。グリシンがグリア細胞内のシナプス小胞に蓄えられるかについ

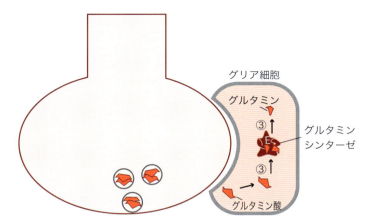

図4-20B　グルタミン酸の再利用と再生（第2段階）　グルタミン酸はいったんグリア細胞内に取り込まれると，グルタミンシンターゼによってグルタミンに変換される（③）。

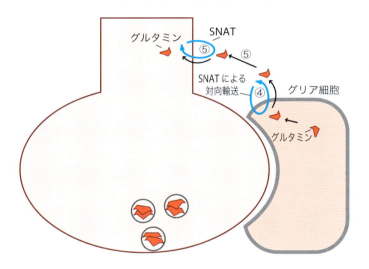

図4-20C　グルタミン酸の再利用と再生（第3段階）　グルタミンは特異的中性アミノ酸トランスポーター（SNAT）による対向輸送の過程をつうじて，グリア細胞から放出される（④）。その後，グルタミンはSNATによりグルタミン酸神経細胞に取り込まれる（⑤）。

てはわかっていない。しかし，後述するように，同類の神経伝達物質であるD-セリンはおそらくグリア細胞内のある種のシナプス小胞に蓄えられているであろうと考えられている。それにもかかわらず，グリア細胞の細胞質内のグリシンは，ともかくもシナプスに放出される。GlyT1による対向輸送に乗ることによりグリア細胞から脱出してグルタミン酸シナプスへ向かう（図4-21）。いったん細胞外に出たグリシンは，内側方向に作動するGlyT1によって，すぐにグリア細胞に戻ることができる。GlyT1は再取り込みポンプとして機能し，これがシナプスにおけるグリシンの作用を終結させる主たる機序である（図4-21）。GlyT1はほぼ確実にグルタミン酸神経細胞にもありそうだが，グルタミン酸神経細胞からの放出や貯蔵についてはよくわかっていない（図4-21）。グリシンは，細胞外スペース，血流，および食物に由来するアミノ酸のL-セリンからも産生されうる。これはL-セリントランスポーターL-serine transporter（L-SER-T）によってグリア細胞内に運ばれ，グリア細胞酵素のセリンヒドロキシメチルトランスフェラーゼserine hydroxymethyl-transferase（SHMT）によってグリシンに変換される（図4-21）。この酵素は双方向性に働き，L-セリン

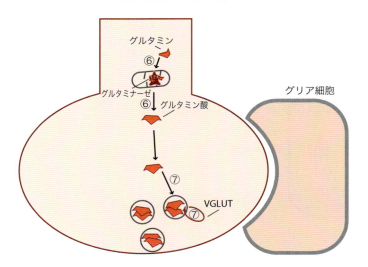

図4-20D　グルタミン酸の再利用と再生（第4段階）　グルタミンはシナプス前グルタミン酸神経細胞内でグルタミナーゼという酵素によってグルタミン酸に変換される（⑥）。そして，シナプス小胞グルタミン酸トランスポーター（VGLUT）によりシナプス小胞に取り込まれ，そこで将来の放出にそなえて蓄えられる（⑦）。

をグリシンに変換するのにも使われるし，またはグリシンをL-セリンに変換するのにも使われる。

　共存伝達物質であるD-セリンは，どのように産生されるのであろうか？　D-セリンの光学異性体であるL-セリンを含む20個の既知の必須アミノ酸はすべてL-アミノ酸であるが，D-セリンはD-アミノ酸という点で珍しい。D-セリンはNMDA受容体のグリシン結合部位に高い親和性をもっている。グリア細胞には通常のL-セリンを神経伝達物質アミノ酸であるD-セリンに変換することができる酵素がそなわっている。この酵素はD-セリンラセマーゼと呼ばれ，D-セリンとL-セリンの間での相互変換が可能である（図4-22）。このようにD-セリンはグリシンまたはL-セリンから産生されることができ，そのいずれもがそれらに固有のトランスポーターによってグリア細胞内に輸送される。グリシンは酵素SHMTによってL-セリンに変換され，最終的にL-セリンはD-セリンラセマーゼによってD-セリンに変換される（図4-22）。興味深いことに，そのように産生されたD-セリンは，グリア細胞のD-セリントランスポーターD-serine transporter（D-SER-T）による対向輸送を介して，NMDA受容体を含有するグルタミン酸シナプスでの神経伝達のために放出されるが，それまでの間はグリア細胞内のある種の小胞に蓄えられているのかもしれない。D-セリンの作用は，内側方向に作動するグリア細胞のD-SER-Tによるシナプスでの再取り込みよってのみではなく，D-セリンをヒドロキシピルビン酸に変換する酵素のD-アミノ酸オキシダーゼD-amino acid oxidase（DAO）によっても終結させられる（図4-22）。D-アミノ酸オキシダーゼ活性化因子D-amino acid oxidase activator（DAOA）としてよく知られているDAOの活性化物質を脳がどのように産生するのかについては後述する。

グルタミン酸受容体

　グルタミン酸受容体にはいくつかの種類がある（図4-23, 表4-2）。それらには，神経細胞のシナプス前再取り込みポンプ（EAAT）と，シナプス小胞内にグルタミン酸を輸送するトランスポーター（VGLUT）が含まれ，両者ともある種の受容体である。各種のトランスポーターの一般的な薬理学的特性については第2章で述べた。代謝調節型グルタミン酸受容体metabotropic glutamate receptor（mGluR）は，シナプス後のみならず，シナプス前の神経細胞にもみられる（図4-23）。mGluRはGタンパク結合型グルタミン酸受容体である。Gタンパク結合型受容体の総合的な薬理学的特徴についても，第2章で述べた。

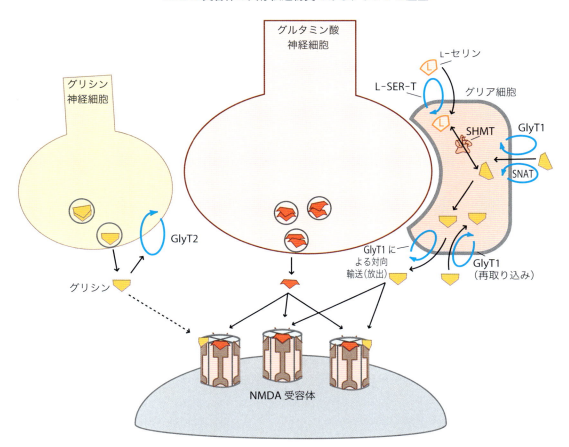

図4-21 NMDA受容体の共存伝達物質であるグリシンの産生 NMDA受容体におけるグルタミン酸の作用は共存伝達物質のグリシンまたはD-セリンに部分的に依存する。グリシンは食物中のアミノ酸に由来し，グリシントランスポーター1（GlyT1）または特異的中性アミノ酸トランスポーター（SNAT）のどちらかによってグリア細胞内に輸送される。グリシンはまた，グリシン神経細胞とグリア細胞の両方で産生される。グリシン神経細胞は少量のグリシンしかグルタミン酸シナプスに提供しない。なぜなら，グリシン神経細胞から放出されたグリシンのほとんどはグリシンシナプスのみにしか使用されず，グルタミン酸シナプスへ拡散する前に，グリシントランスポーター2（GlyT2）によってシナプス前グリシン神経細胞にふたたび取り込まれるからである。グリア細胞で産生されたグリシンは，グルタミン酸シナプスに対する影響がより大きい。グリア細胞内でのグリシンの産生はつぎのように行われる。アミノ酸であるL-セリンがL-セリントランスポーター（L-SER-T）によってグリア細胞に取り込まれ，セリンヒドロキシメチルトランスフェラーゼ（SHMT）によってグリシンに変換される。グリア細胞からのグリシンは，GlyT1による対向輸送を介してグルタミン酸シナプスに放出される。それから細胞外のグリシンはGlyT1によってグリア細胞へふたたび輸送される。

　mGluRには少なくとも8種のサブタイプがあり，それらは3つのグループに分類される（表4-2）。代謝調節型受容体のグループⅡとグループⅢはシナプス前にあり，グルタミン酸の放出を抑制するための自己受容体として機能していることが，これまでの研究により示唆されている（図4-23，図4-24）。したがって，これらのシナプス前自己受容体をアゴニストとして刺激する薬物は，グルタミン酸放出を**抑制**させるかもしれない。一方グループⅠの代謝調節型受容体はシナプス後により多く存在している。シナプス後での興奮性グルタミン酸による神経伝達の際に，グルタミン酸のリガンド依存性イオンチャネル受容体から伝えられた反応を促進したり増強したりできるよう

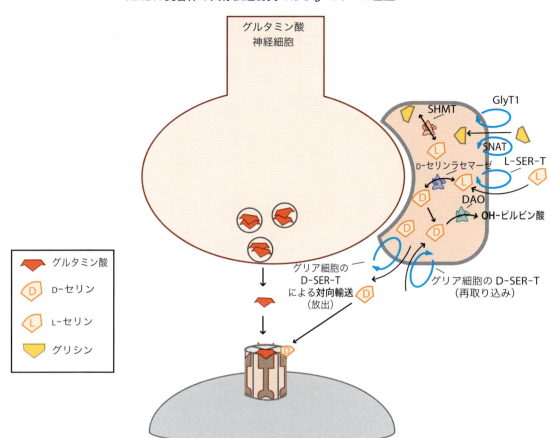

図4-22 NMDA受容体の共存伝達物質であるD-セリンの産生 グルタミン酸が何らかの効果を及ぼすためにはNMDA受容体においてグリシンまたはD-セリンの存在が必要である。グリア細胞において，酵素D-セリンラセマーゼはL-セリンをD-セリンに変換する。それから，D-セリンはグリア細胞のD-セリントランスポーター（D-SER-T）による対向輸送を介してグルタミン酸シナプスに放出される。グリア細胞内にL-セリンが存在するが，これはL-セリントランスポーター（L-SER-T）によってそこへ輸送されたか，グリシンがセリンヒドロキシメチルトランスフェラーゼ（SHMT）によって変換されてL-セリンになったかのどちらかである。いったんD-セリンがシナプスに放出されると，D-SER-Tと呼ばれる再取り込みポンプによってグリア細胞内にふたたび取り込まれる。グリア細胞内の過剰なD-セリンは，D-アミノ酸オキシダーゼ（DAO）によって破壊される。DAOはD-セリンをヒドロキシピルビン酸（OH-ピルビン酸）に変換する。
GlyT1：グリシントランスポーター1，SNAT：特異的中性アミノ酸トランスポーター

に，代謝調節型受容体は他のグルタミン酸受容体と相互に影響を及ぼし合っているという仮説が提唱されている（図4-23）。

NMDA受容体，AMPA（α-アミノ-3-ヒドロキシ-5-メチル-4-イソオキサゾール-プロピオン酸 α-amino-3-hydroxy-5-methyl-4-isoxazole-propionic acid）受容体，カイニン酸受容体は，それぞれ選択的に結合するアゴニストから名づけられた。これらはすべてリガンド依存性イオンチャネル受容体ファミリーである（図4-23，表4-2）。これらのリガンド依存性イオンチャネルは，イオン調節型受容体やイオンチャネル結合型受容体とも呼ばれる。リガンド依存性イオンチャネルの総合的な薬理学的特性については，第3章で述べた。それらはシナプス後にある傾向があり，グルタミン酸によって誘発された興奮性シナプス後神経伝達を調節するために共同して働く。特にAMPA受容体とカイニン酸受容体は，脱分極を引き起こ

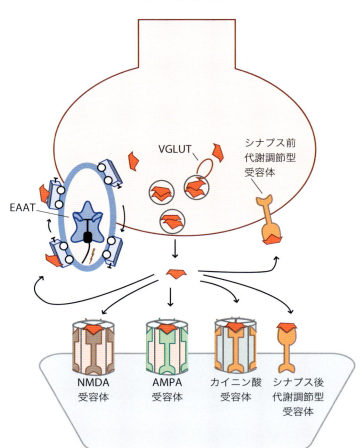

図4-23 グルタミン酸受容体 グルタミン酸による神経伝達を調節するグルタミン酸受容体を示す。興奮性アミノ酸トランスポーター(EAAT)はシナプス前神経細胞に存在し，シナプス間隙の過剰なグルタミン酸の除去を担当している。シナプス小胞グルタミン酸トランスポーター(VGLUT)はグルタミン酸をシナプス小胞に輸送し，そこで将来の神経伝達にそなえてグルタミン酸は蓄えられる。代謝調節型グルタミン酸受容体(Gタンパク結合型)はシナプス前にもシナプス後にも存在する。シナプス後グルタミン酸受容体のうち3種は，イオンチャネル結合型受容体であり，リガンド依存性イオンチャネルとして知られている(N-メチル-D-アスパラギン酸(NMDA)受容体，α-アミノ-3-ヒドロキシ-5-メチル-4-イソオキサゾール-プロピオン酸(AMPA)受容体，カイニン酸受容体)。これらはすべて，それぞれに結合するアゴニストから名づけられている。

すために神経細胞内にナトリウムイオン(Na^+)を流入させることで，興奮性神経伝達をすばやく調節できるかもしれない(図4-25)。静止状態のNMDA受容体は通常，マグネシウムイオン(Mg^{2+})によってカルシウムチャネル部位に栓がされている(図4-26)。NMDA受容体は「同時発生検知器」と表現される興味深い受容体である。下記の3つの出来事が同時に起こったときのみ，NMDA受容体は開口してカルシウムイオン(Ca^{2+})を神経細胞内に流入させ，グルタミン酸神経伝達を介してシナプス後作用を誘発させることができる(図4-26，図4-27)。

(1) グルタミン酸がNMDA受容体での結合部位を占拠すること

(2) グリシンまたはD-セリンがNMDA受容体の結合部位に結合すること

(3) 脱分極が起こってマグネシウムイオン(Mg^{2+})による栓が取り除かれること

このカルシウムチャネルの開口によって活性化されるNMDA受容体からの多くの重要なシグナルのうちのいくつかの例は，長期増強long-term potentiationやシナプス可塑性synaptic plasticityがある。これらについては本章で後述する。

脳における重要なグルタミン酸経路

グルタミン酸は体内のどこにでも存在する興奮性神経伝達物質であり，脳内のほとんどすべての神経細胞を興奮させることができるようである。

表4-2 グルタミン酸受容体の種類

代謝調節型			
グループ I	mGluR1 mGluR5		
グループ II	mGluR2 mGluR3		
グループ III	mGluR4 mGluR6 mGluR7 mGluR8		
イオンチャネル結合型（リガンド依存性イオンチャネル）			
機能による分類	遺伝子ファミリー	アゴニスト	アンタゴニスト
AMPA	GluR1 GluR2 GluR3 GluR4	グルタミン酸 AMPA カイニン酸	
カイニン酸	GluR5 GluR6 GluR7 KA1 KA2	グルタミン酸 カイニン酸	
NMDA	NR1 NR2A NR2B NR2C NR2D	グルタミン酸 アスパラギン酸 NMDA	MK801 ケタミン PCP

AMPA：α-アミノ-3-ヒドロキシ-5-メチル-4-イソオキサゾール-プロピオン酸，mGluR：代謝調節型グルタミン酸受容体，NMDA：N-メチル-D-アスパラギン酸，PCP：phencyclidine

このため，ときに「マスタースイッチ」と呼ばれる．そうではあるが，精神薬理学や特に統合失調症の病態生理学に特別に関連のあるいくつかのグルタミン酸経路がある（図4-28）．それらを下記に示す．

(a) 皮質脳幹グルタミン酸経路
(b) 皮質線条体グルタミン酸経路
(c) 海馬側坐核グルタミン酸経路
(d) 視床皮質グルタミン酸経路
(e) 皮質視床グルタミン酸経路
(f) 皮質皮質グルタミン酸経路（直接）
(g) 皮質皮質グルタミン酸経路（間接）

(a) 皮質脳幹グルタミン酸経路 とても重要な下行性グルタミン酸経路は，グルタミン酸作動性の皮質錐体神経細胞から脳幹神経伝達物質中枢へと投射している．脳幹神経伝達物質中枢には，セロトニンの縫線核，ドーパミンの腹側被蓋野（VTA）と黒質，ノルエピネフリンの青斑核が含まれる（図4-28の経路ⓐ）．この経路は皮質脳幹グルタミン酸経路であり，神経伝達物質の放出の調節に重要である．これら興奮性皮質脳幹グルタミン酸神経細胞による脳幹のモノアミン神経細胞の直接的な神経支配により，神経伝達物質の放出は**刺激される**．一方，脳幹のγ-アミノ酪酸 γ-aminobutyric acid（GABA）介在神経細胞を介するこれら興奮性皮質脳幹グルタミン酸神経細胞によるモノアミン神経細胞の間接的な神経支配により，神経伝達物質の放出は**抑制される**．

(b) 皮質線条体グルタミン酸経路 第2の下行性のグルタミン酸出力は，皮質錐体神経細胞から線条体複合体へと投射している（図4-28の経路ⓑ）．この経路は皮質線条体グルタミン酸経路と

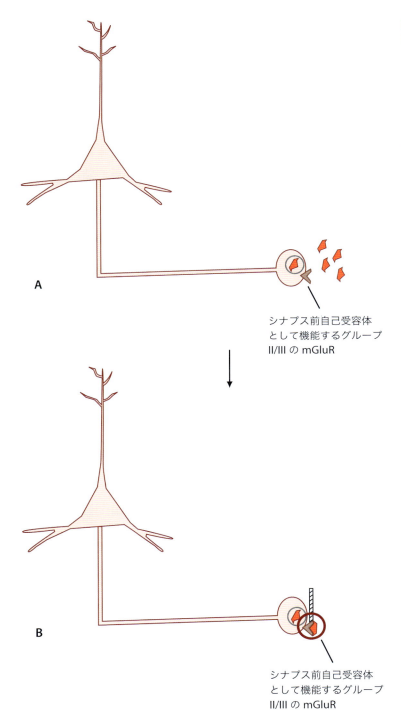

図4-24 代謝調節型グルタミン酸受容体(mGluR) グループⅡとグループⅢの代謝調節型グルタミン酸受容体は，グルタミン酸の放出を調節するために，シナプス前に自己受容体として存在する。シナプス部位でグルタミン酸が増加すると(**A**)，グルタミン酸は自己受容体に結合できるようになり，グルタミン酸の放出を抑制する(**B**)。

シナプス前自己受容体として機能するグループⅡ/Ⅲ の mGluR

シナプス前自己受容体として機能するグループⅡ/Ⅲ の mGluR

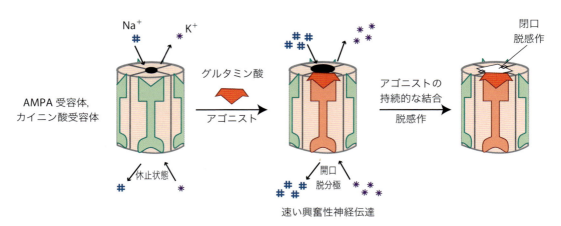

図4-25　AMPA受容体およびカイニン酸受容体におけるグルタミン酸　AMPA受容体およびカイニン酸受容体は，グルタミン酸が結合するとすぐに興奮性神経伝達や膜の脱分極がもたらされる。アゴニストであるグルタミン酸が持続して結合すると，受容体は脱感作を起こし，そしてチャネルは閉口して，しばらくはアゴニストに反応しなくなる。

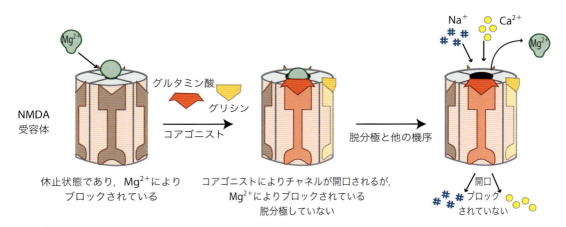

図4-26　負のアロステリック調節物質としてのマグネシウムイオン（Mg^{2+}）　Mg^{2+}はNMDAグルタミン酸受容体の負のアロステリック調節物質である。NMDA受容体が開口するには，グルタミン酸とグリシンの両方の存在が必要であり，受容体の異なる部位に結合することが必要である。また，Mg^{2+}が結合しており，かつ膜が脱分極を起こしていないときには，グルタミン酸とグリシンの作用は妨げられ，イオンチャネルは開口することが許されない。チャネルが開口するためには，脱分極によりMg^{2+}が取り除かれ，リガンド依存性イオンチャネル複合体のそれぞれの部位にグルタミン酸とグリシンが結合しなければならない。

呼ばれる。この下行性グルタミン酸経路は，淡蒼球と呼ばれる線条体複合体のもう1つの部位にあるシグナル伝達の中継局に向かうGABA神経細胞上に神経細胞終末を結合させる。

(c) 海馬側坐核グルタミン酸経路　もう1つの重要なグルタミン酸経路は海馬から側坐核に投射し，海馬側坐核グルタミン酸経路と呼ばれる（図4-28の経路ⓒ）。この特別な経路を統合失調症と結び付ける明確な理論がある（後述）。皮質線条体グルタミン酸経路（図4-28の経路ⓑ）と同様に，海馬から側坐核へ投射する（図4-28の経路ⓒ）グルタミン酸神経細胞も，淡蒼球におけるシグナル伝達の中継局へ同様に投射するGABA神経細胞上に神経細胞終末を結合させる。

(d) 視床皮質グルタミン酸経路　視床皮質グルタミン酸経路（図4-28の経路ⓓ）は視床から皮質へ情報を送り返す。しばしば感覚情報を処理する。

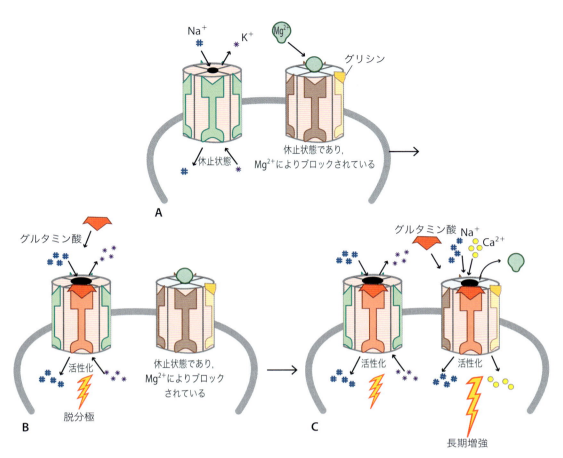

図4-27 グルタミン酸受容体を介するシグナル伝播　(**A**)左側はナトリウムチャネルをもつAMPA受容体である。休止状態では最小限のナトリウムイオン(Na^+)が細胞内に流入し、代わりにカリウムイオン(K^+)が流出する。右側はNMDA受容体である。休止状態で、マグネシウムイオン(Mg^{2+})がカルシウムチャネルをブロックし、そしてグリシンがその結合部位に結合している。(**B**)グルタミン酸が到着すると、AMPA受容体に結合し、ナトリウムチャネルを開口させるので、樹状突起へのNa^+の流入およびK^+の流出が増加する。これにより、膜の脱分極が生じ、シナプス後部位での神経インパルスの引き金となる。(**C**)膜の脱分極が生じると、Mg^{2+}がカルシウムチャネルから取り除かれる。これと、グリシンとともにグルタミン酸がNMDA受容体へ結合することにより、NMDA受容体が開口し、カルシウムイオン(Ca^{2+})の流入が可能になる。NMDA受容体をとおしてのCa^{2+}の流入は長期増強に貢献する。この現象は、長期記憶、シナプス形成、そしてその他の神経細胞の機能に関連する可能性がある。

(e) 皮質視床グルタミン酸経路　第5のグルタミン酸経路は、皮質視床グルタミン酸経路と呼ばれており、視床に直接投射し返す。この経路は神経細胞が感覚情報に対して反応する様式を指揮している(図4-28の経路ⓔ)。

(f) 皮質皮質グルタミン酸経路(直接)　多くの皮質皮質グルタミン酸経路の複合体が皮質内に存在する(図4-28の経路ⓕとⓖ)。一方で、錐体神経細胞は大脳皮質においてみずから放出する神経伝達物質のグルタミン酸から直接的なシナプス入力を行うことで、お互いに他の錐体神経細胞を興奮させることができる(図4-28の経路ⓕ)。

(g) 皮質皮質グルタミン酸経路(間接)　他方で、錐体神経細胞はその他の間接的な入力、すなわちGABAを放出する介在神経細胞を介してもう1つの錐体神経細胞を抑制することができる(図4-28の経路ⓖ)。

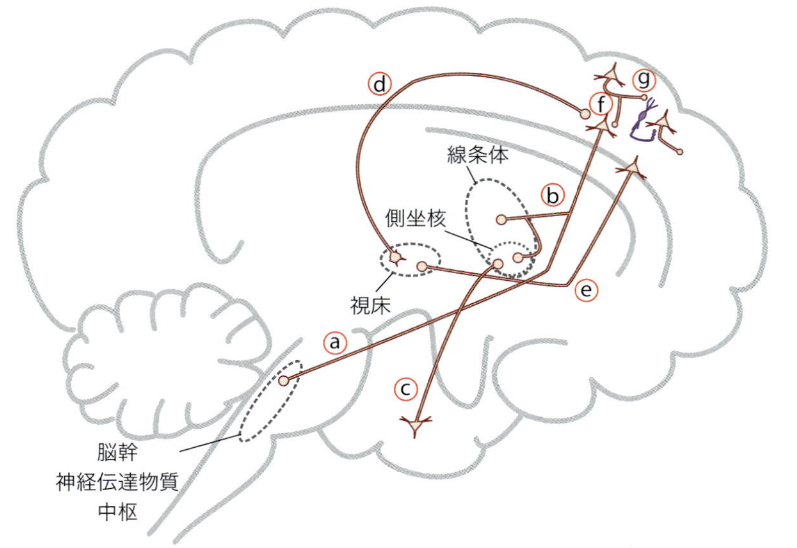

脳における重要なグルタミン酸経路

図4-28　脳におけるグルタミン酸経路　グルタミン酸は脳内のほとんどすべての神経細胞に作用を及ぼすが，統合失調症に特別に関連のある重要なグルタミン酸経路がある。(a)皮質脳幹グルタミン酸経路は，前頭前皮質の皮質錐体神経細胞から脳幹神経伝達物質中枢（縫線核，青斑核，腹側被蓋野，黒質）へと投射する下行性の経路で，神経伝達物質の放出を調節する。(b)もう1つの下行性のグルタミン酸作動性経路は前頭前皮質から線条体へ投射する（皮質線条体グルタミン酸経路）である。(c)腹側海馬から側坐核へのグルタミン酸投射もある。(d)視床皮質グルタミン酸経路は視床から上行し，皮質の錐体神経細胞を支配する。(e)皮質視床グルタミン酸経路は前頭前皮質から視床に下行する。(f)皮質内の錐体神経細胞は，神経伝達物質であるグルタミン酸を介してお互いに直接情報を伝達することができる。この経路は直接皮質皮質グルタミン酸経路と呼ばれ，そして興奮性である。(g)皮質内の錐体神経細胞は，GABA介在神経細胞を介してお互いに情報を伝達することもできる。この経路は間接皮質皮質グルタミン酸経路と呼ばれ，したがって抑制性である。

精神病のNMDAグルタミン酸機能低下仮説：前頭前皮質のGABA介在神経細胞のグルタミン酸シナプスにおける不完全なNMDA神経伝達

　NMDA受容体とシナプスは脳内のどこにでも存在するが，精神病のNMDAグルタミン酸機能低下仮説では，特定の場所，すなわち前頭前皮質におけるあるGABA介在神経細胞に存在するグルタミン酸シナプスの機能障害が精神病を引き起こすとされる（図4-28の⑨，図4-29A～図4-29Cを参照）。統合失調症では神経発達期における問題が（図4-29BのBox 1A），ケタミン/phencyclidine（PCP）乱用では薬物の毒性が（図4-29BのBox 1B），そして認知症では神経変性的な問題が（図4-29C），機能障害をもたらすのではないかと仮説上考えられている。

　まず，グルタミン酸神経細胞とGABA神経細胞の間のこれらの場所における正常な神経伝達と干渉することは，統合失調症における遺伝的にそして環境要因的にプログラミングされた神経発達上の異常により引き起こされると仮説上考えられている（図4-29AのBox 1と図4-29BのBox 1Aを比較せよ）。これら抑制系のGABA介在神経細胞が機能を喪失することにより（図4-29BのBox 2），GABA介在神経細胞が下流で支配しているグルタミン酸神経細胞の脱抑制が生じ，そして過剰となる（図4-29BのBox 3）。統合失調症におけるこれらGABA介在神経細胞の他の問題は，自分自身の神経伝達物質であるGABAを産生する酵素が不足している〔つまりGAD67（グルタミン酸デカルボキシラーゼ67 glutamic acid decarboxylase 67）の活性が低下している〕ことである。こ

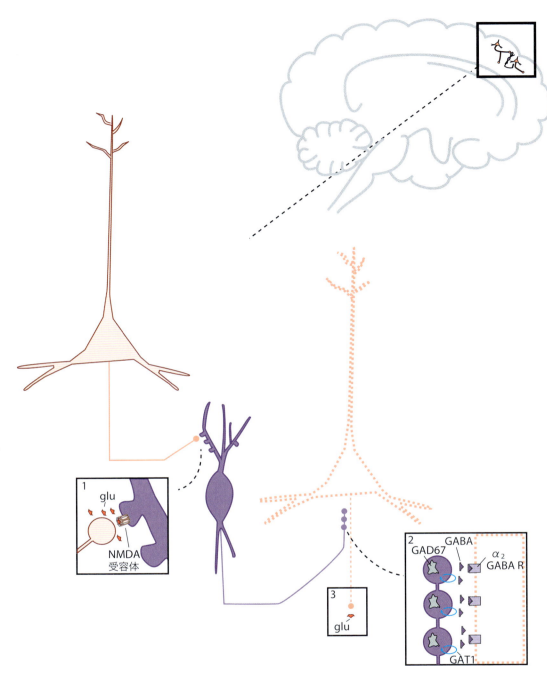

図4-29A　精神病におけるグルタミン酸の機能異常の仮説的部位（その1）　GABA介在神経細胞を介して情報伝達する皮質内の錐体神経細胞の拡大図を示す。(1)皮質内の錐体神経細胞からグルタミン酸(glu)が放出され，GABA介在神経細胞のNMDA受容体に結合する。(2)それからGABAが介在神経細胞から放出され，もう1つのグルタミン酸錐体神経細胞の軸索上に存在するα_2サブユニット含有GABA受容体(α_2 GABA R)に結合する。(3)これが錐体神経細胞を抑制し，そして下流でのグルタミン酸放出を減少させる。

GABA：γ-アミノ酪酸，GAD67：グルタミン酸デカルボキシラーゼ67，GAT1：GABAトランスポーター1

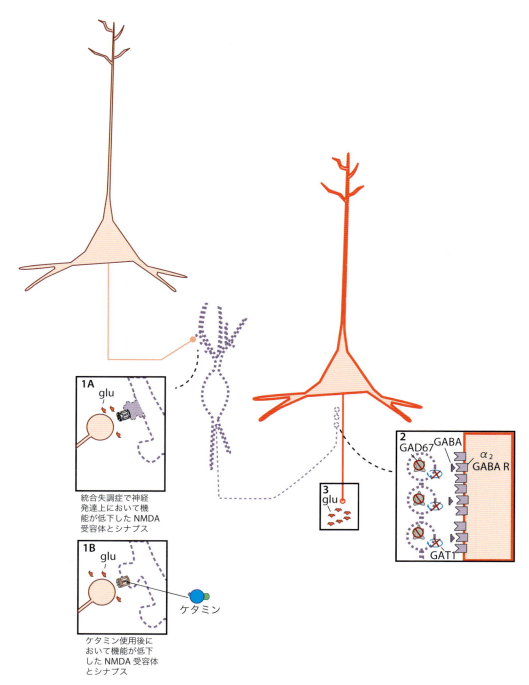

図4-29B　精神病におけるグルタミン酸の機能異常の仮説的部位（その2）　機能が低下したNMDA受容体をもつGABA介在神経細胞を介して情報伝達する皮質内の錐体神経細胞の拡大図を示す。(1)皮質内の錐体神経細胞からグルタミン酸（glu）は放出されるが，グルタミン酸が結合するNMDA受容体は機能が低下しており，グルタミン酸が受容体において効果を発揮することを妨げる。これは神経発達上の異常（1A）やケタミンまたはphencyclidine（PCP）の乱用の結果による薬物毒性（1B）によるものである。(2)これにより介在神経細胞からのGABAの放出が妨げられ，もう1つのグルタミン酸神経細胞の軸索上に存在するα_2サブユニット含有GABA受容体（α_2 GABA R）への刺激が起こらない。(3)GABAが軸索上のα_2 GABA Rに結合しない場合には，錐体神経細胞はもはや抑制されない。代わりに，錐体神経細胞は脱抑制的となって過活動となり，下流で過剰なグルタミン酸を皮質内に放出する。

GABA：γ-アミノ酪酸，GAD67：グルタミン酸デカルボキシラーゼ67，GAT1：GABAトランスポーター1

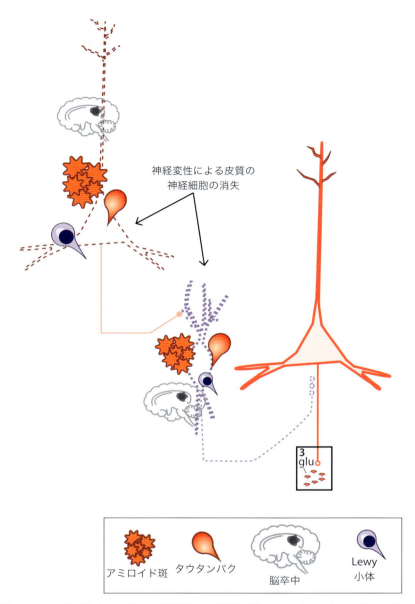

図4-29C　精神病におけるグルタミン酸の機能異常の仮説的部位（その3）　認知症に伴って神経変性が存在するときの，GABA介在神経細胞を介して情報伝達する皮質内の錐体神経細胞の拡大図を示す．すべての認知症患者が精神病症状を呈するわけではない．精神病症状を呈する患者は，アミロイド斑，タウタンパク，かつ/またはLewy小体の蓄積に伴う神経変性のほか脳卒中によるダメージに伴う神経変性によってグルタミン酸錐体神経細胞とGABA作動性介在神経細胞がある程度破壊されるが，精神病症状を呈しない患者では損なわれていないか，あるいは少なくとも一時的である，といえるかもしれない．最終的な結果は，統合失調症（図4-29B，Box 1Aを参照）やケタミン乱用（図4-29B，Box 1Bを参照）と同じように，皮質における過剰なグルタミン酸活動である．

れによりGABA神経細胞が支配する錐体神経細胞のシナプス後の軸索で起始部に近い部分のα_2サブユニット含有GABA$_A$受容体 α_2 subunit-containing GABA$_A$ receptor のシナプス後の量を代償的に増加させる（図4-29BのBox 2．図4-29AのBox 2と比較せよ）．

ケタミンもPCPも統合失調症の精神症状と同じ臨床的な特徴をもった精神病を引き起こす（表

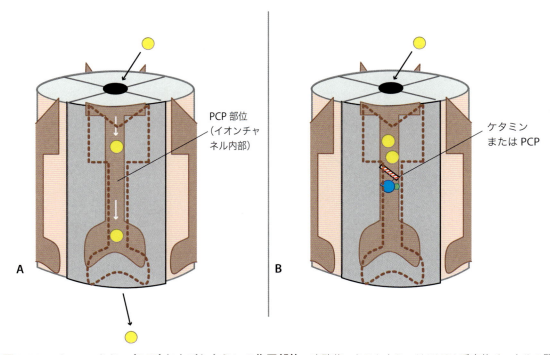

図4-30　phencyclidine(PCP)およびケタミンの作用部位　麻酔薬であるケタミンはNMDA受容体チャネルの開構造にアンタゴニストとして結合する。具体的にいうと，ケタミンはこの受容体のカルシウムチャネル内部に結合する。この部位はphencyclidine(PCP)がアンタゴニストとして結合する場所でもあるため，しばしばPCP部位と呼ばれる。

4-1)。それらはともにイオンチャネル内の部位において拮抗薬としてNMDA受容体を遮断する(図4-30)。それら薬物が精神障害発現作用を引き起こす機序として，統合失調症における神経発達上の異常の原因と考えられているのと同じGABA介在神経細胞の部位でNMDA受容体を遮断することが仮説上考えられている(図4-29BのBox 1AとBを比較せよ)。統合失調症の場合には，NMDAの機能低下は遺伝的そして環境要因的な入力による神経発達に伴って引き起こされると仮説上考えられているが(図4-29BのBox 1A)，ケタミン/PCPによる精神病の場合には，NMDA受容体に直接働く急性かつ可逆的な作用によるものと仮説上考えられている(図4-29BのBox 1B)。

Alzheimer病や他のタイプの認知症を引き起こす神経変性的な疾患の場合には，アミロイド斑，タウタンパク，Lewy小体の蓄積，かつ/または脳卒中によるダメージが，疾患の進行に伴い神経細胞をしだいにノックアウトする(図4-29C)。認知症を患っている患者の半分ぐらいまでは臨床的経過のどこかの時点で精神病を呈する(認知症の行動症状に関するより広範な解説は第12章を参照)。認知症患者のなかに精神病を発症する患者と発症しない患者がいるのはなぜか？　1つの仮説は，認知症に関連した精神病の患者では前頭前皮質におけるあるグルタミン酸作動性の錐体神経細胞とGABA介在神経細胞をノックアウトするような方向に神経変性が進行するのに対して，(そうでない患者では)少なくとも一時的には，他のグルタミン酸作動性の錐体神経細胞は損なわれていないという考えである(図4-29C)。これは理論的に同じ部位の神経伝達の不良を導き出すが(図4-29C)，統合失調症(図4-29BのBox 1A)や

ケタミン/PCPによる精神病（図4-29BのBox 1B）で起きるのとは異なった機序によるものである。仮説として，これは認知症の一部の患者のみで起き，そして具体的にいうと神経細胞の神経変性が下流でのドーパミン神経細胞を制御するグルタミン酸神経細胞を損なわないパターンの患者のみでみられる。これらの特別なグルタミン酸神経細胞を保つ重要性については後でさらに詳しく説明する。ある神経細胞をノックアウトする一方，他の神経細胞を保つことが，なぜある患者のみ認知症の経過において神経変性として精神病を発症するのかを説明することができるであろう。

精神病のNMDAグルタミン酸機能低下仮説と精神病のドーパミン仮説との結合

統合失調症，ケタミン/PCPによる精神病および認知症におけるグルタミン酸錐体神経細胞と特別なGABA介在神経細胞との仮説的神経伝達異常のドーパミン（DA）活動に対する結果は何であろうか（図4-29A〜図4-29C）？　簡潔な答えは，前述した精神病のドーパミン仮説とほとんど同じDAの過活動，ということになる。

あるグルタミン酸神経細胞は腹側被蓋野（VTA）/中脳線条体ドーパミン神経細胞を直接支配し，どんな理由であれGABAによる抑制を失ったときにはグルタミン酸神経細胞は過活動となり，ドーパミン神経細胞の中脳線条体投射からのDAの放出を強すぎるぐらい刺激する（図4-31〜図4-34）。前述のように，神経発達上欠陥のあるNMDAシナプス（図4-29BのBox 1A）はこの下流にあるグルタミン酸の過活動を統合失調症において引き起こす（図4-31，図4-32）。ケタミン/PCP乱用では，薬物はこれらのシナプスに直接作用し（図4-29BのBox 1B）下流にあるグルタミン酸の過活動をもたらし（図4-33），認知症では神経変性により皮質の神経細胞をノックアウトし（図4-29C），このグルタミン酸の過活動をもたらす（図4-34）。どのような疾患であれ同様であり，グルタミン酸の過活動（図4-31〜図4-34）が理論的にDAの過活動および精神病の陽性症状をもたらす。

統合失調症の場合，前頭前皮質からの過剰なグルタミン酸の出力は仮説として陽性症状を説明できるだけではなく，陰性症状も説明することがもしかしたらできるかもしれない。NMDAの機能

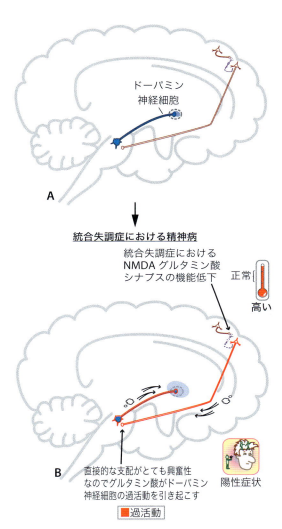

図4-31　NMDA受容体の機能低下と統合失調症の陽性症状（その1）　(A) 皮質脳幹グルタミン酸投射は，腹側被蓋野（VTA）における中脳辺縁系ドーパミン経路に情報を伝達し，側坐核におけるドーパミン（DA）放出を調節する。(B) 皮質のGABA介在神経細胞にあるNMDA受容体の機能が低下すると，GABAの放出は脱抑制となり，VTAへの皮質脳幹グルタミン酸経路は過活動となり，VTAにおいてグルタミン酸を過剰に放出することになると思われる。これは中脳辺縁系ドーパミン経路を過剰に刺激し，そして側坐核において過剰なDAが放出されるであろう。これが精神病の陽性症状をもたらすと考えられている中脳辺縁系ドーパミン経路の過活動を説明する理論的生物学的基礎である。

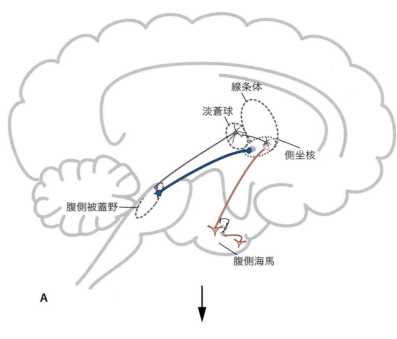

統合失調症における精神病

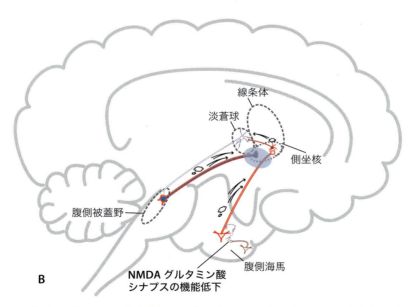

図4-32 NMDA受容体の機能低下と統合失調症の陽性症状（その2） 腹側海馬のグルタミン酸シナプスにおけるNMDA受容体の機能低下も，中脳辺縁系ドーパミン神経細胞の過活動に寄与する。（**A**）腹側海馬において放出されたグルタミン酸はGABA介在神経細胞上にあるNMDA受容体に結合し，GABAの放出を刺激する。そのGABAは錐体グルタミン酸神経細胞から側坐核に投射するグルタミン酸受容体に結合し，側坐核における過剰なグルタミン酸の放出を妨げる。側坐核における正常なグルタミン酸の放出により，淡蒼球に投射するGABA神経細胞の正常な活性化が可能になる。それに続き，腹側被蓋野（VTA）に投射するGABA神経細胞の正常な活性化がもたらされる。（**B**）もし腹側海馬のGABA介在神経細胞におけるNMDA受容体の機能が低下すると，側坐核に投射するグルタミン酸経路が過活動となり，側坐核におけるグルタミン酸の過剰な放出が起こるであろう。これにより，淡蒼球に投射するGABA神経細胞を過剰に刺激することになり，続いて淡蒼球から腹側被蓋野に投射するGABA神経細胞からのGABAの放出が抑制されるであろう。その結果，中脳辺縁系ドーパミン経路の脱抑制が起こり，側坐核でドーパミンが過剰に放出されると考えられる。

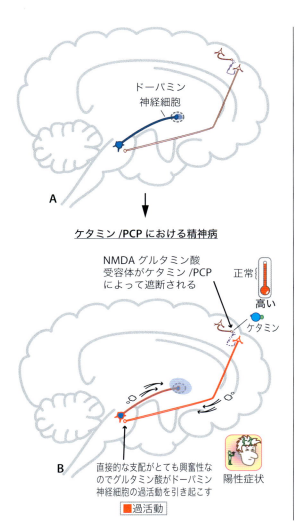
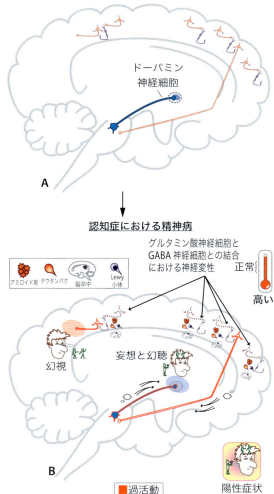

図4-33 NMDA受容体の遮断とケタミン乱用における精神病 (A)皮質脳幹グルタミン酸投射は中脳腹側被蓋野(VTA)で中脳辺縁系ドーパミン経路と神経伝達を行い側坐核におけるドーパミン(DA)の放出を調整している。(B)もしケタミンが皮質内のGABA介在神経細胞ににおけるNMDA受容体を遮断したら，GABAの放出は抑制され，VTAに達する皮質脳幹経路は過活動になると考えられる。そしてVTAにおけるグルタミン酸の放出が過剰となるであろう。これが過剰な刺激を中脳辺縁系ドーパミン経路に与え，そして側坐核において過剰なDAが放出される。
PCP：phencyclidine

図4-34 神経変性と認知症における精神病 (A)皮質脳幹グルタミン酸投射は中脳腹側被蓋野(VTA)で中脳辺縁系ドーパミン経路と神経伝達を行い側坐核におけるドーパミン(DA)の放出を調整している。(B)もし神経変性によりあるグルタミン酸神経細胞とGABA介在神経細胞が破壊されたら，そして他の神経細胞が正常であれば，これにより脳のさまざまな部位においてグルタミン酸が過剰に放出される。VTAでは過剰な刺激を中脳辺縁系ドーパミン経路に与え，そして側坐核において過剰なDAが放出され，妄想や幻聴が出現する。視覚野での過剰なグルタミン酸の活動は幻視をもたらす。

低下からグルタミン酸の過活動に至る流れがDAの放出を**増加**させる場合(図4-31)，仮説上精神病の陽性症状をもたらす。しかし，VTA神経細胞の異なった部位に投射する第2のグルタミン酸神経細胞の群がある。すなわち中脳辺縁系経路/中脳線条体経路ではなく中脳皮質経路である(図4-35)。この回路は実際，DAの放出を**抑制**する。なぜなら，VTAにおいて前頭前皮質に投射する中脳皮質DA投射との間に重要なGABA介在神経細胞が存在するからである。GABA介在神経細胞は

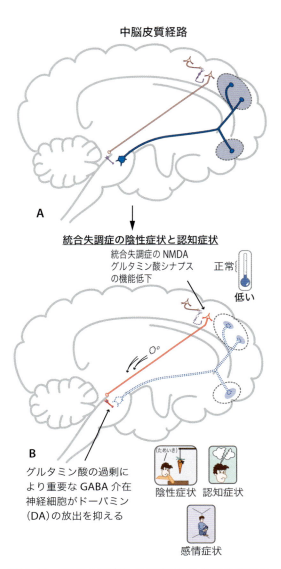

図 4-35　NMDA 受容体の機能低下と統合失調症の陰性症状　(A)皮質脳幹グルタミン酸投射は, 抑制性のGABA介在神経細胞を介して腹側被蓋野(VTA)における中脳皮質ドーパミン経路と神経伝達を行い, 前頭前皮質におけるドーパミン(DA)の放出を調節する。(B)もし皮質のGABA介在神経細胞におけるNMDA受容体の機能が低下すると, VTAに投射する皮質脳幹グルタミン酸経路は過活動となり, VTAにおいてグルタミン酸を過剰に放出することになると考えられる。これは脳幹の抑制性のGABA介在神経細胞を過剰に刺激し, 中脳皮質ドーパミン神経細胞の抑制をもたらす。これにより, 前頭前皮質におけるDAの放出が抑制される。これが精神病の陰性症状をもたらすと考えられている理論的生物学的基礎である。

線条体に投射する中脳線条体投射/中脳辺縁系投射との間には仮説上存在しない(図4-31Bと図4-35Bを比較せよ)。図4-35Bに示した中脳皮質ドーパミン神経細胞を支配しているこれら特殊なグルタミン酸神経細胞の過活動は, 中脳線条体ドーパミン神経細胞を支配しているグルタミン酸神経細胞の群で述べたのと逆の効果をもたらすであろう。すなわちDAの放出が減少する。そして, これが精神病における陰性症状, 認知症状および感情症状を仮説上もたらす(図4-35B)。

精神病と統合失調症のセロトニン仮説

精神病のセロトニン理論では, セロトニン[5-ヒドロキシトリプタミン(5HT)], 特にセロトニン2A($5HT_{2A}$)受容体でのセロトニン活動の過剰/不均衡が精神病をもたらすということを提唱している(表4-1, 図4-1)。5HT機能の崩壊は, 精神病の陽性症状を引き起こすが, 仮説として統合失調症においては神経発達上の異常によるもの, Alzheimer病や他の認知症のみならずParkinson病においては神経変性によるもの, そしてLSD, メスカリンおよびシロシビンのような薬物によるものと考えられている(表4-1, 図4-1)。興味深いことに, 5HTの不均衡を伴った精神病ではより多く幻視を呈する傾向があるのに対して, ドーパミン(DA)が主として関与する精神病ではより多く幻聴を呈する傾向がある。いかに$5HT_{2A}$受容体におけるセロトニンの過活動がさまざまな疾患における精神病の陽性症状をもたらすのかを理解するために, 最初に5HTとその受容体の広範なセットおよび経路について概説する。

セロトニンとその神経回路

セロトニンは, 5HT(5-ヒドロキシトリプタミン)と呼ばれることが多いが, 向精神薬の標的となることが最も多い脳の神経回路網の1つである。例えば, 精神病や気分を治療する薬物のほとんどではないとしてもその多くが, さまざまな機序でセロトニン神経回路網を標的とする。したがって, セロトニン神経伝達の完全な理解は, 精

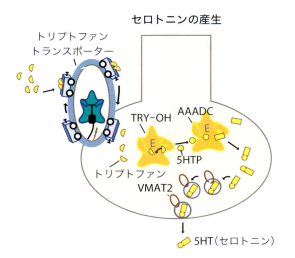

図4-36 **セロトニンの産生** セロトニン(5-ヒドロキシトリプタミン(5HT))は，前駆体アミノ酸のトリプトファンがセロトニン神経細胞に輸送された後に，酵素によって産生される。いったんトリプトファンがセロトニン神経細胞に輸送されると，トリプトファンはトリプトファンヒドロキシラーゼ(TRY-OH)により 5-ヒドロキシトリプトファン(5HTP)に変換され，さらに，5HTP は芳香族アミノ酸デカルボキシラーゼ(AAADC)によりセロトニン(5HT)に変換される。その後，5HT は，シナプス小胞モノアミントランスポーター2(VMAT2)によりシナプス小胞に取り込まれ，神経インパルスによって放出されるまでシナプス小胞内に蓄えられる。
E：酵素

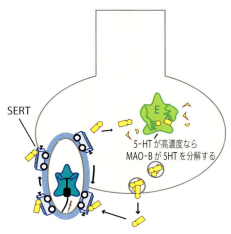

図4-37 **セロトニンの作用の終結** セロトニン(5HT)の作用は，神経細胞内で 5HT が高濃度である場合にはモノアミンオキシダーゼ B(MAO-B)により分解され終結する。これらの酵素はセロトニンを不活性代謝物に変換する。また，シナプス前部位にはセロトニントランスポーター(SERT)と呼ばれる 5HT に選択的な輸送ポンプがあり，5HT をシナプス間隙から除去し，シナプス前神経細胞内に取り込む。
E：酵素

神病や気分にとどまらず，広範囲な精神薬理学のなかで最も重要な原理のいくつかを把握するためには，きわめて重要である。

セロトニンの産生と作用の終結

セロトニン(5HT)の産生は，5HT の前駆物質であり血漿中から脳に移行するアミノ酸のトリプトファンからはじまる(図4-36)。その後，2種類のシンターゼによりトリプトファンが 5HT に変換される。まず，トリプトファンヒドロキシラーゼ tryptophan hydroxylase(TRY-OH)がトリプトファンを 5-ヒドロキシトリプトファン 5-hydroxy-tryptophan(5HTP)に変換し，それから芳香族アミノ酸デカルボキシラーゼ aromatic amino acid decarboxylase(AAADC)が 5HTP を 5HT に変換する(図4-36)。産生された後に，5HT はシナプス小胞モノアミントランスポーター 2 vesicular monoamine transporter 2(VMAT2)によってシナプス小胞の中に取り込まれ，神経伝達に使用されるまでそこに貯蔵される。

5HT の作用は，モノアミンオキシダーゼ monoamine oxidase(MAO)という酵素に破壊され，不活性代謝物に変換されて終結する(図4-37)。セロトニン神経細胞はそれ自体モノアミンオキシダーゼ B(MAO-B)をもっているが，MAO-B は 5HT に対する親和性が低い。このため，細胞内にて高濃度である場合に酵素によって 5HT は減少する。セロトニン神経細胞はまたセロトニントランスポーター serotonin transporter(SERT)と呼ばれる 5HT のシナプス前トランスポーターも有している。SERT は 5HT に特有であってシナプスにおける 5HT をシナプス間隙から除去し，シナプス前神経終末に取り込むことによって，5HT の作用を終結させる。神経終末に取り込まれた 5HT は，シナプス小胞内にふたたび貯蔵され，その後に続いて起こるつぎの神経伝達に使用される。

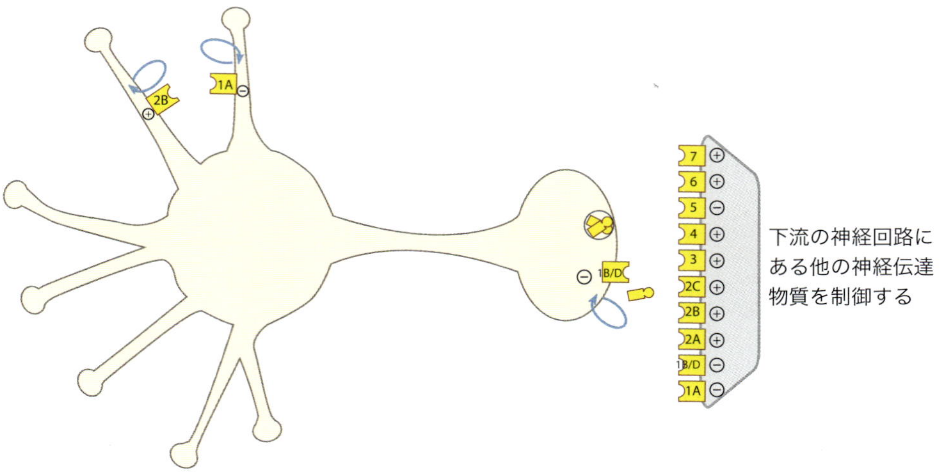

図4-38　セロトニン受容体　シナプス前セロトニン受容体には$5HT_{1A}$，$5HT_{1B/D}$，$5HT_{2B}$が含まれ，いずれも自己受容体として活動する。また，数多くのシナプス後セロトニン受容体があり，下流の神経回路にある他の神経伝達物質を制御する。

セロトニン受容体の概説

セロトニン（5HT）には十数個を超える数の受容体がある。そして少なくともその半分は臨床的な関連性が知られている（図4-38）。数個のセロトニン受容体のみセロトニン神経細胞自体の上に存在する（$5HT_{1A}$，$5HT_{1B/D}$，$5HT_{2B}$）（図4-38〜図4-41）。そしてその目的はシナプス前セロトニン神経細胞を直接制御することである。特にセロトニン神経細胞の発火や，いかに5HTを放出するか，およびいかにその5HTを貯蔵するかを調節することである。少し混乱してしまうのはこれらと同じ受容体がシナプス後にも存在することである。それらはすべてセロトニン受容体と呼ばれる。最初に，シナプス前にある（セロトニン神経細胞自体の上にある）セロトニン受容体がいかにしてセロトニンを制御するのかについて述べる。それから，シナプス後のセロトニン神経細胞が，いかに下流にある脳神経回路のネットワークにおいてその他すべての神経伝達物質を本質的に制御するのかについて述べていく。

シナプス前の受容体：セロトニンを制御するセロトニン

モノアミン神経細胞はどれもそうであるが，セロトニン神経細胞は神経軸索終末（軸索終末自己受容体）と樹状突起や細胞体（細胞体樹状突起自己受容体）の両方に受容体を有する。そしてその両方がセロトニン（5HT）の放出を調節するのを助ける（図4-38〜図4-41）。両方ともシナプス前と考えられている。ドーパミン神経細胞（この章の最初のほうおよび図4-5〜図4-8）とノルエピネフリン神経細胞（第6章および図6-14〜図6-16）はシナプス前と後で同じ受容体を有する。しかし，セロトニン神経細胞では，軸索終末受容体（薬理学的な特徴は$5HT_{1B/D}$）（図4-38，図4-41）は細胞体樹状突起受容体（薬理学的な特徴は$5HT_{1A}$と$5HT_{2B}$）（図4-38〜図4-40）と異なる。

シナプス前$5HT_{1A}$受容体

中脳の縫線核におけるセロトニン神経細胞の樹状突起と細胞体に存在する（図4-39A）。これらのシナプス前の細胞体樹状突起$5HT_{1A}$受容体は樹状突起から放出されたセロトニン（5HT）を探知する。古典的なシナプス前神経終末が存在していたところから神経細胞の反対側の端で5HTがい

かに放出されるのかは依然として完全には理解されていない。しかし，これはセロトニン神経細胞がシナプス前の端において5HTの放出を制御するのに重要なプロセスであるようだ。5HTが細胞体樹状突起から放出されたとき，これら5HT$_{1A}$自己受容体を活性化し，そしてこれがセロトニン神経細胞内に沿って神経インパルスの伝導を減速させ，さらにその軸索終末からの5HTの放出を減少させる（図4-39B）。これらのシナプス前5HT$_{1A}$細胞体樹状突起自己受容体のダウンレギュレー

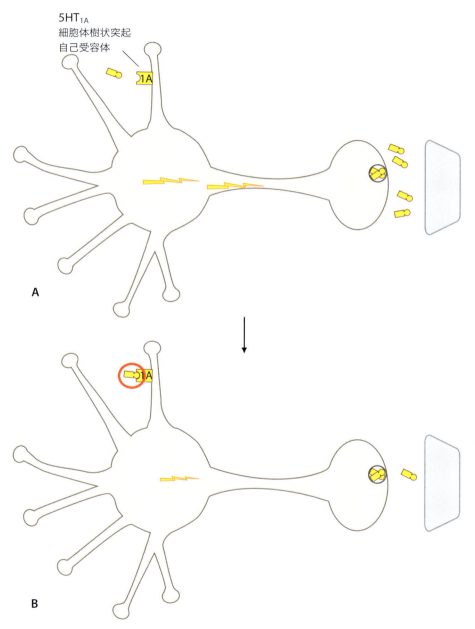

図4-39　セロトニン（5HT）1A自己受容体　（A）シナプス前5HT$_{1A}$受容体は神経細胞体や樹状突起の上に位置する自己受容体であり，したがって細胞体樹状突起自己受容体と呼ばれる。（B）5HTが細胞体樹状突起近くに放出されたとき，これら5HT$_{1A}$受容体に結合し，セロトニン神経細胞で神経インパルスの伝導が遮断される。ここでは，電気的活動が減弱し，右側のシナプスからの5HT放出が減少しているようすを描いてある。

ションや脱感作は，5HTの再取り込みを阻害する薬物の抗うつ作用にとってきわめて重要と考えられる（気分障害の治療に関する第7章にて述べる）。

シナプス前5HT$_{2B}$受容体

最近，セロトニン神経細胞の細胞体樹状突起部は，第2の受容体，5HT$_{2B}$受容体（図4-40）によって制御されていることが発見された。5HT$_{2B}$受容体は5HT$_{1A}$受容体と逆の作用をもつ。すなわち，5HT$_{2B}$受容体はセロトニン細胞を**活性化してよ**

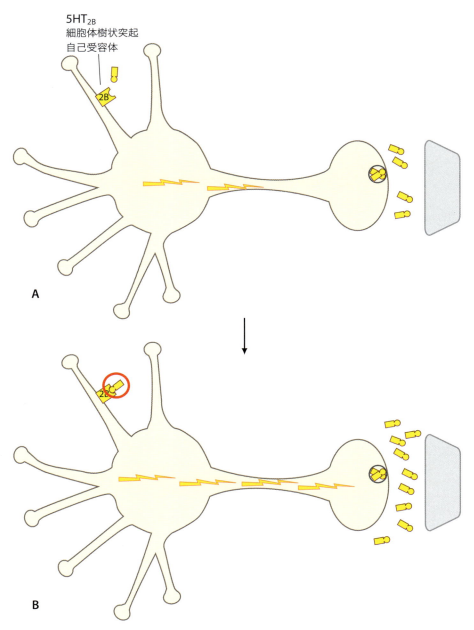

図4-40　セロトニン（5HT）2B自己受容体　（A）シナプス前5HT$_{2B}$受容体は神経細胞体や樹状突起の上に位置する自己受容体であり，したがって細胞体樹状突起自己受容体と呼ばれる。（B）5HTが細胞体樹状突起近くに放出されたとき，これら5HT$_{2B}$受容体に結合し，セロトニン神経細胞で神経インパルスの伝導が増加する。ここでは，電気的活動が増強し，右側のシナプスからの5HT放出が増加しているようすを描いている。

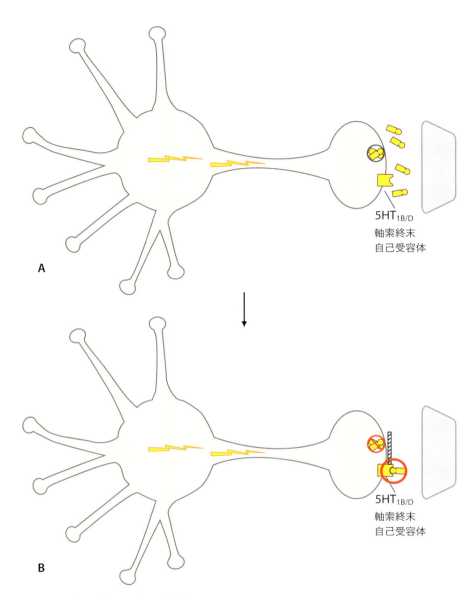

図4-41　セロトニン（5HT）1B/D自己受容体　シナプス前5HT$_{1B/D}$受容体はシナプス前の軸索終末に存在する自己受容体である。この受容体は，シナプスにおける5HTの存在を感知することにより活動し，5HTのさらなる放出を抑制する。5HTがシナプス間隙で増加すると（**A**），5HTは自己受容体に結合できるようになり，その結果，セロトニン放出が抑制される（**B**）。

り多くのインパルスの伝導を引き起こし，シナプス前神経終末からの5HTの放出を**増加**させる。したがって，まさにこの点において，5HT$_{2B}$受容体は「フィードフォワード」受容体であるのに対し，5HT$_{1A}$受容体は「ネガティブフィードバック」受容体であるようだ。中脳の縫線核のどのセロトニン神経細胞が5HT$_{1A}$受容体を含有しているのか，どのセロトニン神経細胞が5HT$_{2B}$受容体を含有しているのか，そしてどのセロトニン受容体が両方を含有しているのかが依然明らかではない。明らかに，5HT$_{2B}$受容体について，およびそれらに作用する薬物について多くのことがわかっていない。しかしながら，どれだけ多くの5HTの作用や5HTの放出が脳全体でセロトニン細胞のシナ

プス前神経終末で起こっているのかを制御するうえで，シナプス前の細胞体樹状突起部における$5HT_{1A}$受容体と$5HT_{2B}$受容体での作用のバランスが重要であるように思われる。

シナプス前$5HT_{1B/D}$受容体

　軸索終末に存在するシナプス前セロトニン受容体にはシナプス前$5HT_{1B/D}$サブタイプがある。5HTの存在を検知するとネガティブフィードバック自己受容体として作用し，さらなる5HTの放出やセロトニン神経細胞内のインパルスを遮断する（図4-41）。軸索終末に存在するシナプス前セロトニン受容体によってシナプス内に5HTが検知されると，遮断は$5HT_{1B/D}$受容体を経て起きる。$5HT_{1B/D}$受容体は**終末自己受容体**と呼ばれることもある（図4-41）。$5HT_{1B/D}$終末自己受容体の場合，この受容体を5HTが占拠すると5HTの放出の遮断を引き起こす（図4-41B）。

シナプス後のセロトニンが脳の神経回路の下流にある他の神経伝達物質を制御する

　それぞれの神経伝達物質は自分自身の産生を制御してシナプス前の部位から放出するのみならず，他の神経伝達物質の作用をシナプス後の作用と脳の神経回路のネットワークを経て制御することがわかっている。したがって，もしすべての神経伝達物質がすべて他の神経伝達物質を制御しているのなら，これは複雑である！　神経伝達物質がシナプス部位のみに作用しているとはもはや考えられない。神経伝達物質はまた，他の神経伝達物質を制御しかつ他の神経伝達物質に制御される脳の神経回路において超シナプス的に作用している。そうすると，もしこれらの受容体が至るところにあり，そしてもしこれらの受容体が異なった部位では異なった作用をしているとしたら，われわれはいかにして何が受容体に作用する薬物の正味の効果であるのかを理解できるであろうか？さらに，もし同じセロトニン（5HT）が異なった神経回路や異なったシナプスでまったく異なった作用をしているとしたら，5HTが関与する精神疾患をわれわれはどのように理解することができるのであろうか？

　その答えの一部は，後ろに下がって脳の神経伝達物質系のすばらしき複雑さの真価を認めることである。これら神経伝達物質系が理論的に精神疾患の症状のみならず正常な感情や情動の回路基板としていかにして働いているのかということに関してわれわれはその表面を引っかきはじめただけである。さまざまな神経細胞の回路網で異なった結節点での異なった神経伝達物質のみならず，これらの神経細胞の回路網のなかで異なった結節点または連結点における同じ神経伝達物質の異なった受容体サブタイプも関与している。だが，いかにして神経伝達物質がお互いに伝達しあう神経細胞の回路網を通して作用しお互いに他の神経伝達物質を制御するのかに関し，ここでわれわれは単におぼろげに感じていることを思い切って論じてみることにしよう。仮説として，神経細胞の回路網が非効率な情報処理を経験しているとき（いわゆる「調子が狂っている」とき），これにより一部は精神疾患の症状を引き起こす。この考えから自然に引き出せる結論は，われわれの薬物が特定の受容体サブタイプにおけるその作用によって神経細胞の回路網の「調子を合わせる」とき，神経細胞回路網における情報処理の効率を改善する能力が薬物にあり，それによって精神疾患の症状を改善させる，ということである。単純化しすぎた，そしておそらく少し素朴な還元論的な話ではあるが，この議論は精神疾患とそれを治療する薬物は単純にシナプスにおける「化学的不均衡」であるという旧式の概念を越えたつぎのステップでもある。精神疾患およびその治療についての現代の神経生物学を考察すれば，われわれが知っていることを控え目でとらえるように強く注意されるであろう。そしておそらく"*The Devil's Dictionary*"（Ambrose Bierce著）が19世紀に心をいかに定義したかを思い出すように助言されるであろう。

　心［名詞］　脳が分泌した物質の神秘的な姿。その主たる活動は自分自身の本性を確認する努力にある。そして，心は何も有しないがしかしそれ自身は一緒にいるそれ自身を知っているという事実のために存在することを企てる無益さに

ある*1。

MIND, n. A mysterious form of matter secreted by the brain. Its chief activity consists in the endeavor to ascertain its own nature, the futility of the attempt being due to the fact that it has nothing but itself to know itself with.

セロトニン神経回路網を構成する

セロトニン（5HT）は，すべての神経伝達物質がそうであるように，下流にある神経細胞およびこれら神経細胞が放出する神経伝達物質と相互に作用する（図4-42，図4-43）。したがって，5HTが放出された後に何が起きるかは，どの受容体と5HTが相互作用しているかによるのみならず（図4-42の9つのセロトニン受容体を参照），どの神経細胞と伝達しあっているか，および神経細胞が放出している神経伝達物質も，強くかかわってくる〔図4-42のグルタミン酸とGABA神経細胞との相互作用を参照，そして図4-43のグルタミン酸，GABA，ノルエピネフリン（NE），ドーパミン（DA），ヒスタミン（HA），アセチルコリン（ACh）との相互作用も参照〕。5HTが制御のために有しているすべての選択肢に注意すること。5HTは，興奮させるか抑制させるかは相互作用するセロトニン受容体サブタイプに依存する。そして，さらにシナプス後神経細胞自身が興奮性神経伝達物質グルタミン酸を放出するのか，抑制性神経伝達物質GABAを放出するのかにもかかっている。5HTが興奮的な状況と抑制的な状況の両方を同時に神経伝達することがあったら，どちらが優位となるのであろうか？　簡潔な答えは，特定の部位に特定の受容体が発現するかどうかに依存しているように思われる。その受容体の濃度に関しては，低い濃度の受容体よりも高い濃度の受容体のほうがより反応することはありそうではある。そして，5HTに対する受容体の感度や，放出される総量やセロトニン神経細胞の発火頻度も関連するであろう。ある受容体は他の受容体よりも5HTのレベルが低くてもより感受性が高い。最後に，相互伝達が直接的か〔例えば，5HTがグルタミン酸神経細胞に直接作用（図4-42の左）またはGABA神経細胞に直接作用（図4-42の右）〕または間接的か〔例えば，5HTがグルタミン酸神経細胞をそれ自身が支配しているGABA神経細胞を介してグルタミン酸神経細胞に間接的に作用（図4-42の右）〕による。NE，DA，HAおよびAChは，特にそれらの神経細胞体において，またはグルタミン酸神経細胞やGABA神経細胞を中継点として介して，セロトニン神経細胞から直接的入力を受けることができる（図4-43）。したがって，セロトニン神経細胞やその受容体に直接作用する薬物は，5HTそれ自身に影響を与えるだけではなく，下流にあるすべての他の神経伝達物質に意味深い効果を与えるであろう。どの神経伝達物質が影響を受けるのか，どれが優先されるのか，およびどの位置でか，に関しては現在懸命に研究されている課題である。しかしながら，これらの神経細胞の回路網およびそれらがいかにして体系づけられるのかによって，なぜ最初にそして直接的に特定の神経伝達物質の特定の受容体に作用する薬物がすべての種類の神経伝達物質の意味深い神経回路網効果を有するかについて説明することができるであろう。神経細胞の回路網について少し理解することは，なぜ2種類かそれ以上の作用機序（2種類かそれ以上の作用をもつ2つの異なった薬物）の薬物投与を頻回に行うことが，相加的/相乗的な効果または取り消す/相反する効果のどちらかをもつことを把握しはじめる基礎となるであろう。一致する効果が薬物の効能にも副作用にもなることがこれらを反映する。

$5HT_{1A}$受容体

$5HT_{1A}$受容体は他の神経伝達物質の放出を促すことができる（図4-44）。$5HT_{1A}$受容体はいつも抑制的であるが，しばしばシナプス後のGABA神経細胞の上に局在化する。すなわち，この場合の神経回路網での下流での効果は実際は興奮性であるということを意味する（図4-44）。例えば，$5HT_{1A}$受容体が前頭前皮質におけるGABA介在神経細胞の上に位置していれば，これらGABA介在神経細胞はそのつぎにグルタミン酸神経細胞

---

*1 訳注：訳文は訳者によるもの。

から放出される神経伝達物質を抑制するように作用する（図4-42の右を参照）。また，GABA介在神経細胞に位置する5HT$_{1A}$受容体は，ノルエピネフリン神経細胞，ドーパミン神経細胞およびアセチルコリン神経細胞のシナプス前終末からの神経伝達物質の放出を抑制する。図4-44Aに示された

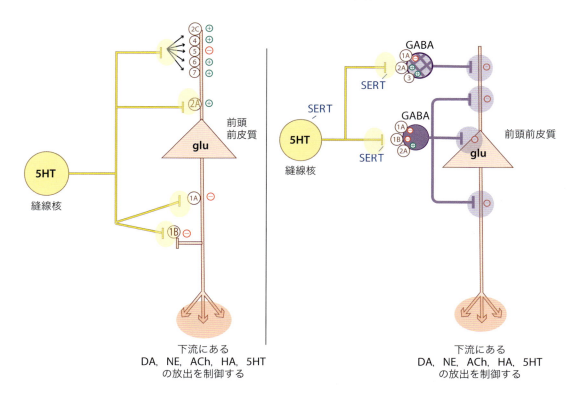

図4-42　セロトニン（5HT）はグルタミン酸の放出を直接的におよび間接的に制御する　多くのセロトニン受容体サブタイプはシナプス後ヘテロ受容体であり，多くの神経伝達物質を放出するどの神経細胞にも存在する。したがって，（すべての神経伝達物質のように）5HTは下流にある多くの神経伝達物質の放出を制御することができる。左：5HTのグルタミン酸錐体神経細胞に及ぼす直接的な影響は興奮性（例えば，5HT$_{2A}$，5HT$_{2C}$，5HT$_4$，5HT$_6$，5HT$_7$受容体において）であるとともに抑制性（5HT$_{1A}$，5HT$_5$，そしておそらくシナプス後5HT$_{1B}$受容体において）でもある。つぎに，グルタミン酸神経細胞のシナプスはほとんど他の神経伝達物質の神経細胞とともにそれらの下流にある放出を制御する。右：グルタミン酸出力は，抑制性のGABA介在神経細胞に存在するセロトニン受容体によって間接的に制御されている。グルタミン酸神経細胞を刺激したり抑制したりするのにあまりにも多くの経路がある。あるセロトニン受容体がグルタミン酸神経細胞とGABA介在神経細胞（例えば5HT$_{2A}$）の両方に存在することにより，グルタミン酸の放出に対し逆の作用をもっており，さまざまな受容体で5HTによる同等な作用がグルタミン酸の出力やバランスを保つことで「調子を合わせる」のに役立っていると思われる。5HTのグルタミン酸放出に及ぼす正味の効果は，部位的におよび細胞のどこでセロトニン受容体サブタイプのパターンが発現するか，セロトニン受容体の濃度，および5HTの局所的な濃度に依存する。

5HT：セロトニン，ACh：アセチルコリン，DA：ドーパミン，GABA：γ-アミノ酪酸，glu：グルタミン酸，HA：ヒスタミン，NE：ノルエピネフリン，SERT：セロトニントランスポーター

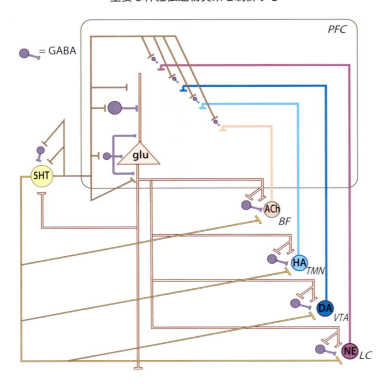

5HTは神経回路網において相互に作用し，すべての重要な神経伝達物質系を制御する

図4-43 セロトニン（5HT）はすべての重要な神経伝達物質系の神経細胞回路網と相互に作用する

5HT回路は脳幹の別々の細胞核から起始する．それらには背側および正中の縫線核が含まれる．これらの回路は皮質および皮質下の脳部位の広範囲に投射する．それらには，前頭前皮質（PFC）および，ノルエピネフリン（NE）の青斑核（LC），ドーパミン（DA）の腹側被蓋野（VTA），ヒスタミン（HA）の視床下部にある結節乳頭核（TMN），アセチルコリン（ACh）の前脳基底核（BF）などの他の神経伝達物質の神経細胞体の位置も含まれる．これらの連結をとおして5HT神経回路網はそれ自身を調節するのみならず，直接的および関接的に実質上すべての他の神経伝達物質の神経回路網にも影響を与える．したがって，5HT神経回路網が，気分，睡眠，食欲などの行動の多様性を制御しており，5HT神経回路網の調節不全が多くの精神科疾患に関連があると考えられているのは不思議なことではない．

GABA：γ-アミノ酪酸，glu：グルタミン酸

ベースラインの状態では低い持続性のGABAの放出が，NE，DA，AChの放出をそれに相当するように低いベースラインで許容している．しかしながら，GABA介在神経細胞に存在する5HT$_{1A}$受容体にセロトニン（5HT）が放出されると（図4-44B），この受容体の作用はGABA介在神経細胞を抑制し，抑制的なGABAの放出を減少させ，下流のNE，DA，AChの放出の増加を許す．したがって，これら5HT$_{1A}$受容体における5HTの作用は下流におけるNE，DA，AChの放出を促進させる．次章で説明するように，精神病，気分および不安を治療する多くの向精神病薬は5HT$_{1A}$アゴニストまたは部分アゴニストである．

5HT$_{1B}$受容体

5HT$_{1B}$受容体は抑制的である．具体的にいうと，5HT$_{1B}$受容体が，ノルエピネフリン神経細胞，ドーパミン神経細胞，ヒスタミン神経細胞，アセチルコリン神経細胞のシナプス前神経終末に存在するときに，これらの神経細胞からの神経伝達物質の放出を抑制する（図4-45）．神経細胞がそれ自身の神経伝達物質として利用するもの以外の神経伝達物質の受容体が存在する場合，それは「ヘテロ受容体」（ありのままにいうと，他の受容体）と呼ばれる．セロトニン（5HT）以外のシナプス前神経終末に存在する5HT$_{1B}$受容体の場合には，この受容体は抑制的であり，他の神経伝達物質の放出を妨げるように作用する（図4-45A）．ベースラインでは，ある量の神経伝達物質が前頭前皮質における4つの異なった神経細胞，ノルエピネフリン，ドーパミン，ヒスタミンおよびアセチルコリンから放出されていることが示されている（図4-45A）．しかしながら，5HTがシナプス前の抑制的5HT$_{1B}$ヘテロ受容体に放出されると，これら4つの神経伝達物質の放出が減少する（図4-45B）．したがって，セロトニンは5HT$_{1B}$受容体において，NE，DA，HA，およびAChの放出を抑制する．よって，これら4つの神経伝達物質の放出を高める5HT$_{1B}$受容体のアンタゴニストと知られ

GABA が NE，DA および ACh の放出を抑制する

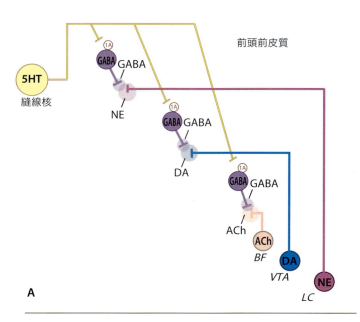

5HT₁ₐ を刺激すると NE，DA および ACh の放出を増加させる

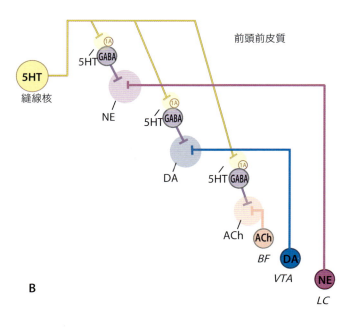

図4-44　セロトニン（5HT）1Aを刺激すると間接的に他の神経伝達物質の放出を増加させる　(A)前頭前皮質においてGABA介在神経細胞にある$5HT_{1A}$ヘテロ受容体はノルエピネフリン（NE），ドーパミン（DA），アセチルコリン（ACh）の放出を間接的に制御する。(B)$5HT_{1A}$受容体への刺激は抑制的であり，したがって，これらの受容体に5HTが結合するとGABAの出力を減少させ，そしてそのつぎに NE，DA および AChの放出を脱抑制するであろう。

BF：前脳基底核，GABA：γ-アミノ酪酸，LC：青斑核，VTA：腹側被蓋野

5HT₁B がシナプス前で前頭前皮質おける NE, DA, HA, Ach を制御する

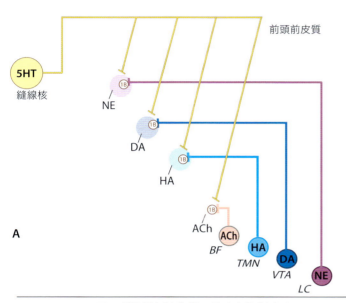

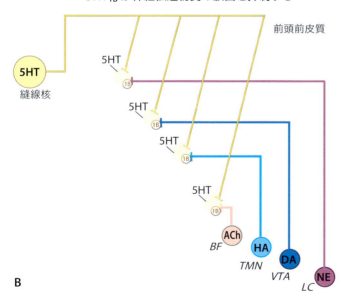

図4-45　セロトニン(5HT)1Bを刺激すると他の神経伝達物質の放出が減少する　(**A**)ノルエピネフリン(NE), ドーパミン(DA), アセチルコリン(ACh), ヒスタミン(HA)神経細胞のシナプス前神経終末にある5HT₁B受容体は理論的にこれらの神経伝達物質の放出を制御している。(**B**)アセチルコリン, ヒスタミン, ドーパミン, ノルエピネフリン神経細胞の5HT₁Bヘテロ受容体を刺激すると抑制的になる。したがって, 5HTがこれらの受容体に結合するとこれらの神経伝達物質の放出が減少するであろう。

BF：前脳基底部, LC：青斑核, TMN：結節乳頭核, VTA：腹側被蓋野

ているいくつかの薬物はうつ病の治療に使用され，それらは気分障害の治療薬に関する第7章で述べる。

5HT$_{2A}$受容体

5HT$_{2A}$受容体は他の神経伝達物質の放出を促進させ，そして抑制するという両方の作用がある。すなわち，5HT$_{2A}$受容体は常に興奮性であるが，脳におけるその位置の多様性がこれらの5HT$_{2A}$受容体が下流の神経伝達物質の放出を促進させたり抑制したり両方の作用があることを意味する。例えば，5HT$_{2A}$受容体がグルタミン酸神経細胞に存在するときには，だいたいにおいてグルタミン酸神経細胞の頂端にある樹状突起にあるが，5HT$_{2A}$受容体は興奮性であり，下流の標的に対して興奮性グルタミン酸の放出を引き起こす。一方，5HT$_{2A}$受容体がグルタミン酸神経細胞を神経支配しているGABA介在神経細胞に存在しているときには，5HT$_{2A}$受容体のGABA介在神経細胞への興奮性の入力はGABAの放出を引き起こし，そしてこのGABAは神経支配するグルタミン酸神経細胞に対して抑制的である。グルタミン酸神経細胞の下流にある神経細胞に対しては逆の効果を及ぼすことになる(図4-46B)。精神病や気分を治療する多くの薬物が5HT$_{2A}$アンタゴニスト作用を有している。これらの薬物については精神病の治療薬に関する第5章および気分障害の治療薬に関する第7章で広範囲に述べる。さらに，多くの幻覚薬は5HT$_{2A}$アゴニスト作用を有しており，これについては薬物乱用に関する第13章で述べる。

5HT$_{2C}$受容体

5HT$_{2C}$受容体はだいたいにおいて下流にある神経伝達物質の放出を抑制する。5HT$_{2C}$受容体は興奮性であり，シナプス後にあり，多くの場合GABA介在神経細胞にある(図4-47A，図4-47B)。これが意味することは，それらGABA介在神経細胞がどこに向かおうと，5HT$_{2C}$受容体が神経回路網抑制効果を有しているということである。例えば，それら5HT$_{2C}$受容体を伴ったGABA介在神経細胞が下流にあるノルエピネフリン神経細胞またはドーパミン神経細胞を神経支配しているときには，セロトニン(5HT)の神経回路網効果はノルエピネフリン(NE)やドーパミン(DA)の放出を抑制することである(図4-47Aの前頭前皮質におけるNEとDAのベースラインレベルと，図4-47Bの5HT$_{2C}$受容体に5HTが放出された後のNEとDAのレベルとを比較せよ)。5HT$_{2C}$受容体のアゴニストは肥満を治療することができるし，精神病や気分障害も治療することができる。

5HT$_3$受容体

血液-脳関門の外にある脳幹の化学受容器引金帯に存在する5HT$_3$受容体は，中枢性の嘔気・嘔吐に関連する役割でよく知られている。しかしながら，中枢神経系の別の場所，特に前頭前皮質では，5HT$_3$受容体は特定のタイプのGABA介在神経細胞に存在する(具体的にいうとパルブアルブミンと呼ばれるカルシウム染料に結合しない特徴をもち，そしてGABA介在神経細胞の発火パターンが通常の発火特性，遅い発火特性，またはバースト発火という特徴を有する。図4-42の右を参照)。ちょうど5HT$_{2C}$受容体のように，5HT$_3$受容体は神経支配するGABA神経細胞に対して興奮性であり，5HT$_3$受容体もまたそれらのGABA介在神経細胞がどこに向かおうと神経回路網抑制効果を及ぼすことを意味する。

5HT$_3$受容体は具体的にいうと皮質レベルでアセチルコリン(ACh)とノルエピネフリン(NE)の放出を抑制する(図4-48)。すなわち，5HT$_3$受容体を含む介在神経細胞がシナプス前のアセチルコリン神経細胞とノルエピネフリン神経細胞の神経終末に終結しており，それらを抑制する(図4-48Aの低いレベルでのAChとNEの放出を可能にするGABAの低いレベルでの放出を表すベースライン状態を参照)。5HTが興奮性5HT$_3$受容体において介在神経細胞を興奮させることによりGABAの放出が増加するとAChとNEの放出が減少する(図4-48B)。このように，5HT$_3$受容体における5HTの作用がAChとNEの両方の放出を抑制する。うつ病を治療するいくつかの薬物を含め，5HT$_3$アンタゴニストは反対の効果，すなわちAChとNEの放出を増加させることが期待されるであろう(第7章において詳述する)。

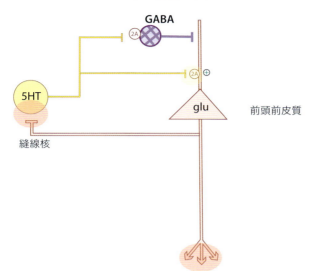

図4-46　セロトニン(5HT)2Aを刺激するとグルタミン酸(glu)の放出を促進もするし抑制もする

5HT$_{2A}$受容体はいつも興奮性であるが，しかしその部位によってgluの放出を刺激することもあれば抑制することもある．(**A**) 5HT$_{2A}$受容体はグルタミン酸錐体神経細胞にあり，これらの受容体を刺激するとgluの放出は増加する．(**B**) しかしながら，5HT$_{2A}$受容体はまたGABA介在神経細胞にも存在し，刺激されるとgluをGABAにより抑制する．したがって，gluによる神経伝達に及ぼす5HT$_{2A}$刺激の神経回路網の効果(または5HT$_{2A}$遮断作用)は，受容体の濃度や5HTの局所的な濃度などの複数の要因による．

ACh: アセチルコリン，DA: ドーパミン，GABA: γ-アミノ酪酸，HA: ヒスタミン，NE: ノルエピネフリン

　前頭前皮質からの興奮性グルタミン酸出力に及ぼすさらに重要な調節的制御の1つは，その上にある5HT$_3$受容体へ5HT$_3$の入力を受けているGABA介在神経細胞による持続性の抑制である(図4-49A)．これらの5HT$_3$受容体への5HT入力が増加すると，グルタミン酸錐体神経細胞の発火頻度が減少する(図4-49B)．この減少がグルタミン酸神経細胞が神経支配する多くの下流における部位に対して及ぼしているグルタミン酸の興奮性効果を減少させるのみならず，具体的にいうと中

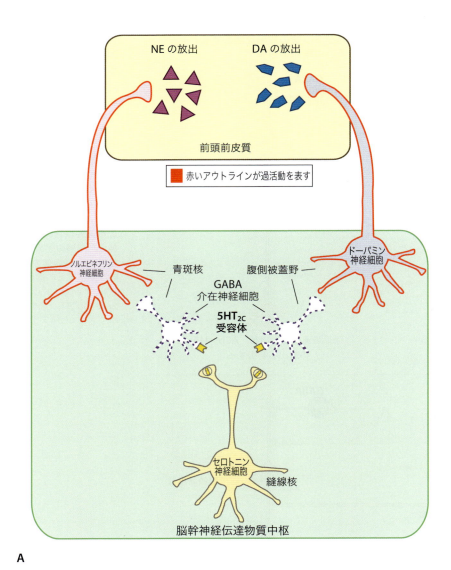

図4-47A　セロトニン(5HT)2Cの刺激(その1)　興奮性の$5HT_{2C}$受容体はほとんどがGABA介在神経細胞にある。5HTがないときにはGABA受容体は刺激されず、したがって、下流の神経細胞は、この場合は前頭前皮質に投射しているノルエピネフリン(NE)神経細胞とドーパミン(DA)神経細胞であるが、活動的である。

GABA：γ-アミノ酪酸

脳にある縫線核のレベルでセロトニン神経細胞に対する興奮性フィードバックループもまた減少させる(図4-49B)。したがってこの回路は、グルタミン酸を制御している5HTを表している(すなわち、GABA介在神経細胞にある$5HT_3$受容体によってグルタミン酸の放出を減少させている)のみならず、グルタミン酸もまた拮抗的にセロトニンを制御している経路(すなわち、縫線核におけるセロトニン神経細胞の細胞体においてグルタミ

ン酸の作用による5HTの放出を通常増大させるフィードバックループ)を表している。これは神経伝達物質がお互いに拮抗的に制御しあっている1つの単純な例にすぎない。

$5HT_6$受容体

$5HT_6$受容体はシナプス後にあり、おそらくAChの放出の制御および認知プロセスの管理のうえで重要な調節装置であろう。この受容体をブロックすると実験動物では学習や記憶を改善させ

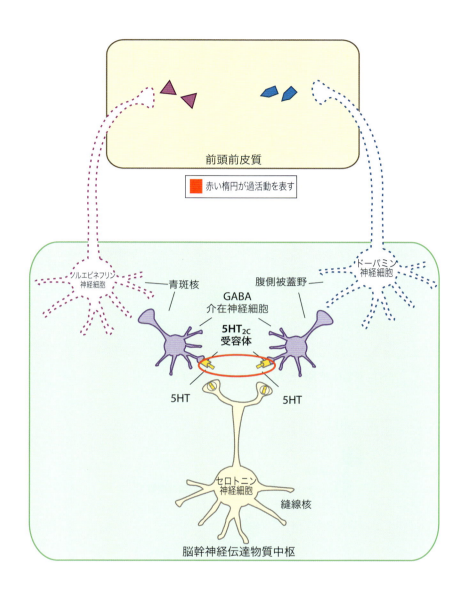

図4-47B　セロトニン(5HT)2Cの刺激(その2)　GABA介在神経細胞にある5HT$_{2C}$受容体に5HTが結合すると，前頭前皮質におけるノルエピネフリン(NE)とドーパミン(DA)の放出が抑制される。
GABA：γ-アミノ酪酸

るので，5HT$_6$受容体アンタゴニストは，統合失調症，Alzheimer病，および他の疾患の認知症状に効果のある新規の認知機能改善薬として提唱されてきた。

5HT$_7$受容体

　5HT$_7$受容体はシナプス後にあり，興奮性で，しばしば抑制性のGABA介在神経細胞に存在することが多く，前述した5HT$_{1A}$，5HT$_{2C}$，5HT$_3$受容体と同じ作用をする。GABA介在神経細胞にあるこれら他の受容体とちょうど同じように，5HT$_7$受容体は一般的には下流での神経伝達物質の放出を抑制している。5HT$_7$受容体は具体的にいうと皮質レベルでグルタミン酸の放出を抑制している(図4-50B)。すなわち，5HT$_7$受容体を含む皮質の介在神経細胞は，グルタミン酸錐体神経細胞の頂上の樹状突起に終結している(図4-

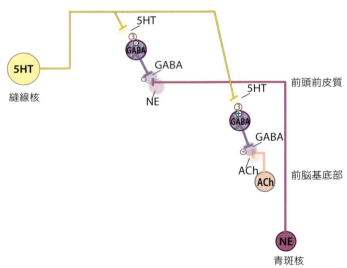

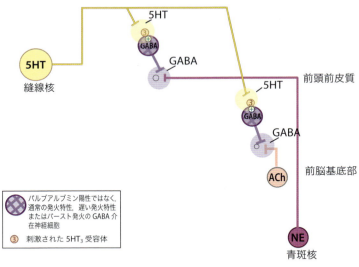

図4-48 セロトニン（5HT）3を刺激するとノルエピネフリン（NE）とアセチルコリン（ACh）の放出が減少する
前頭前皮質におけるGABA介在神経細胞の神経終末に存在する興奮性の5HT₃受容体はNEとAChの放出を制御する。（A）ベースラインでは，持続的にGABAを放出することによりNEとAChの放出を低いレベルで許容している。（B）5HTが放出されると，それがGABA神経細胞にある5HT₃受容体と結合し，ノルエピネフリン神経細胞とアセチルコリン神経細胞に対してGABAの一過性の放出を引き起こし，そして，それぞれNEとAChの放出を減少させる。
GABA：γ-アミノ酪酸

5HT とグルタミン酸がおたがいに制御する

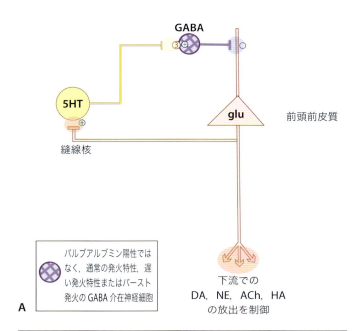

5HT₃ 受容体での 5HT の作用が 5HT 自身の放出を減少させる

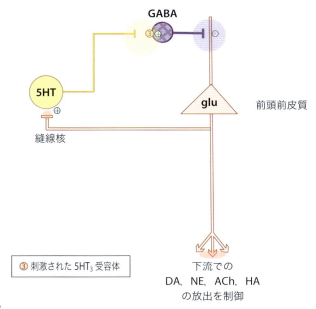

図4-49　セロトニン（5HT）3を刺激すると5HTの放出が減少する　前頭前皮質におけるGABA介在神経細胞の神経終末に存在する興奮性の5HT₃受容体はグルタミン酸（glu）の放出を制御することができ、そしてそのつぎに5HTの放出を制御する。(**A**)ベースラインでは、低いレベルでの5HTの放出がGABA介在神経細胞にある5HT₃受容体を刺激する。GABA介在神経細胞はグルタミン酸錐体神経細胞とシナプスを形成している。gluの放出が下流でのドーパミン（DA）、ノルエピネフリン（NE）、アセチルコリン（ACh）、ヒスタミン（HA）の放出を制御する。gluはまた縫線核において5HTの放出を制御する。(**B**)5HTの濃度がより高くなると、GABA介在神経細胞にある5HT₃受容体への刺激がGABAの放出を増加させる。GABAはつぎにグルタミン酸錐体神経細胞を抑制し、glu出力を減少させる。興奮性のgluの放出の減少は下流での5HTを含む神経伝達物質の放出を減少させる結果をもたらすであろう。
GABA：γ-アミノ酪酸、glu：グルタミン酸

50A。5HT₇受容体の作用が欠如しているとグルタミン酸の放出レベルは通常であるベースライン状態になることを参照)。セロトニン(5HT)が皮質におけるGABA介在神経細胞にある5HT₇受容体に結合すると,これはグルタミン酸の出力を減少させる(図4-50B)。

5HT₇受容体はまた脳幹の縫線核のレベルで5HTの放出を調整している(図4-51A,図4-51B)。すなわち,セロトニン神経細胞の細胞体を神経支配するGABAを神経支配するためにセロトニン神経細胞からの反回性の側副枝が後ろ向きにループを作っている。ベースラインでは,5HTの放出はこの抑制性のフィードバック系によって影響を受けていない(図4-51A)。しかし,5HTの放出が増大すると,これは反回性の側副枝からの5HTの放出を活性化し,そこでの5HT₇受容体を刺激する(図4-51B)。これはGABAの放出を活性化し,つぎにセロトニン神経細胞の細胞体に対するその抑制的な作用によりさらなる5HTの放出を抑制する(図4-51B)。5HT₇受容体アンタゴニストは精神病と気分を治療するために使用されるが,第7章でさらに詳述する。

精神病のセロトニン過活動仮説

ドーパミン仮説が放つ光のまぶしさにより,精神病の説明となる他の仮説の可能性に対して盲目になってしまう人が現れてしまうのであれば,それはParkinson病またはAlzheimer病で二次的に出現する精神病を伴った患者に対してジレンマとなるであろう。なぜなら,ドーパミン2(D₂)遮断薬による治療はこれらの患者に有害事象をもたらし,Parkinson病における運動症状をさらに悪

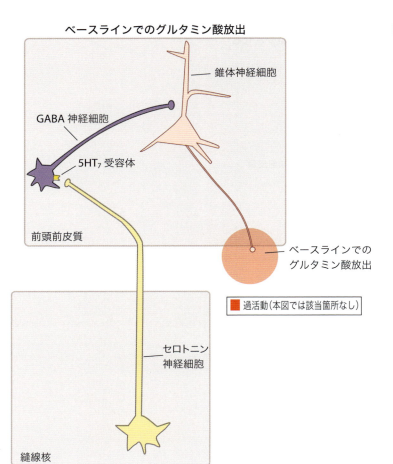

図4-50A　セロトニン(5HT)7を刺激するとグルタミン酸の放出を抑制する(その1)　5HT₇受容体はグルタミン酸錐体神経細胞とシナプス結合するGABA介在神経細胞に存在する。5HTが存在しないと,持続的にGABAが放出され,結果として下流にあるグルタミン酸の放出は正常である。

GABA：γ-アミノ酪酸

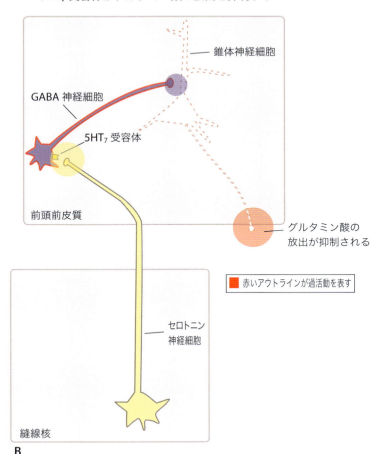

図4-50B　セロトニン(5HT)7を刺激するとグルタミン酸の放出を抑制する(その2)　5HTがGABA介在神経細胞にある5HT$_7$受容体に結合すると，一過性にGABAが放出されるようになり，グルタミン酸の放出の抑制をもたらす。
GABA：γ-アミノ酪酸

化させ，そしてAlzheimer病では脳卒中と死のリスクを高めるからである。最近まで，独断的な意見（ドグマ）ではすべての精神病は過剰な中脳辺縁系ドーパミン経路によるものであり，すべての治療はそこでのD$_2$を遮断する必要があると規定していた。この特徴づけは統合失調症の患者では功を奏したが，Parkinson病または認知症における精神病の患者では理想的ではない。なぜなら，精神病にのみ使用できる薬物はそれらの患者にとって相対的に禁忌であることを意味するからである。

セロトニン受容体とシナプスは脳の至るところに存在するが，精神病のセロトニン過活動仮説は，腹側被蓋野（VTA）/中脳線条体で統合された中枢となるドーパミン神経細胞と視覚野の皮質神経細胞を直接神経支配しているグルタミン酸錐体神経細胞にある興奮性の5HT$_{2A}$受容体への刺激の不均衡によって生じるという可能性を示唆している（図4-52A〜図4-52D，図4-53〜図4-55）。幻覚薬のLSD，メスカリンおよびシロシビンは，どれも強力な5HT$_{2A}$アゴニストであるが，精神病，分離的な体験，そして前頭前皮質や視覚野の皮質にある5HT$_{2A}$受容体を過剰に刺激することによって特に幻視が誘発されることが以前から知られている（図4-52Aと図4-52Bを比較せよ。また図4-53も参照）。これらの症状は5HT$_{2A}$アンタゴニストによって遮断することができるので，幻覚薬が5HT$_{2A}$刺激によって精神病を引き起こしているということを証明する。

5HT$_{2A}$を過剰に刺激するセロトニン過活動仮

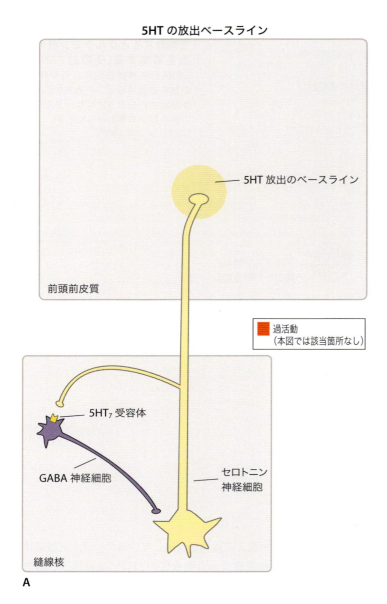

図4-51A　セロトニン(5HT)7を刺激すると5HTの放出を抑制する(その1)　縫線核にあるGABA介在神経細胞の神経終末に存在する興奮性の$5HT_7$受容体は5HTの放出を制御する。$5HT_7$受容体が占拠されていないと、5HTは前頭前皮質へ放出される。
GABA：γ-アミノ酪酸

説のつぎのリンクは、Parkinson病患者の精神病Parkinson's disease psychosis(PDP)に関する研究からのものである。特にその疾患の晩期に、患者の半分ぐらいまでがおかされる。生存中のPDP患者の神経画像のみならず死後研究でも、黒質線条体経路の運動系にある線条体のドーパミン神経細胞終末が失われるのみならず、前頭前皮質や視覚野の皮質におけるセロトニン神経細胞の終末もまた失われていることが証明された(図4-52C)。この5HTとその神経細胞の神経終末の欠乏によりアップレギュレーションが生じ、皮質にあまりにも多くの$5HT_{2A}$受容体が生じ、5HTの欠乏に打ち克つために、無駄な企てを起こすであろう(図4-52C)。過剰に豊富な$5HT_{2A}$受容体は皮質に残っている5HTからグルタミン酸神経細胞の樹状突起への興奮性作用に不均衡をもたらし、結果として精神病症状を起こす(図4-52C、図4-54)。$5HT_{2A}$受容体アンタゴニスト作用を伴う薬物はPDPのこれらの症状を改善させる。これについて詳しくは抗精神病薬に関する第5章で詳述

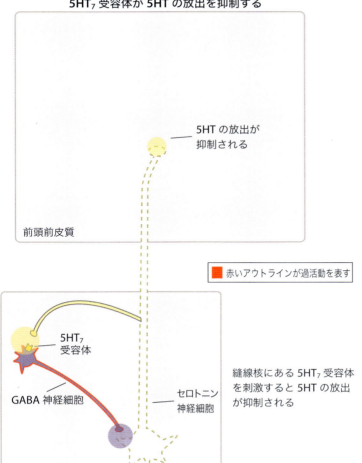

図4-51B　セロトニン(5HT)7を刺激すると5HTの放出を抑制する(その2)　5HTが縫線核にあるGABA介在神経細胞を神経支配している$5HT_7$受容体に結合すると，これは抑制性のGABAの放出を引き起こし，そしてさらなる5HTの放出を抑制する。
GABA：γ-アミノ酪酸

する。これらの観察から，Parkinson病の疾患経過による$5HT_{2A}$受容体の機能不全およびアップレギュレーションの結果として生じる$5HT_{2A}$受容体における5HTの過活動にPDPが関連しているということによりセロトニン過活動仮説は支持される。

認知症における精神病とその$5HT_{2A}$受容体における5HTの過活動は，幻覚薬による精神病やPDPで起きていることとは異なるように思われる。幻覚薬精神病やPDPではセロトニン受容体に対する過剰な刺激が仮定されている。認知症に関連した精神病では，PDPでみられるような$5HT_{2A}$受容体のアップレギュレーションがある

とする一貫性のあるエビデンスは得られていない。それどころか認知症では脳卒中による損傷のみならず，アミロイド斑，タウタンパクおよびLewy小体の蓄積もまた仮説上皮質の神経細胞をノックアウトし，生き残っているグルタミン酸神経細胞に対する抑制の欠乏をもたらす(図4-29C，図4-52D)。もしVTA/中脳線条体の統合された中心および皮質の視覚野に投射するグルタミン酸神経細胞に投射する正常な$5HT_{2A}$に対して対抗するGABAによる正常な抑制が十分でない場合，この増強された出力は仮説上これらの認知症患者に精神病をもたらす(図4-52D，図4-55)。今や選択的な$5HT_{2A}$受容体アンタゴニスト

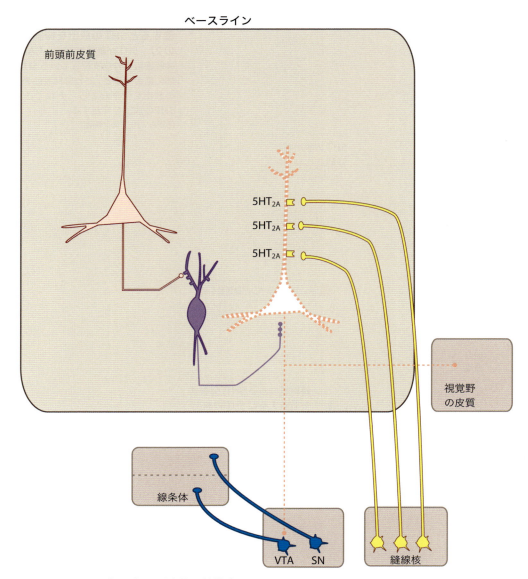

図4-52A　セロトニン（5HT）2A受容体と精神病，ベースライン　前頭前皮質（PFC）におけるグルタミン酸錐体神経細胞は腹側被蓋野（VTA）と視覚野の皮質に投射する。グルタミン酸錐体神経細胞の活動は，PFCにおけるGABA介在神経細胞のみならず縫線核から投射するセロトニン神経細胞によっても制御されている。ベースラインでは，興奮性の$5HT_{2A}$受容体は刺激されておらず，GABA神経伝達も持続性であり，グルタミン酸神経細胞は活動的ではない。
SN：黒質

は，認知症に合併した精神病を改善することが知られている。おそらくこれは，神経変性によってGABAによる抑制を失ってしまった，生き残っているグルタミン酸神経細胞に対する正常な$5HT_{2A}$刺激を減少させることによる。これは仮説上生き残っているグルタミン酸神経細胞の出力の不均衡をふたたび是正することにより，$5HT_{2A}$拮抗作用および神経細胞への刺激の減少がGABAによる抑制の減損を代償する。認知症に関連した精神病の$5HT_{2A}$アンタゴニスト治療については第5章，および認知症における行動症状の治療に関する第12章において，さらに詳しく述べることにしよう。

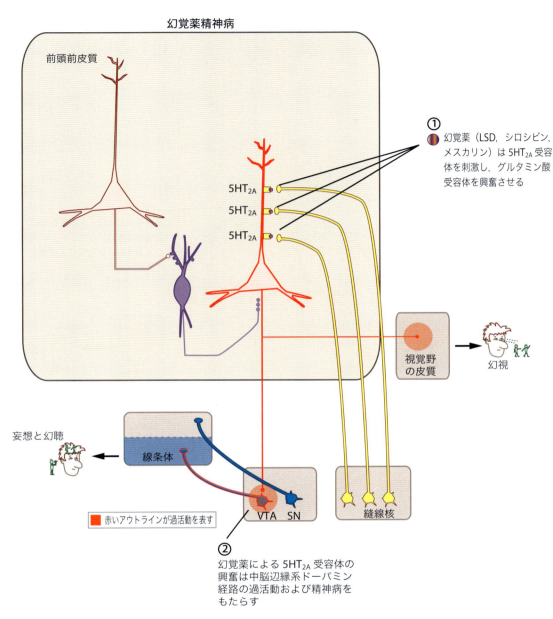

図4-52B　セロトニン(5HT)2A受容体と精神病,幻覚薬　LSD,メスカリンおよびシロシビンのような幻覚薬は5HT$_{2A}$受容体のアゴニストである。(1)これらの薬物が前頭前皮質(PFC)におけるグルタミン酸錐体神経細胞にある5HT$_{2A}$受容体を刺激すると,グルタミン酸神経細胞の過活動が引き起こされる。(2)結果としてのグルタミン酸の腹側被蓋野(VTA)への放出は中脳辺縁系のドーパミン経路の過活動を引き起こし,妄想や幻聴をもたらす。視覚野の皮質での過剰なグルタミン酸の放出は幻視を引き起こす。
SN：黒質

精神病の5HT$_{2A}$受容体におけるセロトニン過活動仮説と精神病のドーパミン過活動仮説との関連づけ

仮説上過剰なドーパミン(DA)活動の結果,ま

たはグルタミン酸錐体神経細胞における5HT$_{2A}$受容体に対する不均衡な刺激の結果どうなるであろうか？　簡潔な答えは,精神病のDA過活動に関して,および精神病のNMDA受容体の機能低

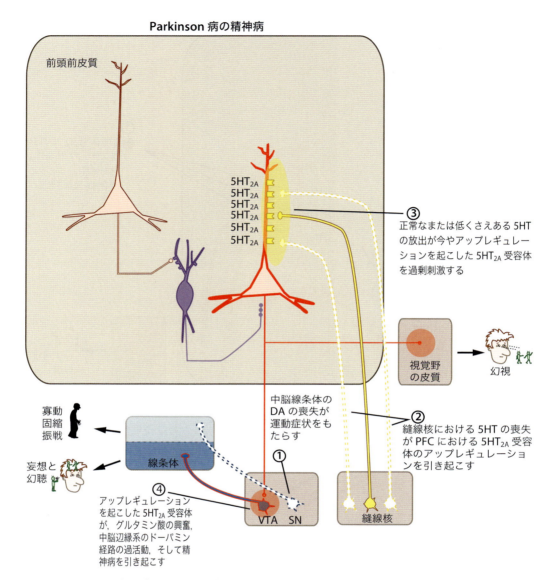

図4-52C　セロトニン（5HT）2A受容体と精神病，Parkinson病患者の精神病　(1)黒質線条体ドーパミン神経細胞が失われると，寡動，固縮，振戦といったParkinson病の運動症状をもたらす。(2)Parkinson病はまた縫線核から前頭前皮質（PFC）へ投射するセロトニン神経細胞の喪失ももたらす。(3)これは5HT$_{2A}$受容体のアップレギュレーションをもたらし，そしてその場合には正常なまたは低い5HT放出でもこれらの受容体を過剰に刺激し，グルタミン酸錐体神経細胞の過活動を引き起こす。(4)腹側被蓋野（VTA）への過剰なグルタミン酸の放出が中脳辺縁系経路のドーパミン（DA）の過剰な活動をもたらし，結果として妄想や幻聴をもたらす。視覚野の皮質での過剰なグルタミン酸の放出は幻視を引き起こす。

SN：黒質

下仮説に関してすでに前述したのとほぼ同一のDAの過活動を理論的にもたらすことである（図4-52〜図4-55）。

すなわち，腹側被蓋野（VTA）のドーパミン神経細胞を直接支配するグルタミン酸神経細胞が，Parkinson病におけるセロトニン神経細胞の神経変性により5HT入力を失う。またはあらゆる原因での神経変性によってGABAによる抑制を失ったりすると，それらのグルタミン酸神経細胞は過活動となって刺激することによりドーパミン

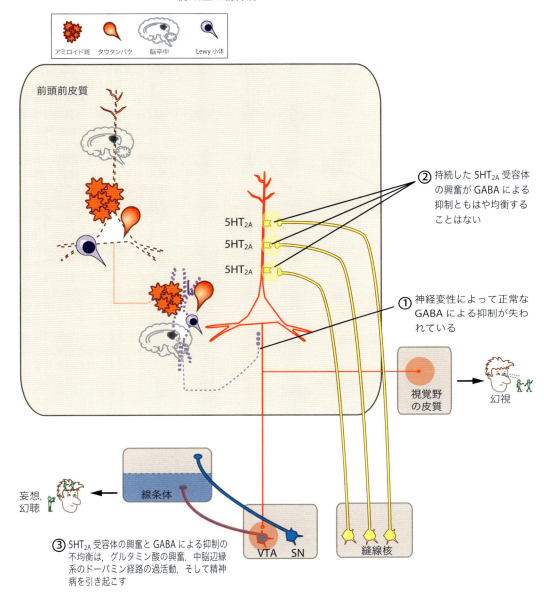

図4-52D　セロトニン（5HT）2A受容体と精神病，認知症　(1)脳卒中によって引き起こされた損傷のみならず，アミロイド斑，タウタンパク，Lewy小体の蓄積もグルタミン酸錐体神経細胞やGABA介在神経細胞を破壊する。一方で他のグルタミン酸錐体神経細胞やGABA介在神経細胞は損なわれていない。GABAによる抑制が失われるとグルタミン酸錐体神経細胞を管理するバランスがくつがえされる。(2)興奮性の5HT$_{2A}$受容体への刺激の効果はGABAによる抑制に釣り合わず，グルタミン酸神経伝達が神経回路網で増加する。(3)腹側被蓋野（VTA）への過剰なグルタミン酸の放出が中脳辺縁系ドーパミン経路の過剰な活動をもたらし，結果として妄想や幻聴をもたらす。視覚野の皮質での過剰なグルタミン酸の放出は幻視をもたらす。

SN：黒質

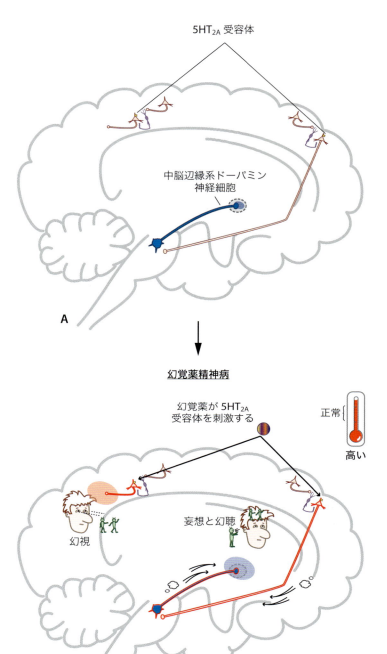

図4-53　セロトニン（5HT）2A受容体と精神病，幻覚薬　（A）ここで示されているのは，前頭前皮質から腹側被蓋野(VTA)に投射する皮質脳幹グルタミン酸経路と皮質野における間接的な皮質皮質グルタミン酸経路である。それら両方の経路の活動とも，前頭前皮質におけるGABA介在神経細胞のみならず縫線核から投射しているセロトニン神経細胞にも制御されている。ベースラインでは，グルタミン酸神経細胞にある興奮性5HT$_{2A}$受容体を正常に刺激し，同じ神経細胞にあるGABA受容体への持続的な刺激とバランスがとれている。神経回路網の効果ではこのようにグルタミン酸神経細胞が正常な活性化をしている。（B）LSD，シロシビンおよびメスカリンのような幻覚薬は5HT$_{2A}$アゴニストである。これらの薬物が前頭前皮質におけるグルタミン酸錐体神経細胞の5HT$_{2A}$受容体を刺激すると，グルタミン酸神経細胞の過活動を引き起こす。VTAへの過剰なグルタミン酸放出は中脳辺縁系ドーパミン経路の過活動を引き起こし，結果として妄想や幻聴をもたらす。視覚野の皮質での過剰なグルタミン酸の放出は幻視をもたらす。

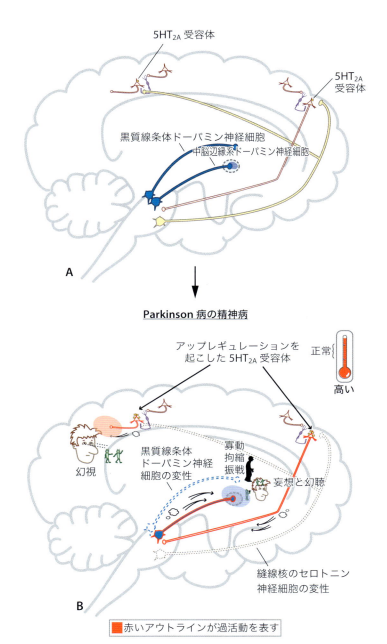

図4-54 セロトニン(5HT)2A受容体と精神病,Parkinson病患者の精神病 (**A**)ここで示されているのは,前頭前皮質から腹側被蓋野(VTA)に投射する皮質脳幹グルタミン酸経路,および視覚野のある皮質での間接的な皮質皮質グルタミン酸経路である。両方の経路の活動とも,前頭前皮質におけるGABA介在神経細胞のみならず縫線核から投射するセロトニン神経細胞によっても制御されている。ベースラインでは,グルタミン酸神経細胞にある興奮性5HT$_{2A}$受容体を正常に刺激し,同じ神経細胞にあるGABA受容体への持続的な刺激とバランスがとれている。神経回路網の効果ではこのようにグルタミン酸神経細胞が正常な活性化をしている。(**B**)黒質線条体ドーパミン神経細胞の喪失は寡動,拘縮,振戦などのParkinson病の運動症状をもたらす。Parkinson病はまた縫線核から前頭前皮質や視覚野のある皮質へ投射するセロトニン神経細胞の喪失も引き起こす。これにより,前頭前皮質におけるグルタミン酸錐体神経細胞にある5HT$_{2A}$受容体のアップレギュレーションを引き起こす。その場合,正常または低いレベルでさえ5HTの放出はこれらの受容体を過剰に刺激する。VTAへの過剰なグルタミン酸の放出は中脳辺縁系ドーパミン経路の過活動を引き起こし,結果として妄想や幻聴をもたらす。視覚野の皮質での過剰なグルタミン酸の放出は幻視をもたらす。

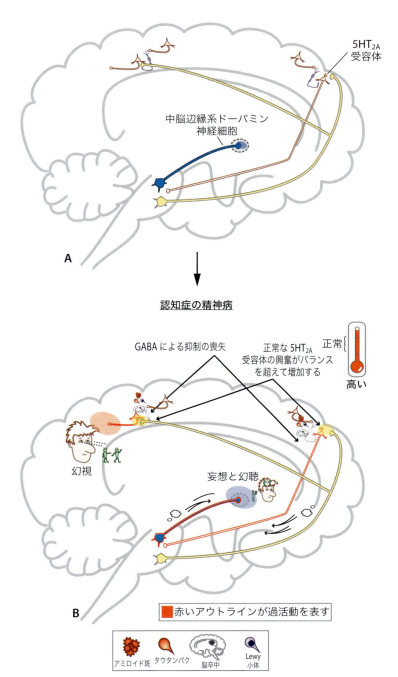

図4-55　セロトニン（5HT）2A受容体と精神病，認知症 （A）ここで示されているのは，前頭前皮質から腹側被蓋野（VTA）に投射する皮質脳幹グルタミン酸経路，および視覚野のある皮質での間接的な皮質皮質グルタミン酸経路である。両方の経路の活動とも，前頭前皮質におけるGABA介在神経細胞のみならず縫線核から投射するセロトニン神経細胞にも制御されている。ベースラインでは，グルタミン酸神経細胞にある興奮性5HT$_{2A}$受容体を正常に刺激し，同じ神経細胞にあるGABA受容体への持続的な刺激とバランスがとれている。神経回路網の効果ではこのようにグルタミン酸神経細胞が正常に活性化している。（B）脳卒中によって引き起こされた損傷のみならず，アミロイド斑，タウタンパクや，Lewy小体の蓄積もグルタミン酸錐体神経細胞やGABA介在神経細胞を破壊する。一方で他のグルタミン酸錐体神経細胞やGABA介在神経細胞は損なわれていない。興奮性5HT$_{2A}$受容体への刺激による効果がGABAによる抑制と釣り合わないときには，グルタミン酸神経伝達が神経回路網で増加する。VTAへの過剰なグルタミン酸の放出は中脳辺縁系ドーパミン経路の過活動を引き起こし，結果として妄想や幻聴をもたらす。視覚野の皮質での過剰なグルタミン酸の放出は幻視をもたらす。

神経細胞の中脳線条体投射からの多すぎるDAの放出を促す（図4-52～図4-55）。ちょうど統合失調症で起きているようにである。

精神病のドーパミン，NMDA，セロトニン神経伝達に関するまとめと結論

まとめると，幻覚や妄想に理論的に関連する3つの相互に連絡しあう経路がある。

(1) 中脳辺縁系/中脳線条体経路におけるD_2受容体でのドーパミン（DA）の過活動。これは腹側被蓋野（VTA）/中脳線条体の統合された中心から腹側線条体へ拡張する。
(2) 前頭前皮質におけるGABAによる抑制の喪失を伴うGAVA介在神経細胞におけるNMDA受容体の機能低下。
(3) セロトニン（5HT）の大脳皮質におけるグルタミン酸神経細胞に対する$5HT_{2A}$受容体に対する過活動/不均衡。

3つの神経回路網および神経伝達物質はそれぞれお互いに連結しあっており，そして$5HT_{2A}$受容体とNMDA受容体の両方が下流にある中脳辺縁系ドーパミン経路の過活動を仮説上結果としてもたらす。この機能障害性の精神病の神経回路においてどの結節点を標的にしても，多くの原因による精神病に対して理論的に治療効果をもたらすであろう。

原型の精神病障害としての統合失調症

統合失調症は，最もありふれた疾患であり，そしてよく知られており，原型の精神病障害である。統合失調症は世界中のどの地域でも人口の約1%が罹患し，医学的見地からもヒトを最も荒廃させる疾患の1つである。発症が思春期と若年成人期であることは，この時期が生涯で最もダイナミックに変化する発達期であることと一致する。その一方で，この病気は慢性的な経過をたどる。著明なそして一生にわたって機能障害を呈し，寿命が25～30年短くなり，致死率は一般人口の3～4倍と驚くほど高い。統合失調症で生じる不幸なイベント中でトップとなるのは，患者の5%が自殺を既遂してしまうという事実である。本書に記載された治療法により症状は改善するが，治療はほとんどの患者を正常な機能に戻すことはないし，また，この疾患の惨害から患者や家族が感じる苦悶を十分に減少させることも必ずしもできない。

統合失調症の定義では，症状が6カ月あるいはそれ以上持続し，少なくとも1カ月は陽性症状（すなわち，妄想，幻覚，解体した会話，ひどく解体したまたは緊張病性の行動）が持続する疾患である。

陽性症状 positive symptomは，リストを表4-3にまとめ，図4-56でも示した。統合失調症のこれらの症状は劇的であり，うまく代償できずに精神病エピソードに落ち込んでいく場合に突然出現することもあり（現実からの破綻breakであるので，しばしば精神病的「破綻」breakと呼ばれる），しかも，抗精神病薬によって非常に効果的に治療される症状でもあるので，しばしば注目される。**妄想** delusionは陽性症状の1つである。これは通常，知覚または経験の誤った解釈を含む。統合失調症で最もよく認められる妄想の内容は被害妄想であるが，関係妄想（つまり，何かが自分と関係していると誤って考えること），身体的妄想，宗教妄想，誇大妄想などのさまざまな種類の妄想を含む。**幻覚** hallucinationも陽性症状の1つであり（表4-3），すべての感覚器（聴覚，視覚，嗅覚，味覚，触覚など）に起こりうるが，幻聴は発現頻度が最も高く，統合失調症において特徴的な幻覚である。陽性症状は一般に正常な機能が過度になることを反映しており，妄想や幻覚に加え，みずからの行動監視（ひどく意味不明な行動，緊張病性の行動，興奮した行動）のみならず言語や会話におけるゆがみや誇張（解体した会話）も含まれる。陽性症状は劇的であり，患者が医学的専門家や司法機関の世話になる原因にしばしばなり，薬物治療のおもな標的となるので，陽性症状はよく知られている。

統合失調症の**陰性症状** negative symptomにつ

いては，表4-4と表4-5にリストとしてまとめ，そして図4-56にも示した。古典的には，英語表記でAではじまる少なくとも5つのタイプ（下記）の陰性症状があると考えられている（表4-5）。

- **思考の貧困（無論理）**alogia：意思疎通の障害，思考や会話が流暢でなく生産性も低い。
- **感情の鈍麻または平板化**affective blunting or flattening：感情表出の幅がせまく程度も低い。
- **非社交性**asociality：社会的な活動や交流が少ない。
- **アンヘドニア（快楽消失）**anhedonia：楽しい経験をする能力が低い。
- **意欲欠如**avolition：欲望，意欲，または根気がない，目標指向的活動をはじめようとしない。

統合失調症の陰性症状には一般に，感情鈍麻，情動的引き込もり，疎通性の乏しさ，消極性，無気力な社会的引き込もり，抽象的な思考の困難，常同的な思考および自発性の欠如など，正常な機能の低下として考えられている。統合失調症の陰性症状は，入院が長期化したり社会適応能力が低下したりすることになる。後述するように，統合失調症の陰性症状，統合失調症の認知症状，統合失調症の感情/気分症状，とりわけ抑うつおよび精神病を治療する薬物の副作用を区別することはとても困難である（第5章で述べる）。調査や研究

表4-3　精神病と統合失調症における陽性症状

妄想
幻覚
言語や会話におけるゆがみや誇張
解体した会話
解体した行動
緊張病性の行動
興奮

表4-4　統合失調症における陰性症状

感情鈍麻
情動的引き込もり
疎通性の乏しさ
消極性
無気力な社会的引き込もり
抽象的な思考の困難
自発性の欠如
常同的な思考
思考の貧困：思考や会話が流暢でなく生産性も低い
意欲欠如：目標指向的活動をはじめようとしない
アンヘドニア（快楽消失）：楽しい経験をする能力が低い
注意の障害

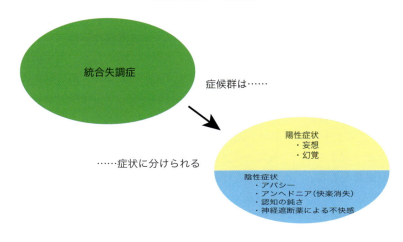

図4-56　陽性症状と陰性症状
統合失調症という症候群は，一般に主として2つの大カテゴリーに分類される症状の複合からなっている。すなわち，陽性症状と陰性症状である。妄想や幻覚のような陽性症状は精神病の症状の発症を反映する。それらは劇的で現実との接触の喪失を反映する。陰性症状は，事物に対する興味の喪失や楽しい経験をする能力の消失などの正常な機能および感情の喪失を反映する。

表 4-5　陰性症状とは何か？

障害の種類	記述的な専門用語	解説
コミュニケーションの障害	思考の貧困	会話量が少ない。例えば，ほとんどしゃべらない，単語をほとんど使わない
感情の障害	感情鈍麻	情動（認知，経験，表出）の範囲が狭い。例えば，何も感じない，心にぽっかり穴が開いたように感じる，よいものでも悪いものでも情動的な体験をほとんど思い出せない
社会的交流の障害	非社交性	社会的引き込もり，他者と交わりたくない。例えば，性的興味が低い，友達がほとんどいない，友人と一緒にすごすことにほとんど興味がない（また一緒にすごす時間がほとんどない）
楽しむ能力の障害	アンヘドニア（快楽消失）	楽しい経験をする能力が低い。例えば，以前行っていた趣味または興味をつまらなく思う
動機の障害	意欲欠如	欲望，動機，根気が少ない。例えば，毎日の仕事に取り組んだり，完遂したりする能力が低い，不衛生であることもある

においては，陰性症状 vs. 認知症状 vs. 感情症状を評価するのに公式の評価尺度を用いることができるが，臨床場面では観察だけによって（図4-57），またはいくつかの簡単な質問によって（図4-58），すばやく多くの陰性症状を同定したり評価したりするほうがより実際的であろう。陰性症状は統合失調症の症候群の単なる一部というわけではない。陰性症状は，統合失調症の診断基準を満たさない亜症候性症状からはじまり，完全な症候群の開始に先立って出現する「前駆状態」の一部でもある可能性がある。高リスク患者では，精神病の初期徴候が出現した段階で治療が開始できるように，前駆状態での陰性症状をみいだして経時的に繰り返し観察することが重要である。統合失調症がいったん発症すると，精神病エピソード間でも陰性症状は持続し，陽性症状がなくても社会的および職業的機能が低下する。

統合失調症の陽性症状および陰性症状以外の症状

統合失調症の診断基準の一部として公式には認知されていないが，この疾患の症状は多くの研究により5つの次元に亜分類されている。それらには，陽性症状と陰性症状のみならず，認知症状，攻撃症状および感情症状も含まれる（図4-59）。この分類は統合失調症の症状の記述を複雑にするかもしれないが，おそらくより洗練されたものになるであろう。

観察のみにより同定される重要な陰性症状

A　**会話量の減少**：患者は限られた量しか話さない。単語をほとんど使わず，非言語的反応をする。語られる単語がほとんど意味をなさないときには，会話内容は貧困化するかもしれない*

B　**不潔**：患者はあまり身繕いをせず，衛生状態が悪く，においがする。衣服は汚れてシミがついている*

C　**アイコンタクトが少ない**：患者はめったに面接担当者と目を合わせない*

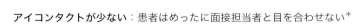

*ここで記載した症状は重度な末期を迎えた患者の症状である。

図 4-57　観察により同定できる陰性症状
統合失調症の陰性症状のうちいくつか（会話量の減少，不潔，アイコンタクトが少ないことなど）は，患者を観察するだけで同定することができる。

質問することにより同定される重要な陰性症状

A　情動的反応の低下：患者は情動や表情の変化をほとんど示さず，質問されても情動的な体験をした機会をほとんど思い起こすことができない*

B　興味の低下：興味が低下し趣味がなくなる。ほとんど，またはまったく興味が刺激されない。人生の目的は限られたものになり，その目的に向けて行動をはじめようとしない*

C　社会参加への欲求の低下：患者は社会との接触をもちたいという欲求が低下し，友人や親しい間柄の人がほとんど，またはまったくいない*

*ここで記載した症状は重度な末期を迎えた患者の症状である。

図4-58　質問により同定できる陰性症状　統合失調症の陰性症状には，簡単な質問により同定できるものもある。例えば，情動的な反応性，趣味に対する興味の程度，人生の目標を追求すること，社会との接触をもったり維持したりする欲求の程度を短い質問で明らかにすることができる。

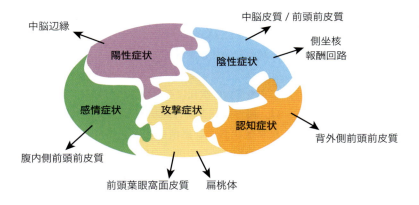

仮説上特定されている脳経路の機能不全と一致する各症状

図4-59　症状領域の局在化　統合失調症の異なる症状領域は5つの次元によってとてもうまく下位分類することができる。陽性，陰性，認知，感情，攻撃である。これらの症状領域のどれもが仮説上特定の脳領域によって制御されている。

　統合失調症の**認知症状**は注意の障害と情報処理の障害であり，それらは，言葉の流暢性（自発的に話をする能力）の障害，（事柄のリストや事象の連続を）連続的に学習する能力の問題，そして実行機能のための覚醒度の障害（注意を維持したり集中したりすること，優先順位をつけること，社会的な手がかりにもとづいて行動を調節することに関する問題）として現れる。統合失調症の重要な認知症状を表4-6に示す。認知症状は最初の精神病疾患の発症より前にはじまり，予想されたIQスコアよりも低いIQとして現れる。そしてIQと認知機能は精神病が完全に発症する前駆状態の期間を通して悪化し，その後統合失調症の経過をつうじて進行的に悪化する。統合失調症の認知症状には，短期記憶の障害のような認知症で一般的にみられるのと同じ症状は含まれない。代わりに，統合失調症の認知症状は，目標を表明したり継続したりすること，注意資源を配分すること，機能を評価すること，行動を監視すること，これらの能力を問題解決に利用することなどの問題を含む「実行機能障害」が特徴的である。

　感情症状はしばしば統合失調症においてみられるが，これは必ずしも合併する不安症または感情障害の診断基準を満たすということを意味しな

表 4-6　統合失調症の認知症状

目標を表明したり継続したりすることの問題
注意資源を配分することの問題
注意を集中させることの問題
注意を維持することの問題
機能を評価することの問題
行動を監視することの問題
優先順位をつけることの問題
社会的な手がかりにもとづいて行動を調節することの問題
連続的に学習することの問題
言葉の流暢性の障害
問題解決の障害

い。それにもかかわらず，抑うつ気分，不安気分，罪責感，緊張，過敏性，および憂慮は統合失調症にしばしば合併する。これらのさまざまな症状は，うつ病，多くの不安障害，精神病性うつ病，双極性障害，統合失調感情障害，器質性認知症，小児期精神病性障害，難治性うつ病，難治性双極性障害，難治性統合失調症，その他多くの疾患の目立った特徴でもある。統合失調症の感情症状は，特に抑うつ気分，アンヘドニア（快楽消失），意欲の欠如，および喜びの欠如といった症状は，統合失調症の陰性症状や合併する気分障害または不安障害と区別することはとても困難である。

　感情症状は，遭遇すれば常に，治療する必要がある。統合失調症の場合，精神病の陽性症状の伝統的な治療薬によって十分に改善しない場合，不安や抑うつを治療するために使用される薬物〔すなわち，選択的セロトニン再取り込み阻害薬 selective serotonin reuptake inhibitor（SSRI）〕を追加することを考慮しなければならない。現在の感情症状をやわらげるためだけではなく，残念なことに統合失調症の患者ではしばしばみられる自殺を予防するためでもある。統合失調症という障害それ自体の治療薬はなく，あるのは統合失調症の症状の治療薬のみである。したがって，たとえ合併する気分障害または不安障害の診断基準を十分に満たさなくても，可能性があるときは常に統合失調症の感情症状を治療することを検討すべきである。統合失調症の患者における感情症状が，抑うつや不安に対する治療薬に非常によく反応するのにもかかわらず，これらの同じ治療が真の陰性症状に対してはあまり効果的ではない。

　攻撃症状には，誰にでもわかる明白な敵意，攻撃性や身体的虐待，公然と行われる暴力，言葉による虐待的な行為，性的行動化，自殺を含む自傷行為，放火，器物損壊などが含まれるが，統合失調症ではすべて起こりうる。攻撃は意図的な危害を意味する傾向があるが，興奮はより非特異的でしばしば緊張や苛立ちの不快な状態を伴って誰にも向かない強められた精神運動または言語的な活動の状態であるという点において，攻撃は興奮と異なる。統合失調症では，特に陽性症状が制御不能なときに，両方（攻撃と興奮）が陽性症状と一緒に出現する。そして精神病を治療する薬物によって陽性症状が減少すると攻撃と興奮の両方が改善する。

　興奮と攻撃の両方が認知症の患者にも起こりうるが，精神病の陽性症状と区別しなければならない。なぜなら，認知症の精神病の治療とは異なった，そして統合失調症の精神病の治療とも異なった新しい治療法が開発されてきているからである。攻撃および興奮の治療は精神病の治療に関する第 5 章および認知症の行動症状の治療に関する第 12 章でもっと詳細に述べる。攻撃症状はまた衝動制御が困難な問題を呈する双極性障害，小児期精神病性障害，境界性パーソナリティ障害，反社会性パーソナリティ障害，薬物乱用，注意欠如・多動症，小児における素行症のようなその他の多くの障害でも起こりうる。

　統合失調症に関して，暴力-攻撃のタイプの話題は議論の的になっている。銃乱射事件を何度も起こす暴力的な犯人を統合失調症患者だとみる固定概念は，この疾患に押された烙印を不幸にも誇張している。ほとんどの統合失調症の患者は実際には暴力的ではなく，そして暴力の加害者よりも被害者になるほうが多い。しかしながら，いくつかの研究では統合失調症の多くの患者は一般人よりも暴力に至ることが示唆されている。ただしそ

れほどちがいはなく，暴力はしばしば付随する薬物乱用や適切な医学的治療の欠如に関連することが多い。

　驚くことではないが，暴力に至る統合失調症の患者はしばしば刑事司法制度にかかわりあいをもつことになる。これは，地域での統合失調症患者の治療に用いる短期間のクライシスベッドや入院ベッドが不足していることや，十分な外来治療も不足していることが，残念ながら反映されている。米国では統合失調症のような重篤な精神疾患を「犯人」としてきたことはショックな事実である。なぜなら，最も大きい精神保健施設は今では刑務所や拘置所であるからだ。例えば，ロサンゼルス郡刑務所のツインタワー，ライカーズ島のニューヨーク市刑務所，およびクック郡シカゴ刑務所は，米国で最も大きな精神保健施設である。米国中の刑務所や拘置所の200万人の収容者のうち，約4分の1が重篤な精神疾患を有している。統合失調症の患者は刑務所や拘置所で治療を受けているが，この治療は，矯正環境において標準以下であることは広く知られており，そしてその矯正環境自体が本質的に反治療的である。さらに，釈放後，患者はしばしば薬物を服用しなくなり，ホームレスとなり，結局は他の暴力的な犯罪で再逮捕されてしまう。カリフォルニアでは，重罪で逮捕され病気のために裁判を受ける資格がなかったり，15回以上逮捕されたことがある重篤な精神疾患の患者の数が増え続けている。彼らの半分は逮捕されるまでの6カ月間，薬物治療を含む払い戻し可能な精神保健サービスを利用したことがなく，半分は施設に入所していないホームレスの状態であった。ただ，幸運なことに，フロリダ州マイアミで成功したプログラムをモデルに，革新的な治療プログラムがある。それは，刑務所や拘置所ではなくふつうの家での治療を行うプログラムに患者を移行させることにより統合失調症の治療を処罰の対象から外そうという試みである。

　しかしながら，刑務所，拘置所，または州立司法精神科病院にいったん収容されると，統合失調症の患者はしばしば暴力沙汰を起こすことになる。この一部は施設が暴力的な環境であるためであり，一部は，施設の中にいる患者達はすべての患者のなかで最も暴力に及びやすい重篤な精神疾患を伴った患者達であるという事実による。もし統合失調症患者が人口のおおよそ1％を占めるのであれば，約4,000万人の人口を有するカリフォルニア州では40万人ぐらいがこの疾患に罹患していることになる。もし20万人までがカリフォルニアで収監されており，そのうちの4～5万人が精神病の薬物療法が必要な重篤な精神疾患を有しているとすれば，これはカリフォルニアにおけるすべての統合失調症患者のおそらく10％が刑務所や拘置所に収容されていることを意味することになる。同じことを繰り返すが，彼らは，服薬していないときや薬物を乱用しているときに暴力行為におそらく最も及びやすい人たちである。

　統合失調症患者のより小さな部分集団でさえも，暴力的な重罪を犯し，そして裁判を受ける資格がなかったり精神障害者と判断されてカリフォルニアの5つの州立司法精神科病院のうちの1つへ送られている。その人数はたった数千人であり，カリフォルニアの統合失調症患者のうちのおそらく1％にすぎない。不幸なことに，彼らは統合失調症患者の最も暴力的なグループである。驚くことではないが，まず最初に暴行という重罪によって患者は州立司法精神科病院に収容される。いくつかの研究によれば，この環境による暴力が実際は犯罪の起源となるリスクと関連し，暴力に駆り立てる理由の大半は，施設環境で生活することによる犯罪形成の過程であり，精神病の陽性症状ではないことが示唆されている。いったん州立司法精神科病院に収容されると，治療されそして投薬された場合でさえも，患者はしばしば暴力的行為に及び続けるようになる。しかし，州立司法精神科病院に収容されているときでさえ統合失調症患者のすべてが暴力的ではなく，患者の約3分の1のみが入院中に暴力的な行為に及ぶが，通常最初の120日間に1回の出来事である。実際，州立司法精神科病院の患者のうち約3％（カリフォルニアの統合失調症患者10万人あたり，多くて数百人あるいは100人未満）が院内での暴力の40％を引き起こす。半分がスタッフに対し，そし

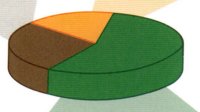

図4-60　暴力の3つのタイプ　少なくとも3つの異なった暴力のタイプがある（精神病性，衝動性，計画的/精神病質）。精神病性暴力は精神病の陽性症状と関係している。暴力の最も頻度が高いタイプは衝動性暴力であり，自律神経系の興奮を伴い，しばしばストレス，怒り，または恐怖によって突然引き起こされる。計画的または精神病質の暴力は計画的であり自律神経系の興奮を伴うことはない。

て半分が他の患者に対して引き起こす。したがって，統合失調症の患者のほんのわずかだけが多くの暴力に及ぶのであるが，暴力に及ぶ患者の数はメディアによってしばしば誇張される。しかしながら，州立司法精神科病院内で働くことは，ここで患者として生活するのと同じくらいきわめて危険である。州立司法精神科病院，刑務所および拘置所において，そこを退去した後に患者が暴力に及ぶことを防止できるよう，統合失調症患者の暴力を治療することは非常に重要であろう。

　すべての暴力のタイプをひとくくりにするよりも，専門家は施設収容中の統合失調症患者の暴力を3つのタイプに分類している。衝動，略奪，精神病性である（図4-60）。精神病の陽性症状，典型的には支配的な幻覚や妄想に伴う**精神病性暴力**は，実際には収容施設における暴力として最も頻度が少ない。これらの患者は精神疾患を有しているという事実にもかかわらずである（図4-60）。

これはおそらく収容施設における陽性症状に対する治療がしばしば効果的であるからである。しかしながら，陽性症状の治療はすべての暴力を抑えるわけではない。なぜなら収容施設における最も頻度が高い暴力のタイプは実際のところ**衝動性暴力**だからである。これはしばしばストレスに対する反応として挑発により突然引き起こされ，怒りや恐れのような陰性の情動を伴う（図4-60）。これらの理由により，衝動性暴力は，反応的，感情的，および敵意のある攻撃とも呼ばれる。暴力の第3のタイプは，精神病性暴力よりも頻度が高く，**精神病質**または**計画的**（頭の中が整理されている）であり，典型的には欲求不満または差し迫った脅威に対する反応に伴わない計画された行動である（図4-60）。もし精神病性暴力や衝動性暴力が情動的な興奮を伴った「熱い血」であるとしたら，計画的暴力は心の中に明確な目標をもって計画されたものなので「冷たい血」であり，自律神経系の興

奮を伴わない（図4-60）。計画的暴力は精神病質または反社会性パーソナリティの患者において一般にみられるものであり，精神病性症状よりも犯罪の起源となる行動と関連している。しかしながら，収容施設における精神病者はまた精神病質の傾向もあり計画的暴力に及ぶこともある。これを管理するためには薬物よりもむしろ行動制限を必要とするかもしれない。クロザピンまたは高用量の統合失調症の標準的な薬物のような治療法もまた精神病性障害が背景にある患者の精神病性または衝動性暴力に対して有用である。しかし，行動に対して介入することは，衝動性との関連がうすい暴力を防止するのに特に有用である（すなわち，環境からの挑発を減少させることによって）。統合失調症の陽性症状が制御できないときには，特に頻回に攻撃を行うわずかな患者たちにおいては，衝動性暴力および計画的暴力は精神病性暴力のようにドーパミンD_2過剰とはさほど明らかに関連しない。カリフォルニア州立司法精神科病院では管理することがとても困難な頻回に攻撃を行うこれらの患者は背景に精神疾患を有し，計画的暴力よりも精神病性暴力または衝動性暴力を呈することが多い。そして統合失調症に通常伴うもの以上の認知機能の障害を有している。攻撃と暴力については衝動および強迫に関する第13章においてさらに詳しく述べ，第12章において興奮や認知症における陽性症状または精神病との鑑別も行う。

統合失調症の原因は何か？

何が統合失調症を引き起こしているのであろうか？ 生まれつきの性質（すなわち遺伝）なのか，育ち方（すなわち環境またはエピジェネティクス）なのか？ 統合失調症は神経発達的なのか，または神経変性的なのか？ 現在の答えは実のところすべてに対して部分的に「イエス」であろう。

遺伝子と統合失調症

精神疾患の現代の理論では，単一の遺伝子がいずれかの重要な精神疾患を引き起こすという考えを捨てて久しい（図4-61）。遺伝子は，精神疾患，精神症状，行動，パーソナリティ，または器質を直接コードしない。そうではなく，遺伝子はタンパクとエピジェネティクス制御を直接コードする（図1-31，図1-32を参照）。精神疾患を発症させるためには（図4-62の下），遺伝子の活動はそれら自身で（図4-62の左上）そして環境的ストレス要因（図4-62の右上）と「共謀」しなければならないと考えられている。したがって現代の理論では，精神疾患のリスク遺伝子を多く受け継ぐということは精神疾患の舞台を据え付けることであって，精神疾患それ自体を引き起こすことではない。より適切に表現すると，個人は精神疾患のリスクを受け継ぐのであって，精神疾患を受け継ぐわけではない。このリスクが明白な精神障害へ発展するかどうかは，リスク遺伝子をもつ個人に対して環境において何が起こるかによるという仮説が設けられている。

数百の特定の遺伝子のひと束ねが（そのどれもが1％未満の小さな貢献しかしないが）共同することにより，統合失調症の発症リスクに可能性を与えることを最近のエビデンスは示唆している（表4-7）。これらすべてのリスク遺伝子の機能はよく理解されていないが，それらの機能のうち，神経伝達物質系，シナプス形成，神経可塑性，神経発生，認知機能，精神病の神経細胞毒性，およびストレス脆弱性のような脳の重要な部分を調節しているのであろう（図4-62の左上）。この複雑なものを取り扱う1つの方法は，知られている数百のリスク遺伝子のなかで，ある個人が有しているすべての異常な遺伝子を合計し，どれだけ統合失調症を発症するリスクがあるかを示唆する，いわゆる「多遺伝子性のリスクスコア」を計算することである。このような単純化を行っても，すべてのリスク遺伝子の知られている寄与は共同して合わさっても統合失調症のリスクの一部に可能性を与えるのみである。残りのリスクは何から成り立っているのであろうか？ 統合失調症では，それはさまざまな環境的ストレス要因であり，具体的にいうと，大麻の使用，幼年期の逆境のような情動的なそして外傷的な経験，いじめ，産科の出来事，睡眠剥奪，移住，その他である（図4-62の

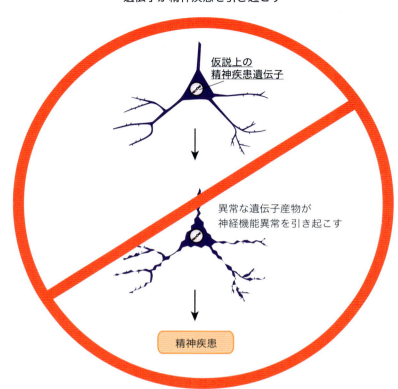

図4-61 遺伝性疾患の古典的仮説 遺伝性疾患の古典的仮説では，異常な単一遺伝子が精神疾患を引き起こすと考えられている。つまり，異常な遺伝子が異常な遺伝子産物を産生し，この産物が精神疾患の直接的な原因となる神経機能異常を引き起こすというものである。しかし，このような遺伝子は1つも同定されておらず，もはや発見される期待もない。この仮説が棄却されることを赤い禁止マーク⊘で示した。

表4-7 統合失調症において関係があるとされる生物学的機能にかかわるいくつかの候補となる感受性リスク遺伝子

遺伝子	記述
グルタミン酸神経伝達とシナプス可塑性	
GRIA1	速いシナプス神経伝達を調整するイオンチャネル型のグルタミン酸受容体
GRIN2A	グルタミン酸依存性イオンチャネルタンパクとシナプス可塑性の重要なメディエーター
GRM3	グルタミン酸代謝調節型受容体3をコード化する，主要な興奮性神経伝達物質受容体の1つ。統合失調症に対し可能性がある薬物の標的として広範囲に探究されている
カルシウムチャネルとシグナル	
CACNA1C	電位感受性カルシウムチャネルのα_1サブユニットをコード化する
CACNB2	電位感受性カルシウムチャネルの1つ
神経発生	
SOX2	神経発生に必須な転写因子
SATB2	認知機能の発達に必須であり，そして長期可塑性にかかわる

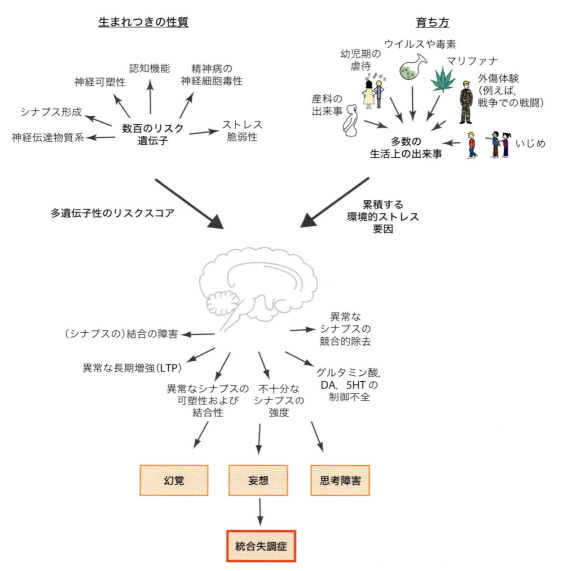

図 4-62 統合失調症における生まれつきの性質と育ち方 統合失調症は遺伝的要因（生まれつきの性質）とエピジェネティクな要因（育ち方）の両方の結果として発症すると考えられる．すなわち，多くの遺伝的リスク要因を有している個人が，エピジェネティクな変化をもたらす多くのストレス要因と合併するときに，（シナプスの）結合の障害という形での異常な情報処理，異常な長期増強（LTP），シナプス可塑性の低下，不十分なシナプスの強度，神経伝達物質の制御不全，シナプスの競合的除去の異常などが現れる．この結果として，幻覚，妄想，思考障害のような精神症状が出現する．
5HT：セロトニン，DA：ドーパミン

右上）．例えば，精神病の発生率は多くの移住者がいる都市のほうが高いことが示されてきた．そのような都市の1つであるロンドンでは，精神病の発生率は移民とその子どもを研究対象から除くと3分の1に低下する．他の研究では，大麻使用の頻度と精神病の率との間に高い相関がヨーロッパの都市全域でみられている．そして誰も高力価の大麻を吸わなければヨーロッパ全域の初回精神病のすべての症例のうち12％が予防された．特定の都市では，初回精神病の減少がロンドンでは32％，アムステルダムでは50％であった．

統合失調症の遺伝的リスクを有している人々に

おいて，いかにして環境は統合失調症の正体を暴露するのか？ 答えは，環境は仮説上リスク遺伝子が発現しているところでは神経回路網に負荷をかけ，そしてその回路網は圧力をかけられて機能異常を引き起こす（図4-62の下）。さらに，これら同じストレス要因は正常な遺伝子にさえ機能異常を引き起こし，そしてこれらすべてが共同して異常な神経可塑性やシナプス形成を引き起こす（図4-62の下）。いかにしてそうなるのか？ **正常な遺伝子が精神疾患を引き起こすのか？** 仮説上，「イエス」である。エピジェネティクスと呼ばれる過程において，環境的ストレス要因（図4-62の右上）はさまざまなきわめて重要な遺伝子を発現してはならないときに発現させ，あるいは発現しなければならないときに発現させない（図1-30）。環境的ストレス要因や正常遺伝子が統合失調症を発症させる異常な遺伝子と関連しているといういくつかの最高のエビデンスは，一卵性双生児の半数は一方しか統合失調症を発症しないことである。罹患していない一方の双子が発現しない異常遺伝子を，罹患したもう一方の双子が発現させるのみならず，ある正常な遺伝子を悪いタイミングで，または発現してはいけないときに発現させるように，同一の遺伝子をもっていてもこのように統合失調症を発症するのに十分ではなく，代わりにエピジェネティクスもまた働く。つまり，これらの要因は統合失調症の発症を1人にはもたらし，もう1人にはもたらさなかったということになる。

まとめると，統合失調症のような精神疾患は，コードするタンパクや制御因子の構造や機能に欠陥を引き起こすような不完全なDNAを有する**異常な遺伝子**の生物学的活動の合計によるだけでない（図4-62の左上）。他に，異常な遺伝子と，正常な機能をもつタンパクや制御因子を作成することができるが悪いタイミングで活性化されたり発現しなかったりする正常な遺伝子の両方に影響を及ぼす環境もまたその原因として今や考えられている（図4-62の右上）。言い換えると，統合失調症は生まれつきの性質と育ち方の両方により起こる（図46-2下）。

統合失調症：神経発達，神経変性，または両方に問題があるのか？

統合失調症の場合，2つの重要な質問が常に生じる。

(1) いかにして生まれつきの性質と育ち方の悪い面が青年期ごろにこの疾患の完全な発症をもたらすのか？
(2) 生まれつきの性質と育ち方の結果が，統合失調症の発症時には神経発達的のようにみえるが，この疾患の生涯の経過では神経変性的にみえる。この疾患にはどのような種類の神経生物学的過程が基礎にあるのか？

神経発達理論と神経変性理論の両方について以下に述べる。

神経発達と統合失調症

現代の研究結果は，統合失調症において脳がシナプス結合をつくり，保持し，改変する過程で出生時から何らかの不適切があることを強く示唆している。この明らかな兆候には，統合失調症の診断基準に完全に合致する合図となる精神病的破綻の明らかな発症の前に出現する患者の認知機能障害，IQの低下，簡単には説明できない奇異さ，および患者の社会的欠陥が含まれる。統合失調症の神経発達において何が道を誤るのかを把握するためには，最初に正常な神経発達を理解しておくことが重要である。正常な神経発達の概要は図4-63に示す。受胎後，幹細胞は成熟した神経細胞へと分化する。形作られていく神経細胞のうちごく少数のみが発達中の脳で選ばれて参入する。残りの神経細胞はアポトーシスと呼ばれる過程で自然に死滅していく。なぜ，脳は必要とするよりもはるかに多くの神経細胞をつくるのか，そしていかにして発達中の脳に参入する神経細胞を選択して決めているのかは，依然謎のままである。しかし，神経細胞を選択する過程での異常が，自閉症から知的障害（以前は精神遅滞と呼ばれていた），スペクトラムの重篤な端に位置する統合失調症，注意欠如・多動症 attention-deficit/hyperactivity

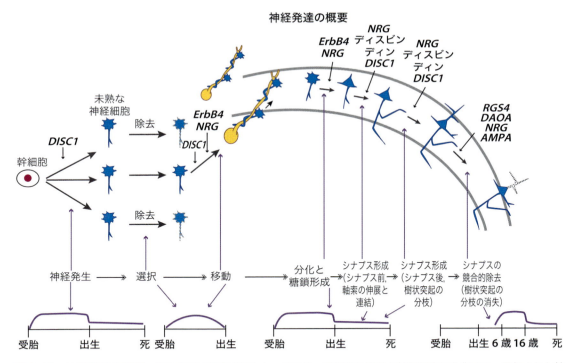

図4-63 神経発達の概要 脳の発達の過程を示した。受胎後，幹細胞は未熟な神経細胞に分化する。選択された神経細胞は移動して多種多様な神経細胞に分化し，その後はシナプス形成が起こる。成人期であっても脳の一部の領域では新しい神経細胞がつくられるが，ほとんどの神経発生，神経細胞の選択，神経細胞の移動は出生前に起きる。出生後，神経細胞の分化と髄鞘形成はシナプス形成とともに生涯をつうじて続く。脳の再構築も一生をとおして起こるが，小児期および思春期に最も活発に行われる。この過程は競合的除去として知られている。神経発達の過程に関与する重要な遺伝子には，*DISC1*（disrupted in schizophrenia-1），*ErbB4*，ニューレグリン（NRG），ディスビンディン，Gタンパクシグナル調節因子4 regulator of G-protein signaling 4（*RGS4*），D-アミノ酸オキシダーゼ活性化因子 D-amino acid oxidase activator（*DAOA*），*AMPA*（α-アミノ-3-ヒドロキシ-5-メチル-4-イソオキサゾール-プロピオン酸）の遺伝子が含まれる。

disorder（ADHD），およびスペクトラムの中くらいの端に位置する失読症に至るまでの神経発達障害における要因になっていることは確かにありそうである。とにかく，それらの選択された神経細胞は移動し，神経細胞の異なったタイプに分化し，それからシナプス形成（シナプス結合をつくる）が起こる（図4-63）。多くの神経発生（すなわち新しい神経細胞が生まれること），神経細胞の選択，および神経細胞の移動は出生前に起きるが，一方で脳のある部分では新しい神経細胞は生涯をとおして形成され続ける。出生後，シナプス形成のみならず神経細胞の分化と髄鞘形成もまた生涯をとおして続く。すべての過程において，出生前または小児期のみならず大人になってからの人生もとおして，この神経発達の過程（図4-63）

の崩壊が仮説上さまざまな精神症状や疾患を結果としてもたらす。

統合失調症の場合に疑われることは，シナプス形成の神経発達過程および脳の再構築が間違ってしまうことである。シナプスは正常では出生から6歳ぐらいまでの間に凄まじい勢いで形成される（図4-64）。脳の再構築は生涯をつうじて起こるが，競合的除去と呼ばれる過程での遅い小児期と思春期の間に最も活発となる（図4-63，図4-64）。競合的除去およびシナプスの再構築は思春期に達するころからそのおわりまでの間にピークに達する。正常では小児期に存在したシナプスの半分から3分の2だけが大人まで生き残る（図4-63，図4-64）。精神病の陽性症状の発症（精神病的「破綻」）は競合的除去およびシナプスの再構築

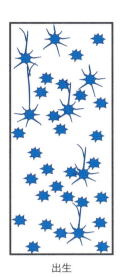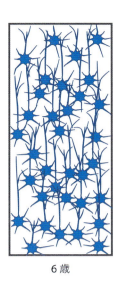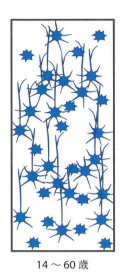

出生　　　　　　6歳　　　　　　14～60歳

図4-64　シナプス形成の経時的変化　シナプス形成は，出生後から6歳くらいまでの間に猛烈な勢いで行われる。思春期および青年期の間では，シナプスの競合的除去や再構築が最も活発となり，小児期に存在していたシナプスのうち半分から3分の2程度が成人期になっても残っている。

がピークを迎えるこの危機的な神経発達期間に続いて起こるので，統合失調症発症の一部の背景としてこれらの過程で考えられる異常に疑いがかけられている。

異常な競合的除去が統合失調症を発症させ悪化させるのにいかにして貢献するのかを理解するためには，脳がどのシナプスを残しどのシナプスを除去するのかをどのように決めているのかを検討することがとても重要である。正常では，グルタミン酸シナプスが活動的なときには，そのN-メチル-D-アスパラギン酸 N-methyl-D-aspartate（NMDA）受容体が長期増強 long-term potential（LTP）と呼ばれている電気的な現象を引き起こす（図4-65）。グルタミン酸シナプスや受容体，イオンチャネル，および神経可塑性やシナプス形成に収束する遺伝子の産物の助けを借りて，LTPは正常では，神経伝達をより効率的にさせるシナプスの構造的および機能的変化をもたらし，ときにシナプスの「強化」と呼ばれる（図4-65の上）。これはグルタミン酸が結合する α-アミノ-3-ヒドロキシ-5-メチル-4-イソオキサゾール-プロピオン酸 α-amino-3-hydroxy-5-methyl-4-isoxazole-propionic acid（AMPA）受容体の数を増加させるようなシナプス構造の変化も含む。AMPA受容体は興奮性の神経伝達やグルタミン酸シナプスにおける脱分極を調節するのに重要である。したがって，より多くのAMPA受容体は「強化」された受容体を意味する。頻回に使用されたシナプス結合は頻回なLTPおよび結果として起こる頑強な神経可塑的影響に発展し，そして「一緒に発火する神経は一緒に結び付けられる（nerves that fire together wire together）」という古い格言に従ってそれらを強化する（図4-65の上）。しかしながら，シナプスの強化を調節する遺伝子に何か問題があれば，これがシナプスを効果的に使用できなくさせ，NMDA受容体の機能を低下させ（図4-29B），そして無効なLTPやAMPA受容体がシナプス後の神経細胞に取り込まれることによる数の減少をもたらす可能性がある（図4-65の下）。そのようなシナプスは「弱い」。それは理論的には神経回路網における情報処理を非効率にし，そして統合失調症の症状を引き起こしてしまうであろう。

シナプス強化のもう1つの重要な点は，あるシナプスが除去されるかまたは維持されるかを決定するのはシナプス強化であるらしいということである。具体的にいうと，効率的なNMDA神経伝達と多くのAMPA受容体を有する「強い」シナプスは生き残るが，AMPA受容体が少ない「弱い」シナプスは除去される対象となる（図4-65）。これにより脳回路は形作られ，最も重要なシナプスは強化されるのみならず持続的な選択過程を生きの

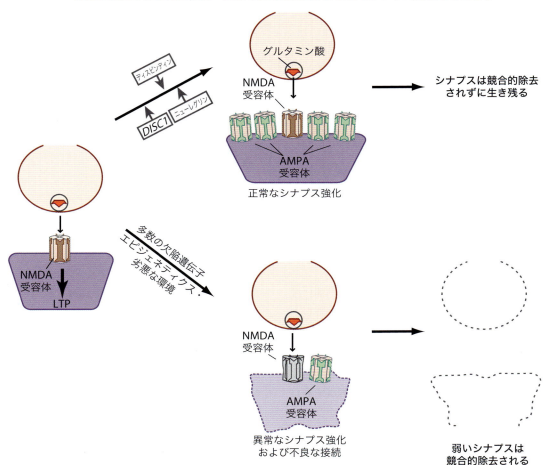

図4-65 統合失調症の神経発達仮説 ディスビンディン，*DISC1*（disrupted in schizophrenia-1），およびニューレグリンはすべてグルタミン酸シナプスの「強化」に関与する。正常な状況では，活動的なグルタミン酸シナプスにおけるN-メチル-D-アスパラギン酸（NMDA）受容体は長期増強（LTP）を引き起こす。そしてシナプスに構造的および機能的な変化をもたらし，より効率的にする，または「強化」する。特に，この過程はα-アミノ-3-ヒドロキシ-5-メチル-4-イソオキサゾール-プロピオン酸（AMPA）受容体の数を増加させる。これはグルタミン酸神経伝達を調節するうえで重要である。正常なシナプス強化とは，シナプスが競合的除去されずに生き残ることを意味する。グルタミン酸シナプスの強化を調節する遺伝子に異常があると，環境からの損傷とあいまってNMDA受容体の機能低下を引き起こすと考えられる。結果として長期増強を減弱させ，AMPA受容体を減少させる。この異常なシナプス強化および不良な結合がシナプスを脆弱にさせ，これらのシナプスは競合的除去により排除されるのであろう。理論的にはこれが統合失調症に発展するリスクを高め，これらの異常なシナプスが統合失調症の症状をもたらすと思われる。

び，最も効率的かつ最も頻回に使用されるシナプスであり続ける。一方，非効率的でめったに使用されないシナプスは除去される。しかし，統合失調症において重要なシナプスが十分に強化されなければ，誤った除去をもたらし，伝達が効率的でなければならないシナプス結合が除去されて，神経回路網での情報の伝達が中断されてしまう不良な接続を引き起こすであろう（図4-65）。思春期において，「弱い」が重要なシナプスが突然にそして破滅的に競合的除去されることは，なぜ統合失調症がこの時期に発症するかの理由となる。もし神経可塑性やシナプス形成の過程で集中する遺伝子の異常が，強化されるべき重要なシナプスの欠乏をもたらすのであれば，これらの重要なシナ

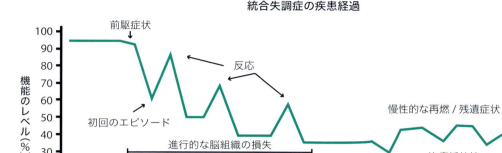

図4-66　統合失調症の疾患経過　統合失調症は神経発達の障害としてはじまるかもしれないが，その進行的な性質は神経変性疾患の可能性も示唆している。シナプスの強化や弱体化は生涯をつうじて起こる。統合失調症では，たとえ正常なシナプスが「使用」されても，あるいは正常なシナプスが「悪い」シナプスの強化や保持を許容しても，異常なシナプス形成によって正常なシナプスが強化されるのを妨げる可能性がある。精神病的破綻の反復的なエピソードは，統合失調症の脳組織の進行的な喪失や治療反応性の喪失と関連しているというエビデンスがある。

プスが思春期において誤って除去されるかもしれない。これにより悲惨な結果となる。つまり，統合失調症の症状が発症する。これが，出生前から存在する遺伝子的にプログラムされた不良な接続がなぜ隠されているのかの説明となる。すなわち，思春期前の多くの付加的な弱い結合の存在によって，欠陥のある結合を豊富な数によって代償することにより活動しているので隠されている。そしてその代償が思春期におけるシナプスの正常な競合的除去により破壊されるとき，統合失調症が出現する。したがって，思春期における十分なシナプスを形成しないことおよび競合的かつ誤った重要なシナプスの除去の両方が，なぜ統合失調症が神経発達のこの重要な段階において完全かつ破滅的な発症を引き起こすのか，およびなぜ統合失調症は特に障害が最大限に発症する時期付近で神経発達障害の特徴を有するのかという両方の疑問に対して部分的な答えになる。

神経変性と統合失調症

統合失調症患者の多くが，施行可能な治療が一貫して行われず，治療がなされていない期間が長いと，進行し下降線をたどる（図4-66）。そのような観察から，本疾患は本質上神経変性的な疾患ではないかという考えに至る。もし統合失調症がまるで異常な神経発達としてはじまるようにみえるのなら，統合失調症は進行性であるので神経変性疾患であると表面上みえる。換言すれば，思春期でのシナプスの劇的な形成や改変により，統合失調症の完全な発症が神経発達としていかに概念化されるのかを説明できる場合，成人後の人生をとおしてシナプスが形成されるようすや，より規則正しく改変されるようすが，統合失調症の長期経過が神経変性としていかに概念化されるのかを説明できるであろう。

前述のように，正常では，思春期に脳のシナプスの約半分が除去される（図4-64）。しかし，まだあまりよくわかっていないことも多いが，成人期では皮質でのシナプスの約7％が毎週失われる（そして他の部位で補完されている）ということである！　成人期におけるこのプロセスが長い期間を経て荒れ狂って暴走すれば，成人の脳の発達に関し広がり累積した結果（またはその欠乏）をもたらし，進行的に衰えていく臨床的な経過，そしてさらに脳の萎縮という形でも明白に現れるであろうということは想像にかたくない（図4-66）。す

なわち，シナプスの強化または弱体化はこれらのシナプスが最初に形作られるときのみに起こるのではなく，個人が遭遇するいかなる経験や，そしてそのシナプスがいかに頻回に使われるかまたは無視されるかに反応して常に再編し続けるような形で生涯にわたって持続する。特にグルタミン酸シナプスの強化または弱体化は，「活発さに依存」または「利用に依存」または「経験に依存」するグルタミン酸シナプスにおけるNMDA受容体と機能性の制御の例である。古い格言では「それを使え，しからずば失う（use it or lose it）」という。統合失調症ではたとえそのシナプスを患者が「利用」していても，異常なシナプス形成が正常なシナプスが強化されることを妨げる可能性がある。「悪い」シナプスが「利用」されて強化されると，最大限の機能をもつ重要なシナプスが使用されなくなり，それらの結合が発揮したであろう機能とともに失われ，進行的かつ下降線的な経過をたどる可能性もあるであろう。精神病の陽性症状を衰えさせずに持続させることが，統合失調症の精神医的破綻（通常繰り返し入院を伴う）の再発エピソードに伴って脳組織の進行的な喪失を促進させることに関連するエビデンスが蓄積されてきている（図4-66）。

特にNMDA受容体やグルタミン酸シナプスにおけるこれらの持続的な変化の異常が，いかに多くの統合失調症患者の経過が進行性で時間とともに変化するか，すなわち，無症状時期から前駆症状（若い脳で最初に欠陥のあるシナプスが形成されることによる），そして最初の精神病的破綻（シナプスの再編が劇的に加速しおそらくよいシナプスは除去される）へ変化するのかを説明する（図4-66）。統合失調症における下降性の経過で説得力がある1つの兆候は，治療反応性と脳の構造に対し時間とともに起こる出来事である。最初の精神病的破綻では抗精神病薬に対してしばしば強力な治療反応性をもたらす。そして脳は大まかには正常である（図4-66の初発エピソードの脳を参照）。しかし，精神病エピソードの回数が増加すると（これは服薬中断によることが多い），しばしば抗精神病薬に対する治療反応性が低下し，また構造的神経画像で脳組織の進行性の喪失が認められる（図4-66の2回目，3回目，4回目のエピソードとそれに伴う脳画像を参照）。最後に，患者はかなりの頻度で陰性症状と認知症状が広く悪化した状態へ進行し，回復することなく抗精神病薬に対して比較的抵抗性を示すようになり，神経画像で観察される脳の変性のさらに進行した所見さえもみられるようになる。

よいニュースもある。それは，精神病の未治療の期間が短ければ統合失調症の進行が遅くなるというエビデンスである。加えて，統合失調症の完全な症状の発症に先立ち症状が出現する前の時期または前駆症状の時期に治療を開始すると発症を予防したり遅らせたりする期待ももてるエビデンスがあることである。実際，症状を軽減させる薬物が疾患を部分的に改造する可能性が一般的になりつつあるということが，精神薬理学で新しく生まれつつある概念なのである。症状が出現する前またはほんの軽度な前駆症状の状態であるハイリスクの人において，統合失調症の症状を治療する同じ薬物が統合失調症の出現を予防できるかどうかについては依然推論の段階である。しかし，統合失調症患者に対して治療を開始したらそれを継続していくことは今やケアの標準となっていることはすでに十分明白なことのように思われる。なぜなら，以下のことを妨げたりまたは緩徐にしたりする可能性を最大にするためである。悪化の経過をたどること，脳組織の喪失，3倍の自殺企図率，および最初のエピソードの後に再発を繰り返し治療抵抗性になることをである。

統合失調症の神経発達的な発症や神経変性的な進行は他の精神疾患の症例すべてでもみられるのであろうか？　幸いにもそれはない。本章の後の項で簡潔に述べるように，統合失調症は最もありふれた，そして最もよく知られている精神疾患psychotic illnessであるが，精神病psychosisと同義語ではなく，精神病の多くの原因の1つにしかすぎず，精神病のそれぞれが特有の病気の発症や進行の形式がある。統合失調症の自然な経過や疾患経過は他のすべての精神疾患と通常同じではない。しかし，双極性障害の精神病の重篤な型はと

きどき統合失調症の重篤な型と一緒にされ，「重篤な精神疾患serious mental illness（SMI）」と一括りで称される。精神病のこれらの型はすべて惨憺たる機能予後を有し，これにはホームレス，若すぎる死，そして刑事司法制度のもとでの収監までもが含まれる。統合失調症の有病率は人口の約1%であり，米国では毎年30万人を超える急性期統合失調症エピソードの患者がいる。統合失調症患者の25〜50%は自殺を企図し，そのうち10%近くが既遂し，これが全人口の死亡率より8倍高いことに加担している。統合失調症の患者の平均寿命は全人口より20〜30年短いが，これは自殺だけでなく，早期の心血管疾患にもよる。統合失調症患者における早期の心血管疾患による死亡の増加は，遺伝的要因および以下のような生活習慣の要因によっても引き起こされる。喫煙，不健康な食事，運動不足などである。それらによって肥満や糖尿病が引き起こされる。さらに，残念なことだが，それ自体が肥満や糖尿病の発生率を高める原因となり，その結果心臓のリスクを高める原因となるある種の抗精神病薬による治療によっても引き起こされる。米国では，社会保障給付日数の20%以上が統合失調症患者のケアに使われている。統合失調症にかかる直接的および間接的な費用は，米国だけでも年間数百億ドルにものぼると推定されている。米国におけるこれらのコストの多くは，すでに述べたように，適切な外来診療や長期入院ができないため，統合失調症患者に対して住居や治療を提供している裁判所，刑務所，拘置所および州立司法精神科病院などの刑事司法制度によって負担されている。この状況は，患者を刑事司法制度から地域の住居へと移す革新的な外来患者転換プログラムによって変わりつつある。このほうが，回転ドア方式で投獄されホームレスと治療なしを交互に繰り返すよりも，はるかに安価で，おそらくはより人道的かつ効果的である。

他の精神疾患

精神**障害**は，精神病**症状**をその定義上の特徴としているが，精神病症状は有するものの診断の必

表4-8 精神病症状が限定的な特徴である障害

統合失調症
物質（薬物）誘発性精神病性障害
統合失調症様障害
統合失調感情障害
妄想性障害
短期精神病性障害
共有精神病性障害
他の医学的疾患による精神病性障害
小児期精神病性障害

表4-9 精神病症状が合併症状として出現する可能性がある疾患

躁病
うつ病
認知障害
Alzheimer病と他の認知症
Parkinson病

要条件ではない疾患が他にもいくつかある。診断の定義上の特徴として精神病の存在を必要とする障害には，統合失調症，物質・医薬品誘発性（すなわち薬物誘発性）精神病性障害，統合失調症様障害，統合失調感情障害，妄想性障害，短期精神病性障害，共有精神病性障害，他の医学的疾患による精神病性障害，および小児期精神病性障害が含まれる（表4-8）。**併発**する精神病症状の有無に関係なく診断できる障害には，気分障害（双極性躁病と多くの種類のうつ病），Parkinson病〔Parkinson病精神病（PDP）と呼ばれている〕，およびAlzheimer病や他の認知症疾患のようないくつかの認知障害が含まれる（表4-9）。

統合失調症の症状は必ずしも特有なものではない。他のいくつかの疾患でも，ここに述べたようなそして図4-59が示すような統合失調症と同じ5つの症状次元を共有することがありうると認識しておくことが重要である。統合失調症以外にも**陽性症状**（妄想および幻覚）を有する疾患は数多くある。Parkinson病，双極性障害，統合失調感情

障害，精神病性うつ病，Alzheimer病および他の器質性認知症，小児期精神病性障害，薬物誘発性精神病などである。**陰性症状**は統合失調症以外の疾患，特に気分障害や認知症においても出現する。発話の減少，アイコンタクトの乏しさ，情動反応の低下，興味の減退，社会的欲求の低下などの陰性症状と，他の疾患でも起きる認知および感情症状と区別することが困難な場合がある。**認知症状**を伴う疾患は統合失調症だけではない。自閉症，脳卒中後（血管性または多発性梗塞性）認知症，Alzheimer病，その他多くの器質性認知症（Parkinson病/Lewy小体型認知症，前頭側頭型/Pick病など），そしてうつ病や双極性障害などを含む気分障害もさまざまな型の認知機能障害を伴うことがある。

気分に関連した精神病，精神病性うつ病，精神病性躁病

気分障害は，単極性うつ病から双極性障害まで，気分症状に伴って精神病症状が現れることがある。われわれはすでにどのように統合失調症患者が，抑うつ気分，不安気分，罪業感，緊張，イライラ感，および心配などの症状を有することがありうるか述べてきた。したがって，統合失調症は感情症状を有することがあるし，気分障害は精神病症状を有することがある。重要なことは，精神病症状が現れたら，いつでも治療が必要だということである。それは，現在の感情症状をやわらげるだけでなく，不幸にも自殺をしてしまう統合失調症の患者を救うためでもある。

Parkinson病精神病

Parkinson病は顕著な運動症状ではじまる。運動症状は黒質におけるα-シヌクレインを含有したLewy小体の蓄積によって引き起こされる。しかし，Parkinson病は症例の半数以上が，（認知症を併発した症例では特に）Parkinson病精神病 Parkinson's disease psychosis（PDP）と呼ばれる妄想や幻覚を伴った精神病へと進行する。PDPのいくつかの原因が提唱されているが，最も卓越した理論は中脳の縫線核におけるセロトニン神経細胞体のみならず大脳皮質においてもLewy小体が蓄積しているという説である（図4-52C，図4-54）。Parkinson病における精神病は，病院への入院，療養施設への入所，そして死亡の大きなリスク因子である。精神病を発症した後のParkinson病患者の3年後死亡率はおよそ40%である。

PDPはParkinson病の患者における単なる統合失調症ではない。まず，PDPにおける幻覚は，幻聴よりも幻視（例えば，人や動物がみえる）のほうが多い。2番目には，妄想では被害念慮（例えば，誰か，特に愛している人が危害を加えようとしたり，盗もうとしたり，騙そうとしたりする印象）または嫉妬（例えば，自分のパートナーが浮気をしているという印象）のような特有なタイプである傾向がある。3番目に，これらの幻覚や妄想が偽りのものであることに対しての洞察力が最初のうちは保たれているが，これは精神疾患における精神病症状の特徴ではない。PDPは$5HT_{2A}$受容体のアップレギュレーションを伴ったセロトニン（5HT）とドーパミン（DA）との不均衡として概念化されており，$5HT_{2A}$拮抗薬が治療効果を有する（図4-52C，図4-54）。

認知症に関連した精神病

世界の人口が高齢化するとともに，認知症の情け容赦のない進行を妨げるための疾患を緩和する既知の標的がなく，認知症の患者はより長生きするようになるとともに認知症はより進行するので，認知症の行動症状にますます多くの注意が向けられている。興奮と精神病は特に重要であり，ありふれており，そして認知症における行動症状を悪化させる。認知症において興奮と精神病はお互いに区別することが困難である。しかしながら，可能なときにはいつでも区別することが重要である。なぜなら，これらの異なった行動症状の神経経路も異なっており，発展しつつある治療も異なっているからである。認知症の興奮については，認知症に関する第12章にて詳述する。本章では認知症に関連した精神病についてごく簡単にふれた。いかに精神病が一般的に妄想や幻覚の存在によって定義されるかを述べてきたが，多くの認

知症でかなりありふれているのは妄想である．特にAlzheimer病ではそうであり，妄想の5年間の有病率は50％以上を超えている．しかし，Lewy小体型認知症では，患者はしばしばPDPに特徴的とされるのと同じ幻視と妄想がみられる．大脳皮質におけるLewy小体の蓄積が両方の状態の精神病の原因に貢献していると考えられているので，これは驚くに値しない．

精神薬理学的な観点から，精神病の症状をもたらす脳の神経経路の破綻を何が引き起こすのかはほとんど重要ではない．それよりもはるかに重要なのは，**どこで**神経経路が破綻するのか，および**どの**神経経路が破綻するのかである．すなわち，アミロイド斑，タウタンパク，軽度な脳卒中，またはLewy小体が大脳皮質におけるグルタミン酸-GABA結合または5HT-グルタミン酸結合を破綻させるのかどうかという点である．この破綻が下流でDAの過活動をもたらし，そして妄想や幻覚の症状をもたらす限りにおいては重要ではない（図4-52D，図4-55）．それら同じ病理学的な状態が他の神経経路で起きたとき，おそらく患者は精神病を体験しない．しかし，記憶障害および興奮などの認知症の他の症状は体験するであろう．

Alzheimer病の認知症患者では，精神病に対して5HTの要素があるであろう．なぜなら，大脳皮質の前海馬支脚における5HTが，精神病を合併しない認知症と比較すると合併する患者のほうが少ないことが報告されているからである．さらに，$5HT_{2A}$受容体のC102対立遺伝子もAlzheimer病の精神病と関連がある．加えて，精神病を合併したAlzheimer病の患者には，内側側頭部の前海馬支脚部や中央前頭皮質におけるアミロイド斑およびタウタンパクが有意に多い．嗅内皮質や側頭葉皮質では5倍も異常な対らせん状細線維-タウタンパクが多い．もしこれらの病変がグルタミン酸-GABA-セロトニン-ドーパミン回路の制御を破綻させるのなら，精神病の原因として期待されるかもしれない（図4-52D，図4-55）．

まとめ

本章では精神病についての簡潔な記述と，精神病の3つのおもな理論すなわち，ドーパミン（DA），グルタミン酸，セロトニン（5HT）に関連する理論について広範な説明をした．脳における，DA，グルタミン酸，および5HTの主たる経路はすべて記載した．統合失調症など一部の精神疾患では，中脳辺縁系ドーパミン経路の過活動は精神病の陽性症状をもたらし，前頭前皮質や海馬におけるパルブアルブミン含有のGABA介在神経細胞にあるNMDAグルタミン酸受容体の機能低下と関連している．中脳皮質ドーパミン経路の活動低下は，統合失調症の陰性症状，認知症状，および感情症状をもたらし，そしてまた別のGABA介在神経細胞のNMDA受容体の機能低下と関連している．セロトニン神経伝達の不均衡，特に皮質におけるセロトニン2A（$5HT_{2A}$）受容体での過剰な興奮はParkinson病の精神病を説明する．神経変性の過程がGABAによる抑制をノックアウトするために大脳皮質におけるグルタミン酸神経細胞においてセロトニン神経伝達とGABA神経伝達との間に不均衡が生じ，5HTが$5HT_{2A}$受容体に作用しグルタミン酸神経細胞の過剰な興奮をもたらす．そしてこの興奮は$5HT_{2A}$アンタゴニストによりやわらげることができる．

DA，グルタミン酸，および5HTの合成，代謝，再取り込み，および受容体については，すべて本章で記載した．ドーパミン2（D_2）受容体は精神病を治療する薬物の標的である．同様に$5HT_{2A}$受容体は，特にParkinson病および認知症に伴う精神病の薬物の標的である．NMDAグルタミン酸受容体は神経伝達物質であるグルタミン酸のみならず，共伝達物質であるグリシンまたはD-セリンとの相互作用を必要とする．

遺伝的影響や環境/エピジェネティクスの影響によって引き起こされたNMDA受容体を含むシナプスの不良な接続は，統合失調症の原因の主要な仮説である．この仮説では，その上流にはグルタミン酸系の過活動とNMDA受容体の機能低下がみられ，その下流では中脳辺縁系ドーパミン経

路の過活動と中脳皮質ドーパミン経路の活動低下がみられる。神経細胞の結合やシナプス形成を制御する，影響を受けやすい多数の遺伝子が，統合失調症の仮説上中心となる生物学的欠陥を象徴するであろう。

（訳　太田克也）

5章 精神病，気分障害，その他の疾患のドーパミンとセロトニン受容体を標的とする薬物：いわゆる「抗精神病薬」

中脳辺縁系/中脳線条体ドーパミン2（D_2）受容体を標的とすると抗精神病作用をもたらす — 182

中脳辺縁系経路/中脳線条体経路および中脳皮質経路ドーパミン2（D_2）受容体を標的としたときに生じる二次性陰性症状 — 184

 中脳辺縁系 D_2 受容体を標的としたときの二次性陰性症状 — 184

 中脳皮質 D_2 受容体を標的としたときの二次性陰性症状 — 185

漏斗下垂体 D_2 受容体を標的としたときに生じるプロラクチン上昇 — 185

黒質線条体 D_2 受容体を標的としたときに生じる運動系副作用 — 186

 薬物誘発性パーキンソニズム（DIP） — 188

 薬物誘発性急性ジストニア — 190

 アカシジア — 192

 神経遮断薬性悪性症候群 — 192

 遅発性ジスキネジア（TD） — 192

D_2 受容体を標的とする薬物：いわゆる第1世代または従来型「抗精神病薬」 — 202

セロトニン2A（$5HT_{2A}$）受容体および同時に D_2 受容体を標的とする薬物，あるいは $5HT_{2A}$ 受容体のみを標的とする薬物 — 205

 $5HT_{2A}$ 受容体による3つの下流経路でのドーパミン放出の制御 — 207

セロトニン1A（$5HT_{1A}$）受容体および D_2 受容体を部分アゴニストとして標的とする薬物 — 213

 D_2 部分アゴニスト — 213

 D_2 部分アゴニストはどうして D_2 アンタゴニストよりも運動系副作用が少ないのか？ — 214

 $5HT_{1A}$ 部分アゴニスト — 218

精神病治療薬の受容体結合特性と他の治療的な作用および副作用との関連性 — 219

 躁病 — 220

双極性および単極性うつ病における抗うつ作用 — 220

抗不安作用 — 220

認知症の興奮 — 221

鎮静催眠作用と鎮静作用 — 221

心代謝系作用 — 221

選択された個々の第1世代 D_2 アンタゴニストの薬理学的特性 — 226

 クロルプロマジン — 228

 フルフェナジン — 228

 ハロペリドール — 229

 スルピリド — 229

 amisulpride — 231

個々の $5HT_{2A}/D_2$ アンタゴニストと $D_2/5HT_{1A}$ 部分アゴニストにおける薬理学的特性の概要："pine（peen）"，多くの"done"と1つの"rone"，2つの"pip"と1つの"rip" — 231

 "pine（peen）"（薬物名が"―pine"で終わる） — 234

 多くの"done"と1つの"rone"（薬物名が"―done"または"―rone"で終わる） — 249

 2つの"pip"と1つの"rip"（名前の途中に"pip"または"rip"がある薬物） — 257

 選択的 $5HT_{2A}$ アンタゴニスト — 262

 その他 — 262

将来の統合失調症の治療 — 264

 roluperidone（MIN-101） — 264

 D_3 アンタゴニスト — 264

 微量アミン受容体アゴニストとSEP-363856 — 265

 コリン作動性アゴニスト — 267

 その他のいくつかのアイデア — 268

まとめ — 270

本章では，精神病，躁病，およびうつ病の治療のために，ドーパミン受容体，セロトニン受容体，あるいはその両方を標的とする薬物について述べる。また，これらの薬物が作用する無数の補足的な神経伝達物質の受容体についても解説する。本章で取り上げる薬物は，古典的には「抗精神病薬」と呼ばれてきたが，同じ薬物が精神病よりも気分障害に頻繁に使用されながらも「抗うつ薬」としては分類されていないため，この用語は現在では時代遅れであると考えられており，混乱を招いている。他章でも述べたように，本書では，現代的な神経科学にもとづいた命名法を用いるようにつとめており，薬物の名前は臨床的な適応ではなく，その薬理作用の機序にもとづいている。したがって，本章で取り上げる薬物は「抗精神病作用」をもつが「抗精神病薬」とは呼ばない。また，「抗うつ作用」ももつが「抗うつ薬」とも呼ばない。その代わりに，本章では，今日の精神医学において最も広く処方されている向精神薬のクラスの1つ，すなわち，ドーパミン受容体とセロトニン受容体を標的とし，精神病に対する薬物としてはじまり，後によりいっそう頻繁に躁病，双極性うつ病，治療抵抗性の単極性うつ病に対する薬物として使用範囲を広げている薬物を概説する。また，これらの薬物の少なくとも一部は心的外傷後ストレス障害 posttraumatic stress disorder（PTSD），認知症における興奮，およびその他に対して使用されはじめている。これらの薬物の薬理学的特性が，多くの薬物からなる1つの大きなクラスを形成しているだけでなく，多くの点で，個々の薬物が他のすべての薬物とは異なる固有性をもたらす結合特性を有することを説明する。精神病と気分障害の薬物に関する本章では，作用機序の基本的な薬理学的概念を強調し，これらの薬物をどのように処方するかといった実際的な問題にはふれていないので，実用的な処方情報については標準的な参考書や教科書を参照していただきたい（この情報については，例えば，本書の姉妹書である『精神科治療薬の考え方と使い方』を参照）。

ここで述べる薬理学的概念は，第1に主要なドーパミン受容体およびセロトニン受容体システムとの相互作用，そして第2に他の神経伝達物質システムとの相互作用にもとづくものであり，多様な薬物をどのように使用するかという論理的根拠を理解するのに役立つはずである。これらの相互作用は，この群のさまざまな薬物の治療的な作用と副作用の両方を説明することができる。また，個々の薬物における受容体の相互作用の全容を理解することは，ある薬物を他の薬物と区別するための土台となり，特定の薬物の薬理学的機序を個々の患者の治療および忍容性のニーズに適合させることで，薬物の選択をする際にも役立つであろう。

中脳辺縁系/中脳線条体ドーパミン2（D_2）受容体を標的とすると抗精神病作用をもたらす

精神病の，特に統合失調症の治療薬として承認されている薬物はどのように作用するのであろうか？　統合失調症やその他の精神病に対するまだ初期の頃の有効な治療法は，精神病の神経生物学的基盤や，経験的に治療し効果があった薬物の作用機序に関する科学的知識からではなく，約70年前に臨床上の思いがけない発見から生まれた。鎮静的な精神安定薬以外で精神病に本当に効果のある最初の薬物は1950年代に偶然発見された。抗ヒスタミン作用のある薬物（クロルプロマジン）が精神病を改善することが観察され，そこでこの推定上の抗ヒスタミン薬が統合失調症の患者で試行された。クロルプロマジンには確かに抗ヒスタミン作用があるが，統合失調症の治療作用はこの性質を介したものではなかった。クロルプロマジンが鎮静作用とは無関係に精神病の治療に有効であることが確認されると，その抗精神病作用の機序を明らかにするために実験が行われ，ドーパミン2（D_2）受容体アンタゴニスト作用であることが判明した（図5-1，図5-2）。

クロルプロマジンをはじめとするこの時代の精神病治療薬は，試験の初期に，実験動物で「神経遮断 neurolepsis」（極端に運動が鈍くなるまたは消失する，行動が無関心になること）を起こすことがわかった。精神病の最初の治療薬は，実は，実

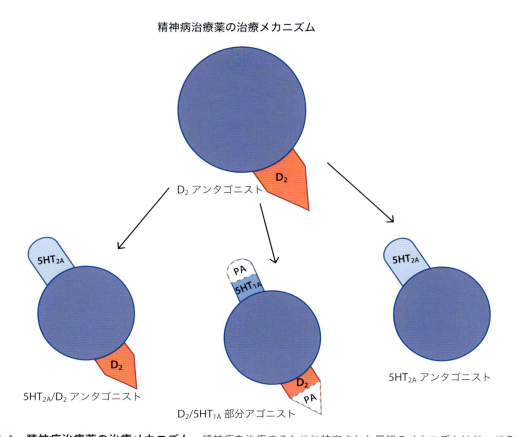

図5-1　精神病治療薬の治療メカニズム　精神病を治療するために特定された最初のメカニズムはドーパミン2（D_2）アンタゴニスト作用であり，数十年の間，精神病を治療するために利用可能なすべての薬物はD_2アンタゴニストであった。今日では，セロトニン（5HT）2A（$5HT_{2A}$）アンタゴニスト作用とD_2アンタゴニスト作用の組み合わせ，セロトニン1A（$5HT_{1A}$）部分アゴニスト作用とD_2部分アゴニスト（PA）作用の組み合わせ，および$5HT_{2A}$アンタゴニスト作用単独，といったように，付加的なメカニズムで利用可能な多くの薬物がある。

験動物にこの作用を主としてもたらすことによってはじめて発見されたため，抗精神病作用をもつ薬物を「神経遮断薬 neuroleptic」と呼ぶこともある。ヒトでも神経遮断に相当する症状がこれらの薬物によって引き起こされ，精神運動の鈍化，情動の静止，無関心などを特徴とし，未治療の病気そのものに伴う一次性陰性症状に似ているため，「二次性」陰性症状と呼ばれることもある（図4-56〜図4-59，表4-4，表4-5を参照）。今日，神経遮断や二次性陰性症状は通常，動機や報酬系を仲介しているD_2受容体の少なくとも一部を遮断することで生じる可能性が高いことがわかっており（図5-2B），ドーパミンの過剰な放出により精神病の陽性症状をもたらすD_2受容体を同時に遮

断するために，「ビジネスにおけるコスト」という望ましくない副作用が生じるのである（図5-2A）。

1970年代まで，抗精神病作用を有する「神経遮断薬」の主要な薬理学的特性は，D_2受容体遮断作用（図5-1，図5-2B），特に中脳辺縁系/中脳線条体ドーパミン経路（図5-2B，および図4-15も参照）を遮断する能力であると広く考えられていた。この薬理学的特性は，多くの新しい薬物でも保持されている。D_2アンタゴニスト作用に非常に強力なセロトニン2A（$5HT_{2A}$）アンタゴニスト作用や$5HT_{1A}$部分アゴニスト作用を加えたものや，D_2アンタゴニスト作用の代わりにD_2部分アゴニスト作用をもつもの，さらに最近では$5HT_{2A}$アンタゴ

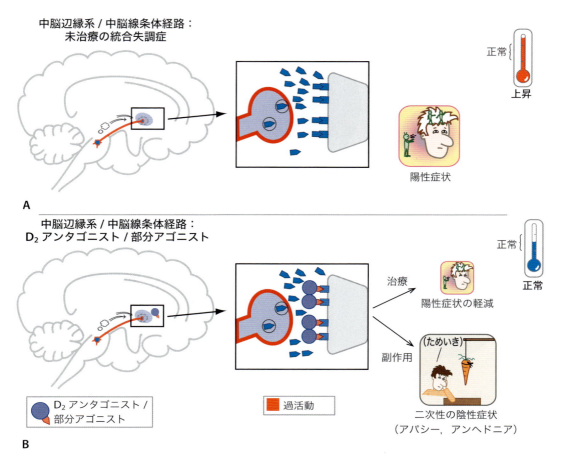

図5-2　中脳辺縁系/中脳線条体ドーパミン経路とD_2アンタゴニスト　(**A**)未治療の統合失調症では，中脳辺縁系/中脳線条体ドーパミン経路が過活動になっていると推測される。ここではその経路を赤で示し，シナプスでドーパミンが過剰となっているようすも示す。この状態が，幻覚や妄想などの陽性症状をきたす。(**B**)D_2アンタゴニストや部分アゴニストを投与すると，D_2受容体に結合することで，この経路の過活動を抑制し，それにより陽性症状を同様にうまく軽減する。しかし，中脳辺縁系/中脳線条体ドーパミン経路は，動機づけや報酬系を調整する役割もあるため，D_2受容体遮断によりアパシーやアンヘドニアといった二次性の陰性症状が引き起こされる。

ニスト作用のみで，D_2への標的を完全にもたない薬物もある(図5-1)。新しい薬物のセロトニン受容体標的化，および部分アゴニスト作用の効果については後述する。また，以降では，さまざまな脳回路のセロトニンおよびドーパミン受容体を標的とすることで，精神病やその他の症状に対する治療効果だけでなく副作用も生じる機序について説明する。これらの薬物をまずいくつかの一般的なグループに分類し，つぎに個々の薬物について述べていく。

中脳辺縁系経路/中脳線条体経路および中脳皮質経路ドーパミン2(D_2)受容体を標的としたときに生じる二次性陰性症状

中脳辺縁系D_2受容体を標的としたときの二次性陰性症状

中脳辺縁系/中脳線条体ドーパミン経路でのドーパミン2(D_2)受容体は，経路内のドーパミンの過剰な放出による精神病の陽性症状をもたらすだけでなく(図4-14, 図4-15, 図5-2Aを参照)，動機や報酬系の調整に重要な役割を果たしている(図4-14, 図5-2B)。実際，中脳辺縁系/中脳線条

体ドーパミン神経細胞の主要な標的である，腹側情動線条体の側坐核は，脳の「快楽中枢pleasure center」として広く知られている。側坐核への中脳辺縁系ドーパミン経路は，通常の報酬（おいしいものを食べる喜び，性的快感，音楽をきくなど）だけでなく，物質乱用による人工的報酬も含め，すべての報酬と強化の最終共通経路とされている（過度に単純化したとしても）（第13章の薬物乱用に関する記述を参照）。

正常な中脳辺縁系D_2受容体刺激が快楽経験と関連し（図4-14），過剰な中脳辺縁系D_2受容体刺激が統合失調症の陽性症状と関連しているとすれば（図5-2A），D_2アンタゴニスト作用/部分アゴニスト作用は，統合失調症の陽性症状を軽減するだけでなく，同時に報酬系の機能を抑制することになる（ともに図5-2Bに示す）。これが生じると，患者にアパシー，アンヘドニア，動機や興味の消失をもたらし，社会的交流から得られる喜びを減退させ，統合失調症の陰性症状negative symptomによく似た症状を引き起こす。ただし，これらの陰性症状は病気ではなく薬物によってもたらされたものであり，「二次性」陰性症状"secondary" negative symptomと呼ばれる。すでに述べたように，D_2遮断薬を投与すると，同時にD_2アンタゴニスト/部分アゴニスト作用による有害な行動状態が生じる可能性がある。これは，統合失調症それ自体により生じる陰性症状ときわめて似ており，動物における「神経遮断」を連想させるもので，「神経遮断薬誘発性欠陥症候群neuroleptic-induced deficit syndrome」と呼ばれることがある。精神病の陽性症状を軽減するために必要な中脳辺縁系ドーパミン経路をほぼ遮断することは（図5-2A），アンヘドニア，アパシー，そして他の陰性症状の悪化を引き起こし，患者に重い「ビジネスにおけるコスト」を強いる可能性がある（図5-2B）。精神病治療薬により快楽の喪失を伴う陰性症状の悪化が生じ，患者がこのアンヘドニアや快楽経験の喪失を克服しようとすることが，統合失調症患者に喫煙や薬物乱用が多い理由の1つといえる。また，感情の平板化や陰性症状の悪化は，患者が処方されたD_2遮断薬を中断する一因になることがある。

陰性症状の治療は，D_2遮断薬を減量するか，より忍容性の高いD_2遮断薬に切り替えるかである。うつ病の治療薬など，いくつかの補助薬も陰性症状を軽減するのに役立つことがある。また，$5HT_{2A}$アンタゴニストやドーパミン3（D_3）部分アゴニストといった他のいくつかの薬物も，陰性症状に対しさまざまな開発段階にあるが，これについてはそれぞれの薬物に関するセクションで後述する。

中脳皮質D_2受容体を標的としたときの二次性陰性症状

陰性症状（図5-3A）は，中脳皮質ドーパミン経路のD_2アンタゴニスト/部分アゴニスト作用によっても悪化する（図5-3B）。精神病治療薬は，中脳皮質ドーパミン経路に存在するD_2受容体も遮断するが（図5-3B），統合失調症ではこの経路のドーパミンが仮説上欠乏している（図4-17〜図4-19参照）。このため，統合失調症の陰性症状のみならず，皮質におけるD_2受容体の密度が他の脳部位より低いというだけでも，中脳皮質ドーパミン経路におけるドーパミン作用に関連した認知および情動症状が引き起こされる，もしくは悪化することがある（図5-3B）。

漏斗下垂体D_2受容体を標的としたときに生じるプロラクチン上昇

漏斗下垂体ドーパミン経路のD_2受容体も，D_2遮断薬が投与されると遮断される。これによりプロラクチンの血中濃度が上昇し，高プロラクチン血症と呼ばれる状態になる（図5-4）。これは，女性だけでなく男性の女性化乳房や乳房肥大，女性における乳汁漏出（すなわち乳汁分泌）や無月経（月経周期の乱れもしくは欠如）と関連している。高プロラクチン血症は特に女性においては，生殖能力を妨げる可能性がある。また，エストロゲン補充療法を受けていない閉経後の女性では特に，高プロラクチン血症によって骨の脱灰が急速に進行することがある。プロラクチン値の上昇に関連する他の可能性がある問題として，性機能障害や

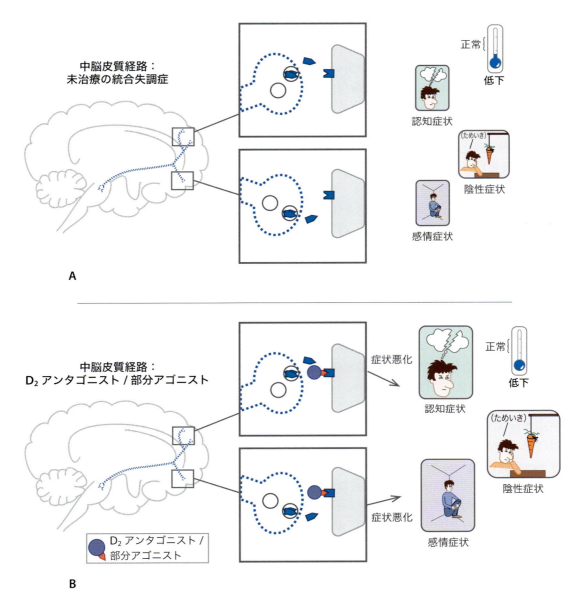

図5-3　中脳皮質ドーパミン経路とD₂アンタゴニスト　(A)未治療の統合失調症では，背外側前頭前皮質（DLPFC）や腹内側前頭前皮質（VMPFC）に至る中脳皮質ドーパミン経路に機能低下が生じていると推測されており，ここではその経路を点線で示した．この機能低下は，統合失調症の認知症状（DLPFCにおいて）や陰性症状（DLPFCとVMPFCにおいて），感情症状（VMPFCにおいて）と関連する．(B)D₂アンタゴニストや部分アゴニストの投与はこの経路の活動をさらに低下させ，これらの症状を軽減させるどころか，悪化させる可能性があるかもしれない．

体重増加があるが，これらの問題を引き起こすプロラクチンの役割は明確になっていない．

黒質線条体D₂受容体を標的としたときに生じる運動系副作用

　運動系副作用は，D₂アンタゴニスト/部分アゴニストが黒質線条体運動経路のD₂受容体を遮断することで生じる（図5-5）．Parkinson病で変性する経路と同じ黒質線条体経路のD₂受容体が急

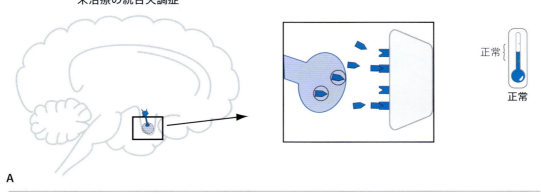

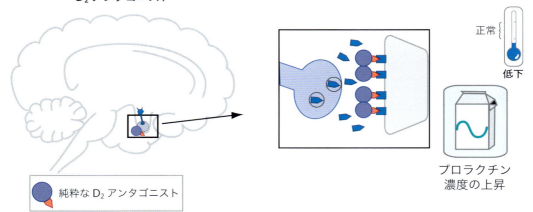

図 5-4　漏斗下垂体ドーパミン経路と D₂ アンタゴニスト　(A)未治療の統合失調症では，視床下部から下垂体へ投射する漏斗下垂体ドーパミン経路は，理論的には「正常」である。(B)D₂ アンタゴニストは D₂ 受容体へのドーパミンの結合を阻害することにより，この経路の機能低下をもたらす。その結果，プロラクチン濃度が上昇し，乳汁漏出（乳汁分泌）や無月経（月経不順）といった副作用が生じる。

激に遮断されると，振戦，筋固縮，寡動（動作緩慢）または無動（アキネジア）を伴う，Parkinson病とよく似ているので薬物誘発性パーキンソニズム（DIP）と呼ばれる状態を引き起こす（図5-5B）。しばしば，D₂ 受容体遮断薬によって引き起こされる異常な運動症状はまとめて錐体外路症状 extrapyramidal symptom（EPS）と総称されるが，EPSは，D₂ アンタゴニスト/部分アゴニストの運動系副作用を説明するには，時代遅れで，比較的不正確な用語である。実際 D₂ 遮断薬により誘発されるすべての運動症状をEPSと一括りにすると，異なる運動症状には異なる臨床症状があり，そして重要なことは，治療法が大きく異なるという事実を見落とすことになる。EPSより正確な用語としては，DIPだけでなく，アカシジア（静座不能）やジストニア（不随意のねじれや収縮）もあり，これらはD₂ アンタゴニスト/部分アゴニストの急性投与によっても引き起こされるため，以降で述べる。

　さらに，**慢性的に**黒質線条体ドーパミン経路のD₂ 受容体が遮断されると，別の異常な不随意運動，すなわち遅発性ジスキネジア（TD）が引き起

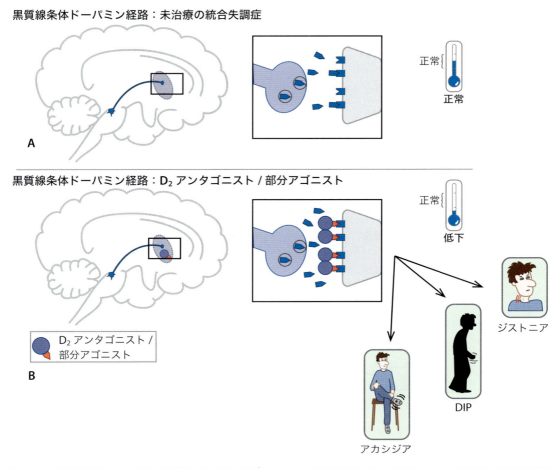

図5-5 黒質線条体ドーパミン経路とD_2アンタゴニスト (A)未治療の統合失調症では，理論的には黒質線条体ドーパミン経路の異常はない。(B)D_2受容体遮断によって，ドーパミンの結合が阻害されると，薬物誘発性パーキンソニズム(DIP)(振戦，筋固縮，寡動または無動)，アカシジア(静座不能)，そしてジストニア(不随意なねじれと収縮)などの運動系副作用が生じる。

こされることがある(TDはD_2遮断で生じる他の運動症状とは異なり，これらの異常な不随意運動は遅れて出現し，多くの場合治療後数カ月から数年後に生じるため「遅発性」と呼ばれる)(図5-6)。TDは，D_2遮断薬による長期的な治療後にのみ出現し，不可逆性である可能性もある。その多くは顔や舌に関するもので，例えば，かみ続ける，舌をだす，顔をしかめるなどの持続的な不随意運動である。また，急速で突発的もしくは舞踏(ダンス)様の四肢の動きも特徴的である。不幸なことに，DIPとTDは，以下に述べるように本質的には正反対の薬理学的機序をもち治療法も大きく異なるという事実があるにもかかわらず，EPSとして一括りにされて鑑別が行われていない。DIPとTDの両方に治療法が存在する現在，適切な治療を提供するためにこの鑑別を行うことが，今まで以上に重要になっている。また，D_2遮断薬による運動系副作用が十分緩和されないことは，患者が内服中断に至る大きな理由にもなっている。

薬物誘発性パーキンソニズム(DIP)

D_2受容体を標的とする精神病治療薬の最も一般的な副作用は，前述したように，振戦，筋固縮，および寡動(動作緩慢)または無動(アキネジア)が生じる薬物誘発性パーキンソニズムdrug-induced parkinsonism(DIP)である。DIPの古典的な治療

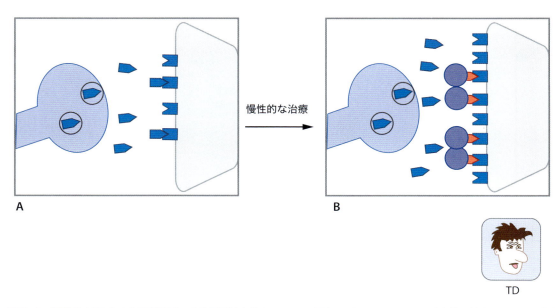

図5-6　遅発性ジスキネジア（TD）　（**A**）黒質線条体ドーパミン経路で，ドーパミンはD$_2$受容体に結合している。（**B**）黒質線条体ドーパミン経路でD$_2$受容体が長期にわたり遮断されると，それらの受容体のアップレギュレーションが起こり，顔面や舌の動き（例えば，舌をだす，顔をしかめる，かみ続けるなど），および急速で突発的な四肢の動きを特徴とする，遅発性ジスキネジアと呼ばれる運動過多の状態が生じる。

法は「抗コリン薬」，つまりムスカリン性コリン作動性受容体，特にシナプス後M$_1$受容体を遮断する薬物を使用することである。このアプローチは，線条体におけるドーパミンとアセチルコリンの通常の相互バランスを利用する（図5-7A）。黒質線条体運動経路のドーパミン神経細胞は，コリン作動性介在神経細胞上でシナプス後接続を行う（図5-7A）。通常，D$_2$受容体に作用するドーパミンは，シナプス後黒質線条体コリン作動性神経細胞からのアセチルコリンの放出を**抑制**している（図5-7A）。D$_2$遮断薬が投与されると，ドーパミンはもはやアセチルコリンの放出を抑制できなくなり，したがってコリン作動性神経細胞からアセチルコリンの放出が抑制されなくなる（図5-7Bにおけるアセチルコリンの放出の増加を参照）。これはつぎに，中型有棘GABA作動性神経細胞上のシナプス後ムスカリン性コリン作動性受容体のより多くの興奮につながり，仮説として，部分的に運動抑制やDIPの症状（アキネジア，動作緩慢，固縮，および振戦）が生じることとなる。しかし，下流で増加したアセチルコリンの放出が，ムスカリン性コリン作動性受容体において抗コリン薬によって遮断されると，仮説上線条体のドーパミンとアセチルコリンの正常なバランスが部分的に回復し，DIPが軽減する（図5-7C）。

経験的に，抗コリン薬はDIPのなかでも，特にセロトニン作動性の活動を欠く古いD$_2$遮断薬によって生じるDIPを軽減する臨床的効果がある。一方，抗コリン薬（一般的に使用されるbenztropineなど）の投与には多くの潜在的な問題がある。つまり，口渇，かすみ目，尿閉，そして便秘などの末梢性副作用と，眠気や認知機能障害（例えば，記憶・集中力の低下，認知処理速度の低下）などの中枢性副作用である（図5-8）。さらに複雑なことに，個々については後述するが，精神病に対する多くの薬物自体が抗コリン作用をもっている。そのうえ，多くの患者は抗コリン作用を有する向精神薬と非向精神薬を併用している。したがって，臨床医は患者の総コリン作用負荷に注意し，正常な認知機能の低下や，麻痺性イレウスといわれる致命的になりうる腸蠕動低下といった副作用にも注意する必要がある。結局，今もD$_2$遮断

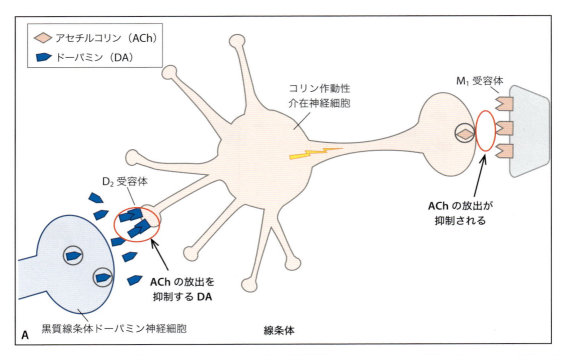

図 5-7A　ドーパミン (DA) とアセチルコリン (ACh) の相互関係　DA と ACh は，黒質線条体ドーパミン経路で相互関係がある。ドーパミン神経細胞は，ここでコリン作動性神経細胞の樹状突起とシナプス後接続をしている。通常，D_2 受容体に結合している DA は，ACh の活動を抑制する (右側で，コリン作動性神経細胞の軸索から，ACh は放出されていない)。

薬を投与されている多くの患者は総コリン作用負荷の点で過剰投薬になっている。抗コリン作用を欠く別の精神病治療薬の使用，抗コリン作用薬の中止，または抗コリン作用を欠くが DIP の症状を緩和できるアマンタジンの使用など，代わりの手段を探す必要がある。

　アマンタジンの作用機序は，N-メチル-D-アスパラギン酸 N-methyl-D-aspartate (NMDA) グルタミン酸受容体の弱いアンタゴニスト作用であると考えられており，線条体運動経路で直接および間接の両方でドーパミン活動性の下流に変化をもたらしうる。実際の作用機序に関係なく，アマンタジンは DIP の改善に役立つ可能性があり，Parkinson 病のレボドパ治療により引き起こされる遅発性ジスキネジアやレボドパ誘発性ジスキネジアにも有用であるというエビデンスがいくつかある。

薬物誘発性急性ジストニア

　ときおり，D_2 遮断薬，特にセロトニン作動性も抗コリン作動性ももたない薬物への曝露では，最初の曝露時に，しばしばジストニアと呼ばれる状態を引き起こしうる。ジストニアとは，顔，首，体幹，骨盤，四肢，さらには眼の筋肉の断続的な痙攣性または持続性の不随意な収縮である。薬物誘発性ジストニアは恐ろしく重篤な場合があるが，幸いほとんどの場合で，抗コリン薬の筋肉内注射が 20 分以内に有効である。ジストニアの原因と治療法は，運動線条体のドーパミンとアセチルコリンのバランスが運動の調節に重要であることを示す例でもある (図 5-7A〜C)。

　また，D_2 遮断薬による慢性的な治療により，遅発性ジスキネジアの 1 種である晩発性ジストニア (ときに遅発性ジストニアとも呼ばれる) を生じうる。この場合，抗コリン薬はほとんど効かず，むしろこのジストニアを悪化させる可能性があるた

黒質線条体D₂受容体を標的としたときの運動系副作用　　191

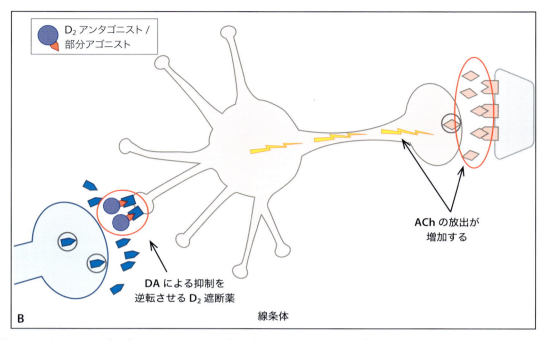

図5-7B　ドーパミン（DA），アセチルコリン（ACh），およびD₂アンタゴニスト作用　通常，DAはAChの活動を抑制しているため，この抑制がなくなるとAChの活動は増加する。ここに示したように，左側のコリン作動性神経細胞の樹状突起のD₂受容体が遮断されると，右側のコリン作動性の軸索からのAChの放出が増加する。このことが薬物誘発性パーキンソニズム（DIP）の発現と関係している。

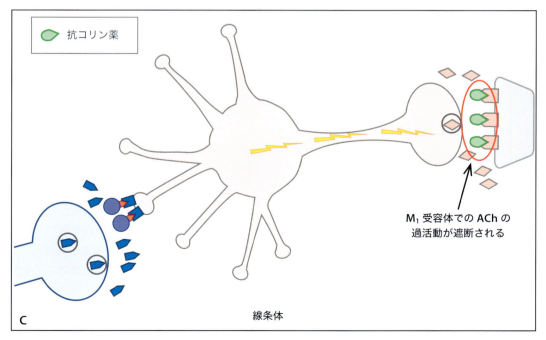

図5-7C　D₂アンタゴニスト作用と抗コリン薬　D₂受容体が遮断されたときに生じるアセチルコリン（ACh）の過活動を代償する1つの方法は，ムスカリン性コリン作動性受容体を抗コリン薬で遮断することである（右端で，M₁受容体は抗コリン薬により遮断されている）。これにより，ドーパミン（DA）とAChの正常なバランスが部分的に回復し，薬物誘発性パーキンソニズム（DIP）の症状が軽減できると仮定されている。

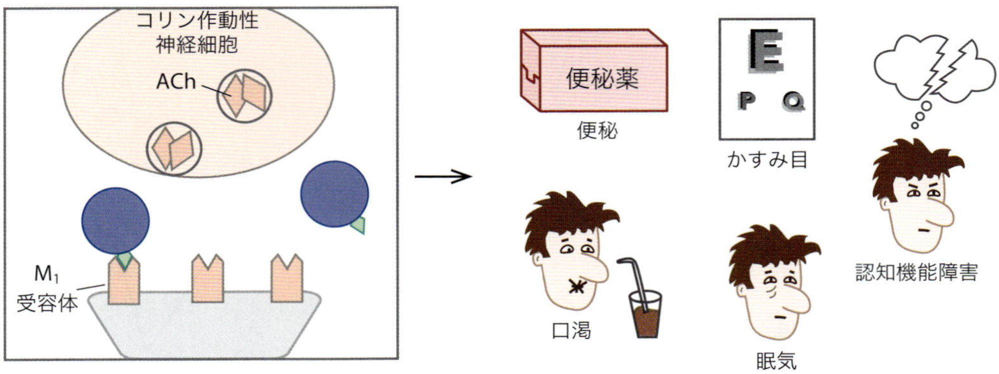

図5-8 ムスカリン性コリン作動性受容体遮断による副作用 ムスカリン性コリン作動性受容体の遮断は，薬物誘発性パーキンソニズム(DIP)を軽減することができるが，便秘，かすみ目，口渇，眠気，認知機能障害(記憶や集中力の低下，認知処理速度の低下)などの副作用を誘発することがある。
ACh：アセチルコリン

め，遅発性ジスキネジアとしての治療が必要である。

アカジシア

アカジシアは，D_2遮断薬による治療後によくみられる運動性不穏(静座不能)であり，主観的特徴と客観的特徴の両方がある。主観的には，内的な落ち着きのなさ，精神的な不安，または不快感がみられる。客観的には落ち着きのない動作であり，最も典型的なのは足の揺すり，立っているときはその場で歩くまたは足踏みをする，歩き回る，などの下肢の運動である。薬物誘発性のアカシジアは，基礎にある精神疾患の一部である興奮や，反復性の落ち着きのない動作との区別が困難な場合がある。抗コリン薬が特に有効であるわけではなく，代わりに多くの場合，β遮断薬またはベンゾジアゼピン系薬のいずれかが効果的である。$5HT_{2A}$アンタゴニストも有用である。

神経遮断薬性悪性症候群

D_2受容体遮断薬によって，まれではあるが致命的になりうる合併症が生じる。黒質線条体運動経路のD_2受容体遮断が特異的に一部で関係しうる疾患である。これは「神経遮断薬性悪性症候群 neuroleptic malignant syndrome」と呼ばれ，黒質線条体運動経路のD_2受容体遮断が特異的に一部で関係しうる疾患であり，過度の筋強剛，高熱，昏睡を呈し，死に至ることもある。神経遮断薬性悪性症候群は，DIPの最も極端な形態であると考える人もいれば，D_2遮断薬が筋肉を含む細胞膜に及ぼす毒性による合併症であるとする説もある。D_2遮断薬の中止，ダントロレンなどの筋弛緩薬，そしてドーパミンアゴニストなどの投与を要する医療的緊急事態となることがある。

遅発性ジスキネジア(TD)
病態生理

セロトニン受容体作用をほとんど，あるいはまったくもたないD_2遮断薬を使用している患者は，全体で年に約5%の確率で遅発性ジスキネジア tardive dyskinesia(TD)を発症する(つまり，5年で約25%の患者)。20代前半で発症し，生涯治療が必要な疾患としては，これを楽観視はできない。特に高齢者では，D_2遮断薬の投与を受けてから最初の1年間でTDを発症するリスクは25%にも達する。セロトニン受容体に作用するより新しいD_2遮断薬の場合，それらを服用する患者の多くは過去に古い薬物を服用したことがあるため，

その確率を推定することはより困難である。とはいえ、D_2アンタゴニスト/$5HT_{2A}$アンタゴニスト、またはD_2/$5HT_{1A}$部分アゴニストといった新しい薬物だけを服用している人については、TDの発生率はより古い薬物を服用している人の半分程度の可能性がある。これらの新しい薬物は、以下に詳述する機序により、薬物誘発性パーキンソニズム（DIP）も緩和する可能性がある。その機序とは、$5HT_{2A}$アンタゴニスト作用と$5HT_{1A}$部分アゴニスト作用の両方である。おそらくDIPを軽減するこれらの機序は、TDを発症する可能性を軽減する役割も果たしているのであろう。

精神病の治療を受けているすべての人のうち誰がTDになるのか？　そしてそれはどのように生じるのか？　急性期のD_2遮断でDIPになりやすい最も脆弱な人は、慢性期のD_2遮断でTDになりやすい最も脆弱な人かもしれないとするエビデンスがいくつかある。1つの理論は、遮断に最も敏感な黒質線条体のD_2受容体が、D_2受容体の遮断に反応して過感受性と呼ばれる望ましくない神経可塑性を引き起こすというものである（図5-6）。もしD_2受容体の遮断が十分早期に解除されれば、TDは回復する可能性がある。これは理論的に、黒質線条体経路のD_2受容体を遮断していた抗精神病薬が除去されると、この経路のD_2受容体の数や感受性が正常にそして適切に戻ることで過感受性D_2受容体が「リセット」されるためである。しかしながら、長期投与後ではD_2遮断薬を中断したとしても、明らかにD_2受容体が正常にリセットされないことがときどきある。このためTDは不可逆性となり、D_2遮断薬が投与されているかどうかにかかわらず持続することになる。

興味深いことに、運動線条体のD_2受容体は、Parkinson病におけるレボドパによる慢性**刺激**に対しても、統合失調症におけるD_2アンタゴニスト/部分アゴニストによる慢性的な**遮断**に対するのと同じように反応するようである。すなわち、Parkinson病におけるレボドパの慢性投与は、TDと非常によく似たレボドパ誘発性ジスキネジアを引き起こし、線条体の異常な可塑性と異常な神経細胞の「学習」という同様の病態を共有している可能性がある。おそらくここでの教訓は、運動線条体のドーパミン受容体には手をだすな、さもなければ望ましくない結果がでる、ということなのであろう。

黒質線条体ドーパミン系におけるD_2アンタゴニスト/部分アゴニスト作用のより詳細な図を図5-9A～Cに示した。この見解は第4章で紹介し、図4-13B～Fに示した。黒質線条体ドーパミン経路の一部の線維、特に連合線条体に内方投射する線維は、辺縁系（感情系）の一部として過活動となり、精神病の陽性症状に寄与する（図4-16のB参照）。他の黒質線条体ドーパミン投射、特に感覚運動線条体に投射するものは、錐体外路神経系の一部であり、運動動作を制御する。それらは図5-9A～Cに黒質線条体ドーパミン神経細胞として示してある。

通常、ドーパミンは間接運動経路のD_2受容体に作用する。これは、この経路に存在するサブタイプ受容体である。いわゆる間接経路は、「止まれstop」の経路でもある（図4-13Fおよび図5-9A）。D_2受容体は抑制性であり、ドーパミンは停止経路を抑制する。つまりドーパミンはこの経路で「行けgo」と気まぐれな指示をする（図4-13Bおよび図5-9A）。したがって、間接経路のD_2受容体におけるドーパミンは、「行け」シグナルのトリガーとなる。

このドーパミン作用が遮断されるとどうなるのか？　D_2アンタゴニスト/部分アゴニストが急性に投与されると、これらの薬物が「止まれ」経路におけるドーパミン作用を阻害するため、ドーパミンの「行け」という能力が遮断される。別のいい方をすると、D_2アンタゴニストは間接経路で「止まれ」の指示となる（図5-9B）。もし「止まれ」が多すぎるとDIPを引き起こしうる（図5-9B）。専門的な観点では、D_2遮断薬が存在することにより、間接経路におけるD_2受容体でのドーパミン作用による「止まれ」が抑制されないと、動きは「止まる」。ときどきDIPによって出現するゆっくりとしたかたい動きになることもある（図5-9B）。

このような状況が許容され続けると、運動線条体の間接経路にあるD_2受容体は、図5-9Bで示し

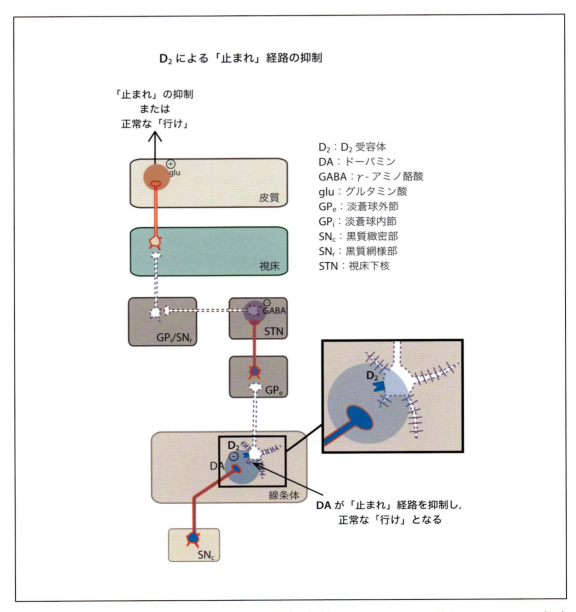

図5-9A　ドーパミン2(D_2)受容体による「止まれ」経路の抑制　黒質線条体経路から放出されたドーパミン(DA)は，淡蒼球外節(GP_e)に投射するγ-アミノ酪酸(GABA)神経細胞上のシナプス後D_2受容体に結合する。これにより，間接(止まれ)経路の抑制が生じ，代わりに「行け」を指示する。

た急性D_2受容体遮断に対し仮説上反応し，D_2遮断が慢性化した場合はTDが生じるように「学習」する(図5-9C)。これに関する理論的な機序は，間接運動経路におけるD_2受容体の過剰な数の増殖である(図5-9C)。おそらくドーパミン系はより多くのD_2受容体をつくることで，薬物誘発性

による遮断を克服しようと無駄な努力をするのであろう(図5-9C)。その結果，ドーパミンに対する間接経路の過感受性が生じるのである。証明するのは困難だが，統合失調症の動物モデルや陽電子放出断層撮影positron emission tomography (PET)スキャンでは，運動線条体での慢性的な

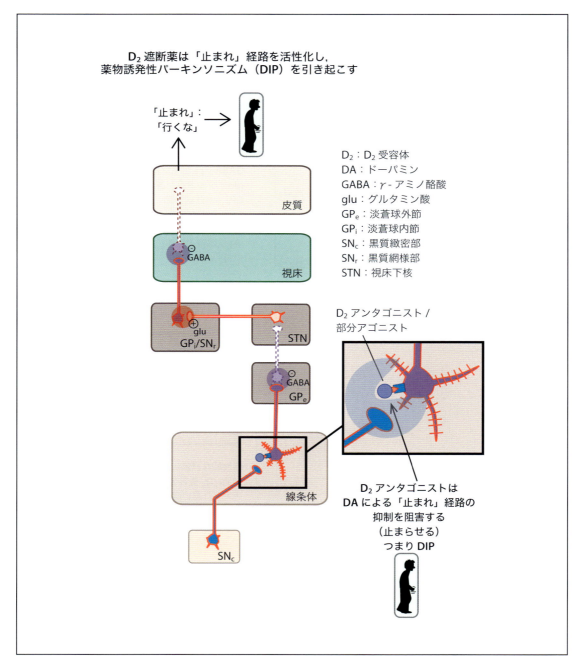

図 5-9B　D_2 受容体遮断による「止まれ」経路の活性化　黒質線条体経路から放出されたドーパミン（DA）は，淡蒼球外節（GP_e）に投射する γ-アミノ酪酸（GABA）神経細胞上のシナプス後 D_2 受容体との結合が阻害される。これにより間接（止まれ）経路の抑制が妨げられる。言い換えると，D_2 遮断薬は間接（止まれ）経路を活性化させる。過剰な「止まれ」の結果，薬物誘発性パーキンソニズム（DIP）が生じうる。

D_2 遮断が，アップレギュレートした過感受性の D_2 受容体を引き起こすことが示唆されており，TD 患者ではこの変化が最も顕著に起こっている。何が起こっているにせよ，D_2 受容体の急性遮断（図 5-9B）について述べたのとは逆の状況（図 5-9C）がもたらされる。すなわち，急性 D_2 遮断に

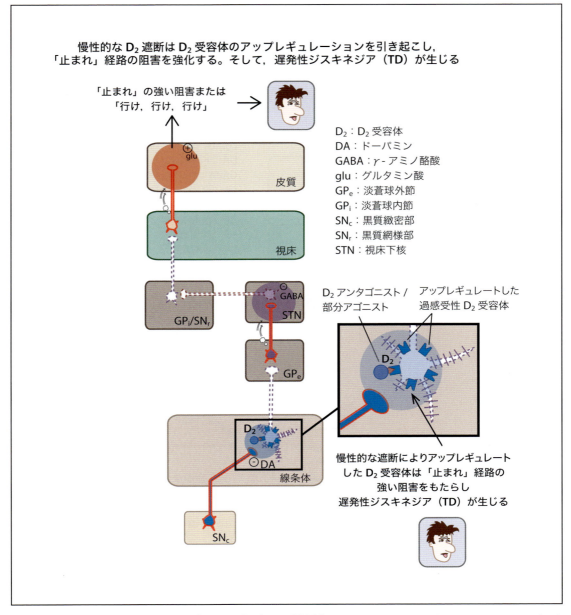

図5-9C　慢性的なD_2受容体遮断と「止まれ」経路の過剰抑制　黒質線条体経路から放出されたドーパミン(DA)は，淡蒼球外節(GP_e)に投射するγ-アミノ酪酸(GABA)神経細胞上のシナプス後D_2受容体との結合が阻害される。これらの受容体の慢性的な遮断は，それらのアップレギュレーションを引き起こす。アップレギュレーションされた受容体はまた，DAに対して「過感受性」な可能性がある。DAは間接（止まれ）経路において抑制作用をもつが，この場合実際には「止まれ」シグナルの抑制が強すぎて「行け」シグナルが過剰となり，運動亢進性の不随意運動である遅発性ジスキネジア(TD)が生じる。

よる「止まれ」シグナルの抑制が十分ではない(図5-9B)かわりに，慢性D_2遮断による「止まれ」シグナルの抑制が過剰になっている(図5-9C)のである。DIPのゆっくりとした硬直運動(図5-9B)から，TDの急速で運動過多な不随意運動(図5-9C)へと状況が反転しているのである。

間接経路が「止まれ」の過剰から、「行け」の過剰にさっと反転する機序は何であろうか？　その答えは、異常な神経細胞の可塑性により、間接経路で数や感受性が過剰なD₂受容体が激増するからかもしれない(図5-9C)。さて突然だが、D₂受容体においてドーパミンが十分ではない(図5-9B)かわりに、過剰なD₂受容体において過剰なドーパミンが存在すると、どうだろうか(図5-9C)。運動線条体はこれを「止まれ」シグナルの過剰な抑制に変換する。つまり、「不十分な止まれ」および「過剰な行け」になる。そして、線条体からの神経細胞によるインパルスはもはや強制的な速度制限をもたず、結果としてTDという運動亢進性の不随意運動が出現するのである。

　TDの異常な不随意運動の出現は、特に神経学的検査と異常不随意運動評価尺度Abnormal Involuntary Movement scale(AIMS)などの評価尺度を用いて、定期的に観察する必要がある。これらの薬物を服用している人であれば誰でも、運動のモニタリングを行うことが臨床では最良であるが、残念ながらそれが行われないことも多い。特にうつ病の治療を受けている患者では行われていない。どちらかというと、気分障害の患者のほうがTDのリスクが高いかもしれない。これらの薬物は、誰が使用しても同じリスクのある薬物であることを忘れないでほしい。

治療

　もし脳が慢性的なD₂遮断を補うために、文字どおり遅発性ジスキネジア(TD)を「学習」してしまい、その結果間接経路で不要なドーパミンの過剰刺激が起こっているとしたら、TDはドーパミンの神経伝達を低下させる介入に反応する理想的な病態であるようにみえる。どうすればいいのであろうか？

　1つの方法は、D₂アンタゴニストの用量を増やし、新たに発現した多数の過感受性D₂受容体を遮断することだ。これは一部の患者には短期的に有効かもしれないが、より即時的な副作用と、いつかTDをさらに悪化さえさせる可能性をはらんでいる。もう1つの治療法の可能性としては、悪い効果をもたらすD₂アンタゴニストの投与を中止し、運動系が自力で正常に戻るように調整し、運動障害が回復するのを期待することであろう。精神病性障害をもたない多くの患者はD₂アンタゴニスト/部分アゴニストの中止に耐えられるが、精神病患者の多くはその中止に耐えられないかもしれない。さらに、TDでの脳はその異常な神経可塑性学習をうまく「忘れる」ことができないようで、一部の患者のみ、特にTD運動の開始直後にD₂遮断を中止した患者だけが、TDの回復を得る可能性がある。実際、D₂アンタゴニストをまったく投与していない状態ではドーパミン作用がまったく阻害されないため、D₂遮断が解除されるとほとんどの患者ですぐに運動の悪化がみられる。したがって、TD治療において、D₂アンタゴニストの中止は、あまり選択肢にならない。

　最近の知見の発展により、TDはシナプス小胞モノアミントランスポーター2 vesicular monoamine transporter type 2(VMAT2)を阻害することでうまく治療できることがわかっている。シナプスに放出された神経伝達物質のシナプス前トランスポーターについては第2章で述べた(表2-3、図2-2A、図2-2B参照)。これらのトランスポーターはシナプス前軸索末端に局在し、多くのうつ病治療薬の標的となる「再取り込みポンプ」としてよく知られている(図2-2A、図2-2Bおよびうつ病治療薬に関する第6章のモノアミン再取り込み阻害薬の解説も参照)。神経細胞内にある神経伝達物質のトランスポーターも存在する。これらの神経細胞内トランスポーターはシナプス小胞に存在し、シナプス小胞トランスポーターと呼ばれる。γ-アミノ酪酸(GABA)、グルタミン酸、グリシン、アセチルコリン、モノアミンなどいくつかの種類のシナプス小胞トランスポーターが確認されている(第2章および図2-2A、図2-2Bを参照)。VMAT2として知られる特異的なトランスポーターは、ドーパミン、ノルエピネフリン、セロトニン、およびヒスタミン神経細胞内のシナプス小胞に存在する。VMAT2は、神経伝達に際し放出が必要になるまで、神経細胞内の神経伝達物質を貯蔵する働きがある(図5-10A)。VMAT2

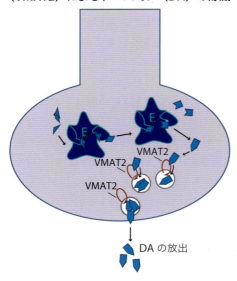
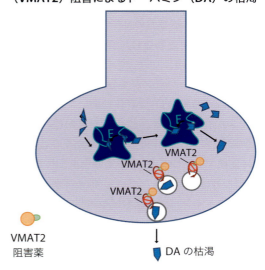

図5-10A　シナプス小胞モノアミントランスポーター2(VMAT2)とドーパミン(DA)　VMAT2はシナプス小胞に存在する神経細胞内トランスポーターである。VMAT2は，DAを含む神経細胞内モノアミンをシナプス小胞に取り込み，神経伝達の際に放出が必要になるまで貯蔵している。

図5-10B　シナプス小胞モノアミントランスポーター2(VMAT2)阻害によるドーパミン(DA)の枯渇　VMAT2を阻害すると，DAがシナプス小胞に取り込まれなくなる。そのため，神経細胞内のDAは代謝され，DAの貯蔵量が枯渇する。

は，amphetamineや「エクスタシー」〔3,4-メチレンジオキシメタンフェタミン 3,4-methylenedioxy-methamphetamine(MDMA)〕など，ある種の薬物を「偽」の基質として輸送することもでき，これらの偽基質は「真」の天然神経伝達物質と競合して輸送を阻害する可能性がある。これについては，第11章での注意欠如・多動症(ADHD)に対する覚せい剤治療と，第13章の物質乱用の項で詳しく解説する。シナプス小胞はその内腔(内部)で，エネルギーを要するプロトンポンプにより低pH状態を作り出す(第2章および図2-2A，図2-2B)。そして，低pHはシナプス小胞に神経伝達物質を封じ込めておく原動力となっている。

実は，VMATには2つのタイプがある。末梢神経系と中枢神経系の神経細胞のシナプス小胞に局在するVMAT1と，中枢神経系の神経細胞のシナプス小胞にのみ局在するVMAT2である。また，VMAT阻害薬には，VMAT1とVMAT2の両方を不可逆的に阻害するreserpineと，VMAT2のみを可逆的に阻害するテトラベナジン関連薬物の2種類がある。そのため，reserpineは，起立性低血圧(かつてreserpineは高血圧症に用いられた)，鼻づまり，かゆみ，胃腸系の副作用など末梢性の副作用が頻発するが，テトラベナジン関連薬物はそうではない。VMAT2は多数の神経伝達物質(ドーパミン，ノルエピネフリン，セロトニン，ヒスタミン)をシナプス小胞に輸送するが，テトラベナジンは臨床用量でドーパミン輸送に優先的に影響を与える(図5-10B)。テトラベナジン関連薬物がシナプス前小胞へのドーパミン輸送を阻害すると，シナプス前神経細胞内のモノアミンオキシダーゼ monoamine oxidase(MAO)によってドーパミンは急速に分解され，VMAT2阻害の程度に比例してシナプス前ドーパミンが枯渇する(図5-10B)。

テトラベナジン自体は実際には不活性なプロドラッグで，カルボニルレダクターゼによって4つの活性ジヒドロ代謝物に変換され，4つともCYP450 2D6によって不活性化される(図5-

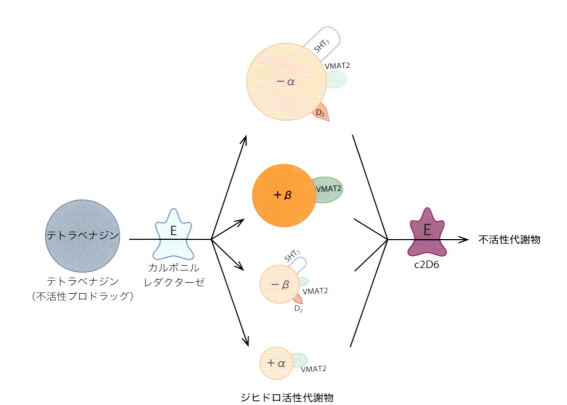

図5-11A　テトラベナジンの効能　テトラベナジンは不活性プロドラッグであり，カルボニルレダクターゼによる代謝により4つの活性ジヒドロ代謝物が生成されるが，これらはすべてCYP450 2D6により不活性代謝物に変換される。4つの活性代謝物のうち，＋βジヒドロエナンチオマーはシナプス小胞モノアミントランスポーター2（VMAT2）に対して最大の効力をもち，テトラベナジンの治療効果の大部分を担っている。他の活性代謝物は，図示したように，さらに他の受容体への作用をもっている。

11A）。テトラベナジンによるVMAT2阻害の大部分は，最終的に＋βジヒドロエナンチオマーによって行われる。これは，VMAT2を阻害する代謝物のなかでVMAT2に対する効力が最も大きいからである（図5-11A）。テトラベナジンはTDの治療には承認されていないが，関連する運動亢進性疾患，すなわちHuntington病の舞踏運動に対する治療には承認されている。テトラベナジンの欠点は，半減期が短いため1日3回の投与が必要であること，鎮静作用や薬物誘発性パーキンソニズム（DIP）などのピーク時の副作用，高用量にするにはCYP450 2D6の代謝不良者の遺伝子検査を要すること，およびHuntington病の治療に使用するとうつや自殺のリスクさえあることである。

最近，重水素化という巧妙なトリックが発見され，CYP450 2D6のよい基質である薬物をCYP450 2D6の悪い基質に変換できるようになった。これにより，半減期の延長，投与回数の減少，血中ピーク濃度の低下が可能になった。重水素化とは，薬物中の水素原子の一部を重水素（重い水素とも呼ばれる）で置換することである。重水素は，陽子1個と中性子1個からなる原子核をもつ水素の安定同位体で，陽子1個だけを含む通常の水素の原子核の2倍の質量をもっている。この置換によりCYP450 2D6の基質になりにくくなり，前述の非重水素化テトラベナジンのすべての問題点，すなわち半減期の延長，投与回数の減少（1日3回から2回），およびピーク用量による副作用の軽減が予測される。商業的な観点から

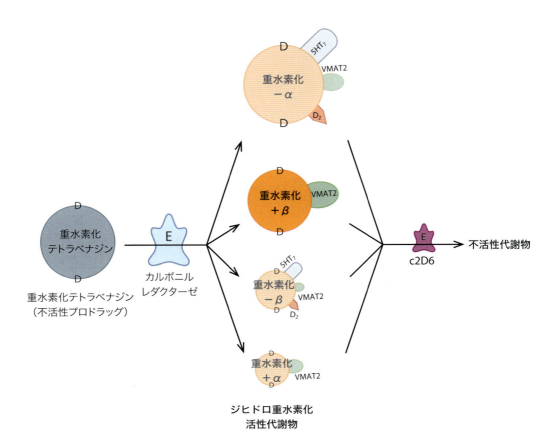

図5-11B　重水素化テトラベナジン（deutetrabenazine）の効能　重水素化とは，薬物中の水素原子の一部を重水素に置換することである。重水素は陽子1個と中性子1個をもつため，水素の2倍の質量となる。水素が重水素に置換されると，CYP450 2D6の基質になりにくくなる（図5-11Aと比較しc2D6酵素を小さく示している）。これにより，半減期が長くなり，投与回数が減少し，ピーク時の副作用が軽減される。

は，重水素化により非重水素化薬物の特許寿命を再開させることもでき，薬物開発のインセンティブとなる。重水素化テトラベナジン deuterated tetrabenazine（deutetrabenazineとも呼ばれる）のその他の利点は，Huntington病と同様にTDの治療薬として薬事承認されていること，最高用量投与のために遺伝子検査を行う必要がないこと，およびTDの治療には自殺警告がないことである。デメリットとしては，1日2回の投与が必要であること，そして食事との併用が必要であることがあげられる。

重水素化テトラベナジンの代謝物（図5-11B）は，非重水素化テトラベナジンの代謝物（図5-11A）と同じである。テトラベナジンおよび重水素化テトラベナジンには，＋βジヒドロエナンチオマーに加え，−αおよび−βジヒドロエナンチオマーがかなりの濃度で存在し，これらはさらなる受容体作用，特に5HT$_7$受容体のアンタゴニスト作用とD$_2$受容体のより低いアンタゴニスト作用をもっている（図5-11A，図5-11B）。

テトラベナジンのもう1つの形態はバルベナジンと呼ばれ，アミノ酸のバリンがテトラベナジンの＋αエナンチオマーと結合していることから名づけられた。飲み込むと，バルベナジンはバリンと＋αテトラベナジンに加水分解され，カルボニルレダクターゼによって速やかにテトラベナジンの＋αジヒドロエナンチオマーだけになり，4つの活性エナンチオマーのなかで最も選択的で強力なVMAT2の阻害薬となる（図5-11C）。バルベナジンは加水分解が遅いため，半減期が長く，1

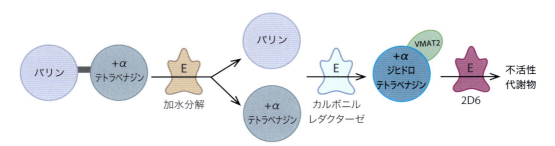

図5-11C　バルベナジンの効能　バルベナジンは，テトラベナジンの＋αエナンチオマーにアミノ酸のバリンを結合させたものである。飲み込むと，バルベナジンはバリンと＋αテトラベナジンに加水分解され，カルボニルレダクターゼにより速やかに＋αジヒドロテトラベナジンに変換される。加水分解が遅いため半減期が長く，1日1回の投与で効果が得られる。

日1回の投与が可能である。バルベナジンはTDの治療薬として承認されており，遺伝子検査や食事と併用して内服する必要性がなく，1日1回投与で，そして自殺の警告もないことが特徴である。

TDに対するVMAT2阻害の作用機序について，より詳細な説明は，図5-12A〜図5-12Dに，直接経路と間接経路の両方で示す。正常な運動の状態は図5-12Aに示しており，左下のドーパミンはD_1受容体の直接経路で「行け」を増強し，右下のドーパミンはD_2受容体の間接経路で「止まれ」を抑制している。線条体は直接および間接経路でのドーパミンの放出を促進または抑制させることで正常な運動動作を制御しており，筋肉を動かしたり止めたりする必要がある動きや姿勢を，しばしば順番に，そして時間とともに変化させてスムーズに実行するように調整している（図5-12A）。

図5-12BはTDが発症したときの状態を示している。間接経路における右下のD_2受容体のアップレギュレーションにより，「止まれ」の抑制が過剰となり，「行け，行け，行け」のメッセージが出て，結果としてTDという運動過多の不随意運動が生じる。これについては前述しており，図5-9Cにも示した。

図5-12Cおよび図5-12Dは，TDにおけるVMAT2阻害の作用機序を示したものである。TD治療のために，VMAT2を阻害するどの形態のテトラベナジンを選んでも，TDに対する有効性と忍容性の最良のバランスを得るためには，おそらく90％を超える高度なVMAT2阻害が必要である。VMAT2阻害は，D_2受容体を遮断することなくドーパミン刺激を減少させる機序である。したがって，この作用は間接経路（図5-12Cの右下）におけるD_2受容体の過剰刺激を減らし，そこで「止まれ」シグナルの抑制を少なくする。一方，直接経路におけるVMAT2阻害の利点もある。そこでは「行け」シグナルがD_1受容体を介しドーパミンによって正常に増強されている（図5-12A）。D_1受容体とこの直接的な錐体外路経路（図5-12A）がTDの病態部位ではないとしても（図5-9C，図5-12B参照），これらは正常に動くための「行け」シグナルをだしており（図5-12A），したがってVMAT2阻害によってそこでドーパミンが減少すると直接経路から生じる「行け」シグナルも減弱する（図5-12D）と予想される。間接経路からの多くの「止まれ」シグナルと組み合わせると（図5-12C），運動亢進性の異常な不随意運動をもたらす出力は，両経路のドーパミンの枯渇よる効果の組み合わせによって大幅に減少する（図5-12C，図5-12D）。つまり，VMAT2阻害は，D_2受容体の慢性的遮断（図5-9C，図5-12B）後の間接経路における異常な「学習」を補うために，直接および間接運動経路の両方でドーパミンの「行け」シグナルを「刈り込む」（図5-12C，図5-12D）。これが長期的には疾患修飾となり，対症療法的に動きを改善するだけでなくもとに戻すことができるかどうかについては，TDにおけるVMAT2阻害の長

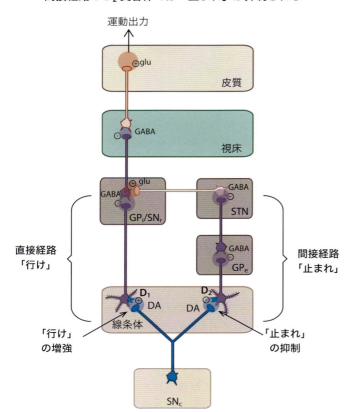

図5-12A　ドーパミン(DA)による正常な運動制御　DAは直接(行け)経路と間接(止まれ)経路の両方を通じて,運動を制御する。直接経路(図の左側)では,線条体に放出されたDAはGABA神経細胞上のD₁受容体に結合する。これによりGABAの放出が促され,最終的に大脳皮質でのグルタミン酸の放出につながり,運動出力が増強される。間接経路(図の右側)では,線条体に放出されたDAはGABA神経細胞上のD₂受容体に結合する。これによりGABAの放出が抑制されるため,「止まれ」経路が抑制され,結果として,運動出力は増強される。

D_2：D_2受容体
DA：ドーパミン
GABA：γ-アミノ酪酸
glu：グルタミン酸
GP_e：淡蒼球外節
GP_i：淡蒼球内節
SN_c：黒質緻密部
SN_r：黒質網様部
STN：視床下核

期的な研究によって判断されなければならない。

D_2受容体を標的とする薬物：いわゆる第1世代または従来型「抗精神病薬」

表5-1に,精神病の治療に使われた初期の薬物リストを示す。これらのうちいくつかは,現在も臨床で使用されている。一般的に第1選択薬ではないが,従来型のD_2アンタゴニストは,新しい精神病治療薬に反応しない患者や,即時作用型と持続作用型の両方の注射を必要とする患者において,現在も使用されている。第1世代の精神病治療薬のいくつかは経口薬としても注射薬としても使用可能であり,多くの臨床医がいまだにその使用経験があり,治療抵抗性や困難な症例で好んで使用している。こういった初期の精神病治療薬

(表5-1)は,しばしば「従来型」,「古典的」,または「第1世代」の抗精神病薬といわれるが,ここでは混乱を避けるために「抗精神病薬」ではなく「抗精神病作用を有する薬物」と表記していくことにする。なぜなら,これらと同じ薬物の多くは,双極性躁病,精神病性躁病,精神病性うつ病,Tourette症候群,さらには胃食道逆流症,糖尿病による胃不全麻痺といった消化器系疾患,およびがん化学療法による吐き気・嘔吐の予防・治療など他の多くの疾患の治療に使用されているからである。抗精神病作用だけではないのだ！　D_2アンタゴニスト作用は抗精神病作用だけでなく,すべての用途に共通する薬理学的機序であり,精神病に対する初期の治療薬のグループに対する現代名は「D_2アンタゴニスト」である。なぜなら,これは抗精神病作用のみならず,すべての使用に関す

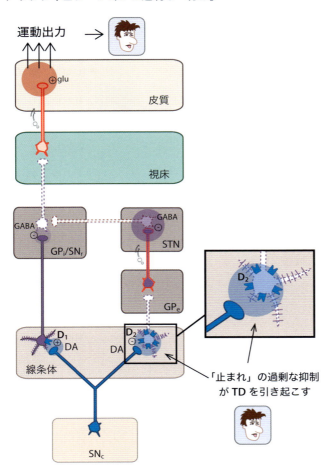

図5-12B　間接経路におけるD₂受容体のアップレギュレーション
D₂受容体は慢性的に遮断されるとアップレギュレーションする。アップレギュレーションされた受容体はドーパミン（DA）に対し過感受性をもつ可能性がある。間接（止まれ）経路では，「止まれ」シグナルの抑制が強すぎて「行け」シグナルが過剰となり，遅発性ジスキネジア（TD）という運動過多の不随意運動が生じうる。

D₂：D₂受容体
DA：ドーパミン
GABA：γ-アミノ酪酸
glu：グルタミン酸
GP_e：淡蒼球外節
GP_i：淡蒼球内節
SN_c：黒質緻密部
SN_r：黒質網様部
STN：視床下核

る共通した薬理学的な機序であるからである。

　D₂アンタゴニストは，他にもムスカリン性コリン作動性アンタゴニスト作用（前述および図5-8参照），抗ヒスタミン作用（H₁アンタゴニスト作用），α₁アンタゴニスト作用（図5-13）などさまざまな薬理特性がある。これらの付加的な薬理学的特性は，治療効果よりも副作用に大きく関連している。ムスカリン性コリン作動性受容体の遮断は，先に述べたように，口渇，目のかすみ，および麻痺性イレウスのリスクと関連し（図5-8），H₁受容体の遮断は体重増加および鎮静と関連し（図5-13A），α₁アドレナリン受容体（α₁受容体）の遮断は鎮静および起立性低血圧など心血管系の副作用と関連づけられている（図5-13B）。多くのD₂アンタゴニストは，抗コリン作用，抗ヒスタミン作用，およびα₁アンタゴニスト作用の3つすべてを有するため，覚醒経路のいくつかの神経伝達物質，すなわちアセチルコリン，ヒスタミン，およびノルエピネフリンを同時に遮断することで，それらが連合して強い鎮静の一因となりうる（図5-14）。抗精神病作用に加えて鎮静作用が必要な場合，これら3つの受容体に特に強く結合する薬物（クロルプロマジンなど）がときどき投与されることがある。たとえ鎮静はある臨床状況によっては必要であるとしても，常に望ましいとは限らない。従来型のD₂アンタゴニスト（表5-1）は，ムスカリン受容体，ヒスタミン受容体，およびα₁受容体を遮断する能力において，それぞれ異なる。例

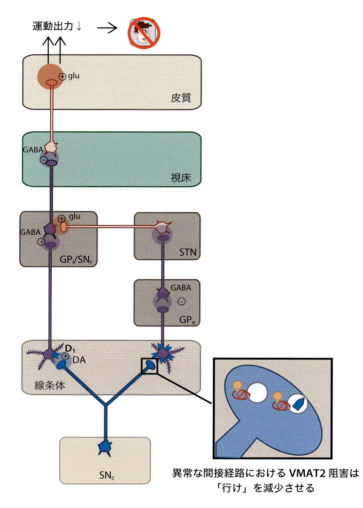

図5-12C　間接（止まれ）経路におけるVMAT2阻害　VMAT2阻害はドーパミン作動性出力を減らし，間接（止まれ）経路における抑制性D_2受容体の過剰な刺激を減少させる。これにより，間接（止まれ）経路の抑制が解除され，遅発性ジスキネジア（TD）の運動過多が軽減する。

D_2：D_2受容体
DA：ドーパミン
GABA：γ-アミノ酪酸
glu：グルタミン酸
GP_e：淡蒼球外節
GP_i：淡蒼球内節
SN_c：黒質緻密部
SN_r：黒質網様部
STN：視床下核

えば，有名な従来型抗精神病薬であるハロペリドールは，抗コリン作用や抗ヒスタミン作用の結合活性が比較的少ない。このため，従来型抗精神病薬は，その治療プロファイルに全体的な違いはたとえないとしても，副作用のプロファイルに多少の違いがある。すなわち，あるD_2遮断薬は他のものより鎮静作用が強く，あるものは他のものより心血管系の副作用を引き起こす能力が高く，あるものは他のものより薬物誘発性パーキンソニズム（DIP）および他の運動障害を引き起こす能力が高い。ムスカリン性コリン作動性遮断の程度の違いは，ある種のD_2アンタゴニストが他のものよりもDIPを生じさせる傾向が弱い理由になりうる。すなわち，DIPを起こしやすいD_2アンタゴニストは一般により弱い抗コリン作用しかもたない薬物であり，一方，DIPをあまり起こさないD_2遮断薬はより強い抗コリン作用をもつ薬物である。後者の薬物は，D_2アンタゴニスト特性に付随する，ある種「内蔵型」の抗コリン作用をもっている。このような薬物ではDIPの発生頻度は低いものの，便秘のリスクや生命を脅かす麻痺性イレウスの可能性が高く，特に抗コリン作用のある他の薬物と併用した場合には，消化管の状態や便通の観察がより必要となる。第1世代D_2アンタゴニス

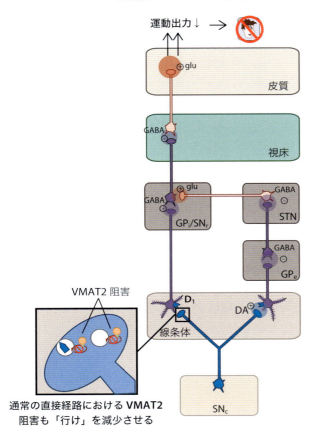

図5-12D　直接（行け）経路におけるVMAT2阻害　VMAT2阻害はドーパミン作動性出力を減らし、直接（行け）経路における興奮性D_1受容体の活性化を減少させる。これにより、直接（行け）経路が抑制され、遅発性ジスキネジア（TD）の運動過多が軽減する。

D_2：D_2受容体
DA：ドーパミン
GABA：γ-アミノ酪酸
glu：グルタミン酸
GP_e：淡蒼球外節
GP_i：淡蒼球内節
SN_c：黒質緻密部
SN_r：黒質網様部
STN：視床下核

トのなかから選んだいくつかの薬物について、以降で詳しく説明していく。

セロトニン2A（$5HT_{2A}$）受容体および同時にD_2受容体を標的とする薬物、あるいは$5HT_{2A}$受容体のみを標的とする薬物

D_2アンタゴニスト作用を有する第1世代の古典的な精神病治療薬の有効性と忍容性を改善する試みとして、D_2アンタゴニスト作用とセロトニン2A（$5HT_{2A}$）アンタゴニスト作用を組み合わせた新しいクラスの抗精神病薬、いわゆる第2世代抗精神病薬または非定型抗精神病薬が開発されている。本書では、「抗精神病薬」や「非定型抗精神病薬」ではなく、「抗精神病作用を有する$5HT_{2A}$アンタゴニスト/D_2アンタゴニスト」と表記することにする。抗精神病作用を有する薬物のなかでさらに新しいクラスは、D_2アンタゴニスト作用を有さず$5HT_{2A}$アンタゴニスト作用のみを有する薬物である。いくつかの前臨床研究では、すべての既知の$5HT_{2A}$アンタゴニストは、実際には$5HT_{2A}$受容体の拮抗薬ではなく、逆アゴニスト（第2章、および図2-9と図2-10参照）である可能性が示唆されている（図5-15）。$5HT_{2A}$受容体における逆アゴニスト（第2章、および図2-9と図2-10参照）とアンタゴニスト（図2-6、図2-10）の臨床的区別は明確ではなく、われわれはこれらの薬物をより単純に「アンタゴニスト」という言葉でここでは表記しておく。

$5HT_{2A}$アンタゴニスト作用は、D_2アンタゴニ

表5-1　精神病を治療するために使用された初期の薬物

一般名	商品名	備考
クロルプロマジン	ウインタミン，コントミン	低力価
cyamemazine		フランスでは一般的だが，米国で使用不可
flupenthixol		持続型注射薬（デポー製剤），米国で使用不可
フルフェナジン	フルメジン	高力価，持続型注射薬（デポー製剤）
ハロペリドール	セレネース	高力価，持続型注射薬（デポー製剤）
loxapine		
mesoridazine		低力価，QT延長，中止
ペルフェナジン	トリラホン，PZC	高力価
pimozide		高力価，Tourette症候群，QT延長，第2選択薬
pipothiazine		持続型注射薬（デポー製剤），米国で使用不可
スルピリド	ドグマチール	米国で使用不可
thioridazine		低力価，QT問題，第2選択薬
thiothixene		高力価
trifluoperazine		高力価
zuclopenthixol		持続型注射薬（デポー製剤），米国で使用不可

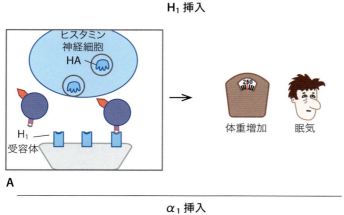

図5-13　ヒスタミン1（H_1）およびα₁アドレナリン受容体（$α_1$受容体）の遮断　D_2アンタゴニストの大部分は，さらなる薬理学的特性を有している。特定の受容体プロファイルは各薬物によって異なり，多様な副作用プロファイルの原因となっている。初期のD_2アンタゴニストの多くは，(A)体重増加と眠気を引き起こすH_1受容体，または(B)めまい，眠気，および血圧低下を引き起こす$α_1$受容体も遮断する。
HA：ヒスタミン，NE：ノルエピネフリン

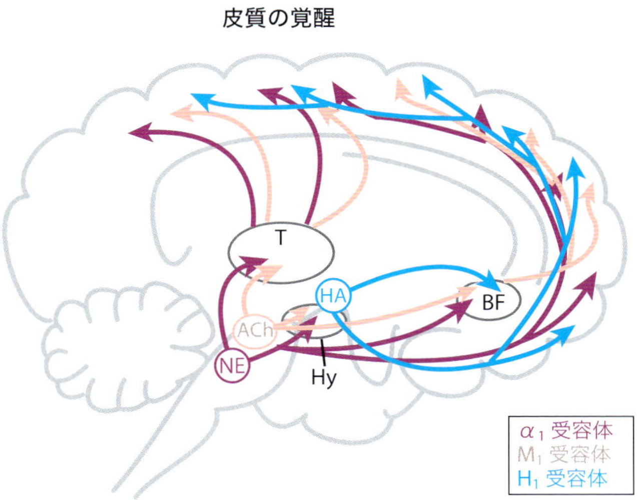

皮質の覚醒

図5-14　皮質の覚醒に関係する神経伝達物質　神経伝達物質であるアセチルコリン（ACh），ヒスタミン（HA），およびノルエピネフリン（NE）はいずれも神経伝達物質中枢と視床（T），視床下部（Hy），前脳基底部（BF）および大脳皮質をつなぐ覚醒経路に関与している。したがって，これらの受容体に対する薬理作用は覚醒に影響している。特に，ムスカリン1（M_1），ヒスタミン1（H_1），およびα_1アドレナリン受容体（α_1受容体）のアンタゴニスト作用は，すべて鎮静作用と関連している。

α_1受容体
M_1受容体
H_1受容体

ニスト作用の効果と副作用の両方を改善させるように思われる。

- **統合失調症**　臨床試験では，D_2アンタゴニスト/部分アゴニスト作用をもつ薬物に選択的$5HT_{2A}$アンタゴニストを加えることで，統合失調症の陽性症状が改善される可能性が示されている。また，$5HT_{2A}/D_2$アンタゴニストの$5HT_{2A}$受容体に対する作用がD_2受容体に対する作用と比較して強いほど，陽性症状の治療に必要なD_2アンタゴニスト作用の程度は低く，薬物の忍容性が高い可能性も示唆されているが，さらなる研究が必要である。
- **Parkinson病の精神病と認知症関連精神病**　$5HT_{2A}$受容体へのアンタゴニスト作用だけでも十分な抗精神病作用があるように思われ，Parkinson病の精神病や認知症関連精神病など，他の原因の精神病に対する単剤療法として有用で，D_2アンタゴニスト作用とその副作用を完全に回避することができる。
- **統合失調症における精神病の陰性症状**　選択的$5HT_{2A}$アンタゴニストを単独で，あるいはD_2アンタゴニスト/部分アゴニスト作用を有する薬物に選択的$5HT_{2A}$アンタゴニストを追加投与すると，統合失調症の陰性症状が改善することが臨床試験で示されている。

- **運動系の副作用**　D_2アンタゴニスト作用に$5HT_{2A}$アンタゴニスト作用が加わることで，薬物誘発性パーキンソニズムなどの望ましくない運動系の副作用が軽減されることも証明されている。
- **高プロラクチン血症**　D_2アンタゴニスト作用に$5HT_{2A}$アンタゴニスト作用を加えることにより，D_2受容体遮断によるプロラクチンの上昇を抑えることができる。

なぜ$5HT_{2A}$アンタゴニストを追加すると，D_2遮断による副作用が改善され，抗精神病薬の効果が高まるのであろうか？　簡単にいえば，$5HT_{2A}$アンタゴニストはある経路においてD_2アンタゴニストに**対抗**し，より多くのドーパミンをその場所で放出させ，副作用を引き起こす不要なD_2アンタゴニスト作用を一部逆転させるからであろう。一方，他の脳回路では構成が異なるため，$5HT_{2A}$アンタゴニストは別の回路ではD_2アンタゴニストの効果を**高め**，その結果，陽性症状を改善することができるのである。これについて説明していこう。

$5HT_{2A}$受容体による3つの下流経路でのドーパミン放出の制御

$5HT_{2A}$アンタゴニスト作用を加えると，副作用

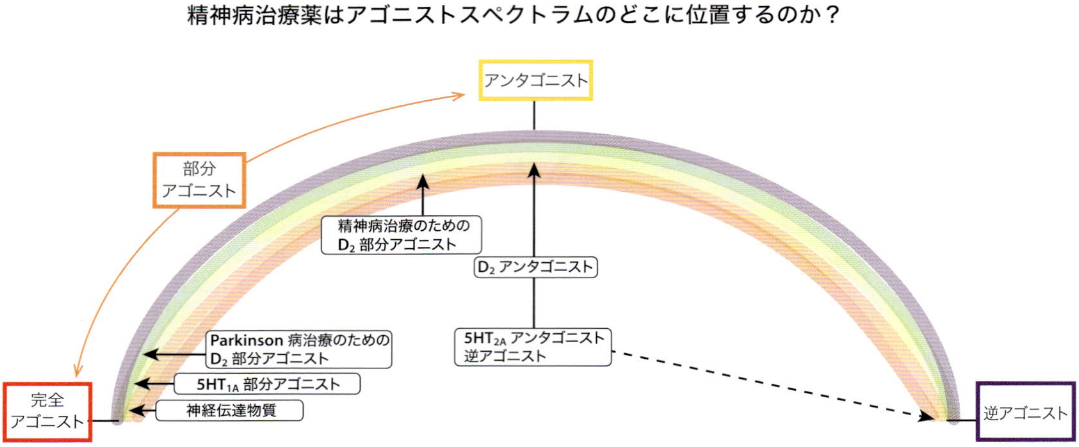

精神病治療薬はアゴニストスペクトラムのどこに位置するのか？

図5-15 精神病治療薬のアゴニストスペクトラム 精神病の治療に用いられる薬物は，サイレントアンタゴニスト（完全遮断薬）に近い作用をもつもの，完全アゴニストに近い作用をもつものなど，スペクトラムに沿って位置づけられることがある。ドーパミン2（D_2）結合の場合，アゴニスト作用が強すぎる薬物は精神異常発現の可能性があり，したがって精神病の治療には適さないが，Parkinson病では有用な可能性がある。一方，アンタゴニスト側に近いD_2部分アゴニストは，D_2アンタゴニストと同様に精神病の治療に有用と考えられる。精神病治療に用いられる多くの薬物は，D_2結合を伴うか，あるいは伴わないセロトニン2A（$5HT_{2A}$）アンタゴニストである。前臨床データによると，実際には逆アゴニストである可能性を示唆するものもあるが，この区別の臨床的意義は不明である。また，$5HT_{1A}$部分アゴニスト作用は，精神病治療に用いられる多くの薬物，特に多くのD_2部分アゴニストに共通する特性である。

の苦しみを軽減した，まったく新しいクラスの精神病治療薬が誕生するということを理解する鍵は，$5HT_{2A}$受容体の薬理学，受容体の位置，そして$5HT_{2A}$受容体が遮断されるとドーパミンがどうなるかを把握することにある。すべての$5HT_{2A}$受容体はシナプス後性で，興奮性である。この議論において重要な$5HT_{2A}$受容体は，皮質のグルタミン酸作動性錐体神経細胞の3つの別々の集団に存在し本来，すべてセロトニンによって$5HT_{2A}$受容体は刺激され，下流にグルタミン酸を放出する。これら3つの別々の下行性グルタミン酸神経細胞の集団は，3つの異なるドーパミン経路を制御している（図5-16）。

グルタミン酸作動性錐体神経細胞の1つの集団は，精神病の陽性症状に関与する**感情線条体**へ投射している中脳辺縁系/中脳線条体系ドーパミン神経細胞を**直接**神経支配している（図5-16A）。まったく同じ経路について，第4章ですでに詳細に述べており，図4-29A～Cから図4-45に示してある。図5-16Aで描いたグルタミン酸神経細胞は，精神病の陽性症状の最終共通経路（図4-29B，図4-52C，図4-52D，図4-54，および図4-55）にあるのと同じグルタミン酸神経細胞である。具体的にいうと，この神経細胞は，GABA介在神経細胞にあるグルタミン酸受容体の機能低下による統合失調症であろうと（図4-29B），同じくGABA介在神経細胞の欠如による認知症に伴う精神病であろうと（図4-52D，図4-55），セロトニンの過剰作用からなるParkinson病の精神病であろうと（図4-52C，図4-54），またはセロトニン受容体の過剰刺激からなる幻覚薬に伴う精神病であろうと（図4-52B，図4-53），精神病の陽性症状の原因として仮説上下流の最終共通経路になるものである。すべての場合において，このグルタミン酸神経細胞の集団の活動性を高めるものは，中脳辺縁系/中脳線条体ドーパミン神経細胞から下流にドーパミンを放出させ，精神病の陽性症状を引き起こすことになる（図5-16A）。

もちろん最も一般的な治療法は，この回路の末端，すなわち感情線条体のD_2受容体におけるドーパミンの過剰な放出を遮断することである。しかし，D_2と$5HT_{2A}$の両方のアンタゴニスト特

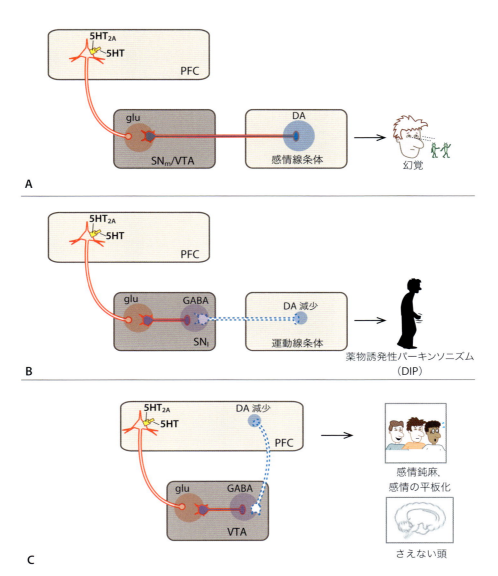

図5-16　セロトニン2A（5HT$_{2A}$）受容体による下流域のドーパミン（DA）放出の制御　シナプス後性で興奮性の5HT$_{2A}$受容体は，下行性グルタミン酸神経細胞の3つの別々の集団上に存在することから，精神病治療に関与している。(**A**) 5HT$_{2A}$受容体は，感情線条体に投射する中脳辺縁系/中脳線条体ドーパミン神経細胞を直接支配する下行性グルタミン酸作動性錐体神経細胞上に存在する。この経路が過活動になると，精神病の陽性症状を引き起こす。(**B**) 5HT$_{2A}$受容体は下行性グルタミン酸作動性錐体神経細胞上に存在し，黒質のGABA作動性介在神経細胞を介して黒質線条体ドーパミン神経細胞を間接的に支配している。この5HT$_{2A}$受容体を過剰に刺激すると，運動線条体におけるDAの放出が減少し，薬物誘発性パーキンソニズム（DIP）などの副作用を引き起こす。(**C**) 5HT$_{2A}$受容体は下行性グルタミン酸作動性錐体神経細胞上に存在し，腹側被蓋野（VTA）のGABA作動性介在神経細胞を介して中脳皮質ドーパミン神経細胞を間接的に支配している。この5HT$_{2A}$受容体が過剰に刺激されると，前頭前皮質（PFC）におけるDAの放出が減少し，認知機能障害だけでなく，感情鈍麻や感情の平板化などの陰性症状を引き起こす。
GABA：γ-アミノ酪酸，glu：グルタミン酸，SN$_l$：外側黒質，SN$_m$：内側黒質

性をもつ薬物，または5HT$_{2A}$アンタゴニスト特性だけを選択的にもつ薬物（図5-1）を用いて，経路のはじまりにある5HT$_{2A}$受容体を遮断することで，ここでのセロトニンの興奮性刺激を減らすこともできる（図5-17A，左上）。これが図5-16Aに示した特定のグルタミン酸神経細胞で起こると，理論的に感情線条体におけるドーパミンの放出が減少し（図5-17A，右），今度はD$_2$受容体の直接遮断とは異なる，独立した機序の抗精神病作用を引き起こすのである。

5HT$_{2A}$/D$_2$アンタゴニスト作用を併せもつ薬物で治療中の統合失調症の場合，D$_2$アンタゴニストをどのようなものであれ同時に使用すれば，理論的には陽性症状に対する治療効果がさらに高まる

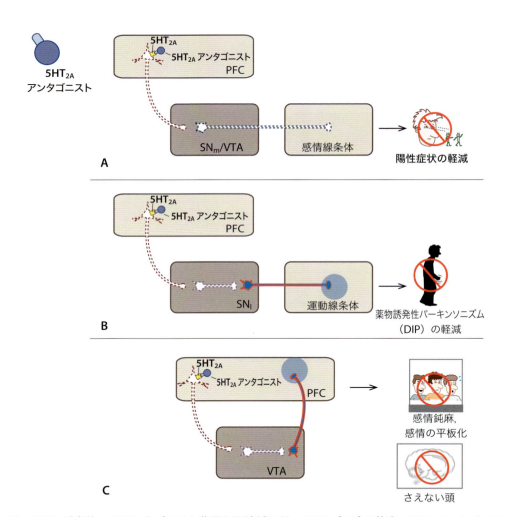

図5-17　5HT$_{2A}$受容体へのアンタゴニスト作用と下流域のドーパミン（DA）の放出　5HT$_{2A}$アンタゴニスト作用は，3つの重要な経路を介し下流のDA放出を調節している。（**A**）5HT$_{2A}$アンタゴニスト作用により，中脳辺縁系/中脳線条体ドーパミン神経細胞を直接支配する下行性神経細胞からのグルタミン酸の出力は減少する。その結果，感情線条体におけるDAの出力が減少し，精神病の陽性症状が軽減する。（**B**）5HT$_{2A}$アンタゴニスト作用により，黒質におけるグルタミン酸の出力が低下すると，GABA介在神経細胞の活性が低下し，黒質線条体ドーパミン経路の抑制が解除される。運動線条体におけるDA放出が増加すると，D$_2$アンタゴニストと競合するDAが多くなり，D$_2$アンタゴニストによる運動副作用が軽減する。（**C**）5HT$_{2A}$アンタゴニスト作用により，腹側被蓋野（VTA）のグルタミン酸の出力が減少すると，GABA介在神経細胞の活性が低下し，中脳皮質ドーパミン経路の抑制が解除される。前頭前皮質（PFC）におけるDAの放出が増加すると，精神病の認知症状や陰性症状が軽減する。
SN$_l$：外側黒質，SN$_m$：内側黒質

ことになる．現在，抗精神病作用を有する他の薬物に選択的5HT$_{2A}$アンタゴニストを追加し，5HT$_{2A}$アンタゴニスト作用を強めることで陽性症状が一貫して改善するか，あるいは治療効果を失わず副作用を軽減するためにD$_2$アンタゴニストを減量できるか，を検討する臨床試験が進行中である．実際，非常に強力な5HT$_{2A}$アンタゴニスト作用をもつ薬物においては，陽性症状を治療するために必要なD$_2$アンタゴニスト作用はより少なくていいのではないかという説がある（後述のlumateperone，クロザピン，クエチアピンなどに関する項を参照）．

認知症またはParkinson病における精神病の場合，D$_2$アンタゴニスト作用が問題となる副作用を引き起こし危険性さえ伴うが，D$_2$アンタゴニスト作用がなくても5HT$_{2A}$アンタゴニスト作用だけで十分に強力な抗精神病効果を発揮することができる．

グルタミン酸作動性錐体神経細胞の第2の集団は，**運動線条体**に投射する黒質線条体ドーパミン神経細胞を**間接的に**支配し，D$_2$アンタゴニスト作用の運動系副作用をもたらしている（図5-16B）．これは図5-16Aで述べた経路と並行した経路であり，黒質や腹側被蓋野（VTA）/中脳線条体系/統合ハブだけでなく，間接的に黒質のGABA介在神経細胞に，つぎに黒質線条体ドーパミン運動経路に投射している別のグルタミン酸神経細胞が関与している（図5-16AとBを比較せよ）．この神経細胞は，上流のグルタミン酸の放出の極性を，下流のドーパミンの放出刺激（図5-16A）から放出抑制（図5-16B）へと変化させる効果がある．したがって，図5-16B（左上）に示す特定のグルタミン酸神経細胞の5HT$_{2A}$受容体を遮断すると，運動線条体における下流のドーパミンの放出が抑制されない（すなわち，増加する）ことになる（図5-17B，右）．これはまさに，運動系副作用を減らすために必要なことである！　つまり，さもなければ運動系副作用を引き起こす運動線条体のD$_2$アンタゴニストと競合できるドーパミンが増えるのである．これこそが5HT$_{2A}$アンタゴニスト/D$_2$アンタゴニストで起こっていることである．つまり，5HT$_{2A}$アンタゴニスト作用をもたないD$_2$アンタゴニストと比較し，運動系副作用が少ないということである．このことは，5HT$_{2A}$/D$_2$アンタゴニストで実際に繰り返し確認されており，5HT$_{2A}$アンタゴニスト作用をもたないD$_2$アンタゴニストと比較し，運動系副作用を治療するための抗コリン薬投与の必要性が低下する（図5-1の上と左下の絵を比較してみるとよい）．

第3のグルタミン酸作動性錐体神経細胞は，**前頭前皮質**に投射する中脳皮質ドーパミン神経細胞を**間接的に**支配し，統合失調症の陰性，認知，および情動症状を部分的にもたらしている（図5-16C）．これは今述べた経路とはまた別の並行経路であり，GABA介在神経細胞を介して間接的にVTAのドーパミン神経細胞に投射し，前頭前皮質を神経支配することになる別のグルタミン酸神経細胞が関与している．黒質線条体経路（図5-16B）について上述したように，図5-16Bの配置は，上流のグルタミン酸の放出が下流のドーパミンの放出を抑制するという効果ももっている（図5-16C参照）．したがって，これらの特定のグルタミン酸神経細胞上の5HT$_{2A}$受容体を遮断すると（図5-17C，左上），前頭前皮質におけるドーパミンの放出が抑制されない（すなわち，増加する）ことにつながる（図5-17C，右上）．これはまさに統合失調症の陰性症状を改善するために必要なことであり，5HT$_{2A}$選択的な薬物を単独，あるいは他のD$_2$アンタゴニストや5HT$_{2A}$/D$_2$アンタゴニストを付加されて使用した試験で確認されている．また，前頭前皮質におけるドーパミンの放出が増加することで，認知症状や感情・抑うつ症状も改善する可能性がある（図5-17C）．しかしこの効果は，精神病を治療するすべての5HT$_{2A}$/D$_2$アンタゴニストにおいて一貫しておらず，強固でもない．これは，D$_2$アンタゴニストと比較し5HT$_{2A}$アンタゴニストの効力が異なることや，いくつかの薬物では抗コリン作用や抗ヒスタミン作用といった薬理作用を妨害する特性が存在することが一因であると考えられる．最終的には，D$_2$アンタゴニスト作用を有する薬物に選択的な5HT$_{2A}$アンタゴニスト作用を付加することが，よりよいア

プローチであると証明されるであろう。

5HT$_{2A}$アンタゴニスト作用で高プロラクチン血症はどのように改善されるのか？

プロラクチン分泌はプロラクチン分泌細胞が担っており，この細胞の膜にはD$_2$受容体と5HT$_{2A}$受容体の両方が存在している。セロトニンとドーパミンはプロラクチン分泌の調節において拮抗的な役割をもち，ドーパミンはD$_2$受容体刺激によりプロラクチンの放出を抑制し（図5-18A），セロトニンは5HT$_{2A}$受容体刺激によりプロラクチンの放出を促進する（図5-18B）。したがって，D$_2$アンタゴニストによってD$_2$受容体のみを遮断すると，ドーパミンはもはやプロラクチンの放出を抑制できず，プロラクチン濃度が上昇する（図5-18C）。しかし，D$_2$アンタゴニスト作用と5HT$_{2A}$アンタゴニスト作用を併せもつ薬物の場合，5HT$_{2A}$受容体の阻害が同時に起こり，セロトニンはもはやプロラクチンの放出を刺激できない（図5-18D）。これは5HT$_{2A}$受容体遮断による

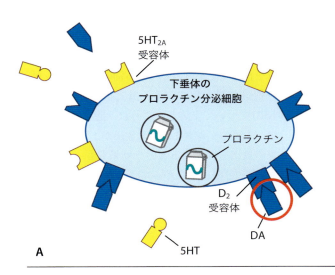

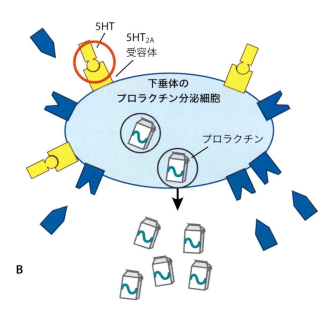

図5-18A・B　ドーパミン（DA）とセロトニン（5HT）がプロラクチン分泌を制御する（その1）
（A）DAは抑制性D$_2$受容体に結合（赤丸）することで，下垂体のプロラクチン分泌細胞からのプロラクチン分泌を抑制する。（B）興奮性5HT$_{2A}$受容体に5HTが結合（赤丸）すると，下垂体のプロラクチン分泌細胞からのプロラクチン分泌が促進される。このように，DAと5HTはプロラクチン分泌に対して拮抗的な調節作用をもっている。

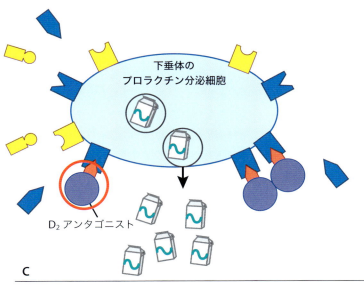

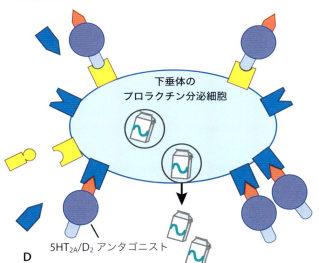

図5-18C・D　ドーパミン(DA)とセロトニン(5HT)がプロラクチン分泌を制御する(その2)
(**C**)D₂アンタゴニスト(赤丸)は,下垂体のプロラクチン分泌細胞からのプロラクチン分泌を抑制するDAの作用をブロックし,結果的にプロラクチン濃度を上昇させる。(**D**)プロラクチン分泌の制御において,DAと5HTは拮抗的な調節作用をもつため,一方は他方を打ち消す。したがって,5HT₂AアンタゴニスT作用はD₂アンタゴニスト作用によるプロラクチン分泌増加作用を逆転させる。

高プロラクチン血症を緩和する。興味深い薬理学理論であるが,実際には,すべての5HT₂A/D₂アンタゴニストが同程度にプロラクチン分泌を減少させるわけではなく,また,おそらく他の標的外受容体の特性によりプロラクチン上昇をまったく減少させない薬物もある。

セロトニン1A(5HT₁A)受容体およびD₂受容体を部分アゴニストとして標的とする薬物

D₂アンタゴニストとしての特性を有する第1世代精神病治療薬を改善する別の試みは,D₂アンタゴニスト作用のかわりにD₂部分アゴニスト作用を使用し,セロトニン5HT₁A部分アゴニスト作用を付加することである。

D₂部分アゴニスト

ある抗精神病薬のなかには,完全なサイレントアンタゴニスト作用(第2章,および図2-6と図2-10参照)と完全な刺激・アゴニスト作用(第2章,および図2-5と図2-10参照)の間の状態でD₂受容体のドーパミン神経伝達を安定化させる作用

をもつものがある。この中間の位置は図5-19～図5-22に示されており，部分アゴニスト作用と呼ばれている。これについて第2章でも説明し，図解した（図2-7，図2-10参照）。

D_2受容体の部分アゴニスト作用について，過度に単純化した説明を図5-19に示す。すなわち，D_2アンタゴニスト作用は「冷たすぎる」ため，抗精神病作用はあるがプロラクチンの上昇や薬物誘発性パーキンソニズム（DIP）などの運動症状をもたらす（図5-19A）。ドーパミン自体（あるいはドーパミンを放出するアンフェタミン）の完全アゴニスト作用を最大限に発揮すると，精神病の陽性症状を伴い「熱すぎる」（図5-19B）。一方，部分アゴニストは中間的な形で結合し，抗精神病作用はあるがDIPやプロラクチン上昇は少なく「ちょうどよい」（図5-19C）。部分アゴニストは完全アゴニスト作用と完全アンタゴニスト作用の間で「ちょうどよい」バランスをとることから，「ゴルディロックス*1」な薬物と呼ばれることがある。しかしこれから述べるように，この説明は単純化しすぎており，D_2部分アゴニストのなかでも，薬物ごとにバランスが微妙に異なり，完璧な「ゴルディロックス」は存在しないのである。

より洗練された表現をするなら，部分アゴニストは受容体からの信号伝達をフル出力と無出力の中間の状態にするような形で受容体に結合する固有の能力をもつものである（図5-20）。天然に存在する神経伝達物質は一般に完全アゴニストとして機能し，占有している受容体から最大のシグナル伝達を引き起こす（図5-20，上段では音量大）。一方，アンタゴニストは，占有している受容体からの出力を本質的にすべて停止させ，下流のシグナル伝達カスケードとの通信を「沈黙」させる（図5-20，中段では音量が実質的に消失）。対照的に，部分アゴニスト（図5-20，下段）は，サイレントアンタゴニスト（図5-20，中段）より多く，完全アゴニスト（図5-20，上段）より少ない受容体出力を

引き起こす。したがって，この2つの両極端の間でさまざまな程度の部分アゴニストが存在しうる。完全アゴニスト，サイレントアンタゴニスト，そして部分アゴニストは，異なる受容体構造の変化を引き起こし，受容体からのシグナル伝達出力の変化を生じさせる（図5-21）。

精神病治療のためのD_2部分アゴニストは，アゴニストスペクトラムのどこに位置するのか？これは図5-15に示してある。精神病治療のためにここで述べているD_2部分アゴニストは，これまで議論されてきたすべてのD_2アンタゴニストが位置しているアンタゴニスト側の端に非常に近い（図5-15）。これは，精神病治療のためのD_2部分アゴニストは，本質的にアゴニスト活性をほんの少し匂わせただけの「ほとんど」アンタゴニストだからである。対照的に，Parkinson病治療に有効でドーパミン部分アゴニストに分類される薬物は，スペクトラムのアゴニスト側の端に非常に近いところに位置しており（図5-15），ほぼ完全アゴニストである。完全アゴニスト側の端に位置する薬物を精神病治療に使うと精神病が悪化し，スペクトラムのもう一方の端，アンタゴニストに近い薬物をParkinson病の治療に使うと運動症状が悪化する。このように，薬理作用の機序を理解するためには，部分アゴニストを一括りにせず，その薬物がスペクトラム上のどこに位置するか理解することが重要である。なぜなら，部分アゴニストの量やスペクトラム上の位置の非常に小さな変化が，臨床的に大きな影響を与える可能性があるからである（図5-15）。

D_2部分アゴニストはどうしてD_2アンタゴニストよりも運動系副作用が少ないのか？

D_2部分アゴニストが運動系副作用，特に薬物誘発性パーキンソニズム（DIP）を減らすためには，線条体のD_2受容体を介したごくわずかなシグナル伝達が必要なようである。非常にわずかなアゴニスト作用は，ときに「固有活性」とも呼ばれるが，この作用により生じる臨床転帰は，D_2アンタゴニストや$5HT_{2A}/D_2$アンタゴニストのよう

---

*1 訳注：英国の有名な童話「ゴルディロックスと3びきのくま（Goldilocks and the Tree Bears）」に由来し，「熱すぎず」「冷たすぎず」，「ちょうどよい」状態の喩え。

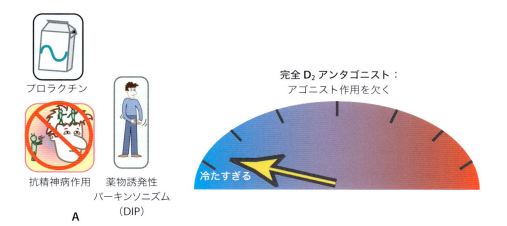
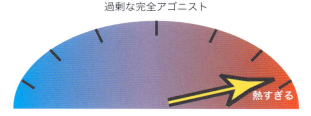

図5-19 ドーパミン（DA）神経伝達のスペクトラム DAの作用を単純化して説明する。（**A**）完全D_2アンタゴニストのD_2受容体への結合は「冷たすぎる」。つまり，強力なアンタゴニスト作用をもち，アゴニスト作用を欠く。したがって精神病の陽性症状は軽減できるが，薬物誘発性パーキンソニズム（DIP）やプロラクチン上昇を引き起こす。（**B**）DAそのもののようなD_2受容体アゴニストは「熱すぎる」ため，陽性症状を引き起こす。（**C**）D_2部分アゴニストはD_2受容体に中間的に結合するため，抗精神病作用はあるがDIPやプロラクチン上昇のない「ちょうどよい」薬物である。

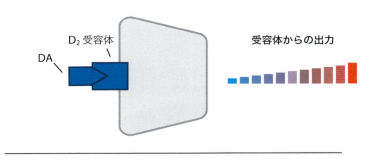
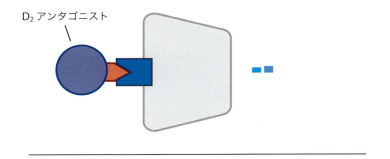
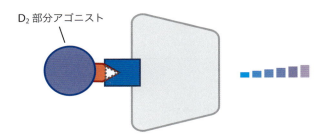

図5-20　ドーパミン受容体からの出力　ドーパミン（DA）自体は完全アゴニストであり，受容体からのフル出力を引き起こす（上段）。D_2アンタゴニストは，受容体からの出力があったとしてもほとんどださせない（中段）。しかし，D_2部分アゴニストはドーパミン受容体からの出力を部分的に活性化し，ドーパミン受容体の刺激と遮断のバランスを安定化させることができる（下段）。

に，D_2受容体が完全に沈黙し，遮断された場合によるものとは大きく異なる。精神病を治療できるD_2部分アゴニストは，アゴニストスペクトラムのなかでアンタゴニストに非常に近い位置にある（図5-15）。精神病治療にはアゴニスト作用よりもドーパミンアンタゴニスト作用が必要とされるからである。

非常に興味深いことに，部分アゴニストスペクトラム（図5-15）において，位置がほんの少し上下するだけで，臨床特性に大きな影響が生じうる。純粋なアゴニストに少し近づきすぎると，運動系副作用やプロラクチン上昇を抑え，陰性症状を改善するのに十分な活性化を示すが，活性化が強すぎて陽性症状に対する効果が低下し，病状が悪化したり，悪心・嘔吐を伴ったりすることがある。統合失調症では，いくつかのD_2部分アゴニストについて非常に広範な試験が行われ，そのうちの3つが承認されている。OPC4392（後に検査したところ，構造的かつ薬理学的にアリピプラゾールとブレクスピプラゾールに関係があることがわかった薬物）はアゴニストとして過剰であることがわかっている。OPC4392は比較的わずかな固有活性しかもたず，統合失調症の陰性症状を改善し，運動系副作用もほとんどなかったが，陽性症状を活性化し悪化させたため，やはり固有活性が強すぎるということで，市場にでなかった。もう1つのD_2部分アゴニストであるbifeprunoxは，OPC4392よりもアゴニスト作用が弱かったが，嘔気や嘔吐を引き起こすため，やはりアゴニスト作用が強すぎることが判明した。陽性症状にある

5HT$_{1A}$受容体およびD$_2$受容体を部分アゴニストとして標的とする薬物　217

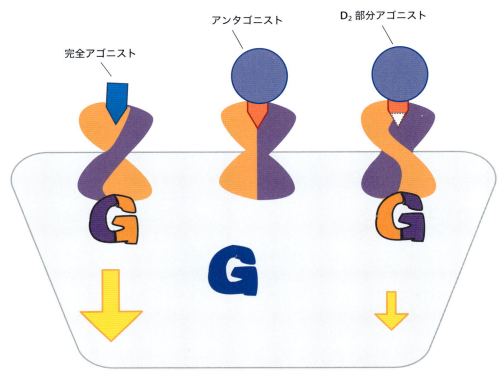

図5-21　アゴニストスペクトラムと受容体構造　この図は，完全アゴニスト，アンタゴニスト，そして部分アゴニストに反応して起こる受容体構造の変化を対比させて描いたものである。完全アゴニストでは，D$_2$受容体はGタンパクにリンクするセカンドメッセンジャーシステムを介し強固なシグナル伝達が行われる受容体構造になっている(左)。一方，アンタゴニストはD$_2$受容体と結合し，いかなるシグナル伝達もできないような受容体構造を作り出す(中央)。ドーパミン部分アゴニストのような部分アゴニストでは，中程度のシグナル伝達が生じるような受容体構造になっている(右)。しかし，部分アゴニストは完全アゴニスト(左)ほどの強いシグナル伝達は引き起こさない(右)。

程度効果があり，運動系副作用もなかったが，陽性症状の改善効果が他の薬物よりも弱く，胃腸系の副作用も多かったため，米国食品医薬品局(FDA)はこれを認可しなかった。つぎに研究者たちは，よりアンタゴニストに近い位置に別の矢を投げた。これがアリピプラゾール(第1世代の"pip"，後述)である。この薬物は確かに陽性症状を改善し，重い運動系副作用はないが，アカシジアを引き起こすため，臨床家のなかには最も重症の精神病患者に対してD$_2$アンタゴニストと同等の効果があるか疑問をもつ者もいる。しかし，まだこれは証明されていない。そして，さらに2つのD$_2$部分アゴニストが承認された。それは，ブレクスピプラゾールと呼ばれる第2世代の"pip"と，cariprazineと呼ばれる"rip"である。どちらもD$_2$部分アゴニストのスペクトラムはアリピプラゾールと同様で，抗精神病効果があり，運動系副作用は少ないがアカシジアがみられる。後述の個々の薬物のセクションで詳しく述べるが，おもにD$_2$受容体以外の受容体への二次結合特性が異なっている。

D$_2$部分アゴニストはどのようにして高プロラクチン血症を改善するのか？

下垂体プロラクチン分泌細胞のD$_2$受容体は，他のドーパミン経路やターゲットよりもD$_2$部分アゴニストの固有活性に敏感であることが証明されている。実際，具体的にいうと，臨床で使用されている3つの部分アゴニストはすべて，プロラクチン値を上昇させるのではなく低下させる。こ

れはプロラクチン分泌細胞上のD_2受容体が，これらの薬物をアンタゴニストとしてよりもアゴニストとして感知するためであり，したがって，これらの薬物はプロラクチン分泌を刺激するよりもむしろ遮断するという仮説が立てられる。事実，D_2アンタゴニストを服用中に高プロラクチン血症を起こした患者にD_2部分アゴニストの1つを併用すると，高プロラクチン血症を逆転させることができる。

$5HT_{1A}$部分アゴニスト

D_2部分アゴニストに$5HT_{1A}$部分アゴニストを加えると，なぜD_2遮断薬に比べて副作用が改善し，感情・陰性症状に対する効果が高まるのであろうか？　答えは簡単で，$5HT_{2A}$アンタゴニストがほとんど同じ作用をもつ理由を把握していれば，容易に理解できる。すなわち，$5HT_{1A}$部分アゴニストは，特に部分アゴニストスペクトラム（図5-15）においてアンタゴニストよりも完全アゴニストに近く位置する場合，$5HT_{2A}$アンタゴニストと同様の効果を発揮する。図5-17に示した$5HT_{2A}$アンタゴニストと同様，$5HT_{1A}$部分アゴニスト/完全アゴニストも，これらの部位でより多くのドーパミンの放出を引き起こすことで副作用経路のD_2アンタゴニスト作用に**対抗**し，D_2アンタゴニスト/部分アゴニストの望ましくない効果の一部を逆転させ，陰性症状および感情症状を改善する（図5-22）。

これはどのようにして起こるのか？　$5HT_{1A}$受容体は常に抑制性であり，セロトニン神経細胞上のシナプス前と$5HT_{2A}$受容体があるのと同じグルタミン酸作動性錐体神経細胞を含む多くの神経細胞上のシナプス後の両方に存在する（図5-16Aと図5-22Aの左上，グルタミン酸作動性神経細胞を比較せよ）。この状況は錐体神経細胞がアクセル（$5HT_{2A}$受容体）とブレーキ（$5HT_{1A}$受容体）の両方をもつと考えることができる。特に同時に作用した場合，アクセルから足を離す（$5HT_{2A}$アンタゴニスト作用）と，ブレーキを踏む（$5HT_{1A}$部分アゴニスト作用）のと同じような効果が得られる。このように，$5HT_{1A}$部分アゴニストは，$5HT_{2A}$アンタゴニストと同様にドーパミンの放出に影響を与えるものが多い。後述するように，精神病や気分障害の治療に用いられる薬物には，$5HT_{2A}$アンタゴニストと$5HT_{1A}$部分アゴニストの両方の性質をもつものがあり，理論的にはいずれか一方だけよりも，下流のドーパミンに対する作用が強まるはずである。$5HT_{2A}$アンタゴニストについて前述したのと同様に，$5HT_{1A}$部分アゴニストは，経路においてより多くのドーパミンの放出を引き起こすことでD_2アンタゴニスト/部分アゴニスト作用に**対抗**し，運動系副作用を引き起こす不要なD_2アンタゴニスト/部分アゴニスト作用の一部を逆転させることができる。$5HT_{1A}$部分アゴニストが精神病の陽性症状を改善するためのD_2アンタゴニスト/部分アゴニストの効果を高めるという証拠はあまりない。それでは，$5HT_{1A}$部分アゴニストが下流のドーパミンの放出を促進することにより，運動系副作用を軽減し，気分症状，感情症状，陰性症状，および認知症状を改善する可能性について説明しよう。

$5HT_{1A}$部分アゴニストは，運動線条体に投射する黒質線条体ドーパミン神経細胞を間接的に支配するグルタミン酸作動性神経細胞に作用する（図5-22A）

同じグルタミン酸作動性神経細胞で$5HT_{2A}$受容体を遮断すると，ドーパミンの放出の抑制が解除され，運動系副作用が軽減することを思い出してほしい（図5-17B）。同じ神経細胞上の$5HT_{1A}$部分アゴニストでも，まさに同じことが起こる。すなわちドーパミンの放出の抑制が解除され，運動系副作用が改善する（図5-22A）。前述したように，より多くのドーパミンの放出が運動線条体の受容体に対しD_2遮断薬と競合し，運動系副作用を逆転させるのである。D_2部分アゴニストは$5HT_{1A}$部分アゴニストでもあるので，アカシジアはそれでもなお一般的に起こりうるが，2つの特性が組み合わさり多くの運動系副作用を軽減することが可能である。

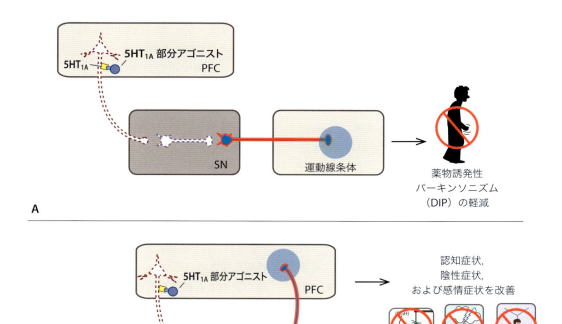

図5-22　5HT$_{1A}$受容体部分アゴニスト作用と下流のドーパミン(DA)の放出　5HT$_{1A}$受容体は抑制性であり，セロトニン神経細胞上のシナプス前と他の神経細胞上のシナプス後の両方に位置する。(**A**)5HT$_{1A}$受容体は，黒質(SN)のGABA作動性介在神経細胞を介し間接的に黒質線条体ドーパミン神経細胞を支配する下行性グルタミン酸作動性錐体神経細胞上に位置している。これらの5HT$_{1A}$受容体の部分アゴニスト作用により，黒質におけるグルタミン酸作動性出力が減少し，GABA介在神経細胞の活性が低下し，黒質線条体ドーパミン経路の抑制が解除される。運動線条体におけるDAの放出が増加すると，D$_2$結合剤と競合するDAが増えるため，D$_2$アンタゴニスト/部分アゴニストによる運動系副作用を軽減することができる。(**B**)5HT$_{1A}$受容体は，腹側被蓋野(VTA)のGABA作動性介在神経細胞を介し中脳皮質ドーパミン神経細胞を間接的に支配する下行性グルタミン酸作動性錐体神経細胞上に存在する。5HT$_{1A}$部分アゴニストにより，VTAにおけるグルタミン酸作動性の出力が減少し，GABA介在神経細胞の活性が低下するため，中脳皮質ドーパミン経路の抑制が解除される。前頭前皮質(PFC)におけるDA放出の増加は，精神病の認知症状，陰性症状，および感情症状を軽減する可能性がある。

5HT$_{1A}$部分アゴニストは，前頭前皮質に投射する中脳皮質ドーパミン神経細胞を間接的に支配するグルタミン酸作動性神経細胞にも作用する(図5-22B)

特定のグルタミン酸神経細胞の5HT$_{2A}$受容体を遮断すると，前頭前皮質のドーパミンの放出が脱抑制されることを思い出してほしい(図5-17C)。これがまさに，陰性症状，認知症状，および感情・抑うつ症状を改善するために必要なことである。そして，同じ神経細胞上の5HT$_{1A}$部分アゴニストでも起こる(図5-22B)。これらの臨床作用は，セロトニン/ドーパミン部分アゴニストが頻繁に使用される双極性および単極性うつ病において特に強いと考えられる。

精神病治療薬の受容体結合特性と他の治療的な作用および副作用との関連性

これまで本章では，ドーパミン2(D$_2$)，セロトニン2A(5HT$_{2A}$)，セロトニン1A(5HT$_{1A}$)受容体における相互作用に仮説的に関連する抗精神病作用の機序および副作用について述べてきた。現実的に，同じ薬物が多くの他の神経伝達物質受容体に結合し，多くの他の治療用途で使用されてい

る。実際，D_2遮断薬は精神病の治療薬として処方されるよりも，精神病以外の適応で処方されることのほうが多く，このことが本書においても国際的命名法においても「抗精神病薬」と呼ばれないおもな理由である。これらの受容体作用は，他の治療作用や副作用に関連していると考えられる（図5-23〜図5-26）。このクラスの薬物が結合する既知の受容体の華やかな面々については，以降のセクションで説明する。

躁病

基本的にD_2アンタゴニスト/部分アゴニストの性質をもつすべての薬物は，急性双極性躁病の治療および躁病の再発防止に有効である。一部の薬物は他よりよく研究されており，躁病が精神病性であるか否かにかかわらず，急性双極性躁病で治療効果がみられる。統合失調症の精神病症状の治療で用いられる薬物には，「躁病治療はタダで受けられる」という古い言葉がある。つまり，基本的に精神病の陽性症状を治療できる薬物は，おそらく躁病の症状も治療することができるのである。それは，統合失調症の陽性症状と同様に，躁病も中脳辺縁系/中脳線条体系神経細胞からのドーパミンの過剰な放出が原因と考えられているからである（図4-15，図4-16）。したがって，この経路でドーパミンの過活動を抑制する薬物が，精神病状態だけでなく躁状態のときにも有効であることは，驚くことではない。躁病については第6章で，躁病の治療法については第7章で詳述する。

双極性および単極性うつ病における抗うつ作用

$5HT_{2A}/D_2$アンタゴニストや$D_2/5HT_{1A}$部分アゴニストの最も一般的な用途は，統合失調症における精神病や双極性障害における躁病の治療ではない。むしろ，単極性うつ病や双極性うつ病の治療において，低用量で，特に副作用が少ない高価な新薬が最もよく処方されている。

精神病治療のためのほとんどすべての薬物は，感情線条体のD_2受容体が80％ほど遮断されるように投与されなければならないが，うつ病に対する投与量は少なく，D_2受容体を強固に遮断するには不十分であると思われる。では，うつ病にはどのように作用するのか？ $5HT_{2A}$アンタゴニスト作用と$5HT_{1A}$部分アゴニスト作用，そしてその結果としての前頭前皮質におけるドーパミンの放出の増加が，抗うつ作用の鍵となりうる機序であると考えられる。このクラスの個々の薬物の豪華で膨大な数の受容体作用（以降の解説と図5-27〜図5-62を参照）を見渡すと，さらに多くの潜在的な抗うつ機序があることが容易に理解できる。これらについては，気分障害とその治療に関する第6章と第7章で詳細に述べ，図解する。ここでは，重要な機序のいくつかの言及に留める。抗うつ作用を説明する候補となるD_2遮断に関連した結合特性は，以降に示す多くの図で，各D_2遮断薬すべてについて示してある。それには以下が含まれる。

- モノアミン再取り込み阻害特性
- $α_2$アンタゴニスト作用
- D_3部分アゴニスト作用
- $5HT_{2C}$アンタゴニスト作用
- $5HT_3$アンタゴニスト作用
- $5HT_7$アンタゴニスト作用
- その他，おそらく$5HT_{1B/D}$アンタゴニスト作用を含む

このグループに属するどの薬物も結合特性がまったく同じではないため，ある薬物では抗うつ効果があるが，別の薬物では効果がないという患者がいることも説明できるかもしれない。これらの作用が特定の薬物の機序の一部であることについては，以降の個々の薬物に関する解説を参照してほしい。

抗不安作用

通常，精神病の治療に使用される薬物を，さまざまな不安症の治療に使用することは，やや議論のあるところである。一部の研究は，全般性不安症に対する単剤療法や他の不安症に対する他の薬物の増強療法として，これらの薬物の有効性を示

唆している。もう1つの議論が残るこれらの薬物の使用法は，心的外傷後ストレス障害(PTSD)に対するものである。これら薬物の一部の抗ヒスタミンおよび抗コリン作用による鎮静特性が，一部の患者を落ち着かせ，抗不安/抗PTSD作用として働くかもしれない。もしそうであるなら，なぜこれらの薬物の使用は議論の的になっているのか？ 不安やPTSDの適応に対する有効性については肯定的な研究と否定的な研究の両方がある。また，精神病治療に用いられる多くの薬物の副作用を考えると，不安やPTSDに対する代替治療と比較し，リスクとベネフィットの比率は必ずしも好ましいものではない。有望な例外は，これらの薬物の1つ(ブレクスピプラゾール)と選択的セロトニン再取り込み阻害薬(SSRI)との組み合わせ，特にセルトラリンとの併用に関する肯定的な研究であろう。これについては，不安症とトラウマ障害に関する第8章でも説明する。

認知症の興奮

認知症患者における興奮と呼ばれる問題症状の治療に精神病治療薬を使うことは，ほとんどの研究で明確な有効性が確認できていないこと，また，高齢認知症患者の服用に対し心血管合併症や死亡について安全性に関する警告もあることから，別の議論のあるところである。異なる機序で作用する有望な薬物が現在開発中であるが(認知症に関する第12章を参照)，このクラスの精神病治療薬の一種であるブレクスピプラゾールは認知症の興奮に対し良好な結果を示しており，満足のいくリスク・ベネフィット比が得られるかもしれない。これについては，認知症に関する第12章でさらに詳しく述べる。

鎮静催眠作用と鎮静作用

鎮静が抗精神病薬の作用にとってよい性質か悪い性質かについては，長年議論がかわされている。その答えは，精神病治療において鎮静作用は善悪の両面があるということのようである。ある患者では，特に短期間の治療においては，鎮静は望ましい治療効果である。また，特に治療初期に入院中の患者が攻撃的で興奮状態にある場合，あるいは睡眠導入が必要な場合には望ましいといえる。他の患者，特に長期治療では，覚醒度の低下，鎮静，および傾眠が認知障害につながる可能性があるため，鎮静は一般に避けなければならない副作用として扱われる。認知機能が損なわれると，機能的な予後が不良となる。鎮静の薬理学については前述しており，抗コリン作用，抗ヒスタミン作用，および$α_1$アンタゴニスト作用に関しては図5-8，図5-13，および図5-14に示してある。鎮静睡眠薬については睡眠に関する第10章で，攻撃性と暴力性については衝動性に関する第13章で述べる。

心代謝系作用

すべてのD_2/$5HT_{2A}$/$5HT_{1A}$系精神病治療薬において，体重増加，肥満，脂質異常症，高血糖/糖尿病といったリスクがあると警告されているが，実際は薬物によってリスクの度合いが異なる。

- 高代謝リスク：クロザピン，オランザピン
- 中代謝リスク：リスペリドン，パリペリドン，クエチアピン，アセナピン，iloperidone
- 低代謝リスク：ルラシドン，cariprazine, lumateperone, ziprasidone, pimavanserin，アリピプラゾール，ブレクスピプラゾール

図5-23に模式的に示した「メタボリックハイウェイ」は，体重増加，脂質異常症，高血糖/糖尿病を経て，早すぎる死という悲しい結末を示している。メタボリックハイウェイについて説明する重要な点は，中リスクまたは高リスクの薬物を服用している患者の経過をハイウェイに沿ってモニタリングすることであり，予測される有害事象を防ぐために可能な限り介入することである。メタボリックハイウェイの入り口は食欲増進と体重増加であり，肥満，インスリン抵抗性，そして空腹時中性脂肪の上昇を伴う脂質異常症へと進行する(図5-23)。最終的に高インスリン血症は膵$β$細胞の傷害，糖尿病予備軍，そして糖尿病へと進行する。いったん糖尿病が成立すると，心血管イベントのリスクはさらに高まり，早死のリスクも高

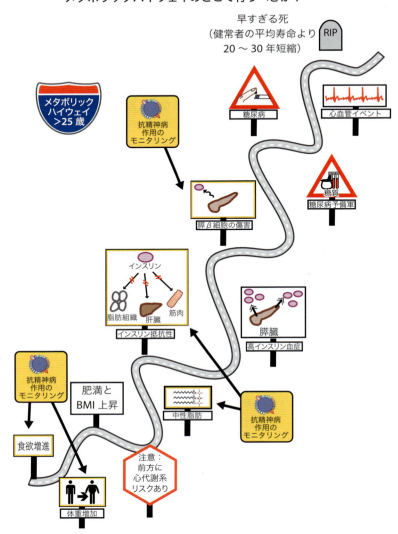

図5-23 メタボリックハイウェイ上におけるモニタリング リスクは個々の薬物によって異なるが、精神病治療薬を服用しているすべての患者に対して、心代謝系副作用のモニタリングが必要である。第1に、食欲増進と体重増加は体格指数（BMI）の上昇を招き、最終的に肥満につながる。したがって、体重とBMIをモニタリングする必要がある。第2に、薬物によっては、未知のメカニズムでインスリン抵抗性を引き起こすことがある。これは、空腹時の中性脂肪値を測定することで検出できる。最後に、高インスリン血症は、膵β細胞の傷害、糖尿病予備軍、そして糖尿病へと進展する可能性がある。糖尿病は心血管イベントと早期死亡のリスクを増大させる。
RIP（rest in peace（ラテン語：requiescat in pace））：安らかに眠れ

まる（図5-23）。

　抗精神病薬を服用している患者が、メタボリックハイウェイに沿ってこのようなもしくはそれ以上のリスクへと駆り立てられる薬理学的機序は、ようやく解明されはじめたところである。ある種の薬物による体重増加の原因は、ヒスタミン1（H_1）受容体およびセロトニン2C（$5HT_{2C}$）受容体への作用であり、これらの受容体が特に同時に遮断されると、体重増加が起こる可能性がある。体重増加は肥満の原因となり、肥満は糖尿病に、糖尿病はメタボリックハイウェイに沿って心疾患につながる（図5-23）ため、当初は精神病治療薬に伴う中程度または大幅な体重増加が他のすべての心代謝系合併症を引き起こすことは、もっともらしいことであると理解されていた。これは事実かもしれないが一部においてのみであり、おそらく強力な抗ヒスタミン作用と強力な$5HT_{2C}$アンタゴニスト作用をもつ薬物、特にクロザピン、オランザピン、クエチアピン、そして抗うつ薬のミルタザピン（第7章で述べる）についてもほとんどそ

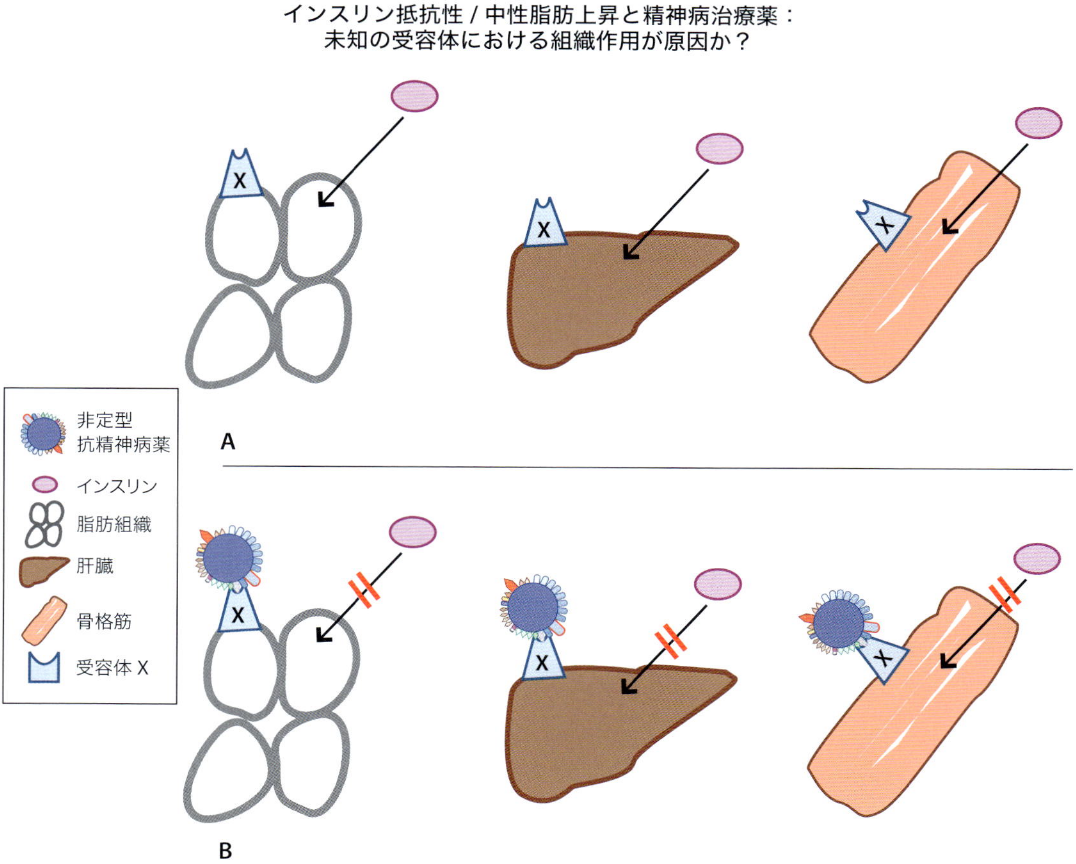

図5-24　インスリン抵抗性と中性脂肪の上昇：未知の受容体における組織作用が原因か？　精神病治療薬のなかには，体重増加と無関係にインスリン抵抗性と中性脂肪の上昇を引き起こすものがあるが，その機序はまだ確立されていない。図では，ある薬物が脂肪組織，肝臓，骨格筋で受容体Xに結合し，インスリン抵抗性を引き起こすという仮説的なメカニズムを示している。

うであろう。

しかし現在では，よりリスクの高い薬物の一部では，食欲増進や体重増加，あるいはこれら2つの受容体に対するアンタゴニスト作用によって確かに心代謝系合併症への下り坂の一歩となるものもあるが，それだけでは心代謝系リスクを単純に説明できないようである。これら2つの受容体の一方または他方を遮断する多くの薬物は食欲や体重増加をあまり伴わないが，体重増加を引き起こす多くの他の薬物はこれら2つの受容体への作用を欠いているのである。

体重増加，脂質異常症，糖尿病を引き起こす$H_1/5HT_{2C}$を介す以外の第2の機序，すなわちインスリン抵抗性を急速に増大させる作用があると思われる。これは，空腹時中性脂肪の上昇として測定することができるが，体重が大幅に増加する前に起こることなので，体重増加だけでは説明できない。まるで，インスリン調節に対し受容体を介する急速な作用があるようにみえる。その受容体が何であるかはまだわからないが，図5-24では受容体"X"と仮定している。

つまり，$H_1/5HT_{2C}$を介し食欲増進や体重増加を引き起こす機序のほかに，第2の代謝機能障害の機序が存在するようである。これは薬物が開発された時点では予想外であり，この第2の機序をもつ薬物（高リスクおよび中リスクの薬物）もあれ

ば，もたない薬物（低リスクの薬物）もあるようである。現在までに，このインスリン抵抗性の増大と空腹時中性脂肪上昇の機序が精力的に研究されているが，まだ特定されていない。いくつかの$D_2/5HT_{2A}$アンタゴニストの投与開始時に空腹時中性脂肪が急速に上昇し，その中止時に空腹時中性脂肪が急速に低下することは，未知の薬理学的な作用がこれらの変化を引き起こすことを強く示唆しているが，これはまだ推測の域をでない。この仮の受容体作用をもつ薬物の仮説的作用は図5-24に示してあり，脂肪組織，肝臓，および骨格筋のすべてが，少なくともある患者において，ある薬物（例えば，「代謝系に優しい」低リスクの薬物ではなく高リスクの薬物）の投与に反応しインスリン抵抗性を発現することがわかる。この効果の機序が何であれ，ある種の$D_2/5HT_{2A}$アンタゴニストを服用している患者の一部では，空腹時中性脂肪とインスリン抵抗性が有意に上昇し，これが心代謝系リスクを高め，患者をメタボリックハイウェイ（図5-23）に沿って動かし，心血管イベントと早死という最悪の目的地に向かうツルツルの下り坂へのさらなる一歩として機能することは明らかである。これは$D_2/5HT_{2A}$アンタゴニストを服用しているすべての患者に起こるわけではない。しかし，この問題の進行はモニタリングによって検出することができるため（図5-25），発生した場合には対処することが可能である（図5-26）。

セロトニン・ドーパミン系の精神病治療薬には，糖尿病性ケトアシドーシス diabetic ketoacidosis（DKA）または高血糖高浸透圧症候群 hyperglycemic hyperosmolar syndrome（HHS）の突然の発症という，まれではあるが致命的な別の心代謝系の問題が合併することも知られている。この合併症の機序は，現在，鋭意研究中であり，おそらく複雑かつ多因子性であると思われる。ある場合では，メタボリックハイウェイ（図5-23）上で代償性高インスリン血症の状態にいるような，つまり未診断のインスリン抵抗性，糖尿病予備群，あるいは糖尿病を有する患者が，ある種のセロトニン/ドーパミンアンタゴニストを服用すると，未知の薬理作用により代償不全になることが

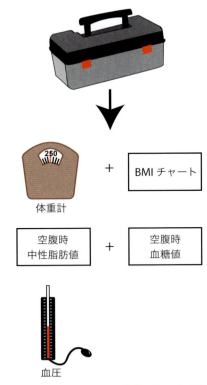

図5-25　代謝系測定キット　精神薬理学者のもつ代謝系測定キットには，体重/体格指数（BMI），空腹時中性脂肪値（TG），空腹時血糖値（glu），および血圧（BP）という4つの主要パラメーターが含まれている。これらの項目を患者の診療録の最初に簡単なフローチャートとして作成し，診療ごとに記載する。

ある。DKA/HHSのリスクを避けるため，特に高インスリン血症，糖尿病予備群，または糖尿病がある場合は，精神病に対する薬物を処方する前に患者がメタボリックハイウェイのどこに位置するかを知ることが重要である。したがって，これらの危険因子をモニタリングし（図5-23，図5-25），管理する（図5-26）ことが重要である。

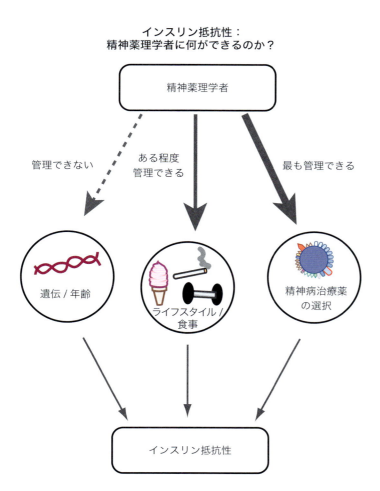

図5-26 **インスリン抵抗性：精神薬理学者に何ができるのか？** いくつかの因子がインスリン抵抗性に対して影響を与える。精神薬理学者が管理できるものもあれば，そうでないものもある。遺伝的体質や年齢といった管理できないものもあれば，ライフスタイル(例えば，食事，運動，喫煙など)のようにある程度管理できるものもある。また，インスリン抵抗性が生じやすいまたは生じにくい薬物のどれを選択するかにより，精神薬理学者がインスリン抵抗性の管理に最も重要な影響を及ぼす。

　具体的には，精神薬理学者が精神病治療薬を服用している患者(あるいは同じ薬物を他の適応症，特にうつ病で使用している患者)をモニタリングし，その心代謝系リスクを管理しなければならない段階が，メタボリックハイウェイに沿って少なくとも3つある(図5-23)。これは，糖尿病の発症を検出するために，体重，体格指数body mass index(BMI)，および空腹時血糖値をモニターすることからはじまる(図5-23，図5-25)。また，空腹時中性脂肪のベースライン値を取得し，糖尿病の家族歴の有無を知っておくことも重要である。第2の段階は，セロトニン/ドーパミン系薬物の投与開始前後に空腹時中性脂肪を測定し，これらの薬物が脂質異常症やインスリン抵抗性の増加を引き起こしていないかどうかモニタリングすることである(図5-25)。BMIまたは空腹時中性脂肪が有意に上昇した場合は，このクラスの他の薬物，特に代謝リスクの低い薬物への変更を検討する必要がある。肥満と脂質異常症があり，糖尿病予備群または糖尿病状態の患者では，セロトニン/ドーパミン系薬物の投与開始前後に，血圧，空腹時血糖値，そして腹囲を測定しておくことが特に重要である。最善の方法は，これらの薬物を服用しているすべての人でこれらのパラメーターをモニタリングすることであるが，残念ながら，行われることは少ない。うつ病の治療を受けている患者では特にそうである。同様に，遅発性ジスキネジア(TD)のようなこのクラスの他の副作用についても，モニタリングされていないことがあまりにも多い。薬理学を知るうえで学ぶべき教訓が1つあるとすれば，有効性だけでなく安全性も機序によって決まるということである。これらの薬

物は，精神病に使用される場合，しばしば入院患者において一定の方法でモニタリングが行われているが，うつ病に使用される場合は，しばしば外来患者において厳密にモニタリングされていないことがあまりにも多い。

いったいどういうことなのか？ どこで誰に使われていても同じ薬物である。

ハイリスク患者では，DKA/HHSに注意することが特に重要であり，場合によっては，心代謝系リスクの低い精神病（または気分障害）治療薬を継続投与することで，そのリスクを低減させることも可能である。特に，高インスリン血症，糖尿病予備群，または糖尿病などで膵β細胞の傷害が差し迫っている，あるいは実際に起こっているハイリスク患者では，空腹時血糖値やその他の化学・臨床パラメーターのモニタリングを行うことで，まれではあるが致命的なDKA/HHSの初期徴候を検出することができるであろう。

精神薬理学者がもつ代謝系測定キットは実に単純である（図5-25）。具体的には，特に薬物の切り替え前後や，または新しい危険因子の発生に伴い，経時的にわずか4つのパラメーターを追跡するものである。4つのパラメーターとは，体重（BMI），空腹時中性脂肪値，空腹時血糖値，および血圧である。

心代謝系疾患リスクをもつ患者の管理も非常にシンプルである。ただし，脂質異常症，高血圧，糖尿病，および心疾患をすでに発症している患者は，専門医によるこれらの問題の管理が必要であろう。しかしながら，精神薬理学者にはあらゆる代謝リスクのあるこれらの薬物の1つが処方された心代謝系リスクをもつ患者を管理するために，非常に単純な選択肢が残されている（図5-26）。患者を早死という結末が待つメタボリックハイウェイに進ませるかどうかを決定するおもな要因には，以下のものがある。

- 管理できないもの（遺伝的体質と年齢）
- ある程度管理できるもの（食事，運動，および禁煙などのライフスタイルの変化）
- 最も管理できるもの，すなわち薬物の選択。おそらく特定の患者においてリスクを増大させる薬物から，リスクが低いとモニタリングで証明された薬物への切り替え

セロトニン/ドーパミンアンタゴニストを服用している患者のメタボリックシンドロームと脂質異常症を管理するための他の選択肢は，他の薬物との併用療法である。体重増加と，場合によっては脂質異常症を防ぐ可能性があると期待されている。すなわち，抗糖尿病薬であるメトホルミンはいくつかの研究において，薬物による体重増加の後に体重減少を引き起こし，さらに，おそらくもっと驚くべきことに，高または中程度のメタボリックリスクをもつ薬物を開始したときに体重増加を抑えることが示唆されている。抗痙攣薬であるトピラマートについては，あまり一貫した結果は報告されていない。オランザピンによる体重増加を抑制できる最近登場した新しい薬物として，μオピオイドアンタゴニストであるsamidorphanとオランザピンの合剤が注目されている。

選択された個々の第1世代D_2アンタゴニストの薬理学的特性

約70年前に発売された古典的なD_2アンタゴニストは，今でも精神病の治療に使われており，ここでは最もよく処方される薬物のいくつかを選んで個別に説明する。精神病を治療するさまざまな薬物のすべての受容体結合特性を特徴づけるために，図では，これらの特性を簡略化したアイコンと，薬物が結合するすべての既知の受容体をそれぞれ1ボックスとして表した。カラーボックスは左端の最も強力なものから右端の最も弱いものまでを順に並べ，帯状に示した（古典的なD_2アンタゴニストは図5-27〜図5-31，その他の精神病治療薬についてはこれに続く図を参照）。具体的には，各薬物の薬理学的結合特性は，多数の神経伝達物質受容体における半定量的かつ順位づけされた相対的結合力の列として表現することができる。これらの数値は概念的なものであり，正確に定量したものではなく，研究室ごと，種類ごと，測定方法ごとに異なる場合があり，結合特性のコ

227 選択された個々の第1世代D₂アンタゴニストの薬理学的特性

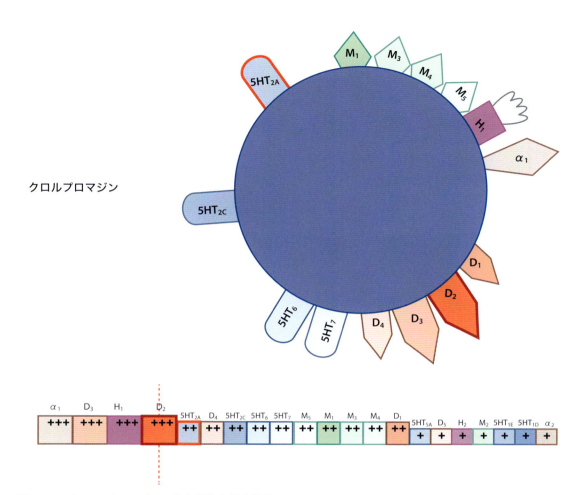

図5-27　クロルプロマジンの薬理学的な結合特性　図では，現在の定性的コンセンサスにもとづいてクロルプロマジンの結合特性を示した。クロルプロマジンはD₂受容体に加え，α₁アドレナリン受容体（α₁受容体），D₃受容体，およびH₁受容体に強力に結合し，さらに示した他の多くの受容体にも作用する。本章で取り上げたすべての薬物と同様に，結合特性は測定方法や研究室ごとに大きく異なり，常に改訂，更新されている。

ンセンサス値も時代とともに進化している。結合能が強力なもの（高い親和性）は縦の点線で示されたD₂受容体の値の左側に，結合能が強力でないもの（低い親和性）は右側に示してある。

　精神病の治療に用いられる薬物は，医学全体とまではいかなくとも，精神薬理学において最も複雑な薬物であることは間違いない。この表示方法により，精神病の治療に用いられる24種類の薬物の個々の薬理特性，そして他のすべての精神病治療薬と比較してどうであるのかを，読者が迅速に半定量的に把握し，一目で理解できることを期待する。

　D₂アンタゴニスト/部分アゴニストは一般に，抗精神病作用を発揮するため，少なくとも60～80%のD₂受容体が占拠されるように投与される。したがって，図中でD₂より左側にあるこれらの薬物のさまざまなすべての受容体は，抗精神病薬の投与量レベルでは**60%以上**が占拠されている。また，図中でD₂の右側に示されている，これら個々の薬物の受容体は，抗精神病薬の投与量レベルにおいて60%未満が占拠されている。D₂親和性に近い力価で薬物が結合する受容体のみが，抗精神病薬の用量で臨床に関連した作用をもつと考えられ，うつ病の治療に用いられるような低用

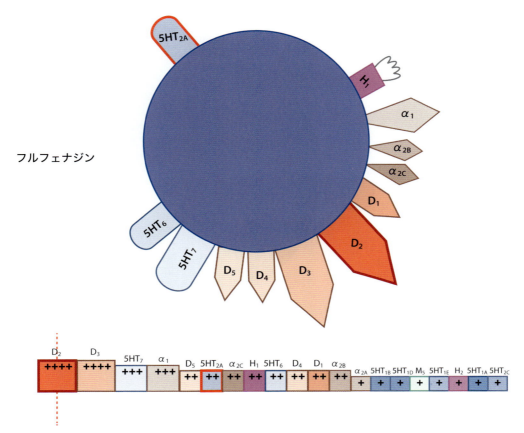

図5-28　フルフェナジンの薬理学的な結合特性　図では，現在の定性的コンセンサスにもとづいてフルフェナジンの結合特性を示した。D_2アンタゴニスト作用に加え，フルフェナジンはD_3，$5HT_7$，α_1アドレナリン受容体（α_1受容体）に強い作用をもち，その他多数の受容体にも結合する。本章で取り上げたすべての薬物と同様に，結合特性は測定方法や研究室ごとに大きく異なり，常に改訂，更新されている。

量では，おそらく関連した作用はないであろう。

クロルプロマジン

　精神病の治療に使用されるD_2アンタゴニストの最初の1つが，フェノチアジン系化学物質であるクロルプロマジンである。この薬物はもともと"Largactil"という商品名で販売されており，その名は多くの作用をもっているという意味であったが，しかし当時はどの作用も特定の受容体に関連していると知られていなかった。その「大きな作用」は図5-27に示すとおりで，クロルプロマジンは治療的に働くD_2アンタゴニスト作用に加えて，鎮静に関連する多数の受容体作用（ムスカリンアンタゴニスト作用，α_1アンタゴニスト作用，ヒスタミンアンタゴニスト作用），およびその他の副作用をもっている（図5-8，図5-13参照）。クロルプロマジンは，鎮静が効果的である患者に対し，特に短期間の経口投与，または興奮や精神病の急性増悪時に必要な場合は短時間作用型の筋肉内注射薬として処方されることが多く，その場合，毎日投与される同種類の別の薬物と併用投与されることが多い。

フルフェナジン

　この薬物もフェノチアジン系の一種で，クロルプロマジンより強力で鎮静作用は弱い（図5-28）。短時間作用型と長時間作用型の両方の製剤があり，利便性が高く，血漿薬物濃度のモニタリング

選択された個々の第1世代D₂アンタゴニストの薬理学的特性

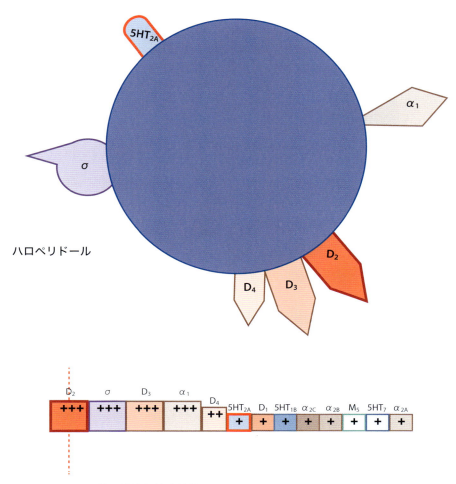

図5-29　ハロペリドールの薬理学的な結合特性　図では，現在の定性的コンセンサスにもとづいてハロペリドールの結合特性を示した。ハロペリドールは，D₂受容体およびσ，D₃，α₁アドレナリン受容体（α₁受容体）に強力に結合する。本章で取り上げたすべての薬物と同様に，結合特性は測定方法や研究室ごとに大きく異なり，常に改訂，更新されている。

が有用な薬物の1つである。

ハロペリドール

　ハロペリドール（図5-29）は最も強力なD₂アンタゴニストの1つであり，他の薬物よりも鎮静作用が弱い。また，使いやすいように短時間作用型と長時間作用型の製剤があり，これも血漿薬物濃度のモニタリングが有用な薬物の1つである。

スルピリド

　スルピリド（図5-30）はD₂アンタゴニスト特性をもち，予想されたとおり，通常の抗精神病薬としての用量では運動系副作用やプロラクチン上昇を引き起こす。しかし，特に低用量では若干の賦活作用があり，統合失調症の陰性症状や不明確な理由によるうつ病に有効な場合がある。うつ病に対するD₃アンタゴニスト/部分アゴニスト作用については，気分障害の治療に関する第7章で述べており，この説が有力な候補である（図5-30参照）。スルピリドは，他の古典的なD₂アンタゴニストよりも忍容性が高いので，英国など米国以外の国では，精神病の治療薬として依然として人気がある。

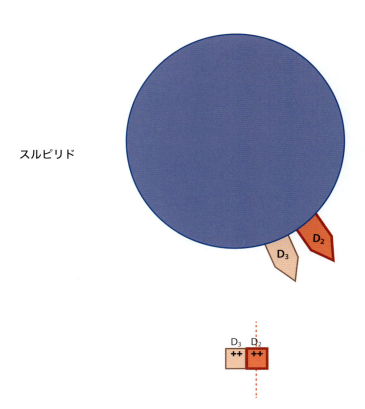

図5-30　スルピリドの薬理学的な結合特性　図では，現在の定性的コンセンサスにもとづいてスルピリドの結合特性を示した。通常の抗精神病薬の投与量では，スルピリドはD_2アンタゴニストであり，D_3アンタゴニスト/部分アゴニストとしての作用も有している。本章で取り上げたすべての薬物と同様に，結合特性は測定方法や研究室ごとに大きく異なり，常に改訂，更新されている。

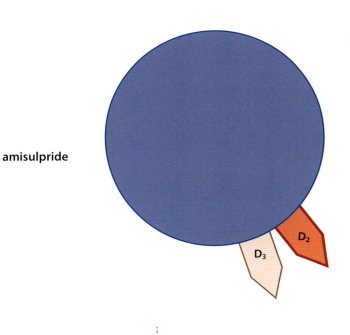

図5-31　amisulprideの薬理学的な結合特性　図では，現在の定性的コンセンサスにもとづいてamisulprideの結合特性を示した。D_2受容体への作用に加え，amisulprideはいくらかのD_3アンタゴニスト作用と，いくぶん弱い$5HT_7$アンタゴニスト作用を有する。本章で取り上げたすべての薬物と同様に，結合特性は測定方法や研究室ごとに大きく異なり，常に改訂，更新されている。

amisulpride

amisulpride(図5-31)はスルピリド(図5-30)と構造が似ており，米国外で開発され販売された。前臨床試験の初期のデータでは，黒質線条体ドーパミン受容体よりも中脳辺縁系/中脳線条体ドーパミン受容体への選択性が高く，したがって抗精神病薬としての用量では運動系副作用の発現が少ない傾向を有することが示唆されている。amisulprideは，精神病の陽性症状の治療に用いられるより低い用量で，統合失調症の陰性症状およびうつ病に有効だという報告がある。amisulprideにはD_3アンタゴニスト作用と弱い$5HT_7$アンタゴニスト作用があり，これが陰性症状の改善や抗うつ作用の一端を担っていると考えられる(図5-31)。D_3アンタゴニスト作用/部分アゴニスト作用と$5HT_7$アンタゴニスト作用の抗うつ効果については，第7章で述べる。amisulprideの活性異性体は，米国で開発の可能性を求め初期臨床試験中である。

個々の$5HT_{2A}/D_2$アンタゴニストと$D_2/5HT_{1A}$部分アゴニストにおける薬理学的特性の概要："pine(peen)"，多くの"done"と1つの"rone"，2つの"pip"と1つの"rip"

これまで，D_2アンタゴニスト/部分アゴニストの特性が，精神病治療に用いられる薬物の陽性症状に対する抗精神病効果だけでなく多くの副作用も説明可能にすることを立証してきた。そして，$5HT_{2A}$アンタゴニストや$5HT_{1A}$部分アゴニストの特性は，運動系副作用やプロラクチン上昇傾向の減少，および陽性，陰性，抑うつ，および認知症状の治療効果を高める可能性について説明するのにも役立つであろう。しかしながら，精神病の治療に使用される個々の薬物に対するこれらの特性の影響はきわめて多様である。古典的なD_2アンタゴニストについて前述したように，われわれはまた，$D_2/5HT_{2A}/5HT_{1A}$薬物のすべての受容体結合特性について，それぞれの薬物が結合する既知のすべての受容体をおのおの1ボックスとし，左端の最も強力なものから右端の最も弱いものまで順に帯状のカラーボックスで示した(図5-32〜図5-63参照)。これらの薬理学的結合特性は，多数の神経伝達物質の受容体における半定量的かつ順位づけされた相対的結合力としてふたたび一列で表示した。各図では特定の受容体を強調し，すべての薬物の相対的結合力を一目で比較できるようにした。D_2受容体それ自体は縦に点線を引き，D_2受容体の値より強い結合(高い親和性)は左側に，より弱い結合(低い親和性)は右側に示した。

すべての精神病治療薬を単一のクラスにすべきか，少数のクラスにすべきか，あるいはそれぞれの薬物を独自に扱うべきかを決定することは，かつて偉大な野球人 Yogi Berra が，自分と息子はよく似ているかとたずねられたときの有名な言葉に少し似ている。彼は少し間をおいて，考え込んだ。そして「そうだね，でも私たちの似ているところは違うんだ」と答えた。同じことが，精神病(と気分障害，第7章参照)の治療に使われるすべての薬物にもいえる。ある意味ではよく似ているが，多くの点でその類似性は異なるのだ！

では，どのような点で似ているのか？ まず，それらの薬物の$5HT_{2A}$受容体とD_2受容体への結合能についてみてみよう。図5-32をみれば一目瞭然だが，ほぼすべての薬物でD_2結合の左側に$5HT_{2A}$結合が位置している。つまり$5HT_{2A}$が左側にあるこれらの薬物はすべてD_2受容体よりも$5HT_{2A}$受容体に高い親和性をもち，D_2受容体に比べて$5HT_{2A}$受容体により多く結合することが予想される。例外はD_2部分アゴニストだが，これらの薬物はすべて$5HT_{1A}$受容体とD_2受容体に対し同等の結合能をもっている(図5-33)。しかしながら，強力な$5HT_{2A}$特性をもつD_2アンタゴニストは一般に$5HT_{1A}$受容体に対し高い親和性をもたない(図5-32と図5-33の同じ薬物で，$5HT_{2A}$と$5HT_{1A}$の特性を比較せよ)。もしかしたら，それは実際には重要なことではないのかもしれない。$5HT_{2A}$アンタゴニストによる下流作用の多くは，$5HT_{1A}$部分アゴニストによっても引き起こされることを思い出してほしい(前述と図5-17，図5-22参照)。しかし，まったく同じ薬物は2つとなく，$5HT_{2A}$および$5HT_{1A}$受容体に関連する臨床

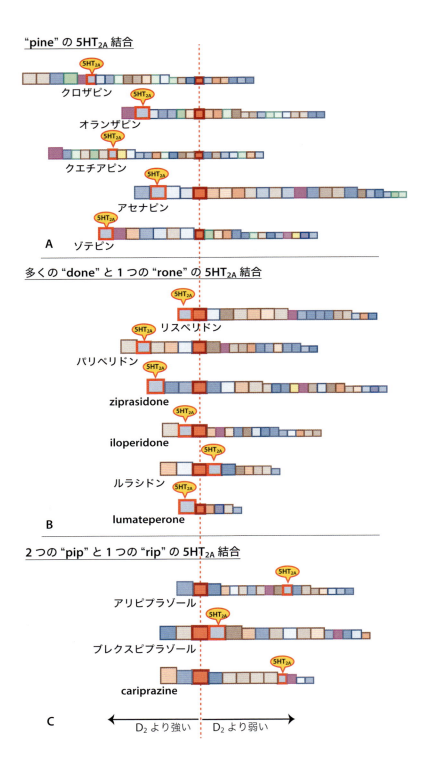

図 5-32　精神病治療薬による 5HT$_{2A}$ 結合　精神病の治療に用いられる薬物の結合特性を視覚的に示した。各色のボックスは異なる結合特性を表し、そのサイズと位置は結合能を反映している(すなわち、サイズは標準 K$_i$ 値に関連した結合能を表し、位置はその薬物の他の結合特性との相対的な結合能を表している)。D$_2$ 受容体結合ボックスの中心を縦断する点線を引き、D$_2$ より強い結合特性は左に、D$_2$ より弱い結合特性は右に示してある。興味深いことに、ここに示したどの薬物においても、D$_2$ 結合は最も強力な特性ではない。(**A**) "pine"(すなわち、クロザピン、オランザピン、クエチアピン、アセナピン、およびゾテピン)はすべて D$_2$ 受容体よりも 5HT$_{2A}$ 受容体にはるかに強力に結合する。(**B**) "done" と "rone"(すなわち、リスペリドン、パリペリドン、ziprasidone, iloperidone, ルラシドン, lumateperone)も 5HT$_{2A}$ 受容体に D$_2$ 受容体とそれ以上かまたは同等に強力に結合する。(**C**) アリピプラゾールと cariprazine はともに 5HT$_{2A}$ 受容体よりも D$_2$ 受容体に強く結合し、ブレクスピプラゾールは両方の受容体に同等の結合能をもつ。

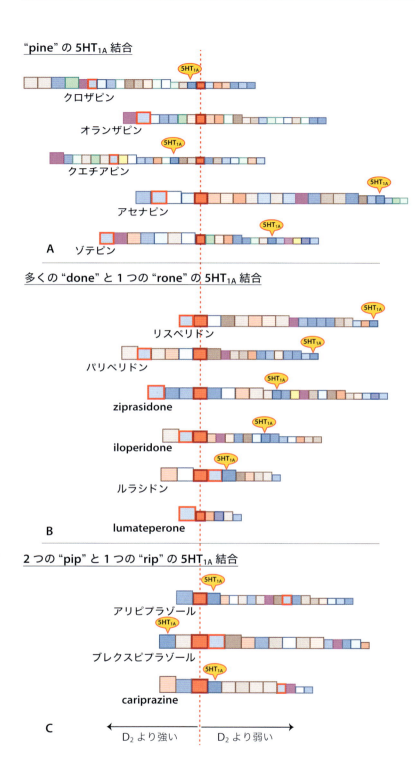

図5-33　精神病治療薬による5HT$_{1A}$結合　精神病の治療に用いられる薬物の結合特性を視覚的に示した。(**A**)クロザピンとクエチアピンはD$_2$受容体よりも5HT$_{1A}$受容体に強く結合し、アセナピンとゾテピンは5HT$_{1A}$受容体にあまり強く結合せず、オランザピンはまったく結合しない。(**B**)"done"(すなわち、リスペリドン、パリペリドン、ziprasidone、iloperidone、ルラシドン)はすべて、5HT$_{1A}$受容体に対しD$_2$受容体よりも弱い結合能をもつ。lumateperoneは5HT$_{1A}$受容体に結合しない。(**C**)アリピプラゾール、ブレクスピプラゾール、cariprazineはそれぞれD$_2$受容体と5HT$_{1A}$受容体に対してほぼ同等の結合能をもつ。5HT$_{1A}$への結合は、実はブレクスピプラゾールの最も強力な特性である。

図の説明：各色のボックスは異なる結合特性を表し、そのサイズと位置は結合能を反映している(すなわち、サイズは標準K$_i$値に関連した結合能を表し、位置はその薬物の他の結合特性との相対的な結合能を表している)。D$_2$受容体結合ボックスの中心を縦断する点線を引き、D$_2$より強い結合特性は左に、D$_2$より弱い結合特性は右に示してある。また、5HT$_{2A}$(図5-32参照)結合は、オレンジ色の輪郭で示している。

特性も異なると考えられる。ただし，基本的にすべての薬物が，少なくともある程度，5HT$_{2A}$アンタゴニスト作用，5HT$_{1A}$部分アゴニスト作用のどちらかまたは両方を有している。すべての薬物が強力な5HT$_{2A}$アンタゴニスト作用を有するにもかかわらず，どのように異なるかの一例は，D$_2$結合と5HT$_{2A}$結合の乖離が大きくなるほど(すなわち，5HT$_{2A}$がD$_2$の左側にあればあるほど)，抗精神病作用に必要なD$_2$受容体占有率は低くなるということである。それらが最も離れているもの(つまりlumateperone，クエチアピン，およびクロザピン)は，抗精神病薬の投与量でD$_2$受容体占有率が最も低く，実際には60％以下であるという研究結果を裏づけている。おそらく，こうした議論はすべて，精神病を治療する薬物はどれも同じだが，その類似性は異なるということを，婉曲的に述べているにすぎないのであろう。

もしこれらの薬物の共通点が，D$_2$受容体への結合とある程度の5HT$_{2A}$受容体または5HT$_{1A}$受容体への結合をもつことだとすれば，類似性の話はそこで終わってしまう。これらのさまざまな薬物はドーパミンやセロトニン受容体への結合以外にも多くの薬理学的特性を有しており，付加的な薬理学的特性は9つの図(図5-34～図5-42)に示してある。これらのうち最初の7つは，前述した，第7章で詳述する推測上の抗うつ作用の機序を視覚的に比較できるようにしたものである。例えば，想定される抗うつ作用に関連するさまざまな受容体特性は，以下の図に示してある。

- モノアミン再取り込み阻害作用(図5-34)
- α$_2$アンタゴニスト作用(図5-35)
- D$_3$部分アンタゴニスト/部分アゴニスト作用(図5-36)
- 5HT$_{2C}$アンタゴニスト作用(図5-37)
- 5HT$_3$アンタゴニスト作用(図5-38)
- 5HT$_6$および5HT$_7$アンタゴニスト作用(図5-39)
- 5HT$_{1B/D}$アンタゴニスト作用(図5-40)

また，副作用と理論的に関連があるさまざまな受容体結合特性もつぎの図に示してある。

- 抗ヒスタミンおよび抗コリン作用(図5-41)
- α$_1$アンタゴニスト作用(図5-42)

これらの結合特性を図に示したのは，薬物の違いや共通点を理解するためである。抗うつ作用に関する理論的な機序は個々の薬物でまったく異なり，単極性または双極性うつ病に適応となるもの，ならないものがある理由，また，ある患者のうつ病がこのグループのある薬物に反応し，別の薬物に反応しない理由も説明できるかもしれない。読者がこの24種類の複雑な薬物に関する力作を，もう少し簡単に，そして少し楽しみながら理解することを助けるもう1つの方法は，すべての薬物を3つの風変わりなグループに分類することである。

- "pine(peen)"
- 多くの"done"と1つの"rone"
- 2つの"pip"と1つの"rip"

すでに図5-32～図5-42に各薬物をこのように3つに分類して示しているが，ここでは，3つのグループに分類された個々の薬物について簡単に説明し，その特徴の違いを簡単に覚えてもらえるようにしたい。

"pine(peen)"（薬物名が"－pine"で終わる）

クロザピン

クロザピン(図5-43)は，他の精神病治療薬が奏効しない場合，特に有効性が高いと広く認められており，したがって統合失調症に対する有効性という点で「ゴールドスタンダード」である。また，クロザピンは統合失調症患者の自殺リスクを減少させることが証明されている唯一の抗精神病薬であり，精神病患者の攻撃性や暴力の治療においても特に有効と考えられている。どのような薬理学的特性をもってゴールドスタンダードとなるほどの効果を発揮しているのか明らかになってい

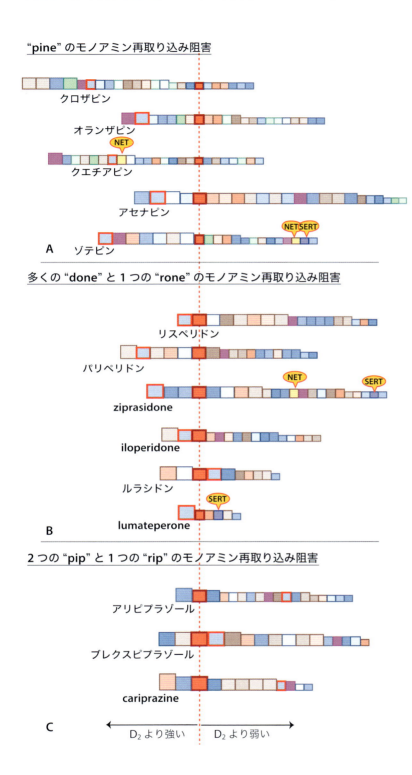

図5-34 **精神病治療薬によるモノアミン輸送体結合** 精神病の治療に用いられる薬物の結合特性を視覚的に示した。(A)"pine"のうち，クエチアピンは関連するモノアミン再取り込み阻害作用をもつ唯一の薬物である。具体的には，ノルエピネフリントランスポーター(NET)に対して，5HT$_{2A}$受容体と同等の結合能をもち，D$_2$受容体よりも大きな作用を発揮する。(B) ziprasidoneは，NETおよびセロトニントランスポーター(SERT)に結合するが，D$_2$受容体よりも弱い結合能である。lumateperoneはSERTに結合し，D$_2$受容体と同等の結合能を示す。(C)アリピプラゾール，ブレクスピプラゾールおよびcariprazineは，いずれのモノアミン輸送体にも結合しない。

図の説明：各色のボックスは異なる結合特性を表し，そのサイズと位置は結合能を反映している(すなわち，サイズは標準K$_i$値に関連した結合能を表し，位置はその薬物の他の結合特性との相対的な結合能を表している)。D$_2$受容体結合ボックスの中心を縦断する点線を引き，D$_2$より強い結合特性は左に，D$_2$より弱い結合特性は右に示してある。また，5HT$_{2A}$(図5-32参照)結合は，オレンジ色の輪郭で示している。

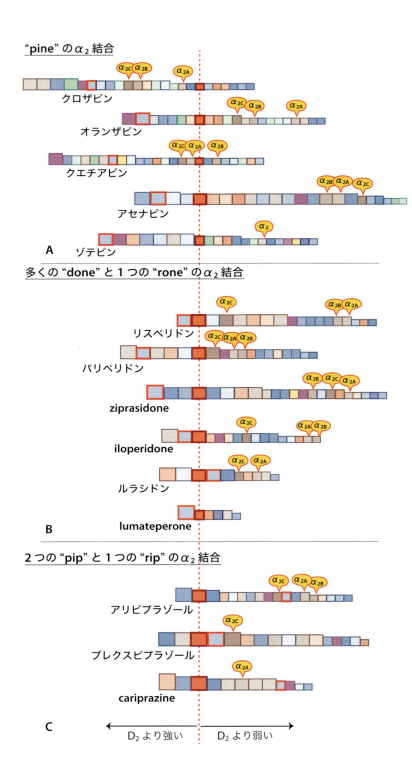

図5-35 **精神病治療薬によるα₂結合** 精神病の治療に用いられる薬物の結合特性を視覚的に示した。(**A**)すべての"pine"(すなわち,クロザピン,オランザピン,クエチアピン,アセナピン,ゾテピン)はさまざまな強度でα₂受容体に結合する。特にクロザピンとクエチアピンは,いくつかのα₂受容体サブタイプに対してD₂受容体よりも強い結合能をもつ。(**B**)すべての"done"(すなわち,リスペリドン,パリペリドン,ziprasidone, iloperidone, ルラシドン)は,さまざまな強度でα₂受容体に結合する。リスペリドンとパリペリドンは,α₂C受容体に対しD₂受容体と同等の結合能をもつ。lumateperoneはどのα₂受容体にも結合しない。(**C**)アリピプラゾールは,D₂受容体より弱くα₂受容体と結合する。ブレクスピプラゾールはα₂C受容体に結合し,cariprazineはα₂A受容体にいくらか親和性がある。

図の説明:各色のボックスは異なる結合特性を表し,そのサイズと位置は結合能を反映している(すなわち,サイズは標準K$_i$値に関連した結合能を表し,位置はその薬物の他の結合特性との相対的な結合能を表している)。D₂受容体結合ボックスの中心を縦断する点線を引き,D₂より強い結合特性は左に,D₂より弱い結合特性は右に示してある。また,5HT$_{2A}$(図5-32参照)結合は,オレンジ色の輪郭で示している。

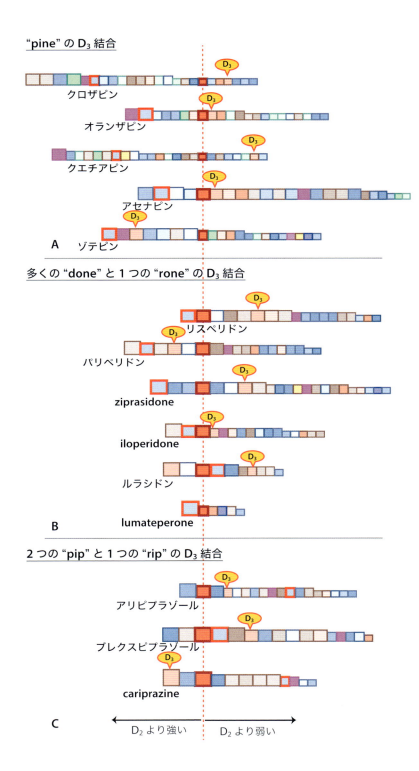

図5-36　精神病治療薬によるD₃結合　精神病の治療に用いられる薬物の結合特性を視覚的に示した。(**A**)すべての"pine"はD₃受容体に結合するが，その強さはさまざまである。(**B**)同様に，すべての"done"はD₃受容体に結合するが，これも強度はさまざまである。しかし，lumateperoneはD₃受容体にまったく結合しない。(**C**)D₃受容体の部分アゴニスト作用は，実はcariprazineの最も強力な結合特性である。アリピプラゾールとブレクスピプラゾールもD₃受容体に結合するが，D₂受容体に結合するよりも弱い。

図の説明：各色のボックスは異なる結合特性を表し，そのサイズと位置は結合能を反映している(すなわち，サイズは標準K$_i$値に関連した結合能を表し，位置はその薬物の他の結合特性との相対的な結合能を表している)。D₂受容体結合ボックスの中心を縦断する点線を引き，D₂より強い結合特性は左に，D₂より弱い結合特性は右に示してある。また，5HT$_{2A}$(図5-32参照)結合は，オレンジ色の輪郭で示している。

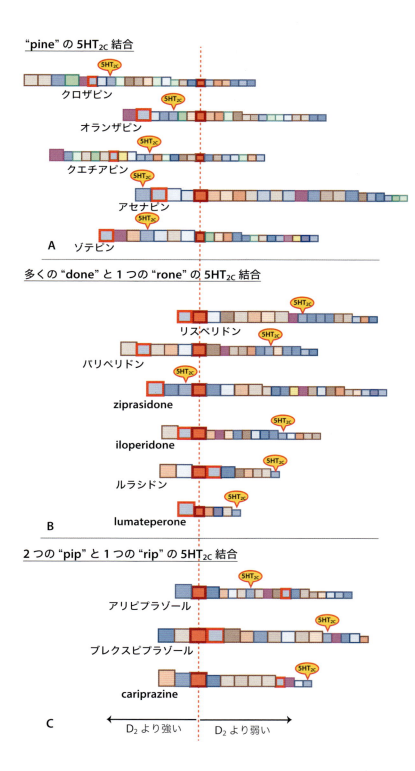

図5-37 精神病治療薬による5HT₂C結合 精神病の治療に用いられる薬物の結合特性を視覚的に示した。(A)すべての"pine"(すなわち,クロザピン,オランザピン,クエチアピン,アセナピン,ゾテピン)は,D₂受容体よりも5HT₂C受容体に強力に結合する。(B)すべての"done"(リスペリドン,パリペリドン,ziprasidone,iloperidone,ルラシドン)は,lumateperoneと同様に5HT₂C受容体にある程度の親和性をもつが,ziprasidoneのみがD₂受容体とほぼ同等の結合能をもつ。(C)アリピプラゾール,ブレクスピプラゾール,およびcariprazineはいずれも5HT₂C受容体に相対的に弱い親和性を有する。

図の説明:各色のボックスは異なる結合特性を表し,そのサイズと位置は結合能を反映している(すなわち,サイズは標準K_i値に関連した結合能を表し,位置はその薬物の他の結合特性との相対的な結合能を表している)。D₂受容体結合ボックスの中心を縦断する点線を引き,D₂より強い結合特性は左に,D₂より弱い結合特性は右に示してある。また,5HT₂A(図5-32参照)結合は,オレンジ色の輪郭で示している。

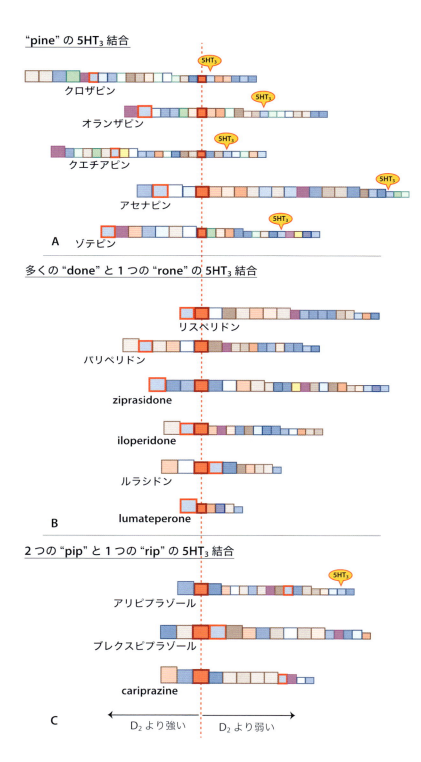

図5-38 **精神病治療薬による5HT₃結合** 精神病の治療に用いられる薬物の結合特性を視覚的に示した。(A) すべての"pine"は、D₂受容体よりも弱く5HT₃に結合する。(B) "done"、"rone"はいずれも5HT₃受容体に結合活性を示さない。(C) アリピプラゾールは5HT₃受容体に弱く結合する。

図の説明：各色のボックスは異なる結合特性を表し、そのサイズと位置は結合能を反映している（すなわち、サイズは標準Ki値に関連した結合能を表し、位置はその薬物の他の結合特性との相対的な結合能を表している）。D₂受容体結合ボックスの中心を縦断する点線を引き、D₂より強い結合特性は左に、D₂より弱い結合特性は右に示してある。また、5HT₂ₐ（図5-32参照）結合は、オレンジ色の輪郭で示している。

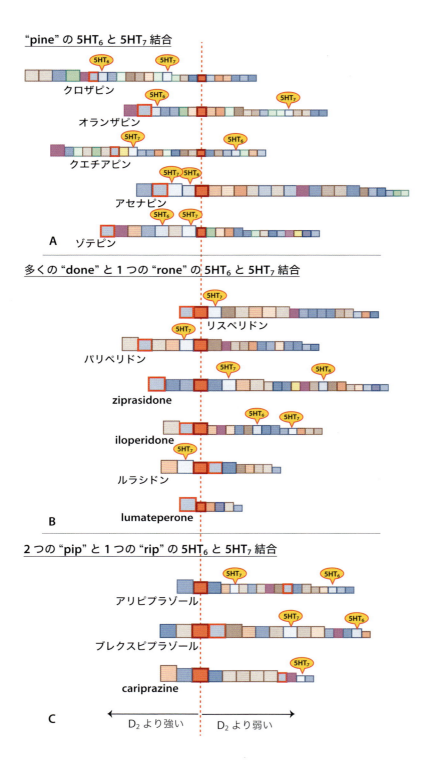

図5-39 **精神病治療薬による5HT₆と5HT₇結合** 精神病の治療に用いられる薬物の結合特性を視覚的に示した。(**A**) クロザピン，クエチアピン，アセナピン，およびゾテピンはそれぞれD₂受容体よりも強いか同等の5HT₇受容体結合能をもち，クロザピン，オランザピン，アセナピン，およびゾテピンはそれぞれD₂受容体よりも強いか同程度の5HT₆受容体結合能をもつ。(**B**) リスペリドン，パリペリドン，ziprasidone，およびルラシドンはいずれも5HT₇受容体に強力に結合する。特にルラシドンはD₂受容体よりも5HT₇受容体に大きな親和性をもつ。ziprasidoneとiloperidoneは5HT₆受容体にも結合する。(**C**) アリピプラゾール，ブレクスピプラゾール，およびcariprazineはいずれも5HT₇受容体に結合するが，D₂受容体より弱い。
図の説明：各色のボックスは異なる結合特性を表し，そのサイズと位置は結合能を反映している（すなわち，サイズは標準K_i値に関連した結合能を表し，位置はその薬物の他の結合特性との相対的な結合能を表している）。D₂受容体結合ボックスの中心を縦断する点線を引き，D₂より強い結合特性は左に，D₂より弱い結合特性は右に示してある。また，5HT₂ₐ(図5-32参照)結合は，オレンジ色の輪郭で示している。

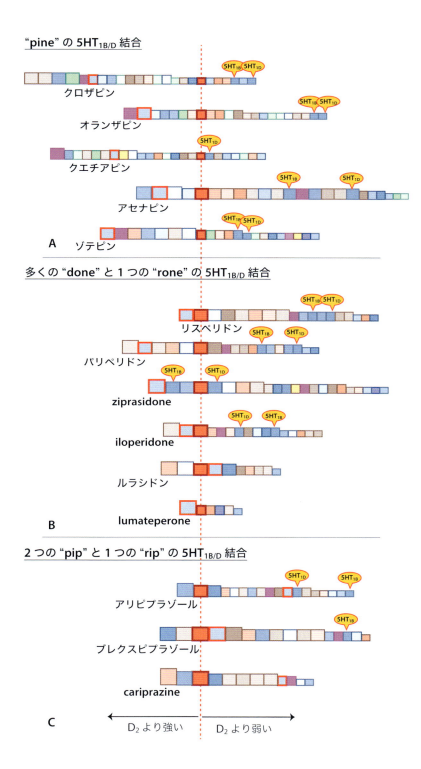

図5-40 **精神病治療薬による5HT$_{1B/D}$結合** 精神病の治療に用いられる薬物の結合特性を視覚的に示した。(**A**) クロザピン, オランザピン, アセナピン, およびゾテピンはすべて5HT$_{1B}$, 5HT$_{1D}$受容体に比較的弱く結合する。クエチアピンは5HT$_{1D}$受容体にのみ比較的弱く結合する。(**B**) リスペリドン, パリペリドン, ziprasidone, およびiloperidoneはいずれも5HT$_{1B}$, 5HT$_{1D}$受容体にある程度の親和性をもつ。特にziprasidoneはこの2つの受容体に対しD$_2$受容体とほぼ同等の結合能をもつ。ルラシドンとlumateperoneは5HT$_{1B/D}$受容体には結合しない。(**C**) アリピプラゾールとブレクスピプラゾールは, それぞれ5HT$_{1B}$受容体に弱く結合する。アリピプラゾールは5HT$_{1D}$受容体にも結合する。cariprazineは5HT$_{1B/D}$受容体に結合しない。

図の説明：各色のボックスは異なる結合特性を表し, そのサイズと位置は結合能を反映している(すなわち, サイズは標準K$_i$値に関連した結合能を表し, 位置はその薬物の他の結合特性との相対的な結合能を表している)。D$_2$受容体結合ボックスの中心を縦断する点線を引き, D$_2$より強い結合特性は左に, D$_2$より弱い結合特性は右に示してある。また, 5HT$_{2A}$(図5-32参照)結合は, オレンジ色の輪郭で示している。

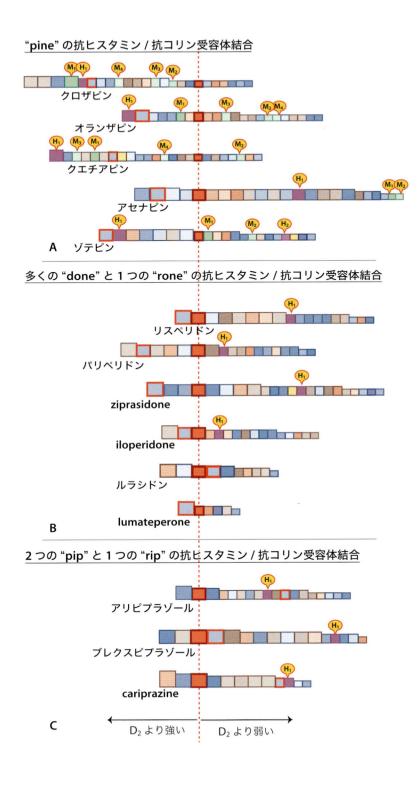

図5-41 **精神病治療薬による抗ヒスタミン/抗コリン受容体結合** 精神病の治療に用いられる薬物の結合特性を視覚的に示した。(**A**)クロザピン,オランザピン,クエチアピン,およびゾテピンはいずれもヒスタミン1(H_1)受容体に強い結合能をもち,クロザピン,オランザピン,およびクエチアピンはムスカリン受容体にも強い結合能をもっている。アセナピンはH_1受容体に若干の親和性があり,ムスカリン受容体に弱い親和性がある。(**B**)"done"と"rone"のいずれにも抗コリン作用はない。リスペリドン,パリペリドン,ziprasidone,およびiloperidoneはどれもH_1受容体に対してある程度の結合能がある。(**C**)アリピプラゾール,ブレクスピプラゾール,cariprazineは,いずれもD_2受容体より弱い力でH_1受容体に結合し,ムスカリン受容体には結合しない。

図の説明:各色のボックスは異なる結合特性を表し,そのサイズと位置は結合能を反映している(すなわち,サイズは標準K_i値に関連した結合能を表し,位置はその薬物の他の結合特性との相対的な結合能を表している)。D_2受容体結合ボックスの中心を縦断する点線を引き,D_2より強い結合特性は左に,D_2より弱い結合特性は右に示してある。また,$5HT_{2A}$(図5-32参照)結合は,オレンジ色の輪郭で示している。

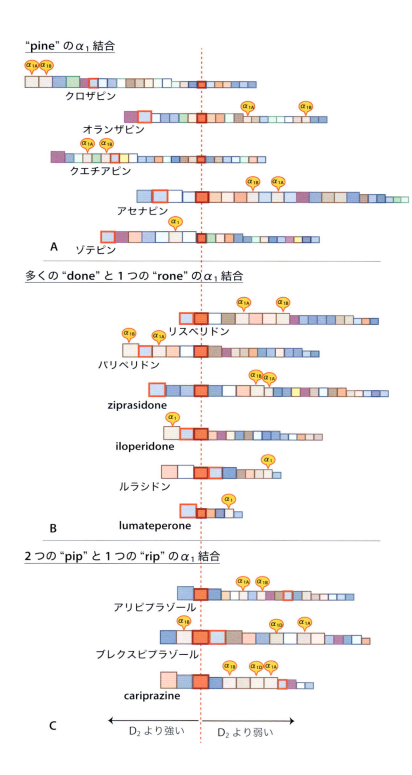

図5-42 精神病治療薬によるα₁結合 精神病の治療に用いられる薬物の結合特性を視覚的に示した。(A)クロザピン，クエチアピン，およびゾテピンはそれぞれα₁受容体に対しD₂受容体よりも強い結合能をもち，アセナピンはα₁受容体およびD₂受容体とほぼ同等の結合能をもっている。(B)リスペリドン，パリペリドン，ziprasidone，iloperidone，ルラシドン，およびlumateperoneはすべてα₁受容体に結合する。特にパリペリドンとiloperidoneはD₂受容体よりも強い結合能をもつ。(C)アリピプラゾール，ブレクスピプラゾール，cariprazineは，それぞれα₁受容体にある程度の結合能をもつ。

図の説明：各色のボックスは異なる結合特性を表し，そのサイズと位置は結合能を反映している（すなわち，サイズは標準K_i値に関連した結合能を表し，位置はその薬物の他の結合特性との相対的な結合能を表している）。D₂受容体結合ボックスの中心を縦断する点線を引き，D₂より強い結合特性は左に，D₂より弱い結合特性は右に示してある。また，5HT$_{2A}$（図5-32参照）結合は，オレンジ色の輪郭で示している。

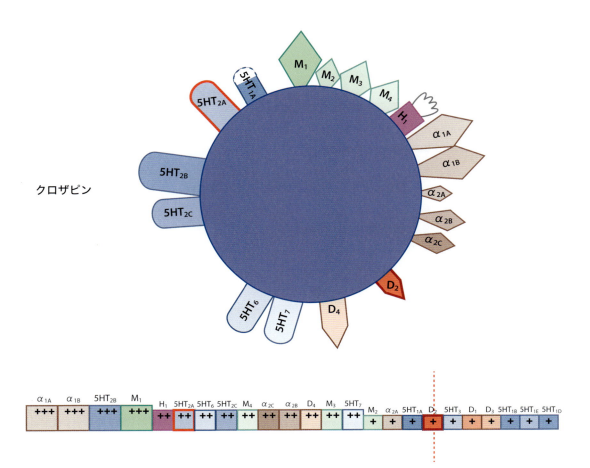

図 5-43　クロザピンの薬理学的な結合特性　図は現在の定性的コンセンサスにもとづいて，クロザピンの結合特性を示してある。5HT$_{2A}$/D$_2$ アンタゴニスト作用に加え，本剤には数多くの結合特性が確認されており，そのほとんどが D$_2$ 受容体結合能より強力である。これらのうち，どれがクロザピンに特有の治療効果や副作用に寄与しているのかは不明である。本章で取り上げたすべての薬物と同様に，結合特性は測定方法や研究室ごとに大きく異なり，常に改訂，更新されている。

ないが，治療用量においてクロザピンは他の精神病治療薬よりも D$_2$ 受容体の占有率が低いことから，D$_2$ アンタゴニスト作用である可能性は低い。おそらく未知の，しかし D$_2$ 以外の機序で作用するのであろう。クロザピンで治療を受けた患者は，ときに，（Oliver Sachs 風にいえば）「目覚め（awakening）」[*2] を経験することがある。精神病の陽性症状の著しい改善だけでなく，認知，対人，および職業能力がほぼ正常レベルに戻ることを特徴とするが，残念ながらまれなことである。しかし，このような「目覚め」という出来事が観察されたことで，薬理学的機序を適切に組み合わせると，統合失調症においてもいつの日か健康な状態にたどりつくことができるかもしれないという希望も生まれた。

副作用の面では，運動症状がほとんどなく，遅発性ジスキネジア（TD）を起こさず，むしろ TD の治療に効果があるともいわれている。またプロラクチンも上昇しない。これがよいニュースである。悪いニュースとしては，クロザピンにはいくつか特有の副作用があり（表 5-2），効果的に処方するということは，副作用が生じた場合に対処する能力があることを意味する。クロザピンによる

[*2] 訳注：脳神経科医 Oliver Sachs の著書 "Awakenings（映画・原作邦題『レナードの朝』）" にならって。

表5-2 専門家の管理を必要とするクロザピンの副作用

好中球減少症
便秘/麻痺性イレウス
鎮静,起立性調節障害,頻脈
流涎
痙攣発作
体重増加,脂質異常症,高血糖
心筋炎,心筋症,間質性腎炎
DRESS(好酸球増加と全身症状を伴う薬物反応),漿膜炎

治療では,生命を脅かし,ときに致命的な合併症として好中球減少症があり,治療中は血球数のモニタリングが必要である。

クロザピンはまた,特に高用量で痙攣発作のリスクを上昇させる(表5-2)。さらに,きわめて鎮静作用が強く,心筋炎の発現リスクを上昇させるとともに,精神病治療薬のなかで最も体重増加の程度が大きく,心代謝系リスクが最も高い可能性がある。また,クロザピンは過剰な唾液分泌を引き起こすことがあるが,これはプロコリン作動性治療や,重症例では局所的なボツリヌス毒素の注射によって軽減することが可能である。このように,クロザピンは非定型抗精神病薬のなかで最も有効性が高いが,同時に最も副作用が強いと考えられる。

このような副作用の危険性から,クロザピンは第1選択薬とは考えられていないが,他の抗精神病薬が無効な場合に使用される。クロザピンが好中球減少症や心筋炎を引き起こす機序はまったくわかっていない。体重増加は,H_1受容体と$5HT_{2C}$受容体の両方を強力に遮断することと一部関連しているかもしれない(図5-43)。鎮静作用は,ムスカリン性M_1, H_1およびα_1受容体に対するクロザピンの強力なアンタゴニスト作用によるものと考えられている(図5-8,図5-14,図5-43)。強力なムスカリン受容体遮断は,特に高用量で過剰な流涎を引き起こす。また,特にbenztropineなど他の抗コリン薬やクロルプロマジンなど強力な抗コリン作用を有する他の精神病治療薬と併用すると,腸閉塞に至る重度の便秘を引き起こしうる。

これらの副作用や血球モニタリングを手配することの煩わしさから,臨床現場でのクロザピン使用は少なく,他の精神病治療薬で十分な効果が得られない患者の数を鑑みると,少なすぎるといえるであろう。クロザピン使用における物流的かつ実用的な障壁を減らすために,採血ではなく指を刺すだけで,遠くの検査施設に送ることなくその場で測定できるポイントオブケアでの血球数モニタリングシステムが現在利用可能である。クロザピンは多くの患者にとって強力でありながら,残念なことに十分活用されていない治療法であるため,誰にどのように処方するか,また副作用をどう軽減し管理するかという術を失わないことが重要である。血漿中薬物濃度のモニタリングは,クロザピンの適切な投与量をみつけるうえで大きな助けとなりうる。この特殊な薬物はそれ自体が1つのテーマであり,筆者はクロザピンの使用方法に関するハンドブック(Meyer and Stahl, *The Clozapine Handbook*)を共同執筆しており,詳細については同書を参照されたい。

オランザピン

オランザピン(図5-44)は$5HT_{2A}$受容体およびD_2受容体の両方のアンタゴニストで,クロザピンほど精神病に対する効果は証明されていないが,(確実な臨床試験というより臨床経験によって)少なくともクロザピン以外のこのクラスの薬物より少し効果が高く,つぎに有効だと広く認識されている。また,代謝系副作用のリスクも高い。オランザピンは,特に血漿中薬物濃度から判断すると,当初の臨床試験や市販の際に承認された用量よりも高用量で使用される傾向がある。これは,特に他の精神病治療薬や低用量のオランザピンに反応しなかった患者において,高用量でより高い効果が得られると臨床で考えられているためである。

オランザピンは,統合失調症および統合失調症の維持療法(13歳以上),統合失調症または双極性躁病に伴う興奮(筋肉内投与),急性双極性躁病/

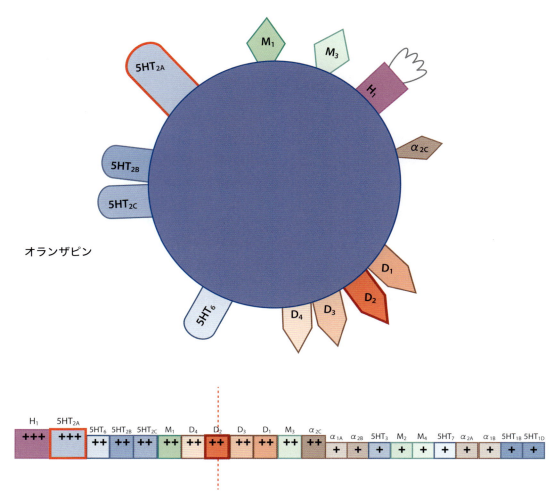

図5-44　オランザピンの薬理学的な結合特性　図は現在の定性的コンセンサスにもとづいて、オランザピンの結合特性を示してある。オランザピンは D_2 受容体よりも強くいくつかの受容体に結合し、特に、H_1 および $5HT_{2A}$ 受容体に対し最も強力に結合する。オランザピンの $5HT_{2C}$ アンタゴニスト作用は、気分や認知症状の改善に寄与していると考えられるが、H_1 抗ヒスタミン作用とともに、体重増加の原因にもなりうる。本章で取り上げたすべての薬物と同様に、結合特性は測定方法や研究室ごとに大きく異なり、常に改訂、更新されている。

混合型躁病および維持療法（13歳以上）、fluoxetine との合剤で双極性うつ病および治療抵抗性単極性うつ病（米国）に承認されている。おそらく、$5HT_{2C}$ アンタゴニスト作用と、比較的弱い α_2 アンタゴニスト作用（図5-35、図5-37、および図5-44も参照）が、fluoxetine のような抗うつ薬の $5HT_{2C}$ アンタゴニスト作用（気分障害に関する第7章を参照）とともに働くことが、単極および双極性うつ病に対するオランザピンの明らかな効果の側面を説明するのであろう。オランザピンは、口腔内崩壊錠、速効性筋肉内注射薬、および4週間の長時間作用型持続性注射薬として利用可能である[*3]。そして、速効性のある吸入製剤は後期臨床開発段階にある。また、前述のとおり、オランザピンは、体重増加および代謝障害を軽減するために、μオピオイドアンタゴニストである samidorphan とともに後期臨床試験が実施されている。

[*3] 訳注：日本ではオランザピンの4週間の長時間作用型持続性注射薬は発売されていない。

5HT$_{2A}$/D$_2$アンタゴニストとD$_2$/5HT$_{1A}$部分アゴニストにおける薬理学的特性の概要　247

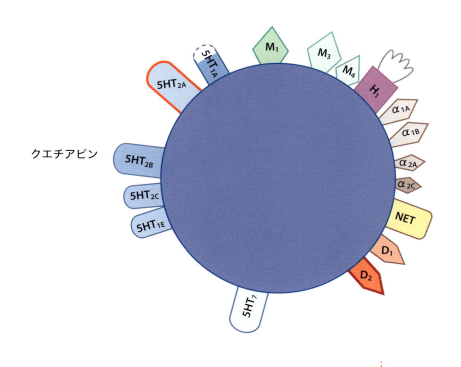

＊ norquetiapine（クエチアピンの活性代謝物）によっておもに結合

図5-45　クエチアピンの薬理学的な結合特性　図は現在の定性的コンセンサスにもとづいて，クエチアピンの結合特性を示してある．クエチアピンは，実はD$_2$受容体にそれほど強力な結合能を有していない．クエチアピンの強力なH$_1$アンタゴニスト作用は，おそらく催眠作用に寄与し，これは双極性および単極性うつ病ならびに不安症における睡眠障害を改善する．しかしこの特性は，特にM$_1$抗ムスカリン作用およびα$_1$アンタゴニスト作用とともに，日中の鎮静につながる可能性がある．クエチアピンの重要な活性代謝物であるnorquetiapineがもたらすと考えられる付加作用を，その結合特性とともにアステリスク（＊）で示した．5HT$_{1A}$部分アゴニスト作用，ノルエピネフリントランスポーター（NET）阻害作用，そして5HT$_{2C}$，α$_2$，および5HT$_7$アンタゴニスト作用はすべて，気分障害の改善にも寄与すると考えられている．しかし，5HT$_{2C}$アンタゴニスト作用はH$_1$アンタゴニスト作用とともに，体重増加に関連する．本章で取り上げたすべての薬物と同様に，結合特性は測定方法や研究室ごとに大きく異なり，常に改訂，更新されている．

クエチアピン

　クエチアピン（図5-45）は，5HT$_{2A}$受容体およびD$_2$受容体の両方のアンタゴニストだが，とりわけ用量によって，異なる薬理特性を有している．クエチアピンの組織的な薬理作用は，実はクエチアピン自身だけでなく，その活性代謝物であるnorquetiapineの薬理作用との組み合わせによるものである（図5-45はクエチアピンとnorquetiapineの組織的な直接的作用を足したものである）．norquetiapineは，クエチアピンと比較しユニークな薬理学的特性をもつ．親薬物であるクエチアピンと合わせると，5HT$_7$（図5-39），5HT$_{2C}$（図5-37），α$_2$アンタゴニスト作用（図5-35），5HT$_{1A}$部分アゴニスト作用（図5-33）だけでなく，ノルエピネフリントランスポーター（NET）阻害作用（すなわちノルエピネフリン再取り込み阻害作用）（図5-34）をもち，これらすべてがクエチアピンの臨床特性，特に強力な抗うつ作用にかかわっていると考えられる．クエチアピンは多くの神経伝達物質の受容体に対し非常に複雑な結合特

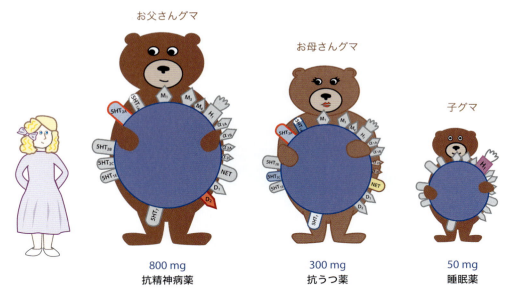

図 5-46　異なる投与量におけるクエチアピンの結合特性　クエチアピンの結合特性は，使用される用量によって異なる．抗精神病薬の用量（すなわち 800 mg/日まで）では，クエチアピンは比較的広い結合特性を有し，複数のセロトニン作動性，ムスカリン作動性，および α アドレナリン作動性受容体に作用する．また，H_1 受容体の遮断作用も存在する．一方，抗うつ薬の用量（すなわち，約 300 mg/日）では，クエチアピンの結合特性はより選択的で，ノルエピネフリン再取り込み阻害，$5HT_{1A}$ 部分アゴニスト作用，$5HT_{2A}$，$α_2$，$5HT_{2C}$ および $5HT_7$ アンタゴニスト作用が含まれる．鎮静催眠薬の用量（すなわち 50 mg/日）では，最も顕著な薬理学的特性は H_1 アンタゴニスト作用である．

性を有しており，その多くは D_2 受容体に対するよりも強い結合能をもっている．このため，クエチアピンは単なる精神病治療薬ではなくそれ以上のものであると考えられている．実際，このクラスの他の薬物と同様に，クエチアピンは精神病以外の適応症で処方されることが非常に多く，不眠症に対する睡眠薬，うつ病，不安症，Parkinson病に伴う精神病の治療薬として，あるいは他の $5HT_{2A}/5HT_{1A}/D_2$ 薬物とともに精神病治療の補助薬としてもよく使用されている．

異なる投与量で異なる薬物？

クエチアピンの投与量に関しては，「ゴルディロックスと 3 びきのクマ」の物語に喩えて語ることができる（図 5-46）．精神病の場合，クエチアピンは 800 mg[*4] のお父さんグマである．うつ病に対しては，300 mg のお母さんグマである．不眠症に対しては，50 mg の子グマである．子グマで投与開始すると，図 5-45 の下段のカラーボックスの左端にあるクエチアピンの最も強力な結合特性だけが現れる．それが H_1 抗ヒスタミン作用である（図 5-41 も参照）．しかし子グマの用量は睡眠薬としての使用を承認されていない．というのも代謝系リスクという大きな代償があるため，睡眠のための第 1 選択薬にはできないからである．この用量では，理論的に，抗うつ効果を得るには $5HT_{2C}$ 受容体または NET の遮断が不十分であり，また抗精神病効果を得るには D_2 受容体の占有率が不十分である．

お母さんグマは，300 mg の範囲で，前述のいくつかの既知の抗うつ機序を同時に組み合わせることにより，うつ病に対し強い抗うつ効果を発揮する．つまり，これらの抗うつ機序を組み合わせることで，ドーパミンやノルエピネフリンの放出（ノルエピネフリン再取り込み阻害，$5HT_{1A}$ 部分アゴニスト作用，$5HT_{2A}$，$α_2$，$5HT_{2C}$ アンタゴニ

[*4] 訳注：日本では 750 mg が最高用量となる．

スト作用による)とセロトニンの放出(5HT$_7$アンタゴニスト作用による)が促進されると考えられる(抗うつ機序に関する説明や図解はすべて第7章を参照)。特に選択的セロトニン再取り込み阻害薬(SSRI)/セロトニン・ノルエピネフリン再取り込み阻害薬(SNRI)と併用すれば，セロトニンだけでなくノルエピネフリンやドーパミンも増加させ，同時に抗ヒスタミン作用で不眠や不安の症状を改善するという3つのモノアミン作用が期待される(図5-45)。クエチアピンは，双極性うつ病のほか，SSRI/SNRIで効果が不十分な単極性うつ病の増強療法としても承認されている(米国)。

最後に，お父さんグマは800 mgのクエチアピンであり，H$_1$受容体と5HT$_{2A}$受容体の両方を完全に持続的に占拠するが，D$_2$受容体については60%以上の占有率が，特に投与と投与の間で，持続しない。クエチアピンは，統合失調症の治療/維持療法(13歳以上)，躁病/混合型躁病の治療および維持療法(10歳以上)の両方で承認されている。クエチアピンの薬理学的特徴から，精神病よりもうつ病や不眠症で多く使用されている理由が示唆される。クエチアピンは運動系副作用やプロラクチン上昇をほとんど生じさせないが，体重増加や代謝異常のリスクが少なくとも中程度ある。

アセナピン

アセナピン(図5-47)は抗うつ薬のミルタザピンに関連する化学構造を有し，特に5HT$_{2A}$, 5HT$_{2C}$, H$_1$, およびα$_2$アンタゴニスト作用といったミルタザピンと共通の薬理学的特性を有する。加えて，特にD$_2$アンタゴニスト作用やさらに多くのセロトニン受容体サブタイプへの作用といったミルタザピンがもたない多様な特性も有する(図5-47)。このことから，アセナピンは抗精神病・抗躁作用しか証明されていないが，抗うつ作用もあることが示唆される。アセナピンは，飲み込んでも吸収されないため，舌下製剤として使用される珍しい薬物である。口腔内で吸収するため，口腔の表面積が投与量の大きさを制限しており，アセナピンは半減期が長いにもかかわらず，一般に1日2回服用が推奨されている。アセナピンは，口腔内で速やかに溶解するものの吸収が遅れる他の製剤(例えば，オランザピン口腔内崩壊錠)とは異なり，舌下で速やかに吸収され薬物濃度のピークも速いため，注射に頼らずに興奮状態の患者を「治療する」ための速効性経口頓用(必要時投与)抗精神病薬として使用することが可能である。一部の患者における舌下投与での副作用の1つは，口腔内の知覚低下である。また，薬物を吸収できない胃に流れ込むのを避けるため，舌下投与後10分間は飲食を控えたほうがよいであろう。アセナピンは，特に初回投与時に鎮静がみられることがあるが，体重増加，代謝障害，または運動系の副作用のリスクは中程度である。本剤は成人の統合失調症の治療/維持療法および米国では双極性躁病(10歳以上)の適応で承認されている。また，経皮吸収型製剤もある。

ゾテピン

ゾテピン(図5-48)は日本と欧州で入手可能であるが，米国では入手できない。5HT$_{2A}$およびD$_2$アンタゴニスト作用をもち，1日3回の投与が必要なため，他の精神病治療薬ほどの人気はない。痙攣発作のリスクが高まる可能性がある。ゾテピンは，5HT$_{2C}$アンタゴニスト，α$_1$アンタゴニスト，5HT$_7$アンタゴニスト，および5HT$_{1A}$受容体の弱い部分アゴニストであり，弱いノルエピネフリン再取り込み阻害〔ノルエピネフリントランスポーター (NET)〕作用も有していることから，臨床試験ではまだ十分に確立されていないが，潜在的な抗うつ作用が示唆されている。

多くの"done"と1つの"rone"(薬物名が"―done"または"―rone"で終わる)
リスペリドン

リスペリドン(図5-49)は元祖"done"で，"pine"とは化学構造も薬理作用も異なる(図5-32の"pine"と"done"を比較せよ)。リスペリドンは統合失調症の治療/維持療法(13歳以上)および双極性躁病の治療/維持療法(10歳以上)に好んで使用されている。他者への攻撃性，意図的な自傷行為，癇癪，および情動の易変性などの自閉症性障

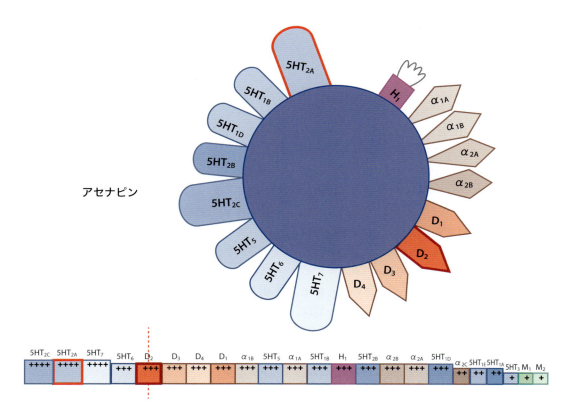

図5-47　アセナピンの薬理学的な結合特性　図は現在の定性的コンセンサスにもとづいて，アセナピンの結合特性を示してある。アセナピンは複雑な結合特性を有し，複数のセロトニン作動性およびドーパミン作動性受容体，α_1とα_2受容体，およびH$_1$受容体に強力に結合する。特に，5HT$_{2C}$アンタゴニスト作用は気分障害と認知症状の改善に寄与し，5HT$_7$アンタゴニスト作用は気分障害，認知症状，および睡眠症状に対する作用に関連している。本章で取り上げたすべての薬物と同様に，結合特性は測定方法や研究室ごとに大きく異なり，常に改訂，更新されている。

害に伴う神経過敏の治療にも承認されており，特に小児および青年期（5～16歳）に好んで使用される。低用量リスペリドンはときに，認知症に伴う興奮や精神病症状の治療に「適応外」で使用され，安全性に関する「ブラックボックス」警告のため，物議をかもしている。このような使用は，現在開発中の他の薬物がこの適応症で承認されれば，減少するかもしれない。リスペリドンは2週間または4週間持続する長時間作用型の持続性注射薬も利用できる。長時間作用型持続性注射薬を使用中の治療抵抗性患者に対し，リスペリドンとその活性代謝物であるパリペリドンの血漿中薬物濃度のモニタリングを行うことは，投与の指針として有用であろう。また，リスペリドンには口腔内崩壊錠と液剤がある。

リスペリドンは低用量では運動系副作用がいくらか軽減されるが，低用量でもプロラクチン値は上昇する。また，体重増加および脂質異常症に対する中程度のリスクがある。体重増加は特に小児で問題となる。

パリペリドン

リスペリドンの活性代謝物であるパリペリドンは，9-ヒドロキシ-リスペリドンとも呼ばれ，リスペリドンと同様に5HT$_{2A}$およびD$_2$受容体アンタゴニスト作用を有する（図5-50）。リスペリドンとパリペリドンの薬物動態上の違いの1つは，パリペリドンはリスペリドンと異なり肝代謝されず，尿中排泄であるため，薬物相互作用がほとんどないことである。もう1つの薬物動態の違いは，

5HT₂A/D₂アンタゴニストとD₂/5HT₁A部分アゴニストにおける薬理学的特性の概要 251

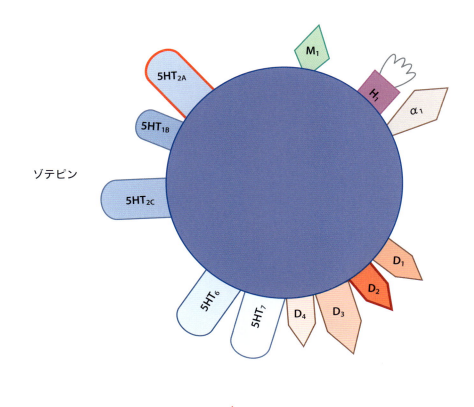

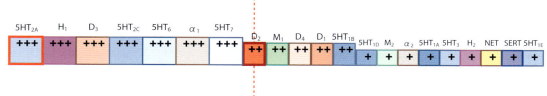

図5-48　ゾテピンの薬理学的な結合特性　図は現在の定性的コンセンサスにもとづいて，ゾテピンの結合特性を示してある．ゾテピンは，5HT₂Cアンタゴニスト，および5HT₇アンタゴニストであり，抗うつ作用を有する可能性がある．本章で取り上げたすべての薬物と同様に，結合特性は測定方法や研究室ごとに大きく異なり，常に改訂，更新されている．

リスペリドンと異なりパリペリドンの経口薬は薬物放出制御システムを用いた徐放性製剤であるということである．これにより，実際パリペリドンの臨床特性のいくつかはリスペリドンと異なるが，それは必ずしも十分に理解されておらず，パリペリドンの経口投与の過少投与につながっている．パリペリドンは経口徐放性製剤であれば，1日1回の投与ですむのに対し，リスペリドンは治療開始時，特に小児や高齢者では，鎮静や起立性低血圧を避けるために1日2回投与が必要である．リスペリドンの副作用は，吸収速度が速いこ

と，ピーク用量が高く薬物血中濃度の変動が大きいこと，およびそれによる作用時間の短さに関連している可能性があり，パリペリドンの徐放性製剤ではそれらはみられない．

パリペリドンとリスペリドンの受容体結合特性は非常によく似ているが，パリペリドンのほうが鎮静，起立性低血圧，および運動系副作用が少なく，忍容性が高い傾向がある．これは実際の臨床経験にもとづいており，1対1の直接比較による臨床試験で示されているわけではない．パリペリドンは体重増加および代謝異常のリスクが中程度

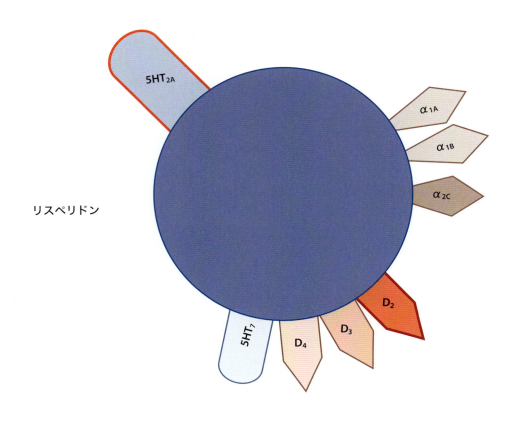

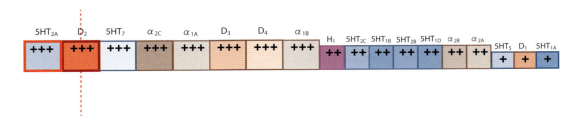

図 5-49　リスペリドンの薬理学的な結合特性　図は現在の定性的コンセンサスにもとづいて，リスペリドンの結合特性を示してある。α_2アンタゴニスト作用はうつ病に対する有効性に寄与しているが，同時に存在するα_1アンタゴニスト作用により，起立性低血圧や鎮静作用にも関連している。本章で取り上げたすべての薬物と同様に，結合特性は測定方法や研究室ごとに大きく異なり，常に改訂，更新されている。

ある。リスペリドンに対するパリペリドンのおもな利点は，パリペリドンの長時間作用型持続性注射薬は装填しやすく，投与しやすいこと，1カ月製剤と3カ月製剤があり，6カ月製剤についても研究が進行中であることである。特に長期間の持続性注射薬を受ける患者や治療抵抗性のある患者には，投与量の目安として血漿中薬物濃度のモニタリングを行うことが有用である。

ziprasidone

ziprasidone（図5-51）は$5HT_{2A}/D_2$アンタゴニストであり，体重増加や代謝異常の可能性がほとんどないことがおもな特徴である。しかし，短時間作用型で，1日1回以上の投与が必要であり，食事と一緒に摂取しなければならない。かつてあったziprasidoneによる危険なQTc延長に関する懸念は，現在では過度であったと考えられている。

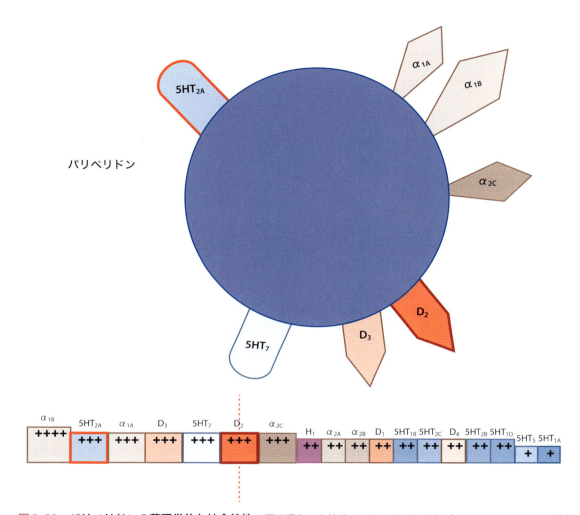

図5-50　パリペリドンの薬理学的な結合特性　図は現在の定性的コンセンサスにもとづいて、リスペリドンの活性代謝物であるパリペリドンの結合特性を示してある。パリペリドンはリスペリドンと多くの薬理学的特性を共有している。本章で取り上げたすべての薬物と同様に、結合特性は測定方法や研究室ごとに大きく異なり、常に改訂、更新されている。

iloperidone、ゾテピン、sertindole、およびamisulprideとは異なり、ziprasidoneは用量依存的なQTc延長を起こさず、またziprasidoneの血中濃度を上昇させる可能性をもつ薬物はほとんどない。ziprasidoneには、緊急時に迅速に使用可能で、筋肉内投与用の注射製剤がある。ziprasidoneは、統合失調症の治療/維持療法および双極性躁病の治療/維持療法で承認されている。

iloperidone

iloperidone（図5-52）も5HT$_{2A}$/D$_2$アンタゴニストの特性を有している。その最も特徴的な臨床特性は、その使用に伴う運動系副作用が非常に少なく、脂質異常症が少なく、そして体重増加も中程度であることがあげられる。その最も特徴的な薬理学的特性は、強力なα$_1$アンタゴニスト作用である（図5-52）。本章で前述したように、α$_1$アンタゴニスト作用は一般に、特に急速に投与された場合、起立性低血圧や鎮静と関連している。iloperidoneの半減期は18〜33時間で、理論的には1日1回の投与でよいが、起立性低血圧や鎮静を避けるため、一般的には1日2回投与とし、開

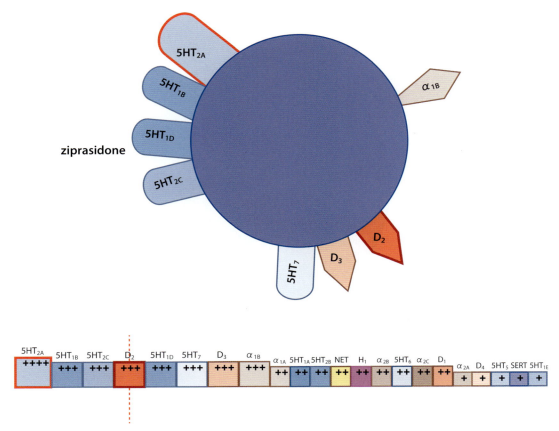

図5-51　ziprasidoneの薬理学的な結合特性　図は現在の定性的コンセンサスにもとづいて，ziprasidoneの結合特性を示してある。ziprasidoneは，体重増加，空腹時中性脂肪値の上昇やインスリン抵抗性の増大といった心代謝系リスクに関連する薬理学的特性を欠くようである。また，強い鎮静作用に関連する多くの薬理学的特性ももたない。本章で取り上げたすべての薬物と同様に，結合特性は測定方法や研究室ごとに大きく異なり，常に改訂，更新されている。

始時には数日かけて漸増する。漸増法は抗精神病作用の発現を遅らせるため，iloperidoneは緊急性のない状況で薬物変更時に使用されることが多い。米国では統合失調症の治療/維持療法で承認されている。

ルラシドン

ルラシドンは$5HT_{2A}/D_2$アンタゴニスト（図5-53）で，統合失調症での使用が承認されているが，双極性うつ病での使用のほうが圧倒的に多い。この化合物は，$5HT_7$受容体（図5-39）と$5HT_{2A}$受容体（図5-32）の両方に高い親和性を示し，$5HT_{1A}$受容体（図5-33）と$α_2$受容体（図5-35）には中程度の親和性を示し，H_1ヒスタミンとM_1コリン作動性受容体（図5-41）にはほとんど親和性を示さない。この特性からルラシドンは抗うつ薬としての特性をいくつかもつと考えられ，体重増加や代謝障害のリスクが低いことが特徴である。ルラシドンを夜間に投与することにより，運動系副作用や鎮静のリスクは軽減される。本剤は，複数の抗うつ薬との相乗効果に加え，体重増加を伴わないという良好な忍容性により，双極性うつ病（10歳以上）に高い有効性を示し，米国など本剤が承認されている国々では，使用が推奨されている薬物の1つである。ルラシドンは，統合失調症の治療/維持療法（10歳以上）で世界的に承認されており，その良好な忍容性から，しばしば小児の治療にも好んで使用されている。

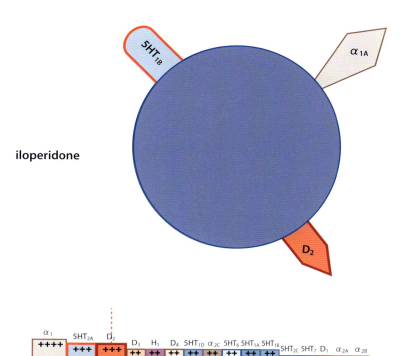

図5-52 iloperidoneの薬理学的な結合特性 図は現在の定性的コンセンサスにもとづいて、iloperidoneの結合特性を示してある。ここで取り上げたなかで、iloperidoneは最も単純な結合特性をもつ薬物の1つであり、セロトニン・ドーパミンアンタゴニスト(SDA)に最も近い。他にめだつ薬理学的特性は強力なα_1アンタゴニスト作用であり、これが起立性低血圧のリスクの原因であると同時に、薬物誘発性パーキンソニズム(DIP)のリスクの低さにも関連している。本章で取り上げたすべての薬物と同様に、結合特性は測定方法や研究室ごとに大きく異なり、常に改訂、更新されている。

グルタミン酸モジュレーターであるD-シクロセリンとルラシドンの合剤であるNRX101 (Cyclurad)は、NMDA受容体のグリシン部位(図4-21、図4-22、図4-26、図4-27参照)のアンタゴニスト作用とルラシドンの組み合わせであり、急性の自殺念慮と自殺企図、および双極性うつ病の治療可能性について研究されており、初期の段階で肯定的な結果を得ている。

lumateperone

lumateperone(図5-54)は、統合失調症治療薬として最近承認された$5HT_{2A}/D_2$アンタゴニストである。lumateperoneは$5HT_{2A}$受容体(図5-32)に対して非常に高い親和性をもち、D_2、D_1受容体(図5-54)およびα_1受容体(図5-42)に対しては中程度の、H_1受容体(図5-41)に対しては低い親和性をもっている。また、珍しいことにlumateperoneはセロトニントランスポーター(SERT)にも中程度の親和性を有している(図5-34)。初期臨床経験では、用量漸増なしで統合失調症に有効で、かつ体重増加や代謝異常がほとんどないといった良好な忍容性が示されている。作用機序に関する2つの重要なポイントは、$5HT_{2A}$アンタゴニストとD_2アンタゴニストの結合が大きく分かれていることである。このために、D_2受容体の占有率が比較的低いであろう用量でも抗精神病作用を有し、D_2タイプの副作用が少ない〔例えば、薬物誘発性パーキンソニズム(DIP)やアカシジアがないかほとんどない〕と考えられる。セロトニン再取り込み阻害に対する親和性が中程度あることは、抗うつ薬としての利用可能性を示唆しており、実際に双極性うつ病を対象とした初期研究では、有望な効果が示されている。

まだ完全には解明されていないが、前臨床試験において、lumateperoneのD_2受容体に対する新規作用機序が示唆されている。PETの所見では、シナプス前ドーパミン合成と放出が亢進することを思い出してほしい(図4-15と図4-16そして図5-55A・Bも比較せよ)。D_2遮断薬は一般的にシナプス前D_2受容体とシナプス後D_2受容体を区別

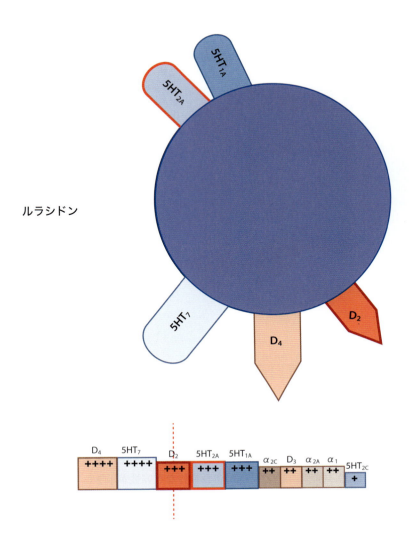

図5-53　ルラシドンの薬理学的な結合特性　図は現在の定性的コンセンサスにもとづいて、ルラシドンの結合特性を示してある。ルラシドンの薬理特性は比較的単純である。作用はよくわかっていないがD_4受容体に最も強く結合し、そして気分、認知、および睡眠症状の改善に寄与すると考えられる$5HT_7$受容体にも強く結合する。本章で取り上げたすべての薬物と同様に、結合特性は測定方法や研究室ごとに大きく異なり、常に改訂、更新されている。

しない(図5-55C)。D_2遮断薬を投与すると、シナプス前D_2受容体が遮断され、シナプス前ドーパミンの放出が抑制されなくなり、事態が悪化する！　これは統合失調症の治療において最も避けたいことだが、D_2受容体をシナプス後で完全に遮断すれば、この余分なドーパミンの放出は問題にならない(図5-55C)。しかしlumateperoneの場合、前臨床試験で、シナプス前アゴニスト作用とシナプス後アンタゴニスト作用というユニークな組み合わせの機序をもつ可能性が示唆されている。この作用は、精神病治療用の他のD_2遮断薬と区別される場合があり、前臨床試験データでは、シナプス前チロシン水酸化酵素および他のシナプス前タンパクのリン酸化、またはグルタミン酸媒介イオン電流の変化のいずれかによりドーパミン合成を減少させる独自の作用が潜在的に認められている(図5-55D)。どのような機序であれ、もしlumateperoneによるシナプス前D_2アゴニスト作用が、このクラスの他の薬物に特徴的なシナプス前アンタゴニスト作用よりも強いならば、理論的にlumateperoneはシナプス前ドーパミン合成を止め、精神病におけるシナプス前ドーパミンの合成におけるドーパミンの供給過剰を軽減するであろう(図5-55D)。つまり、ドーパミンの放出がすでに減少しているので、抗精神病効果を発揮するために必要なシナプス後D_2アンタゴニスト作用が少なくてすむということを意味している。もしlumateperoneがこのようなD_2受容体のシナプス

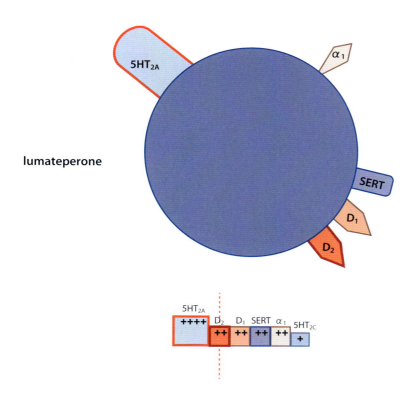

図 5-54 **lumateperone の薬理学的な結合特性** 図は現在の定性的コンセンサスにもとづいて，lumateperone の結合特性を示してある。lumateperone は $5HT_{2A}$ 受容体に対し非常に高い結合能をもち，D_2，D_1，および $α_1$ 受容体に対しては中程度の結合能をもつ。また，セロトニントランスポーター（SERT）に対しても中程度の結合能を有している。本章で取り上げたすべての薬物と同様に，結合特性は測定方法や研究室ごとに大きく異なり，常に改訂，更新されている。

前部分アゴニスト作用をもつという機序が証明されれば，確立されたとても強力な $5HT_{2A}$ アンタゴニスト作用と合わせて，lumateperone がこのクラスの他のほとんどの薬物と比較しシナプス後 D_2 アンタゴニスト作用が少なく（そして運動や代謝系副作用が少なく），しかし統合失調症に対する抗精神病効果がある理由になるであろう。この仮説を明らかにするためには，さらなる研究が必要である。lumateperone は，双極性うつ病に対する臨床試験も実施中である。

2つの"pip"と1つの"rip"（名前の途中に"pip"または"rip"がある薬物）
アリピプラゾール

アリピプラゾールは $D_2/5HT_{1A}$ 部分アゴニストであり，元祖"pip"である（図 5-56 参照）。D_2 部分アゴニスト作用があるため，運動系副作用は比較的少なく，そのほとんどがアカシジアであり，プロラクチンは上昇せず，むしろ減少させる。$5HT_{2A}$ 受容体（図 5-32）には中程度の親和性しかないが，$5HT_{1A}$ 受容体（図 5-33）にはより高い親和性をもつ。アリピプラゾールは統合失調症の治療/維持療法（13歳以上），興奮（筋肉内注射），双極性躁病の治療/維持療法（10歳以上）に有効であり，その他自閉症関連の易怒性（5～17歳），Tourette 症候群（6～18歳）などさまざまな児童・青年期における使用も認可されている。うつ病に対する SSRI/SNRI との併用療法が承認されており，米国における臨床でのおもな用途はこれである。双極性うつ病には認可されていないが，しばしば適応外で使用されている。アリピプラゾールが統合失調症に比べ，うつ病においてどのように作用するかわかっていないが，強力な $5HT_{1A}$ 部分アゴニスト作用（図 5-33）や $5HT_{2C}$ および $5HT_7$ アンタゴニスト作用（図 5-37，図 5-39）は，うつ病治療に通常用いられる低用量で作用することから，理論的にこれらが抗うつ作用をもたらしていると考えられる。アリピプラゾールは，ムスカリン性コリン性アンタゴニスト作用は欠き H_1 アンタゴニスト作用は低いので鎮静に関連する薬理学的特性はほぼ

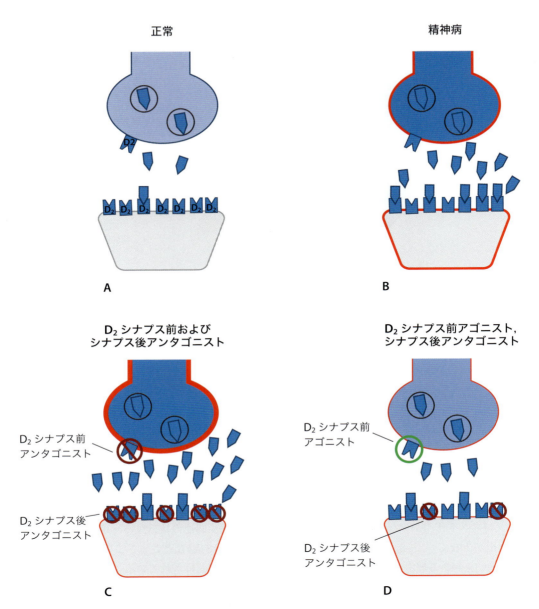

図5-55 シナプス前およびシナプス後のドーパミン2(D_2)受容体結合 (**A**)D_2受容体はシナプス前とシナプス後の両方に存在し，これらの受容体におけるドーパミン(DA)の結合は抑制性である。(**B**)精神病ではDAの合成と放出が亢進し，シナプス後のD_2受容体の過剰な刺激につながる。(**C**)ほとんどのD_2アンタゴニストはシナプス前およびシナプス後D_2受容体の両方を遮断する。シナプス前のD_2受容体の遮断はシナプス前のDAの放出を抑制しないため，DAの放出はさらに増加する。しかし，シナプス後のD_2受容体の完全な遮断は，シナプス前のD_2遮断に対抗しうる。(**D**) lumateperoneはD_2アンタゴニストのなかでは珍しく，シナプス後のD_2受容体ではアンタゴニストであるがシナプス前のD_2受容体では部分アゴニストとして働くようである。この場合，DAの放出がすでに減少しているので，より少ないシナプス後D_2アンタゴニスト作用で抗精神病効果を得ることができる。

5HT$_{2A}$/D$_2$ アンタゴニストと D$_2$/5HT$_{1A}$ 部分アゴニストにおける薬理学的特性の概要 259

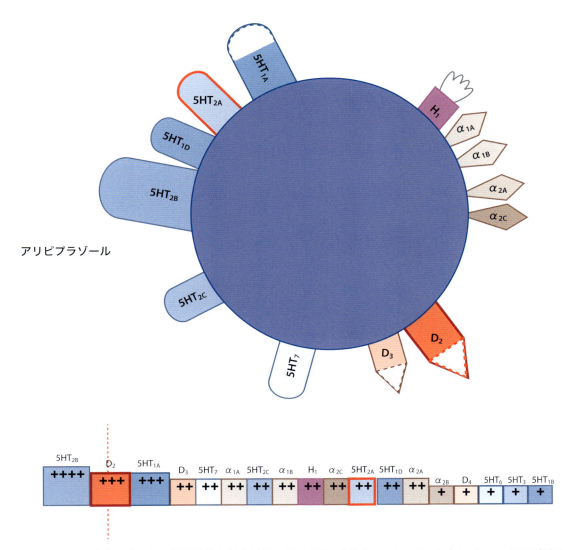

図5-56　**アリピプラゾールの薬理学的な結合特性**　図は現在の定性的コンセンサスにもとづいて，アリピプラゾールの結合特性を示してある。アリピプラゾールはD$_2$受容体においてアンタゴニストというよりむしろ部分アゴニストである。臨床的な特徴に貢献する他の重要な結合特性の特徴としては，5HT$_{2A}$アンタゴニスト作用，5HT$_{1A}$部分アゴニスト作用，5HT$_7$アンタゴニスト作用，および5HT$_{2C}$アンタゴニスト作用があげられる。アリピプラゾールは通常，鎮静に関連した受容体への結合を欠くか，弱い結合能しかもたない。また，体重増加や心代謝系リスクの上昇（空腹時中性脂肪値の上昇やインスリン抵抗性の増大など）に関連する薬理作用もないようである。本章で取り上げたすべての薬物と同様に，結合特性は測定方法や研究室ごとに大きく異なり，常に改訂，更新されている。

みられず（図5-41），通常鎮静作用はない。他のおもな特徴は，ziprasidone やルラシドンと同様，体重増加の傾向がほとんどないもしくはないことであるが，小児や青年など一部の患者にとっては体重増加が問題になることがある。

アリピプラゾールには，短期投与用の筋肉内投与製剤や口腔内崩壊錠，液剤がある。また，4週間持続型注射薬と4～6～8週間持続型注射薬があり，後者は初日にローディング注射を行うため，経口での継続投与は必要ない。これらの製剤は，特にアリピプラゾールの良好な忍容性が役立つ早期発症の精神病において，コンプライアンスを保証するためによく用いられる選択肢である。

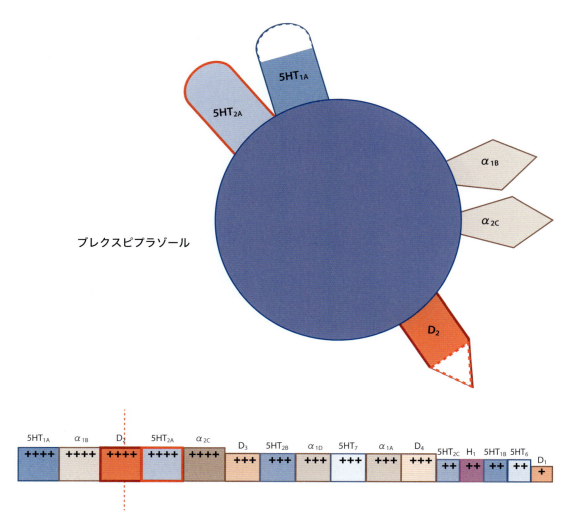

図5-57　ブレクスピプラゾールの薬理学的な結合特性　図は現在の定性的コンセンサスにもとづいて，ブレクスピプラゾールの結合特性を示す。ブレクスピプラゾールはD_2受容体においてアンタゴニストではなく部分アゴニストであり，また$5HT_{2A}$，$5HT_{1A}$，$α_1$受容体に強力に結合する。ブレクスピプラゾールは通常，著しい鎮静，体重増加，および心代謝系リスクの上昇に関連する受容体との結合を欠くが，この薬物の臨床特性を評価するのは時期尚早である。本章で取り上げたすべての薬物と同様に，結合特性は測定方法や研究室ごとに大きく異なり，常に改訂，更新されている。

ブレクスピプラゾール

2つ目の"pip"はブレクスピプラゾールである（図5-57）。その名が示すように，ブレクスピプラゾールは化学的・薬理的にアリピプラゾールと近縁である。しかし，薬理学的にはアリピプラゾール（図5-56）よりも，自身のD_2部分アゴニスト作用（図5-57）に対して強い$5HT_{2A}$アンタゴニスト作用（図5-32），$5HT_{1A}$部分アゴニスト作用（図5-33），および$α_1$アンタゴニスト作用（図5-42）を有する点が異なっており，理論上，運動系副作用やアカシジアを起こしにくくなると考えられる。ブレクスピプラゾールはアリピプラゾールと比較してアカシジアが軽減する可能性が示唆されているが，これは直接比較試験で証明されたわけではない。ブレクスピプラゾールはアリピプラゾールと同様に統合失調症の治療薬として承認されているが，アリピプラゾールとは異なり，急性双極性躁病の治療薬としては適応がない。

ブレクスピプラゾール(図5-57)は5HT$_{1A}$部分アゴニスト(図5-33)であり，α$_1$(図5-42)およびα$_2$(図5-35)結合に対する作用はアリピプラゾールより比較的強い。これらの特性は，理論上抗うつ作用に寄与する可能性がある(その機序は，気分障害の治療に関する第7章でさらに説明し，図示する)。とりわけα$_1$作用は，ブレクスピプラゾールの新規適応症のいくつかで実証された有効性を理論的に説明するのに役立つと考えられる。特に，ブレクスピプラゾールは，認知症における興奮の治療に関して臨床開発の後期段階にあり，良好な結果が得られている(認知症に関する第12章でさらに詳しく述べる)。また，PTSDの治療において，SSRIであるセルトラリンと併用した場合のブレクスピプラゾールの有望な予備データもある。

cariprazine

cariprazine(図5-58)は，このグループの"rip"であり，統合失調症および急性双極性躁病の適応で承認されたもう1つのD$_2$/5HT$_{1A}$部分アゴニストである。cariprazineは，5HT$_{2A}$アンタゴニスト作用(図5-32)が弱いものの，強力な5HT$_{1A}$部分アゴニスト作用(図5-33)を有し，薬物誘発性パーキンソニズム(DIP)の発現率は低い。若干のアカシジアがみられるが，これは緩徐な用量調節により大幅に減少させることが可能である。cariprazineは，2つの活性代謝物が長時間から非常に長い期間持続することから，週1回，隔週1回，あるいは月1回の「経口デポ剤(経口持続型注射剤)」として開発することが可能であり，定常状態に達するまでに時間がかかるが，服用を1回スキップしても血中薬物濃度の低下が少ないという，新しくかつ興味深い薬物である。

cariprazineは，双極性障害の治療において，低用量で高い有効性と忍容性を有する薬物であることが証明されている。双極性障害で承認されているルラシドンと同様，cariprazineは体重増加や代謝異常の傾向が非常に少ない。このクラスの他の薬物と同様に，cariprazineは5HT$_{1A}$とα$_1$および

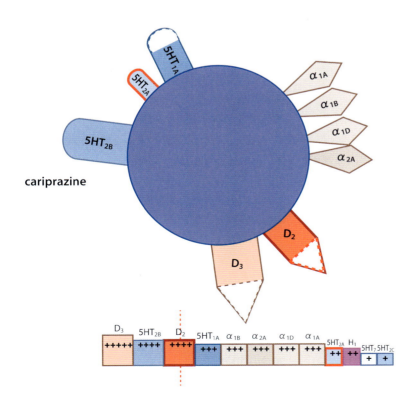

図5-58　cariprazineの薬理学的な結合特性　図は現在の定性的コンセンサスにもとづいて，cariprazineの結合特性を示してある。cariprazineは，D$_3$，5HT$_{2B}$，D$_2$，および5HT$_{1A}$受容体に強力な結合能をもち，5HT$_{2A}$およびH$_1$受容体への結合能は比較的弱い。実際，cariprazineは，D$_3$受容体に対してドーパミンよりも高い親和性を示す。本章で取り上げたすべての薬物と同様に，結合特性は測定方法や研究室ごとに大きく異なり，常に改訂，更新されている。

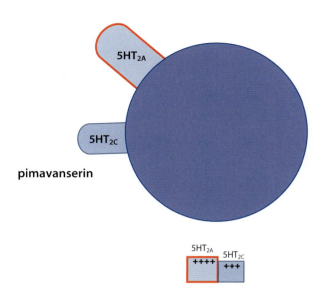

図5-59 pimavanserin の薬理学的な結合特性　図は現在の定性的コンセンサスにもとづいて，pimavanserin の結合特性を示してある。pimavanserin は抗精神病効果が証明されている薬物のなかで，D_2 受容体に結合しない唯一の既知の薬物である。その代わり，強力な $5HT_{2A}$ アンタゴニスト作用（ときに逆アゴニスト作用と呼ばれる）をもち，$5HT_{2C}$ アンタゴニスト作用はあまり強くない。本章で取り上げたすべての薬物と同様に，結合特性は測定方法や研究室ごとに大きく異なり，常に改訂，更新されている。

$α_2$ の両方の作用をもち，抗うつ効果が期待されるが，おそらく最も特徴的で新規の薬理学的特徴は非常に強力な D_3 部分アゴニストとしての作用である。前臨床試験において，認知症状，気分症状，情動症状，および報酬/物質乱用に対する D_3 部分アゴニストによる治療効果が示唆されており，ヒトにおける D_3 受容体の役割は，現在，明らかにされつつあるところである。実際，cariprazine は，統合失調症における陰性症状の改善において，$D_2/5HT_{2A}$ アンタゴニストよりも優れていることが明らかになっている。

D_3 部分アゴニストの作用機序は，気分障害の治療法に関する第7章で，さらに詳しく図示・説明する。簡潔に述べると，D_3 アンタゴニスト/部分アゴニスト作用は，辺縁系領域の重要なシナプス後 D_3 受容体を遮断し，感情線条体のドーパミン過活動を抑制する。さらに腹側被蓋野（VTA）/中脳線条体/統合ハブの主要細胞体樹状突起のシナプス前 D_3 受容体を遮断し，前頭前皮質のドーパミンの放出を増やし，陰性症状，情動症状，および認知症状を改善させると考えられる。このため，第7章で説明し図示するように，臨床試験と臨床経験から，躁とうつが混在するすべての気分障害スペクトラムに対して，cariprazine の確実な有効性が示唆されている。

選択的 $5HT_{2A}$ アンタゴニスト
pimavanserin

pimavanserin（図5-59）は，D_2 アンタゴニスト/部分アゴニスト作用をもたない，抗精神病作用が証明されている唯一の薬物である。この薬物は，$5HT_{2C}$ アンタゴニスト作用は弱く，本章の前半で説明し図5-15で図示したように，強力な $5HT_{2A}$ アンタゴニスト作用をもち，ときに逆アゴニスト作用と呼ばれている。精神病の治療において $5HT_{2C}$ アンタゴニスト作用が果たす役割は明確ではないが，$5HT_{2C}$ アンタゴニスト作用は理論的にはうつ病と統合失調症の陰性症状におけるドーパミンの放出を改善すると考えられる。実際，pimavanserin は，SSRI/SNRI の増強療法として，うつ病でいくつかの良好な予備試験の結果を得ている。また，統合失調症の陰性症状における $D_2/5HT_{2A}/5HT_{1A}$ 薬物の増強療法としても，初期の試験から良好な結果を得ている。さらに Parkinson 病における精神病症状の治療薬として承認され，認知症における精神病症状の治療薬として後期試験中である。

その他
sertindole

sertindole（図5-60）は，もともと欧州のいくつ

5HT₂A/D₂アンタゴニストとD₂/5HT₁A部分アゴニストにおける薬理学的特性の概要

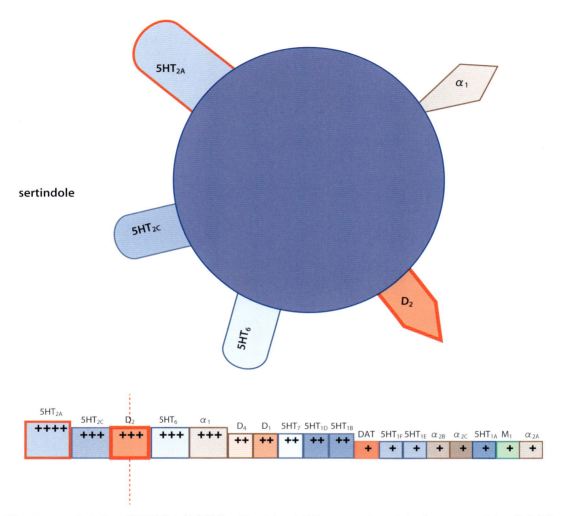

図5-60　sertindoleの薬理学的な結合特性　図は現在の定性的コンセンサスにもとづいて，sertindoleの結合特性を示してある。α₁受容体に対する強力なアンタゴニスト作用は，sertindoleの副作用のいくつかの説明になる。本章で取り上げたすべての薬物と同様に，結合特性は測定方法や研究室ごとに大きく異なり，常に改訂，更新されている。
DAT：ドーパミントランスポーター

かの国で承認されていた5HT₂A/D₂受容体アンタゴニストであるが，心臓の安全性とQTc延長の可能性をさらに調べるためにいったん中止され，その後一部の国で第2選択薬として再導入されたものである。他の抗精神病薬が無効で，心臓の状態や薬物の相互作用を注意深く観察できる一部の患者には有用かもしれない。

ペロスピロン

ペロスピロン（図5-61）は，アジアで販売されているもう1つの5HT₂AおよびD₂アンタゴニストで，統合失調症の治療に使用されている。5HT₁A部分アゴニスト作用は，その効果や忍容性に寄与している可能性がある。体重増加，脂質異常症，インスリン抵抗性，および糖尿病を引き起こす作用については，十分に検討されていない。一般に1日3回投与され，躁病よりも統合失調症の治療でより多くの実績がある。

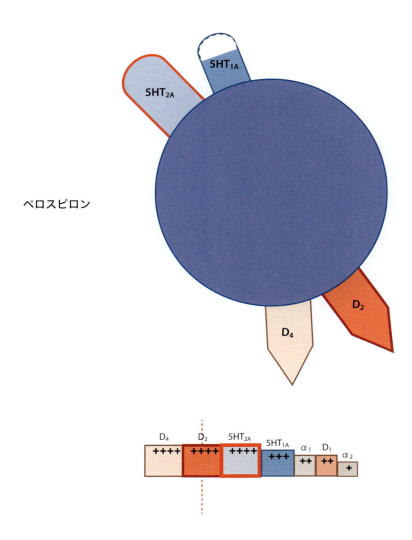

図5-61 ペロスピロンの薬理学的な結合特性　図は現在の定性的コンセンサスにもとづいて，ペロスピロンの結合特性を示す。5HT$_{1A}$部分アゴニスト作用は，気分と認知症状に対する効果に関連していると考えられる。本章で取り上げたすべての薬物と同様に，結合特性は測定方法や研究室ごとに大きく異なり，常に改訂，更新されている。

ブロナンセリン

ブロナンセリン(図5-62)も5HT$_{2A}$/D$_2$アンタゴニストで，アジアでは統合失調症の治療薬として販売されており，1日2回投与である。ブロナンセリンはD$_3$受容体に対しドーパミンよりも高い親和性をもつというユニークな特性をもち(cariprazineと同様)，統合失調症の陰性症状や双極性うつ病に有用である可能性が示唆されるが，これらの適応についてはまだ十分に検討されていない。

将来の統合失調症の治療
roluperidone(MIN-101)

roluperidone(図5-63)は，5HT$_{2A}$アンタゴニストにσ$_2$アンタゴニスト作用を加えたもので，統合失調症を対象に研究が進められている。初期の研究では陰性症状に対し有効性がある可能性が示唆されており，現在臨床試験が進行中である。

D$_3$アンタゴニスト

cariprazineとブロナンセリン(両者とも非常に強力なD$_3$アンタゴニスト/部分アゴニストとしての性質をもつという点でユニークである)に加え，他のD$_3$アンタゴニスト/部分アゴニストも臨床試験中である。その1つがF17464で，D$_2$や5HT$_{1A}$受容体よりもD$_3$受容体に対して高い選択性をもち，初期の研究で統合失調症に有効であることが示されている。

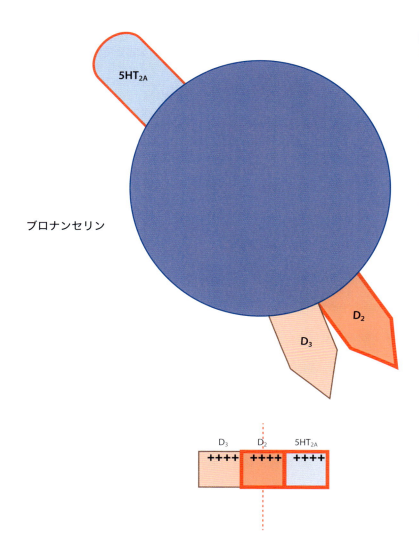

図5-62 **ブロナンセリンの薬理学的な結合特性** 図は現在の定性的コンセンサスにもとづいて，ブロナンセリンの結合特性を示してある。ブロナンセリンはD_3受容体に高い親和性を有し，実際，ドーパミンよりもD_3受容体に対し高い結合能をもつ。本章で取り上げたすべての薬物と同様に，結合特性は測定方法や研究室ごとに大きく異なり，常に改訂，更新されている。

微量アミン受容体アゴニストとSEP-363856

抗精神病薬の新しい作用機序として可能性があり興味をそそられるのは，微量アミン関連受容体1型（TAAR1）に特異的に作用する微量アミンアゴニストである。微量アミンとは何か，そしてなぜその受容体をターゲットにすると抗精神病作用が得られるのか？ ヒトには5種類の重要な微量アミンと6種類のヒト微量アミン関連受容体が存在するが，最も重要な受容体はTAAR1である（表5-3）。微量アミンは，チロシンヒドロキシラーゼ（図4-2参照）や，トリプトファンヒドロキシラーゼ（図4-36参照）の段階が省略され，アミノ酸から生成される。微量アミンは，微量にしか存在せず，シナプス小胞に貯蔵されず，神経細胞が発火するときに放出されないため，長い間謎であった。TAAR1受容体がモノアミン脳幹中枢およびモノアミン投射領域に局在している事実から（図5-64），微量アミンそれ自体は神経伝達物質ではないにしても，精神薬理学者は微量アミンがモノアミン作用を調節するのに関与しているのではないかと長い間考えてきた。代わりに，微量アミンは中枢の神経伝達を定められた生理的限界内に維持している「ドーパミン作動性，グルタミン酸作動性，およびセロトニン作動性神経伝達の調整装置」と呼ばれてきた。

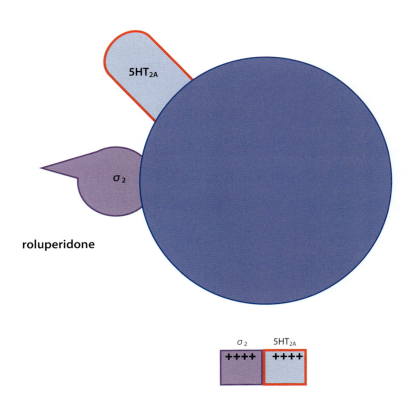

図5-63 roluperidoneの薬理学的な結合特性 図は現在の定性的コンセンサスにもとづいて，roluperidoneの結合特性を示してある。roluperidoneは現在臨床試験中であるが，5HT$_{2A}$アンタゴニストであり，さらにσ$_2$アンタゴニスト作用がある。本章で取り上げたすべての薬物と同様に，結合特性は測定方法や研究室ごとに大きく異なり，常に改訂，更新されている。

現在，TAAR1アゴニストの抗精神病作用の機序として考えられているのは，シナプス前とシナプス後の両方に持続的に作用し，精神病や躁病でのドーパミン過活動を防ぐことである（図4-15，図4-16）。このように，TAAR1アゴニストは，D$_2$受容体におけるドーパミンの過剰活性を防ぐ新しい方法となりうる。

どのようにしてこれを実現するのであろうか？ 理論的に，TAAR1受容体はアゴニストに占拠されると，シナプス膜に移動してD$_2$受容体と結合し（ヘテロ二量体化と呼ばれる），セカンドメッセンジャーシステムをβ-アレスチン2経路ではなく抑制性G（G$_i$）タンパクシグナル伝達カスケードで行うと決定することで，ドーパミンの過剰活性を抑制する（図5-65A・B）。TAAR1受容体は，D$_2$受容体をβ-アレスチン2経路からG$_i$タンパク制御のセカンドメッセンジャーシステムへと「偏らせる」ということができる（図5-65B）。

なぜこれが重要なのか？ シナプス前D$_2$受容体にTAAR1とのヘテロ二量体化が生じると，G$_i$経路の下流における作用が結果として増幅され

表5-3 微量アミンとその受容体

ヒトにおける5つの主要な微量アミン
β-フェニルエチルアミン（PEA）
p-チラミン
トリプタミン
p-オクトパミン
p-シネフリン
6種類のヒト微量アミン関連受容体（TAAR）
TAAR1（ヒトの主要TAAR）
TAAR2
TAAR5
TAAR6
TAAR8
TAAR9

る。その作用にはドーパミンの合成および放出の阻害が含まれる（図5-65Bのシナプス前の部分）。精神病や躁病においてみられると推測されるように，ドーパミンがシナプス前で過剰になっている

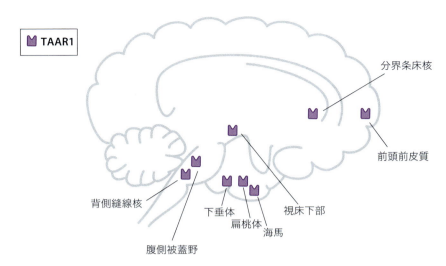

図5-64　微量アミン関連受容体1型(TAAR1)の局在　抗精神病薬の可能性のある新しい作用機序として，微量アミン関連受容体1型(TAAR1)のアゴニスト作用がある。TAAR1は，モノアミン脳幹中枢(背側縫線核，腹側被蓋野)やモノアミン投射領域など，脳全体に広く発現している。

場合，それは好都合なことであろう。さらに「偏った」ヘテロ二量体化シナプス後D_2受容体によってシナプス後D_2受容体シグナルが$β$-アレスチン2経路からG_i経路に振り分けられると，これは理論的にシナプス後D_2受容体の過剰刺激から生じる$β$-アレスチンを介した過剰シグナルからグリコーゲンシンターゼキナーゼ3(GSK3)の過剰活性化までを結果として和らげることができる(図5-65Bのシナプス後の部分)。

つまり，TAAR1アゴニストはシナプス前D_2自己受容体を強化し(その結果，ドーパミン合成と放出が停止する)，同時にシナプス後D_2受容体の過剰な活性化による不要な下流の機能の一部を抑制する(したがって，精神病や躁病におけるドーパミンの過剰な放出の影響を緩和する)可能性があるということである。さらにいえば，TAAR1アゴニスト作用というのは実際にD_2受容体を直接薬理学的に遮断することなく，シナプス前とシナプス後の両方に作用するのである！(図5-65B)。

SEP-363856(図5-66)は，$5HT_{1D}$受容体と$5HT_7$受容体にアンタゴニストとして弱い親和性をもち，$5HT_{1A}$受容体にアゴニストとして弱い親和性をもつとともに，TAAR1受容体に弱い親和性をもつTAAR1アゴニストの一例である。驚くべきことに，この薬物の前臨床試験で思いがけなく精神病に有効であるという行動学的証拠が得られ，そのときはじめてTAAR1受容体に対する薬理学的な，および分子学的な作用機序が発見されたのである。すでに，統合失調症患者を対象とした初期の試験で，副作用の少ない抗精神病作用が確認されており，当局から画期的な新薬として認定されている。現在，さらなる臨床試験が進行中である。

コリン作動性アゴニスト

直接あるいはアロステリック調節による中枢性ムスカリン性コリン作動性受容体の活性化は，新規抗精神病薬の機序として研究中である。統合失調症患者を対象とした前臨床試験および死後研究から，中枢性コリン作動性受容体の変化が統合失調症の病態生理の鍵を握る可能性が示唆されている。M_4受容体アゴニスト作用は精神病症状を軽減し，一方でM_1受容体アゴニスト作用は統合失調症の認知障害の改善に大きく関与すると考えられる。xanomeline(図5-67)はM_4/M_1中枢アゴニストとして，腹側被蓋野(VTA)のドーパミン細胞の発火を減少させる。これにより，理論的に精

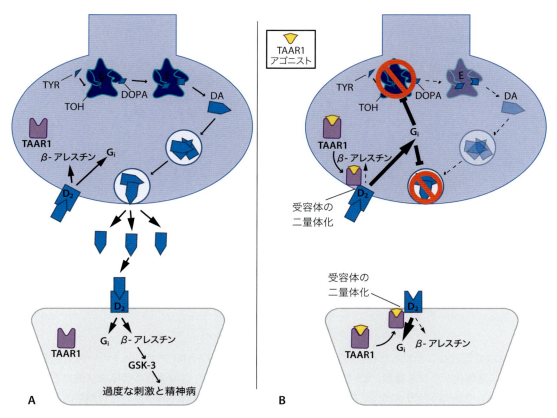

図5-65　微量アミン関連受容体1型(TAAR1)のアゴニスト作用　微量アミンは，ドーパミン(DA)またはセロトニン(5HT)の生成過程で，チロシンヒドロキシラーゼ(TOH)あるいはトリプトファンヒドロキシラーゼ(TRY-OH)段階のいずれかが省略された場合に，アミノ酸から生成されるものである。(**A**)DAは生成されシナプス小胞に封入された後，シナプスに放出される。シナプス前およびシナプス後のD₂受容体に結合するDAは，抑制性G(G_i)タンパクシグナル伝達カスケードまたはβ-アレスチン2シグナル伝達カスケードのいずれかを引き起こす。β-アレスチン2カスケードはグリコーゲンシンターゼキナーゼ3(GSK3)の産生につながり，GSK3の過剰な活性化は躁病または精神病と関連する可能性がある。(**B**)TAAR1受容体がアゴニストと結合すると，シナプス膜に移動し，D₂受容体と結合する(ヘテロ二量体化)。これによりD₂受容体はβ-アレスチンカスケードの代わりにG_iシグナル伝達カスケードを活性化する方向に偏る。シナプス前では，G_i経路の増幅により，DAの合成と放出が抑制される。これが精神病に有効であると考えられている。シナプス後では，G_i経路の増幅は，GSK3の産生を減少させることにつながっている。
DOPA：ドーパ，TYR：チロシン

神病の陽性症状が軽減される。xanomelineはまた，前頭前皮質のドーパミンの細胞外濃度を上昇させ，認知，陰性，および感情症状を改善すると考えられている。xanomelineと，脳内に浸透せず末梢でM₂およびM₃の活性化による副作用を遮断する抗コリン薬であるtropsiumの併用は，統合失調症の精神病症状に対し副作用を軽減しながら良好な効果と忍容性を示しており，可能性のある新発見として先進的臨床試験へ進行している。セロトニン受容体だけでなく，ムスカリン性コリン作動性受容体に対するxanomelineの既知の結合特性を図5-67に示す。

その他のいくつかのアイデア

グルタミン酸神経伝達を標的としたいくつかの薬物が統合失調症において研究されているが，その多くが一貫して肯定的かつ確実な有効性の結果を得られていない。現在も研究されている新しいアイデアは，グルタミン酸の機能を高める方法としてD-アミノ酸オキシダーゼ(DAO)という酵素

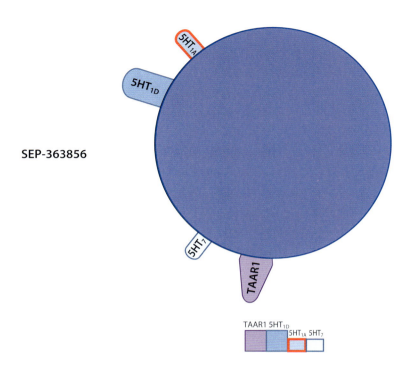

図5-66　SEP-363856の薬理学的な結合特性　図は現在の定性的コンセンサスにもとづいて，SEP-363856の結合特性を示してある。抗精神病作用の新しい機序として，微量アミン関連受容体1型（TAAR1）のアゴニスト作用が期待されている。SEP-363856はTAAR1受容体のアゴニストであり，$5HT_{1D}$，$5HT_{1A}$，および$5HT_7$受容体への結合特性も有している。本章で取り上げたすべての薬物と同様に，結合特性は測定方法や研究室ごとに大きく異なり，常に改訂，更新されている。

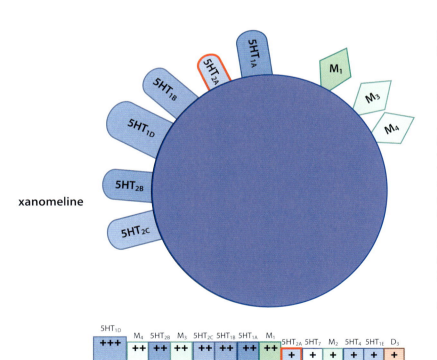

図5-67　xanomelineの薬理学的な結合特性　図は現在の定性的コンセンサスにもとづいて，xanomelineの結合特性を示してある。xanomelineは，中枢のムスカリン性コリン作動性受容体，特にM_4とM_1受容体にアゴニストとして作用するため，精神病に対する使用可能性について研究されている。xanomelineは，複数のセロトニン受容体サブタイプにも結合する。本章で取り上げたすべての薬物と同様に，結合特性は測定方法や研究室ごとに大きく異なり，常に改訂，更新されている。

を阻害することである(図4-22参照)。

　過剰なドーパミン作用を遮断するもう1つの新しいアプローチは，9/10型ホスホジエステラーゼという酵素の作用を遮断することであり，いくつかの候補薬が臨床開発中である。この機序は，D_1およびD_2受容体におけるドーパミンのセカンドメッセンジャーシグナル伝達カスケードを変化させ，D_2受容体を遮断するのと同様の効果を下流にもたらし，統合失調症において過剰と考えられるドーパミン神経細胞により選択的に働くことができるかもしれない。

まとめ

　本章では精神病治療に用いられる薬物について概説したが，同じ薬物が単極性および双極性うつ病など他の適応症にも頻繁に用いられていることから，「抗精神病薬」という用語は避けた。代わりに，「抗精神病作用」の仮説的な作用機序を詳細に検討した。具体的には，本章はおもにD_2アンタゴニスト作用を有する薬物，$5HT_{2A}$アンタゴニスト作用/D_2アンタゴニスト作用を有する薬物，D_2/$5HT_{1A}$部分アゴニスト作用を有する薬物，および$5HT_{2A}$選択的アンタゴニスト作用を有する薬物などの精神病治療に対する薬理作用を概説した。これらの薬物は，さまざまなドーパミンおよびセロトニン受容体サブタイプで比較対照され，その受容体作用は，仮説的な治療作用および副作用と関連づけられている。他の臨床的作用，特に抗うつ作用に仮説上関連すると思われる他の神経伝達物質受容体における複数の新たな受容体結合特性が報告され，そして議論されている。さらに，他の副作用に仮説上関連すると思われる他の受容体作用についても紹介している。市販されている，あるいは後期臨床試験中である24種の具体的な薬物の薬理学的および臨床的特性について，微量アミン関連受容体やムスカリン性コリン作動性受容体における興味深い新しい作用機序の可能性も含めて，詳細に述べた。

（訳　重家里映）

6章 気分障害と神経伝達物質ネットワーク ノルエピネフリンとGABA

- 気分障害の記述 — 271
  - 気分スペクトラム — 271
  - 双極性うつ病から単極性うつ病を鑑別する — 273
  - 混合性の特徴：気分障害は進行性か？ — 276
- 気分障害の神経生物学 — 279
  - 神経伝達物質 — 279
- うつ病のモノアミン仮説 — 292
- モノアミン受容体仮説と神経栄養因子 — 292
- モノアミンを越えて：うつ病の神経可塑性と神経栄養仮説 — 294
- 気分障害の症状と神経回路 — 304
  - 症状にもとづいた治療選択 — 307
- まとめ — 311

　本章では，気分moodの異常を特徴とする疾患，すなわち，うつ病(DSM-5)major depressive disorder，躁病mania，または両方の混合mixedについて述べる。これには，幅広い臨床的なスペクトラムで生じる広範で多種多様な気分障害の記述も含まれる。気分障害を診断するための臨床的説明と基準はついでに言及するにとどめる。そのため，読者にはこの題材をあつかっている標準的な参考文献を参照されたい。また，本章ではモノアミン神経伝達物質系monoamine neurotransmitter systemが長い間気分障害の生物学的な基盤と仮説上どのように関連づけられてきたかも分析する。さらに，気分障害を，グルタミン酸，γ-アミノ酪酸γ-aminobutyric acid(GABA)，神経栄養因子，神経炎症およびストレスに関連させた神経生物学の最近の進歩についても解説する。

　気分障害は多数の症状があり，それらへの臨床的なアプローチは患者の症状プロファイルから最初の診断を構築する必要がある。しかし，その後，患者の気分障害を構成する症状に分解し，そうすると各症状を個別に治療の対象にすることができる。この臨床的診断アプローチと神経生物学的治療アプローチをいかにして結び付けるかその方法について，まずはじめにすべての症状をその仮説上機能不全に陥った脳回路に一致させることによって説明していく。その脳回路は1つまたは複数の神経伝達物質によって調節されている。つぎの戦略は，患者個々の特定の症候性脳回路における特定の神経伝達物質を標的とする薬物を選択することである。目標はこれらの脳回路の情報処理の効率を改善し，それによって症状を軽減することである。本章で気分障害の神経生物学的基礎にふれることは，第7章での作用機序と特定の薬物治療をいかに選択するかを理解するためのそなえにもなる。

気分障害の記述
気分スペクトラム

　気分に関する障害はしばしば感情障害affective disorderと呼ばれる。なぜなら感情は気分の外面的な現れであり，一方で情動とは内面的に感じるもので，これも気分と呼ばれるものだからである。気分障害は気分に関するものだけではない。抑うつエピソードの診断は少なくとも5つの症状の存在が必要で，そのうちの1つだけが抑うつ気分である(図6-1)。同様に躁病エピソードは，ただ高揚，開放的な気分，または易怒的な気分だけでなく，さらに少なくとも3つか4つの症状が必要である(図6-2)。

　古典的には躁病とうつ病の気分症状はそれぞれ

抑うつエピソードの症状次元

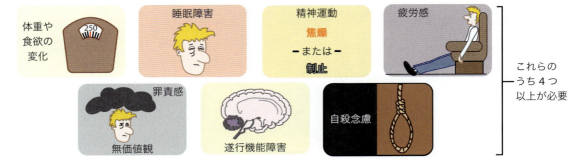

図6-1　抑うつエピソードのDSM-5症状　『精神疾患の診断・統計マニュアル』の第5版（DSM-5）によれば，抑うつエピソードは，抑うつ気分あるいは興味の喪失と，つぎのうち少なくとも4つの症状からなるとされている。それは，体重や食欲の変化，不眠または過眠，精神運動焦燥または制止，疲労感，罪責感または無価値感，遂行機能障害，および自殺念慮である。

躁病エピソードの症状次元

図6-2　躁病エピソードのDSM-5症状　『精神疾患の診断・統計マニュアル』の第5版（DSM-5）によれば，躁病エピソードは，高揚，開放的な気分あるいは易怒的な気分と，つぎのうち少なくとも3つ（易怒的な気分だけの場合には4つ）の症状からなるとされている。それらは，自尊心の肥大または誇大，目標指向的活動の増加または精神運動焦燥，リスクをいとわない行動，睡眠欲求の低下，注意散漫，促迫した話し方，および思考の競合である。

「極pole」として分かれている（図6-3～図6-6）。この概念は，「単極性unipolar」うつ病〔すなわち，**下方**の極もしくはうつ極だけを経験する患者（図6-3，図6-4）〕と「双極性bipolar」〔すなわち，**上方**の極もしくは躁病（図6-3，図6-5）あるいは軽躁病（図6-3，図6-6）と**下方**の極つまりうつ極（図6-3，図6-5，図6-6）の両方を別々のときに経験する患者〕という言葉を生んだ。双極Ⅰ型障害は完全な躁病エピソードが認められ，たいていそれに続いて抑うつエピソード（図6-5）が現れる。双極Ⅱ型障害は少なくとも1つの軽躁病エピソードと1つの抑うつエピソードがあることが特徴である（図6-6）。うつ病と躁病は同時に起こる場合もあり，「混合性mixed」の気分の状態，あるいはDSM-5では「混合性の特徴mixed features」と呼ばれる（図6-7，表6-1）。混合性の特徴という言葉の導入により，うつ病と躁病を別のカテゴリーとみなすことから遠ざかった。それらはスペクトラムの両極であり，その間にさまざまな程度の混合状態があるという概念へと向かっている（図6-7）。多くの実際の患者は純粋なうつ病でも純粋な躁病でもなく，両方の混合があり，疾患の経過で気分スペクトラムに沿って変化する症状の明確な混合を伴う。これは統合失調症と双極性障害の概念化の進化に似ている。古い二分法疾患モデル（図6-8）は，純粋な精神病性障害から純粋な気分障害に至るまでの連続体疾患モデルに大部分が置き換えられた（図6-9）。

双極性うつ病から単極性うつ病を鑑別する

先行する躁病もしくは軽躁病エピソードがなければ，単極性うつ病エピソードの患者（図6-4）は双極性うつ病の患者（図6-5，図6-6）と同じ症状基準（図6-1）を用いて診断される。同様の症状にもかかわらず，単極性うつ病と双極性うつ病の患者は長期的な転帰が異なり，一般的に異なる治療を受ける必要がある。不幸なことに，双極性うつ病の診断ミスや診断の遅れは非常にありふれている。単極性うつ病の患者の3分の1以上が最終的に双極性障害と再診断され，おそらく双極Ⅱ型障害のうつ病患者の60％が最初に単極性うつ病と診断される。ある場合には，患者が躁病または軽躁病エピソードを発症する前に抑うつエピソードを発症し，双極性障害の診断を下すことができないことがある。別の場合には，双極性障害の患者はしばしばうつ病相期に受診し，過去の軽躁病はしばしば患者にとって心地よく，言及されないこともあり，過去の躁病または軽躁病エピソードの診断は見落とされることもある。

なぜ双極性障害の早期に正確な診断をしたいのか？　単極性と双極性うつ病は，患者の現症にもとづいて簡単に区別することはできないが，単極性うつ病エピソードではなく，むしろ双極性うつ病エピソードの疑いを引き出す可能性のあるヒントがいくつかある（図6-10）。双極性うつ病の診断を早期に見逃すと，間違った治療（双極性うつ病よりもむしろ単極性うつ病に対する）を行うことで生活の質が低下する可能性があり，これは効果がないかもしくは危険ですらある。すなわち，双極性うつ病の適切な治療が遅れると，気分の循環，再発，自殺のリスクが高まり，後に施される適切な双極性治療に反応する可能性が低くなることさえある。

このように単極性うつ病と双極性うつ病を区別することが大切である。患者がうつ状態にあるときに，躁病もしくは軽躁病の既往歴をみつける以外の方法はあるのか？　簡単にいうとない。詳しくいうと，単極性うつ病エピソードではなく双極性うつ病エピソードの可能性を支持するいくらかの臨床的特徴があるということである。これらの要因は，躁病もしくは軽躁病エピソードの過去の病歴が不明な場合に双極性うつ病エピソードの診断の手がかりになる（図6-10）。うつ病の患者が単極性か双極性かを判断する方法に対する他の手がかりは，2つの質問をすることかもしれない（表6-2）。

それは「あなたの父親は誰ですか？」と「あなたの母親はどこですか？」である。「あなたの父親は誰ですか？」は，「あなたの家族歴は？」をより正確に意味している。第1度近親者に双極スペクトラム障害の患者が存在していれば，患者も単極性

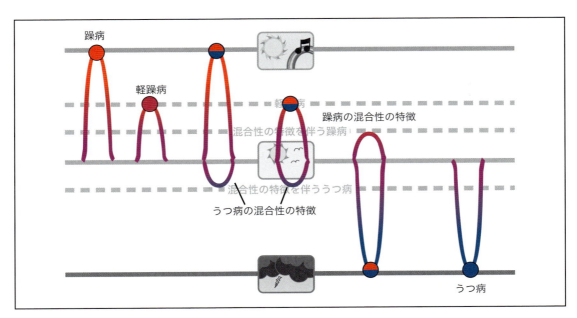

図6-3 気分エピソード 気分症状はスペクトラムに沿う。純粋な躁病もしくは軽躁病(上方の極)と純粋なうつ病(下方の極)は曲線の終わりがある。患者は両極の症状を含む気分のエピソードもまた経験する。そのようなエピソードは，うつ病の混合性の特徴を伴う躁病あるいは軽躁病，もしくは躁病の混合性の特徴を伴ううつ病として述べられうる。1人の患者が疾患の経過中にこれらのエピソードのどの組み合わせも経験する可能性がある。亜症候性の躁病エピソードや抑うつエピソードが疾患の経過中に生じることもある。そのような患者では，これらエピソードの1つの診断基準を満たすほど多くの症状が現れなかったり，重篤でなかったりしている。このように気分障害の表出は幅広く変化しうる。

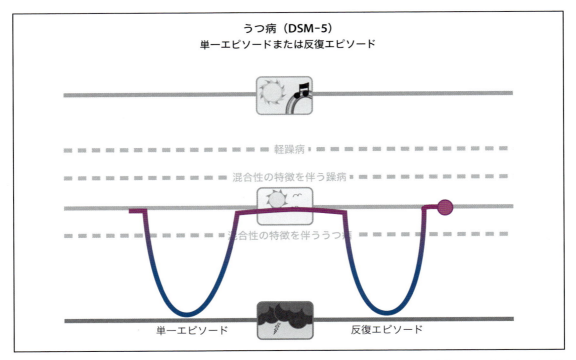

図6-4 うつ病(DSM-5) うつ病は少なくとも1回の抑うつエピソードの発生によって定義されるが，患者の多くは反復エピソードを経験する。

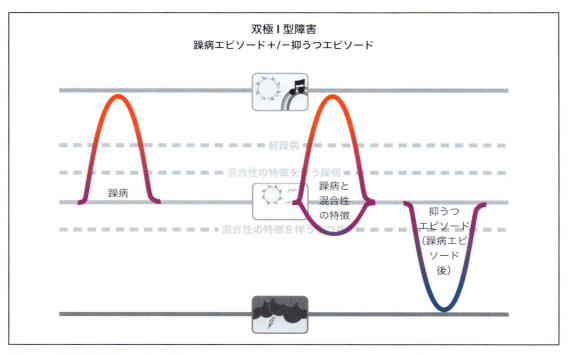

図6-5　双極Ⅰ型障害　双極Ⅰ型障害は少なくとも1つの躁病エピソードの発生と定義される。双極Ⅰ型障害患者は概して抑うつエピソードも経験しているが，これは双極Ⅰ型障害の診断に必須ではない。うつ病の混合性の特徴のある躁病エピソードの経験もまた多い。

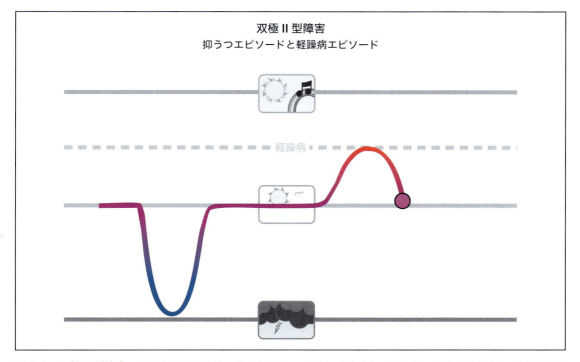

図6-6　双極Ⅱ型障害　双極Ⅱ型障害は，1つ以上の抑うつエピソードと少なくとも1つの軽躁病エピソードで構成される疾患経過であると定義される。

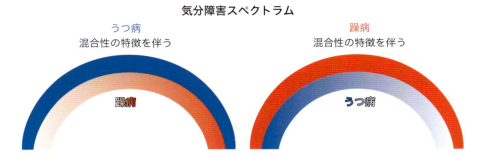

図6-7　気分障害スペクトラム　抑うつ症状と躁症状は同じエピソード内の一部として起こりうる。これは「混合性の特徴」と呼ばれ，抑うつ症状が優勢である場合，混合性の特徴を伴ううつ病として定義され，もしくは躁症状が優勢である場合，混合性の特徴を伴う躁病として定義されうる。このように気分障害は個別の診断カテゴリーという概念よりはむしろスペクトラムとして理解するのが最もよい。

表6-1　躁病，軽躁病，抑うつエピソードの混合性の特徴

混合性の特徴を伴う躁病もしくは軽躁病エピソード
躁病もしくは軽躁病エピソードの基準を完全に満たす
以下のうつ病症状の少なくとも3つ ● 抑うつ気分 ● 興味や喜びの消失 ● 精神運動制止 ● 疲労感もしくは気力の減退 ● 無価値観もしくは過剰であるか不適切な罪責感 ● 死についての反復思考もしくは自殺念慮/自殺企図
混合性の特徴を伴う抑うつエピソード
単一エピソードの基準を完全に満たす
以下の躁病/軽躁病症状のうち少なくとも3つ ● 高揚，開放的な気分（例えば，気分の高揚，興奮，活動的） ● 自尊心の肥大，または誇大 ● ふだんより多弁であるか，しゃべり続けようとする促迫 ● 観念奔逸，またはいくつもの考えが競い合っているという主観的体験 ● 気力または目標指向的活動の増加 ● 困った結果につながる可能性の高い活動に熱中すること ● 睡眠欲求の低下 （除外：精神運動焦燥） （除外：易怒性） （除外：注意散漫）

うつ病よりも双極スペクトラム障害である可能性が高いことが強く示唆される。双極性障害の患者の大半は双極性障害の家族歴がないけれども，それが存在するとき，それは間違いなく双極性うつ病の最も強固で信頼できる危険因子である。双極性障害の第1度近親者は，一般集団と比較して双極性障害を発症するリスクが8～10倍高くなる。

2つ目の質問「あなたの母親はどこですか？」は，「あなたの近親者からあなたの病歴の補足を得る必要がある」ということを実は意味している。

患者は自分の躁症状を過少に報告する傾向があり，母親や配偶者のような外部の情報提供者による洞察や観察と患者の報告とがまったく異なっていることが実際証明されるかもしれない。したがって，この質問は患者自身が否定したり気づかなかったりするかもしれない双極スペクトラム障害の立証に役立つのである。

混合性の特徴：気分障害は進行性か？

単極性うつ病と双極性うつ病を区別することの

重要性に加えて，うつ病の患者が単極性の疾患であろうと双極性の疾患であろうと，それらの患者の混合性の特徴を探すことも非常に重要である。これは，混合性の特徴が存在する場合，患者の予後に大きな違いがあるためである。1つには，単極性うつ病は混合性の特徴に進行し，混合性の特徴は双極性障害に進行し，双極性障害は治療抵抗性に進行する可能性があるというエビデンスがある（図6-11）。閾値以下の躁症状の存在でさえ，双極性障害への転換と強く関連しており，各躁症状はリスクを30％上昇させる。不良な予後への進行を止めることができるかどうかはわからないが，最善策は，躁病かうつ病かを問わず，すべての症状を早期に認識することと軽減または排除する効果的な治療であると思われる。そして，これを疾患の経過のなかでできるだけ早期に行うことである。

どのくらいのうつ病患者に混合性の特徴がある

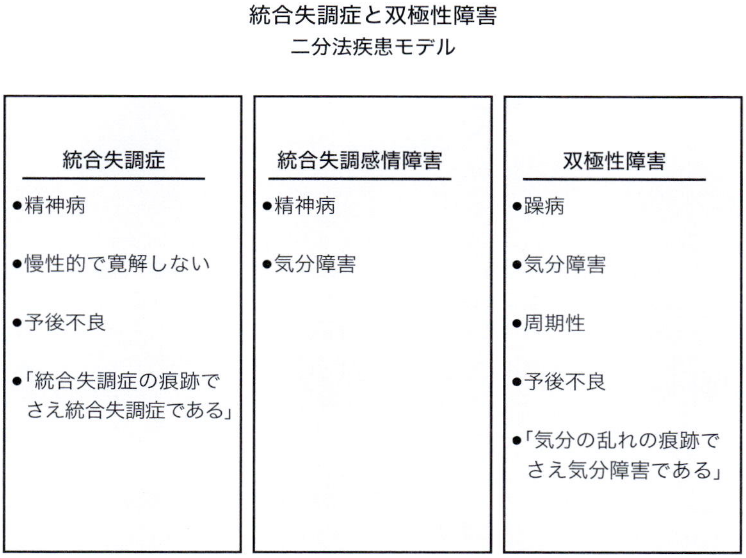

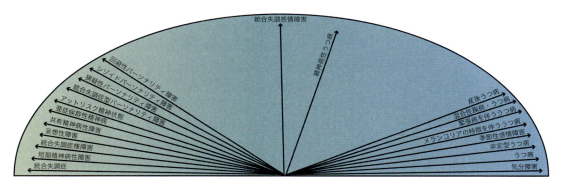

図6-8　**統合失調症と双極性障害：二分法疾患モデル**　統合失調症と双極性障害は二分法疾患モデルと連続体疾患モデルの両方で概念化されてきた。二分法疾患モデルでは，統合失調症は慢性的で寛解せず予後不良となる精神病とされている。双極性障害は周期的な躁病エピソードやその他の気分エピソードからなり，統合失調症より予後が良好であるとされている。第3の疾患は統合失調感情障害であり，精神病と気分障害の両方で特徴づけられる。

図6-9　**統合失調症と双極性障害：連続体疾患モデル**　統合失調症と双極性障害は二分法疾患モデルと連続体疾患モデルの両方で概念化されてきた。連続体疾患モデルでは，統合失調症と気分障害は1つの連続体に位置づけられる。その連続体では，精神病，幻覚，妄想，猜疑性回避行動が一方の極で，うつ病やその他の気分の症状はもう一方の極である。精神病性うつ病や統合失調感情障害はその中間に位置づけられる。

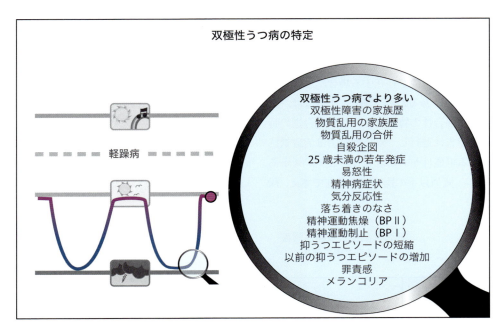

図6-10 双極性うつ病の特定 単極性と双極性のいずれのうつ病においても抑うつエピソードのすべての症状が生じうるが，いくつかの要因は，診断的な確実性はないものの，患者が双極スペクトラム障害であるという手がかりになる。その要因とは，双極性障害の家族歴，物質乱用の家族歴，物質乱用の合併，自殺企図歴，若年発症，短縮しているが頻回になる抑うつエピソードである。いくつかの症状もまた双極性障害の一部としてより共通するかもしれない。それは，易怒性，精神病症状，気分反応性，落ち着きのなさ，精神運動焦燥もしくは制止，罪責感，そしてメランコリアを含んでいる。
BPⅠ：双極Ⅰ型障害，BPⅡ：双極Ⅱ型障害

か？ 推定値は，単極性うつ病の全患者の約4分の1であり，双極Ⅰ型またはⅡ型うつ病の全患者の3分の1が躁病の亜症候性症状を示す。小児および青年の単極性うつ病における混合性の特徴の推定値はさらに高くなる。「純粋な」うつ病の人と比較して，うつ病に加えていくつかの躁症状のある人は，より複雑な疾患をもち，経過と予後があまりよくない可能性がある。例えば，混合性の特徴は，うつ病患者のすでに高い自殺のリスクを悪化させる可能性がある。抑うつ症状とともに精神運動性焦燥，衝動性，易怒性，および競争心・思考の混乱などの非多幸性躁症状がみられることは，自殺傾向をもたらす組み合わせである。自殺率は，双極性障害では単極性うつ病の2倍であり，そして双極性障害では一般人口の最大20倍である。悲しいことに，双極性障害患者の最大3分の1が，人生で少なくとも1回は自殺未遂をし，そのうち10〜20％が既遂となる。

表6-2 単極性うつ病か双極性うつ病か？ 質問すべき事項

あなたの父親は誰ですか？
つぎの事柄に関する家族歴はありますか？ ● 気分障害 ● 精神科への入院 ● 自殺 ● リチウム，気分安定薬，精神またはうつ病に対する薬物を服用された方がいますか？ ● 電気痙攣療法を施行された方がいますか？
これらは単極性うつ病か双極スペクトラム障害が近親者に存在することを示唆する
あなたの母親はどこですか？
あなたの近親者にあなたの病歴の補足をうかがう必要があります。例えば，あなたの母親や配偶者が該当します
患者は特に自分の躁症状に対する病識が欠如しており，過少に報告することがある

それらの亜症候性躁症状と自殺についてはどうであろうか？ 混合性の特徴が存在する場合，単極性うつ病と双極性うつ病の両方で自殺傾向のリスクが4倍になる。研究によると，混合エピソードと自殺企図の厄介な関連性が特に示されているため，混合性の特徴をもっている人を特定するだけでなく，適切に治療することも重要である。混合性の特徴の治療については第7章で説明するが，驚くべきことに，混合性の特徴のない単極性うつ病の治療と同じではない。つまり，混合性の特徴を伴う単極性うつ病も双極性うつ病も，単極性うつ病で広く使用され第7章で説明されている標準的なモノアミン再取り込み阻害薬を第1選択薬として治療されるのではなく，むしろ第5章で説明済みである精神病の治療に広く使用されるセロトニン/ドーパミンの拮抗薬/部分アゴニストで治療される。したがって，抑うつエピソードは，単極性または双極性障害の一部として混合性の特徴があるかないか正しく診断される必要があり，正しい治療が行われる必要があることは強調してもしすぎることはない（気分障害の治療の詳細は第7章に記載）。抑うつエピソードに混合性の特徴があるかどうか，つまり単極性うつ病と双極性うつ病の両方の認識と適切な治療によりすべての症状を長期間寛解させ，これにより，より困難な状態への進行が妨げられることが期待されている（図6-11）。これは証明されていないが，現時点でこの分野の主要な仮説である。

気分障害の神経生物学
神経伝達物質

いろいろな脳回路での神経伝達の機能不全は，気分障害の病態生理学と治療の両方に関係している。古典的には，これにはモノアミン神経伝達物質であるノルエピネフリン，ドーパミン，セロトニンが含まれ，最近では神経伝達物質のグルタミン酸と γ-アミノ酪酸 γ-aminobutyric acid（GABA）とそれらに関連したイオンチャネルが含まれる。気分障害の症状は，これらの神経伝達物質とイオンチャネルのさまざまな組み合わせの機能障害が関係しているという仮説が設けられている。すべての既知の気分障害の治療はそれらのうち1つもしくはそれ以上に作用する。ドーパミン系（第4章，図4-2〜図4-13），セロトニン系（第4章，図4-36〜図4-51），グルタミン酸系（第4章，図4-20〜図4-28），イオンチャネル（第3章，図3-19〜図3-26）については，すでに広範囲に説明した。ここでは，さらに2つの神経伝達物質系を加える。それはノルエピネフリンとGABAである。どのようにこれらのさまざまな神経伝達物質とイオンチャネルが気分障害にかかわると考えられているかを説明する前に，ノルエピネフリン，GABA，およびそれらの受容体と経路ついての総合的な説明からはじめよう。

ノルエピネフリン

ノルエピネフリン神経細胞は，ノルエピネフリン norepinephrine（NE，ノルアドレナリン）を神経伝達物質として用いている。NEは，その前駆体であるアミノ酸のチロシンから合成または生成される。チロシンは血液から能動的輸送ポンプによって神経系に輸送される（図6-12）。神経細胞内に入ると，3つの酵素によって順次代謝を受ける。最初は，律速酵素であり，NE産生の調節に最も重要なチロシンヒドロキシラーゼ tyrosine hydroxylase（TOH）によって，チロシンはドーパ（DOPA）に転換される。つぎにDOPAデカルボキシラーゼ dopa decarboxylase（DDC）が作用して，ドーパミン（DA）に転換される。第4章と図4-2に示したように，ドーパミン神経細胞では，DAそれ自身が神経伝達物質となる。しかし，ノルエピネフリン神経細胞では，DAはNEの前駆物質にすぎない。実際，DAは第3のそして最終的な酵素であるドーパミン-β-ヒドロキシラーゼ dopamine β-hydroxylase（DBH）によってNEに転換される。そして，NEは神経インパルスによって放出されるまで小胞と呼ばれるシナプスの包みに蓄えられる（図6-12）。

NEの作用は，NEが2つの主要な分解酵素または異化酵素によって不活性な代謝物に転換されることで終結する。1つ目の酵素は，モノアミンオキシダーゼ monoamine oxidase（MAO）-Aまた

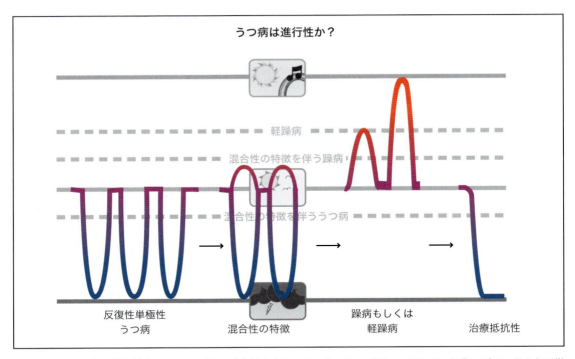

図6-11　うつ病は進行性か？　気分障害が進行性かもしれないというエビデンスがある。反復エピソードのある単極性うつ病は混合性の特徴を伴ううつ病に進行するかもしれない。つまり，ついに双極スペクトラム状態に進行し，最終的に治療抵抗性になるかもしれない。

はMAO-Bであり，シナプス前神経細胞のミトコンドリアおよびその他の場所に存在している（図6-13）。2つ目の酵素は，カテコール-O-メチルトランスフェラーゼcatechol-O-methyltransferase（COMT）であり，シナプス前神経終末の外に広範囲に存在していると考えられている（図6-13）。NEの作用は，NEを分解する酵素だけでなく，分解せずにシナプスでの活動からNEを取り除くことで作用を生じなくさせる輸送ポンプによっても終結される（図6-14）。実はこのように不活性化されたNEは，将来の神経インパルスによる神経伝達の際に再利用されるために貯蔵される。NEのシナプスでの作用を終わらせる輸送ポンプは，ときに「ノルエピネフリントランスポーター」または「NET（norepinephrine transporter）」と呼ばれたり，「ノルエピネフリン再取り込みポンプ」と呼ばれたりする。このノルエピネフリン再取り込みポンプは，シナプス前ノルエピネフリン神経終末に神経細胞のシナプス前機構の一部として存在し，電気掃除機のようにシナプス間隙からNEを吸い込むことにより，NEをシナプス受容体から解離させ，シナプスでの作用を終わらせる。NEはシナプス前神経終末に入ると，将来の神経インパルスが生じた際に再利用されるためにふたたび蓄えられるか，あるいはNEの分解酵素によって分解される（図6-13）。

ノルエピネフリン神経細胞は，NEに対する多種にわたる受容体によって調整されている（図6-14）。ノルエピネフリントランスポーター（NET）は，シナプス小胞モノアミントランスポーター2 vesicular monoamine transporter 2（VMAT2）と同様に，受容体の1つの型である。VMAT2は，シナプス前神経細胞の細胞質内に存在するNEをシナプス小胞へと輸送している（図6-14）。ドパミン神経終末のVMAT2は遅発性ジスキネジアの治療の治療標的であるので，第5章で広範に説明する（図5-10～図5-12）。他のノルエピネフリン受容体はα_1，α_{2A}，α_{2B}，α_{2C}，もしくはβ_1，

β_2, β_3に分類される（図6-14）。すべてがシナプス後に存在するが，α_2受容体だけはシナプス前自己受容体としても作用することができる（図6-14〜図6-16）。シナプス後受容体は，NEによる占拠を生理学的な機能に転換し，最終的にはシナプス後神経細胞のシグナル伝達と遺伝子発現を変化させる（図6-14）。

シナプス前α_2受容体はNEの放出を調節しているので，「自己受容体」と呼ばれる（図6-14，図6-15）。シナプス前α_2自己受容体は，軸索終末（すなわち神経終末α_2受容体，図6-14，図6-15）と，細胞体や樹状突起の近傍（すなわち細胞体樹状突起α_2受容体，図6-16）の両方に存在している。したがって，後者のαシナプス前受容体は細胞体樹状突起α_2受容体と呼ばれる（図6-16）。神経終末α_2受容体と細胞体樹状突起α_2受容体の両方が自己受容体であるため，シナプス前α_2受容体は重要である。すなわち，シナプス前α_2受容体がNEを認識すると，それ以上のNEの放出を停止させる（図6-14，図6-15）。したがって，シナプス前α_2自己受容体はノルエピネフリン神経細胞に対するブレーキとして作用するだけでなく，負のフィードバックとして知られている調節シグナルもまた生じさせる。この受容体が刺激される

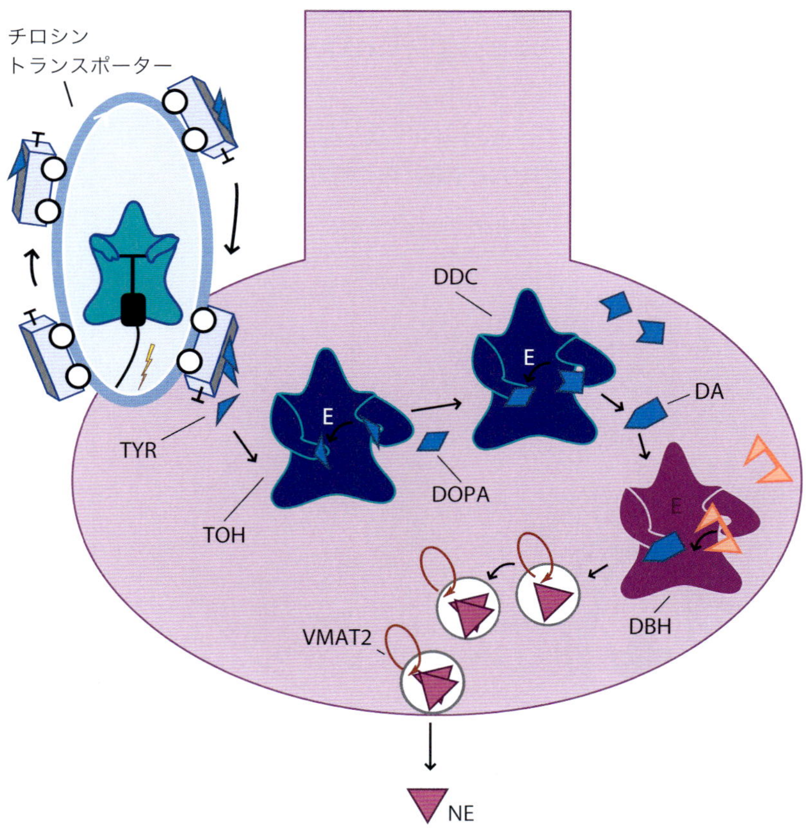

ノルエピネフリン（NE）の産生

図6-12　ノルエピネフリンの産生　ノルエピネフリン（NE）の前駆物質であるチロシン（TYR）は，チロシントランスポーターを経由してノルエピネフリン神経終末に取り込まれ，チロシンヒドロキシラーゼ（TOH）によってドーパ（DOPA）に転換される。DOPAはDOPAデカルボキシラーゼ（DDC）によりドーパミン（DA）に転換され，最終的に，DAはドーパミン-β-ヒドロキシラーゼ（DBH）によってNEに転換される。NEは産生された後，シナプス小胞モノアミントランスポーター2（VMAT2）によってシナプス小胞内に取り込まれ，神経伝達の際にシナプスに放出されるまでそこで蓄えられる。

と(つまり，ブレーキが踏まれると)，神経細胞の発火が止まる。これはおそらくノルエピネフリン神経細胞の過剰な発火を防ぐために生理的に起きる。なぜなら，発火頻度が高くなりすぎて自己受容体が刺激されるようになるとノルエピネフリン神経細胞は自分自身で発火を遮断することができるからである。ある薬物は，シナプス前$α_2$受容体を刺激することでノルエピネフリン神経細胞の本来の機能を模倣できるだけでなく，他の薬物はその同じ受容体に拮抗することでブレーキケーブルを切ってNEの放出を高めることもできるということは注目に値する。

GABA

GABAは原則的には脳における抑制性の神経伝達物質であり，ふつうは多くの神経細胞の活動を低下させるという重要な調節を担っている。具体的にいうと，GABAはグルタミン酸デカルボキシラーゼglutamic acid decarboxylase(GAD)により，アミノ酸のグルタミン酸から産生される，または合成される(図6-17)。GABAはシナプス前神経細胞で産生されると，シナプス小胞抑制性アミノ酸トランスポーターvesicular inhibitory amino acid transporter(VIAAT)によりシナプス小胞に輸送され，そこで抑制性の神経伝達のときに，シナプス間隙に遊離されるまで蓄えられる(図6-17)。GABAのシナプスでの作用は，シナプス前GABAトランスポーターGABA transporter(GAT)により終結する。GATはGABA再取り込みポンプとしても知られており(図6-18)，本書をとおして述べられているその他の神経伝達物質と同様のトランスポーターと類似している。GABAの作用は，GABAトランスアミナーゼGABA transaminase(GABA-T)がGABAを不

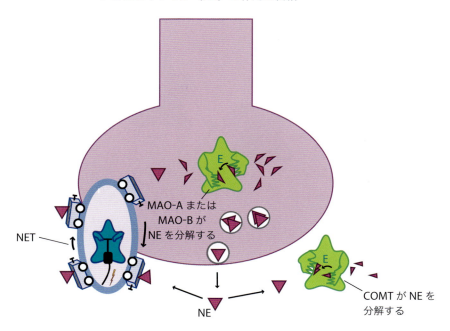

図6-13　ノルエピネフリンの作用の終結　ノルエピネフリン(NE)の作用は多様な機序を介して終結する。NEはノルエピネフリントランスポーター(NET)によってシナプス間隙からシナプス前神経細胞へと戻され，そこで将来の利用のためにシナプス小胞内にふたたび取り込まれる。また，NEはカテコール-O-メチルトランスフェラーゼ(COMT)によって細胞外で分解される。NEを分解するその他の酵素にはモノアミンオキシダーゼ(MAO)-AとMAO-Bがあり，これらはシナプス前神経細胞だけでなく，その他の神経細胞やグリア細胞を含むその他の細胞のミトコンドリアにも存在している。

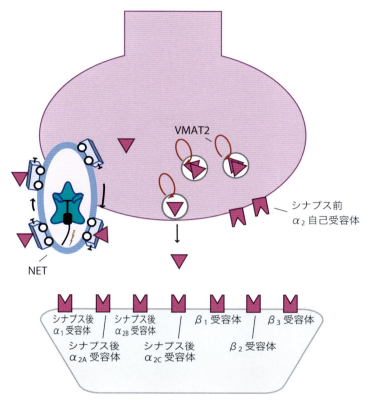

図6-14 ノルエピネフリン受容体 ノルエピネフリン（NE）の神経伝達を調節している受容体を示す。ノルエピネフリントランスポーター（NET）はシナプス前に存在し、過剰になったNEをシナプス外へと取り除く役目を担っている。シナプス小胞モノアミントランスポーター2（VMAT2）はNEをシナプス小胞に取り込み、将来の神経伝達にそなえ貯蔵する。シナプス前にはα_2自己受容体も存在し、シナプス前神経細胞からのNE放出を調整している。さらに、シナプス後受容体もいくつか存在している。例えば、α_1, α_{2A}, α_{2B}, α_{2C}, β_1, β_2, β_3受容体などである。

活化物質に変えることによっても終結する（図6-18）。

GABA受容体には3つの主要な型があり、多数のサブタイプがある。その3つの主要な型とは、$GABA_A$、$GABA_B$、$GABA_C$受容体である（図6-19）。$GABA_A$と$GABA_C$受容体は両方ともリガンド依存性イオンチャネルであり、一方$GABA_B$受容体はイオンチャネルではなく、Gタンパクに結合する（図6-19）。

$GABA_A$受容体サブタイプ

$GABA_A$受容体の分子構造を図6-20に示す。$GABA_A$受容体の各サブユニットは4回膜貫通領域をもつ（図6-20A）。5つのサブユニット群が集まって1つになると、中央に塩素イオンチャネルとしての機能をもつ完全な$GABA_A$受容体を形成する（図6-20B）。$GABA_A$受容体には、それを構成するサブユニットの種類によって、多くの異なるサブタイプがある（図6-20C）。$GABA_A$受容体のサブユニットはアイソフォームとも呼ばれることもあり、それにはα（α_1～α_6の6つのアイソフォーム）、β（β_1～β_3の3つのアイソフォーム）、γ（γ_1～γ_3の3つのアイソフォーム）、δ、ε、π、θ、そしてρ（ρ_1～ρ_3の3つのアイソフォーム）が含まれる（図6-20C）。ここで重要なことは、どのサブユニットが存在するかによって、$GABA_A$受容体の機能がガラッと変わることである。このように

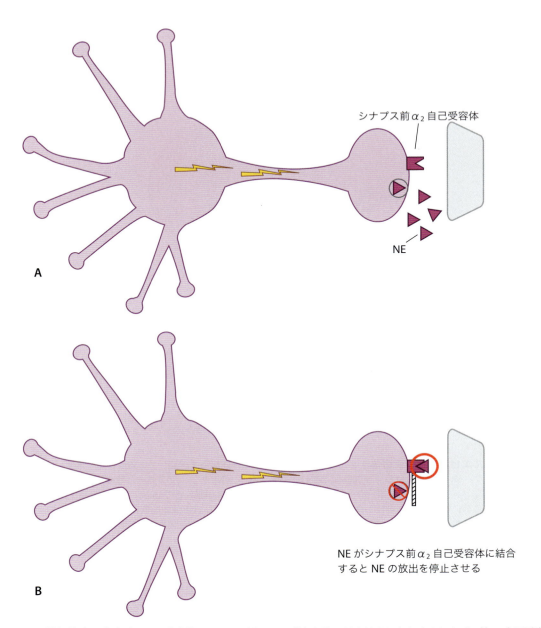

図6-15 神経終末に存在するα₂受容体　ノルエピネフリン神経細胞の軸索終末に存在するシナプス前α₂自己受容体を示す。この自己受容体はノルエピネフリン(NE)の「門番」である。(A)この受容体がNEと結合していない場合には門が開いており，NEを放出させる。(B)NEが門番である受容体と結合している場合には，分子門を閉じてNEの放出を停止させる。

気分障害の神経生物学　285

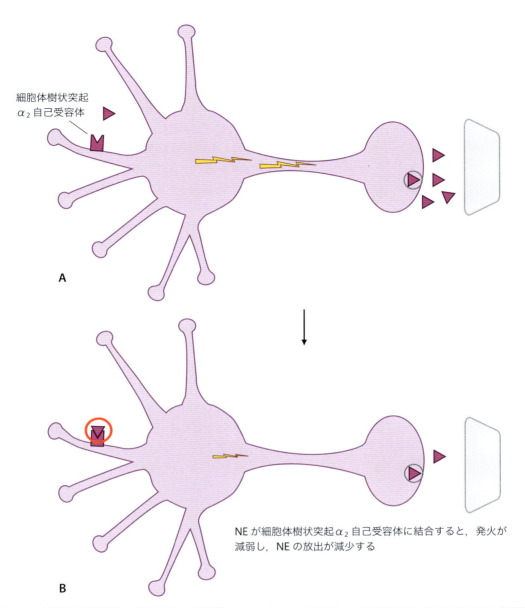

図6-16　**細胞体樹状突起に存在するα₂受容体**　ここでは，シナプス前α₂自己受容体はノルエピネフリン神経細胞の細胞体樹状突起領域に存在していることを示す。(**A**)受容体がノルエピネフリン(NE)によって閉ざされていないとき，通常の神経細胞内のインパルスの流れがあり，NEの放出がある。(**B**)NEがこれらのα₂受容体と結合すると，神経細胞内のインパルスの流れを止め(神経細胞内の稲妻が小さくなっている)，それ以上NEを放出させなくする。

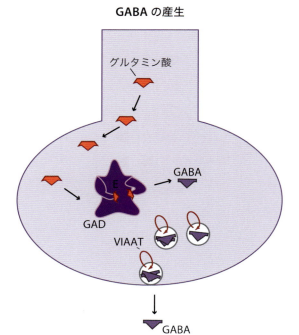

図6-17　γ-アミノ酪酸（GABA）の産生　アミノ酸であるグルタミン酸はGABAの前駆物質であり，グルタミン酸デカルボキシラーゼ（GAD）によりGABAに変換される。産生されたGABAはシナプス小胞抑制性アミノ酸トランスポーター（VIAAT）によりシナプス小胞に輸送され，そこで抑制性の神経伝達のときに，シナプス間隙に遊離されるまで蓄えられる。

$GABA_A$受容体はそれらに含まれる特定のアイソフォームサブユニットによって分類できる。

　$GABA_A$受容体は他のサブタイプにも分類できる。それらはシナプスで，仮説的には相動性の神経伝達を仲介するものと，シナプス外で仮説的には持続性の神経伝達を仲介するものである（図6-21）。他の分類方法は，GABA受容体がよく知られているベンゾジアゼピンに感受性があるかどうかである。γサブユニットを含む$GABA_A$受容体はシナプスで，相動性の神経伝達を仲介し，そしてベンゾジアゼピンに**感受性**がある。一方，δサブユニットを含む$GABA_A$受容体は，シナプス外で，持続性の神経伝達を仲介し，ベンゾジアゼピンに**非感受性**である傾向がある。これらの分類のいくつかは重複しているものがある。

　ベンゾジアゼピンに感受性のある$GABA_A$受容体はいくつかの構造的そして機能的な特徴をもち，それによりベンゾジアゼピン非感受性$GABA_A$受容体と区別される。ベンゾジアゼピン感受性$GABA_A$受容体は，2つのβサブユニットと，$γ_2$もしくは$γ_3$サブタイプのどちらかの1つのγサブユニット，そして$α_1$，$α_2$もしくは$α_3$サブ

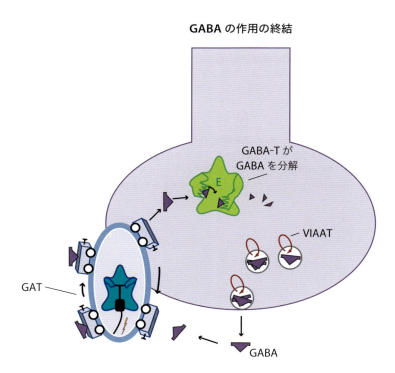

図6-18　γ-アミノ酪酸（GABA）の作用の終結　GABAの作用は多数の機序により終結する。GABAはGABAトランスポーター（GAT）によって，シナプス間隙からシナプス前神経細胞へ輸送され，将来の使用のためにふたたび小胞体に取り込まれる。あるいは，GABAは細胞内に輸送されると，GABAトランスアミナーゼ（GABA-T）によって不活化物質に変換されることもある。

VIAAT：シナプス小胞抑制性アミノ酸トランスポーター

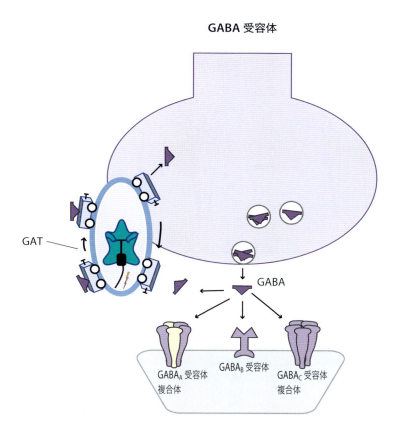

図6-19　γ-アミノ酪酸(GABA)受容体　GABAの神経伝達を調節するものを示す。これにはGABAトランスポーター(GAT)や、3つのおもなシナプス後GABA受容体であるGABA$_A$，GABA$_B$，GABA$_C$が含まれる。GABA$_A$受容体とGABA$_C$受容体はリガンド依存性イオンチャネルであり，抑制性塩素イオンチャネルを形成する巨大分子複合体の一部である。GABA$_B$受容体はGタンパク結合型受容体であり，カルシウムもしくはカリウムチャネルと結合する。

タイプのうちどれか2つのαサブユニットからなる(図6-20C)。ベンゾジアゼピンは，γ_2/γ_3サブユニットと，$\alpha_1/\alpha_2/\alpha_3$サブユニットとの間の受容体領域に結合するようであり，1つの受容体複合体につき1分子のベンゾジアゼピンが結合する(図6-20C)。GABA自身は，1つの受容体複合体につき2分子が結合する。そこはαサブユニットとβサブユニットの間の受容体領域にあるGABAアゴニスト領域であり，GABAオルソステリックサイト(文字どおり「正統のサイト」)と呼ばれることがある(図6-20C，図6-22)。

単独で作用する，そのアゴニスト部位で作用するGABAは，そのすべてのサブユニット内で形成される塩素イオンチャネルの開口の頻度を上昇させることができるが(図6-20C参照)，限られた範囲のみである(図6-22Aと図6-22Bを比較せよ)。ベンゾジアゼピンの部位はGABAのアゴニスト部位とは異なる部位にあるため(図6-20C，図6-22D参照)，調節部位はしばしばアロステリックと呼ばれ(文字どおり「他のサイト」)，そこに結合する薬物は「アロステリック調節物質」である。その調整(モジュレーション)は，GABAをGABA$_A$受容体でより効果的にさせ，抑制性塩素イオンチャネルの開口頻度を高める意味で「正」である(図6-22D)。そのため，この作用は「正のアロステリック調節」と呼ばれ，ベンゾジアゼピンはGABA$_A$の正のアロステリック調節物質positive allosteric modulator(PAM)と呼ばれる。興味深いことに，PAMが機能するにはGABAが存在している必要がある(図6-22Cと図6-22Dを比較せよ)。ベンゾジアゼピン感受性GABA$_A$受容体におけるベンゾジアゼピンの作用は，中和拮抗薬フルマゼニルによって逆転させることができるので，本質的にそれらの正のアロステリック部位での作動薬の作用である(図6-23)。フルマゼニルは，ベンゾジアゼピンによる麻酔の覚醒やベンゾジアゼピンの過剰摂取に使用されることがある。

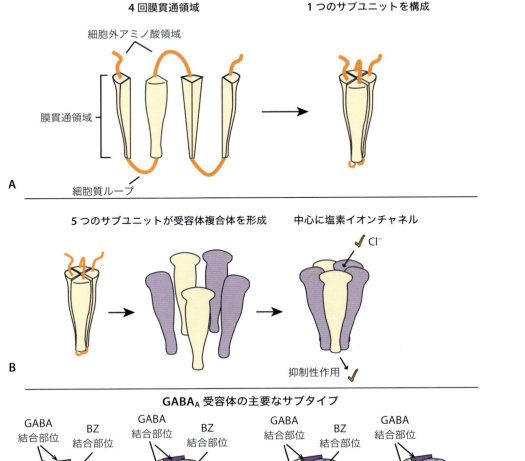

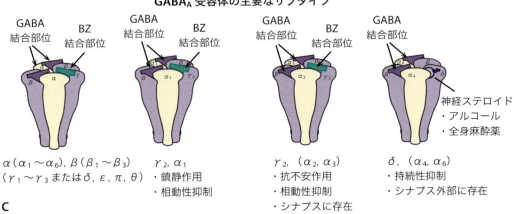

図6-20　GABA$_A$受容体　(**A**)GABA$_A$受容体の1つのサブユニットを形成する4回膜貫通領域を示す。(**B**)完全な構造のGABA$_A$受容体にはこれらの5つのサブユニットが存在し，その中央には塩素イオンチャネルがある。(**C**)異なる種類のサブユニット（アイソフォームやサブタイプともいう）が結合して，GABA$_A$受容体を形成する。これらには6つの異なるαアイソフォーム，3つの異なるβアイソフォーム，3つの異なるγアイソフォーム，δ，ε，π，θ，そして3つの異なるρアイソフォームが含まれる。各GABA$_A$受容体の最終的な型と機能は，どのサブユニットを含むかにより決定される。ベンゾジアゼピン(BZ)感受性GABA$_A$受容体（中央の2つ）は2つのβサブユニットとγ_2もしくはγ_3，加えてα(α_1～α_3)サブユニットをもつ。それらはシナプス間隙に遊離されたGABAの最大濃度を引き金として，相動性の抑制を調節する。α_1サブユニットをもつベンゾジアゼピン感受性GABA$_A$受容体は，睡眠に関与する（左から2番目）。一方，α_2やα_3サブユニットをもつ受容体は不安に関与する（右から2番目）。α_4，α_6，もしくはδサブユニットをもつGABA$_A$受容体（右端）はベンゾジアゼピン非感受性であり，シナプスの外に位置し，持続性の抑制を調節している。それらは自然に生体で産生される神経活性ステロイドやおそらくアルコールやある種の全身麻酔薬と結合する。

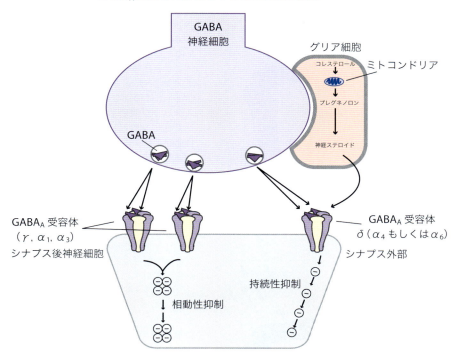

図6-21　GABA$_A$受容体による持続性および相動性抑制の調節　ベンゾジアゼピン感受性GABA$_A$受容体（γサブユニットとα_1，α_2，もしくはα_3サブユニットからなる）は相動性抑制を調節するシナプス後受容体であり，シナプスに遊離されたGABAの最大濃度を引き金として，急激な抑制を引き起こす。ベンゾジアゼピン非感受性GABA$_A$受容体（δサブユニットとα_4もしくはα_6サブユニットからなる）は，シナプス外部に位置し，シナプスから拡散するGABAだけでなく，グリア細胞により産生され遊離される神経活性ステロイドも結合する。これらの受容体は持続性抑制を調節する（すなわち，シナプスから遊離された細胞外のGABAの濃度により調節される）。

上記で述べたように，ベンゾジアゼピン感受性GABA$_A$受容体サブタイプ（γサブユニットとα_1～α_3のサブユニット）は，シナプス後にあり，相動性であるシナプス後神経細胞でのある種の阻害を仲介すると考えられている。それはシナプスに放出されたGABAの濃度がピークに達することが引き金で抑制性の神経群発が発生する（図6-21）。理論的には，これらの受容体で作用するベンゾジアゼピン，特にシナプス後GABA領域に集まってくるα_2/α_3サブタイプは，相動性シナプス後抑制の増強により抗不安作用を発揮するはずである。ただし，すべてのベンゾジアゼピン感受性GABA$_A$受容体が同じというわけではない。特に，一方では，α_1サブユニットをもつベンゾジアゼピン感受性GABA$_A$受容体は，睡眠の調節に最も重要である可能性があり，多くの鎮静催眠薬の標的と推定される。それはGABA$_A$受容体のベンゾジアゼピンPAMと非ベンゾジアゼピンPAMの両方を含む（図6-20C）。GABA$_A$受容体のα_1サブタイプとそれに結合する薬物については，睡眠障害に関する第10章で詳しく説明する。これらの薬物のいくつかは（すなわち，ベンゾジアゼピン感受性GABA$_A$受容体にも結合するいくつかのZドラッグ，第10章を参照），GABA$_A$受容体のα_1サブタイプに対してのみ選択的である。一方，α_2サブユニットとα_3サブユニットの両方または片方をもつベンゾジアゼピン感受性GABA$_A$受容体は，不安を調節するために最も重要である可能性があり，抗不安薬や鎮静系催眠作用のあるベンゾジアゼピンの推定された標的である（不安については第8章と第10章で説明）（図6-20C）。現在入手可能なベンゾジアゼピンは，異なるαサブユニットをもつGABA$_A$受容体に対して非選択的である。γ_2，α_2，またはδサブユニットの異常な発現はすべて，さまざまなタイプのてんかんに関連している。受容体サブタイプの発現は，ベンゾジアゼピンの慢性投与および離脱症状に応じて変化する可能性があり，理論的には，うつ病のさまざまな亜集団を含むさまざまな精神障害のある患者で変化する可能性がある。

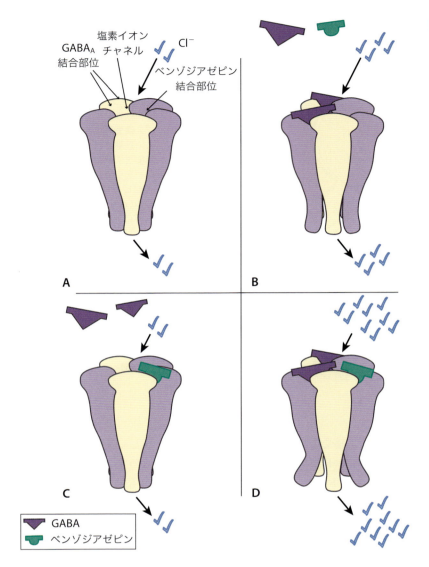

図6-22　GABA$_A$受容体の正のアロステリック調節
(**A**) ベンゾジアゼピン感受性GABA$_A$受容体は，ここで示したのと同じように，5つのサブユニットからなり，中心に塩素イオンチャネルをもち，GABAだけではなく正のアロステリック調節物質（ベンゾジアゼピンなど）に対する結合部位を有する。(**B**) GABAがGABA$_A$受容体上の特定部位に結合すると，塩素イオンチャネルの開口頻度は上昇し，これにより塩素イオン（Cl$^-$）の透過性が上昇する。(**C**) ベンゾジアゼピンのような正のアロステリック調節物質がGABA$_A$受容体に結合しても，GABAが結合していなければ，塩素イオンチャネルに対する効果はない。(**D**) ベンゾジアゼピンのような正のアロステリック調節物質が，GABAの存在下でGABA$_A$受容体に結合すると，GABA単独で結合しているときよりも，塩素イオンチャネルの開口頻度を大きく上昇させる。

　ベンゾジアゼピン非感受性GABA$_A$受容体は，α_4，α_6，γ_1もしくはδサブユニットからなる（図6-20C）。γサブユニットよりもむしろδサブユニット，さらにα_4もしくはα_6サブユニットを伴ったGABA$_A$受容体にはベンゾジアゼピンは結合しない。ベンゾジアゼピン非感受性GABA$_A$受容体には，自然に生体で産生される神経活性ステロイドや，おそらくアルコールおよびある種の一般的な麻酔薬が代わりに結合する（図6-20C）。これらの非ベンゾジアゼピン調節物質の結合部位はαサブユニットとδサブユニットの間に位置し，1つの受容体複合体につき1つの部位のみである（図6-20C）。ちょうどベンゾジアゼピン感受性GABA$_A$受容体に結合するのと同じように，2分子のGABAはαサブユニットとβサブユニットの間にあるGABAアゴニスト（オルソステリック）結合部位で1つのベンゾジアゼピン非感受性GABA$_A$受容体複合体に結合する（図6-20C）。

　すでに述べたように，ベンゾジアゼピン非感受性GABA$_A$受容体サブタイプ（δサブユニットとα_4もしくはα_6サブユニット）はシナプス外部に位置すると考えられ，シナプスから拡散するGABAだけではなく，グリア細胞により合成され遊離される神経活性ステロイドも結合する（図6-

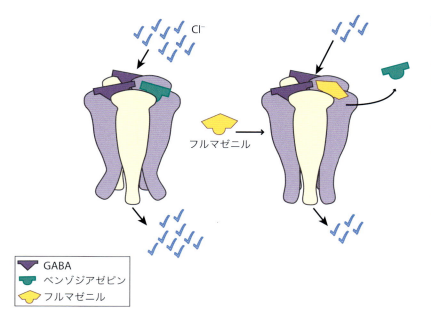

図6-23　フルマゼニル
ベンゾジアゼピン受容体アンタゴニストであるフルマゼニルは，$GABA_A$受容体の結合部位で作用する完全アゴニストであるベンゾジアゼピンの作用を阻害することができる。これは完全アゴニストであるベンゾジアゼピンを麻酔目的で投与された患者や，過量服薬した患者における鎮静作用からの回復に役立つ可能性がある。

▼ GABA
▼ ベンゾジアゼピン
▼ フルマゼニル

21）。シナプス外部にあるベンゾジアゼピン非感受性$GABA_A$受容体はシナプス後神経細胞における**持続性**の抑制を調節すると考えられており，ベンゾジアゼピン感受性$GABA_A$受容体がシナプス後神経細胞において**相動性**の抑制の調節をしているのと対照的である（図6-21）。持続性の抑制は，シナプス前での再取り込みや酵素による分解から逃れた細胞外GABA分子の周囲の濃度により調節されている可能性がある。そして，神経伝達の間持続し，これらの部位でのアロステリック調節によって増大される。

　このように，持続性の抑制は全体的な調子やシナプス後神経細胞の興奮を設定し，興奮性入力に反応する神経放電の頻度のようなある種の調節にとって重要であると考えられている。神経活性ステロイドは抗うつ特性をもっているので（第7章参照），これは，うつ病の患者のなかには正常な持続性の抑制がなく，したがって一部の脳回路の興奮性が高すぎる可能性があるという提唱に至った。仮説として，神経活性ステロイド投与がこれらの脳回路を沈静化させ，そして脳回路の情報処理の効率を高め，うつ病の症状の軽減をもたらす可能性がある。神経活性ステロイドも重要な抗不安作用をもっている可能性がある。なぜ，より持続的でおそらく安定した塩素イオンチャネルの開放がうつ病によいのか？　産後うつ病の場合，それは妊娠中の女性では神経活性ステロイドの循環血液中濃度と，おそらく脳での濃度も高いことを根拠に説明できる可能性がある。患者が出産するときに，循環している神経活性ステロイド濃度が急激に低下し，持続性の抑制が失われると，仮説的に抑うつエピソードの突然の発症を誘発する。60時間の静脈内注入によって神経活性ステロイドレベルを回復（および持続抑制）することは，患者がうつ病を逆転させ，産後の神経活性ステロイドのより低い濃度に適応する追加の時間をもつのに十分かもしれない。これは合理的だが，まだ証明されていない理論である。神経活性ステロイドによる正のアロステリック調節が他の形態のうつ病を治療し，しかも迅速である理由を理解するのは少し難しいかもしれない。しかし，神経活性ステロイドは抗うつ効果を発揮するが，シナプスのベンゾジアゼピン感受性$GABA_A$部位で作用するベンゾジアゼピンは強力な抗うつ作用をもたないため，明らかにシナプス外のベンゾジアゼピン非感受性$GABA_A$部位が標的である。神経活性ステロイドが実際にベンゾジアゼピン感受性$GABA_A$受容体とベンゾジアゼピン非感受性$GABA_A$受容

体の両方で機能することは注目に値するかもしれない。しかしながら，それらの独特の作用はベンゾジアゼピン非感受性部位にあり，神経活性ステロイドが，それらの抗うつ作用を仮説上どのように仲介するのかについて多くの関心の的となっているのはこの作用である。

うつ病のモノアミン仮説

うつ病の生物学的病因に関する古典的な理論では，うつ病はモノアミン神経伝達物質の不足によるという仮説が設けられている。躁病は逆で，モノアミン神経伝達物質の過剰によると考えられている。この最初に想定された概念は，現在では比較的洗練されていないとみなされている，かなり単純な「化学的不均衡」の概念であり，これらの神経伝達物質を枯渇させる薬物によりうつ病が誘発されたという観察結果や，効果のみられるうつ病に対する過去の薬物はすべて3つのモノアミン神経伝達物質（ノルエピネフリン，セロトニン，ドーパミン）のうち1つ以上を増加させる働きをもっているという観察結果におもにもとづいていた。この考えは，「正常」な量のモノアミン神経伝達物質が（図6-24A），おそらく未知の疾患経過，ストレス，あるいは薬物によって（図6-24B），どういうわけか枯渇することでうつ病の症状が誘発されるというものであった。モノアミン仮説の直接的なエビデンスは，いまだにほとんど欠落している。特に1970～80年代には，理論的に予想されるモノアミン神経伝達物質のうつ病における欠乏および躁病における過剰を特定しようと多くの努力がなされた。しかし，残念ながら，今までのところ，これらの努力からは雑多な結果しかもたらされていない。そのため，特に総合的な気分障害の病因およびモノアミンと気分障害の間の潜在的な関係性をよりよく説明するための研究が促されている。

モノアミン受容体仮説と神経栄養因子

これらをはじめとするうつ病のモノアミン仮説の難解さから，気分障害の病因に関する仮説の焦点は，モノアミン神経伝達物質そのものから，これらの受容体およびその下流の遺伝子発現調節や成長因子の産生などのこれらの受容体が引き起こす分子事象へと移行してきた。現在，生まれつきの性質（遺伝子）とモノアミンによって調整される神経回路の育ち方（環境とエピジェネティクス）についても強い関心が寄せられている。ストレスの多い生活体験によるエピジェネティックな変化と，その環境ストレスに対して個人を脆弱にさせる受け継いださまざまなリスク遺伝子の関連について考えるときには特に注目されている。

うつ病の神経伝達物質の受容体仮説では，モノアミン神経伝達物質の受容体の異常によってうつ病が引き起こされると考えられている（図6-24B）。このように，モノアミン神経伝達物質の枯渇がうつ病のモノアミン仮説の主要な課題であるならば（図6-24B），うつ病のモノアミン受容体仮説はこの課題を一歩進展させたものになる。つまり，神経伝達物質の減少は代償的にシナプス後の神経伝達物質受容体のアップレギュレーションを引き起こす（図6-24C）。この仮説の直接的なエビデンスも一般的にはまだ存在しない。しかしながら，死後脳の研究では，自殺によって死亡した患者の前頭皮質でセロトニン2（$5HT_2$）受容体数の増加が一致してみられている。また，いくつかの神経画像研究で，うつ病患者にセロトニン受容体の異常が報告されている。しかし，このアプローチでは，うつ病で一貫して，かつ再現可能となるような，分子レベルでのモノアミン受容体の病変部を特定するには至っていない。このように，モノアミンの欠乏がうつ病の原因であるという明瞭で説得力のあるエビデンスはない。つまり，「本当」のモノアミンの欠乏というものはないということになる。同様に，うつ病を治療するためのすべての古典的な薬物がモノアミンレベルを上げるにもかかわらず，モノアミン受容体の異常がうつ病の原因であるという明瞭で説得力のあるエビデンスもない。気分障害についてのモノアミン仮説は明らかに過度に単純化された概念であるが，ノルエピネフリン，ドーパミン，セロトニンの3つのモノアミン神経伝達物質に着目することはこれまでたいへん意義があることであった。これはこ

うつ病のモノアミン受容体仮説

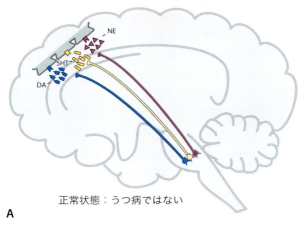

正常状態：うつ病ではない

A

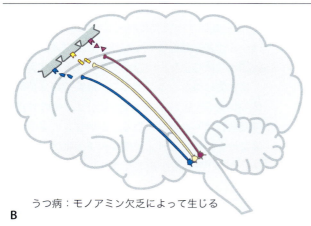

うつ病：モノアミン欠乏によって生じる

B

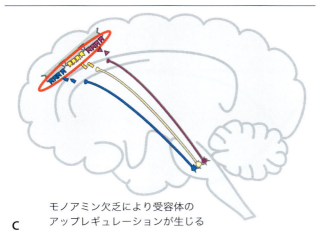

モノアミン欠乏により受容体の
アップレギュレーションが生じる

C

図6-24　うつ病のモノアミン受容体仮説
(**A**) 古典的なうつ病のモノアミン仮説によれば，「正常」な程度のモノアミン神経伝達系の活動であれば，うつ病は存在しない。(**B**) うつ病のモノアミン仮説では，「正常」な程度のモノアミン神経伝達系の活動が何らかの理由によって低下，枯渇あるいは機能障害に陥った結果，うつ病が引き起こされると示唆されている。(**C**) うつ病のモノアミン受容体仮説では，古典的なうつ病のモノアミン仮説が拡大され，不十分なモノアミン神経伝達系の活動がシナプス後のモノアミン神経伝達物質受容体のアップレギュレーションを引き起こし，うつ病につながると想定されている。

5HT：セロトニン，DA：ドーパミン，NE：ノルエピネフリン

の3つの神経伝達物質の生理学的機能のよりよい理解につながる。しばらくの間，モノアミンを標的とすることを主題とした多くのさまざまな治療方法とともにうつ病の薬理学的治療の選択肢がますます増えることとなった。これらの治療アプローチと薬物については第7章で詳細に説明する。

モノアミンを越えて：うつ病の神経可塑性と神経栄養仮説

　古典的なうつ病の薬物は直ちにモノアミンを増加させるのに，臨床的なうつ病の改善は数週間遅れる場合があることから，うつ病は単にモノアミンの欠乏によるものではないこと，そしてうつ病の薬物はそれらの不足しているモノアミンを単に回復させることではないことがわかる（図6-25）。これは，臨床的抗うつ効果の発現と時間的に相関する分子イベントの研究につながった。初期の研究成果の一部は，うつ病治療薬の投与後すぐにモノアミンが上昇した後，神経伝達物質の受容体が遅れてダウンレギュレーションすることが，臨床的な抗うつ効果の発現と時間的に相関していることを示した（図6-25，図6-26）。神経伝達物質の受容体のダウンレギュレーションは，うつ病の治療に使用される薬物の副作用の一部に対する耐性の発現とも時間的に相関する。

　うつ病に対する薬物の投与後に臨床的な抗うつ効果の発現するタイミングと相関する他の分子イベントは，脳由来神経栄養因子 brain-derived neurotrophic factor（BDNF）のような成長因子の下流における合成を含む（図6-27）。現在の注目すべき仮説の1つは，ストレス，炎症，その他の遺伝的および環境的要因〔若年期の逆境，マイクロバイオーム（微生物叢），および慢性疾患など〕は成長因子の喪失（図6-28）につながり，これはつぎに神経進行につながり，シナプスの維持の欠如からはじまり，つぎにシナプスと樹状突起の分枝喪失につながる。そして，最終的には神経自体の損失（図6-29の左）につながり，その時点で神経進行は不可逆的になる。シナプスの完全性と接続性を維持するうえで成長因子の損失の影響を図6-30の顕微鏡を模した挿入図（右側のシナプ

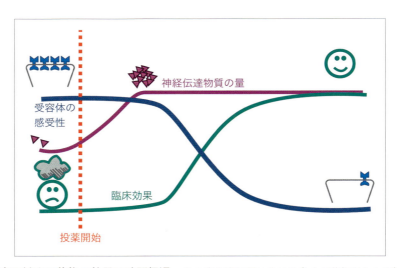

図6-25　うつ病に対する薬物の効果の時間経過　うつ病治療に用いられる多くの薬物の3つの効果に対するそれぞれ異なった時間経過を図に示す。その3つの効果とは，臨床症状の変化，神経伝達物質の量の変化，受容体の感受性の変化である。特に，神経伝達物質の量はうつ病に対する薬物投与が開始された後，比較的すぐに変化する。しかし，臨床効果は，神経伝達物質の受容体の脱感作，つまりダウンレギュレーションと同じように遅れて発現する。この臨床効果と受容体感受性の変化に時間的相関のあることから，神経伝達物質の受容体の変化が実はうつ病に対して使われた薬物の臨床効果をもたらしているのではないかという仮説が導かれた。これらの臨床効果には，抗うつ作用や抗不安作用だけでなく，抗うつ薬の急性の副作用に対する耐性の形成も含まれる。

抗うつ作用の神経伝達物質受容体仮説

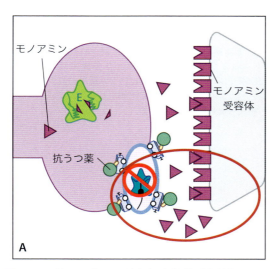
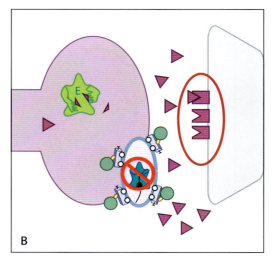

図6-26　抗うつ作用の神経伝達物質受容体仮説　うつ病に対する薬物は速やかにモノアミンを増加させるが，臨床効果の発現は速やかではない。これは，うつ病のモノアミン受容体仮説によって説明できるかもしれない。つまり，うつ病はモノアミン受容体のアップレギュレーションによりもたらされており，臨床的な抗うつ作用は，ここで示したように，これらの受容体のダウンレギュレーションと関係している。(**A**)抗うつ薬が再取り込みポンプを阻害すると，シナプス間隙に神経伝達物質（この場合はノルエピネフリン）を増加させ蓄積させる。(**B**)有効な神経伝達物質の増加は最終的に受容体のダウンレギュレーションを引き起こす。受容体が適応する時間経過は，うつ病に対する薬物の臨床効果の発現と副作用に対する耐性の形成の両方に一致する。

モノアミンシグナル伝達が BDNF の放出を増加させ，それによりモノアミンの神経支配が変化する

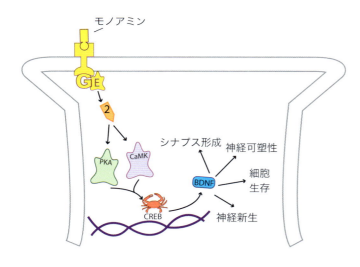

図6-27　モノアミンシグナル伝達と脳由来神経栄養因子（BDNF）の放出　うつ病の神経栄養仮説では，神経新生とシナプス可塑性にかかわるタンパクの合成が減少することによって，うつ病が引き起こされると考えられている。BDNFは，モノアミン神経細胞を含む未熟な神経細胞の成長と発達を促進したり，成熟した神経細胞の生存や機能を高めたり，シナプス結合を維持するのを手助けしたりしている。BDNFは神経細胞の生存に重要であるため，その減少は細胞の萎縮に寄与する可能性がある。場合によっては，BDNFの低濃度は細胞の喪失を引き起こすことが考えられる。モノアミンは，BDNFの放出を導くシグナル伝達カスケードを惹起することによってBDNFの有効性を上昇させることができる。したがって，このように再取り込み阻害によって増加したモノアミンのシナプスにおける有効性が上昇することにより下流での神経栄養因子が増加し，臨床効果と時間的に相関するであろう分子効果をもたらす。
CaMK：カルシウム・カルモジュリン依存性プロテインキナーゼ，cAMP：環状アデノシン一リン酸，CREB：cAMP応答配列結合タンパク，PKA：プロテインキナーゼA

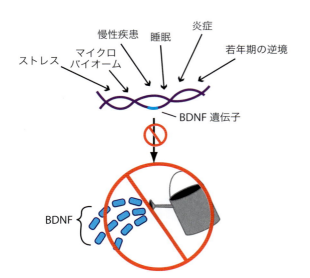

図6-28　遺伝や環境因子が神経栄養因子の損失を招くかもしれない　脳由来神経栄養因子（BDNF）のような神経栄養因子は，神経結合の適切な成長や維持に重要な役割を果たしている。慢性ストレスや炎症，慢性疾患，若年期の逆境，マイクロバイオーム（微生物叢）の変化，および睡眠の変化といった多様な環境因子が，BDNF遺伝子の発現を抑制し，その産生の減少を引き起こすエピジェネティクな変化が生じることによって，うつ病の神経進行に寄与する。

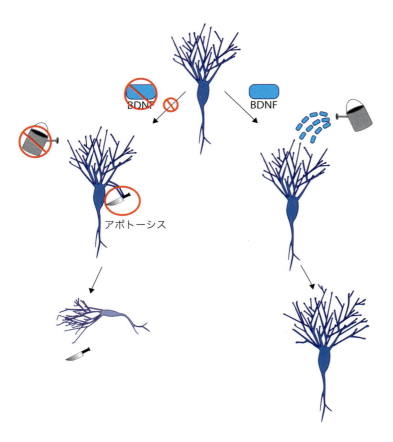

図6-29　脳由来神経栄養因子（BDNF）産生の抑制　BDNFは神経細胞や神経結合の適切な成長や維持に重要な役割を果たしている（右）。BDNF遺伝子の発現が抑制されると（左），その結果生じるBDNFの減少は，神経細胞と神経結合の形成や維持にかかわる脳の働きを抑制する。これにより，シナプスの喪失やアポトーシスによる神経細胞死さえも引き起こされることがある。

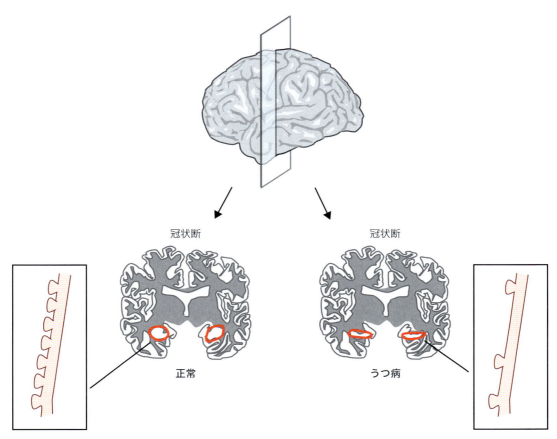

図 6-30　うつ病における樹状突起の喪失　神経栄養因子の減少はシナプスの安全と結合の維持を損ない，最終的にシナプス喪失を導きうる。これは海馬容積の構造的 MRI 研究で示されており，うつ病患者はより樹状突起が少ない。

ス損失を示す樹状突起棘の損失を参照）に示す。不吉なことに，シナプスと神経細胞の喪失のおびただしさは，構造的脳 MRI で観察することができる（図6-30）。うつ病では脳回路の接続性に関する異常な機能的神経画像研究も報告されている。

うつ病における神経進行の仮説的な神経生物学は多因子性である（図6-31）。成長因子の産生が不足している可能性に加えて（図6-27〜図6-29，図6-31），うつ病における視床下部-下垂体-副腎系 hypothalamic–pituitary–adrenal axis（HPA軸）の調節不全の長年にわたる理論もあり，それも神経変性の一因となる可能性がある（図6-31，図6-32A，図6-32B）。海馬領域と扁桃体からの神経細胞は，正常時は HPA 軸を抑制している（図6-32A）。そのため，ストレスが海馬と扁桃体の神経細胞を萎縮させた場合，視床下部への抑制的な入力がなくなり，これは HPA 軸の過活動を引き起こすことになる（図6-32B）。グルココルチコイド濃度上昇と HPA 軸の負のフィードバックに対して非感受性であることを含め，うつ病における HPA 軸の異常は長い間報告されてきた。高濃度のグルココルチコイドは神経毒性があり，慢性ストレス下では萎縮に寄与するというエビデンスがある（図6-32B）。研究中の新規抗うつ薬は，副腎皮質刺激ホルモン放出因子 corticotropin-releasing factor（CRF）受容体，バソプレシン1B受容体，そしてグルココルチコイド受容体（図6-32B）を標的としており，これらの薬物を用いてうつ病やその他のストレス関連精神疾患における HPA 軸の異常を停止させ，さらには修復させようとする試みが行われている。

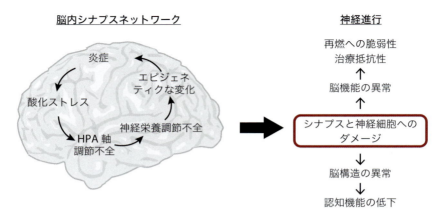

図6-31 うつ病における神経進行は多因子性である うつ病の神経進行は複数の因子と関連し，それらの因子は互いに影響しあう．炎症，酸化ストレス，および視床下部-下垂体-副腎系（HPA軸）の調節不全のすべてが神経栄養の調節不全に寄与する．それはエピジェネティクな変化を導くかもしれない．そして，さらに，炎症や酸化ストレス，HPA軸の機能障害を悪化させる可能性がある．これらすべての因子は，最終的にシナプスや神経細胞へのダメージに寄与する．それらは脳の機能的異常と構造的異常の両方をもたらすかもしれない．

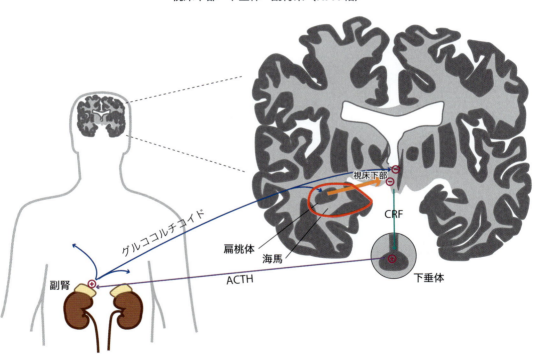

図6-32A 視床下部-下垂体-副腎系（HPA軸） 正常のストレス反応では，視床下部の活性化とその結果としての副腎皮質刺激ホルモン放出因子（CRF）の増加，つぎにそれに伴う下垂体からの副腎皮質刺激ホルモン（ACTH）の放出が促進される．ACTHは副腎からのグルココルチコイドの放出を引き起こし，それが，視床下部にフィードバックし，CRFの放出を抑制し，ストレス反応が終了する．扁桃体と海馬もまた視床下部にシグナルを投射しHPA軸の活性化を抑制する．

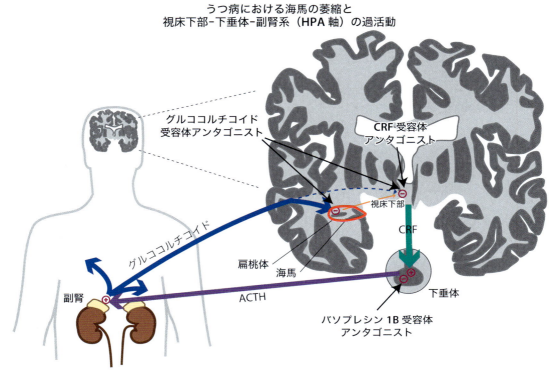

図6-32B　うつ病における海馬の萎縮と視床下部-下垂体-副腎系（HPA軸）の過活動　慢性ストレスの状況下で，HPA軸の過活動は過剰なグルココルチコイドの放出を導き，やがては海馬の萎縮を引き起こす。海馬はHPA軸を抑制するため，海馬の萎縮はHPA軸の慢性的な活性化を引き起こし，それが精神疾患発症のリスクを増加させる可能性がある。HPA軸はストレス反応の中枢なので，ストレス関連障害に対する治療の新しい標的は，HPA軸のなかにあるのかもしれない。試験段階であるが，この機序を標的とした薬物として，グルココルチコイド受容体，副腎皮質刺激ホルモン放出因子（CRF）受容体およびバソプレシン1B受容体のアンタゴニストが考えられている。
ACTH：副腎皮質刺激ホルモン

依然として，少なくとも一部のうつ病患者における神経変性に寄与するもう1つの潜在的な因子は神経炎症である（図6-33）。つまり，多くの状態と因子がたくさんの精神疾患において中枢神経系に侵襲的な炎症に寄与し，特にうつ病にはその可能性がある（図6-33）。それらの要因には慢性ストレスだけでなく，肥満，幼少期/小児期の逆境，マイクロバイオーム（微生物叢）の破壊，および多数の慢性炎症性疾患も含まれている（図6-33A）。そのような患者では，これらの要因が，脳内のミクログリアを活性化して炎症誘発性分子を放出し（図6-33B），つぎに単球やマクロファージなどの免疫細胞を脳内に引きつけ（図6-33C），そこで神経伝達を妨害し（図6-33D），酸化的化学ストレス，ミトコンドリアの機能障害，HPA軸の機能障害，神経栄養因子の有効性の低下，および不要な遺伝子発現へのエピジェネティクな変化（図6-31）を引き起こし，最終的にシナプスの喪失と神経細胞の死へ導くと仮定される（図6-31，図6-33D）。

うつ病のある患者の少なくとも一部にとって神経生物学的根拠に関するもう1つの仮説は，睡眠/覚醒サイクルの位相遅延を引き起こすサーカディアンリズム障害である（図6-34）。この位相の後退の程度はうつ病の重症度と相関する。多くのサーカディアンリズムの生理学的な測定値もうつ病において変化する。これらは，日々の体温周期の変動幅の減少，1日をとおしてのコルチゾール分泌量の増加，および通常は夜間と暗闇でピークとなるメラトニン分泌量の減少などとして現れる

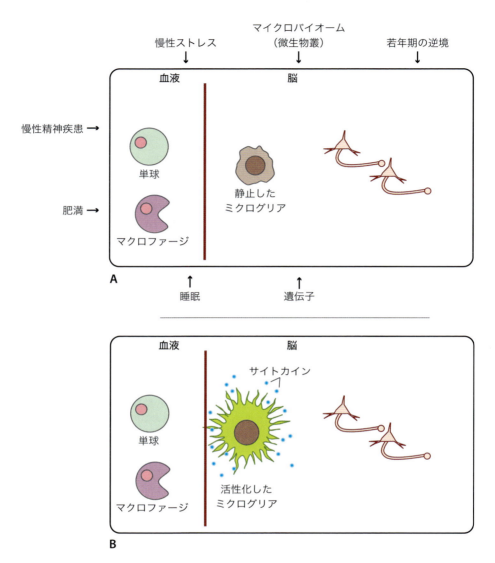

図6-33A・B　**うつ病における神経炎症**　うつ病における神経変性は，ある患者では神経炎症の進展と関連しているようである。(**A**)慢性ストレス，肥満，若年期の逆境，マイクロバイオーム（微生物叢）の破壊，慢性的な睡眠問題，そして慢性炎症性疾患はすべて神経炎症の進展に寄与する可能性がある。血液中の免疫因子と脳内の静止したミクログリアをここに示す。(**B**)慢性ストレスや肥満などによって脳内のミクログリアが活性化されると，炎症促進性のサイトカインを放出する可能性がある。

（図6-35）。うつ病におけるコルチゾール分泌量の増加とHPA軸の異常については，すでに述べた（図6-32A，B）。うつ病で崩壊する可能性のある他のサーカディアンリズムにはBDNFの低下と，先に説明したように，通常夜にピークとなる神経新生の低下が含まれる。うつ病では生物学的経過が非同期となることが往々にしてあるので，基本的にはサーカディアンリズム障害として特徴づけることが可能である。「破壊された」概日時計がうつ病の原因の人もいるかもしれない。多くの遺伝子が概日周期で作動しており，これらは明暗周期にも敏感で時計遺伝子と呼ばれている。さまざまな時計遺伝子の異常は気分障害と関係づけられてきており，これらの患者はサーカディアンリズム障害を有する（図6-34）。そして，サーカディアンリズム障害のあるこれらの患者は明るい光

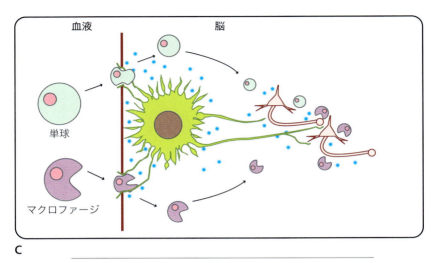

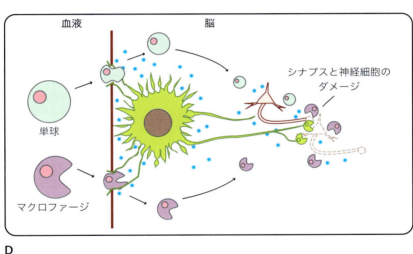

図6-33C・D うつ病における神経炎症 (C)炎症促進性のサイトカインは単球やマクロファージといった免疫細胞を脳内へ引き寄せる。(D)単球やマクロファージは神経伝達を崩壊させ，酸化ストレスやミトコンドリアの機能不全を生じさせ，視床下部-下垂体-副腎系(HPA軸)機能に影響を及ぼし，神経栄養因子の有効性を減らし，エピジェネティクな変化へと導く。そして最終的にはシナプスの喪失や神経細胞の死をもたらす。

(図6-36A)，メラトニン(図6-36B)，位相前進，位相後退，さらには断眠といったサーカディアンリズム療法が治療効果をもたらす。

　神経炎症，ストレス，遺伝，および環境が引き金となったさまざまな要因のすべて(図6-28，図6-30，図6-31，図6-33)はシナプスの機能不全と機能低下を伴う構造的な脳異常に寄与するだけではない。理論的には，それらは最終的にうつ病において少なくとも3つの非常に望ましくない臨床転帰につながる。

- 永続的な認知機能の低下
- 今後の抑うつエピソードに対する脆弱性の上昇
- うつ病に対するモノアミン薬による治療抵抗性

もちろん，抑うつエピソードはその悲しみと抑うつの気分症状にちなんで名づけられ，確かに悲しい気分は全般的機能障害と最も強い関連がある。しかし，全般的機能障害と2番目に強い関連は認知症状であり，おそらく「認知障害」ではなく「気分障害」と呼ばれるものとしては少し驚くであろ

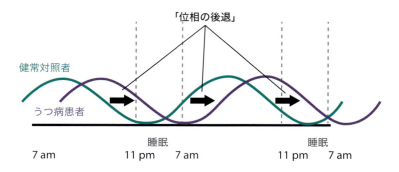

図6-34 うつ病は睡眠/覚醒サイクル，すなわちサーカディアンリズムの位相を後退させる サーカディアンリズムとは，24時間のサイクルで起こる事象である。多くの生物学的システムはサーカディアンリズムに従う。特に，サーカディアンリズムは睡眠/覚醒サイクルの制御に重要である。うつ病患者では，しばしば位相が後退している。うつ病患者は朝になっても覚醒が促進されないので，より遅く眠るという傾向になる。また，夜間の入眠困難があるため，日中に過剰な眠気を感じることになってしまう。

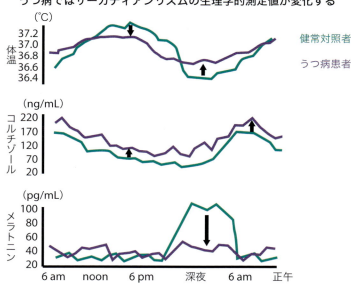

図6-35 うつ病ではサーカディアンリズムの生理学的測定値が変化することがある サーカディアンリズムは，体温，ホルモン量，血圧，代謝，細胞内再生，睡眠/覚醒サイクル，DNAの転写と翻訳を含むさまざまな生物学的機能において明らかにされている。サーカディアンリズムによって指示された内的な調整は最良の健康状態に不可欠である。うつ病ではサーカディアンリズムの生理学的測定値が変化する。体温に関しては，24時間のサイクルをとおしての体温変動が少なくなり，コルチゾールに関しては，変動のパターンは同じだが，24時間をとおしてコルチゾール分泌量が増加する。また，夜間にメラトニン分泌量の急激な増加（スパイク）がみられなくなる。

う。機能的神経画像研究は，うつ病の患者は背外側前頭前皮質や前帯状皮質のような認知制御に関与する脳領域をより活性化することがわかっているので認知機能の低下にはより努力的な思考が必要であると示唆している。うつ病における海馬の衰退は，すでに説明し，図6-30に示したが，未治療のうつ病の期間と相関している。海馬の体積がより小さいうつ病患者の転帰はより悪い。抑うつエピソードは脳にダメージを与え，ダメージは累積的であるかのように，うつ病における記憶は以前の抑うつエピソードの回数と相関して悪化するという厳しい統計がある。興味深いことに，この忘れられない可能性を支持するのは，うつ病での認知機能障害がうつ病の過去のエピソードの数とそれらの期間に関連はしているが，それは現在のエピソードの症状の重症度ではなく，ふたたび過去のダメージを示唆しているという観察結果である。認知症状は，悲しみや他の症状はいったん回復しても，抑うつエピソードの間の最も（最もではないにしても）一般的な残留症状の1つであ

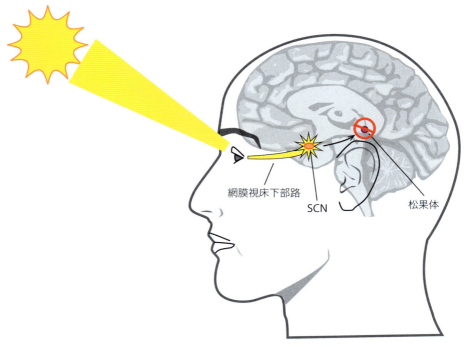

図6-36A　サーカディアンリズムの調整（その1）　サーカディアンリズムの調整にはさまざまな要因が影響するが，光は最も強力な同期装置である。眼から光が入ると，網膜視床下部路をつうじて視床下部の視交叉上核（SCN）へ送られる。つぎに，SCNが松果体にシグナルを送り，メラトニン産生を止める。サーカディアンリズムの調節不全を患っているうつ病の人にとって，早朝の明るい光線療法はサーカディアンリズムをリセットするのに役立つ可能性がある。

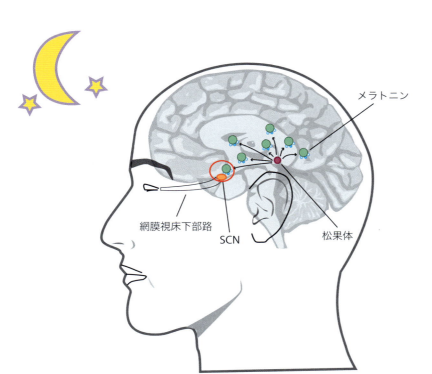

図6-36B　サーカディアンリズムの調整（その2）：メラトニンとサーカディアンリズム　暗闇では網膜視床下部路から視床下部にある視交叉上核（SCN）への入力がない。このため，暗闇は松果体にメラトニンを産生するようにシグナルを送る。つぎに，メラトニンはサーカディアンリズムをリセットするようにSCNに働きかける。サーカディアンリズムの調節不全を患っているうつ病の人にとって，夕方の早い時間に服用するメラトニンはサーカディアンリズムのリセットに役立つ可能性がある。

る。したがって，認知症状はうつ病において気分症状よりも長く継続しうる。

　認知機能の障害はどれぐらい悪いのか？　一晩断眠した後，または法律を侵さない程度にアルコールに酔った後，またはベンゾジアゼピンもしくは抗ヒスタミン薬を高用量で服用した後とほぼ同程度の減退であるという見積りがある。これほどの認知障害のもとで一日中生きていくことを，そしてそれが毎日続くことを，あなたは想像できるだろうか？　このような認知機能の障害は，うつ病の患者に特有のものではないが，単極性から双極性障害，統合失調症，不安/外傷/衝動性障害，注意欠如・多動症（ADHD），およびそれ以外の多くの精神障害に非常によくみられる。認知症状を標的にする精神障害全体の現在の治療法はそれゆえに重要な治療戦略であり，認知機能を維持するためのよりよい薬物がとても必要とされている。当面，認知的および機能的な不利益を防ぐためのおそらく最良のチャンスは，可能な限り，うつ病を早期にかつ完全に治療することである。

　うつ病の構造的および機能的転帰の変化は，実際のところ，神経細胞の損失なくシナプスを失う段階でとらえたとき潜在的に可逆的であるのかもしれない。そのためには，グルタミン酸とGABA系に作用する，うつ病に即効性のある薬物に期待がもたれる。すなわち，新しいシナプスを形成する引き金を引くことである。これらの薬物については第7章で説明する。ここでは，神経可塑性の下流での改善が，効果的であるとするならば，モノアミンを標的にした薬物が可能であるかもしれないことについてだけ触れる。最近では，神経可塑性の動物モデルにおける改善がうつ病の新薬でグルタミン酸作動性神経伝達を促進した後に観察しうることが発見された（図6-37）。これは，現在開発中の新規のGABA作動薬でも起きている可能性がある。もしそうなら，これらの新しい薬物は，それらの分子効果（図6-37）が数分から数時間でシナプス喪失を逆転させ，新しいシナプス形成を示すことができるので，抗うつ効果の急速な発現をもたらす可能性がある（図6-30のうつ病におけるシナプス喪失の逆転。第7章も参照）。グルタミン酸，GABA，および他の非モノアミン作動性を標的とした薬物は，モノアミン作動性治療薬に反応しない患者の治療法となることが期待されている。うつ病をうまく治療できるあらゆるメカニズムの薬物による神経伝達物質関連のシグナル伝達カスケードの回復は，BDNFや他の栄養因子を仮説上は増加させ，ゆえに潜在的に失われたシナプスを復元する。海馬などの一部の脳領域では，シナプスが回復する可能性があるだけでなく，失われた神経細胞の一部が神経新生によって置き換わる可能性すらある。

気分障害の症状と神経回路

　現在，精神医学の主要な仮説は，精神症状が特定の脳回路における非効率的な情報処理に関連しているというものである。ノードnodeと呼ばれることもある，さまざまな脳領域にわたる多様な機能の局所的な分布についての進展しつつある理解によると，さまざまな症状を仲介する多様な神経回路がある。そして，さまざまな脳回路にわたりネットワークを形成するつながりがある。還元主義的で過度に単純化されているかもしれないが，理論的な概念は，ネットワーク内の特定のノードを特定の精神症状に関連づけるであろう。ここでは，この考えが抑うつエピソードの9つの症状（図6-1）と躁病エピソードの9つの症状（図6-2）にどのように適用されるかについて説明する。

　私たちの情報が，精神病理学の領域とそれらの根底にある神経回路についてまだ不完全で，進展しつつある段階なのに，なぜ9つの症状の適用について考えるのか？　それは，患者の現在の症状のみならず，治療後も続く症状もよりよく理解するのに役立つからである。このアプローチの目標は，完全寛解を得るためにすべての症状を緩和するための戦略をもつことである。また，それらの特定の回路が，正常な機能あるいは精神障害において神経伝達物質によってどのように調節されていると現在考えられているかにもとづいて，完全寛解のための戦略を可能な限り合理的に実行することである。その戦略には，同じ神経伝達物質の

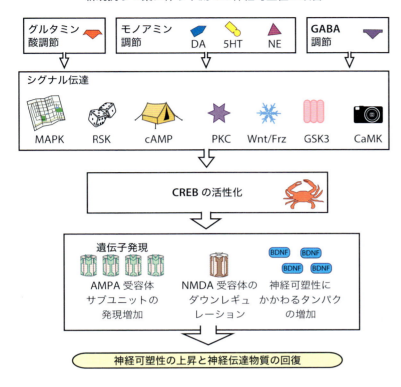

図6-37　神経可塑性に対する下流への影響　うつ病では，下流でのシグナル伝達で欠陥が生じている可能性がある。それは，脳由来神経栄養因子（BDNF）のような神経新生やシナプス可塑性に関与するタンパク合成の減少をもたらす。薬物によるうつ病の治療は，伝統的モノアミン再取り込み阻害薬もグルタミン酸やGABAに影響を与える新規薬物も両方とも同様に，さまざまなシグナル伝達カスケードに刺激を与えることができる。描かれているそれぞれのシグナル伝達カスケードはcAMP応答配列結合タンパク（CREB）を活性化する。それは，BDNFを含む神経可塑性に関連する多数の遺伝子の発現を引き起こす。もう1つのシナプス可塑性の表現形式である長期増強（LTP）は，グルタミン酸受容体の調整をつうじてシナプス強化をもたらす。CREBの活性化がα-アミノ-3-ヒドロキシ-5-メチル-4-イソオキサゾール-プロピオン酸（AMPA）受容体サブユニットを増加させ，N-メチル-D-アスパラギン酸（NMDA）受容体をダウンレギュレーションさせる。NMDA受容体入力を減らしている間，AMPAが増加することによってNMDA受容体比率はうつ状態の脳においてグルタミン酸恒常性を回復し，神経可塑性を促進する（AMPAの修正）。

5HT：セロトニン，CaMK：カルシウム・カルモジュリン依存性プロテインキナーゼ，cAMP：環状アデノシン一リン酸，DA：ドーパミン，GABA：γ-アミノ酪酸，GSK3：グリコーゲンシンターゼキナーゼ3，MAPK：分裂促進因子活性化プロテインキナーゼ，NE：ノルエピネフリン，PKC：プロテインキナーゼC，RSK：リボソームS6キナーゼ

調節を標的とすることが知られている利用可能な薬物の合理的な使用も含まれる。したがって，これらの神経伝達物質が調節する症状の改善を目標としている。

つぎに，この戦略がどのように機能するかを説明していこう。抑うつエピソードの診断のためにあげられた9つの症状のそれぞれは，非効率的な情報処理がこれらの症状を理論的に仲介する脳回路にマッピングすることができる（図6-1と図6-38を比較せよ）。躁病エピソードの診断のためにあげられた症状のそれぞれは，同様にこれらの同じ脳回路だけでなくいくつかの異なる脳回路にマッピングすることができる（図6-2と図6-39を比較せよ）。3つのモノアミン神経伝達物質システムによるこれらのさまざまな脳領域の神経支配に注意する必要がある（図6-40）。グルタミン酸とGABAは本質的に脳のすべての領域の至る所にある。モノアミン神経支配のこのパターンは，これらの脳領域における情報処理の効率を改善するために，さまざまな神経伝達物質を標的とする機会を提供し，したがって，症状を軽減する。特定の仮説上，機能障害のある脳領域を制御している

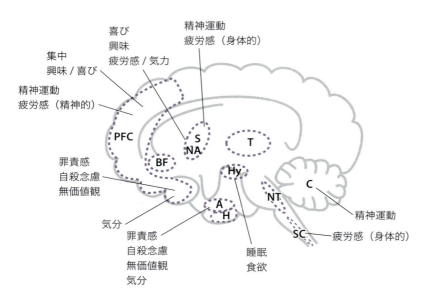

図6-38 抑うつ症状と神経回路の対応 ここで示す脳領域それぞれの神経活動および情報処理の効率の変化は，抑うつエピソードでみられる症状につながる。それぞれの脳領域の機能は仮説上おのおの異なる一群の症状と関連している。
A：扁桃体，BF：前脳基底部，C：小脳，H：海馬，Hy：視床下部，NA：側坐核，NT：脳幹神経伝達物質中枢，PFC：前頭前皮質，S：線条体，SC：脊髄，T：視床

回路が部分的に重なる場合，精神症状を調節するネットワークの個々のノードは独自に分布した神経伝達物質をもっている（図6-38〜図6-40参照）。それらの脳領域の調節に関連した神経伝達物質に作用する薬物を用いて各領域を標的にすることは，潜在的に個々の症状の軽減につながる。特定の神経伝達物質を介した神経伝達の調整が，特定の症状に一致する機能不全の脳回路における情報処理の効率を高めることができたならば必ず，その症状を和らげるという考えがある。成功した場合，特定の脳領域の神経伝達物質をこのように標的にすることで，すべての症状を取り除くことが可能で，抑うつエピソードを寛解に導ける可能性がある。

うつ病の気分に関連した症状の多くは，正の感情がきわめて小さいか，負の感情がきわめて大きいか，の2群に分類できる（図6-41）。この考えは，脳内のほとんどでのモノアミン神経伝達系が広範に解剖学的に連絡しあっており，このシステムにおけるドーパミンの広範な機能障害がおもに正の感情の低下に，セロトニン系の広範な機能障害がおもに負の感情の上昇に，そしてノルエピネフリン系の機能障害が両者にかかわっているという事実に関係している。正の感情の低下には，抑うつ気分だけでなく，幸せ，喜び，興味，楽しみ，覚醒，気力，熱意および自信の喪失もまた含まれる（図6-41の左）。ドーパミン機能を高め，おそらく同時にノルエピネフリン機能も高めることで，これらの一群の症状を調節する回路の情報処理を改善できると考えられる。一方，負の感情の上昇には，抑うつ気分だけでなく，罪責感，嫌悪感，恐怖，不安，敵意，易怒性，寂寥感も含まれる（図6-41の右）。セロトニン機能を高め，おそらく同時にノルエピネフリン機能も高めることで，仮説上これらの一群の症状を調節する脳回路の情報処理を改善できると考えられる。両群の症状をもつ患者では，3つのモノアミン神経伝達物質すべてを増加させる三重の作用をもつ治療薬が必要になるであろう。

特定の脳領域における情報処理の効率性を神経伝達物質が調整するという同じ総合的なパラダイムが，うつ病のみならず躁病や混合状態にもあてはめることが可能である。単純な概念は，躁病の脳回路の問題はうつ病のそれとは反対であるかもしれないということである。すなわち，躁病では神経伝達物質と神経活動が多すぎるのに対し，う

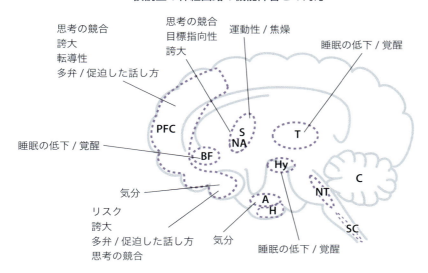

図6-39　躁症状と神経回路の対応　ここで示す脳領域それぞれの神経伝達の変化は，仮説上躁病エピソードでみられるさまざまな一群の症状と関係しているとされている。それぞれの脳領域の機能は仮説上おのおのの異なる症状と関連している。
A：扁桃体，BF：前脳基底部，C：小脳，H：海馬，Hy：視床下部，NA：側坐核，NT：脳幹神経伝達物質中枢，PFC：前頭前皮質，S：線条体，SC：脊髄，T：視床

つ病では少なすぎるという考えであるが，現実には，躁病とうつ病の症状が同時に現れる可能性があり，躁病の量が増えるにつれて，完全なうつ病から純粋な躁病に到達するまで，気分のスペクトル全体を移動しうる（図6-7）。気分障害のより洗練された現代的な概念は，非効率的な脳回路における神経伝達は混沌としている可能性があり，高すぎたり低すぎたりするだけではないということである。本章に示す図は，ネットワーク内の1つのノードから別のノードへ投射する単一の神経細胞があることを示している場合がある（その例は図6-40参照）。しかし現実には，ネットワーク内の各ノードは膨大な数の神経細胞によって接続されている。そして，それらのすべてが気分障害で同じように仮説上機能しているとは限らない。おそらく上向きの神経伝達をもっている人もいれば，下向きの神経伝達をもっている人もいて，正常である人，さらには活動の上下に無秩序に揺れ動いている人さえいる。あるエピソードからつぎのエピソードへというだけでなく，時間の経過とともにエピソード内でさえ，患者が完全な抑うつエピソードの間に付随する躁病のさまざまな症状をもっているようにみえるのも不思議ではない。この状況は，神経伝達物質の作用を単に上昇または低下させるのではなく，安定させることができる治療法をみつけるという課題を提示している。気分障害の治療については，第7章で詳しく説明する。

症状にもとづいた治療選択

神経生物学的な知識をもった精神薬理学者は，うつ病，躁病，混合性の一連の薬物の選択または組み合わせのために症状にもとづいた治療を適用することを考える（図6-42〜図6-44）。この戦略は，患者が安定した寛解状態となるまで気分障害のすべての残遺症状を治療するための多様な精神薬理学的メカニズムの一覧を作成することにつながる。特定の薬物と治療法の選択については第7章で説明する。ここでは，神経生物学的な用語を用いた思考の理論的根拠，すなわち，特定の症状を調節する脳回路の解剖学（図6-38，図6-39）および脳回路を調節する神経伝達物質（図6-40）について説明する。このアプローチの目的は，薬物が神経伝達物質にどのように作用するのかを理解することで，臨床医が合理的な治療法を選択できるようにすることである。このアプローチを使用することにより，これらの治療法の選択は，仮説上機能不全に陥っている脳回路の独自の集積を対

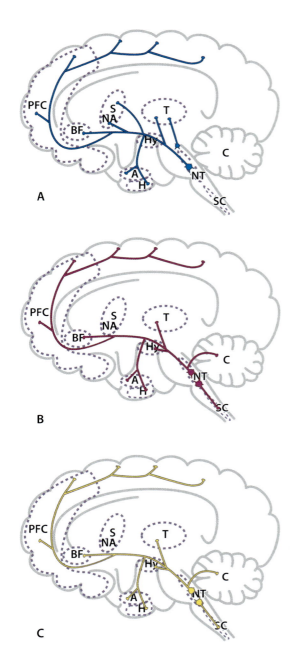

図6-40 おもなモノアミン投射 (**A**)ドーパミンはおもに脳幹(特に腹側被蓋野と黒質)からはじまり,視床下部(Hy)を経由し前頭前皮質(PFC),前脳基底部(BF),線条体(S),側坐核(NA),その他の領域へと広範に上行性に投射する。ドーパミン神経伝達は,運動,喜びと報酬,認知,精神病,その他の機能に関連する。さらに,その他の部位から視床への直接投射があり,「視床ドーパミン系」を形成し,睡眠と覚醒に関与するようである。(**B**)ノルエピネフリンは上行性と下行性の両方の投射がある。上行性ノルエピネフリン投射はおもに脳幹の青斑核からはじまる。ここで示すように,多くの脳部位に広がり,気分,覚醒,認知,その他の機能を制御する。下行性ノルエピネフリン投射は脊髄へ下り,疼痛経路を調節する。(**C**)セロトニンもノルエピネフリンのように上行性と下行性の両方の投射がある。上行性セロトニン投射は脳幹の縫線核からはじまり,ノルエピネフリン投射と同じ多くの脳部位に投射する。これら上行性投射は,気分,不安,睡眠,その他の機能を調節するようである。下行性セロトニン投射は脳幹から脊髄へ下り,疼痛を調節しているようである。

A:扁桃体,BF:前脳基底部,C:小脳,H:海馬,Hy:視床下部,NA:側坐核,NT:脳幹神経伝達物質中枢,PFC:前頭前皮質,S:線条体,SC:脊髄,T:視床

象とした,その患者の特定の症状に対処することにもとづくものとなる。この「患者に合わせた」アプローチは,与えられた診断ですべての患者を同じように治療するのではなく,個々の患者のニーズに対応し,それによって特定の症状の緩和を提供することを目的としている。

このアプローチはどのように実行されるか？最初に,症状を評価し,それらをすべてまとめて診断を構築するが,その後,その診断を個々の患者が経験している特定の症状のリストに分解する(図6-42)。つぎにこれらの症状を,それらをもたらすと仮定される脳回路(図6-43)と照らし合わせ,それからこれらの脳回路の神経伝達物質によって行われる既知の精神薬理学的な調節と照らし合わせる(図6-44)。最後に,これらの精神薬理学的な作用機序を標的とした利用可能な治療を選択し,症状を1つ1つ除去する(図6-44)。治療をしても症状が続く場合は,メカニズムの異なる別の治療を追加するか,またはそれに切り替える。これが優れたアプローチであることを証明するエビデンスはないが,これがよりよい予後につながることを期待して,同じ診断を受けたすべての患者を同じように治療するのではなく,臨床的直感だけでなく神経生物学的な推論や個別化した精神薬理学的な治療にも目を向ける。

このアプローチでは,例えば「集中力の欠如」と「疲労感」といった症状には,ノルエピネフリンとドーパミンの両方を標的とすることが示唆される(図6-44)。ノルエピネフリンとドーパミンが部分的にこれらの症状の原因である場合,このアプ

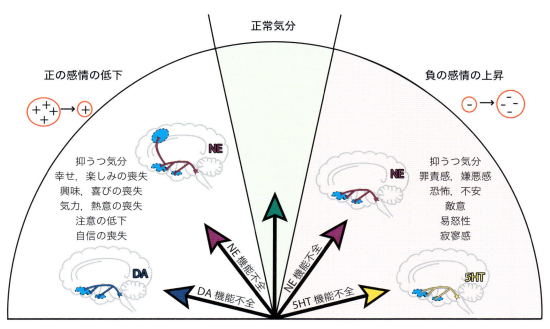

図6-41　正と負の感情　うつ病の気分に関連した症状は，感情表出，つまり，正の感情の低下または負の感情の上昇のいずれかによって特徴づけられる．正の感情の低下に関係する症状には，抑うつ気分と，幸せ，興味および楽しみの喪失と，気力と熱意の喪失，注意の低下，自信の喪失などが含まれる．正の感情の低下には，ドーパミン（DA）の機能障害が関係すると考えられており，ノルエピネフリン（NE）の機能障害も関係している可能性がある．負の感情の上昇に関係する症状には，抑うつ気分，罪責感，嫌悪感，恐怖，不安，敵意，易怒性，寂寥感などが含まれる．負の感情の上昇には，セロトニン（5HT）の機能障害が関係すると仮説上考えられており，おそらくNEの機能障害も関係している可能性がある．

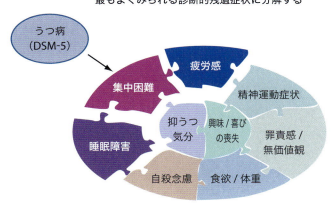

図6-42　うつ病治療の症状にもとづいたアルゴリズム（その1）　各症状レベルまで分解されたうつ病（DSM-5）の診断（『精神疾患の診断・統計マニュアル』の第5版（DSM-5）で定義されたもの）を示す．これらのなかで，睡眠障害，集中困難，および疲労感は最もよくみられる残遺症状である．

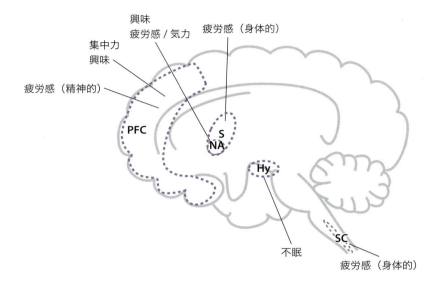

図6-43 うつ病治療の症状にもとづいた治療アルゴリズム（その2） この図ではうつ病性障害の最もよくみられる残遺症状を，機能障害が起こっていると仮定される脳の神経回路に結びつけて考える。不眠は視床下部(Hy)，集中困難は背外側前頭前皮質(DLPFC)，興味の低下は前頭前皮質(PFC)と側坐核(NA)，疲労感はPFC，線条体(S)，NA，および脊髄(SC)と関係すると考えられている。

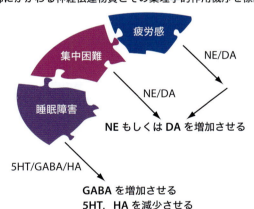

図6-44 うつ病治療の症状にもとづいた治療アルゴリズム（その3） うつ病の残遺症状を，制御する神経伝達物質，さらにはその薬理学的作用機序に結びつけることができる。疲労感と集中力は大部分がノルエピネフリン(NE)とドーパミン(DA)によって制御されている。そして，それゆえにNEもしくはDAを強化する物質によって治療されうる。睡眠障害はセロトニン(5HT)，γ-アミノ酪酸(GABA)，ヒスタミン(HA)により制御されており，GABAを増加する薬物，あるいは5HTまたはHAを減少させる薬物で治療することができる。

ローチはまたセロトニン作動薬の使用を停止する指示も可能となるであろう。一方，「不眠症」に関してはこれら以外の神経伝達物質により制御されるまったく異なる神経回路の機能異常に仮説上関連している（図6-43）。したがって，不眠症の治療には異なるアプローチが必要となる。すなわち，GABA系に作用する薬物，またはセロトニンやヒスタミン系を増強するよりもむしろ抑制するように作用する薬物による治療である（図6-44）。図6-44で示したこれらの症状のいずれも，どのような薬物が投与されたとしても反応はするであろう。しかし，この症状にもとづいたアプローチは個々の患者に合わせた治療選択を可能にする。単にランダムな治療法と比べて，患者に対してより忍容性が高く，同時に特定の症状を軽減させる近道をみいだすことを可能にする。

うつ病の治療法を選択するための症状ベースのアプローチは，不安や痛みなどの正式な診断基準の構成要素ではないうつ病の一般的な関連症状の治療にも適用できる。ときどきいわれるのだが，患者を寛解状態にさせる優れた臨床医にとって，気分障害の9つの症状のうちほとんどすべてを標的としなければならないのである！

　幸運にも，精神薬物療法は精神疾患を重んじるわけではない。特定の脳神経回路における薬理学的作用機序を標的とした治療は，どのような精神疾患にその脳神経回路と関連している合併症状が出現しようとも，その薬理学的作用機序に作用する。そのため，ある精神疾患の症状を，別の精神疾患における同一の症状を改善することが立証されている薬物で治療することができる。例えば，不安症の診断基準を満たしていないうつ病の患者における**不安**は，不安症において機能すると証明されているのと同じセロトニンやGABAの作用機序を介して軽減されうる（不安障害とその治療に関する第8章を参照）。**痛みを伴う身体的症状**は，セロトニン・ノルエピネフリン再取り込み阻害薬（SNRI）およびその他のアプローチで治療できる（慢性的な痛みとその治療に関する第9章を参照）。

　結論として，気分障害の治療法を選択したり組み合わせたりする，症状にもとづいたアルゴリズムは，そしてそれを用いて気分障害の各症状がなくなるまでメカニズムの一覧を構築することは，一般的な精神疾患，特に気分障害に対する現代の精神薬理学者の治療アプローチである。このアプローチは，寛解維持を治療目標として，神経生物学的な疾患および薬物メカニズムの現代的な概念に従う。

まとめ

　本章では，うつ病から躁病へ至る，その間に多くの混合状態も含むスペクトラムにおける気分障害について述べた。予後と治療を考えるために，双極性うつ病から単極性うつ病を区別することだけでなく，それらが存在するときはいつでも亜症候性躁病またはうつ病の混合状態を検出することも重要である。気分障害は確かに気分の障害であるが，実はそれを越える。抑うつエピソードや躁病エピソードと診断するためには，気分の症状に加えていくつかの異なる症状が必要とされている。ドーパミン，ノルエピネフリン，セロトニンの3つのモノアミンのうちの1つまたは複数，あるいはそれらの受容体の機能障害を示唆しているうつ病の古典的なモノアミン仮説は，うつ病における症状に関連している可能性があり，さらに神経栄養因子，睡眠，サーカディアンリズム，神経炎症，ストレス，遺伝子および環境などの異常が気分障害の複雑な病因に関与しているという概念を含むように更新および拡大されてきている。また，特に適切に治療されていない場合，気分障害が進行する可能性があるという厄介な概念についても述べた。最後に，気分障害の各症状は，仮説上の脳神経回路の機能不全と対応させることができる。特定の脳領域において1つ以上の神経伝達物質を標的にすることで，その領域での情報処理の効率を改善させ，その領域の機能障害による症状を軽減させることができると考えられる。躁病エピソードでみられる症状に関係する他の脳領域も同様に，さまざまな仮説上の脳神経回路の機能障害と対応させて考えることができる。脳神経回路における症状の局在性を理解すること，そして同時に異なった脳領域でこれらの回路を調整している神経伝達物質を理解することは，すべての症状を軽減させ寛解に導くという目標をもって，1人1人の気分障害患者の個別の症状に合わせて治療法を選択し組み合わせるための準備となる。

（訳　藤原真代）

7章 気分障害の治療薬：いわゆる「抗うつ薬」と「気分安定薬」について

- うつ病における臨床的治療効果の定義 — 314
- モノアミン再取り込み阻害薬は単極性うつ病においてどの程度効果があるのか？ — 316
- 「気分安定薬」の再定義：その定義は変わりゆく — 318
- 単極性うつ病に対する治療薬 — 319
  - 選択的セロトニン再取り込み阻害薬（SSRI） — 319
  - セロトニン受容体部分アゴニスト/再取り込み阻害薬（SPARI） — 327
  - セロトニン・ノルエピネフリン再取り込み阻害薬（SNRI） — 330
  - ノルエピネフリン・ドーパミン再取り込み阻害薬（NDRI）：bupropion — 336
  - agomelatine — 339
  - ミルタザピン — 340
  - セロトニン受容体アンタゴニスト/再取り込み阻害薬（SARI） — 346
  - ボルチオキセチン — 349
  - 神経活性ステロイド — 356
- 単極性うつ病の治療抵抗性 — 359
- 遺伝子検査にもとづく治療抵抗性うつ病に対する治療選択 — 359
- 単極性うつ病に対する増強療法 — 360
- 治療抵抗性うつ病の第2選択となる単剤治療 — 370
- 双極スペクトラム障害の治療薬 — 377
  - セロトニン/ドーパミン遮断薬（アンタゴニスト）：精神病および精神病性躁病に対してだけではない薬物 — 377
  - リチウム，古典的な「抗躁」および「気分安定薬」 — 382
  - 「気分安定薬」としての抗痙攣薬 — 383
  - 双極性障害に効果があると証明されている抗痙攣薬 — 384
  - 双極性障害の治療では気分安定薬を組み合わせて用いるのが標準である — 390
- 将来の気分安定薬 — 390
  - デキストロメトルファンと bupropion，デキストロメトルファンとキニジン — 390
  - dextromethadone — 393
  - 幻覚薬による精神療法 — 393
- まとめ — 396

　本章では，うつ状態から混合状態や躁状態に至るまでの気分障害に対する薬物を使用するうえで基礎となる薬理学的な概念を説明する。これらの薬物は伝統的に「抗うつ薬」および「気分安定薬」と呼ばれてきた。しかし，この用語は現在では時代遅れで紛らわしい用語であると考えられている。なぜならば，「抗うつ薬」と呼ばれたすべての薬物がとりわけ双極性うつ病または混合性の特徴を伴ううつ病などすべての分類のうつ病の治療に用いられるわけではないからである。さらに，古典的ないわゆる「抗うつ薬」といわれてきたうちの多くはまた，不安症から摂食障害，心的外傷後障害，強迫性 compulsive and impulsive 障害，疼痛性障害，およびそれ以外のあらゆる種類の障害に使用されている。ついには，精神病に対して使用され第5章で広く述べられた多くの薬物は，単極性，双極性，および混合性のうつ病のみならず躁病 mania に対してもさらに広く使用されている。しかし，それらの薬物は確かに「うつに対する薬物」ではあるものの，一般的には「抗うつ薬」には分類されてはいない。薬物のカテゴリーを議論する際に混乱をきたさないために，本書ではすべて現代

の神経科学にもとづく命名法を使用するように努めていく。命名法においては臨床的適応に対してではなく薬理学的な作用機序に対して命名されている。

したがって，本章で述べる薬物は「抗うつ作用」をもつが，「抗うつ薬」とは呼ばない。他の薬物についても気分安定作用や抗躁作用をもつが，「気分安定薬」とは呼んでいない。「気分安定薬」とは何であろうか？　もともと，気分安定薬は躁および躁の反復を予防し，結果として双極性障害 bipolar disorder の躁病相を「安定させる」薬物であった。他の人々は双極性障害におけるうつおよびうつの反復を治療して結果として双極性障害のうつ病相を安定化させる薬物に対してもこの用語を使用している。ここでは，躁またはうつのいずれかを安定化させることに対してその用語を使用するというより，治療的作用の推定される機序にもとづいて双極性障害を治療する薬物を説明し，分類するために用語を使用する。

本章では，今日精神科において最も広く向精神薬といわれている薬物，つまり神経伝達物質トランスポーター，受容体，およびイオンチャネルを標的とする薬物のことであるが，これらの薬物のいくつかを説明していく。本章の目的は，気分障害を治療してきた薬物がいかにして効くのかについて最新かつ進化しつつある考えに読者を精通させることである。これまでの章で紹介された一般的な薬理学的概念を足場として，これらの薬物の作用機序を説明していく。また，もしも最初の治療が失敗した際にどうすべきか，そして合理的に薬物を重ねるにはどのようにすべきかに対する戦略も含めて，臨床診療においてのこれらの薬物の使い方に関する考えについても解説をしていく。最後に，最近承認され，あるいは臨床開発中である気分障害を対象としたいくつかの新しい薬物について紹介する。

本章では，気分障害の治療についての説明は実践的なレベルではなく，概念的なレベルで検討していく。臨床場面での用量，副作用，および薬物相互作用などについての詳細や，これらの薬物を処方するときに関連する問題などについては，標準的な薬物療法の参考書(姉妹書である『精神科治療薬の考え方と使い方』など)を参照されたい。1種類の薬物の精神薬理学的な機序に反応しない患者への治療戦略として，しばしば2種類以上の薬物での治療が必要となることがあり，2つ以上の作用機序を有する「治療メニュー」も同時に述べていく。気分障害に対するこの治療戦略は，第5章で述べたような統合失調症に対する治療戦略とかなり異なる。なぜなら，統合失調症では治療として抗精神病薬を単剤で使用するのが原則であり，症候学的に期待される改善は，せいぜい症状の20〜30％の軽減である。真に無症状になる統合失調症患者はいるとしてもほんのわずかである。対照的に，気分障害においては持続的に無症状である完全な寛解状態に到達する可能性が十分にある。挑戦すべき課題は，この患者たちを治療する者が可能な限り常に最良の結果を達成できるようにすることである。これがかなり多くの薬物の作用機序，特定の薬物の組み合わせに関する複雑な生物学的な理論的根拠，および個々の患者のニーズに合わせて特異的な薬物治療のメニューを仕立てるための実践的な戦略を学ぶ理由である。

うつ病における臨床的治療効果の定義

うつ病エピソード，単極性，双極性，または混合性のうつ病でかつ治療を受けて症状が50％以上改善された患者については，この結果を反応 response と呼ぶ(図7-1)。これはうつ病の薬物治療の目標とされていた。つまり，大体は少なくとも改善が50％までであった。しかし，うつ病治療のパラダイムは近年劇的に変化し，現在では症状の完全な寛解 remission が目標とされるようになった(図7-2)。さらに，寛解後すぐに症状が再燃せずに，また将来的に反復性エピソードが起こらない状態を維持しなければならない(図7-3)。使用できるうつ病の治療薬の効果にも限界があるので，特に薬物の多剤併用療法が疾患の経過中の早期に積極的に選択されない場合，寛解維持という目標を達成するのは難しい。あいにく多くの場合，最初のうつ病を治療するために選ばれた薬物

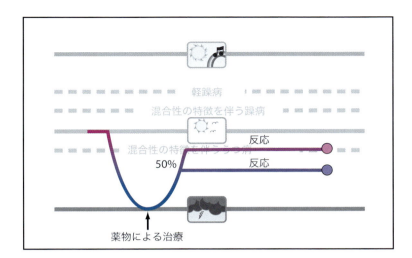

図7-1 うつ病の反応 うつ病エピソードの治療の結果，症状の改善が少なくとも50%以上に達した場合を反応と呼ぶ。そのような患者は以前よりは改善しているが，完全に健康な状態ではない。以前は，反応がうつ病の治療の目標とされていた。

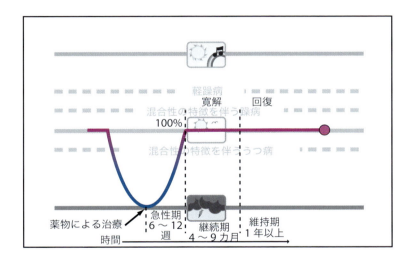

図7-2 うつ病の寛解 うつ病エピソードの治療の結果，基本的にすべての症状が完全に消失し，それが数カ月持続した場合を寛解と呼ぶ。また数カ月以上持続した場合を回復と呼ぶ。そのような患者は以前より改善したばかりでなく，健康な状態である。しかし，うつ病はまだ再燃の可能性があり，完全に治癒した状態ではない。寛解と回復がうつ病患者の治療の目標とされる。

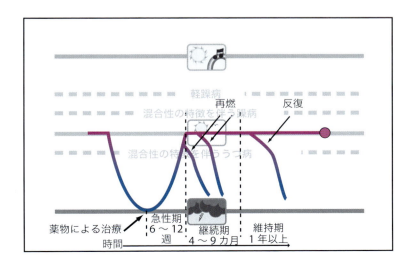

図7-3 うつ病の再燃と反復 うつ病が完全寛解する前に，あるいは寛解に至ってから最初の数カ月以内に症状がもとに戻ってしまった場合を再燃と呼ぶ。うつ病が回復に至った後に症状が戻ってしまった場合を反復という。

で寛解が達成されることはない。

モノアミン再取り込み阻害薬は単極性うつ病においてどの程度効果があるのか？

単極性うつ病の治療薬の作用機序は，以降のセクションで詳細に説明していくように，おもにモノアミン再取り込み阻害作用になる。その機序に取り組む前に，疑問となりうるのは「どの程度効くのか？」ということである。現実世界の試験ではほんの3分の1の単極性うつ病の患者のみがこのクラスの最初の薬物による治療で寛解し，4種類の単極性うつ病の薬物を連続してそれぞれ12週間ずつ，計1年間にわたって継続したとしても，症状の寛解に至るのは患者のおよそ3分の2のみである（図7-4）。

もし患者が治療後も完全に寛解しないとすれば，どのような残遺症状が最もよくみられるであろうか？　その答えを図7-5に示すが，これには不眠，疲労感，多様な疼痛を伴う身体的愁訴（たとえこれらがうつ病の正式な診断基準の一部でないとしても），集中困難を含む認知機能の問題，および興味の喪失や意欲の欠如が含まれる。単極性うつ病に対する薬物はしばしば抑うつ気分，自殺念慮，および精神運動制止の改善において，きわめて効果があるようである（図7-5）。

患者がうつ病から寛解に至ったのか，あるいは

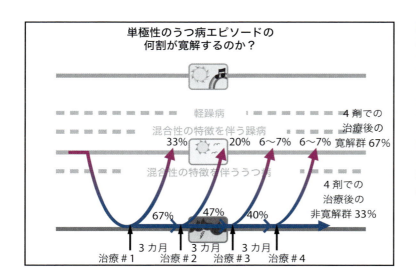

図7-4　単極性うつ病の寛解率　およそ3分の1の単極性うつ病患者が，最初はどんな治療であろうと治療期間内に寛解する。残念ながら，寛解に至らなかった患者に対して別の単剤療法を行った場合，いずれの連続した試験期間においても寛解の可能性は下がる。このようにそれぞれ12週の4つの連続した単剤療法による1年間の治療の結果，寛解に至るのは患者の3分の2のみである。

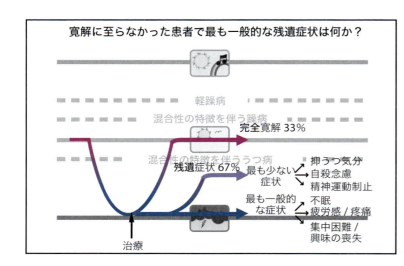

図7-5　最もよくみられる残遺症状　寛解に至らなかった患者で，最もよくみられる残遺症状は，不眠，疲労感，疼痛を伴う身体的愁訴，集中困難，および興味の喪失である。残遺症状で最も少ないのは，抑うつ気分，自殺念慮，および精神運動制止である。

わずかに残存する症状があるのかになぜわれわれは留意しなければならないのであろうか？ 答えの一部は，第6章の残遺症状からシナプスの欠落，神経細胞の欠落そして治療抵抗性に至る神経進行性変化についての記述のなかにある（図6-11，図6-28〜図6-33）。その他の答えについては図7-6

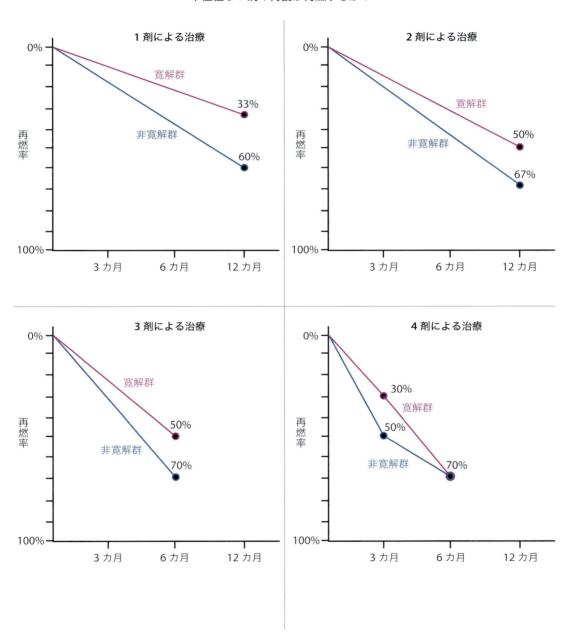

図7-6 再燃率 うつ病の再燃率は寛解に至った患者では有意に低い。しかし，寛解に至った患者でも再燃のリスクはある。そして，寛解に至るまでに要した治療の数が多いほど，再燃率は高くなる。寛解に至らなかった患者において，1剤による治療を行った12カ月後の再燃率は60％で，4剤による治療を行った6カ月後の再燃率は70％である。しかし，寛解に至った患者においては，1剤による治療を行った12カ月後の再燃率は33％で，4剤による治療を行った6カ月後の再燃率は70％である。すなわち，寛解に至るのに4剤による治療を要した場合，事実上は寛解を維持する保護的効果が消失してしまう。

でみつけられるかもしれない．ここでは，症状の持続や再燃をおもな理由とする治療抵抗性の経時的変化を示してある．一方，図7-6では，単極性うつ病の薬物が患者を寛解に導いた場合，その患者は，治療がまったく行われなかった場合よりも，再燃率が有意に低いことを示している．さらに一方で悪い知らせになるが，寛解に至った患者でもいまだ高率に再燃し，寛解に至るまでに要した治療薬の数が多いほどより頻回により早く再燃することも示されている（図7-6）．

このようなデータは，患っているうつ病の現在のすべての症状を改善させて患者を安心させようというためだけではなく，積極的な治療により疾病の進行を防止する可能性もあるため，研究者や臨床医の，可能な限り早期に単極性うつ病の治療的介入を行い，可能な限りすべての症状を寛解状態に達するまで患者を治療しようという気持ちをかきたてるものである（第6章および図6-11，図6-28～図6-33参照）．気分障害において疾患が進行するという概念は証明されておらず，興味をそそるテーマではあるが，多くの臨床医や研究者は直感的に理解している．すべての症状を寛解へと導き，疾患の経過を修正する可能性がある積極的な治療は，気分障害の慢性化，気分障害の再燃そして治療抵抗性への進行のすべてを軽減することができ，総じてよい予後が得られるのだと．

「気分安定薬」の再定義：その定義は変わりゆく

「気分安定薬というものはない」
　　　　　　　　　―米国食品医薬品局（FDA）
「気分安定薬はすばらしい」
　　　　　　　　　―処方医

気分安定薬とは何か？　前述のように元来，気分安定薬は躁病maniaを治療し，躁病の反復recurrenceを防ぎ，それゆえに双極性障害bipolar disorderの躁病相を「安定化させるstabilizing」薬物であった．最近では，気分安定薬の概念は，「リチウムのような作用をもつもの」から，「双極性障害の治療に使われる抗痙攣薬anticonvulsant」へ，そして「双極性障害の治療に使われる非定型抗精神病薬atypical antipsychotic」へ，そして「双極性障害の躁とうつをともに安定化させるもの」などといったより広い範囲で定義されるようになった．規制当局は「気分安定薬」という言葉を使うより，双極性障害の4つの異なる病相の一部またはすべてを治療できる薬物であると考えている（図7-7と図7-8）．例えば，ある薬物は，「躁病に強い」特徴があり，躁症状を緩和させる「高い状態からの治療」や，躁病の再燃や反復を防ぐ「高い状態からの安定化」の両方または一方ができる（図7-7）．そして，ある薬物は「うつ病に強い」特徴があり，双極性障害のうつ病の症状を緩和させる「低

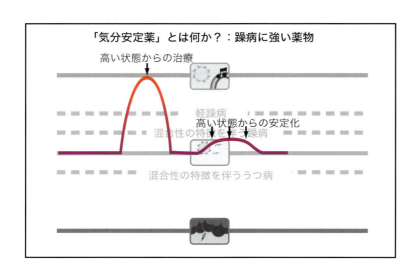

図7-7　躁病に強い薬物　気分安定薬の理想は躁病と双極性うつ病の両方を治療し，それぞれの極のエピソードを予防することであるが，実際には異なる薬物は双極性障害の異なる相に有効である．一部の薬物は「躁病に強い」ものがあり，それゆえ「高い状態からの治療」や「高い状態からの安定化」が可能となる．すなわち，躁病の改善や予防が可能と思われる．

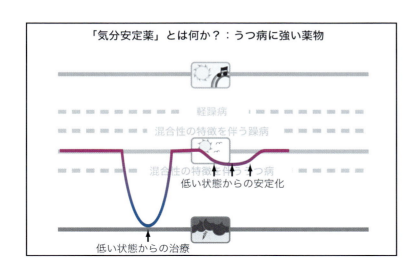

図7-8 うつ病に強い薬物
気分安定薬の理想は躁病と双極性うつ病の両方を治療し，それぞれの極のエピソードを予防することであるが，実際には異なる薬物は双極性障害の異なる相に有効である。一部の薬物は「うつ病に強い」ものがあり，それゆえ「低い状態からの治療」や「低い状態からの安定化」が可能となる。すなわち，双極性うつ病の改善や予防が可能と思われる。

い状態からの治療」や，うつ病の再燃や反復を防ぐ「低い状態からの安定化」の両方または一方ができる（図7-8）。双極性障害に効果があると証明されているすべての薬物がこれら4つの病相に治療作用があるわけではない。本章では双極性障害においてこれらの作用を1つ以上有する薬物について述べることとするが，これらのどの薬物も「気分安定薬」と呼ぶのではなく，作用の推定される薬理学的な機序について言及する。

単極性うつ病に対する治療薬

選択的セロトニン再取り込み阻害薬（SSRI）

　選択的セロトニン再取り込み阻害薬selective serotonin reuptake inhibitor（SSRI）ほど臨床精神薬理学の分野に劇的な変化をもたらした薬物のクラスはないであろう。米国だけでも1秒ごとに7枚のSSRIの処方箋（年間2億2,500万枚以上）がだされていると見積もられている。SSRIは単極性うつ病だけでなく，さまざまな不安症，心的外傷後ストレス障害（PTSD），強迫症（OCD），さらには月経前不快気分障害，および摂食障害などにも適応が広がってきている。以降に述べるように，このグループには，セロトニン再取り込み阻害作用という共通した特性をもつ6種類の主要な薬物がある。そのため，これらはすべてSSRIとして知られている同じグループに属する。しかし，これらの6種類の薬物はまたそれぞれ付加的なユニークな薬理学的特徴をもち，互いに異なる。まず，6種類の薬物に共通している特徴について述べる。そして，洗練された処方医が各患者の症状に合った特異的な治療のメニューを処方できるように，それら特色のある個々の薬物の特性を説明していく。

6種類のSSRIに共通する特徴

　6種類のSSRIはすべて同じ主要な薬理学的特性を共有している。これらは選択的でそして強力なセロトニントランスポーター（SERT）の阻害薬としても知られているように，選択的で強力なセロトニンの再取り込み阻害能をもつ。この単純な概念は図7-9と図7-10に示した。**シナプス前軸索終末**におけるSSRIの作用は古典的に重要視されてきたが（図7-10），現在はセロトニン神経細胞の**細胞体樹状突起側**で起こっている（細胞体近くの）作用がSSRIの臨床効果を説明するうえでより重要なようである（図7-11～図7-15）。すなわち，抑うつ状態を説明するモノアミン仮説によると，うつ状態において，シナプス前神経細胞の細胞体近傍にある樹状突起領域（図7-11の左）と，軸索終末近傍にあるシナプスそのもの（図7-11の右）の両方で，セロトニンが欠乏していると考えられている。神経伝達物質の受容体仮説によると，図7-11に示したように，シナプス前モノア

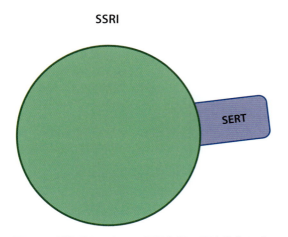

図7-9 選択的セロトニン再取り込み阻害薬(SSRI) SSRIの基本的な特徴(セロトニンの再取り込みの阻害)を，アイコンによって示す。このクラスに含まれる6種類の薬物は独特な薬理学的特性をもつが，セロトニントランスポーター(SERT)への阻害は共通した特徴である。

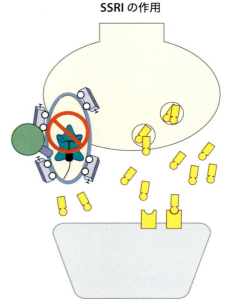

図7-10 選択的セロトニン再取り込み阻害薬(SSRI)の作用 SSRI分子のセロトニン再取り込み阻害(SRI)部位は，セロトニン再取り込みポンプ〔セロトニントランスポーター(SERT)〕内に組み込まれることでセロトニンの再取り込みを阻害して，シナプスで利用できるセロトニンを増やすことを示す。

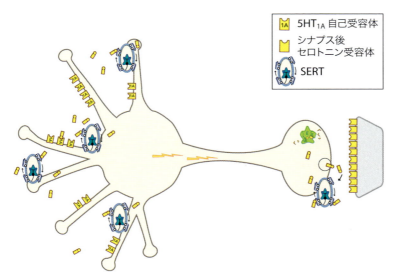

図7-11 選択的セロトニン再取り込み阻害薬(SSRI)の作用機序(その1) うつ病のモノアミン仮説によると，相対的にセロトニン(5HT)が欠乏している〔軸索終末(右側)近くのシナプスと樹状突起領域(左側)の両方のセロトニン濃度を参照〕。うつ病の神経伝達物質受容体仮説によると，シナプス後5HT受容体だけでなく，セロトニン1A($5HT_{1A}$)自己受容体を含めた5HT受容体の数が増加している。
SERT：セロトニントランスポーター

抑うつ状態：セロトニン(5HT)が少なく，受容体はアップレギュレーションを起こし，神経細胞がこれ以上5HTを放出しようにもシグナルが少ない

ミン受容体がアップレギュレーションを起こし，これが治療前の抑うつ状態を反映していると考えられている。さらにこの神経細胞の発火率の調整もまた抑うつ状態において障害されている可能性がある。その結果，情報処理を担う脳領域の異常と，障害のある領域に応じた特異的な症状の形成

単極性うつ病に対する治療薬　321

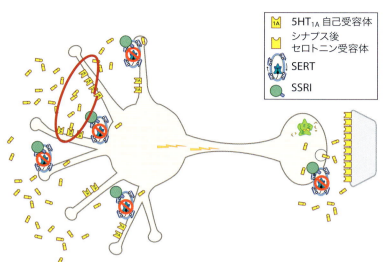

抗うつ作用：樹状突起と軸索終末の両方でセロトニン（5HT）の再取り込みを阻害する

図7-12　選択的セロトニン再取り込み阻害薬（SSRI）の作用機序（その2）　SSRIが投与されると，直ちにセロトニン再取り込みポンプ，またはセロトニントランスポーター（SERT）を阻害する（SSRIのアイコンがSERTを阻害しているようすを参照）。しかし，これによってセロトニン（5HT）が増加するが，はじめは5HT神経細胞の細胞体樹状突起領域（左）だけで増加し（赤色の囲み），軸索終末（右）の脳領域ではあまり増加しない。5HT濃度が細胞体樹状突起領域で上昇するとき，これは近くにある自己受容体を刺激する。

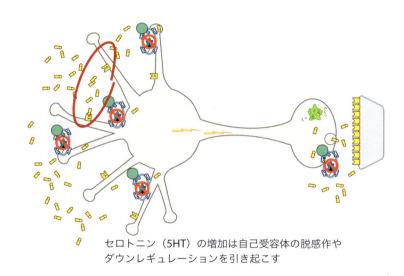

セロトニン（5HT）の増加は自己受容体の脱感作やダウンレギュレーションを引き起こす

図7-13　選択的セロトニン再取り込み阻害薬（SSRI）の作用機序（その3）　樹状突起のセロトニン1A（5HT$_{1A}$）自己受容体に結合するセロトニン（5HT）が増えると結果として，自己受容体は脱感作またはダウンレギュレートされる（赤い丸で囲ったところを図7-12と比較）。

に関係しているかもしれない。これについては，第6章で述べ，図6-38に示した。

　SSRIを急激に投与すると，SERTへの阻害によりセロトニンが増加することがよく知られている。しかし，驚くべきことに，シナプス前のSERTを阻害しても，多くのシナプスにおいてすぐにはセロトニンの放出は促進されない。実際，SSRI治療が開始されると，SERTへの阻害作用のために軸索終末が存在する脳領域（図7-12の右）より，中脳縫線核にある細胞体樹状突起領域（図7-12の左）でセロトニンが増加する。

　セロトニンが最初に増加する領域はセロトニン神経細胞の細胞体樹状突起領域である（図7-12の左）。この領域のセロトニン受容体は，第4章で述べ図4-39に示したように，セロトニン1A（5HT$_{1A}$）受容体である。細胞体樹状突起領域でセロトニンが増加すると，その近傍に存在する5HT$_{1A}$自己受容体を刺激する（図7-12の左）。これらの急速な薬理学的作用は，SSRIの治療作用が遅れて生じることをはっきり説明するものではない。しかし，これら急速な薬理学的作用はSSRIの投与を開始した後早期に生じる副作用の説明とな

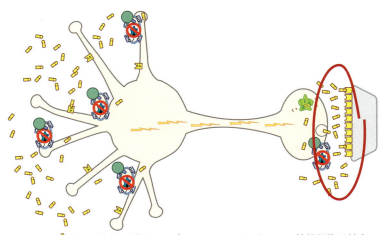

自己受容体のダウンレギュレーションによって，神経細胞は軸索でセロトニン（5HT）をさらに放出するようになる

図7-14　選択的セロトニン再取り込み阻害薬（SSRI）の作用機序（その4）　いったん細胞体樹状突起のセロトニン1A（5HT$_{1A}$）自己受容体がダウンレギュレートされると，もはやセロトニン神経細胞で神経インパルスの流れが抑制されなくなる。そして代わりに神経インパルスの流れが増強される。その結果，軸索終末でセロトニン（5HT）が放出される（赤色の囲み）。しかし，この増加はセロトニン神経細胞の細胞体樹状突起での5HTの増加よりも遅れる。神経細胞の細胞体樹状突起にある5HTが5HT$_{1A}$自己受容体のダウンレギュレーションを引き起こし，セロトニン神経細胞で神経インパルスの流れを増強させるまでの時間が，この遅れを生じさせる。SSRIがすぐにうつ病に効果を示さない理由は，この遅れによって説明できる可能性はある。また，SSRIの作用機序は，セロトニン神経細胞の神経インパルスの流れを増強し，5HT量が軸索終末で増加してはじめてSSRIの抗うつ作用が現れることと関連していると思われる。

りうる。

　細胞体の樹状突起上の5HT$_{1A}$自己受容体に作用するセロトニンの増加は，やがて受容体のダウンレギュレーションを起こし，脱感作を生じさせる（図7-13の左）。この脱感作は，セロトニンの増加が，これらシナプス前5HT$_{1A}$自己受容体によって認識され，その情報がセロトニン神経細胞の神経核に送られることによって生じる。この情報に対するゲノムの反応が，これらの受容体をやがて脱感作させるように指示する。この脱感作の時間経過はSSRIの治療効果の発現と相関している（図6-25）。

　いったん細胞体の樹状突起上の5HT$_{1A}$自己受容体が脱感作されると，もはやセロトニンは自己の放出を効果的に抑制できなくなる。セロトニンが自己の放出を抑制できなくなると，セロトニン神経細胞は脱抑制される（図7-14）。この結果，神経インパルスの流れが増強され，軸索からのセロトニン放出が急激に促進される（図7-14で神経インパルスは稲妻として，増加したセロトニンは右の軸索終末からの放出として示す）。すなわち，セロトニン放出は軸索終末で「スイッチを入れる」ことにたとえることができる。脳内のさまざまな部位に投射されたセロトニン神経細胞から放出されるセロトニンは理論上，SSRIのさまざまな治療作用をもたらしている。

　シナプス前細胞体の樹状突起の5HT$_{1A}$自己受容体が脱感作されると（図7-13），シナプス内のセロトニンが増加し（図7-14），同様にシナプス後セロトニン受容体の脱感作をもたらす（図7-15の右）。これらのさまざまなシナプス後セロトニン受容体は，つぎつぎにセロトニンが標的としているシナプス後神経細胞の神経核に情報を送る（図7-15の一番右）。シナプス後神経細胞のゲノムの反応は，これらの受容体も脱感作，つまりダウンレギュレートさせるように命令をすることである。この脱感作の時間経過はSSRIの副作用に対する耐性の形成の時期と相関している（図7-15）。

　この理論は，SSRIが治療作用を発揮する薬理学

単極性うつ病に対する治療薬 323

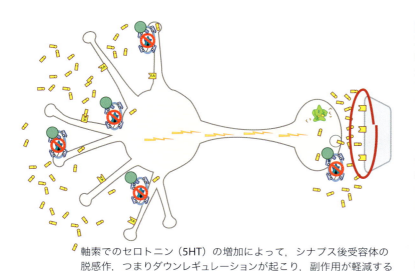

図7-15 選択的セロトニン再取り込み阻害薬（SSRI）の作用機序（その5） 最後に，いったんSSRIが再取り込みポンプ（またはセロトニントランスポーター（SERT））を阻害すると，細胞体樹状突起のセロトニン（5HT）を増加させることで，細胞体樹状突起のセロトニン1A（$5HT_{1A}$）自己受容体を脱感作させ，神経インパルスの流れを増強させて，軸索終末からの5HTの放出を促進させる。その結果として，最終的に，シナプス後セロトニン受容体を脱感作させるのであろう（赤色の囲み）。この脱感作は，耐性が形成されるにつれて，SSRIの副作用が軽減されることに関係している可能性がある。

軸索でのセロトニン（5HT）の増加によって，シナプス後受容体の脱感作，つまりダウンレギュレーションが起こり，副作用が軽減する

的カスケードの機序を示している。すなわち，脳内の重要な経路でのセロトニンの放出に対して強力ではあるが，時間的に遅れて脱抑制を起こす。さらに，望ましくない経路での望ましくない受容体へのセロトニンの急激な作用によって副作用は引き起こされると推察される。最終的に副作用は，それをもたらしたまさしくその受容体の脱感作によって，時間経過とともに軽減していくと考えられる。

おのおののSSRIの独特な特性：選択性がそれほど高くないセロトニン再取り込み阻害薬

6種類のSSRIは明らかに共通の作用機序をもつが，それぞれの患者において，あるSSRIと別のSSRIの間で反応が大きく異なることがしばしばある。このことは通常，大規模臨床試験では観察されない。なぜならば，大規模臨床試験では，2種類のSSRIの有効性または副作用の平均値の違いを記述することが困難だからである。むしろ，そのような違いは，患者に治療薬を処方するときに処方医が経験する。ある患者はあるSSRIに治療的反応性があったのに，別のSSRIには治療的反応性がない。別の患者ではあるSSRIに忍容性が高かったのに，あるSSRIに忍容性が低い，といったように。

もしSERTへの阻害によってSSRIに共通した臨床的および薬理学的な作用が説明できるとしたら，SSRIのそれぞれの違いを説明できるものとは何なのか？ 個々の患者において，しばしば観察されるさまざまなSSRIの異なる有効性や忍容性に関する臨床知見を一般的に受け入れ可能となるような説明は存在しないが，6種類のSSRIの特徴的な薬理学的特性の違いがそれぞれSSRIに対する患者の幅広い反応の違いを説明できると考えることは理にかなっている（図7-16～図7-21）。おのおののSSRIはSERTへの阻害以外の二次的な薬理学的作用をもっており，同じ二次的な薬理学的特徴をもつものは1つとしてない。これらの二次的な結合特性によって，個々の患者における有効性と忍容性が説明できるかどうかは，いまだ証明されてはいない。しかし，このような考え方は興味深い仮説を生み出し，「SSRIはどれも同じ」という考えではなくて，これらの薬物を2種類以上は試してみようと精神薬理学者たちに思わせる合理的な根拠となっている。ときには，複数のSSRIを用いた経験的な研究においてのみ，個々の患者に最も適切なSSRIを導き出すことができるであろう。

fluoxetine：$5HT_{2C}$アンタゴニスト作用をもつSSRI

fluoxetineはセロトニン再取り込み阻害作用に加えて，セロトニン2C（$5HT_{2C}$）アンタゴニスト

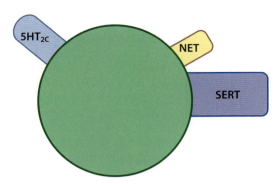

図7-16 **fluoxetine** セロトニン再取り込み阻害に加え，fluoxetineはノルエピネフリン再取り込み阻害（NRI）とセロトニン2C（5HT$_{2C}$）アンタゴニスト作用を有している。5HT$_{2C}$アンタゴニスト作用はノルエピネフリンとドーパミンを脱抑制させる。この作用により，fluoxetineの賦活効果が得られるのであろう。NRIは高用量においてのみ臨床的関連があると思われる。
NET：ノルエピネフリントランスポーター，SERT：セロトニントランスポーター

作用をもち，そのことからこの薬物のもつ多くの特徴的な臨床特性を説明できるかもしれない（図7-16）。5HT$_{2C}$アンタゴニスト作用は抗うつ作用をもたらすとともに，特に摂食障害のような他の障害においても効果に寄与する可能性がある。5HT$_{2C}$アンタゴニスト作用をもつ単極性うつ病の薬物には，トラゾドン，ミルタザピン，agomelatine，およびいくつかの三環系抗うつ薬が含まれ，これらについては以降で述べていく。最後に2つのセロトニン2A（5HT$_{2A}$）/ドーパミン2（D$_2$）アンタゴニストであるクエチアピン（図5-45）およびオランザピン（図5-44）もまた強力な5HT$_{2C}$アンタゴニスト特性を有している。両方の薬物とも精神病を治療する薬物であるが（第5章参照），単極性うつ病，治療抵抗性の単極性うつ病および双極性うつ病での増強療法使用が認められている。5HT$_{2C}$受容体におけるセロトニンの作用を遮断するとノルエピネフリンとドーパミンの両方の放出を脱抑制（つまり促進）し，理論上うつ病治療に有益な作用をもたらす（第6章と図6-24Bおよび後述のagomelatineに関する記述も参照）。

この5HT$_{2C}$アンタゴニスト作用に関するよい知らせは，一般に賦活的に作用することから，多くの患者で投与開始量からでさえもfluoxetineの効果による気力の回復と疲労感の減退，さらに，集中力と注意力の改善がもたらされることである。この作用機序はおそらく，陽性感情の減少（図6-41），過眠，精神運動制止，アパシー，および疲労感などの症状を伴ううつ病の患者に最も適しているであろう。また，fluoxetineはいくつかの国で治療抵抗性の単極性うつ病と双極性うつ病に対して，オランザピンとの併用療法（合剤）が承認されている。オランザピンも5HT$_{2C}$アンタゴニスト作用をもつため（図5-44），オランザピンとfluoxetineの両者の5HT$_{2C}$アンタゴニスト作用を合わせることで，理論上，皮質のドーパミンとノルエピネフリンの放出をさらに促進し，この併用で抗うつ作用をもたらすと考えられる。fluoxetineは摂食障害に対して承認された唯一の治療薬であり，高用量での5HT$_{2C}$アンタゴニスト作用が抗過食効果にも寄与していると考えられる。悪い知らせは，fluoxetineの5HT$_{2C}$アンタゴニスト作用が，興奮，不眠，および不安を呈する患者にはこの薬物が適さない原因となる可能性があることである。なぜなら，それらの症状を賦活しすぎた場合には，好ましくない賦活やパニック発作すら起こす可能性があるからである。

fluoxetineは弱いノルエピネフリン再取り込み阻害作用をもっており（図7-16），それは高用量を使用した際に臨床的に関連する。fluoxetineは半減期が長く（2～3日），その活性代謝物の半減期もさらに2週間と長い。この長い半減期は，あるSSRIを急に中断した際に特徴的にみられる離脱反応を軽減させるという利点がある。しかし，同時にfluoxetineを中止してから薬物とその活性代謝物が体内から消失するまでに，そしてモノアミンオキシダーゼ（MAO）阻害薬のような他の薬物を開始するまでに長時間を要することを意味している。fluoxetineは1日1回投与のみでなく，週1回の経口投与も可能である。

セルトラリン：ドーパミントランスポーター（DAT）阻害作用とσ$_1$受容体結合特性をもつSSRI

セルトラリンは他のSSRIとの違いを際立たせる2つの特徴的な作用機序をもつと考えられる。

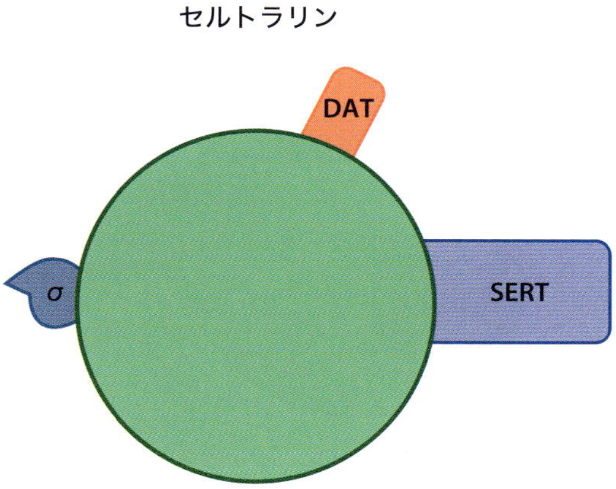

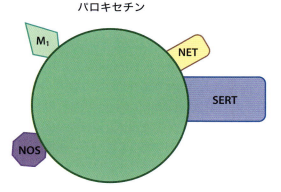

図7-17　セルトラリン　セルトラリンはセロトニン再取り込み（SRI）への阻害作用だけでなく，ドーパミントランスポーター（DAT）への阻害作用とσ_1受容体への結合特性をもつ。セルトラリンのDATへの阻害作用は，気力，意欲，および集中力などを改善すると考えられるが，臨床との関連はわかっていない。そのσ_1受容体結合特性は抗不安作用に寄与し，精神病性うつ病の患者の治療にも役立つと思われる。
SERT：セロトニントランスポーター

図7-18　パロキセチン　パロキセチンはセロトニン再取り込みへの阻害作用だけでなく，軽度の抗コリン（M_1）作用を有し，穏やかにさせたり，おそらく鎮静さえももたらしうる。また，弱いノルエピネフリントランスポーター（NET）への阻害作用を有し，それはさらなる抗うつ作用の増強に寄与する。また，一酸化窒素シンターゼ（NOS）の阻害は性機能障害に関与している可能性がある。
SERT：セロトニントランスポーター

それは，ドーパミントランスポーターdopamine transporter（DAT）阻害作用とシグマ1（σ_1）受容体への結合である（図7-17）。DATへの阻害作用がSERTへの阻害作用より弱いため，セルトラリンのDATへの阻害作用にはまだ議論の余地が残る。また，セルトラリンは臨床上意味のある程度の十分なDATへの占拠ができないと考える専門家もいる。しかし，後述のノルエピネフリン・ドーパミン再取り込み阻害薬norepinephrine-dopamine reuptake inhibitor（NDRI）の項で述べるように，抗うつ作用の発現には，高度のDATへの阻害作用が必要なのか，またはそれが望ましいのかということさえ明らかではない。すなわち，弱いDATへの阻害作用をもつ薬物であってもSERTへの阻害のような他の作用に追加された場合には，気力，意欲，および集中力などの改善に十分な効果を発揮するかもしれない。実際，強力なDATへの阻害作用はコカインやメタンフェタミンなどの精神刺激薬の特性であり，一般的には抗うつ薬としては望ましくないであろう〔注意欠如・多動症（ADHD）に関する第11章のDAT阻害の説明および衝動性，強迫行為および嗜癖に関する第13章を参照〕。

状況によって，臨床医は「非定型うつ病」の一部の患者において，セルトラリンの軽度の好ましい賦活作用により，過眠，気力の低下，および気分の反応性などの症状が改善するのを観察することがある。臨床医よってはうつ病の患者に対してセルトラリンにbupropionを併用することを好む（換言すれば，Zoloft®にWellbutrin®を追加するという意味で，ときに"Well-oft"と呼ばれる）。これは，それぞれDATへの弱い阻害作用をもつ薬物を併用投与することになる。また，セルトラリンによって一部のパニック症の患者で過剰な賦活がみられることもある。そのため，不安症状をもつ一部の患者では薬物をゆっくりと増量することが必要となる。これらすべてのセルトラリンの作用はセルトラリンのもつ臨床メニューに貢献しているDATへの弱い阻害作用と一致する。

セルトラリンのσ_1受容体への作用はよくわかっていないが，抗不安作用と特に精神病性や妄想性のうつ病に対する作用に寄与している可能性がある。そして，これはセルトラリンが他のいくつかのSSRIよりも優れた治療効果を有している点としてあげられるかもしれない。

パロキセチン：ムスカリン性抗コリン作用とノルエピネフリントランスポーター（NET）への阻害作用をもつSSRI

このSSRIは，前述のfluoxetineとセルトラリンの両者と比較して賦活作用がより強く，治療早期により静穏作用の傾向があり，鎮静作用さえもある。おそらく，パロキセチンの軽度の抗コリン作用がこの臨床特性に寄与している可能性がある（図7-18）。また，パロキセチンは弱いノルエピネフリントランスポーターnorepinephrine transporter（NET）への阻害作用を有し，それは特に高用量においてうつ病に対する有効性に寄与している可能性がある。セロトニンおよびノルエピネフリンの2つの再取り込み阻害作用を有すること，またはSNRIの作用の利点については，後述のSNRIの項で述べる。パロキセチンの軽度から中等度のNETへの阻害作用は，抗うつ薬の作用の重要な一因となっている可能性がある。

パロキセチンは一酸化窒素シンターゼも阻害する。この作用は理論上，特に男性における性機能障害の一因となりうる。パロキセチンは特に長期間にわたる高用量での治療後に急に中止した場合に，アカシジア，落ち着きのなさ，消化器症状，めまい，およびヒリヒリ感などの症状を伴って離脱反応を起こすこともよく知られている。すべてのSSRIは投薬中止による離脱症状を起こす可能性があるため，これはおそらく，SERTへの阻害作用が寄与していると考えられているが，パロキセチンの突然の中止による抗コリン性のリバウンド（反跳現象）が付加的に生じていることも寄与していると考えられている。パロキセチンの放出制御製剤を用いることで，投薬中止による離脱症状を含むいくつかの副作用を軽減できる可能性がある。

フルボキサミン：σ_1受容体結合特性をもつSSRI

このSSRIは世界中でいち早くうつ病の治療に対して使われた。しかし米国では，強迫症と不安症の治療に適した薬物と考えられていたため，うつ病に対しては正式に認可されなかった。セルトラリンのようにσ_1受容体と結合する。しかし，この作用はセルトラリンよりもフルボキサミンのほ

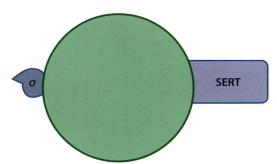

図7-19　フルボキサミン　フルボキサミンの二次的な特性としてσ_1受容体への作用をもち，このことは，精神病性うつ病に利益があるのみならず不安への臨床効果に関連している可能性がある。
SERT：セロトニントランスポーター

うがより強力である（図7-19）。σ_1受容体部位の生理機能はまだよくわかっていない。そのため，「シグマの謎」と呼ばれることもあるが，不安と精神病症状に関係しているとされている。前臨床研究では，フルボキサミンはσ_1受容体アゴニストとして働くことが示唆されている。その特性はフルボキサミンのもう1つの薬理作用としてよく知られている抗不安作用を説明するものと示唆されている。フルボキサミンはまた，精神病性や妄想性のうつ病にも治療作用を示すことから，セルトラリンのように，その他のSSRIよりも治療上の有益性があるかもしれない。

現在，フルボキサミンは，半減期が短いために1日2回投与を必要とする即時放出性製剤だけでなく，1日1回投与を可能とした放出制御製剤の使用が可能である。さらに，最近の放出制御性のフルボキサミンの臨床試験で，強迫症と社交不安症の両方で最大用量における鎮静の軽減のみならず高い寛解率も示された。

citalopram：「よい」エナンチオマーと「悪い」エナンチオマーをもつSSRI

このSSRIはR体とS体の2つのエナンチオマー（光学異性体）からなり，それらは互いに鏡像関係となっている（図7-20）。これらのエナンチオマーが混合したものはラセミ体のcitalopram，または単にcitalopramとして一般に知られており，

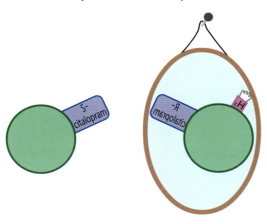

図7-20 citalopram citalopramはR体とS体の2つのエナンチオマー（光学異性体）からなる。いくつかの薬理学的なエビデンスでは，R体は薬理学的にセロトニントランスポーター（SERT）に作用があるが，ある意味でSERTを阻害しないで，実際はS体のSERTへの阻害する能力を妨害することが示唆されている。R体は弱い抗ヒスタミン作用ももっている。

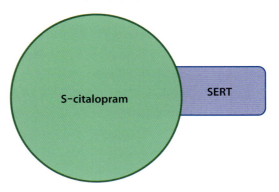

図7-21 エスシタロプラム citalopramのR体とS体は互いに鏡像関係となっているが，臨床的特性は若干異なっている。R体は弱い抗ヒスタミン作用特性を有する。R体とS体はセロトニントランスポーター（SERT）でも作用が異なる可能性がある。citalopramのS体は進化してエスシタロプラムとして販売されている。

R体は弱い抗ヒスタミン作用をもつ。ラセミ体のcitalopramは概ね忍容性の高いSSRIの1つであり，高齢者のうつ病の治療において好ましい結果を示す。しかし，低用量においてはいくぶん議論のあるところで，最適な治療作用を得るためにはしばしば増量する必要がある。しかしながら，高用量でQTc間隔を延長させる可能性があるので，増量には限界がある。これらの知見はすべてcitalopramがR体を含むのが好ましくないことを示している。事実，いくつかの薬理学的なエビデンスにより，R体は薬理学的にSERTを阻害するのではなく，実際はむしろS体のSERTへの阻害作用を妨害することが示唆されている。これは，特に低用量において，SERTへの阻害作用を減弱させ，シナプスにおけるセロトニンを減少させ，そして全体の治療作用を低下させる可能性がある。

エスシタロプラム：典型的なSSRI

ラセミ体のcitalopramの特性を改善させるための解決法は，好ましくないR体を取り除くことである。その結果，改良された薬物はエスシタロプラムとして知られており，それは純粋な活性型のS体からなる（図7-21）。この改良により，抗ヒスタミン作用が取り除かれ，QTc延長を避けるための高用量での使用制限をなくしたようである。さらに，潜在的に作用を阻害するR体が取り除かれたことで，エスシタロプラムの低用量での治療作用はより予測可能となった。そのため，エスシタロプラムは，その薬理作用の大部分を純粋なSERTへの阻害作用で説明できるSSRIである。エスシタロプラムはシトクロムP450 cytochrome P450（CYP450）酵素系を介した薬物相互作用が最も少なく，おそらく最も忍容性に優れたSSRIと考えられている。

セロトニン受容体部分アゴニスト/再取り込み阻害薬（SPARI）

vilazodoneはSERTへの阻害作用と5HT$_{1A}$部分アゴニスト作用を兼ねそなえている。このため，vilazodoneはセロトニン受容体部分アゴニスト/再取り込み阻害薬 serotonin partial agonist reuptake inhibitor（SPARI）と呼ばれる（図7-22）。セロトニン再取り込み阻害作用と5HT$_{1A}$部分アゴニスト作用を併せもつことは，特定の患者で抗うつ作用のある薬物の特性とSSRI/SNRIの忍容性を高められることが臨床医の間でかなり以前から知られている〔例えば，5HT$_{1A}$部分アゴニストであるbuspirone（不安に関する第8章）を加

える，または5HT$_{1A}$/ドーパミン2（D$_2$）部分アゴニストであるアリピプラゾール，ブレクスピプラゾール，またはcariprazine（第5章），あるいは5HT$_{1A}$部分アゴニスト作用にセロトニン/ドーパミンアンタゴニスト作用を併せもつクエチアピンを加える〕。vilazodoneでは，この機序の組み合わせがたった1つの薬物でなされているため，薬物相互作用やリストにある他の薬物では望ましくないとされているさまざまな目的外の受容体作用を回避することができる。

　動物実験において，SSRIに5HT$_{1A}$部分アゴニストを加えると，SSRI単独の場合よりも早期かつ確実に脳内のセロトニン量が増加した。これは，5HT$_{1A}$部分アゴニスト作用が一種の「人工的セロトニン」であり，特にシナプス前細胞体樹状突起にある5HT$_{1A}$自己受容体に対して選択的であること，5HT$_{1A}$部分アゴニスト作用は投与直後に生じることに起因していると考えられる（図7-23）。このように早期に出現する5HT$_{1A}$部分アゴニスト作用は理論上，同時に生じるSERTへの阻害作用と相加的または相乗的である（図7-23）。この作用により，SERTへの阻害作用単独（図7-12）よりも，細胞体樹状突起の5HT$_{1A}$自己受容体（図7-24）において，それらのダウンレギュレーションを含め（図7-25），より早くより確実な作用が生じる。このことから，SSRI単独の場合（図7-14）よりも早期かつ確実なシナプスにおける5HT量の増加が引き起こされると推察される（図7-26）。さらに，vilazodoneのSPARIとしての作用機序における5HT$_{1A}$部分アゴニスト作用は，シナプス後5HT$_{1A}$受容体において即座に生じる（図7-

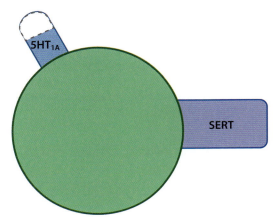

図7-22　**vilazodone**　vilazodoneはセロトニン1A（5HT$_{1A}$）受容体の部分アゴニストでもあり，セロトニン再取り込みも阻害する。このためセロトニン受容体部分アゴニスト/再取り込み阻害薬（SPARI）といわれている。
SERT：セロトニントランスポーター

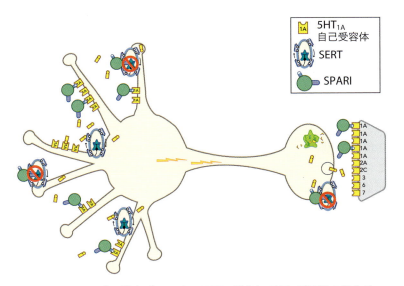

SPARIの作用機序（その1）：SERTの半分と5HT$_{1A}$受容体の半分が即座に占拠される

図7-23　**セロトニン受容体部分アゴニスト/再取り込み阻害薬（SPARI）の作用機序（その1）**　SPARIが投与されると，セロトニントランスポーター（SERT）の半分とセロトニン1A（5HT$_{1A}$）受容体の半分が即座に占拠される。

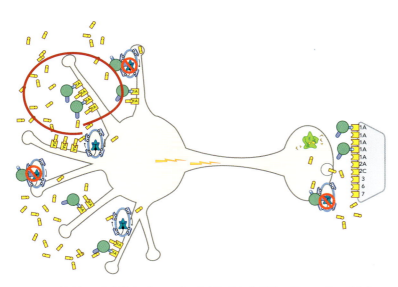

図7-24 セロトニン受容体部分アゴニスト/再取り込み阻害薬(SPARI)の作用機序(その2) セロトニントランスポーター(SERT)を阻害することにより，はじめにセロトニン神経細胞の樹状突起領域(左)においてセロトニン(5HT)が増加する。

SPARIの作用機序（その2）：左側に示した樹状突起の5HT$_{1A}$受容体でセロトニン（5HT）が増加する

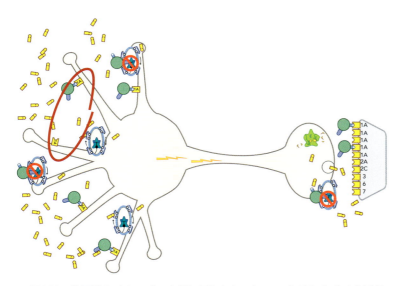

図7-25 セロトニン受容体部分アゴニスト/再取り込み阻害薬(SPARI)の作用機序(その3) セロトニン神経細胞の樹状突起領域でセロトニン(5HT)が増加した結果，樹状突起のセロトニン1A(5HT$_{1A}$)自己受容体の脱感作，またはダウンレギュレーションが引き起こされる(赤の囲み)。

SPARIの作用機序（その3）：左側に示したセロトニン（5HT）による作用は5HT$_{1A}$自己受容体の脱感作，またはダウンレギュレーションを引き起こす

26)。vilazodoneはこのような受容体におけるより早い作用に加えて，SERT阻害の単独作用(図7-14)で増加するセロトニンそのものの完全アゴニストとしての遅い作用による別のタイプの刺激を伴う。5HT$_{1A}$受容体の下流での作用(図7-27)であるドーパミンの放出を促進させることは，仮定上ではより抗うつ効果や予測効果を高める理由となるかもしれない(第5章および図5-22を参照)。SERTへの阻害に5HT$_{1A}$部分アゴニスト作用が加わったことにより，vilazodoneで治療されている患者にみられる性機能障害の軽減や体重増加が相対的に観察されないことについても説明できるかもしれない。

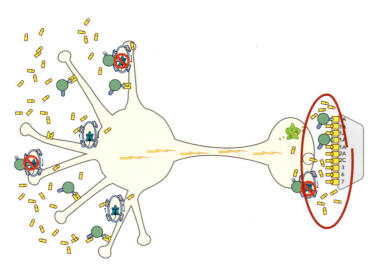

SPARI の作用機序（その4）：右側に示したシナプスにおいて神経発火およびセロトニン（5HT）放出が脱抑制される

図7-26 セロトニン受容体部分アゴニスト/再取り込み阻害薬（SPARI）の作用機序（その4） いったん樹状突起の受容体がダウンレギュレートされると，もはやセロトニン神経細胞の神経インパルスの流れが抑制されなくなり，増強される。その結果，軸索終末におけるセロトニン（5HT）放出が起こる（赤色の囲み）。

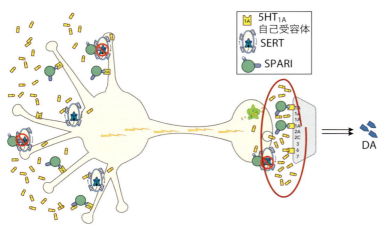

SPARI の作用機序（その5）：最後に，抗うつ作用が発現し，下流でのドーパミン（DA）放出が増強され，性機能障害を軽減させる可能性がある

図7-27 セロトニン受容体部分アゴニスト/再取り込み阻害薬（SPARI）の作用機序（その5） 最後に，いったんSPARIはセロトニントランスポーター（SERT）を阻害して，細胞体樹状突起のセロトニン（5HT）を増加させることで，細胞体樹状突起のセロトニン1A（5HT$_{1A}$）自己受容体を脱感作させ，神経インパルスの流れを増強させて，軸索終末からの5HTの放出を増加させる。その結果として，最終的に，シナプス後セロトニン受容体を脱感作させるのであろう（赤色の囲み）。この時間経過は抗うつ作用と一致する。さらに，付加的な5HT$_{1A}$部分アゴニスト作用は下流のドーパミン（DA）の放出を増加させるように働き，性機能障害を軽減させる可能性がある。

セロトニン・ノルエピネフリン再取り込み阻害薬（SNRI）

SNRIはSSRIの強固なセロトニントランスポーター（SERT）への阻害作用とさまざまな強度のノルエピネフリントランスポーター（NET）への阻害作用の両方をもつ（図7-28〜図7-32）。理論上，SERTへの阻害にNETへの阻害を加えることは，より多くの脳領域をつうじてこれらの薬物が作用するセロトニンおよびノルエピネフリン双方のモノアミン神経伝達系を広げることになり，1つの機序に他の機序による効能が加わるので，何らかの治療上の利点があるはずである（第6章および図6-38と図6-40を参照）。二重のモノアミンの機序のほうがより有効であるかもしれないという実例は，SNRIであるベンラファキシンを増量していくと，しばしば単極性うつ病に対する作用も増強されることにみてとれる。このことは，理論上，用量を増加させると，NETを阻害す

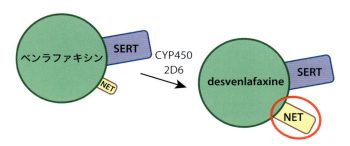

図7-28 ベンラファキシンとdesvenlafaxine ベンラファキシンは，セロトニントランスポーター（SERT）とノルエピネフリントランスポーター（NET）の両方を阻害する。つまり，ベンラファキシンは1つの薬物で2つの治療的作用機序を併せもつ。ベンラファキシンは少量でもセロトニン系への作用を示し，ノルエピネフリン系への作用に関しては用量が増加するに従い増強される。ベンラファキシンはシトクロムP450（CYP450）2D6により活性代謝物であるdesvenlafaxineに変換される。ベンラファキシンと同じくdesvenlafaxineはSERTとNETを阻害するが，ベンラファキシンと比較すると，SERTへの阻害作用よりもNETへの阻害作用が強い。通常，ベンラファキシン投与後，その血中濃度はdesvenlafaxineの半分ほどとなる。しかしながら，これはCYP450 2D6の遺伝的多様性や，患者がCYP450 2D6を阻害するまたは誘導する薬物を服用しているかどうかによって変動する。したがって，ベンラファキシンの投与によるNETへの阻害の程度は予測不可能である。近年，desvenlafaxineは独立した薬物として開発された。desvenlafaxineはベンラファキシンよりも強いNETへの阻害作用を有しており，さらにSERTにおいても強力に作用する。

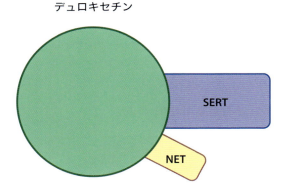

図7-29 デュロキセチン デュロキセチンは，セロトニントランスポーター（SERT）とノルエピネフリントランスポーター（NET）の両方を阻害する。そのノルエピネフリン系への作用は，疼痛を伴う身体症状に対する効果に寄与している可能性がある。

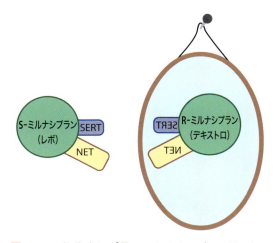

図7-30 ミルナシプラン ミルナシプランは，セロトニントランスポーター（SERT）とノルエピネフリントランスポーター（NET）の両方を阻害するが，SERTよりもNETを強力に阻害する。その強力なNETへの阻害作用は，疼痛を伴う身体症状に対する効果に寄与している可能性がある。ミルナシプランはS体（レボ）とR体（デキストロ）の2つのエナンチオマー（光学異性体）からなり，S体のほうが強い活性型のエナンチオマーである。

る作用が増強することから証明されている（すなわち，ノルエピネフリン系の増強）。SSRIと比べてSNRIのほうが寛解率は高いかどうか，またSSRIで反応を得られなかったうつ病患者に対して，他の治療を選択するよりもSNRIのほうがより有効であるかどうかということが臨床医と専門家の間で現在もなお議論されている。疼痛治療の分野ではSNRIの明らかな有効性が証明されているが，SSRIでは証明されていない。

NET阻害作用は前頭前皮質でドーパミンを増加させる

SNRIは一般に「二重の作用」をもつセロトニン・ノルエピネフリン製剤と呼ばれているが，前頭前皮質のドーパミン（DA）に対する第3の作用

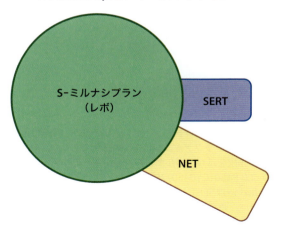

図7-31 **levomilnacipran** ミルナシプランのR体とS体は互いに鏡像関係にある。S体は活性型のエナンチオマーである。ミルナシプランのS体は，開発が進みlevomilnacipranとして販売されている。
NET：ノルエピネフリントランスポーター，SERT：セロトニントランスポーター

は他の脳部位ではみられない。したがって，SNRIは臨床での基準を超える用量を使用しない限りドーパミントランスポーター（DAT）を阻害しないため，「完全」な三重作用をもつ薬物ではない。しかし，SNRIは2つの作用のみではなく，「二重と半分の作用」をもつと考えられている。つまり，SNRIは脳全体のセロトニンとノルエピネフリンを増加させるのみならず（図7-32），特に前頭前皮質でドーパミンも増加させるのである（図7-33）。いくつかのうつ病の症状と関連する重要な脳領域においてドーパミンを増加させるこの第3の作用機序は，SNRIの薬理学とうつ病の治療上の有効性に対し，もう1つの理論上の利点を付加するであろう。

　NETへの阻害がどのようにして前頭前皮質でドーパミンを増加させるのであろうか？　その答えを図7-33に示す。前頭前皮質では，SERTとNETは，それぞれのセロトニン神経終末とノルエピネフリン神経終末に豊富に存在している。し

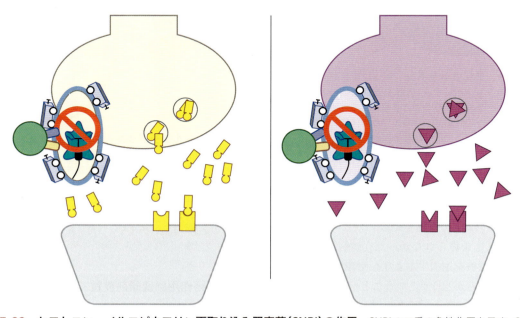

図7-32 **セロトニン・ノルエピネフリン再取り込み阻害薬（SNRI）の作用**　SNRIの二重の急性作用を示す。SNRI分子のセロトニン再取り込み阻害作用を示す部位（左）とSNRI分子のノルエピネフリン再取り込み阻害作用を示す部位（右）が，それぞれの再取り込みポンプ内に組み込まれている。その結果，それぞれの再取り込みポンプが阻害され，シナプスにおけるセロトニンとノルエピネフリンが増加する。

単極性うつ病に対する治療薬　**333**

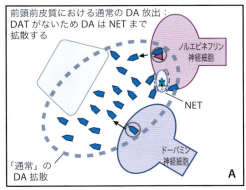

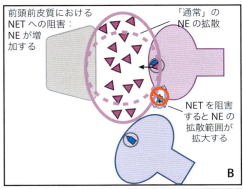

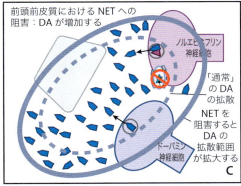

図7-33　前頭前皮質におけるノルエピネフリントランスポーター（NET）への阻害とドーパミン（DA）
（**A**）前頭前皮質には多数のセロトニントランスポーター（SERT）とノルエピネフリントランスポーター（NET）が存在するが，ドーパミントランスポーター（DAT）はほとんど存在しない。これはDAがそのシナプスから遠くへ拡散することができ，そのため広い範囲に作用を及ぼすことができるということを意味する。DAはNETにより取り込まれるため，DAの作用はノルエピネフリン神経細胞の軸索終末で終結する。（**B**）前頭前皮質におけるNETへの阻害はシナプスのノルエピネフリン（NE）を増加させ，その拡散範囲を拡大させる。（**C**）NETはNEと同様にDAも取り込むため，NETへの阻害はシナプスでのDAも増加させ，その拡散範囲も拡大させる。したがって，NETを阻害する薬物は脳全体におけるNEの増加と，前頭前皮質におけるNEとDAの両方の増加を引き起こす。

かし，この部位のドーパミン神経終末にはDATはほとんど存在していない（図7-33，第4章および図4-9Aを参照）。この前頭前皮質にDATが欠乏している結果，いったんドーパミンが放出されると，シナプスから自由に拡散していく（図7-33A）。こうしてドーパミンが拡散する範囲は広がる（図7-33A）。ノルエピネフリンシナプスにはNETが存在するが（図7-33B），ドーパミンシナプスにはDATが存在しないため（図7-33A），前頭前皮質においてドーパミンが拡散する範囲（図7-33A）は，ノルエピネフリンが拡散する範囲（図7-33B）より広い。このような配置は前頭前皮質の機能におけるドーパミンの調節機能の重要性を高めるであろう。なぜなら，この部位におけるドーパミンはそのシナプスだけでなく少し離れたドーパミン受容体にも作用するからである。おそらく，単一のシナプスにおいてではなく，その拡散範囲内全体の認知機能を調節するためにドーパミンの能力を高めているのであろう。

したがって，前頭前皮質ではドーパミンの作用がDATによって終結することはほとんどなく，2つの別の作用機序によって終結する。つまり，ドーパミンは，その分解酵素であるカテコール-O-メチルトランスフェラーゼcatechol-O-methyltransferase（COMT）（第4章および図4-3を参照）と出会うまで，またはドーパミンをノルエピネフリン神経細胞内に取り込むNETに到達するまで，ドーパミンシナプスより拡散しひろがっていく（図7-33A）。実際，NETはノルエピネフリンよりもドーパミンに対して強い親和性をもち，ノルエピネフリンだけではなくドーパミンもノルエピネフリン神経終末に取り込み，その作用を終結させる。

興味深いのは，前頭前皮質においてNETが阻害されたとき何が起こっているかということである。それは予想どおり，NETへの阻害によって，シナプスでのノルエピネフリンの増加と拡散範囲の拡大が生じる（図7-33B）。いささか驚くべきことかもしれないが，NET阻害は同様にドーパミンの増加と拡散範囲の拡大も生じさせる（図7-33C）。まとめると，NETへの阻害は前頭前皮質

においてノルエピネフリンとドーパミンの両者を増加させる。したがって、SNRIは「二重と半分の作用」をもつ。つまり、脳全体においてセロトニンとノルエピネフリンを増加させ、前頭前皮質においてドーパミンを増加させる（しかし、他の領域に投射されているドーパミンは増加させない）。

ベンラファキシン

ベンラファキシンは用量により、異なる程度のセロトニン再取り込み阻害作用（低用量であっても最も強くしっかりとした作用）とノルエピネフリン再取り込み阻害作用（高用量でのみ中等度の作用）をもつ（図7-28）。しかし、その他の受容体への重要な作用はもたないと考えられている。ベンラファキシンあるいはその他のSNRIは、寛解率、長期治療による寛解の維持、または治療抵抗性単極性うつ病に対する有効性という点で、SSRIよりも単極性うつ病に対する治療作用が強いかどうかについては議論がある。しかし、2つのモノアミンを増強し、2つの作用機序を有するのでより効果があるというのももっともらしい。ベンラファキシンはいくつかの不安症でも認可されており、幅広く使用されている。NETへの阻害作用が加わることから、一部の患者でみられる発汗と血圧上昇というベンラファキシンの2つの副作用はこれにより説明することができる。

ベンラファキシンは徐放性製剤が市販されている。これは、1日1回投与を可能にするだけでなく、特に悪心などの副作用を著しく減らす。いくつか市販されているその他の放出制御性製剤の向精神薬と比較して、徐放性製剤のベンラファキシンはその即放性製剤よりかなり改善されている。即放性製剤のベンラファキシンは、特に投与開始時や投与中止時に発現する、受け入れがたい悪心やその他の副作用のため、ほとんど使用されなくなっている。しかし、ベンラファキシンは徐放性製剤であっても、離脱反応を引き起こす可能性がある。離脱反応はときにとても厄介であり、特に高用量での長期間の治療中に突然投与を中止した後に起こりやすい。にもかかわらず、徐放性製剤は忍容性が高いため非常に好まれる。

desvenlafaxine

ベンラファキシンはCYP450 2D6によって化学反応を触媒される基質であり、この反応を介して、その活性代謝物であるdesvenlafaxineに変換される（図7-28）。ベンラファキシンと比較すると、desvenlafaxineはSERTへの阻害作用に対してNETへの阻害作用が強い。通常、ベンラファキシン投与後、その血中濃度はdesvenlafaxineの半分ほどとなる。しかし、患者がCYP450 2D6の阻害作用のある他の薬物を服用しているかどうかによって、血中濃度は非常に変化しやすい。このような薬物はベンラファキシン濃度を上昇させ、desvenlafaxine濃度を低下させる方向に働き、これにより相対的にNETへの阻害作用を低下させる。ベンラファキシンとdesvenlafaxineの血中濃度の変動は、CYP450 2D6の遺伝的多様性にも影響を受ける。すなわち、代謝する量がより少ない者は、変換前のベンラファキシンの濃度が高くなり、活性代謝物であるdesvenlafaxineの濃度は低くなるので、相対的なNETへの阻害作用が低下する。これらを考慮すると、ある患者に対してある時間にある量で投与されたベンラファキシンにどれくらいNETへの阻害作用があるのかを予測するのはいくぶん困難であるが、desvenlafaxineに関してはより予測しやすい。専門医はベンラファキシンの投与量を、長年の経験による調節によりこの問題の解決法を学んできたが、近年desvenlafaxineが独立した薬物として開発されたので、この問題は解決され、すべての患者に対して一定の投与量でより一貫したNETへの阻害作用が得られるようになった。

デュロキセチン

このSNRIは薬理学的にNETへの阻害作用よりもわずかに強力なSERTへの阻害作用により特徴づけられる薬物であり（図7-29）、うつ病と痛みに関するわれわれの考え方を転換させた。古くからの教えでは、うつ病は（「痛い」という言葉に表されるような）身体的な痛みではなく、（「私はあなたの痛みを感じる」という言葉に表されるように）精神的な痛みを引き起こす。この精神的な

痛みとは，うつ病における二次的な感情的苦痛である。それゆえに，うつ病を改善させれば精神的な痛みも非特異的によくなると考えられる。したがって，身体的な痛みはうつ病から二次的に悪くなることがあっても，うつ病によって引き起こされるとは考えられていなかったので，身体的な痛みに対してうつ病の薬物による治療は行われていなかった。

　デュロキセチンに関する研究はこれらすべての考えを変えた。SNRIが疼痛の伴わない単極性うつ病を改善させるだけでなく，うつ病のない疼痛も改善させる。このSNRIが改善させる疼痛の種類はすべてであり，糖尿病性末梢神経障害性疼痛から線維筋痛症，骨関節炎や腰部の問題に関連した慢性の骨格筋性疼痛やその他もっと多くの疼痛までも改善させる。このような多発性疼痛症候群に対するデュロキセチンの有効性についての知見は，肉体の（身体の）疼痛症状がうつ病に伴うもっともな症状（合理的な症状）の集合であり，単なる感情的苦痛の現れではないということを正当化している。疼痛症候群に対するデュロキセチンのようなSNRIの使用については，第9章で述べる。そして，デュロキセチンは単極性うつ病や慢性痛においてのみならず，慢性痛性の身体症状を伴う単極性うつ病に対する有効性も確立された。単極性うつ病の場合と同様に，しばしばこれらの疼痛を伴う身体症状は患者や医師により無視されたり見逃されたりする。最近まで，これらの症状とうつ病との関連はあまり重視されていなかった。なぜなら，疼痛を伴う身体症状はうつ病の正式な診断基準に含まれていないからである（第6章および図6-1を参照）。それにもかかわらず，疼痛を伴う身体症状はしばしば抑うつエピソードと関連し，また，抗うつ作用のある薬物の初回治療後の残遺症状の主体となることが広く認められている（図7-5）。糖尿病性神経障害性疼痛やうつ病に関連した慢性痛を伴う身体症状の治療において，デュロキセチンとその他のSNRIが有する二重の作用機序はSSRIの選択的セロトニン再取り込み阻害作用よりも優れていると考えられる。NETへの阻害作用はうつ病を伴わない疼痛症候群の治療のみならず，うつ病を伴う疼痛症候群の治療に対しても重要な役割を果たす。また，デュロキセチンは老年期うつ病によくみられる認知障害の治療に対しても優れた効果を認める。これはおそらく，前頭前皮質におけるNETへの阻害作用により，ノルエピネフリン作動性促進作用およびドーパミン作動性促進作用が引き起こしていると考えられている（図7-33）。

　デュロキセチンはおそらく1日1回投与が可能である。しかしこの投与法は，増量していく際には特に，1日2回投与から開始して患者の忍容性が認められた後にのみ行われるのが望ましい。デュロキセチンはベンラファキシンに比べ，血圧上昇をきたすことが少なく離脱反応も軽度である。

ミルナシプラン

　ミルナシプランは，日本とフランスなどの多くの欧州国で単極性うつ病に対する薬物として市場に登場した最初のSNRIである。ミルナシプランは米国では単極性うつ病に対しては承認されていないが，線維筋痛症に対しては承認されている。興味深いことに，欧州では逆であり，ミルナシプランは単極性うつ病に対しては承認されているが，線維筋痛症に対する治療としては承認されていない。他のSNRIがNETへの阻害作用よりもSERTへの阻害作用のほうが強いのに対して（図7-28，図7-29），ミルナシプランはSERTへの阻害作用よりもNETへの阻害作用のほうが強い（図7-30）という点において他のSNRIとは若干異なる。このユニークな薬理学的特性によって，他のSNRIといくぶん異なったミルナシプランの臨床特性を説明できるかもしれない。ノルエピネフリンの作用はセロトニンの作用に比べ，疼痛関連症状の治療に対して同等かもしくはそれ以上に重要である可能性があるので，ミルナシプランの強いNETへの阻害は，すでに承認されている線維筋痛症においてだけでなく，特に単極性うつ病に関連する疼痛を伴う身体症状や慢性神経障害性疼痛など，慢性痛に関連した状態に対して特に有用である可能性を示している。

ミルナシプランの強力なNETへの阻害作用は認知症状，例えばうつ病に伴う認知症状のみならず，「フィブロ・フォッグfibro-fog」と呼ばれる線維筋痛症にしばしば伴う認知症状の治療においても，もしかすると好ましい薬理学的特性を示唆する。ミルナシプランの強力なNETへの阻害作用におそらく関連するであろう他の臨床特性は，他のSNRIよりも気力が増し，元気になることである。SSRI治療後によくみられる残遺症状は，認知症状だけでなく，他の症状のなかでは，疲労感，意欲の低下，および興味の喪失などの症状があげられる（図7-5）。このNETへの阻害作用は，ミルナシプランがその他のSNRIよりも発汗や排尿困難を引き起こしやすいという所見と関連しているかもしれない。排尿困難は通常，理論的には膀胱におけるα_1受容体への強いノルエピネフリン作動性促進作用によるとされることから，α_1アンタゴニスト作用がこれらの症状を軽減する。ミルナシプランは半減期が比較的短いため，一般的に1日2回投与が必要である。

levomilnacipran

ミルナシプランは実質的には2つのエナンチオマー（光学異性体）からなるラセミ体混合物である（図7-30）。Sまたはレボ型のエナンチオマーが活性型エナンチオマーであり（図7-31），米国では単極性のうつ病に対して独自に開発されたものがあり，広く使用されている。ラセミ体であるミルナシプランのように，levomilnacipranはSERTへの阻害よりも強いNETへの阻害作用をもっており，疲労感および意欲の低下がおそらく臨床上の利点としてターゲットになるかもしれない。また，levomilnacipranは放出制御性製剤で，ラセミ体のミルナシプランとは異なり，1日1回での投与が可能である。

ノルエピネフリン・ドーパミン再取り込み阻害薬（NDRI）：bupropion

長年にわたりbupropionの作用機序は不明で，いまだ専門家の間でやや議論のあるところである。bupropionのおもな作用機序の仮説として，

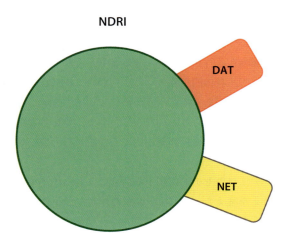

図7-34　ノルエピネフリン・ドーパミン再取り込み阻害薬（NDRI）　NDRIの原型となる薬物はbupropionである。bupropionは，ドーパミン再取り込み（DAT）への阻害作用とノルエピネフリン再取り込み（NET）への阻害作用は弱いという特性がある。これは，活性代謝物がもつ強いトランスポーターへの阻害作用により一部説明できるかもしれない。
DAT：ドーパミントランスポーター，NET：ノルエピネフリントランスポーター

弱いドーパミンの再取り込みを阻害する特性〔すなわち，ドーパミントランスポーター（DAT）への阻害作用〕とノルエピネフリンの再取り込みを阻害する作用〔すなわち，ノルエピネフリントランスポーター（NET）への阻害作用〕を有する（図7-34，図7-35）。この薬物に関するその他の特異的または強力な薬理学的作用として一貫して特定されているものはない。しかしながら，bupropionの単極性うつ病薬としての作用およびノルエピネフリンとドーパミンという神経伝達物質への作用はともに，説明できうるようなこれらの弱い特性（DATとNETへの阻害作用）よりもっと強力なようにみえる。そして，bupropionは漠然とある種のアドレナリン作動性の調節薬として働いているという考えが導かれる。

bupropionは多くの活性代謝物に代謝される。これらの一部の代謝物はbupropionよりも強いNETへの阻害作用と同程度のDATへの阻害作用を有しているだけではなく，脳内にも集積される。そのため，ある意味では，bupropionは活性型薬物であると同時に活性代謝物の前駆体でもあ

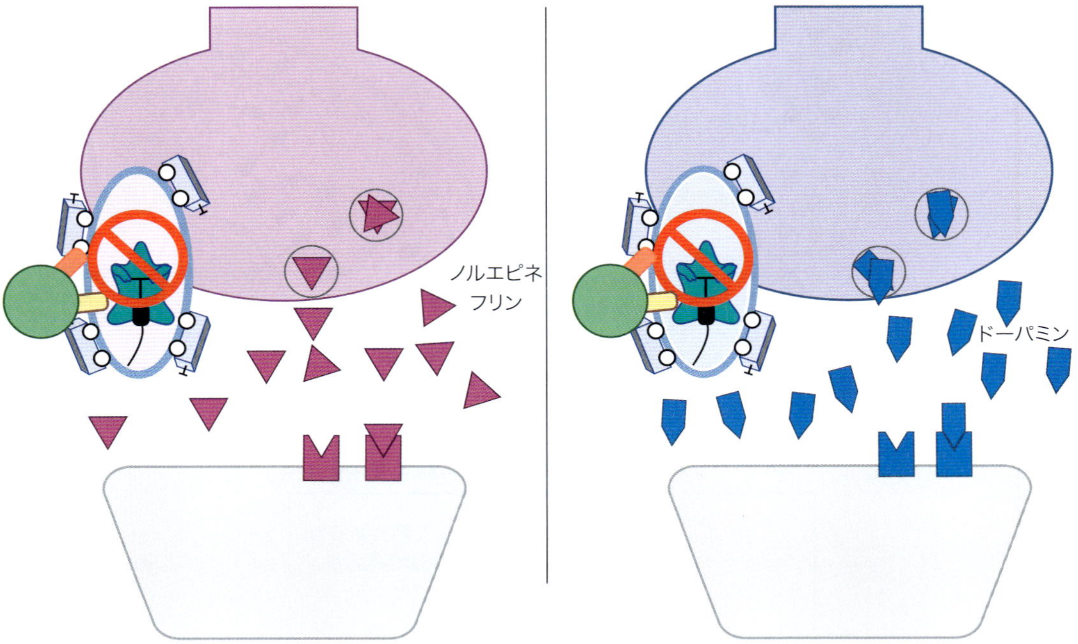

単極性うつ病に対する治療薬　**337**

ノルエピネフリン・ドーパミン再取り込み阻害薬（NDRI）の作用

ノルエピネフリン

ドーパミン

図7-35　ノルエピネフリン・ドーパミン再取り込み阻害薬（NDRI）の作用　NDRI分子のノルエピネフリン再取り込み（NET）への阻害作用を示す部位（左）とNDRI分子とドーパミン再取り込み（DAT）への阻害作用を示す部位（右）が，それぞれの再取り込みポンプに組み込まれている。その結果，それぞれの再取り込みポンプが阻害されて抗うつ作用がもたらされる。シナプスにおけるノルエピネフリンとドーパミンが増加する。

る（すなわち，複数の活性代謝物のプロドラッグといえる）。これらのうち最も作用が強いものは，bupropionの代謝産物で6-hydroxybupropionの（＋）エナンチオマー（光学異性体）であり，radafaxineとして知られている。

NET（図7-36A，図7-36B）とDAT（図7-36C）に対するbupropionの正味の効果は，治療用量でのうつ病患者に対する臨床効果を説明することができるのであろうか？　もし，抗うつ作用を発揮するためには薬物がDATとNETを90％占拠することが必要であると考えるのであれば，答えは「ノー」であろう。ヒトの陽子線放射断層撮影（PET）の結果は，bupropionの治療用量における線条体のDATへの占拠率は10～15％という低さであり，おそらく20～30％以上の占拠率ではないことを示している。NETの占拠率も同様の範囲であると考えられている。これらのことはbupropionの抗うつ作用を説明するのに十分であ

ろうか？

これに対してSSRIでは，有効な抗うつ作用を得るためにはSERTのかなりの割合，おそらく80％もしくは90％のSERTへの阻害を起こす用量が必要であることは多くの学術研究から明らかである。しかし，NETまたはDATへの阻害に関しては，特にNETやDATへの阻害と相乗効果を生じるような薬理学的作用機序を併せもつ薬物の場合には不明である。すなわち，ほとんどのSNRIはSERTの占拠率が80～90％となる用量で投与された場合，NETの占拠率はそれよりもきわめて低い。しかし，これらの薬物の付加的な治療作用もノルエピネフリンを介する副作用も，おそらくわずか50％程度のNETへの占拠率で生じるというエビデンスがある。

さらに，「過剰なDATへの阻害」という問題が起こることがあるように思われる。すなわち，50％もしくはそれ以上のDATが急速かつ一時的

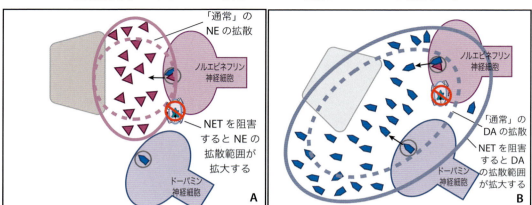

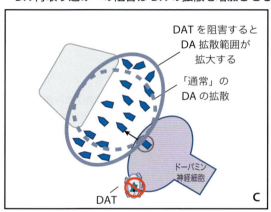

図7-36 前頭前皮質と線条体におけるノルエピネフリン・ドーパミン再取り込み阻害薬(NDRI)の作用
NDRIは，ノルエピネフリントランスポーター(NET)とドーパミントランスポーター(DAT)の両方を阻害する。(A)前頭前皮質におけるNETへの阻害はシナプスでのノルエピネフリン(NE)を増加させ，そしてその拡散範囲を拡大させる。(B)前頭前皮質にはDATが欠如しているため，そしてNETはNEのみならずドーパミン(DA)も取り込むので，NETへの阻害は前頭前皮質のシナプスにおけるDAも増加させ，さらにDAの拡散範囲も拡大させる。このようにして，前頭前皮質ではDATがないにもかかわらず，NDRIが前頭前皮質におけるDAをそれでもなおその場所で増加させる。(C)線条体にはDATが存在しており，DATへの阻害は線条体でのDAの拡散範囲を拡大させる。

に占拠されたとき，多幸感や強化などの望ましくない臨床作用を引き起こす可能性がある〔注意欠如・多動症(ADHD)の治療に関する第11章の「謎のDAT」についての記述を参照〕。実際，急速で短期間の高度なDATへの阻害はコカインのような乱用可能性のある精神刺激薬の薬理学的特徴を示すことがある(薬物乱用と報酬に関する第13章で述べる)。特に放出制御性製剤のように，徐々にそして持続的に50％もしくはそれ以上のDATが阻害された場合，DATへの阻害薬は乱用されにくくなり，ADHDに対して有効性を発揮するようになる(第11章を参照)。ここで考慮すべき問題は，遅効性で持続的な低用量のDATへの阻害は，DATへの作用機序が単極性うつ病の薬物として有用となるような望ましい解決方法となるかどうかである。乱用のおそれがあるためDATへの阻害は多すぎず速すぎず，またある程度阻害しないと効果が認められないため少なすぎずのちょう

どよい速度，ちょうどよい持続時間，そしてちょうどよい程度のDATへの阻害が単極性うつ病の薬物として有用となる。

　bupropionが特に乱用されるかどうかはわかっていないという事実から，乱用物質として規定される予定はない。しかし，bupropionはニコチン嗜癖の治療に有効であることが証明されており，これはおそらく，乱用を引き起こすのに十分ではないがニコチンに対する渇望を軽減するには十分なDATへの阻害が線条体と側坐核において生じている可能性が考えられている（図7-36C）。禁煙に対するbupropionの使用については，薬物乱用と報酬に関する第13章でより詳細に述べる。おそらく，このように低いレベルでのDATへの阻害でも，bupropionが，同じように低いNETへの阻害作用と組み合わさり（図7-36A，B），単極性うつ病に対して効果を示すものと考えられている（図7-36C）。

　bupropionは当初，単極性うつ病に対する1日3回投与の即放性製剤として米国においてのみ市販されていた。1日2回投与が可能である製剤（bupropion SR）と最近では1日1回投与が可能な製剤（bupropion XL）の開発により，bupropionが最高血中濃度に到達したときに発現しやすい痙攣の頻度を低下させるだけでなく，服薬の利便性とコンプライアンスが向上した。したがって，1日1回投与が好まれるため，bupropionの即放性製剤はまったく服用されなくなった。

　bupropionは通常，賦活作用，もしくは中枢刺激作用さえも有する。bupropionはSERTへの阻害作用をもつ単極性うつ病の薬物でしばしば生じるやっかいな性機能障害を起こさないようである。これはおそらくbupropionの作用機序にセロトニンがあまり関与していないことによるものであろう。したがって，bupropionはSSRIによるセロトニン作動性の副作用に耐えられない患者だけでなく，SSRIによるセロトニンの増強作用に反応しない単極性うつ病患者に対して有用な抗うつ作用のある薬物であることが証明されている。その薬理学的特性と一致して，幸せ，喜び，興味，楽しみ，意欲，熱意，覚醒，自信の喪失といった症状の改善を含めて，bupropionは特に「ドーパミン欠乏症候群」と「陽性感情の減少」にかかわる症状が標的となるであろう（図6-41を参照）。意欲的な臨床医の多くは，SSRIまたはSNRI治療後にみられる残遺症状としての陽性感情の減少を認める患者や，あるいはSSRIまたはSNRIの副作用によりこれらの症状を呈した患者に対して，bupropionに切り替えるか，もしくはSSRIまたはSNRIの増強療法としてbupropionを追加することがしばしば有益であることを理解している。SSRIもしくはSNRIとbupropionの併用は，陽性感情の減少から陰性感情の増加まで全体的な症状を改善させる治療戦略として理論的根拠がある（図6-41）。μオピオイドアンタゴニストであるnaltrexoneとbupropionの組み合わせは，肥満と第13章で言及した衝動性-強迫性障害の治療として承認されている。N-メチル-D-アスパラギン酸（NMDA）アンタゴニストであるデキストロメトルファンとbupropionの組み合わせは，うつ病（後述）およびAlzheimer病における興奮の双方ともに臨床試験の最終段階にある（認知症に関する第12章で述べる）。

agomelatine

　agomelatine（図7-37）は米国以外の多くの国で単極性うつ病に対して承認されており，メラトニン1（MT_1）とメラトニン2（MT_2）受容体のアゴニスト作用と$5HT_{2C}$受容体のアンタゴニスト作用を有する（図7-37）。fluoxetineに関するセクションで述べたように，$5HT_{2C}$アンタゴニスト作用は単極性うつ病の治療に使われているいくつかの薬物（agomelatine, fluoxetine，トラゾドン，ミルタザピン，いくつかの三環系抗うつ薬）および双極性うつ病に対する治療薬（オランザピンとクエチアピン）の特性である。$5HT_{2C}$受容体はドーパミンとノルエピネフリンの放出を制御する中脳の縫線核と前頭前皮質に存在し，うつ症状を改善させると考えられている（図7-38参照）。$5HT_{2C}$受容体はまた，メラトニン受容体と相互に作用する脳の「ペースメーカー」である視床下部の視交叉上核 suprachiasmatic nucleus（SCN）にも存在す

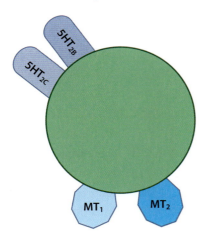

図7-37 **agomelatine** 内在性のメラトニンは松果体から分泌され，サーカディアンリズムを調整するためにおもに視交叉上核で作用する。メラトニン受容体には3つのサブタイプがあり，1と2（MT_1およびMT_2）は睡眠に関係し，3（MT_3）はNRH：キニン オキシドレダクターゼ2そのものであり睡眠の生理学には関係ないと考えられている。agomelatineはMT_1受容体およびMT_2受容体のアゴニストであるだけでなく，セロトニン2C（$5HT_{2C}$）受容体およびセロトニン2B（$5HT_{2B}$）受容体のアンタゴニストでもあり，米国以外の国ではうつ病の治療薬として販売されている。

る（図7-39）。昼間は光が網膜によって感知され，この情報は網膜視床下部路をつうじてSCNに送られる（図7-39および第6章と図6-36A，図6-36Bを参照）。網膜視床下部路では通常，SCNの下流にあたる多くのサーカディアンリズムを同期させる。例えば，SCNにおいてメラトニン受容体と$5HT_{2C}$受容体はともに，夜間あるいは暗闇では多くの受容体が発現し，日中あるいは光のもとでは発現が減少するというように，サーカディアンリズムに沿って変動する。メラトニンは唯一，夜間あるいは暗闇で分泌されるという点でも意味がある（第6章，図6-35，図6-36Bを参照）。しかし，単極性うつ病の患者の一部は，そのほかの多くの変化のなかにおいても，夜間にメラトニン分泌量が減少するなど，サーカディアンリズムが「非同期」である。理論的にはagomelatineはSCNのメラトニン受容体を刺激すると同時に同部位の$5HT_{2C}$受容体を阻害することにより，サーカディ

アンリズムを再同期させ，うつ病での位相の後退を逆転させて，抗うつ作用を発揮しているように思われる（図7-39）。

ミルタザピン

ミルタザピン（図7-40）は世界的に流通しており，単極性うつ病に対する他のどの薬物とも異なる。それは，モノアミントランスポーターを阻害しないからである。代わりに，ミルタザピンは5つの主要な作用機序〔$5HT_{2A}$，$5HT_{2C}$，$5HT_3$，$α_2$アドレナリンアンタゴニスト作用，およびヒスタミン1（H_1）アンタゴニスト作用〕をそなえた多機能な薬物である。他の2つの$α_2$アンタゴニストはいくつかの国（ただし米国以外）ではうつ病の治療薬として流通している。つまりミアンセリン（米国を除く世界中）と，セチプチリン（日本）のことである。ミルタザピンと違い，ミアンセリンは強い$α_1$アンタゴニスト特性ももっており，セロトニン系の神経伝達を促進する作用が弱くなる傾向にあり，結果この薬は優位にノルアドレナリン系の神経伝達を促進し，かつ$5HT_{2A}$，$5HT_{2C}$，$5HT_3$，およびH_1アンタゴニスト特性ももっている。

H_1受容体を遮断することによる臨床的結果は第5章で述べ，図5-13Aに示したように，H_1アンタゴニスト作用は鎮静および体重増加に関連する。$5HT_{2A}$アンタゴニスト特性についても第5章で述べ，図5-16および図5-17で示したように前頭前皮質でのドーパミンの放出を増加させ，潜在的に抗うつ作用と関連することを示した。$5HT_{2A}$アンタゴニスト作用は睡眠，特に徐波睡眠を増やし，多くのうつ病患者で役立っている。$5HT_{2C}$アンタゴニスト作用は前のセクションで説明し図7-38に示したばかりであるが，前頭前皮質のノルエピネフリンおよびドーパミンの放出を増強し，理論上はうつ病を改善させるであろうことを示している。ここで，ミルタザピンのほかの作用を説明しよう。特筆すべきは，$α_2$アンタゴニスト作用および$5HT_3$アンタゴニスト作用である。単極性うつ病のいくつかの他の薬物も強力な$α_2$アンタゴニスト作用を有している（図5-35）。ブレクスピプラゾール（図5-57）とクエチアピン（図

単極性うつ病に対する治療薬

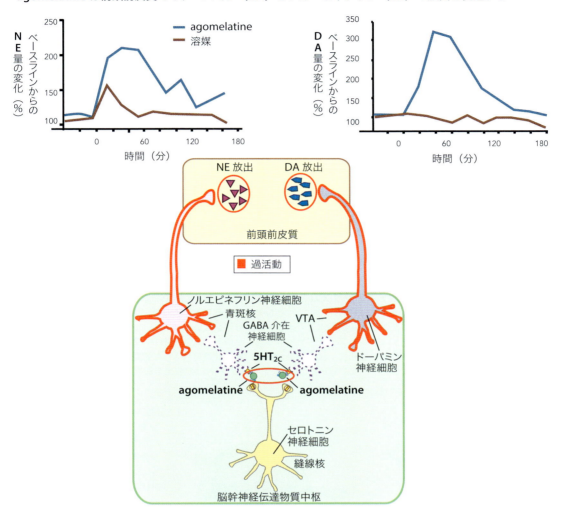

図7-38　agomelatineは前頭前皮質でのドーパミン(DA)とノルエピネフリン(NE)の放出を促進する　通常，脳幹でのGABA介在神経細胞のセロトニン2C(5HT$_{2C}$)受容体へのセロトニン(5HT)の結合は，前頭前皮質でのDAとNEの放出を抑制する。agomelatineのような5HT$_{2C}$アンタゴニストがGABA介在神経細胞の5HT$_{2C}$受容体に結合すると(下図の赤色の囲み)，5HTの結合を阻害し，前頭前皮質でのDAとNEの放出抑制を阻害する。つまり，放出を脱抑制するのである(上図の赤色の囲み)。
GABA：γ-アミノ酪酸，VTA：腹側被蓋野

5-45)である。双極性うつ病のいくつかの他の薬物も強力なα$_2$アンタゴニスト作用を有している。クエチアピン(図5-45)とルラシドン(図5-53)である。もう1つの強力な5HT$_3$アンタゴニスト特性をもつ単極性うつ病の治療薬はボルチオキセチンであり，以降で述べる。

α$_2$アンタゴニスト作用

α$_2$アンタゴニストの作用はモノアミンの放出を促進し，単極性うつ病における抗うつ作用を発揮させるもう1つの方法である。ノルエピネフリンは，ノルエピネフリン神経細胞のシナプス前α$_2$自己受容体に相互作用することによって，ノルエピネフリンの放出を抑制することを思い出してもらいたい(第6章で述べ，図6-14～図6-16に示し

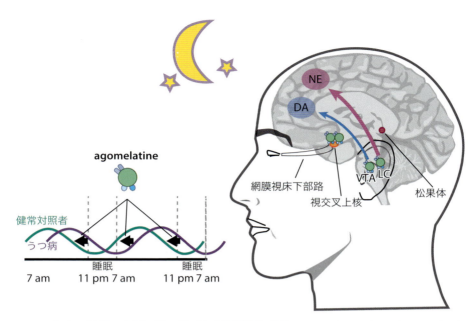

図7-39 agomelatineはサーカディアンリズムを再同期しうる agomelatineはメラトニン1と2（MT₁とMT₂）受容体にアゴニストとして作用するが、「代替メラトニン」として作用することによりサーカディアンリズムの再同期にも寄与していると考えられる。したがって、松果体でのメラトニン分泌がない場合でも、agomelatineが視交叉上核でMT₁とMT₂受容体に結合しサーカディアンリズムをリセットする。セロトニン2C（5HT₂C）受容体は視交叉上核にも存在し、agomelatineによって遮断される。さらに、agomelatineは、腹側被蓋野（VTA）と青斑核（LC）の5HT₂C受容体を遮断することにより、前頭前皮質でのドーパミン（DA）とノルエピネフリン（NE）の放出を促進する。

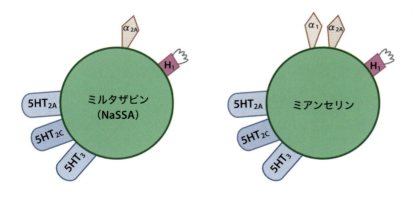

図7-40 ミルタザピンとミアンセリン ミルタザピンの主要な治療作用は、α₂アンタゴニスト作用である。また、3つのセロトニン（5HT）受容体（5HT₂A, 5HT₂C, 5HT₃）も遮断する。さらには、ヒスタミン1（H₁）受容体も遮断する。ミアンセリンはミルタザピンと似たような結合特性を有しており、唯一の違いはα₁受容体への効果が付加されていることである。

NaSSA：ノルエピネフリン作動性・特異的セロトニン作動性抗うつ作用 noradrenergic and specific serotonergic antidepressant

た。さらに図7-41AとBの右側も参照）。それゆえ、α₂アンタゴニストが投与されると、ノルエピネフリンはその放出を抑制できなくなり、ノルエピネフリン神経細胞は図7-41Cの右側に示しているとおり、縫線核や皮質で起こっているように軸索終末からの放出が脱抑制される。

セロトニン5HT₁B自己受容体でのセロトニン放出を止める一般的な原理（図4-41および図7-41AとBの左側と比較せよ）についてはすでに述べたが、再度ここに示す。しかし、セロトニン神経細胞にはα₂「ヘテロ」受容体もある（図7-41A, B, Cの左側）。神経伝達物質放出がそれら「自身」の自己受容体によってのみならず、ヘテロ受容体における「もう1つ」の神経伝達物質に対するシナ

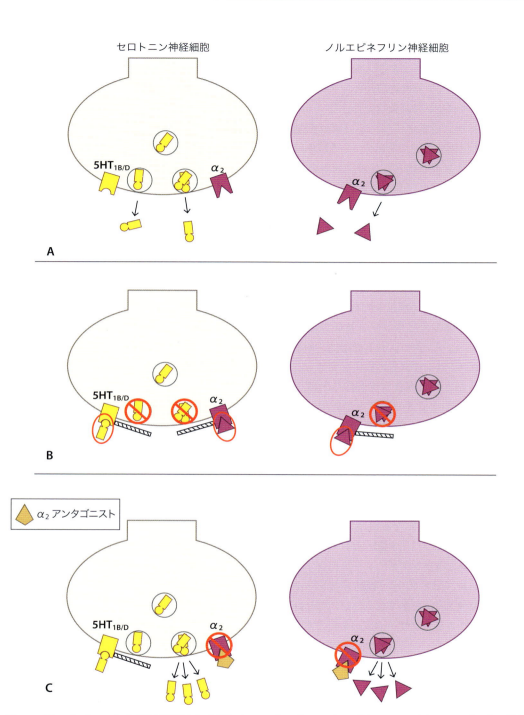

図7-41　α_2アンタゴニスト作用は縫線核と皮質においてセロトニン(5HT)とノルエピネフリン(NE)を増加させる　(**A**)左側はセロトニン 1B/D($5HT_{1B/D}$)自己受容体とα_2アドレナリン作動性ヘテロ受容体をそなえたセロトニン作動性神経を示している。右側はシナプス前α_2自己受容体をそなえたノルエピネフリン作動性神経を示している。(**B**)セロトニン作動性神経の$5HT_{1B/D}$自己受容体とα_2アドレナリン作動性ヘテロ受容体の双方はそれぞれの神経伝達物質が結合するとき，5HT放出を停止させる「ブレーキ」として機能する(左)。同じく，ノルエピネフリン神経のα_2自己受容体にNEが結合すると，それ以上のNE放出を停止させる(右)。(**C**)α_2アンタゴニストはα_2シナプス前ヘテロ受容体に結合すると，「5HTのブレーキケーブルを切断する」ため5HT放出が促進される(左)。α_2アンタゴニストはシナプス前α_2自己受容体に結合して「NEのブレーキケーブルを切断する」ため，NE放出は促進される(右)。

プス前受容体によっても制御される場合は多くある（図7-41A，図4-45およびノルエピネフリン神経細胞，ドーパミン神経細胞，ヒスタミン神経細胞，アセチルコリン神経細胞におけるシナプス前の5HT$_{1B}$ヘテロ受容体についての解説を参照）。同様の現象は図7-41Bでも示す。その現象において，セロトニンがセロトニン神経細胞の左側の5HT$_{1B}$シナプス前自己受容体においてセロトニン放出を抑制するだけでなく，セロトニン神経細胞の右側のα_2シナプス前自己受容体をつうじて，ノルエピネフリン神経終末から移動したノルエピネフリンがセロトニン放出を停止させる。ノルエピネフリンはまたシナプス前α_2受容体をつうじてノルエピネフリンの放出を抑制している（図7-41Bの右側のノルエピネフリン神経のところ）。これにより，α_2アンタゴニスト作用はノルエピネフリンとセロトニンの双方の放出を促進する二重の作用をもちうるような状況が作り上げられる（図7-41C）。α_2アンタゴニストの作用はノルエピネフリンの放出を脱抑制するだけでなく（図7-41Cの右側）セロトニンの放出も脱抑制する（図7-41Cの左側）。このように，α_2アンタゴニストの作用は二重の5HT-NE作用を引き起こす。これはまるでSNRIと同じような最終結果のようではあるが，まったく異なる機序によるものである。α_2アンタゴニスト作用は，セロトニンやノルエピネフリンのトランスポーターを阻害するのではなく，ノルエピネフリン抑制の「ブレーキケーブルを切断する」のである（図7-41Bでセロトニンおよびノルエピネフリンの放出を阻害するためにブレーキを踏んでいるノルエピネフリンが，図7-41Cでは遮断されているところを示す）。

これら2つの作用機序，すなわちモノアミントランスポーター阻害作用とα_2アンタゴニスト作用は相乗的である。同時にそれらを阻害することで1つの作用機序だけが阻害された場合よりも，これら2つの神経伝達物質へより強力な脱抑制性のシグナルを伝える。このため，α_2アンタゴニストであるミルタザピンはSNRI単独に反応しない患者を治療する際に，しばしばSNRIと併用される。うつ病の深みから患者を吹き飛ばすくらい強力な抗うつ作用があるため，このミルタザピンとSNRIとの併用はときに「カリフォルニアロケット燃料」と呼ばれる。

5HT$_3$アンタゴニスト作用

臨床家に最もよく知られている5HT$_3$受容体はおそらく脳幹の化学受容器引金帯に存在し，そこではとりわけ癌の化学療法への反応における悪心や嘔吐を調整している。そしてまた，5HT$_3$は消化管そのものにも存在し，そこでは悪心，嘔吐，および下痢など，SSRI/SNRIによる末梢性のセロトニン増加の副作用である場合も含んだ，セロトニンによって刺激された際の腸管の運動性を調節する。これらの5HT$_3$受容体を遮断することにより，セロトニンを増加させる薬物にしばしば随伴することがあるセロトニン起因性の消化器系副作用だけでなく化学療法に起因した悪心や嘔吐からも守ることができる。

単極性うつ病の治療におけるミルタザピンおよびボルチオキセチンのような主要な5HT$_3$アンタゴニストの作用機序にさらに重要となるのは，うつ症状を調節する脳のいくつかの回路において下流でのさまざまな神経伝達物質の放出を制御する5HT$_3$受容体である。脳における5HT$_3$受容体は通常，γ-アミノ酪酸（GABA）介在神経細胞に局在しており，常に興奮性である。このことは，セロトニンが5HT$_3$受容体を刺激することにより，GABAはそこから下流のどんな神経細胞も抑制するということを意味している。これについてはグルタミン酸神経細胞における5HT$_3$-GABAの相互作用に関して示した（図4-49）。そして，アセチルコリン神経細胞とノルエピネフリン神経細胞における5HT$_3$-GABAの相互作用に関しても示した（図4-48）。5HT$_3$アンタゴニスト作用は強力なグルタミン酸放出の脱抑制作用があり（図7-42），アセチルコリンおよびノルエピネフリンの放出の脱抑制作用もある（図7-43）。理論上は下流において神経伝達物質を放出し，抗うつ作用を発揮する作用である。

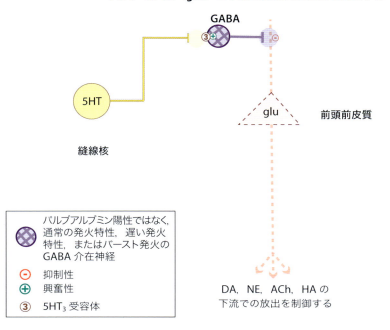

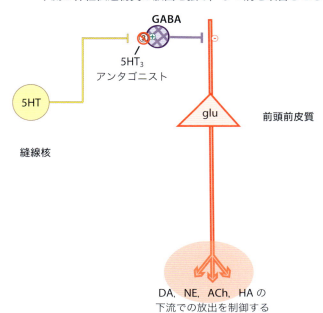

図7-42　5HT₃受容体はグルタミン酸と下流の神経伝達物質を制御する　GABA介在神経細胞にあるセロトニン3(5HT₃)受容体に結合したセロトニン(5HT)は刺激性であり，GABAの放出を促進する。つぎに，GABAはグルタミン酸錐体神経細胞を抑制し，グルタミン酸の出力を減少させる。興奮性のグルタミン酸放出が減少すると，下流での神経伝達物質の放出が結果的に減少する可能性がある。というのも，錐体神経細胞は多くの他の神経伝達物質の神経細胞とシナプスを形成しているからである。5HT₃受容体のアンタゴニスト作用はGABAによる抑制を除き，錐体神経細胞を脱抑制させる。グルタミン酸の神経伝達の増加はつぎに下流での神経伝達物質を増加させる可能性がある。
ACh：アセチルコリン，DA：ドーパミン，GABA：γ-アミノ酪酸，HA：ヒスタミン，NE：ノルエピネフリン

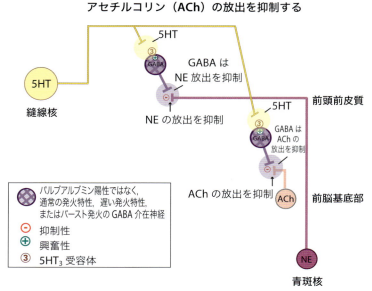

図7-43 **5HT₃受容体はノルエピネフリン(NE)とアセチルコリン(ACh)の放出を制御する** セロトニン(5HT)が放出されるとGABA作動性神経細胞のセロトニン3(5HT₃)受容体に結合し，ノルアドレナリン作動性神経細胞およびコリン作動性神経細胞に向けてGABAが放出される。こうしてNEおよびAChの放出がそれぞれ抑制される。5HT₃受容体でのアンタゴニスト作用によりGABAによる抑制を取り除き，ノルアドレナリン作動性神経細胞およびコリン作動性神経細胞を脱抑制すると，NEとAChが放出されるようになる。

セロトニン受容体アンタゴニスト/再取り込み阻害薬(SARI)

セロトニン再取り込み阻害のみならず，5HT₂ₐと5HT₂C受容体も遮断する薬物の基本はトラゾドンであり，これはセロトニン受容体アンタゴニスト/再取り込み阻害薬 serotonin antagonist/

図7-44　セロトニン受容体アンタゴニスト/再取り込み阻害薬（SARI）　セロトニン2A（5HT$_{2A}$）アンタゴニスト/再取り込み阻害薬であるトラゾドンとnefazodoneの2剤を示す。これらの薬物は2種類の作用をもつが，その機序はセロトニン・ノルエピネフリン再取り込み阻害薬（SNRI）の二重の作用とは異なる。SARIは，強力な5HT$_{2A}$受容体の遮断作用と用量依存的なセロトニン2C（5HT$_{2C}$）受容体の遮断作用およびセロトニントランスポーター（SERT）の阻害作用をもつ。さらに，SARIはα$_1$アドレナリン作動性受容体を遮断する。トラゾドンはヒスタミン1（H$_1$）受容体のアンタゴニスト作用をもち，そしてさらに複数のセロトニン受容体の遮断作用をもつというユニークな特性を有する。
NET：ノルエピネフリントランスポーター

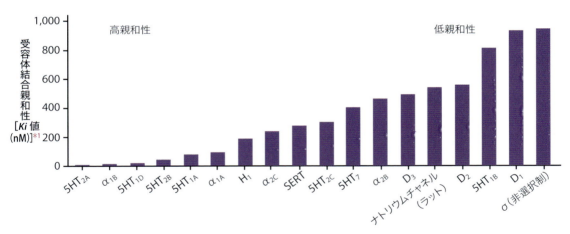

図7-45　異なる受容体へのトラゾドンの親和性　トラゾドンは多くの受容体サブタイプに結合親和性を有しているが，その強さはさまざまである。つまり，低用量ではトラゾドンは高親和性の受容体をつうじて優位に作用し，他の特性は高用量になってはじめて関連性をもつことになる。
SERT：セロトニントランスポーター
＊1訳注：Ki値（nM）は結合阻害定数。

reuptake inhibitor（SARI）に分類される（図7-44）。nefazodoneは強力な5HT$_{2A}$アンタゴニスト作用と弱い5HT$_{2C}$アンタゴニスト作用およびSERTへの阻害作用をもつもう1つのSARIである。しかし，まれではあるが肝毒性があるために，もはや一般的には使用されなくなっている（図7-44）。トラゾドンはその用量と剤形によって2つの異なる薬物のように作用するというとても興味深い薬物である。きわめて類似する例はクエチアピンであり，これについては第5章で述べた（図5-46）。

　トラゾドンの結合特性を示す完全な図が最近の

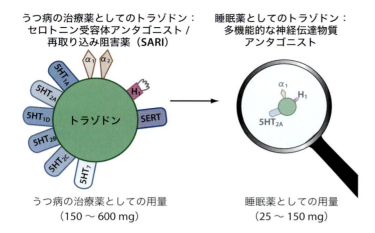

図7-46 異なる用量でのトラゾドン (左)トラゾドンがうつ病の治療薬としての作用を示すには，セロトニントランスポーター(SERT)を飽和するのに必要な高用量(150〜600 mg)が要求される。この高用量でのトラゾドンはセロトニン2A($5HT_{2A}$)受容体に対してもセロトニン2C($5HT_{2C}$)受容体に対してもアンタゴニスト作用をもっており，そしてさらに複数のセロトニン受容体の遮断作用を有する。トラゾドンはまた，高用量で$α_1$アンタゴニスト作用とヒスタミン1(H_1)アンタゴニスト作用をもつ。(右)一方，トラゾドンは低用量(25〜150 mg)ではSERTを飽和しない。しかし，$5HT_{2A}$，$α_1$，およびH_1受容体のアンタゴニスト作用は保持されており，それらに対応する効果により催眠作用に寄与している。

研究から明らかになり(図7-44，図7-45)，$5HT_{2A}$受容体と$5HT_{2C}$受容体だけでなく，$5HT_{1D}$，$5HT_{2B}$，および$5HT_7$受容体におけるセロトニンアンタゴニストであるとされている。さらに，トラゾドンは$α_{1B}$，$α_{1A}$，$α_{2C}$，$α_{2B}$，およびH_1受容体の強力なアンタゴニスト特性および$5HT_{1A}$受容体のアゴニスト作用を有している(図7-45)。これらのさまざまな薬理学的作用により，変動する効能が生み出される。つまり，トラゾドンは低用量においては高親和性の受容体をつうじて優先的に作用するであろうし，高用量では低親和性の受容体への作用が新たに加わるであろうことを示している。

異なる用量や異なる服用回数によって異なる薬物になるのか？

トラゾドンは低用量では睡眠薬としての効果と有用性が有名である(図7-46)。抗うつ作用を発揮するよりも低い用量のトラゾドンは，しばしば不眠に対して使用されている。睡眠薬での用量はトラゾドンが高親和性のある受容体を動員し，なかでも睡眠作用と関連すると仮定されている受容体(すなわち，$5HT_{2A}$，$α_1$サブタイプ，およびH_1)を遮断する。$5HT_{2A}$受容体を遮断すると徐波睡眠が増え，$α_1$サブタイプおよびH_1受容体を遮断するとモノアミンの覚醒機序に干渉する(第5章で述べ，図5-13，図5-14に示した)。睡眠薬を投与する最良の方法は，即効性があり，すぐにピークを迎え，朝までに身体から排出される標準的な経口製剤である。不眠はSSRI/SNRIによる治療で最も改善しにくいうつ病の残遺症状の1つであることから(本章の冒頭で述べ，図7-5に示した)，睡眠薬の付加は抑うつエピソードの患者でしばしば必要となる。睡眠薬の付加は不眠そのものを強力に改善させるだけでなく，気力の低下や抑うつ気分のような他の抑うつ症状の改善にも寄与し，寛解率を上昇させると考えられている(図7-5)。このように，低用量トラゾドンがうつ病患者の睡眠を改善させる作用により，SSRI/SNRIでの治療後に持続する残遺的な不眠に対する治療増強の選択肢として少量でよく使用されるようになった。

うつ病に使用されていた元来のトラゾドン経口製剤は持続時間が短く，睡眠薬の服用より多くの服用回数が必要であった(図7-47)。また日中の服用後のピークでの鎮静に関連していたので単極性うつ病の治療薬としては理想的なプロファイルではなかった。高用量トラゾドンの抗うつ作用は議論の余地がないだけでなく，性機能不全あるいは体重増加を引き起こさないとはいえ，日中の鎮静のせいで標準的な経口製剤で抗うつ作用のある薬物としての用量のトラゾドンを使用することは

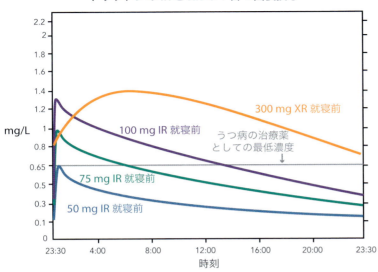

図7-47　トラゾドンの即放性製剤(IR)と徐放性製剤(XR)の1日1回夜投与　トラゾドンIRを1日1回夜に睡眠薬としての用量(50, 75, または100 mg)を投与し, 得られたトラゾドンの血中濃度の定常状態の推定値を示す。薬物濃度は即座にピークに到達し, また一晩で同様にすばやく低下する。睡眠薬としての用量では, トラゾドンが抗うつ作用を現す最低濃度にもし到達するとしても一過性である。対照的に, 300 mgのトラゾドンXRを1日1回夜投与すると, 血中濃度はゆっくりと立ちあがりうつ病の治療薬としての最低濃度未満に下がることはない。300 mgのトラゾドンXRのピーク濃度は100 mgのトラゾドンIRのピーク濃度とほとんど同じである。

臨床場面では困難となる。しかし, 高用量のトラゾドンの1日1回投与の放出制御性製剤はうつ病での使用には有用であり, ピークの血漿中薬物濃度を鈍らせて日中の鎮静を軽減する。こういった高用量では, セロトニン再取り込み阻害(図7-10～図7-15), $5HT_{1D}$, $5HT_{2C}$, $5HT_7$, およびα_2受容体におけるアンタゴニスト作用や$5HT_{1A}$アゴニスト作用も含んださらなる既知の抗うつ効果のある受容体の作用が動員される。要するに, 高用量ではモノアミン神経伝達物質の放出を引き起こし, 抗うつ作用を発揮する強力な機序が数多く存在するということである。さらには, 初回投与時の催眠作用によりトラゾドンは迅速に抗うつ作用を発揮し, SSRI/SNRIと比較して一部の副作用に対する忍容性を高めることができる。つまり, SSRI/SNRIはすべてのセロトニン受容体に作用するセロトニン値を上昇させ, $5HT_{1A}$受容体を刺激して治療効果を発揮すると同時に, 理論的には性機能障害, 不眠, および賦活/不安を含むSSRIの副作用を引き起こす$5HT_{2A}$受容体および$5HT_{2C}$受容体も刺激する(図7-48A)。しかし, トラゾドンは$5HT_{2A}$および$5HT_{2C}$受容体におけるセロトニンの作用を遮断する。これらは性機能障害が起こらないことや不安および不眠を軽減する特性を説明するものである。

ボルチオキセチン

ボルチオキセチンは単極性うつ病の治療に承認されており, セロトニントランスポーター(SERT)への阻害に加えて$5HT_3$と$5HT_7$受容体のアンタゴニスト作用および$5HT_{1A}$受容体のアゴニスト作用と$5HT_{1B/D}$受容体の弱い部分アゴニスト作用からアンタゴニスト作用を有している(図7-49)。このユニークな薬理学的作用の組み合わせは, 後述するように多くの異なる神経伝達物質を下流で放出させ, 仮説上ではこれらの作用が単極性うつ病において特に処理速度の改善のような強い認知機能の向上に特徴づけられる抗うつ作用を発揮する。単極性うつ病でのこの認知症状の重要性は, 神経栄養因子, シナプス, および神経細胞の喪失がもたらしうる臨床結果として第6章で述べた(図6-27～図6-31)。

認知機能の処理速度とは何か, そしてボルチオキセチンが他の抗うつ作用のある薬物より認知処理速度を改善させる機序とは何か?　「認知機能」は単一の単純な脳機能ではなく, 「認知機能障害」とは単一で単純な症状ではない。精神疾患の症状プロファイルの一部として測定され, 薬物療法に

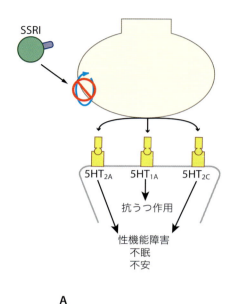
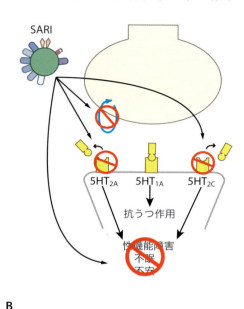

図7-48 選択的セロトニン再取り込み阻害薬(SSRI)とセロトニン受容体アンタゴニスト/再取り込み阻害薬(SARI)との比較 (**A**)シナプス前神経細胞におけるSSRIによるセロトニントランスポーター(SERT)への阻害は,すべての受容体に対してセロトニンを増加させ,セロトニン1A($5HT_{1A}$)受容体を介した抗うつ作用のみならず,セロトニン2A($5HT_{2A}$)およびセロトニン2C($5HT_{2C}$)受容体を介した性機能障害,不眠,および不安なども伴う。(**B**)シナプス前神経細胞におけるSARIによるSERTの阻害は,$5HT_{1A}$受容体においてセロトニンを増加させ,抗うつ作用を発揮する。しかしながら,SARIは$5HT_{2A}$と$5HT_{2C}$受容体でセロトニンの作用を阻害するので,性機能障害,不眠,または不安を引き起こすことはない。実際,$5HT_{2A}$および$5HT_{2C}$受容体におけるこれらのセロトニン作用の遮断は不眠や不安を改善させるし,理論的にはそれ自身の抗うつ作用を増強させるかもしれない。

よる改善の目標となりうる認知機能の障害は精神薬理学に最も関連のある症状である。IQで測られる知的障害は薬物療法によって改善を受ける余地がなく,統合失調症を除いて,精神薬理学で治療される精神疾患と一般的に関連しない。一方,「集中困難」や「注意困難」は,気分障害(第6章),不安症(第8章),統合失調症および精神病性障害(第4章),注意欠如・多動症〔ADHD(第11章)〕,睡眠障害(第10章)およびその他も含めた多くの精神疾患でみられており,範囲によっては治療可能である。このような認知症状は多くの精神障害に共通する精神病理領域のよい例であり,さまざまなこれらの疾患において同じ回路と神経細胞回路網が障害されていることを示唆している。同じ治療が,これらすべてのさまざまな疾患における認知機能を改善させるかもしれないことも示唆された。「記憶障害」は認知症の特徴であり,第12章で述べる。気分障害における「記憶障害」は第6章で述べたが,記憶の神経細胞回路網,つまり海馬におけるおもな接続部位のシナプスと神経細胞が欠落すると,記憶障害は慢性のうつ病およびPTSDの構成要素となるかもしれない。仮に気分障害では神経栄養因子の初期の欠如により潜在的に可逆的なシナプスの欠落が引き起こされるのであれば,うつ病の認知症状が出現したらすぐに治療をすることが重要である。なぜなら,うつ病に対する効果的な治療は,神経が失われて変化が不可逆となってしまう前に成長因子の放出やシナプス形

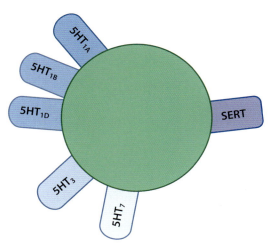

図7-49　ボルチオキセチン　ボルチオキセチンはセロトニン再取り込み阻害作用といくつかののセロトニン受容体（5HT$_{1A}$，5HT$_{1B}$，5HT$_{1D}$，5HT$_3$，および5HT$_7$）への作用をもっている。
SERT：セロトニントランスポーター

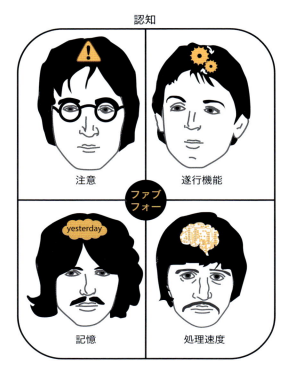

図7-50　認知機能の「ファブフォー」　認知機能とは単一の単純な脳機能ではない。むしろ4つのおもな認知機能領域があり，ここではビートルズの4人のメンバーで示す。注意または集中（ジョン），遂行機能または問題解決（ポール），記憶（ジョージ）および処理速度（リンゴ）とする。コンサートで最高の認知機能の演奏ができるためには4つの領域がすべて機能しなければなない。もしこれらの領域の1つでも機能不全に陥れば，認知機能障害が引き起こされる。

成を回復させることができるからである（図6-27～図6-31）。このように認知症状を認識し標的とすることは新しい治療が登場するにつれてより重要となってきている。

　しかし，われわれはどのようにして精神薬理学における認知症状を認識しモニタリングできるのであろうか？　認知機能障害を分類し，精神薬理学に応用できる個々の認知機能領域の改善の役割を理解するための，多少滑稽ではあるが単純な方法を，図7-50に認知機能の「ファブフォーFab Four（素晴らしい4人）」として示す。ファブフォーのオリジナルであるビートルズを覚えているであろうか？　それぞれのミュージシャンが認知のファブフォーの1つを表現しうる。議論するまでもなくリーダーであるジョンはすべての注目を欲したので，彼は「注意」を表現しているが，集中と呼ぶ人もいる。ポールはおそらくグループの運営・活動の頭脳であり，多くの歌の作詞家でもあり，「問題解決」とも呼ばれる「遂行機能」である。グループ内でも内に秘めた想いを背負ったジョージは記憶を表現しており，記憶には短期，長期，言語的，それ以外にも多くの種類がある。

そして最後にドラマーのリンゴは処理速度またはペースを表現している。もしこれら4人のうち誰かが他の3人と同期しないとなると，彼らの音楽は大惨事となるであろうことは想像できる。精神疾患では4つのすべてが潜在的に障害されている可能性がある。うつ病に対して，これらすべての認知機能の次元を少しずつ測定するテストで，しかし間違いなく最も優れた測定法はDSST（digital symbol substitution test）であることが知られている。処理速度が遅くなると，ちょうどバンドのオフビートドラマーのように，全体的な認知機能はうつ病患者にとっては災難のように感じられるかもしれない。そして精神的努力は今や疲弊し，仕事の生産性は大幅に低下し，これらすべてが多

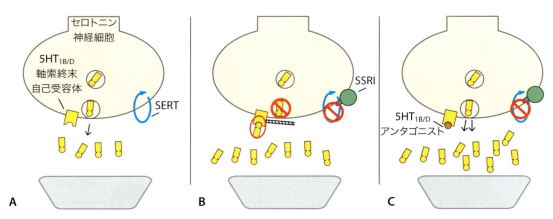

図7-51 セロトニントランスポーター（SERT）阻害およびセロトニン1B/D（5HT$_{1B/D}$）シナプス前アンタゴニスト作用　（A）5HT$_{1B/D}$自己受容体とSERTはいずれもセロトニン神経細胞の軸索終末に存在する。（B）SERTが阻害されると，シナプスで利用できるセロトニン（5HT）が増える。しかしながら，5HT$_{1B/D}$受容体に結合した5HTはさらなる5HTの放出を妨げる。（C）SERTと5HT$_{1B/D}$受容体の両方が阻害されると，SERTへの阻害によりシナプスで増加した5HTが，5HT$_{1B/D}$アンタゴニスト作用により進行中の5HTの放出と合わさり，さらにシナプスで利用できる5HTが増加する。
SSRI：選択的セロトニン再取り込み阻害薬

大なフラストレーションに感じられるであろう。このシンプルで迅速なDSSTは主観的な認知機能の低下の訴えのある患者の認知機能を客観的に測定し，治療に関する改善を追跡するのに有用となりうる。ボルチオキセチンは，処理速度を測定する能力が優れているDSSTにより証明されるように，単極性うつ病において他のうつ病の治療薬よりも認知機能をよりよく改善させる。では，ボルチオキセチンはうつ病の治療薬としてどのように作用するのか，そして特にどのようにその優れた認知機能の改善効果を発揮するのであろうか？

SERTへの阻害と5HT$_{1A}$アゴニスト作用

最初に，ボルチオキセチンはSERTへの阻害作用と5HT$_{1A}$アゴニスト作用を有する。作用の組み合わせについては，SSRI（図7-10～図7-15）に関して，およびSERTへの阻害と5HT$_{1A}$アゴニスト作用との組み合わせ（第5章および図7-23～図7-27を参照）に関してすでに述べた。これらの機序だけで抗うつ作用に対しては十分である。というのも，それらはセロトニン濃度（SERTへの阻害）と認知機能を改善させる神経伝達物質であるドーパミン，アセチルコリン，およびノルエピネフリン濃度を上昇させるからである（5HT$_{1A}$アゴニスト作用）（第4章の解説および図4-44参照）。

SERTへの阻害および5HT$_{1B/D}$シナプス前アンタゴニスト作用

理論上SERTへの阻害だけよりもセロトニンレベルを上昇させるもう1つの受容体作用は，5HT$_{1B/D}$シナプス前自己受容体の遮断である（図7-51）。つまり，SERTが阻害されると，増やされたセロトニンがシナプス前5HT$_{1B/D}$自己受容体を刺激し，さらなるセロトニンの放出を停止させるため，シナプスのセロトニン蓄積量は鈍化する（図7-51AとBを比較せよ）。しかしながら，5HT$_{1B/D}$シナプス前自己受容体が同時に遮断されると，セロトニン放出へのネガティブフィードバックを起こすことができないので，セロトニンの放出はさらに上昇する（図7-51C）。

5HT$_{1B}$部分アゴニスト作用/ヘテロ受容体におけるアンタゴニスト作用

ボルチオキセチンの抗うつ作用および認知機能改善作用のもう1つの推測される機序は，前頭前皮質のアセチルコリン，ドーパミン，ヒスタミン，およびノルエピネフリン神経のシナプス前神経終末にある5HT$_{1B}$受容体の部分アゴニスト作用/ア

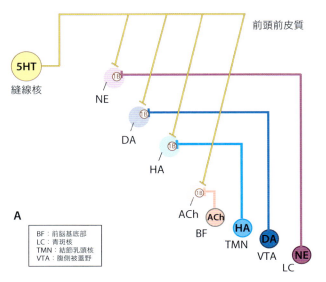

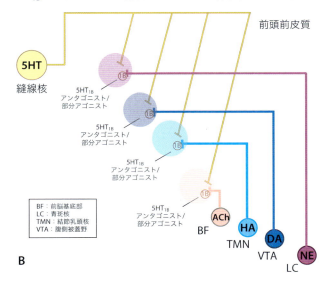

図7-52 セロトニン1B（5HT$_{1B}$）ヘテロ受容体が神経伝達物質の放出を制御する　（A）ノルエピネフリン神経細胞，ドーパミン神経細胞，アセチルコリン神経細胞，およびヒスタミン神経細胞のシナプス前神経終末にある5HT$_{1B}$受容体は，理論的にはこれらの神経伝達物質の放出を制御する。これらの受容体に作用するセロトニン（5HT）は抑制性に働く。（B）アセチルコリン（ACh），ヒスタミン（HA），ドーパミン（DA），およびノルエピネフリン（NE）の各神経細胞における5HT$_{1B}$ヘテロ受容体へのアンタゴニストあるいは部分アゴニスト作用は5HTが抑制性の効果を発揮することを阻害する。つまり，これらの神経伝達物質の放出を増加させる可能性がある。

ンタゴニスト作用である。これらの受容体は第4章で前述し，図4-45に示したとおり，いかにしてこれらの受容体に作用しているセロトニンがアセチルコリン，ヒスタミン，ドーパミン，およびノルエピネフリンの放出を阻害するかを示している。図7-52Aに再度示してあるとおり，これらの受容体が5HT$_{1B}$部分アゴニスト/アンタゴニストに遮断されることにより，抗うつ作用があり認知機能も改善させる神経伝達物質であるドーパミン，ノルエピネフリン，ヒスタミン，およびアセチルコリンの放出が促進される（図7-52B）。

SERTへの阻害および5HT$_3$アンタゴニスト作用

　5HT$_3$アンタゴニストが，認知機能を改善さ

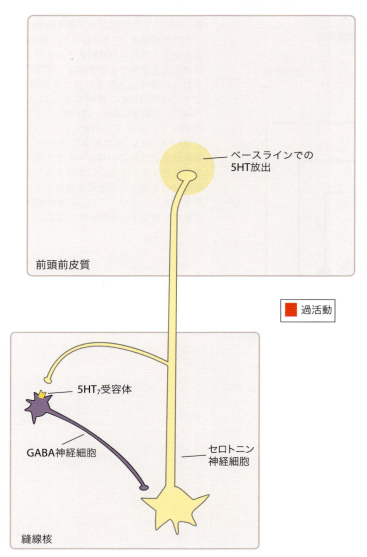

図7-53A　セロトニン7(5HT$_7$)受容体はセロトニン(5HT)の放出を制御する（その1）　5HT$_7$受容体は縫線核にあるGABA介在神経細胞に存在する。ベースラインではこれらの受容体が結合されなければ，前頭前皮質へセロトニンが放出される。
GABA：γ-アミノ酪酸

る神経伝達物質であるアセチルコリン，ドーパミン，およびノルエピネフリンの放出を促進する別の機序は，先の5HT$_3$アンタゴニスト作用の解説で示され（図7-43），ボルチオキセチンのいくつかの薬理作用のうちで最も強力なものの1つである。

SERTへの阻害および5HT$_7$アンタゴニスト作用

セロトニンは5HT$_7$受容体への作用により自身の放出を抑制する（図7-53AとBを比較せよ）。したがって，5HT$_7$受容体におけるアンタゴニスト作用は，特にSERTへの阻害の存在下で，セロトニンの放出を促進する（図7-53C）。脳幹の縫線核のGABA神経細胞上の5HT$_7$受容体を阻害すると，特にSERTへの阻害がある場合，GABAによる下流のセロトニン放出の抑制ができなくなり，代わりに下流のセロトニンの放出の増加が起こる（図7-53C）。

5HT$_7$受容体は下流の前頭前皮質におけるグルタミン酸の放出も制御している（図7-54A）。GABA介在神経細胞上のこれらの5HT$_7$受容体を阻害することでグルタミン酸および下流のモノア

単極性うつ病に対する治療薬

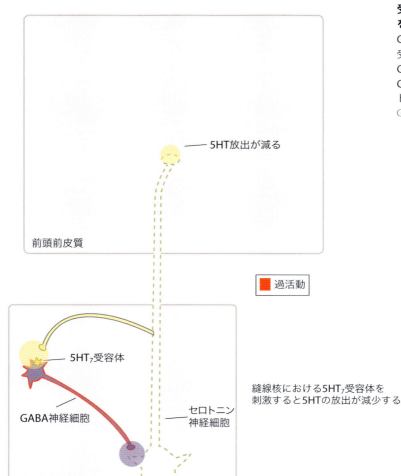

図7-53B　セロトニン7（5HT$_7$）受容体はセロトニン（5HT）放出を制御する（その2）　縫線核のGABA介在神経細胞における5HT$_7$受容体にセロトニンが結合するとGABA放出を刺激する。つぎにGABAは前頭前皮質におけるセロトニン放出を抑制する。
GABA：γ-アミノ酪酸

ミン神経伝達物質の放出を促進し（図7-54AとBを比較せよ），それにより抗うつ作用と認知機能の改善の作用を併せもつのであろう。実際，動物実験では選択的5HT$_7$アンタゴニスト作用は認知機能の改善と抗うつ作用を発揮する。また，ボルチオキセチンのみならず，トラゾドン（図7-44，図7-45），クエチアピン，ブレクスピプラゾール，アリピプラゾール，およびルラシドン（第5章および図5-39を参照）などを含め，5HT$_7$アンタゴニスト作用を有する多数の薬物はうつ病に有効で，認知機能を改善させる可能性を有している。

つまり，ボルチオキセチンの薬理作用の機序は多様である。というのも，セロトニンの放出を引き起こさせ，さらにセロトニン放出を増強する作用だけでなく（すなわちSERTへの阻害，シナプス前5HT$_{1B/D}$，および5HT$_7$受容体の遮断を介してである），4つのさらなる抗うつ作用と認知機能を改善させる神経伝達物質，すなわちドーパミン，ノルエピネフリン，アセチルコリン，およびヒスタミン（つまり5HT$_{1A}$アゴニスト作用，5HT$_{1B}$ヘテロ受容体部分アゴニスト作用/アンタゴニスト作用，および5HT$_3$アンタゴニスト作用を介してである）を放出させる。この特有の機序の組み合わせが，単極性うつ病における認知機能を改善させるというボルチオキセチンのユニークな作用を説明するかもしれない。

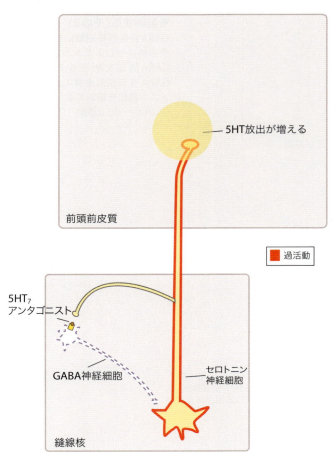

5HT₇受容体へのアンタゴニスト作用はセロトニン（5HT）を放出する

図7-53C　セロトニン7（5HT₇）受容体はセロトニン（5HT）放出を制御する（その3）　縫線核におけるGABA介在神経細胞にある5HT₇受容体へのアンタゴニスト作用はGABAの放出を止める。これによりGABAによる下流における5HTの放出の抑制を阻害し，したがって前頭前皮質でのセロトニンの増加につながる。
GABA：γ-アミノ酪酸

神経活性ステロイド

　もう1つの即効性のある気分障害の治療薬は，神経活性ステロイドであるbrexanoloneであり，シクロデキストリンを基礎とした天然型神経活性ステロイドのアロプレグナノロンallopregnanoloneの静脈内投与製剤である（図7-55）。産後うつ病に対して60時間の静脈内投与を施行したところ，brexanoloneは即効性があり，持続性のある抗うつ効果を有している。第6章で簡単に述べたように，妊婦は循環血中の，そしておそらく脳内の天然型アロプレグナノロン濃度が高い。出産後，循環血中の，そしておそらく脳内の天然型アロプレグナノロンが急激に減少し仮説上脆弱性のある女性にうつ病の急性発症を引き起こす。brexanoloneを60時間以上にわたって持続的な静脈内投与を行い神経活性ステロイドの濃度を回復させると，急速にうつ病が回復する。そして産後の患者が静脈内投与後に再燃なく，より低い濃度の神経活性ステロイドに順応するのには60時間の投与期間が必要なようである。

　神経活性ステロイドは神経活性ステロイド部位と呼ばれる特異的なアロステリック部位でGABA_A受容体に結合し，GABA_A受容体にてGABAの抑制作用を増強する（図7-56，第6章の解説および図6-20，図6-21を参照）。神経活性ステロイドはベンゾジアゼピンのようにベンゾジアゼピン感受性GABA_A受容体を標的とし（図7-56A），またベンゾジアゼピンと異なり，ベンゾジアゼピン非感受性GABA_A受容体も標的とする（図7-56B）。ある種の一般的な麻酔薬（例えば，

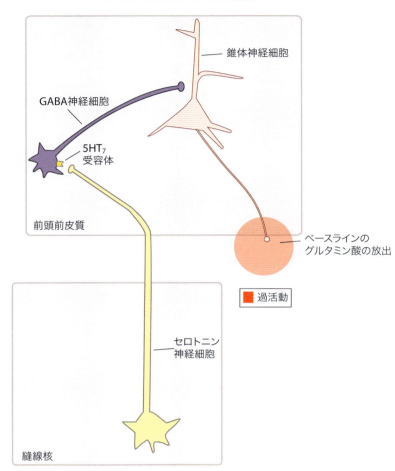

図7-54A　セロトニン7（5HT$_7$）受容体はグルタミン酸の放出を制御する（その1）　5HT$_7$受容体は前頭前皮質のGABA介在神経細胞に存在しており，GABA介在神経細胞はグルタミン酸神経細胞とシナプスを形成している。ベースラインではこれらの受容体が占拠されないと，グルタミン酸が放出される。

GABA：γ-アミノ酪酸

プロポフォール，etomidate, alphaxolone, alfadalone）もまた神経活性ステロイドと同じ部位に結合するが，投与量ははるかに多い。ベンゾジアゼピンは抗うつ作用をもたないので，神経活性ステロイドの抗うつ作用の主要な機序と考えられるのはベンゾジアゼピン非感受性のGABA$_A$受容体を標的とすることである。

　ベンゾジアゼピン非感受性GABA$_A$受容体はシナプス外にあり，持続性抑制を調整する（第6章での解説および図6-20を参照）。アロステリック神経活性ステロイド部位に作用することでどのような方法でうつ病に対する急速でかつひょっとして持続的な治療をもたらすのかは不明である。GABA作用を増強させることがうつ病の治療への新規のアプローチとして有効かもしれないというヒントは，うつ病患者の血漿，髄液，および脳においてGABA濃度が低下するという観察から得られる。GABA介在神経細胞はうつ病患者の脳で減少しており，ベンゾジアゼピン非感受性GABA$_A$受容体サブタイプをコードする特定のGABA$_A$受容体サブユニットのmRNA量も，自殺したうつ病患者の脳では不十分であった。おそらく神経活性ステロイドはこれらのGABA関連の欠損を補い，そういうわけで即効性のある抗うつ作用を発揮するのであろう。

　SAGE-217（図7-57）は経口の合成活性型アロプレグナノロン類似体（アナログ）で，うつ病に対する即効性のある抗うつ作用のある薬物として臨床試験段階にあって，いくつかの有望な事前結果がでている。

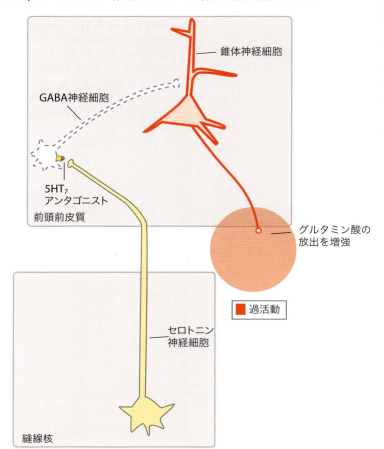

5HT₇アンタゴニスト作用がグルタミン酸の放出を増加させる

図7-54B　セロトニン7（5HT₇）受容体はグルタミン酸の放出を制御する（その2）　前頭前皮質のGABA介在神経細胞にある5HT₇受容体におけるアンタゴニスト作用はGABAの放出を停止させる。これによりGABAによるグルタミン酸の放出の抑制を阻害する。こうして下流でのグルタミン酸が増加する。
GABA：γ-アミノ酪酸

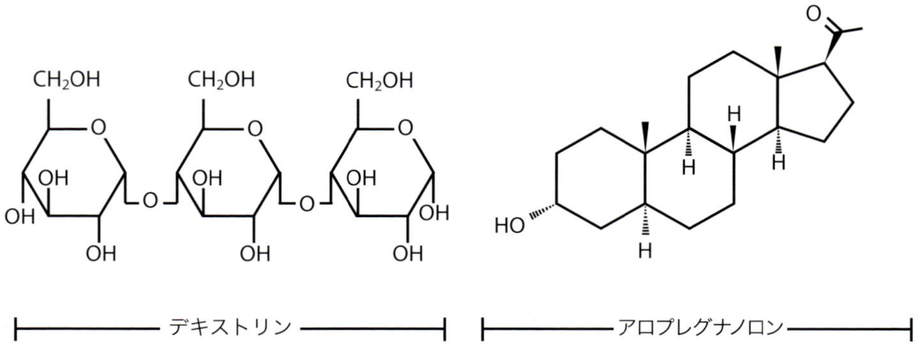

図7-55　brexanolone　brexanoloneはシクロデキストリンを元にした天然型神経活性ステロイドのアロプレグナノロンの静脈内投与製剤である。

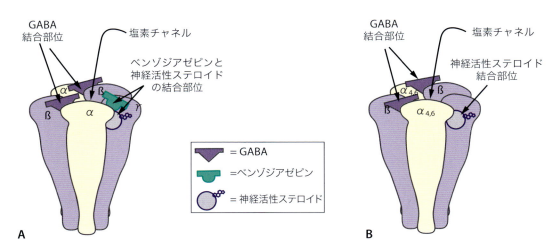

図7-56　GABA_A受容体における神経活性ステロイドの結合部位　神経活性ステロイドは，神経活性ステロイド部位と呼ばれる特異的アロステリック部位においてGABA_A受容体に結合し，これらの受容体にてGABAの抑制性の作用を増強する。神経活性ステロイドは，ベンゾジアゼピン感受性(**A**)とベンゾジアゼピン非感受性(**B**)のGABA_A受容体の両方に結合する。
GABA：γ-アミノ酪酸

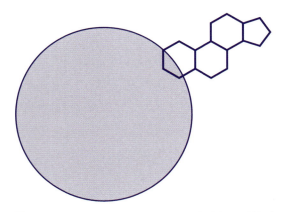

図7-57　SAGE-217　SAGE-217は合成経口活性型アロプレグナノロン類似体(アナログ)であり，うつ病に対する即効型の抗うつ作用のある薬物として臨床試験中である。

単極性うつ病の治療抵抗性
遺伝子検査にもとづく治療抵抗性うつ病に対する治療選択

特にいくつかの初期治療がうまくいかなかったとき，あるいは忍容性がなかったときに，遺伝子検査がうつ病に対する向精神薬による治療の選択を支援する可能性がある。遺伝子型決定はすでに他の医療分野においても導入されており，精神科臨床でも導入の準備段階である。遠からず多くの患者がすべての遺伝子を永久的な電子医療記録の一部に登録するようになるであろうと専門家は予測している。その間に，薬物の代謝を制御し(薬物動態遺伝子)，仮にうつ病における薬物の効果と副作用を調整する(薬力学遺伝子)多くの遺伝子変異体をさまざまな研究所から得ることが可能である。例えば，薬物代謝酵素である膨大な数のシトクロムP450(CYP450)のいくつかの遺伝子型は薬物が(その患者にとって)高用量か低用量かを予測することができ，それゆえ効果の欠如(低用量)または副作用(高用量)の予測を得ることができる。これらの知見は表現型の決定，つまり実際の血漿濃度そのものを知ることと関連するかもしれない。CYP450遺伝子型と実際の血漿濃度の両方の情報があると，ある患者において副作用や治療効果に乏しいことを説明することが可能となる。

治療反応は「全か無か」の現象ではなく，精神薬理学における遺伝子マーカーはすべての可能性において，反応，無反応，または副作用がより大きいのか，より小さいのかを説明してくれるであろ

う。しかし，それによって臨床医に，特定の患者に対して臨床的反応を保証したり，または副作用を回避したりするためにどの薬物を処方すべきかを確実に知らせてくれることはないであろう。これまでも，そしてこれからも，精神薬理学の実践において薬理ゲノム学から得られる情報によって，患者が反応するかしないか，忍容性があるかないかという「偏り」があるかどうかは知らせてくれるであろう。また，臨床医は効果や忍容性が保証されるわけではないまでも，過去の治療反応とも照らしてより成功する確率の高い将来の治療提案をすることができるようになる。このプロセスを「エビデンスの重みづけ」と呼ぶ人もいれば，「臨床的均衡」と呼ぶ人もいる。遺伝子情報は，処方決定を豊かにするものであるが，必ずしも単一の選択を強制するものではない。遺伝学的検査によって，処方医はまだ試みられていない治療法のなかから無作為に選択するのではなく，それらに対してもっともらしい神経生物学にもとづいた仮説を考えて，そして発展させることができるようになり，つぎの治療法を選択できるようになる。

単極性うつ病に対する増強療法

すでに述べ，図7-4と図7-6で示したように，単極性うつ病に試される薬物が多くなればなるほど，その効果は低下していく。これにより，1つの薬物に反応が不十分である患者に対して寛解に達するように相乗的機序を加えようと早めに抗うつ作用のある薬物を組み合わせることにつながる。

治療抵抗性単極性うつ病に対する増強薬としてのセロトニン/ドーパミンアンタゴニスト作用/部分アゴニスト作用

セロトニン/ドーパミン遮断薬は，もともと精神病のために開発された薬物であるが，現在では，本章でこれまで述べてきたさまざまな第1選択薬のモノアミン製剤を1回かそれ以上試しても反応しない単極性うつ病の患者においてSSRI/SNRIに追加する薬物として最も一般的なものの1つになっている。

オランザピンとfluoxetineの併用

ドーパミン2(D_2)アンタゴニスト作用は，統合失調症，双極性躁病，および双極性障害の維持においてオランザピンが承認されていることを説明するであろう。$5HT_{2A}$アンタゴニスト作用はうつ症状を改善させるオランザピンの一部の作用をおそらく説明する(気分に対する$5HT_{2A}$作用は第5章で述べ，図5-17Cに示した)。しかし，fluoxetineとの併用により，オランザピンが単極性(あるいは双極性)うつ病により優れた効果を示すことから，セロトニン再取り込み阻害作用だけでなく$5HT_{2C}$アンタゴニスト作用もオランザピンとfluoxetineを組み合わせた治療の抗うつ効果の構成要素であることが示唆されている(図7-38)。オランザピンとfluoxetineの両方とも$5HT_{2C}$アンタゴニストであり，併用することにより，最終の$5HT_{2C}$アンタゴニスト作用はそれぞれの薬物単独の場合より大きくなる。よって，このオランザピンとfluoxetineの併用は，うつ病の治療において強力なSERT/$5HT_{2C}$阻害薬と考えられうる。治療抵抗性の単極性うつ病に高い有効性を示す(表7-1)。だが，オランザピンとfuluoxetineの併用は，しばしば許容できない体重増加や代謝障害と関連し，また双極性うつ病に対しても承認されており，以降の双極性うつ病のセクションで述べる。

クエチアピン

クエチアピン(第5章および図5-45を参照)はおそらくD_2アンタゴニスト作用により統合失調症，急性期の双極性躁病，および双極性障害の維持期に承認されている。うつ病に対してSSRI/SNRIの増強薬物としての効果は，クエチアピンと活性代謝物であるノルクエチアピンnorquetiapineの複合的作用によると考えられており，$5HT_{2C}$受容体(図7-38)とノルエピネフリントランスポーター(NET)(図5-34および第5章でも述べ，図5-45にも示した)の両方の作用によると考えられている。さらにクエチアピンは$5HT_{2A}$(第5章および図5-17C)，$5HT_7$(図7-53C)，α_{2A}受容体(図5-35)におけるアンタゴニスト作用，さらに$5HT_{1A}$受容体(第5章および図5-22)にお

表7-1 双極性障害に対するセロトニン/ドーパミンアンタゴニスト

	混合性の特徴において効果があるエビデンス	双極性うつ病に対してFDAが承認	双極性躁病に対してFDAが承認	双極性障害の維持期にFDAが承認	うつ病性障害にFDAが承認
アリピプラゾール			あり	あり	あり（増強療法）
アセナピン	あり，MMX		あり	あり	
ブレクスピプラゾール					あり（増強療法）
cariprazine	あり，MMX，DMX	あり	あり		
ルラシドン	あり，DMX†	あり			
オランザピン	あり，MMX	あり（fluoxetine併用）	あり	あり	あり（fluoxetine併用）
クエチアピン	あり，MMX	あり	あり	あり	あり（増強療法）
リスペリドン			あり	あり	
ziprasidone	あり，MMX		あり	あり	

DMX：混合性の特徴を伴ううつ病，FDA：米国食品医薬品局，MMX：混合性の特徴を伴う躁病
†単極性および双極性うつ病。

けるアゴニスト作用などの他の抗うつ効果をもたらす候補となる受容体に作用する。これらすべての受容体の作用が，仮説上抗うつ作用と関連し，それらがともに組み合わさることで，理論上は抗うつ作用の機序の強力な相乗効果をもたらしうる（表7-1）。しかしながら，クエチアピンはその他の受容体作用によって強い鎮静と中程度の体重増加および代謝障害をもたらす。クエチアピンは双極性うつ病に対して承認されており，双極性うつ病については以降のセクションで述べる。

アリピプラゾール

$D_2/5HT_{1A}$部分アゴニスト作用（第5章および図5-56を参照）を有するこの薬物は，統合失調症，急性躁病，および双極性障害の維持に承認されており，（米国において）単極性うつ病において広く処方されているSSRI/SNRIへの増強薬の1つである（表7-1）。統合失調症や双極性躁病においてD_2部分アゴニストとして作用する一方で，強力な$5HT_{1A}$部分アゴニスト作用（第5章および図5-22）がその抗うつ作用に寄与していると思われる。また，D_3，$5HT_7$，$5HT_{2C}$，および$α_2$アンタゴニスト作用など，抗うつ作用の可能性をもつ二次的な特性も寄与している可能性がある。アリピプラゾールは一般的に体重増加がほとんどなく忍容性が高いが，一部の患者はアカシジアを経験する。アリピプラゾールは双極性うつ病の治療薬として承認されていない。

ブレクスピプラゾール

もう1つの$D_2/5HT_{1A}$部分アゴニスト（第5章および図5-57を参照）は，統合失調症および単極性うつ病の増強療法としても承認されている（表7-1）。ブレクスピプラゾールは双極性うつ病の治療に対しては承認されていない。すでに第5章で精神病に対してのブレクスピプラゾールについて述べたように，アリピプラゾールと比較するとブレクスピプラゾールに伴うアカシジアは軽減すると一部で示唆されているが，直接比較試験ではまだ証明されていない。アカシジアの軽減はアリピプラゾールと比較してブレクスピプラゾールの$5HT_{2A}$（第5章，図5-17B），$5HT_{1A}$（第5章，図5-22A），および$α_1$（図7-58A）との結合が強いという結合特性に一致しているようである（図5-56でアリピプラゾールの結合を示した帯と図5-57でブレクスピプラゾールの結合を示した帯とを比較せよ）。

$α_1$アンタゴニスト作用は第5章で述べ，図5-13Bで示したが，そこでは網様体賦活覚醒系でム

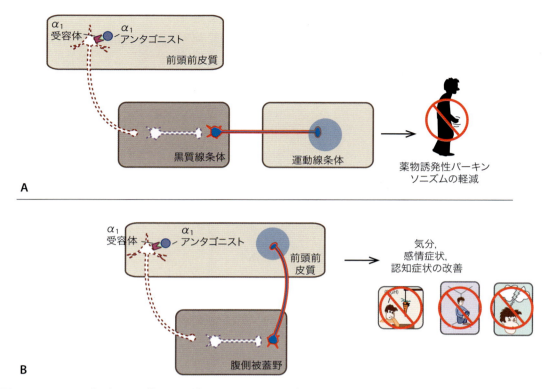

図7-58　α₁アンタゴニスト作用と下流でのドーパミンの放出　α₁アンタゴニスト作用は2つの重要な経路を通して下流でのドーパミンの放出を制御する。**(A)** α₁アンタゴニスト作用は黒質でのグルタミン酸の出力を低下させ，GABA介在神経細胞の活性を低下させ，その結果，黒質線条体ドーパミン経路を脱抑制させる。運動線条体でのドーパミンの放出が増加し，D₂アンタゴニスト作用により引き起こされる運動系の副作用を軽減することができる。なぜなら，さらに多くのドーパミンがD₂アンタゴニストと競合することになるからである。**(B)** α₁アンタゴニスト作用は，腹側被蓋野(VTA)におけるグルタミン酸の出力を減らし，結果GABA介在神経細胞の活動も低下する。よって，中脳皮質ドーパミン経路の脱抑制を引き起こす。前頭前皮質でドーパミンの放出が増えると，気分の改善や感情症状そして認知症状の軽減がもたらされる可能性がある。

スカリン作動性コリン受容体とヒスタミン受容体が同時に遮断されると，特に視床においてどのようにα₁アンタゴニスト作用が鎮静に寄与するのかについて示してある(第5章，図5-8，図5-13A)。しかし，特にムスカリンとヒスタミンのアンタゴニスト作用が同時に起こらないのであれば，前頭前皮質におけるα₁アンタゴニスト作用は仮説上運動性の副作用の軽減と，強力なα₁アンタゴニスト作用でみられる周知の抗うつ効果の両方に寄与すると仮定することができるであろう。特に同時に5HT₂ₐアンタゴニスト作用の特性を伴った場合にはそうであろう。ブレクスピプラゾールのα₁アンタゴニスト作用は，(セルトラリンの増強療法として) Alzheimer病や心的外傷後ストレス障害(PTSD)の興奮に対して有効であるとの証拠に寄与するであろう。

いったいどうしてこのようなことが起こり，どんな回路がα₁アンタゴニスト作用を制御するのであろうか？　答えは，すでに読者にとってはα₁アンタゴニスト作用を説明する回路でおなじみである。というのも5HT₂ₐ受容体についてすでに述べ，第5章の図5-16と図5-17で示したものと同じ回路だからである。α₁受容体(図7-58に示した)は，5HT₂ₐ受容体(第5章で述べ，図5-16と図5-17に示した)と同じ錐体神経細胞に共存していることが知られている。α₁受容体も5HT₂ₐ受容体も両方興奮性でシナプス後にあるので，ノルエピネフリンとセロトニンが同時に作用すると，いずれかの神経伝達物質が単独で作用するよりも前頭前皮質においてさらに強力な興奮性に働く。

さらに，α_1アンタゴニスト作用は$5HT_{2A}$アンタゴニスト作用と同じ機能的効果を有すると期待される。そのため，この2つの作用は，どちらか一方の受容体を単独で遮断するよりも，下流でより強力に前頭前皮質からの出力を抑制するように作用する。図7-58Aで黒質へ投射する特異的な錐体神経細胞におけるα_1受容体を示した（第5章，図5-17Bでも同じ錐体神経細胞と回路を示した）。このグルタミン酸作動性神経細胞がα_1アンタゴニスト作用によって阻害されると，黒質の神経支配におけるGABAの作用力が低下し，運動にかかわる線条体へのドーパミンの放出が脱抑制となり薬物誘発性パーキンソニズム（DIP）が軽減する（図7-58A，第5章と図5-17Bにも示してある）。こうして，D_2遮断薬によってもたらされたDIPは$5HT_{2A}$アンタゴニスト作用とα_1アンタゴニスト作用の両方を有するこれらD_2遮断薬によって最大限に軽減されることになるであろう。実際，ドーパミン遮断薬によって引き起こされる頻繁で重篤なDIPは強力なα_1アンタゴニスト作用と$5HT_{2A}$アンタゴニスト作用を有するドーパミン遮断薬，つまりブレクスピプラゾール，クエチアピン，クロザピン，およびiloperidoneのような薬物では重症度も頻度も最も低くなっている。

理論上では，α_1アンタゴニスト作用と$5HT_{2A}$アンタゴニスト作用との相乗により，今度は前頭前皮質に投射する腹側被蓋野（VTA）のドーパミン神経細胞を神経支配する錐体神経細胞の回路において抗うつ作用が増強される（図7-58B，第5章，図5-17C）。つまり，α_1アンタゴニスト作用はこの回路において理論上$5HT_{2A}$アンタゴニスト作用と同じ作用をもつと思われ，2つが一緒に働くと前頭前皮質や下流の投射がさらに強力にコントロールされるので，前頭前皮質のドーパミンの放出がもっと促進され，抗うつ効果をもたらすのであろう。事実，この相乗効果はブレクスピプラゾール，クエチアピン，およびトラゾドンのようなα_1アンタゴニスト作用と$5HT_{2A}$アンタゴニスト作用の両方を有する薬物の抗うつ作用のメカニズムの重要な構成要素であろう。同時にα_1および$5HT_{2A}$を遮断することにより前頭前皮質におけるドーパミンの放出を増加させることは，ブレクスピプラゾールについての進行中の研究にもみられるように，理論上，Alzheimer病やPTSD症状の興奮を「トップダウン」のコントロールで改善させるのに貢献している可能性がある。

cariprazine

cariprazine（第5章と図5-58）は，$D_3/D_2/5HT_{1A}$部分アゴニストかつ$5HT_{2A}/\alpha_1/\alpha_2$アンタゴニストであり，急性の双極性躁病および双極性うつ病の治療に承認されている。そしてまた，単極性うつ病でのSSRI/SNRIへの増強療法として効果があるというエビデンスがある（表7-1）。cariprazineの抗うつ作用の機序は以降の双極性うつ病の治療の項で述べる。

ケタミン

ケタミンを麻酔域下での用量を静脈内注射するとモノアミンを標的とした薬物に十分に反応しない患者のうつ病を素早く改善させることができたという研究報告は，うつ病治療においてちょっとした革命を起こした。ケタミンは承認された麻酔薬であるが，治療抵抗性うつ病に適応外で使用されている。セロトニン/ドーパミン遮断薬はSSRI/SNRIの1〜2回の失敗で使用される傾向があるのに対し，ケタミンはさまざまなうつ病の治療薬で何度も失敗している患者に投与される傾向がある。静脈内投与用のケタミンはR-ケタミンとS-ケタミンのラセミ混合体であり，おのおのはグルタミン酸受容体のNMDAサブタイプ（ただし，これは推定上の抗うつ作用の機序であるが）とσ受容体への結合特性が重複している（図7-59）。μオピオイドやその他の神経伝達物質の作用部位を含んだ他部位での作用，特にケタミンの抗うつ作用がNMDA作用のみならずμオピオイドと何らかの関係がある可能性が示され，争点となっている。このように，どのようにケタミンが抗うつ作用の速効性を発揮するのかについては議論があるが，NMDAアンタゴニスト作用，特に開口性チャネルのphencyclidine（PCP）の作用部位（第4章の解説および図4-30を参照）が，ケタ

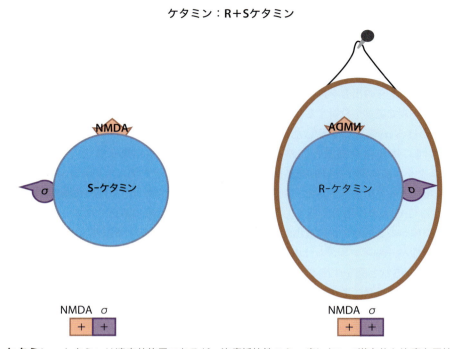

図7-59　**ケタミン**　ケタミンは適応外使用であるが，治療抵抗性のうつ病において潜在的な治療有用性について研究されている。ケタミンはN-メチル-D-アスパラギン酸（NMDA）受容体アンタゴニストであり，さらに弱いσ₁受容体，ノルエピネフリントランスポーター（NET），μオピオイド受容体，およびセロトニントランスポーター（SERT）において弱い作用を有する。ケタミンはR体とS体の2つのエナンチオマー（光学異性体）からなる。

ミンの抗うつ作用を説明する仮説上の標的である。ケタミンの静脈内注射に特有な点は，多くの標準的モノアミンを標的とした抗うつ作用のある薬物での治療に失敗したため「非モノアミン性」うつ病と思われる患者において，ほとんど即座に抗うつ効果を発現し，ときには明らかに自殺念慮に効果をもたらす。不運にも，ケタミンの抗うつ効果は通常長続きせず，一般的には数日で消失する。場合によっては，長期的に繰り返し注入することで，抗うつ効果が再誘発されたり，注射の後でモノアミン系抗うつ作用のある薬物による治療で抗うつ効果が増強されたりすることがある。

　最も興味深いのは，ケタミンがその下流機構として即座に神経可塑性の改善を引き起こし，うつ病を早急に改善させる可能性であろう。うつ病の神経栄養因子の欠如については第6章で述べ，図6-27〜図6-33に示した。うつ病と抗うつ作用のある薬物の反応に関する神経栄養仮説は，脳由来神経栄養因子（BDNF）などの神経栄養因子や，お

そらく血管内皮成長因子（VEGF）などの他の成長因子の欠乏が，慢性的ストレスとうつ病によって起こるという証拠にもとづいており，うつ病に対するモノアミン作動薬が有効であるとこれらの成長因子が回復するが，薬物を投与したあと数週間遅れることを思い起こしてみてほしい。一方，うつ病に対するモノアミン作動性薬物が無効であるとき，未解明の原因でモノアミンは必須の成長因子を回復することができないと想定される。BDNFとVEGFの欠乏は両方とも動物の慢性ストレスモデルでも単極性のうつ病でも，前頭前皮質および海馬のような脳領域での神経萎縮と関連する。慢性ストレスとうつ病はBDNFとVEGFの受容体，つまりそれぞれチロシンキナーゼ2（TRKB）と胎児肝臓キナーゼ1（FLK1）を減少させると考えられている。ケタミンはこれらの成長因子の両方を増加させる。

　では，ケタミンはどのようにしてうつ病において急速に抗うつ作用の反応を引き起こし，急速に

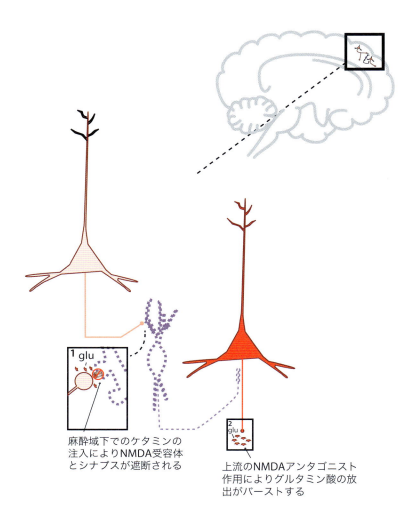

図7-60　ケタミンの作用機序　2つのグルタミン酸皮質錐体神経細胞とGABA介在神経細胞を示す。(1)GABA介在神経細胞における*N*-メチル-D-アスパラギン酸(NMDA)受容体がケタミンによって遮断されると、そこでのグルタミン酸(glu)の興奮性作用が妨げられる。その結果、GABA神経細胞が不活性化されてGABAを放出しなくなる(点線で示された神経細胞)。(2)2つ目のグルタミン酸皮質錐体神経細胞にGABAが結合すると、通常グルタミン酸の放出が阻害される。したがって、そこでのGABAが欠乏していれば、皮質錐体神経細胞が脱抑制されてグルタミン酸の放出が促進される。

GABA：γ-アミノ酪酸

シナプスの萎縮から回復させるのか？　これはケタミンがNMDA受容体を阻害した後、下流のグルタミン酸の放出が急速にバーストすることにより引き起こされると考えられている(第4章で解説し、図4-33に示した。図7-60も参照)。NMDA受容体におけるケタミンの作用は、統合失調症においてNMDAシナプスの神経発達異常のために引き起こされると仮定されるものとは異なる(第4章および図4-29Bと図4-31〜図4-33に示した)。特にケタミンを高用量で急速に投与したときに、ヒトで統合失調症様の症状を作り出すことは驚くに値しない(図4-33)。しかし、うつ病患者の研究では麻酔域下で何度も注射されたときに、ケタミンは精神病を引き起こさず、下流でのグルタミン酸放出を作り出すと考えられる(図7-60)。ケタミンがNMDA受容体を遮断する一方で、このバーストで放出されるグルタミン酸はAMPA[*1]受容体を刺激する(図7-61、図7-62)。ケタミンがなぜ抗うつ作用を示すのかについては、AMPA受容体を刺激することで最初にERK、AKTシグナル変換カスケードを活性化させるという1つの仮説がある(図7-61A)。これがmTOR(mammalian target of rapamycin)[*2]経路(図7-61)を引き起こし、その結果、シナプスタンパクを発現させ、樹状突起の密度を上昇させる(図7-61B)。動物における新しいシナプスの形成を示

[*1]訳注：α-アミノ-3-ヒドロキシ-5-メチル-4-イソオキサゾール-プロピオン酸。
[*2]訳注：哺乳類においてrapamycinが標的とするタンパク。

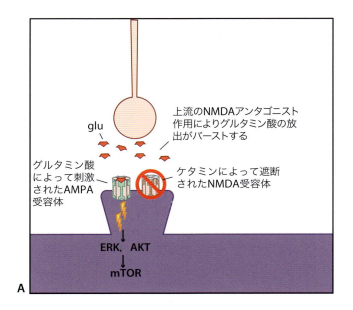

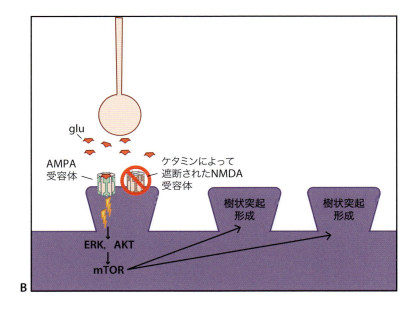

図7-61 ケタミン, AMPA受容体とmTOR グルタミン酸の活動はシナプス増強を強く調整する。この調整は特にNMDAとAMPA受容体をつうじて行われる。ケタミンはNMDA受容体アンタゴニストであるが，その即効性の抗うつ作用はAMPA受容体のシグナル経路における間接的な作用も関連していると考えられる。(**A**)1つ目の仮説：NMDA受容体の遮断により，AMPA受容体が速やかに活性化され，ERK, AKTのシグナル伝達カスケードを引き起こし，つぎにmTOR(哺乳類においてrapamycinが標的とするタンパク)経路が活性化される。(**B**)これはつぎに，AMPA受容体を介したシナプス増強をもたらし樹状突起の形成が増加する。伝統的抗うつ薬もシナプス増強をもたらすが，これは細胞内シグナルにおける下流への情報伝達の変化をとおして起こる。これにより，ケタミンと伝統的抗うつ薬における抗うつ作用の発現の違いを説明できるかもしれない。
AMPA：α-アミノ-3-ヒドロキシ-5-メチル-4-イソオキサゾール-プロピオン酸，ERK：細胞外シグナル調節キナーゼ，glu：グルタミン酸，mTOR：mammalian target of rapamycin, NMDA：N-メチル-D-アスパラギン酸

す樹状突起の増殖は，ケタミン導入後の数分から数時間でみられる。仮説上では抗うつ作用を急速にもたらすのは樹状突起の増加とシナプスの形成である。ケタミンが抗うつ作用をもつ理由のもう1つの仮説は，グルタミン酸の放出のバーストによるAMPA受容体の刺激(図7-62A)が別のシグナル伝達経路，すなわち電位感受性カルシウムチャネル(VSCC)を活性化し，カルシウムイオン(Ca^{2+})の流入がBDNFやVEGFの放出を活性化してシナプスの形成を誘導するという説が提唱されている(図7-62B)。こうして，仮説上ではケタミンはうつ病により引き起こされた萎縮を回復させ，しかもその回復は数分以内に起こることになる。

esketamine

ケタミンのS鏡像体は，治療抵抗性うつ病のために鼻腔内投与製剤として承認されており，esketamineの名で呼ばれている(図7-63)。R-ケ

単極性うつ病の治療抵抗性 367

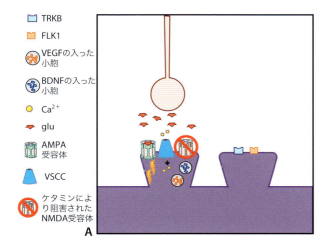

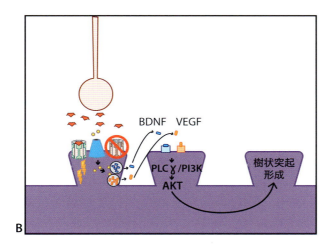

図7-62 **ケタミン，AMPA受容体と脳由来神経栄養因子(BDNF)／血管内皮成長因子(VEGF)放出** グルタミン酸の活動はシナプス増強を強く調整する。この調整は特にNMDAとAMPA受容体をつうじて行われる。ケタミンはNMDA受容体アンタゴニストであるが，その即効性の抗うつ作用はAMPA受容体のシグナル経路における間接的な作用も関連していると考えられる。(A) 2つ目の仮説：NMDA受容体の阻害によりAMPAが急速に活性化され，電位感受性カルシウムチャネル(VSCC)からカルシウムイオン(Ca^{2+})が流入するようになる。(B)これはつぎに，BDNFとVEGFの放出をもたらし，さらにおのおのがTRKBとFLK1受容体へ結合して樹状突起形成を誘因するカスケードを引き起こす。
AMPA：α-アミノ-3-ヒドロキシ-5-メチル-4-イソオキサゾール-プロピオン酸，FLK1：胎児肝臓キナーゼ1, glu：グルタミン酸，NMDA：N-メチル-D-アスパラギン酸，TRKB：チロシンキナーゼ2

タミンおよびS-ケタミンとそれらの代謝物の正確な薬理作用はいまだ神経栄養学的作用の点からしか明らかにされていない。しかし，esketamineは確かに速効性で抗うつ作用のある薬物として作用し，また経鼻的に速やかに投与されるため，長期にわたる静脈内投与は必要ない。週2回での投与開始後，esketamineを週1回または隔週1回の投与で，うつ病の標準的な薬物の増強薬として投与することができる。esketamineの鼻腔投与と今まで試されたことのない抗うつ作用のある経口モノアミン製剤へのスイッチについて1年にわたる長期試験では，うつ病の改善と容認可能な安全性が確認された。

治療抵抗性うつ病治療のためのその他の薬物の組み合わせ

単極性うつ病のモノアミン治療を増強するその他の選択薬として，単剤では強力な抗うつ作用を示さないが，モノアミン治療の作用を改善させることができる薬物がある（例えば，リチウム, buspirone, および甲状腺ホルモン）。また，薬理学的な相乗効果を得るために，単極性うつ病の治療薬として承認されている2つのモノアミン製剤を併用するという戦略も非常に多くの支持があり，しばしば効果的である。しかしながら，これらの戦略はいずれも特に承認はされていない。

リチウム

リチウムは以降で述べるように躁病の治療薬であるが，治療に反応しない単極性うつ病患者にも

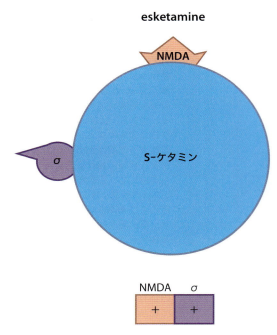

図7-63 esketamine ケタミンのR体とS体は互いに鏡像関係となっている。R体とS体と活性型代謝物の正確な薬理作用はいまだ解明されていない。ケタミンのS体が開発されてesketamineとして販売されている。

使用されている。モノアミン再取り込み阻害薬，特に後述する古典的な三環系抗うつ薬では，従来から治療効果を高めるためにリチウムを使った増強療法が行われていた。治療抵抗性の単極性うつ病の増強療法としてのリチウムの投与量は，躁病の投与量より少ないが，近年ではあまり人気がない。

buspirone

buspironeは5HT$_{1A}$部分アゴニストであり，SSRI/SNRIとの併用は前述したvilazodone（図7-22〜図7-27），またはボルチオキセチン（図7-49）の使用とかなり似ている。実に，モノアミン系の抗うつ作用のある薬物の増強に使用される多くのセロトニン/ドーパミン系薬は，5HT$_{1A}$特性を有している（例えば，クエチアピン，アリピプラゾール，ブレクスピプラゾール，およびcariprazine）。SSRI/SNRIの増強には，5HT$_{1A}$アゴニスト作用を有する薬物の投与が好まれるが，このためにbuspironeを用いることは，他の5HT$_{1A}$作用をもつ薬物を用いるよりも今日ではあまり一般的ではない。

甲状腺ホルモン

甲状腺ホルモンは，核内リガンド受容体と結合して核内リガンド活性化転写因子を形成することにより作用する。甲状腺ホルモン血中濃度の異常は古くからうつ病と関連しているとされ，さまざまな剤形や用量の甲状腺ホルモンが，抗うつ作用のある薬物への反応不十分な患者に対して効果を高めるためや，作用発現を早めるために長年うつ病薬の増強薬として使用されてきた。神経組織化，分岐，およびシナプス形成を調節するといった甲状腺ホルモンの既知の作用は，結果として下流のモノアミン神経伝達物質を増加させ，これにより一部の患者において甲状腺ホルモンが抗うつ作用を増強することが説明可能となるであろう。ただ，単極性または双極性うつ病の治療において，甲状腺ホルモンによる増強は，近年ではあまり好まれなくなってきている。

三重作用をもつコンボ：SSRI/SNRI＋NDRI

もし1つの神経伝達物質を増強することがよいのであれば，2つならなおよく，おそらく3つの増強であれば最強であろう（図7-64）。3つすべてのモノアミンを調整する三重作用（すなわち，セロトニン，ドーパミン，およびノルエピネフリン）を有するうつ病治療薬はSSRIとNDRIの組み合わせ，あるいはSNRIとNDRIの組み合わせで，さらにノルアドレナリン作用とドーパミン作用をもたらすと予測される（図7-64）。これらは，おそらく米国で使用されているうつ病の2剤の組み合わせのなかで最も一般的なものである。

カリフォルニアロケット燃料：SNRI＋ミルタザピン

この潜在的に強力な組み合わせは，ミルタザピンのα$_2$アンタゴニスト作用によるセロトニンとノルエピネフリンの放出の脱抑制に加えて，SNRIによるセロトニンとノルエピネフリンの再取り込み阻害作用により，セロトニンとノルエピネフリンが増加することで薬理学的相乗作用を生じさせている（図7-65）。SNRIによる前頭前皮質のノルエピネフリン再取り込み阻害作用と，ミルタザピンの5HT$_{2C}$アンタゴニスト作用によるドーパミ

三重作用のコンボ

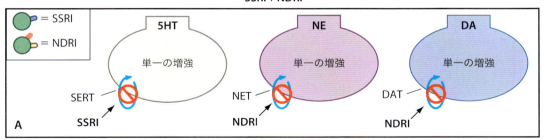

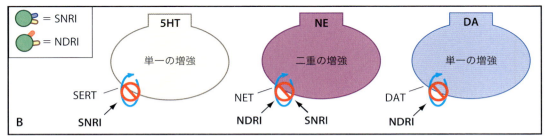

図7-64 三重作用のコンボ：SSRI/SNRIとNDRIの併用 （**A**）選択的セロトニン再取り込み阻害薬（SSRI）にノルエピネフリン・ドーパミン再取り込み阻害薬（NDRI）を加えると，セロトニン（5HT），ノルエピネフリン（NE），ドーパミン（DA）に対してそれぞれ単一の増強がもたらされる。（**B**）セロトニン・ノルエピネフリン再取り込み阻害薬（SNRI）にノルエピネフリン・ドーパミン再取り込み阻害薬（NDRI）を加えると，5HTに対する単一の増強，NEに対する二重の増強，DAに対する単一の増強が導かれる。
DAT：ドーパミントランスポーター，NET：ノルエピネフリントランスポーター，SERT：セロトニントランスポーター

カリフォルニアロケット燃料

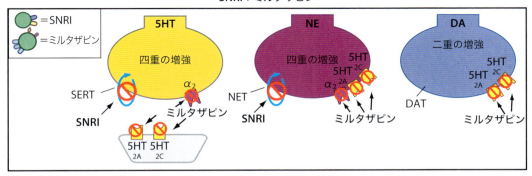

図7-65 カリフォルニアロケット燃料：SNRIとミルタザピンの併用 セロトニン・ノルエピネフリン再取り込み阻害薬（SNRI）とミルタザピンはかなり強い理論的な相乗作用をもつ組み合わせである。セロトニン（5HT）は（再取り込み阻害作用，α_2，$5HT_{2A}$，$5HT_{2C}$アンタゴニスト作用が加わるので）四重に増強される。ノルエピネフリン（NE）も（再取り込み阻害作用，α_2，$5HT_{2A}$，$5HT_{2C}$アンタゴニスト作用が加わるので）四重に増強される。さらに，ドーパミン（DA）ですら（$5HT_{2A}$と$5HT_{2C}$アンタゴニスト作用が加わるので）二重に増強される。
DAT：ドーパミントランスポーター，NET：ノルエピネフリントランスポーター，SERT：セロトニントランスポーター

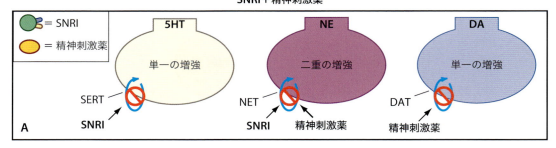

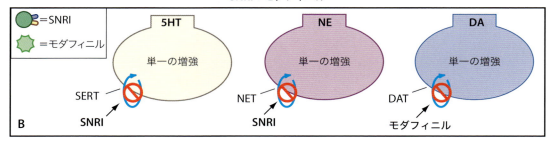

図7-66 覚醒のコンボ：SNRIと精神刺激薬/モダフィニルの併用　(A)セロトニン・ノルエピネフリン再取り込み阻害薬(SNRI)に精神刺激薬を加えると，セロトニン(5HT)とドーパミン(DA)が単一の増強を受け，ノルエピネフリン(NE)が二重に増強される。(B)SNRIにモダフィニルを加えると，5HTとNEはSNRIによって単一に増強され，DAはモダフィニルによって単一の増強を受ける。
DAT：ドーパミントランスポーター，NET：ノルエピネフリントランスポーター，SERT：セロトニントランスポーター

ン放出の脱抑制の組み合わせにより，さらなるドーパミン作動性促進作用が得られる可能性すらある。この組み合わせは一部の単極性うつ病エピソードの患者にとってはかなり強力な抗うつ作用をもたらす。

覚醒のコンボ

患者がしばしば訴える残遺性の疲労感，気力，意欲，性欲の低下，集中力や覚醒に関する問題に対して，3つのモノアミンの作用，特にドーパミンの作用を増強するために，精神刺激薬〔ドーパミン輸送またはドーパミントランスポーター(DAT)への阻害作用を有する薬物〕とSNRI，またはモダフィニル(DATへの阻害作用を有するもう1つの薬物)とSNRIの組み合わせによる治療が試みられることがある（図7-66）。

治療抵抗性うつ病の第2選択となる単剤治療

三環系抗うつ薬(TCA)

三環系抗うつ薬(表7-2，図7-67)は，化学構造が3つの環をもつことから名づけられた。三環系抗うつ薬は，三環系フェノチアジン分子が統合失調症の有効な鎮静薬である(つまり，クロルプロマジンのような初期のD_2アンタゴニスト作用)と示されたのと同時に合成されたが，抗精神病薬として試験がなされたものの，期待外れに終わった。しかし，統合失調症に対して臨床試験が行われている間に単極性うつ病に効果があることが偶然にも発見された。三環系抗うつ薬は，単に抗うつ作用のある薬物というだけではない。というのも，そのうちの1つ(クロミプラミン)には抗強迫症作用があり，多くは抗うつ作用を示す用量で抗不安作用をもち，低用量では神経障害性疼痛や腰

表7-2 いまだに使用されているいくつかの三環系抗うつ薬

一般名	商品名
クロミプラミン	アナフラニール
イミプラミン	トフラニール
アミトリプチリン	アミトリプチリン, トリプタノール
ノルトリプチリン	ノリトレン
protriptyline	Vivactil
マプロチリン	ルジオミール
アモキサピン	アモキサン
doxepin	Sinequan, Adapin
desipramine	Norpramin, Pertofran
トリミプラミン	スルモンチール
ドスレピン	プロチアデン
ロフェプラミン	アンプリット
tianeptine	Coaxil, Stablon

三環系抗うつ薬

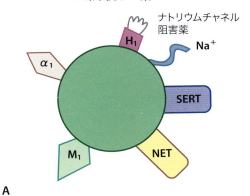

A

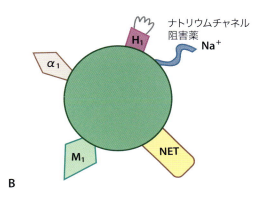

B

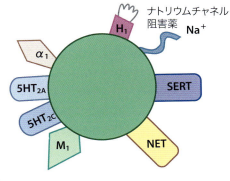

C

痛に効果があるからである。

　抗うつ薬としての特性が認められてからずっとのちに，三環系抗うつ薬はノルエピネフリンに対する再取り込みポンプ（つまりNETのこと）を阻害したり，それに加えセロトニンに対する再取り込みポンプ（つまりSERTのこと）も阻害することが発見された（図7-67A）。三環系抗うつ薬のなかにはSERTへの阻害が強いかNETへの阻害と同等のもの（例えば，クロミプラミン）もあれば，NETへの阻害作用に対してより選択的なもの（例えば，desipramine，マプロチリン，ノルトリプチリン，protriptyline）もある（図7-67B）。しかし，多くはセロトニンとノルエピネフリン再取り込みをある程度阻害する（図7-67A）。さらに，三環系抗うつ薬によっては$5HT_{2A}$と$5HT_{2C}$受容体のアンタゴニスト作用をもっており，この作用がそういった薬理学的作用をもつ三環系抗うつ薬の治療特性に寄与している可能性もある（図7-67C）。

　三環系抗うつ薬の主たる限界が，その有効性であったことは一度もない。これらはきわめて有効な薬物なのである。このクラスの薬物の問題はそのすべてが共通してもっている，少なくとも4つ

図7-67　三環系抗うつ薬のアイコン　すべての三環系抗うつ薬はノルエピネフリン再取り込み阻害作用と，ヒスタミン1（H_1）受容体，α_1受容体，およびムスカリン受容体に対するアンタゴニスト作用をもっている。また，それらは電位感受性ナトリウムチャネル（VSSC）阻害作用ももっている（A〜C）。三環系抗うつ薬には，強力なセロトニン再取り込みポンプの阻害作用（A, C）をもつものもあり，さらにセロトニン2A（$5HT_{2A}$）とセロトニン2C（$5HT_{2C}$）受容体に対するアンタゴニスト作用をもつものもある（C）。

NET: ノルエピネフリントランスポーター，SERT: セロトニントランスポーター

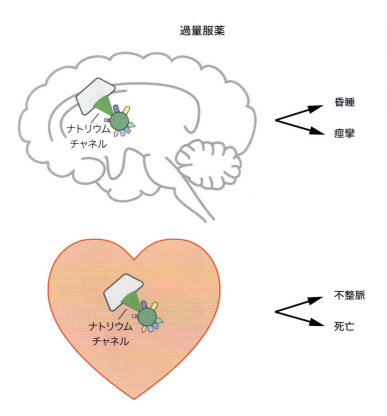

図7-68 三環系抗うつ薬と過量服薬　三環系抗うつ薬は脳(上)と心臓(下)の電位感受性ナトリウムチャネル(VSSC)を阻害する。過量服薬においては，この作用により，昏睡，痙攣，不整脈，さらには死に至ることがある。

の望ましくない薬理作用である。すなわち，ムスカリン性コリン作動性受容体の遮断，H_1ヒスタミン受容体の遮断，α_1アドレナリン作動性受容体の遮断，および電位感受性ナトリウムチャネル(VSSC)の遮断である(図7-67)。すでに述べたように，H_1受容体遮断作用は鎮静とおそらく体重増加を引き起こす(第5章と図5-13Aを参照)。ムスカリン性コリン作動性受容体の遮断は抗コリン作用としてよく知られているように，口渇，かすみ目，尿閉，および便秘を生じさせる(図5-8)。α_1アドレナリン作動性受容体遮断は治療可能かもしないが，起立性低血圧とめまいを引き起こす(図5-13B)。三環系抗うつ薬は治療用量において心臓や脳のVSSCを弱く遮断するが，過量に服用すると，中枢神経系への作用によって昏睡や痙攣を生じさせると考えられている。また末梢性の心血管作用のために，不整脈，心停止，そして死に至らせることがある(図7-68)。三環系抗うつ薬の致死量はわずか30日分の服薬量である。そのため，患者に1カ月分の三環系抗うつ薬を処方する

のは装填された銃を渡すようなものだといわれている。明らかに多くの自殺と関連する疾患の治療に使用するのはよくないのである。こういったことから，本章でここまで述べたさまざまなうつ病の第1選択薬に反応しない患者を除いて，ほとんど支持を失っている。

モノアミンオキシダーゼ(MAO)阻害薬

最初に発見された臨床的に有効であった抗うつ作用のある薬物は，モノアミンオキシダーゼ(MAO)の阻害薬であった。MAO阻害薬の発見は，抗結核薬がうつ病を合併していた結核患者の抑うつ症状を緩和させたという偶然からなされた。この抗結核薬であるiproniazidは，最終的にMAOを阻害することによって，うつ病を改善させていたことが解明された。しかし，MAO阻害作用は抗結核作用とは無関係であった。MAO阻害薬は強力な抗うつ作用のある薬物として最もよく知られてはいるが，パニック症や社交不安症といった特定の不安症にも高い治療効果をもつ。

MAO阻害薬は今日ではほとんど処方されていない。MAO阻害薬は，うつ病の治療薬として3,000〜5,000の処方箋にわずか1つしかなく，米国では，他のうつ病治療薬を処方する何十万もの専門家のうちMAO阻害薬を処方するのはわずか数百人にすぎない。MAO阻害薬の処方は精神薬理学において失われた治療術になりつつある。というのも，MAO阻害薬に精通した医師たちは，SSRIが導入され広くMAO阻害薬に取って代わった1990年代以前にMAO阻害薬の用法を学んでおり，多くは今や臨床をリタイアしているからである。その一方で，MAO阻害薬は単極性うつ病に対する最も強力な薬物であり，MAO阻害薬の処方医は他のどの薬物にも反応しない多くの患者がMAO阻害薬で改善するのを目の当たりにしている。進歩的な精神薬理学者である読者には，まだMAO阻害薬を必要としている患者がそれらを入手できるよう，薬物のことを熟知し，経験を積んでほしい。食事制限と薬物相互作用をナビゲートするために，本書の一部を含めMAO阻害薬に関する特定のレビューを参照するとよい。

MAO阻害薬である，phenelzine, tranylcypromine, isocarboxazid, およびセレギリンは完全な不可逆的酵素阻害薬であり，新しい酵素が合成される2〜3週後まで酵素活性が戻らない。amphetamineは弱いが可逆的なMAO阻害薬であり，いくつかのMAO阻害薬はamphetamineと関連した特性を有している。例えば，tranylcypromineは，amphetamineをモデルとした化学構造式を有しており，したがってMAO阻害薬の特性に加えamphetamineに類似したドーパミン放出特性を有する。MAO阻害薬であるセレギリンそれ自体はamphetamine様の特性をもっていないが，L-amphetamineおよびL-methamphetamineへ代謝される。したがって，いくつかのMAO阻害薬と付加的なamphetamine様のドーパミン放出作用の間に密接な機序的関連がある。

MAOのサブタイプ

MAOにはAとBの2種類のサブタイプが存在する。サブタイプA（MAO-A）はうつ病に密接に関係するモノアミン（すなわち，セロトニンやノルエピネフリン）を優先的に代謝し，一方でサブタイプB（MAO-B）はフェニルチラミンのような微量アミンを優先的に代謝する（第5章および図5-64〜図5-66で微量アミンについてさらに述べてある）。MAO-AとMAO-Bはいずれもドーパミン，チラミン，およびその他の微量アミンを代謝する。両者はいずれも脳内にも存在する。ノルエピネフリン神経細胞（図6-13）とドーパミン神経細胞（図4-3）はMAO-AとMAO-Bの両者をもつが，おそらくMAO-Aの活性のほうが優勢であると考えられる。一方で，セロトニン神経細胞はMAO-Bのみを有していると考えられる（図4-37）。MAO-Bをもつ血小板とリンパ球を除いて，MAO-Aは脳以外に存在するMAOの大部分を占めている。

抗うつ作用を生じさせるためには脳内のMAO-Aをしっかりと阻害しなければならない（図7-69）。これはセロトニンとノルエピネフリンを優先的に代謝するMAOの形態であるからで，この2種類の神経伝達物質は，うつ病と抗うつ作用に関係している3つのモノアミンのうちの2つであり，そのいずれもがMAO-Aの阻害後に脳内で増加することが実証されているので，これは驚くべきことではない（図7-69）。MAO-AはMAO-Bと同様にドーパミンを代謝するが，MAO-A単独の阻害ではMAO-Bがドーパミンを代謝し続けることができるため，脳内のドーパミン量は確実には増加させないようである（図7-69）。

MAO-B阻害薬は抗うつ作用のある薬物としては有効ではない。なぜなら，セロトニンとノルエピネフリンのどちらにもその代謝に直接的な効果がなく，MAO-Aが持続的に作用しているため，ドーパミンの蓄積がほとんどかあるいはまったく起こらないからである（図7-70）。では，MAO-B阻害の治療的価値とは何であろうか？ この酵素が選択的に阻害された場合，Parkinson病において併用されるレボドパの作用を増強し，オン/オフの運動症状の変動を軽減させうることがあげられる。セレギリン，ラサギリンおよびサフィナミドの3種類のMAO-B阻害薬は，Parkinson病の

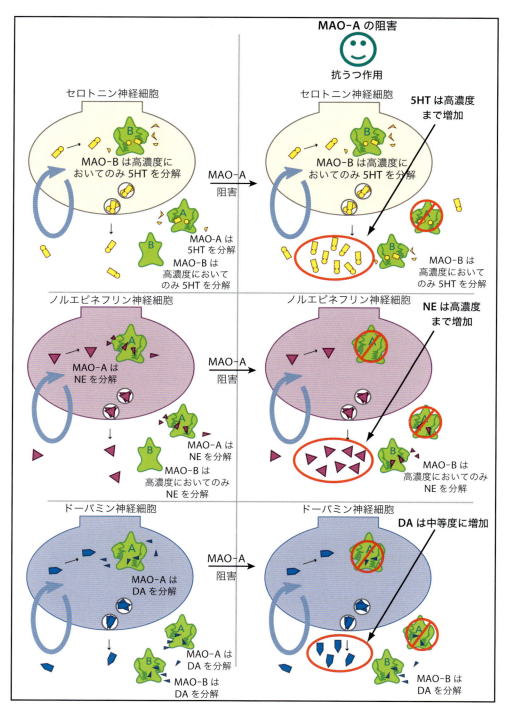

図7-69 モノアミンオキシダーゼA(MAO-A)の阻害 酵素であるMAO-Aは，ドーパミン(DA)のみならずセロトニン(5HT)およびノルエピネフリン(NE)を代謝する(左のパネル)。モノアミンオキシダーゼB(MAO-B)もまたDAを代謝するが，5HTとNEの代謝は高濃度においてのみである(左のパネル)。これはMAO-A阻害は5HT，NEおよびDAを増加させる(右のパネル)が，MAO-BはDAを分解し続ける(右下のパネル)ため，DAは5HTやNEほど増加しないことを意味している。MAO-Aの阻害は有効な抗うつ的治療戦略である。

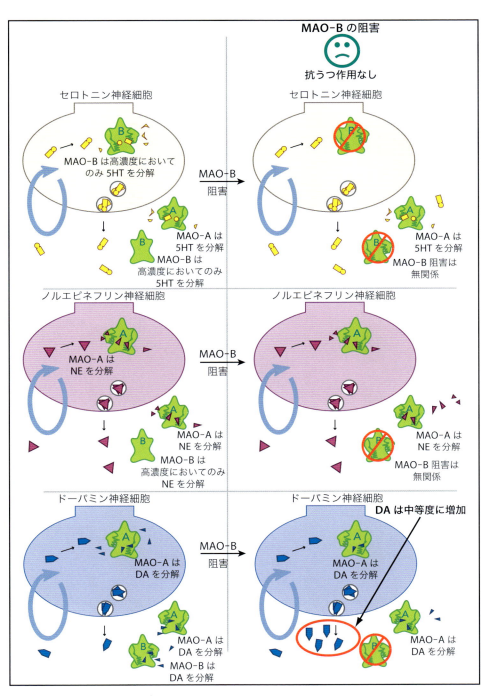

図7-70　モノアミンオキシダーゼB(MAO-B)の阻害　MAO-Bの選択的阻害は抗うつ効果をもたない。これは，MAO-Bは高用量においてのみセロトニン(5HT)とノルエピネフリン(NE)を代謝するからである(左上の2つのパネル)。5HTとNEを代謝するという点に関してMAO-Bの役割は小さく，MAO-Bの阻害がこれらの神経伝達物質の濃度に関連する可能性は低い(右上の2つのパネル)。MAO-Bの選択的阻害もドーパミン(DA)濃度には限定的な効果しか及ぼさない。なぜなら，MAO-AがDAを分解し続けるからである。しかし，MAO-Bの阻害により，ある程度まではDAは増加する。その作用はParkinson病のような他の疾患においては治療的になりうる。

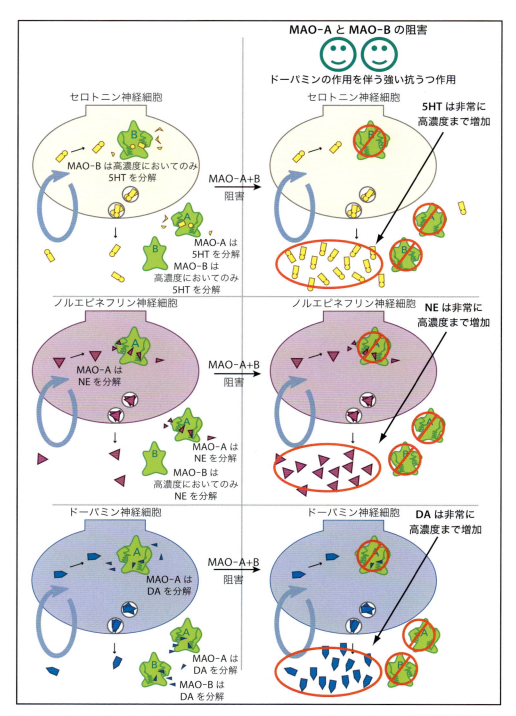

図7-71 モノアミンオキシダーゼA(MAO-A)とモノアミンオキシダーゼB(MAO-B)の同時阻害 MAO-AとMAO-Bの同時阻害により、セロトニン(5HT)とノルエピネフリン(NE)のみならずドーパミン(DA)の増加による確実な抗うつ作用が得られる。5HT, NE, およびDAを代謝するMAO-Aと、おもにDAを代謝するMAO-Bの両酵素(左のパネル)の阻害によって、それぞれの酵素を単独で阻害するよりも各神経伝達物質が大きく増加する。

患者での使用が承認されている。しかし、MAO-Bを選択的に阻害する用量では抗うつ作用のある薬物としては効果がない。

MAO-AとMAO-Bを同時に阻害することは、セロトニンとノルエピネフリンだけでなく、ドーパミンも強力に増加させる（図7-71）。この作用は、理論的には陽性感情の減少から陰性感情の増加まで一連の抑うつ症状に対し、最も強力な抗うつ作用を提供するはずである（図6-41参照）。したがって、MAO-AとMAO-Bの阻害はうつ病においてドーパミンを増加させ、結果として陽性感情の減少からなる難治性の症状を治療することができる数少ない治療戦略の1つである。

チラミン反応と食事制限

従来から、MAO阻害薬を利用するにあたり最も大きな弊害のうちの1つは、これらの薬物を服用中の患者が、古典的にはチーズのような食物からチラミンを摂取した後に高血圧クリーゼ（高血圧緊急症）が生じる可能性があるという懸念であった。通常、MAO-Aが放出されたノルエピネフリンを安全に破壊するため、チラミンによるノルエピネフリンの放出は取るに足らないものである。しかし、MAO-A阻害薬が存在すると、ノルエピネフリンが安全には破壊されないので、チラミンは血圧を上昇させてしまう。すべての処方医は古典的MAO阻害薬を服用している患者に食事制限について助言をしつつ、患者が食べたい食事のチラミン含有量に関して常に最新の知識を頭に入れておくべきである。

MAO阻害薬に関する薬物相互作用

MAO阻害薬がチラミン反応で有名である一方、臨床的には薬物相互作用は潜在的により重要である。薬物相互作用はチラミンとの食事での相互作用より一般的というだけでなく、ある種の薬物との相互作用はより危険で致命的な場合すらある。MAO阻害薬との薬物相互作用は多くの臨床医にあまり理解されていないことが多い。MAO阻害薬治療の多数の対象者は咳や風邪や疼痛の治療を含み、長期間にわたって多くの併用薬での治療が必要となっているであろう。このため、MAO阻害薬を処方するにあたりどの薬物が安全で、どの薬物を避けるべきかわからなければ、精神薬理学者はMAO阻害薬の処方をしないこともありうる。MAO阻害薬とのかなり危険な相互作用をもつ薬物として、臨床医は2種類の一般的なタイプの薬物を理解し避けるべきである。それは、交感神経様作用により血圧を上昇させうる薬物と、セロトニン再取り込み阻害作用により潜在的に致命的なセロトニン症候群 serotonin syndromeを引き起こしうる薬物である。MAO阻害薬の処方医は皆、古典的MAO阻害薬を服用している患者に薬物相互作用についてカウンセリングを行い、患者が併用処方されている薬物とMAO阻害薬との薬物相互作用に関する最新の警告を常に把握しておく必要がある。これらの詳細については、著者の著書を含め、いくつかのレビューがあり、巻末の文献を参照されたい。

双極スペクトラム障害の治療薬

セロトニン/ドーパミン遮断薬（アンタゴニスト）：精神病および精神病性躁病に対してだけではない薬物

D_2遮断薬が統合失調症に承認されたとき、D_2アンタゴニスト作用が精神病一般に有効であると予測されたため、これらの薬物が躁病に関連した精神病性症状に作用することは別段驚くことではなかった（第5章で述べた）。しかし、これらのセロトニン/ドーパミン遮断薬（アンタゴニスト）が躁病の中核的な非精神病性の症状（図6-2）および躁病の反復予防への維持療法に対して効果が証明されたことはいささか驚きであった。これらの後者の作用はリチウムやまったくさまざまな機序で作用する種々の抗痙攣イオンチャネル遮断薬の抗躁治療の作用に類似している（後述）。さらに驚くべきことは、これらの同じセロトニン/ドーパミンアンタゴニスト/部分アゴニスト作用の一部は、D_2アンタゴニスト作用/部分アゴニスト作用とは異なる機序にもかかわらず、双極性うつ病に有効であることである。ドーパミン2/セロトニン2（D_2/5HT$_2$）アンタゴニスト作用とドーパミン2/セロトニン1A（D_2/5HT$_{1A}$）部分アゴニスト作用が、双極性障害の躁とうつの両極でどのように作

用するのかという疑問が生じる。最近では，これらの同じセロトニン/ドーパミン系薬物の一部が前述のようにSSRI/SNRIの効果が不十分な場合の増強薬として単極性うつ病に有効であることが示されている。さらに，これらの同じセロトニン/ドーパミン系薬物のなかには，今日では単極性および躁の混合性の特徴を伴う双極性うつ病に有効であるというさらなる証拠が得られているものもある。すべての双極スペクトラム障害において同じ機序で作用するのであろうか(図6-7)？ これは，これらの薬物のクラスエフェクトなのであろうか，それとも特定の薬物が双極スペクトラムの全部ではなく一部に作用するのであろうか？

躁病におけるセロトニン/ドーパミンアンタゴニスト作用/部分アゴニスト作用の推定される薬理機序

いかにしてセロトニン/ドーパミン遮断薬が躁に対して作用するのかという疑問への端的な答えは本当のところわからない。一方で，躁状態の患者のPETスキャンでは急性の双極性躁病において中脳線条体ドーパミン神経細胞での過剰なシナプス前ドーパミン濃度とドーパミンの放出がみられ，すでに第4章で解説し，図4-15，図4-16，図5-2で示したように統合失調症の急性精神病と同じであることが示された。したがって，D_2受容体の過剰なドーパミンを遮断することは統合失調症で抗精神病効果を有しているのと同じく双極性躁病でも抗躁効果を有しているはずである。実際のところ，急性の双極性躁病は統合失調症において急性精神病が治療される際の投与量や数分から数時間での作用発現が期待されることも含み，ほぼ同じ方法でセロトニン/ドーパミン遮断薬で治療される。しかし，統合失調症の治療として承認されているセロトニン/ドーパミン遮断薬のクラスのすべての薬物が急性の双極性躁病の治療に承認されているわけではなく，また急性の双極性躁病に承認されている薬物のすべてが維持期の双極性障害に承認されているわけではない(表7-1)。受容体結合プロファイルの違いは，なぜある薬物は躁病の治療薬として承認されているのに他の薬物

では承認されないのかを説明可能とするかもしれない。躁病で承認されない薬物があるのは，商業的な考慮があるからかもしれない。抗躁反応を高め，躁病エピソードの再燃を防ぐために，リチウムやバルプロ酸は躁病の治療薬として承認されているセロトニン/ドーパミン遮断薬と併用されるのが一般的である。しかし，リチウムとバルプロ酸は統合失調症におけるセロトニン/ドーパミン遮断薬の効果を明らかに増強しないため，統合失調症の治療には使用されていない。

うつ病スペクトラム(双極性うつ病，混合性の特徴を伴ううつ病)および単極性うつ病に対するSSRI/SNRIの増強薬としてのセロトニン/ドーパミンアンタゴニスト/部分アゴニスト

セロトニン/ドーパミンアンタゴニスト/部分アゴニストは非常に汎用性の高い治療薬であることが証明されており，本章でこれまで述べてきたように，統合失調症から躁病，そして単極性うつ病におけるSSRI/SNRIの増強薬にまでわたる。ここでは，双極性うつ病および躁病の混合性の特徴を伴ううつ病エピソードに密接に関連する状態の治療に，このクラスの少なくともいくつかの薬物について治療的使用を拡大することを考えてみる。

双極性うつ病や混合性の特徴を伴ううつ病の治療において，大きなパラダイムシフトが進行している。以前は「すべてのタイプのうつ病を，いわゆる抗うつ薬，つまりモノアミンの再取り込みを阻害する薬物で治療しないのか？」という疑問があった。双極性うつ病や混合性の特徴を伴ううつ病を含むほとんどのうつ病の患者には，モノアミン再取り込み阻害薬が投与されるが，この問いに対する現代の答えは，はっきりと「No!!」になってきている。診療ガイドラインや米国食品医薬品局(FDA)の承認は，単極性うつ病の治療にごく一般的に使用されている標準的なモノアミン再取り込み阻害薬による双極性うつ病や混合性の特徴を伴ううつ病の治療から離れつつある。再取り込み阻害薬は，単極性うつ病では混合性の特徴を伴わな

い患者においてのみ，双極性うつ病の患者では他の薬物を増強するための第2選択薬としてのみ使用されるようになってきている。双極性うつ病や混合性の特徴を伴ううつ病に対する最良の診療は進化しており，今や第1選択薬とはセロトニン/ドーパミン遮断薬のうちの1つであり，モノアミン再取り込み阻害薬ではない。しかし，この推奨に関しては多くの論争があり，多くの処方医や一部の専門家はいまだに一部の双極性うつ病患者に対するモノアミン再取り込み阻害薬の使用を推奨している。しかし，より多くの研究が，モノアミン再取り込み阻害薬が双極性うつ病や混合性の特徴を伴ううつ病における一貫した作用がないことを示している。さらに，モノアミン再取り込み阻害薬は，双極性うつ病/混合性の特徴を伴ううつ病患者では，耐え難い賦活の副作用や，さらには躁病エピソードや自殺念慮を誘発しうる。他の研究では双極性うつ病におけるモノアミン再取り込み阻害薬の使用は有益であると示しており，また実際のところfluoxetineとオランザピンの併用は双極性うつ病において承認されている（表7-1）。しかし，混合性の特徴を伴ううつ病に対して承認されている薬物はない。現在行われている研究では，よく知られているモノアミン再取り込み阻害薬への反応には乏しく，また特に双極性うつ病ですでに承認されているような，ある種のセロトニン/ドーパミン遮断薬を混合性の特徴に対しても優先的に使用するエビデンスが広がっていることが示唆されている（表7-1）。

精神病の治療に通常使用されているセロトニン/ドーパミン遮断の特性をもつ薬物のうちどれが，あるいは全部が双極性うつ病に対して有効であるかどうかは，研究されていないものもあるし，臨床試験で有効性を示せなかったものもあるので，よくわからない。また承認されている薬物の抗うつ作用の機序も定かではない。しかし，現在双極性うつ病の治療に承認されているそれぞれのセロトニン/ドーパミン系薬物はもともと精神病の治療のために開発されており，双極性うつ病や混合性の特徴を伴ううつ病における抗うつ作用の，現在提示されている治療的作用機序については以降のセクションで述べることとする。

オランザピンとfluoxetine

すでに述べたようにオランザピンとfluoxetineの組み合わせ（図5-44および図7-16）は，統合失調症，双極性躁病，治療抵抗性の単極性うつ病，および双極性うつ病に対して承認されている。うつ病の混合性の特徴を伴う躁病の事後検定ではオランザピンの効果が示唆されたが，スペクトラムの対極にある状態，つまり躁病の混合性の特徴を伴ううつ病（図6-3〜図6-7）についてはまだ研究されていない（表7-1）。

$5HT_{2A}$アンタゴニスト作用と$5HT_{2C}$アンタゴニスト作用の組み合わせは双極性うつ病の抗うつ作用に関連しているようである（図7-8「低い状態からの治療」を参照）。D_2アンタゴニスト作用は理論上では賦活や躁病に波及しないように，低い状態からの治療に蓋をする手助けをするのかもしれない。

クエチアピン

すでに述べたようにクエチアピン（図5-45）は，統合失調症，双極性躁病，および治療抵抗性の単極性うつ病においてSSRI/SNRIの増強療法として承認されている。双極性うつ病に対してもまた承認されている。オランザピンのように，うつ病の混合性の特徴を伴う躁病に対するクエチアピンでの治療の事後検定では効果が示唆されたが，躁病の混合性の特徴を伴ううつ病については研究されていない（表7-1）。

$5HT_{2A}$アンタゴニスト作用と，$5HT_{2C}$アンタゴニスト作用，$α_2$アンタゴニスト作用および$5HT_{1A}$受容体におけるアゴニスト作用との組み合わせは双極性うつ病の抗うつ作用に関連しているようである（低い状態からの治療）。オランザピンのようにクエチアピンのD_2アンタゴニスト作用も理論上は賦活や躁病に至らないように低い状態からの治療に蓋をする手助けをするのかもしれない。

ルラシドン

統合失調症の治療に承認されているルラシドン（図5-53）は，躁病治療に関して研究もされていないし，承認もされていない（表7-1）。ルラシド

ンは仮説としていくつかの抗うつ作用のある薬物としての受容体結合特性を有している。つまり5HT$_{2A}$受容体（図5-17C），5HT$_7$受容体（図7-53C），およびα$_2$受容体（図7-41）の遮断，そして5HT$_{1A}$受容体におけるアゴニスト作用（図5-22）である。ルラシドンは，双極性うつ病の事後検定において，混合性の特徴を伴う双極性うつ病の患者が，混合性の特徴を伴わない双極性うつ病の患者と同様に反応することを示した薬物の1つである。おそらくさらに重要なことは，ルラシドンが混合性の特徴を伴う単極性うつ病を対象とした大規模な多施設共同ランダム化臨床試験において，躁状態を誘発することなく確実な抗うつ効果を示した唯一の薬物ということである。ルラシドンは，双極性うつ病および混合性の特徴を伴う患者に処方される場合は，一般的に統合失調症の精神病に対して治療される用量よりも低い用量で処方され，体重増加や代謝障害の傾向もほとんどない忍容性の高いものであり，双極性うつ病に対して最も広く処方される薬物の1つである。

cariprazine

cariprazine（図5-58）は，急性の双極性躁病および双極性うつ病の治療に承認されているD$_3$/D$_2$/5HT$_{1A}$部分アゴニストであり，単極性うつ病においてSSRI/SNRIの増強薬として試験が進行中である（表7-1）。cariprazineは，5HT$_{1A}$部分アゴニスト作用，α$_1$アンタゴニスト作用（図7-58），およびα$_2$アンタゴニスト作用（図7-41）を有しており，おのおの強力な抗うつ作用のある機序をそなえている。cariprazineをセロトニン/ドーパミンアンタゴニスト作用/部分アゴニスト作用のグループの他の薬物から際立たせているのは，部分アゴニストとしてドーパミン3（D$_3$）受容体においてきわめて強力に作用するところである。cariprazineは使用できる薬物のなかで最も強力であり，D$_3$受容体に対してはドーパミンそのものよりさらに強力である。一体どのようにしてD$_3$アンタゴニスト作用/部分アゴニスト作用は混合性の特徴を伴う双極性うつ病あるいは混合性の特徴を伴わない双極性うつ病における治療効果と関連するのであろうか？

第5章でD$_2$受容体のアンタゴニスト作用あるいは部分アゴニスト作用をもつ薬物について，さらにそれらがどのように精神病に用いられるのかについて，広く解説した。臨床用量でD$_3$受容体に作用する同じような薬物といえば2つ〔cariprazineとブロナンセリン（第5章，図5-62）〕しかなく，それらがD$_3$受容体に対してドーパミンそのものと競合するのに大成功する可能性がある（図7-72）。つまり，脳内ではD$_3$受容体に対するドーパミンそのものと競合し，かつD$_3$受容体に対するドーパミンの親和性よりきわめて高い親和性をもつ薬物だけが実際にD$_3$受容体を阻害するのであろう。いつくかの薬物はドーパミンよりD$_3$受容体への親和性がいささか高く，それらはD$_3$受容体を遮断する正味の効果があるかもしれない。しかし，cariprazineは明らかにD$_3$受容体での最も強力な作用を及ぼし，臨床用量で実質的にD$_3$受容体を遮断すると期待されるかもしれない（図7-72）。

D$_3$受容体を遮断すると何が起こるのか？ ドーパミンは5つの受容体サブタイプがあり（第4章および図4-5を参照），2つの異なるグループに分かれることを思い出してみてほしい（図4-4）。D$_3$受容体はシナプス前およびシナプス後に存在しうる（図4-4〜図4-9）。辺縁系領域のシナプス後D$_3$受容体を遮断することで抗精神病作用に寄与するかもしれないが，cariprazineの抗うつ作用を説明するうえで最も興味深いのは，腹側被蓋野（VTA）におけるD$_3$アンタゴニスト作用/部分アゴニスト作用のシナプス前作用である。

では，VTAでD$_3$受容体を遮断するとどのような結果になるのであろうか，そしてなぜこれがcariprazineの抗うつ作用に寄与するのであろうか？ うつ病の気分，意欲，認知症状および統合失調症の陰性症状においては皮質へのドーパミンの入力が欠如していると考えられていることを思い出してみてほしい。仮説上では中脳皮質ドーパミン神経細胞からのドーパミンの放出が欠如しているからと一部考えられる。これらの神経細胞は図7-73Aに描かれており，中脳皮質神経細胞群としてVTAにあるドーパミン神経細胞体上のD$_3$シ

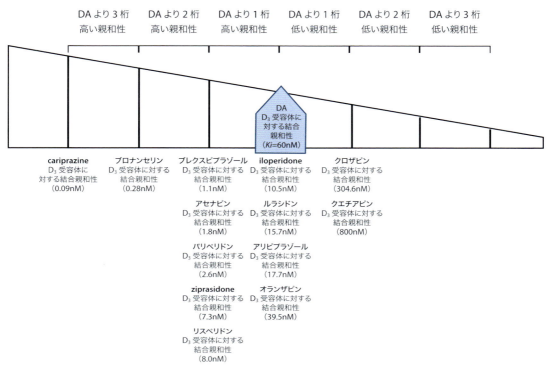

図7-72　ドーパミン3（D_3）結合親和性：ドーパミン対セロトニン／ドーパミンアンタゴニスト／部分アゴニスト　D_3アンタゴニスト作用／部分アゴニスト作用は混合性の特徴を伴うかどうかにかかわらず，双極性うつ病での治療的利益があるかもしれない。多くの薬物はD_2受容体に結合するであろうが，cariprazineとブロナンセリンの2つだけはドーパミン（DA）そのものよりもD_3受容体に対する結合特性が数桁も高い。そのためDAが受容体を占拠するのと大いに競合できる。

ナプス前自己受容体を示している（図7-73A）。これらのD_3受容体の機能は，ドーパミンを感知し，さらなるドーパミンの放出を抑制することである（図7-73A）。しかし，前頭前皮質に投射する同じ神経細胞は軸索終末にシナプス前自己受容体を有していない（第4章の説明，図4-9，および図7-73を参照）。D_3アンタゴニスト作用は前頭前皮質には何の効果も及ぼさないであろう。というのも，そこにはD_3受容体がほとんどないからである。第4章で，いかに前頭前皮質の多くのドーパミン受容体がシナプス後のD_1であるかを述べてある（図4-9）。このことはつまり，D_3アンタゴニスト作用／部分アゴニスト作用がVTAに作用して受容体を遮断すると前頭前皮質へ投射しているドーパミン神経細胞を脱抑制し，そしてD_1受容体に向けてドーパミンを放出することを意味している（図7-73B）。この作用は仮説上うつ症状を改

善させ，なぜcariprazineは抗うつ作用を発揮するのか，そしてなぜ精神病への他の薬物よりも統合失調症の陰性症状に対してさらに強い改善をもたらすのかということに対する1つの説明となる。気分障害および統合失調症いずれの患者においても，D_3アンタゴニスト作用により，活力，意欲，および「明るさ」に改善がみられた。また，動物実験では予測作用や物質乱用の改善が示された。

cariprazineは，急性の双極性躁病および急性の双極性うつ病に承認されている（表7-1）。事後検定ではうつ病の混合性の特徴を伴う躁病においても躁病の混合性の特徴を伴う双極性うつ病にも明らかな臨床的改善が示された。SSRI/SNRI投与中の単極性うつ病の患者の増強療法に関する研究では，早期に効果が示唆されたとの報告がある。こうして，cariprazineは双極スペクトラム全体に

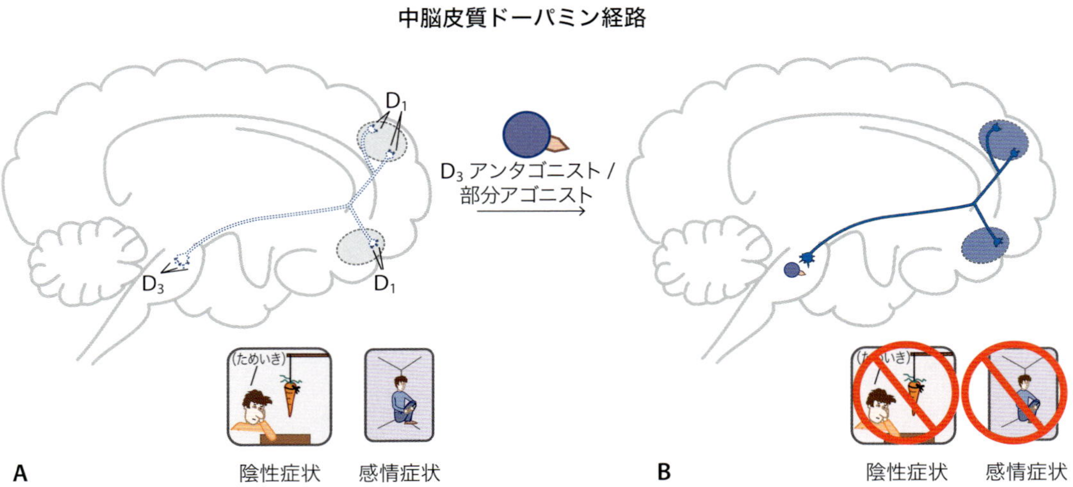

中脳皮質ドーパミン経路

図7-73　腹側被蓋野(VTA)におけるドーパミン3(D₃)アンタゴニスト作用/部分アゴニスト作用　(A)シナプス前 D_3 受容体がドーパミン(DA)を感知し、さらなる DA の放出を抑制する。これらの受容体は腹側被蓋野(VTA)に存在するが、前頭前皮質にはない。しかし、前頭前皮質のシナプス後 D_1 受容体は DA によって刺激される。ここでは中脳皮質ドーパミン経路を示しており、D_3 受容体を刺激することで結果的に前頭前皮質の DA の放出は減少する。前頭前皮質での DA 濃度が低くなると、気分障害でみられる抑うつ気分、意欲の減少、認知症状だけでなく統合失調症の陰性症状にも寄与すると仮定される。(B)VTA において D_3 受容体のアンタゴニスト作用/部分アゴニスト作用は前頭前皮質の DA 放出を増加させうる。なぜなら、D_3 受容体がない前頭前皮質では D_3 アンタゴニスト/部分アゴニストの効果がないからである。仮説上では DA が自由に D_1 受容体を刺激して、うつ症状を改善させる。

おいて最も強力で幅広く効果があることが知られている(図6-7)。

リチウム、古典的な「抗躁」および「気分安定薬」

双極性障害の躁病は50年以上リチウムによって伝統的に治療されてきた。リチウムはイオンの1つであるが、その作用機序は明らかではない。作用機序の候補として、神経伝達物質の受容体以降のさまざまなシグナル伝達部位が考えられている(図7-74)。これは、ホスファチジルイノシトール系などの二次メッセンジャーを含む。ここでリチウムは、イノシトールモノホスファターゼの阻害、Gタンパクの調節、そして最近ではグリコーゲンシンターゼキナーゼ3 glycogen synthasekinase 3 (GSK3)とプロテインキナーゼCの阻害を含む下流のシグナル伝達カスケードとの相互作用による成長因子と神経可塑性の遺伝子発現の調節を行うと考えられている(図7-74)。

どのように作用してもリチウムは躁病エピソードの改善に効果的で、特に躁病エピソード manic episode、そして、おそらくレベルは下がるかもしれないが、抑うつエピソード depressive episode の反復の継続にも効果があることが証明されている。気分障害の患者の自殺予防に対するリチウムの有効性は十分に確立している。リチウムはまた、治療抵抗性の単極性うつ病に対する抗うつ作用のある薬物を増強する薬物として、双極性障害の抑うつエピソードの治療にも使われているが、この使用法は正式には承認されていない。

多くの理由から、残念ながらリチウムの使用は最近では減少している。この要因としては、双極性障害に対して多様な新しい治療選択肢が増えたこと、リチウムの副作用およびリチウムの処方に伴うモニタリングの負担があげられる。専門家による現在のリチウム使用は、多幸感躁病に対する高用量の単剤療法としての古典的な使用から離れ、他の気分安定薬と併用することでしばしば1日1回の投与や低用量投与が可能となり、治療メニューの1つとして使用されるようになってい

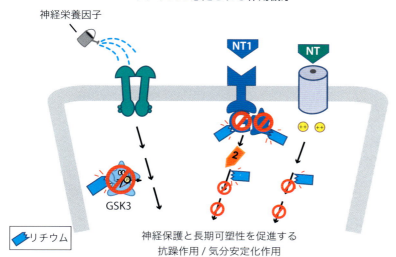

図7-74　リチウムの作用機序　リチウムは最も古い双極性障害の治療薬であるが，その作用機序はいまだ十分にはわかっていない。ここではいくつかの想定される作用機序を示した。リチウムは，おそらくイノシトールモノホスファターゼのような二次メッセンジャー酵素の抑制（右），Gタンパクの調節（中央），またはグリコーゲンシンターゼキナーゼ3（GSK3）を含め下流のシグナル伝達カスケード内のさまざまな部位での相互作用（左）をつうじて，シグナル伝達に影響することで作用を発揮していると考えられる。
NT：神経伝達物質

表7-3　気分安定薬としての抗痙攣薬

薬物	推定されている臨床効果				
	てんかん	躁傾向		抑うつ傾向	
		高い状態からの治療	高い状態からの安定化	低い状態からの治療	低い状態からの安定化
バルプロ酸	++++	++++	++	+	+/-
カルバマゼピン	++++	++++	++	+	+/-
ラモトリギン	++++	+/-	++++	+++	++++
oxcarbazepine/licarbazepine	++++	++	+	+/-	+/-
リルゾール	+			+	+/-
トピラマート	++++	+/-	+/-		
ガバペンチン	++++	+/-	+/-		
プレガバリン	++++	+/-	+/-		

る。
　リチウムのよく知られた副作用としては，胃腸症状（消化不良，悪心・嘔吐，および下痢），体重増加，脱毛，にきび（痤瘡），振戦，鎮静，認知機能の低下，そして協調運動失調がある。長期使用することによる甲状腺と腎臓への副作用もあげられる。リチウムの有効治療域は狭く，血漿中濃度のモニタリングを必要とする。

「気分安定薬」としての抗痙攣薬

　躁病はつぎの躁病エピソードを「燃えあがらせる」可能性があるという考えにもとづいて，痙攣性疾患と理論的に類似性があると考えられていた。これは，痙攣も，さらなる痙攣を「燃えあがらせる」からである。いくつかの抗痙攣薬（表7-3）は，「躁傾向」すなわち高い状態から治療して高い状態から安定させるか（図7-7），「抑うつ傾向」すなわち低い状態から治療をして低い状態から安定させるか（図7-8），あるいはその両方によって

分類される．よく知られている抗痙攣薬であるカルバマゼピンやバルプロ酸は双極性障害の躁病相の治療に効果があることが証明されたので，すべての抗痙攣薬は特に躁病に対して気分安定薬となるであろうという考えが生まれた．しかし，以降に示すようにすべての抗痙攣薬が同じ薬理学的作用機序をもつわけではないため，これについてはまだ証明されていない（表7-3）．これらの躁病や双極性うつ病の治療薬は，「気分安定薬」や「抗痙攣薬」というよりも，むしろイオンチャネルに対する薬理学的作用機序で分類したほうがよさそうである．抗痙攣薬でもある数多くの気分安定薬について，双極性障害のさまざまな病相に有効であることが証明されているものだけでなく，双極性障害に有効かどうか疑わしいものも含めて，以降に述べる（表7-3）．

双極性障害に効果があると証明されている抗痙攣薬

バルプロ酸（バルプロ酸塩，バルプロ酸ナトリウム）

すべての抗痙攣薬にいえることだが，バルプロ酸（バルプロ酸ナトリウム，バルプロ酸塩）もその正確な作用機序は明らかではない．抗痙攣薬のなかでも，特にバルプロ酸はその作用機序が解明されていない．ここでは，図7-75〜図7-78でいくつかの仮説を説明し，まとめる．バルプロ酸の作用機序は，電位感受性ナトリウムチャネル（VSSC）の抑制（図7-76），神経伝達物質であるγ-アミノ酪酸（GABA）作用の増強（図7-77），および下流でのシグナル伝達カスケードの調節（図7-78）の少なくとも3つの可能性が考えられている．しかし，これらの作用がバルプロ酸の気分安定薬としての作用，抗痙攣作用，片頭痛に対する作用，または副作用を説明できるのかどうかについては不明である．明らかに，この単純な分子は多くの複雑な臨床的作用を有している．現在の研究の目的は，さまざまな可能性のどれがバルプロ酸の「気分安定薬」としての抗躁効果を説明するのかを明らかにすることであり，それにより，双極性障害に対する適切な薬理学的作用機序を目標と

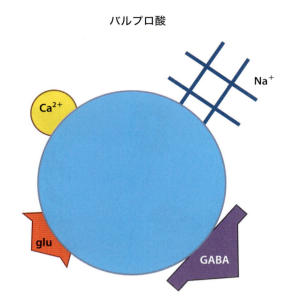

図7-75　バルプロ酸　双極性障害の治療に使われる抗痙攣薬のバルプロ酸の薬理学的作用をアイコンで示した．バルプロ酸（あるいはバルプロ酸塩）は，電位感受性ナトリウムチャネル（VSSC）への干渉，GABAの抑制性作用の増強，および下流でのシグナル伝達カスケードの調節によって効果を示すと思われる．しかし，これらの作用のどれが気分安定化作用に関係しているのかは明らかではない．バルプロ酸はまた，電位感受性カルシウムチャネル（VSCC）などの他のイオンチャネルと相互作用したり，グルタミン酸（glu）系の作用の阻害にも間接的に関与したりしている可能性がある．
GABA：γ-アミノ酪酸

することにより，より有効でより副作用が少ない新しい薬物を開発できるかもしれないからである．

気分安定薬の躁病に対する作用機序の仮説の1つの可能性として，電位感受性ナトリウムチャネル（VSSC）を介するイオンの流入を減少させることにより，過剰な神経伝達を減弱させることが考えられる（図7-76）．VSSCについては第3章で述べ，図3-19〜図3-21でも示した．バルプロ酸の作用部位は明らかではないが，ナトリウムチャネルのリン酸化反応を変化させることにより，またはVSSCに直接結合するかまたは調整ユニットに結合することにより，あるいはリン酸化酵素を阻害することにより，ナトリウムチャネルの感受性を変化させる可能性がある（図7-76）．神経細胞に流入するナトリウムイオン（Na^+）が減少すれば，グルタミン酸の放出が抑制され，興奮性神経

VSSC に対するバルプロ酸の想定される作用部位

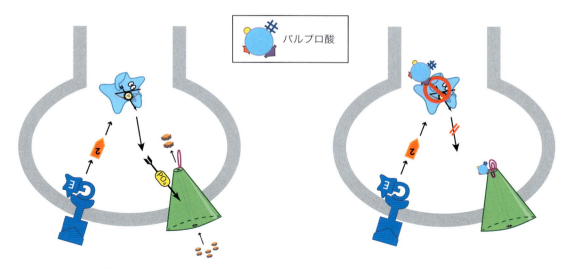

図7-76　電位感受性ナトリウムチャネル（VSSC）に対するバルプロ酸の想定される作用部位　バルプロ酸は，VSSCのサブユニットに直接結合するか，VSSCの感受性を調節するリン酸化酵素を阻害することで，VSSCの感受性を変化させて抗躁作用を発揮するのかもしれない。VSSCの阻害はナトリウムイオン（Na^+）の流入を減少させ，グルタミン酸の興奮性神経伝達を減弱させる。これが抗躁作用の機序と想定されている。

GABA に対するバルプロ酸の想定される作用部位

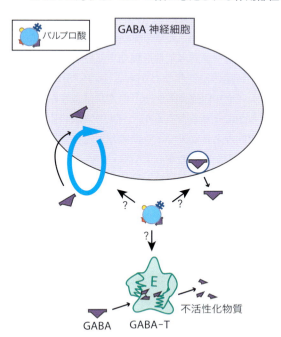

図7-77　γ-アミノ酪酸（GABA）に対するバルプロ酸の想定される作用部位　バルプロ酸の抗躁作用は，GABA再取り込みの阻害，GABAの放出の促進，またはGABAトランスアミナーゼ（GABA-T）によるGABA代謝の阻害を介して，GABAの神経伝達を増強させるのかもしれない。

伝達が減弱するかもしれないが，これは仮説にすぎない。さらに，バルプロ酸はその他の電位感受性イオンチャネルに対しても作用があり，それが治療作用と副作用に関係しているかもしれないが，これについてもよくわかっていない。

　その他の作用機序として，バルプロ酸はGABA

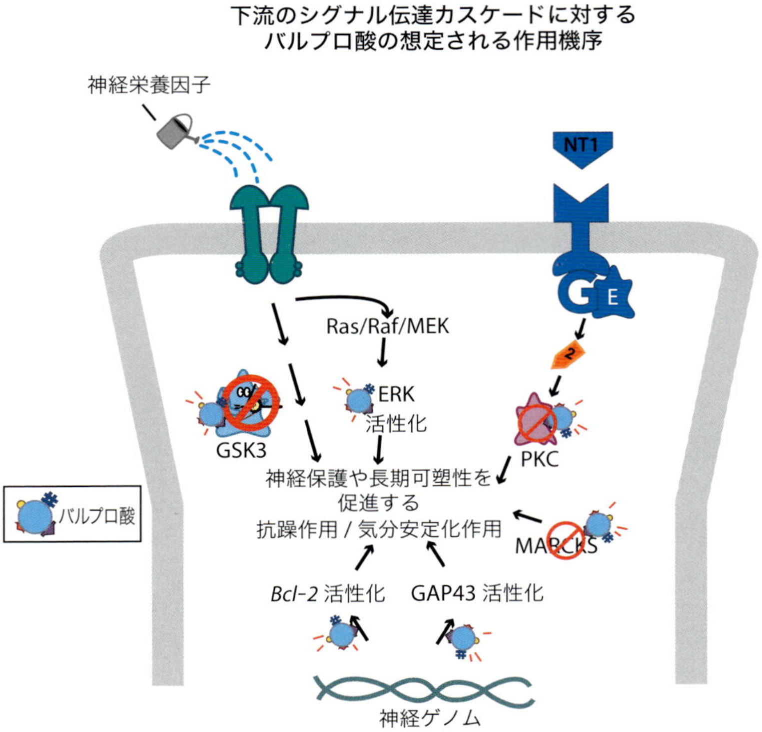

下流のシグナル伝達カスケードに対するバルプロ酸の想定される作用機序

図7-78　下流でのシグナル伝達カスケードに対するバルプロ酸の想定される作用機序
バルプロ酸はシグナル伝達カスケードに対して多くの下流での作用をもつことが示されており，これが抗躁作用に関連している可能性がある。バルプロ酸はグリコーゲンシンターゼキナーゼ3（GSK3），ホスホキナーゼC（PKC），およびミリストイル化アラニンリッチCキナーゼ基質（MARCKS）を阻害する。さらに，バルプロ酸は，細胞外シグナル調節キナーゼ（ERK），細胞保護タンパクB細胞リンパ腫/白血病-2遺伝子（*Bcl-2*），および成長関連タンパク-43（GAP43）などの神経保護や長期可塑性を促進するシグナル伝達を活性化する。

の放出を促進するか，再取り込みを阻害するか，または代謝を遅らせてGABA系の働きを増強するという見解もある（図7-77）。GABA系を亢進させるバルプロ酸の直接の作用部位はまだよく知られていない。しかし，突き詰めていくと，バルプロ酸の下流での反応がGABA系を活性化し，抑制性神経伝達を増強させるという良好なエビデンスが示されており，おそらくこの作用から躁状態に対する効果を説明できるかもしれない。

最後に，複雑なシグナル伝達カスケードに対する多くの下流での作用が報告されるようになってきた（図7-78）。リチウムのようにバルプロ酸もGSK3を抑制しているのかもしれないが，その他の多種多様な下流での作用部位にも関係しているのであろう。これには，ホスホキナーゼC（PKC）の抑制，ミリストイル化アラニンリッチCキナーゼ基質myristolated alanine-rich C kinase substrate（MARCKS）の抑制，細胞外シグナル調節キナーゼextracellular signal-regulated kinase（ERK），細胞保護タンパクB細胞リンパ腫/白血病-2遺伝子cytoprotective protein B-cell lymphoma/leukemia-2 gene（*Bcl-2*），および成長関連タンパク-43 growth associated protein 43（GAP43）など神経保護や長期可塑性を促進するさまざまなシグナル伝達の活性化などがある（図7-78）。これらのシグナル伝達カスケードの作用はようやく現在明らかになりつつあるが，バルプロ酸のこれらの可能性のある効果のどれが気分安定化作用と関連があるのかまだわかっていない。

バルプロ酸は双極性障害の急性期の躁病相に有効であることが証明されている。また，予防薬としては躁病に対する急性効果ほど十分に確立されていないのにもかかわらず，一般に躁状態の反復を予防するために長期にわたって使用されている（表7-3）。バルプロ酸の抗うつ作用も十分確立されていないし，反復性抑うつエピソードを安定化させるというしっかりした証拠もないが，一部の双極性障害の患者におけるうつ病相に有効であるかもしれない。一部の専門家は，急速交代型や躁病の混合エピソードでは，リチウムよりも効果があると信じている。実際，それらのエピソードは治療が難しく，通常，リチウム，バルプロ酸およ

びセロトニン／ドーパミン遮断薬を含む気分安定薬を2つ以上処方するのが適切である。最適な効果を得るためにバルプロ酸の増量が望ましいこともあるかもしれないが，患者が服用を断るとどんな薬物も使うことはできない。バルプロ酸はしばしば，脱毛，体重増加，および鎮静といった受け入れがたい副作用を生じうる。低用量で使用すれば，ある問題を防げるかもしれないが，一般に効果も下がる。それゆえ，低用量のバルプロ酸を使用するときには，他の気分安定薬を組み合わせる必要があることもある。一部の副作用は投与量よりも投与期間に関連して生じることがあり，これらは投与量を減らすことでは防げない。これには，骨髄，肝障害，膵障害，神経管欠損症などの胎児毒性，体重増加，代謝性合併症，および妊娠可能な女性における無月経や多嚢胞性卵巣などがある。バルプロ酸による治療を受けている女性では，月経障害，多嚢胞性卵巣，アンドロゲン過剰症，肥満，およびインスリン抵抗性がみられることがある。

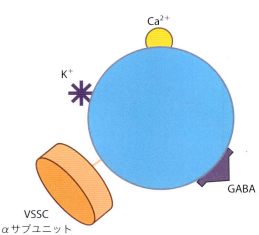

図7-79　カルバマゼピン　双極性障害の治療に使われる抗痙攣薬のカルバマゼピンの薬理学的作用をアイコンで示した。カルバマゼピンは，電位感受性ナトリウムチャネル（VSSC）のαサブユニットに結合して作用すると思われるが，カルシウムやカリウムといった他のイオンチャネルにも作用するのかもしれない。カルバマゼピンは電位感受性チャネルに作用することでγ-アミノ酪酸（GABA）の抑制性作用を増強している可能性がある。

カルバマゼピン

カルバマゼピン(図7-79)は，双極性障害の躁病相への有効性が最初に示された薬物であるが，1日1回の服用が可能な放出制御性製剤が発売された最近まで，実際には，FDAは双極性障害の躁病相に対する有効性を承認していなかった。カルバマゼピンとバルプロ酸はいずれも双極性障害の躁病相に有効であるが(表7-3)，その薬理学的作用機序や副作用は異なる。カルバマゼピンはVSSCを阻害することにより作用すると考えられ(図7-80)，おそらくVSSCのαサブユニットとして知られるチャネル内部に作用する(図7-80)。VSSCについては，第3章で述べ，図3-19〜図3-21に示した。カルバマゼピンがVSSCのαサブユニットに作用するという仮説(図7-80)は，バルプロ酸のこれらナトリウムチャネルへの作用の仮説(図7-76)とは異なるが，抗痙攣薬であるoxcarbazepineやその代謝物であるeslicarbazepineの抗痙攣作用と共通する。

カルバマゼピンとバルプロ酸はいずれも抗痙攣薬で高い状態からの躁状態の治療に用いられるが，これらの2つの薬物は躁病における治療的な作用の推定される薬理学的な機序の範囲を超えた違いがある。例えば，バルプロ酸は片頭痛に有効であることが証明されている一方で，カルバマゼピンは神経障害性疼痛に対する効果が証明されている。さらにカルバマゼピンはバルプロ酸とは異なった副作用を示す。カルバマゼピンは骨髄抑制を示し，血球数のモニタリング（バルプロ酸投与中は，血小板を含む血球数のモニタリングを定期的に行う必要がある）を必要とし，シトクロムP450 3A4（CYP450 3A4）を著明に誘導する。カルバマゼピンにもバルプロ酸にも，鎮静作用や脊柱管欠損症などの胎児毒性がある。

ラモトリギン

ラモトリギン(図7-81)は，「気分安定薬」として，抗痙攣薬のバルプロ酸やカルバマゼピンとはまったく異なる臨床適応で承認されており，抗痙攣薬が双極性障害においてすべて同じ治療作用を

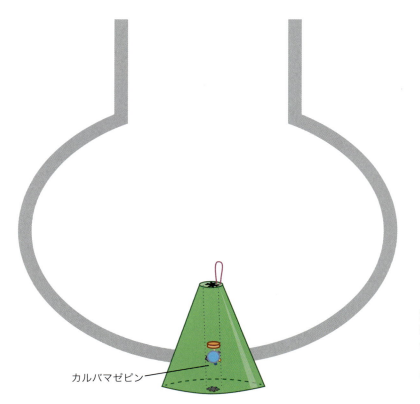

図7-80 カルバマゼピンの結合部位 カルバマゼピンは電位感受性ナトリウムチャネル（VSSC）のαサブユニットのチャネル開口部内に結合すると考えられている。

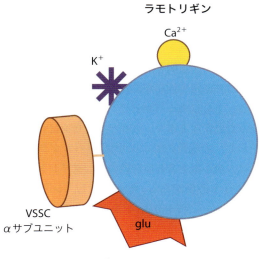

図7-81 ラモトリギン 双極性障害の治療に使われる抗痙攣薬のラモトリギンの薬理学的作用をアイコンで示した。ラモトリギンは電位感受性ナトリウムチャネル（VSSC）のαサブユニットを阻害することで作用すると思われるが，カルシウムやカリウムといった他のイオンチャネルにも作用するのかもしれない。ラモトリギンはまた興奮性神経伝達物質であるグルタミン酸(glu)の遊離を抑制すると考えられている

もつわけでは**ない**ことが指摘されている。ラモトリギンは，双極性障害の躁病またはうつ病の治療には承認されていないが，双極性障害の躁病とうつ病の両方の反復の予防のための気分安定薬として承認されている。「気分安定薬」としてのラモトリギンには多くの興味深い点がある。1つ目は，多くの専門家がラモトリギンは双極性障害の急性期のうつ病相に効果的であると信じているにもかかわらず，FDAはこれを承認していない。2つ目に興味深い点として，ラモトリギンはカルバマゼピンとはVSSCの内部のチャネル開口部に結合する（図7-82）という重なる作用機序をもつにもかかわらず，双極性障害の躁病相に対して承認されていない。おそらくラモトリギンの薬理学的な作用はナトリウムチャネルに対して十分に強いものではないのかもしれない。あるいは，この薬物は増量に時間がかかるために，早急な薬物の治療作用の発現を必要とする躁病に対しては有益性がある効果を示しにくいのかもしれない。ラモトリギンの3つ目の興味深い点は，まれではあるが生命に

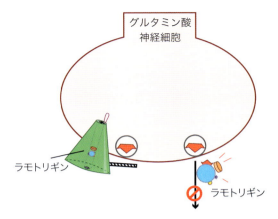

図7-82　グルタミン酸遊離に対するラモトリギンの想定される作用部位　ラモトリギンは電位感受性ナトリウムチャネル(VSSC)の阻害により、グルタミン酸遊離を抑制している可能性がある。あるいはラモトリギンはいまだ同定されていない他のシナプス活動を介して、この作用を示しているのかもしれない。

危険を及ぼしうるStevens-Johnson症候群(中毒性皮膚壊死)含め、発疹を引き起こす傾向があることを除けば、一般的に忍容性が高いことである。治療開始時にきわめてゆっくりと薬物を増量し、薬物相互作用(例えば、バルプロ酸併用によるラモトリギンの血中濃度上昇など)を回避するか、またはしっかりと管理し、さらに良性の発疹との鑑別など重度の発疹の診断と治療の方法を理解することにより、ラモトリギンによる発疹を最小限に抑えることができる。(ラモトリギンについては『精神科治療薬の考え方と使い方』を参照)。最後に、ラモトリギンはその作用機序の点でいくつかの興味深い側面をもっている(図7-82)。すなわち、ラモトリギンは興奮性神経伝達物質であるグルタミン酸の放出を抑制する可能性があるという点である。この作用がVSSC活性化の抑制(図7-82)による二次的なものか、あるいはその他の付加的なシナプスへの作用によるものなのかは明らかではない。特に、双極性障害のうつ病でグルタミン酸が過剰であるとすると、そのグルタミン酸による興奮性神経伝達を減少させることは興味深い作用の1つであり、これにより低い状態からの治療や双極性障害の低い状態からの安定化というラモトリギンに独特の臨床的特徴を説明できるかもしれない。

双極性障害における有効性がはっきりしない、あるいは疑わしい抗痙攣薬
oxcarbazepine/eslicarbazepine

oxcarbazepineは構造的にはカルバマゼピンに似ているが、カルバマゼピンの代謝物ではない。oxcarbazepineはプロドラッグであり、そのままの形では作用しないが、すぐにいわゆる10-ヒドロキシ誘導体(モノヒドロキシ誘導体)へ、そしてごく最近命名されたlicarbazepineに変換される。licarbazepineの活性型はS鏡像体で、これはeslicarbazepineとして知られている。このように、oxcarbazepineは実際には、現在では抗痙攣薬として使用されているeslicarbazepineに変換されて作用する。

oxcarbazepineには推定される抗痙攣作用があり、カルバマゼピンと同じ作用機序をもつと考えられている。すなわち、VSSCの内部のαサブユニットのチャネル開口部に結合する(図7-80のように)。しかし、oxcarbazepineはいくつかの重要な点でカルバマゼピンとは異なっている。例えば、oxcarbazepineは鎮静作用や骨髄抑制作用が弱く、またCYP450 3A4との相互作用も少ないため、忍容性が高く投薬が容易である。一方、oxcarbazepineは急性の双極性躁病およびうつ病における気分安定化作用は証明されていない。それでもやはり、仮説上類似の作用機序が仮定されていることと、より忍容性が高いことから、多くの臨床医はoxcarbazepineを、さらに最近ではeslicarbazepineを特に双極性障害の躁病相に対して「適応外」で処方してきた。

トピラマート

トピラマートは抗痙攣薬として、また片頭痛や、最近ではbupropionとの併用で肥満における体重減少に承認された。双極性障害に対しても臨床試験が行われたが、その結果はあいまいであった(表7-3)。トピラマートは体重減少に関係し、ときに体重増加を引き起こす精神病の薬物または

気分安定薬の増強薬として用いられることがあるようであるが，一部の患者では耐えられない鎮静を生じる。トピラマートはまた，精神刺激薬の乱用やアルコール依存を含めさまざまな物質乱用障害でも臨床試験が行われてきた。しかし，トピラマートはエビデンスにもとづくランダム化比較対照試験（常に良好な結果が得られるとは限らない）においても，臨床経験においても，気分安定薬として明らかな有効性は認められなかった。

ガバペンチンとプレガバリン

これらの抗痙攣薬は気分安定薬としての効果はほとんど，あるいはまったくないようであるが，神経障害性疼痛から線維筋痛症までさまざまな疼痛や，さまざまな不安症に対しては明らかな有効性を示す。不安については第8章，疼痛については第9章でそれぞれ詳細を述べる。

(L型)カルシウムチャネル阻害薬

カルシウムチャネルにはいくつかの型がある。第3章ですでに述べたように，$\alpha_2\delta$リガンドの標的となる神経伝達物質の放出に関連したN型またはP/Q型だけではなく（図3-23，図3-24を参照），L型チャネルもある。L型チャネルは一般に血管の平滑筋に局在し，その遮断薬は高血圧や不整脈の治療に用いられ，カルシウムチャネル遮断薬（カルシウム拮抗薬）と一般的に呼ばれる。L型チャネルは神経細胞にも存在するが，その役割はいまだ明らかになっていない。裏づけは乏しいが，カルシウムチャネル遮断薬，特にジヒドロピリジン系の薬物はある種の双極性障害の患者に有用かもしれない。

リルゾール

リルゾールは，筋萎縮性側索硬化症amyotrophic lateral sclerosis（ALS，またはLou Gehrig病）の進行を遅らせるために開発された。抗痙攣薬としては前臨床段階である。リルゾールはラモトリギンで仮定されているのと同様に，理論的にはVSSCに結合し，グルタミン酸の放出を抑制する（図7-82を参照）。ALSにおいてグルタミン酸の放出を抑制すれば，ALSの原因と想定されている運動神経細胞の死を引き起こす仮説上の興奮毒性を抑制できるかもしれないと考えられている。グルタミン酸の過剰な活性化は，ALSだけではなく，広範な神経細胞の死を引き起こすほど重篤ではないにしても，双極性障害のうつ病においても起こっている可能性がある。

双極性障害の治療では気分安定薬を組み合わせて用いるのが標準である

双極性障害では，単剤治療で十分な効果が得られる患者の数が少ないため，併用療法が例外的ではなく一般的となっている。第1選択の治療はセロトニン/ドーパミン系薬物の1つとなるのであろうが，もしこれでうまく躁病をコントロールできなければ，バルプロ酸やリチウムといった躁病に対する他の治療を加えることになるであろう（図7-83）。一方で，もしセロトニン/ドーパミン系薬物がうつ病をうまくコントロールできなければ，ラモトリギンが加えられるか，あるいは議論のあるところだがモノアミン再取り込み阻害薬が加えられるであろう（図7-83）。目標は症状の完全寛解のための4つの治療である。つまり，高い状態から治療して高い状態から安定させる（図7-7），および低い状態から治療して低い状態から安定させる（図7-8）ことである。

将来の気分安定薬

デキストロメトルファンとbupropion，デキストロメトルファンとキニジン

前述したように，治療抵抗性の単極性うつ病治療において近年最も興味深い進展の1つは麻酔域下でのケタミン投与やesketamineの経鼻投与が即効的に抗うつ効果を発揮し，自殺念慮を即座に軽減させるという観察結果である。効果は数日以上持続しないことも多いので，治療抵抗性の疾患の患者にとって即効性があり持続的な効果が得られ，より簡単に導入できて，忍容性もさらに高いというような経口ケタミン様製剤が求められている。そのようないくつかの可能性，すなわち薬理学的特性を追加したさまざまなN-メチル-D-アスパラギン酸（NMDA）アンタゴニストが開発中である。NMDAアンタゴニストであるデキストロメトルファンとCYP450 2D6阻害薬でありノ

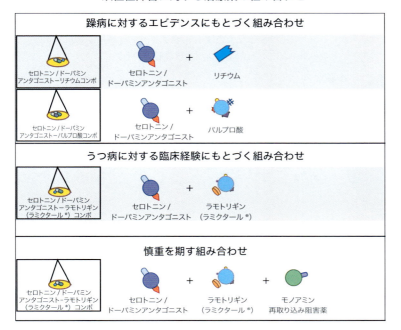

図7-83　双極性障害に対する組み合わせ　双極性障害の患者の多くは2つ以上の薬物治療を要する。躁病に対して最もエビデンスにもとづいた組み合わせは，セロトニン/ドーパミンアンタゴニストにリチウムまたはバルプロ酸を加えたものである。対照試験ではよく調べられていない組み合わせではあるが，うつ病に対するいくつかの臨床経験にもとづくものには，セロトニン/ドーパミンアンタゴニストにラモトリギンを加える組み合わせがある。議論のあるところであるが，双極性うつ病に対してセロトニン/ドーパミンアンタゴニストにモノアミン再取り込み阻害薬を加える臨床医もいる。

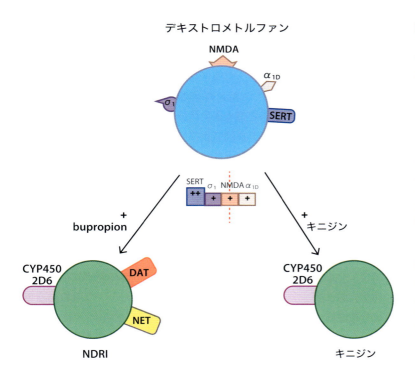

図7-84　デキストロメトルファンとbupropionおよびデキストロメトルファンとキニジンの併用　デキストロメトルファンは弱いN-メチル-D-アスパラギン酸（NMDA）受容体アンタゴニスト作用をもち，セロトニントランスポーター（SERT）およびσ_1受容体に対して強い結合親和性を有している。デキストロメトルファンはCYP450 2D6により速やかに代謝され，CYP450 2D6阻害薬を一緒に投与しなければ治療域の血中濃度に到達することは難しい。デキストロメトルファンはノルエピネフリン・ドーパミン再取り込み阻害薬（NDRI）でありCYP450 2D6を阻害するbupropionとの併用やCYP450 2D6阻害薬であるキニジンとの併用についても研究されている。

ルエピネフリン・ドーパミン再取り込み阻害薬（NDRI）であるbupropion（別名AXS-05）を組み合わせた薬物と，デキストロメトルファンとCYP450 2D6阻害薬であるキニジンを組み合わせた薬物がある（図7-84）。後者の組み合わせは，仮性球麻痺性情動における病的な笑いや泣きの治

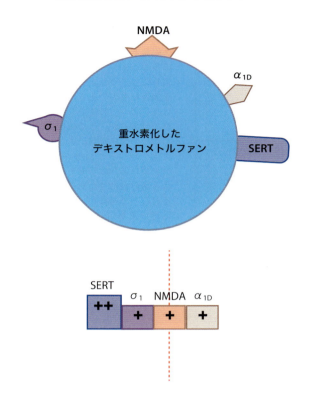

図7-85　重水素化したデキストロメトルファン
デキストロメトルファンの重水素化とキニジンを組み合わせた薬物が開発中である。重水素化によってデキストロメトルファンの半減期が延長し，必要となるキニジンの用量に影響する。
SERT：セロトニントランスポーター

療薬物としてすでに承認されている。後者の新しい組み合わせは，デキストロメトルファン分子を重水素化し，キニジンの投与量を変更したものである（図7-85）。重水素化によって化合物の半減期が延長され，商業的な開発のための再特許が可能になる（テトラベナジンの重水素化については，第5章の遅発性ジスキネジアの治療の項で述べ図5-11Bに示した）。デキストロメトルファンがNMDA受容体に臨床的に関連のある親和性をもつことは明らかであるが，σ_1受容体結合，セロトニントランスポーター（SERT）への阻害，および弱いμオピオイド結合を含め，他の結合特性についてはよくわかっていない（図7-84）。治療抵抗性うつ病に対して研究されたすべてのNMDA受容体アンタゴニストに関する限りでは，デキストロメトルファンはNMDA受容体のどのサブタイプに関与し，どれが最も重要なのか，σ_1またはμオピオイド結合が急速に抗うつ作用に果たす役割は何であるのかは不明である。

デキストロメトルファンはCYP450 2D6によって速やかに代謝されるため，CYP450 2D6の阻害薬を同時投与しない限り，経口投与後に治療域の血中濃度に到達するのが難しくなる。よって各併用製剤には2D6阻害薬が加えられている（図7-84）。キニジンは心血管系作用以下の用量では2D6阻害薬であり，bupropionはNDRI（図7-34，図7-35）だけでなく，2D6阻害薬でもある。bupropionについては，前述し図7-34および図7-35に示したように，2D6への阻害に加えモノアミンに関連したNRDIの抗うつ作用のある薬物の機序（図7-84）があり，デキストロメトルファンのNMDAアンタゴニストの機序と合わさると相乗効果が期待できる。特に，デキストロメトルファンとbupropionの組み合わせは，FDAからうつ病に対するブレークスルーセラピー（画期的治療薬）賞を受賞し治療抵抗性うつ病に対するファストトラック（優先審査）指定を受けており，治療抵抗性うつ病を対象に臨床試験を実施し，い

くつかの有望な初期結果が得られている。双方の配合製剤はまた，Alzheimer 型認知症の興奮を対象とした試験も行っており，特にデキストロメトルファンと bupropion は，FDA からここでもファストトラックの指定を受け，有望な初期結果を示している。認知症における興奮のデキストロメトルファンと bupropion による治療は認知症に関する第 12 章でさらに述べる。

dextromethadone

dextromethadone と levomethadone のラセミ体混合物であるメサドンは，オピオイド使用障害の治療に補助的薬物療法としてμオピオイドアゴニストとして経口的に投与される。μオピオイド活性は，そのほとんどが左回旋性のエナンチオマー（光学異性体）に存在し，右回旋性のエナンチオマーは比較的強力な NMDA アンタゴニスト活性を有するが，μオピオイドアゴニスト活性はあまりない。右回旋性のエナンチオマー（図 7-86）はうつ病の即効的な治療薬として臨床開発中であり，初期の臨床結果が有望視されている。治療抵抗性うつ病に対するすべての NMDA アンタゴニスト（すなわち，ケタミン，esketamine，およびデキストロメトルファンなど）に関して，これらのさまざまな NMDA アンタゴニスト間の潜在的な差異を含め NMDA アンタゴニスト作用の相対的重要性，標的となる特定の NMDA 受容体，および NMDA アンタゴニスト作用の下流への影響などがまさに現在明らかにされつつある。さらに，dextromethadone を含めたこれらの薬物のそれぞれの付加的な結合特性は，σ₁ 受容体結合，SERT への阻害，および弱いμオピオイド結合といったように，あまり特徴づけられていない（図 7-86）。これらの薬物は単に NMDA アンタゴニストとして作用するのではなく，ある程度のμオピオイドアゴニストの作用が自然な対抗する作用を利用することで NMDA とμの二量体を導き，μ刺激のもとでは，それがないときよりも強力な NMDA 効果が発現するのかもしれない。NMDA アンタゴニスト作用に関連する急速な抗うつ作用の機序や，どの受容体作用の組み合わせが最適な

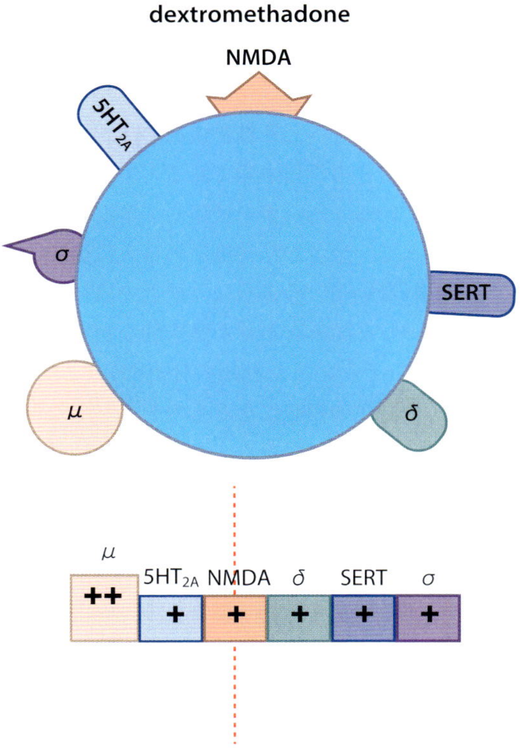

図 7-86　**dextromethadone**　メサドンは 2 つのエナンチオマー（光学異性体）であるレボとデキストロからなる。レボエナンチオマーは強力なμオピオイド受容体アゴニストであり，一方デキストロエナンチオマーはあまり強いμオピオイドアゴニスト作用はもっておらず，N-メチル-D-アスパラギン酸（NMDA）受容体のアンタゴニストである。メサドンのデキストロエナンチオマーは dextromethadone であり，うつ病に対する即効性のある治療薬として臨床開発中である。
SERT：セロトニントランスポーター

のかを明らかにするために，さらに研究を進めるべき課題である。

幻覚薬による精神療法

精神療法は，伝統的に精神薬理学と競合してきた。最近では，精神療法と精神薬理学は補完的なものとみなされるようになり，精神保健に関連した優れた処方者のほとんどが精神療法も実践している。心理療法と薬物療法の両方が，多くの患者にとって治療効果や長期的に良好な転帰をとるという点で相乗効果をもたらすことが長い間認識されてきたが，おそらく，どちらも脳回路を変化させることができるので，神経生物学的に共通の結

びつきがあるのであろう。前臨床研究では，心理療法は脳回路のエピジェネティックな変化を引き起こし，機能不全に陥った神経細胞の情報処理の効率を高め，薬物と同じく精神疾患の症状を改善させることができる学習形態であると実証する報告が増加している。幻覚薬を使用して解離状態を誘導することで，患者が精神療法の導入に従順になるかもしれないというように，最近では精神療法と精神薬理学を組み合わせた臨床的な利用が復活している。（そういった利用の仕方の）ひとつは，抑圧された記憶の根底にあるものをより深く理解し，明確にすることである。もうひとつは，心理療法によって記憶の再体験を促してトラウマとなった記憶の再固定化を阻害する技術により「忘却」させるという方法である。動物実験では，記憶は最初に比較的永久的な記憶ファイルのなかに固定されるが，再活性化されると不安定となる。しかし，もっている記憶が再固定されないか，あるいは記憶が修正された後に再固定されなければ，理論的には消え去る可能性が示されている。それが，ある種の幻覚薬を用いた心理療法の目的である。つまり，つらいトラウマの記憶の再固定化を防ぐのである。この解離を用いた精神療法の実例では，ケタミンから幻覚薬であるMDMAおよびシロシビンpsilocybinまで，つぎに述べるように数多くの薬物の試験が行われている。

3,4-メチレン-ジオキシメタンフェタミン（MDMA）

　3,4-メチレン-ジオキシメタンフェタミン 3,4-methylene-dioxymethamphetamine（MDMA）（図7-87）はamphetamineの誘導体であり，amphetamine自体を，おもにドーパミンの放出を増加させるシナプス小胞モノアミントランスポーター2（VMAT2）の阻害を伴ったノルエピネフリン・ドーパミン再取り込み阻害薬（NDRI）（第11章および図11-30〜図11-32を参照）から，セロトニンの放出も増加させるVMAT2の阻害を伴ったセロトニン再取り込み阻害薬へと変換する。放出されたセロトニンは自由にすべてのセロトニン受容体に作用するが，他の幻覚薬と異な

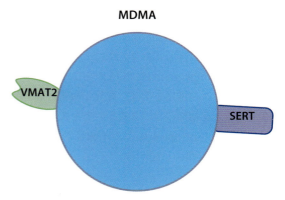

図7-87　3,4-メチレン-ジオキシメタンフェタミン（MDMA）　MDMAはamphetamineの誘導体である。amphetamineはノルエピネフリン・ドーパミン再取り込み阻害薬（NDRI）にドーパミンの放出を強めるシナプス小胞モノアミントランスポーター2（VMAT2）の阻害作用を加えたものである。MDMAはセロトニン再取り込み阻害薬であるが，さらにはVMAT2も阻害して，それによりセロトニンの放出が強まる。またMDMAは心的外傷後ストレス障害（PTSD），不安，および治療抵抗性うつ病に対しても試験中である。

SERT：セロトニントランスポーター

り，MDMAには5HT$_{2A}$受容体を刺激する重要な作用があるようだ。

　MDMAが，気力，楽しみ，および温かい感情を増やし，信頼や親密さを促進させるといった理由で精神療法においては役立つかもしれないが，一方で感覚や時間の知覚に歪みや幻覚を生じさせうる。「エクスタシー」または「モリー」（分子molecularに由来する俗語）としても知られているMDMAは，かつてナイトクラブの界隈や「レイブ」（オールナイトのダンスパーティ）ではポピュラーなものであった。5HT$_{2A}$受容体におけるそのアゴニスト作用は特に夜どおし踊ったり，脱水状態にあるときにMDMAを摂取すると，体温を一時的に上昇させ，臓器障害を引き起こしたり，ときには致命的となるかもしれない。路上で入手されたMDMAは，しばしば「バスソルト」（合成カチノン系），メタンフェタミン，デキストロメトルファン，ケタミンやコカインを含んでいることがあり，マリファナやアルコールとともに摂取されることも多い。純粋なMDMAは，明らかに幻覚薬による精神療法で研究されているもの

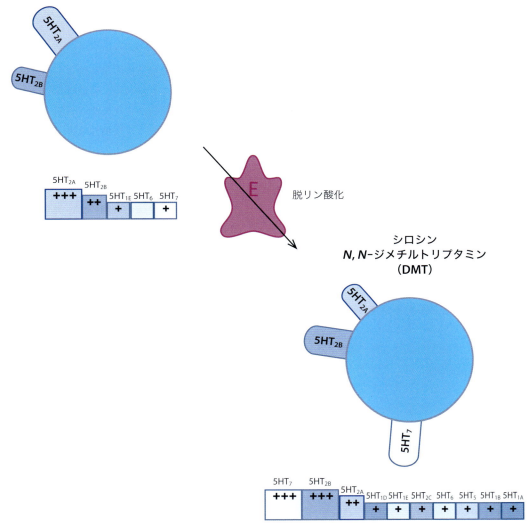

図7-88　シロシビン psilocybin　幻覚薬であるシロシビンはおもに5HT$_{2A}$アゴニストであるが，さらにいくつかのセロトニン受容体への作用ももっている。脱リン酸化により速やかに活性型代謝物であるシロシン psilocin に変換される。シロシビンは，うつ病，不安，および心的外傷後ストレス障害（PTSD）においても研究されている。

である。MDMA は心的外傷後ストレス障害（PTSD），末期患者の不安と実存的苦痛，自閉症の社会不安，治療抵抗性うつ病，物質乱用，などにおいて試験中である。

シロシビン psilocybin

「マジックマッシュルーム」に含有される幻覚薬としても知られているシロシビン（4-ホスホリルオキシ-N,N-ジメチルトリプタミン 4-phosphoryloxy-N,N-dimethyltryptamine）（図7-88）はLSD（リゼルグ酸ジエチルアミド lysergic acid diethylamide）と類似した構造をしており，幻覚を起こしたり，サイケデリックになったり，陶酔的な「トリップ」を引き起こす作用があるので使用され乱用されてきた。シロシビンは脱リン酸化により速やかに活性代謝物であるシロシン（N,N-ジ

メチルトリプタミン，DMT）に変化する。双方とも多くのセロトニン受容体サブタイプ（$5HT_{1A}$，$5HT_{2A}$，$5HT_{2C}$ など）に結合するが，どちらの薬物も幻覚作用は $5HT_{2A}$ 受容体のアゴニスト作用とかなり深く関連している（図7-88）。というのも $5HT_{2A}$ アンタゴニスト作用（選択的ドーパミン D_2 アンタゴニスト作用ではなく）はヒトにおけるシロシビンの効果を打ち消すからである。幻覚薬を介した $5HT_{2A}$ 刺激による精神病は，第4章で精神病の3大理論の1つとして取り上げ図4-52Bに示した。シロシビンはうつ病治療に対してFDAによってブレークスルーセラピー（画期的治療薬）に指定されている。シロシビンはまた末期患者の不安や実存的苦痛，薬物乱用，PTSD，その他いくつかの症状についても広く研究されている。

まとめ

広範なテーマを扱った本章では，単極性うつ病の治療に用いられる多くの薬物の薬理学的作用機序，特にモノアミン系に作用する薬物についてまとめた。さらに最近では，モノアミン系以外の物質，すなわちグルタミン酸や γ-アミノ酪酸（GABA）の神経伝達に作用する薬物も導入されつつある。治療抵抗性の単極性うつ病に対する併用療法についても述べた。単極性うつ病の治療法だけでなく，躁病から双極性うつ病，混合性の特徴を伴ううつ病まで，双極性障害の治療法とも比較し，対比した。これらの症状に対して有効な薬物は，単極性うつ病の治療薬とは異なるものがほとんどであるのだが，それについても述べた。これらの同じ薬物の多くは精神病の治療に用いられ，第5章でその使用について述べた。気分障害の将来的な治療法についてもあらすじを簡単に紹介した。

（訳　吉田典子）

8章 不安・心的外傷とその治療

- 不安症の症状の階層 —398
  - 不安はいつ不安症となるか？ —398
  - うつ病と不安症の重複する症状 —398
  - 異なる不安症において重複する症状 —400
- 扁桃体と恐怖の神経生物学 —402
- 皮質-線条体-視床-皮質（CSTC）回路と憂慮の神経生物学 —403
- 抗不安薬としてのベンゾジアゼピン —404
- 抗不安薬としての$\alpha_2\delta$リガンド —404
- セロトニンと不安 —406
- 不安におけるノルエピネフリン系の過活動 —408
- 恐怖条件づけと恐怖消去 —410
  - 不安症治療の新たなアプローチ —412
- 不安症のサブタイプの治療 —415
  - 全般不安症 —415
  - パニック症 —416
  - 社交不安症 —416
  - 心的外傷後ストレス障害（PTSD） —416
- まとめ —417

本章では不安症群 anxiety disorders（以降は「不安症」）と心的外傷性障害 traumatic disorder の症状や治療について簡潔に概略を述べる。各不安症の症状がお互いどのように重複しているか、またうつ病（DSM-5）major depressive disorder や心的外傷およびストレス因関連障害群（trauma-and stressor-related disorders）の症状と重複する点についても述べる。臨床症状や正式な診断基準についても少しふれるが、これについては標準的な参考書を参照されたい。ここでは、特に扁桃体を中心としたさまざまな神経回路や神経伝達物質の機能が解明されてきたことで、恐怖や憂慮といった症状や心的外傷記憶の理解がどのように進んだかに焦点をあてる。

本章の目的は、不安や心的外傷性の症状に対するさまざまな治療の作用機序を理解するために、それらの臨床的および生物学的側面についての理解を得ることである。精神薬理学的治療については他の章で詳細に述べてある。単極性うつ病（unipolar depression）の治療にも使用される不安に対する治療薬（モノアミン再取り込み阻害薬）の作用機序の詳細については、第7章の気分障害とその治療を参考にしてほしい。慢性痛の治療にも使用される不安や心的外傷性障害に対する治療薬（すなわち、ある種のイオンチャネル阻害抗痙攣薬）の作用機序の詳細については、第9章の慢性痛とその治療の項を参照されたい。精神療法はすべての精神障害において有効であり、不安症や心的外傷性障害においては特に有効かもしれない。不安症において、精神療法が薬物療法よりも非常に有効であることはよくみられ、抗不安薬の効果を増強することもある。恐怖条件づけと恐怖再固定を防ぐ、またはもとに戻すための新しい精神療法についてもここで軽く述べるが、不安に対する精神療法についての詳細は一般的な精神医学や臨床心理学の参考書、さらに精神薬理学と精神療法の両方に精通する著者による書籍（参考文献など）を参照されたい。本章においては、不安や不安症における、不安の神経生物学と不安に対する薬物の作用機序について重点的に述べる。用量、副作用、薬物相互作用、および臨床場面での処方に関連するその他の問題についての詳細は、標準

的な薬物療法の参考書（『精神科治療薬の考え方と使い方』など）を参照してほしい。

不安症の症状の階層

不安はいつ不安症となるか？

不安は脅威を感じる状況では正常な情動であり，進化上の生存のための「闘争か逃走かfight or flight」反応の一部と考えられている。古代の剣歯虎〔サーベルタイガー（あるいは現代でそれに相当するもの）〕が襲ってきたときに不安を感じるのは，正常どころか適応的な反応でさえあるが，非適応的に不安を感じ，その結果，ある種の精神障害に陥ってしまう場合も多くある。精神障害としての不安症は急速に不安がふくれあがるものであり，過度の恐怖と憂慮（図8-1の不安症の中核症状）が主体であることが特徴である。他方，うつ病は抑うつ気分や興味の喪失（図8-1のうつ病の中核症状）が主体であることが特徴である。強迫症obsessive-compulsive disorder（OCD）のように不安症状に関連する障害であっても，診断マニュアルでは現在は不安症に分類されないものもあり，本書ではOCDは第13章の衝動と強迫の障害において述べている。他の不安症状に関連する障害としては心的外傷後ストレス障害posttraumatic stress disorder（PTSD）があり，これも現在は不安症に分類しない診断マニュアルもあるが，本章では取り上げる。

不安症の症状の多くは，うつ病の症状と重なり合う（図8-1の中核症状を取り囲む周辺症状）。特に，睡眠障害，集中困難，疲労感，そして精神運動症状/覚醒症状が重複する。おのおのの不安症はその他の不安症とかなりの症状が重複する（図8-2～図8-5，図13-30も参照）。不安症はうつ病だけではなく，互いに他の不安症としばしば併存するため，多くの患者は経過中に第2，第3の不安症にも罹患する（図8-2～図8-5）。さらに，不安症はしばしば物質乱用substance abuse，注意欠如・多動症attention-deficit/hyperactivity disorder（ADHD），双極性障害bipolar disorder，疼痛性障害pain disorder，睡眠障害sleep disorderなど多くの精神疾患と併存する。

そうであれば，不安症とは何であろうか？　不安症はすべて，何らかの形の不安や恐怖と何らかの形の憂慮を中核的特徴としている。しかし，それらの症状は，しばしば自然経過において，相互に変化しながら，不安症の全症候群を呈するようになり（図8-1），それから元来の不安症やほかの不安症（図8-2～図8-5），もしくはうつ病（図8-1）のみの症状となり，症候群以下のレベルに戻る。もしすべての不安症において恐怖や憂慮（図8-1，図8-6）の中核症状が共通であり，本章で後述するように，基本的にすべて同じ薬物で治療され，それに多くのうつ病治療薬が含まれるのであれば，ここに疑問が生じる。すなわち，不安症はそれぞれどんな違いがあるのであろうか？　また，うつ病と不安症の違いは何であろうか？　これらのすべては本当に異なる障害なのであろうか，それとも同じ疾患の単なる他の側面にすぎないのであろうか？

うつ病と不安症の重複する症状

うつ病の中核症状（抑うつ気分や興味の喪失）は

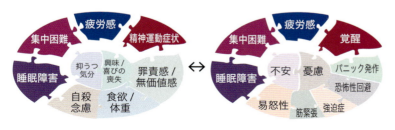

図8-1　うつ病と不安症の重複
不安症の中核症状（不安と憂慮）はうつ病の中核症状（興味の喪失と抑うつ気分）と異なるが，これらの障害に関連する残りの症状にはかなりの重複がみられる（左の「うつ病」と右の「不安症」のパズルを比較）。例えば，疲労感，睡眠障害，集中困難，そして精神運動/覚醒症状はどちらの障害にもしばしば認められる。

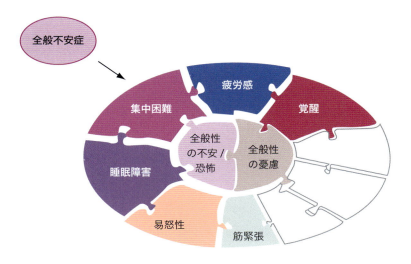

図8-2 **全般不安症** 全般不安症と関連する典型的な症状を示す。これらには，中核症状である全般性の不安や憂慮のほか，覚醒の増強，疲労感，集中困難，睡眠障害，易怒性，筋緊張が含まれる。これらの症状の多くは，中核症状を含め，他の不安症でも認められる。

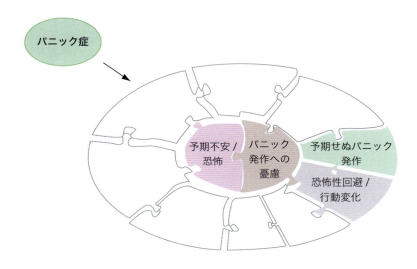

図8-3 **パニック症** パニック症の特徴的な症状を示す。これには，中核症状である予期不安やパニック発作への憂慮のほか，関連する症状として，予期せぬパニック発作や，パニック発作への憂慮に関連して起こる恐怖性回避や他の行動変化が含まれる。

不安症の中核症状（恐怖と憂慮）と異なるが，抑うつエピソード major depressive episode といくつかの異なる不安症の両方の診断基準を満たす多くの周辺症状が重複する（図8-1）。これらの重複症状には，睡眠，集中，疲労に関する症状のほか，精神運動症状および覚醒症状が含まれる（図8-1）。このように，いくつかの症状が付随して起こったり，消失したりすることで，簡単に抑うつエピソードが不安症へ変わったり（図8-1），ある不安症が他の不安症へ変わってしまう（図8-2〜図8-5）。

治療の観点からいうと，不安症のスペクトラムにおける特異的な診断は重要ではない可能性がある（図8-1〜図8-5）。すなわち，現在不安の症状をもつ（しかし不安症ではない）抑うつエピソードの患者と，不安症が併存する抑うつエピソードの患者では，精神薬理学的治療はそれほど変わらないかもしれない。患者の経過を継続的に観察し，症状の変化を記録するためには，特異的診断が有用かもしれないが，精神薬理学的観点からみると，これらの症状をもつ患者には，より症状を基礎にした治療的戦略をとるべきであることを強調したい。なぜなら，脳は「精神疾患の診断・統計マニュアル」（Diagnostic and Statistical Manual of Mental Disorders）に従って組織されているのではなく，空間分布的な機能局在をもつ脳の神経回

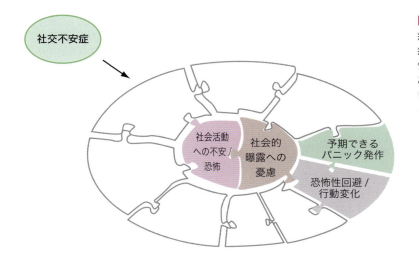

図8-4 社交不安症 社交不安症の症状を示す。これには，中核症状である社会活動への不安や恐怖，社会的曝露への憂慮のほか，ある社会的場面においての予測できるパニック発作や，その場面からの恐怖性回避が含まれる。

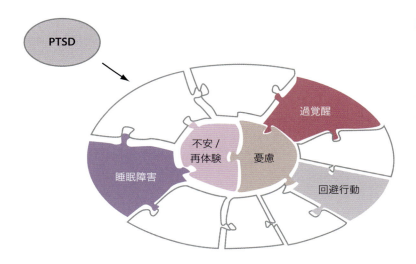

図8-5 心的外傷後ストレス障害（PTSD） PTSDの特徴的な症状を示す。これには，中核症状である外傷的出来事が再体験されることの不安や，PTSDの他の症状が起こることへの憂慮のほか，過覚醒，驚愕反応，悪夢を含む睡眠障害，回避行動が含まれる。PTSDは現在では不安症ではなくストレス関連障害に分類され，過覚醒の障害と考えられている。

路に従って組織されているからである。つまり，患者が何の障害であろうと，その患者が体験している特異的症状に従って，患者ごとに特異的治療を行うことができる（図8-2〜図8-5）。そして，これらの症状と，特定の神経伝達物質により調整される神経回路における機能不全の部位を仮説的に関係づけることで，合理的な薬物選択と精神薬理学的治療を行うことができる。それにより，機能不全の脳の回路において情報処理の効率を高めて症状を改善し，患者を寛解に導くのである。これについては，第6章の気分障害において詳しく述べており，図6-42〜図6-44にも示した。

異なる不安症において重複する症状

異なる不安症に対しては異なる診断基準があるが（図8-2〜図8-5），これらは常に変化しており，多くの人がもはやOCDやPTSDを不安症と考えなくなっている（OCDは第13章の衝動性の項で述べる）。すべての不安症は憂慮を伴う不安と恐怖という重複する症状を有する（図8-6）。不安や恐怖といった中核症状の基礎となる神経回路の理解は，扁桃体における神経生物学的研究が急増したことで著しく進歩した（図8-7〜図8-14）。不安症スペクトラム，心的外傷性そしてストレス障害における扁桃体や恐怖の神経回路と不安や恐怖に対する治療との関係を以降で述べていく。

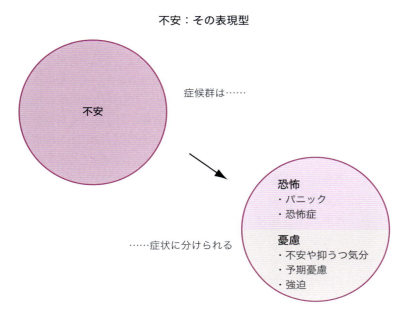

図8-6 **不安：その表現型** 不安は恐怖と憂慮という2つの中核症状に分けて考えられる。これらの症状はすべての不安症に存在するが，それらを引き起こすものはそれぞれで異なる可能性がある。

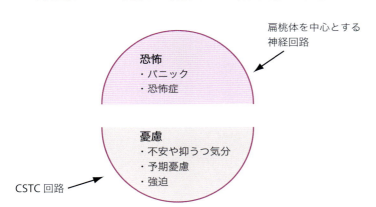

図8-7 **不安症状と神経回路の関係** 不安と恐怖の症状（すなわちパニックや恐怖症）は扁桃体を中心とした神経回路により調節される。一方，憂慮は皮質−線条体−視床−皮質（CSTC）回路により調節される。これらの回路はすべての不安症に関与し，それぞれの表現型は特定の回路を反映するのではなく，これらの回路における多様な機能不全を反映している可能性がある。

　憂慮は不安症スペクトラムに共通する第2の中核症状である（図8-7）。仮説上，この症状は皮質−線条体−視床−皮質 cortico-striato-thalamo-cortical（CSTC）回路の機能に関係すると考えられている。「憂慮の神経回路」であるCSTC回路と不安症スペクトラムに共通する憂慮の症状に対する治療との関係は，本章で後述する（図8-15〜図8-20）。ある不安症を他の不安症と差別化するものは，解剖学的局在やこれらの障害における恐怖や憂慮（図8-6，図8-7）を調節する神経伝達物質ではなく，むしろさまざまな不安症で共通するこれらの回路の特異的な機能不全であるのかもしれない。すなわち，全般不安症 generalized anxiety disorderにおいて，扁桃体とCSTC回路の機能不全は持続的で寛解しないが，重症ではないと仮説できるかもしれない（図8-2）。それに対し，パニック症 panic disorderでは機能不全が間欠的だが予期できず破壊的であり（図8-3），社交不安症 social anxiety disorderでは予期できる（図8-4）と仮説されている。PTSDでは，神経回路の機能不全は心的外傷に起因して形成されるのかもしれない（図8-5）。

扁桃体と恐怖の神経生物学

　扁桃体は海馬の近くに位置するアーモンド型の脳中枢である。扁桃体は感覚と認知の情報を統合して、恐怖の反応を起こすかどうかを決定するのに重要な解剖学的線維連絡をもつ。特に、恐怖の情動や感情は、扁桃体とともに情動を調整する重要な領域である前頭前皮質の眼窩前頭皮質と前帯状皮質との線維連絡によって調整される（図8-8）。しかし、恐怖はただの感情ではない。恐怖反応は運動反応も含む。周囲の状況と個人の気質により、この運動反応は闘争であったり、逃走であったり、その場で動けなくなったりする。恐怖の運動反応は、部分的には扁桃体と脳幹の中脳水道周囲灰白質 periaqueductal gray（PAG）との間の線維連絡により調節される（図8-9）。

　恐怖に伴う内分泌的反応もある。それは部分的には扁桃体と視床下部との間の線維連絡によるものであり、視床下部-下垂体-副腎系 hypothalamic-pituitary-adrenal axis（HPA軸）とコルチゾール濃度に変化を引き起こす。コルチゾールの急激な増加は、人間が現実の短期的な脅威に遭遇したときに、生き残る力を高めている可能性がある。しかし、恐怖反応によりこのような内分泌的反応が慢性的に持続して活性化されると、冠動脈疾患、2型糖尿病、脳卒中といった内科的合併症の増加（図8-10）や、海馬の萎縮を引き起こす可能性がある（第6章、図6-30）。恐怖反応の間は呼吸も変化する。呼吸は、部分的には扁桃体と脳幹の傍小脳脚核 parabrachial nucleus（PBN）の間の線維連絡で調節される（図8-11）。恐怖への適応的な反応は、闘争か逃走か反応の過程において生き残る力を高めるために呼吸数を増加させることである。だが、これが過度になると、息切れ、気管支喘息の増悪、窒息感といった望まない症状が引き起こされる（図8-11）。これらはすべて、不安の間、特にパニック発作のような不安発作の間にしばしば認められるものである。

　実際に脅威を感じている場合、自律神経系は恐怖により変化し、心血管系での脈拍や血圧の上昇といった反応を引き金として、闘争か逃走の反応

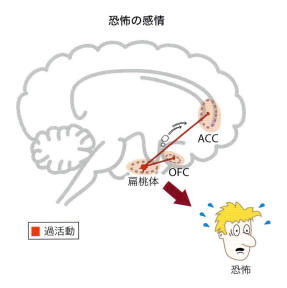

図8-8 恐怖の感情 恐怖の感情は扁桃体と前帯状皮質（ACC）、扁桃体と眼窩前頭皮質（OFC）との間の線維連絡により調節される。特に、これらの回路の過活動により恐怖の感情が生まれる可能性がある。

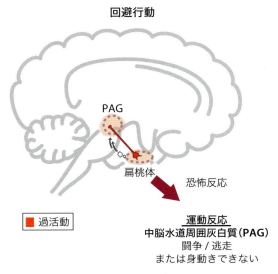

図8-9 恐怖の運動反応 恐怖の感情は回避のような行動によっても表現されることがある。回避は、部分的には扁桃体と中脳水道周囲灰白質（PAG）との間の線維連絡により調節される。この意味で、回避は運動反応であり、脅威下で動けなくなることに類似しているのかもしれない。その他の運動反応には、環境での脅威から生き残るための「闘争か逃走か」反応がある。

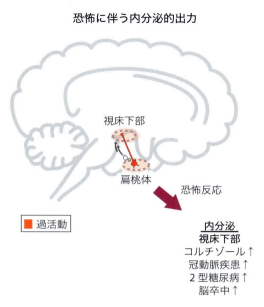

図8-10 恐怖に伴う内分泌的出力 恐怖反応は，部分的にはコルチゾールの増加のような内分泌的影響により特徴づけられる可能性がある。視床下部-下垂体-副腎系（HPA軸）において扁桃体が活性化されることでコルチゾールは増加する。HPA軸の過活動とコルチゾールの遊離が長引くと，健康に大きく影響し，冠動脈疾患，2型糖尿病，脳卒中といった疾患のリスクが上昇する。

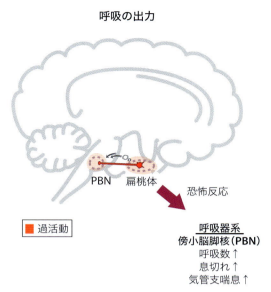

図8-11 呼吸の出力 恐怖反応の間に，呼吸の変化が起きていることがある。これらの変化は扁桃体を介する傍小脳脚核（PBN）の活動により調節される。PBNの不適切もしくは過度の活動は呼吸数の増加だけではなく，息切れ，気管支喘息の増悪，窒息感といった症状も起こしうる。

を起こし，生き残る力を高める。これらの自律神経系と心血管系反応は，扁桃体とノルエピネフリン神経細胞の中核である青斑核との間の神経連絡により調節される（図8-12，ノルエピネフリン神経細胞については第6章，ノルエピネフリンと神経細胞については図6-12～図6-16）。自律神経系の反応が反復的である場合，すなわち不安症の一部として不適切もしくは慢性的にそれらが引き起こされると，結果的には動脈硬化や心虚血，高血圧，心筋梗塞，そして突然死さえも増加することとなる（図8-12）。「死への恐怖」は必ずしも常に誇張や話のうえのものではないかもしれない！また，特にPTSDのような状態では，不安は海馬に保持された心的外傷記憶により身体の内部からも引き起こされ，扁桃体との線維連絡により過剰に活性化される（図8-13）。

恐怖反応の過程は，扁桃体に入るもしくはそこから出る非常に多くの線維連絡により調節される。各連絡には特定の受容体で作動する特定の神経伝達物質が使われている（図8-14）。これらの線維連絡に関して，扁桃体での不安の症状の形成には複数の神経伝達物質がかかわっており，多くの抗不安薬はこれらの特異的な神経伝達系に作用し，不安や恐怖の症状を緩和していることがわかっている（図8-14）。扁桃体の神経生物学的な調節因子としては，神経伝達物質であるGABA，セロトニン，ノルエピネフリン，そして電位感受性カルシウムチャネル（VSCC）などがある。既知の抗不安薬はこれらの神経伝達物質に作用し，治療効果を発揮すると仮説することは驚くに値しない。

皮質-線条体-視床-皮質（CSTC）回路と憂慮の神経生物学

不安症の第2の中核症状である憂慮は別の独自の神経回路が関与している（図8-15）。憂慮は，不安や抑うつ気分，予期憂慮，破局的思考，強迫を含み，前頭前皮質からのCSTCフィードバック回

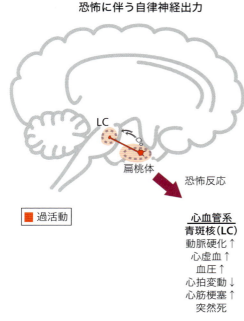

図8-12 **恐怖に伴う自律神経系出力** 自律神経系の反応は典型的には恐怖の感情と関連している。これには，心拍数増加や血圧上昇が含まれ，扁桃体と青斑核（LC）との間の線維連絡により調節される。この回路が長期間過活動になると，動脈硬化，心虚血，血圧変化，心拍変動の低下，心筋梗塞，そして突然死のリスクさえも上昇しうる。

図8-13 **海馬と再体験** 不安は外部の刺激だけではなく個人の記憶によっても引き起こされる。海馬に蓄えられた心的外傷記憶が扁桃体を活性化し，さらに扁桃体が他の脳領域を活性化して恐怖反応を生み出すことがある。これは再体験と呼ばれ，心的外傷後ストレス障害（PTSD）に独特の症状である。

路と関連しているという仮説もある（図8-15，図8-16）。同様のCSTCフィードバック回路が反芻，強迫，妄想といった関連する症状を調節しているという理論を唱える専門家もおり，これらの症状はすべて反復思考の一種である。これらの回路をいくつかの神経伝達物質と調節因子，すなわちセロトニン，GABA，ドーパミン，ノルエピネフリン，グルタミン酸，電位感受性イオンチャネルなどが調節している（図8-15）。これらは，扁桃体を調節する神経伝達物質や調節因子と重複しているものが多い（図8-14）。

抗不安薬としてのベンゾジアゼピン

ベンゾジアゼピン系抗不安薬が，不安症において恐怖反応の際に扁桃体からの過剰出力をどのように調節するのか，その概略を図8-18に示した。

扁桃体の過活動（図8-8～図8-12，図8-17A）は，理論的には，ベンゾジアゼピンによって減弱する。ベンゾジアゼピンはシナプス後$GABA_A$受容体の正のアロステリック調節により（第6章の$GABA_A$受容体におけるベンゾジアゼピンの正のアロステリック調節と図6-20～図6-23を参照），γ-アミノ酪酸 γ-aminobutyric acid（GABA）の相動性の抑制を増強する。ベンゾジアゼピンは，扁桃体に存在する$GABA_A$受容体において，恐怖関連の出力を減弱させ，恐怖の症状を軽減する（図8-17B）ことで抗不安作用をもたらすと考えられる。$GABA_A$受容体のサブタイプにおいて相互に作用するベンゾジアゼピンについては，第6章と図6-19～図6-23に記した。ベンゾジアゼピンは憂慮の回路（図8-18A）からの過剰な出力を，CSTC回路（図8-18B）における抑制性介在神経細胞の作用を増強することにより調整して，それにより憂慮の症状を軽減するとも考えられる。

抗不安薬としての$\alpha_2\delta$リガンド

電位感受性カルシウムチャネル voltage-sensitive calcium channel（VSCC）については第3章で述べ，シナプス前N型およびP/Q型VSCCと

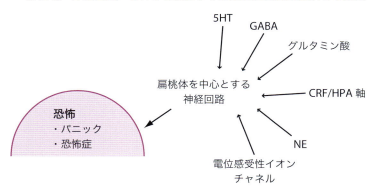

図8-14　**不安症状と神経回路および神経伝達物質との関係**　不安や恐怖の症状は，扁桃体を中心とした神経回路の機能不全と関連している。この回路は，セロトニン（5HT），γ-アミノ酪酸（GABA），グルタミン酸，副腎皮質刺激ホルモン放出因子（CRF），ノルエピネフリン（NE）などにより調節される。さらに，電位感受性イオンチャネルもこの回路の神経伝達に関与している。

HPA軸：視床下部-下垂体-副腎系

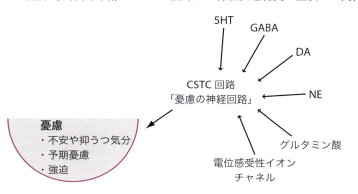

図8-15　**憂慮の症状と神経回路および神経伝達物質との関係**　不安や抑うつ気分，予期憂慮，破局的思考，強迫といった憂慮の症状は，皮質-線条体-視床-皮質（CSTC）回路の機能不全と関連している。この回路は，セロトニン（5HT），γ-アミノ酪酸（GABA），ドーパミン（DA），ノルエピネフリン（NE），グルタミン酸，そして電位感受性イオンチャネルにより調節される。

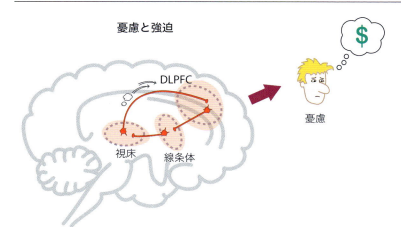

図8-16　**憂慮と強迫の神経回路**　皮質-線条体-視床-皮質（CSTC）回路を示す。これは背外側前頭前皮質（DLPFC）からはじまり，DLPFCで終了する。この回路の過活動が憂慮や強迫につながるのかもしれない。

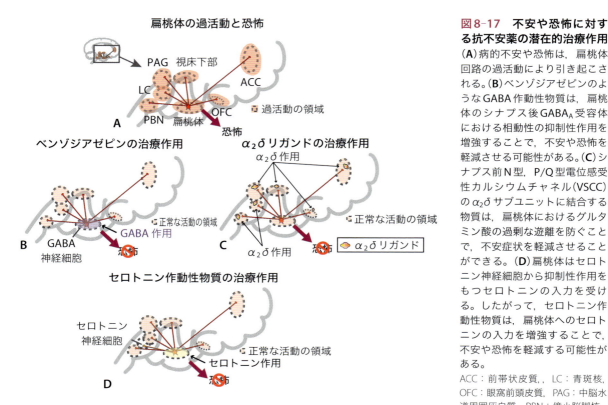

図8-17 不安や恐怖に対する抗不安薬の潜在的治療作用
(A)病的不安や恐怖は，扁桃体回路の過活動により引き起こされる。(B)ベンゾジアゼピンのようなGABA作動性物質は，扁桃体のシナプス後GABA_A受容体における相動性の抑制性作用を増強することで，不安や恐怖を軽減させる可能性がある。(C)シナプス前N型，P/Q型電位感受性カルシウムチャネル(VSCC)の$\alpha_2\delta$サブユニットに結合する物質は，扁桃体におけるグルタミン酸の過剰な遊離を防ぐことで，不安症状を軽減させることができる。(D)扁桃体はセロトニン神経細胞から抑制性作用をもつセロトニンの入力を受ける。したがって，セロトニン作動性物質は，扁桃体へのセロトニンの入力を増強することで，不安や恐怖を軽減する可能性がある。
ACC：前帯状皮質，LC：青斑核，OFC：眼窩前頭皮質，PAG：中脳水道周囲灰白質，PBN：傍小脳脚核

興奮性神経伝達物質の遊離におけるVSCCの役割については図3-18と図3-22～図3-24に示した。ガバペンチンとプレガバリンは，$\alpha_2\delta$リガンドとしても知られ，シナプス前N型およびP/Q型VSCCの$\alpha_2\delta$サブユニットに結合する。これらの薬物は，神経伝達が過剰で扁桃体において恐怖(図8-17A)，そしてCSTC回路において憂慮(図8-18A)が引き起こされているときに，グルタミン酸などの興奮性神経伝達物質の遊離を阻害する。仮説上，$\alpha_2\delta$リガンドは扁桃体においては，開口していて過剰に活動しているVSCCに結合して恐怖を軽減し(図8-17C)，CSTC回路においては，憂慮を軽減している(図8-18C)と考えられる。$\alpha_2\delta$リガンドであるガバペンチンとプレガバリンは，社交不安症とパニック症に対する抗不安作用が示されており，不安症治療薬として承認されている国もある。さらに，てんかんや神経障害性疼痛や線維筋痛症といったある種の疼痛状態に対する有効性もすでに証明されている。$\alpha_2\delta$リガンドのVSCCにおける作用は，第9章の疼痛の章で述べる。$\alpha_2\delta$リガンドは明らかに，選択的セロトニン再取り込み阻害薬(SSRI)やベンゾジアゼピンと異なる作用機序をもつので，SSRIやセロトニン・ノルエピネフリン再取り込み阻害薬(SNRI)，ベンゾジアゼピンがあまり奏効しない患者に有用かもしれない。さらに，$\alpha_2\delta$リガンドを，SSRI，SNRIやベンゾジアゼピンと組み合わせれば，部分的反応のみで寛解には至らない患者にとって有用な可能性がある。

セロトニンと不安

不安症に関係する症状，神経回路や神経伝達物質は，うつ病と大きく重複するため(図8-1)，抗うつ薬として開発された薬物が不安症に有効であると証明されても驚くに値しない。実際，今日でも不安症に対する主要な治療薬には，元来抗うつ

セロトニンと不安 | **407**

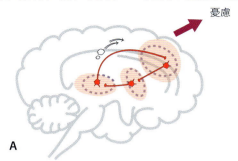

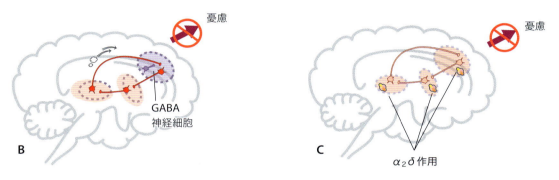

図8-18　憂慮に対する抗不安薬の潜在的治療作用　(A)病的憂慮は，皮質-線条体-視床-皮質(CSTC)回路の過活動により引き起こされる。(B)ベンゾジアゼピンのようなGABA作動性物質は，前頭前皮質の抑制性GABA介在神経細胞の作用を増強することで，憂慮を軽減させる可能性がある。(C)シナプス前N型，P/Q型電位感受性カルシウムチャネルの$\alpha_2\delta$サブユニットに結合する物質は，CSTC回路におけるグルタミン酸の過剰な遊離を防ぐことで，憂慮の症状を軽減させることができる。(D)前頭前皮質，線条体，視床はセロトニン神経細胞から抑制性作用をもつセロトニンの入力を受ける。したがって，セロトニン作動性物質は，CSTC回路におけるセロトニンの入力を増強することで，憂慮を軽減させる可能性がある。

薬として開発された薬物が増えている。セロトニンは扁桃体だけでなく，皮質-線条体-視床-皮質（CSTC）回路のすべての構成要素，すなわち前頭前皮質，線条体，視床を刺激する重要な神経伝達物質であり，これにより恐怖と憂慮の両方を調節する（セロトニン伝達経路については第5章と第6章で述べ，図6-40に示した）。抗うつ薬のほとんどはセロトニントランスポーターserotonin transporter（SERT）を阻害することでセロトニンの出力を増強し，図8-2～図8-5に示した不安症や心的外傷性障害において，不安や恐怖の症状をも軽減する。すなわち，全般不安症，パニック症，社交不安症，そしてPTSDにおいてである（そして図13-30のOCDにおいても）。そのような物質としては，SSRI（第7章参照，作用機序は図7-12～図7-17参照）やSNRI（第7章参照，作用機序は図7-32と図7-11～図7-15参照）がよく知られている。

　セロトニン1A（$5HT_{1A}$）部分アゴニストであるbuspironeは，全般不安症の治療薬と認識されているが，他の不安症や心的外傷性障害の治療薬とは認識されていない。抗うつ薬の増強作用をもつ$5HT_{1A}$部分アゴニストについては第7章で述べた。$5HT_{1A}$部分アゴニスト作用とセロトニン再取り込み阻害作用を併せもつ抗うつ薬〔すなわち，セロトニン受容体部分アゴニスト/再取り込み阻害薬 serotonin partial agonist/reuptake inhibitor（SPARI）と vilazodone，図7-23～図7-27参照〕は，理論的には抗うつ薬としての作用と同時に抗不安作用を有する。多数の抗精神病薬の$5HT_{1A}$部分アゴニストとしての特性については，第5章で述べ，図5-22，図5-23に示した。また，$5HT_{1A}$受容体刺激の下流の作用については，第4章で述べ，図4-44に示した。

　buspironeの潜在的な抗不安作用は，理論的にはシナプス前とシナプス後の両方における$5HT_{1A}$部分アゴニスト作用によるものであり（図7-23～図7-27），両部位での作用は扁桃体（図8-17D），前頭前皮質，線条体，視床（図8-18D）への投射におけるセロトニン系の活動を増強する。そして，これにより恐怖と憂慮を改善し，同時に全般不安症とうつ病の両方における他の症状も改善する（図8-1）。SSRIとSNRIは理論的には同じ働きをする（図8-17D，図8-18D）。buspironeの抗不安作用の開始には，抗うつ薬と同様に時間がかかるため，$5HT_{1A}$部分アゴニストの治療作用は，単に$5HT_{1A}$受容体の急速な占拠によるものではなく，むしろ順応的な神経活動や受容体変化によるもの（図7-10～図7-15，図7-23～図7-27）と考えられてきた。このように，$5HT_{1A}$部分アゴニストに想定される作用機序は，SSRIやSNRIを含むさまざまな抗うつ薬と類似している。抗うつ薬も神経伝達物質の受容体の順応によって作用すると考えられており，ベンゾジアゼピン受容体の急速な占拠によって作用するベンゾジアゼピンの抗不安作用とは異なるとされる。

不安におけるノルエピネフリン系の過活動

　ノルエピネフリンは，扁桃体（図8-19A）や皮質-線条体-視床-皮質（CSTC）回路における前頭前皮質と視床（図8-20A）への重要な調節性入力を行う神経伝達物質である。青斑核からの過剰なノルエピネフリン出力は，前述し，図8-8～図8-12に示したような自律神経の過活動による数々の末梢症状を引き起こすだけではなく，悪夢，過覚醒状態，フラッシュバック，パニック発作といった不安や恐怖の中核症状の数々を引き起こす（図8-19A）。またノルエピネフリン系の過活動は，前頭前皮質，さらにはCSTC回路における情報処理の効率を低下させ，理論的にはこれにより憂慮を引き起こす（図8-20A）。これらの症状は部分的には，扁桃体（図8-19A）もしくは前頭前皮質（図8-20A）のシナプス後$α_1$および$β_1$受容体に対する過剰なノルエピネフリンの作用によると考えられる。なぜなら，悪夢のような過覚醒の症状が，プラゾシンのような$α_1$アンタゴニストにより軽減される患者がいるからである（図8-19B）。恐怖（図8-19C）や憂慮（図8-20B）の症状は，ノルエピネフリン再取り込み阻害薬〔ノルエピネフリントランスポーター norepinephrine transporter（NET）阻害薬とも呼ばれる〕により減弱すること

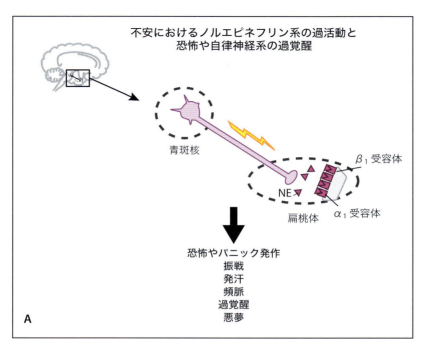
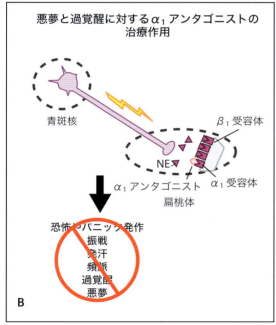
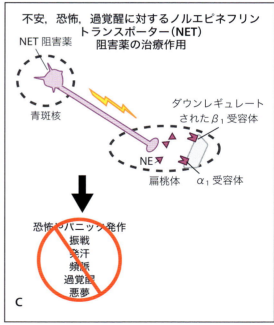

図8-19 **不安や恐怖におけるノルエピネフリン系の過活動** (**A**)ノルエピネフリン(NE)は扁桃体への入力だけでなく，扁桃体から投射される多くの領域への入力にも関与し，恐怖反応において重要な役割を担っている。ノルエピネフリン系の過活動は，不安やパニック発作，振戦，発汗，頻脈，過覚醒，悪夢といった症状を引き起こす。α_1 受容体，β_1 受容体は，これらの反応に特に関係している可能性がある。(**B**)ノルエピネフリン系の過活動は，α_1 アンタゴニスト投与により制御される。これにより不安やその他のストレス関連症状が軽減する可能性がある。(**C**)ノルエピネフリン系の過活動は，ノルエピネフリントランスポーター (NET)阻害薬の投与によっても制御される。これは，β_1 受容体の下流をダウンレギュレートする作用をもつ。β_1 受容体による刺激を減弱させることで，不安やストレス関連症状を軽減させる可能性がある。

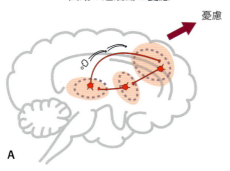

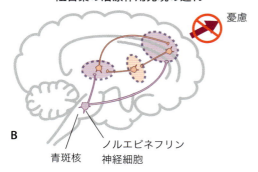

図8-20　憂慮におけるノルエピネフリン系の過活動　(**A**) 病的憂慮は，皮質-線条体-視床-皮質（CSTC）回路の過活動により引き起こされる．ノルエピネフリン系の過活動は，特にこの回路における情報処理の効率を低下させ，理論的にはこれが憂慮を引き起こす．(**B**) CSTC回路におけるノルエピネフリン系の過活動は，ノルエピネフリントランスポーター（NET）阻害薬の投与により制御できる可能性がある．NET阻害薬はβ_1受容体をダウンレギュレートする．β_1受容体による刺激を減弱させることで，憂慮を軽減できる可能性がある．

がある．SNRIや選択的NET阻害薬の投与後まもなくは，不安症状が一時的に悪化することがあるため，NET阻害薬の臨床的効果は混乱しやすい．これは，初回投与後においてノルエピネフリン系の活動は増強されるが，シナプス後受容体がまだ順応していないことによるものである．しかしながら，これらのNET阻害作用が長期保持されると，β_1受容体のようなシナプス後ノルエピネフリン受容体がダウンレギュレートされ，脱感作されて，長期的には恐怖や憂慮の症状が軽減される

（図8-20B）．

恐怖条件づけと恐怖消去

　恐怖条件づけ fear conditioningとは，パブロフの犬に示される古い概念である．動物にフットショックのような嫌悪刺激と，ベルの音のような中立的な刺激を同時に与えると，その動物は2つの刺激を関連づけるようになり，ベルの音をきくと恐怖を感じるようになる．ヒトでは，恐怖は精神的苦痛を伴うストレスの多い経験をするうちに学習され，遺伝的な素因や，環境ストレスへの曝露で生じた神経回路のストレス感作（幼児虐待など，第6章と図6-28と図6-33参照）によって影響を受ける．しばしば恐怖に満ちた状況は適切に処理されて忘れ去られるが，本当に危険な恐怖の状況は命にかかわるため，ヒトを含むさまざまな生物種において恐怖条件づけと呼ばれる恐怖学習機序が非常によく保持されてきたのである．しかし，「学習」され，「忘れ」られない恐怖は，不安症や抑うつエピソードに発展することがある．これは大きな問題である．なぜなら，人口の約30％が不安症を発症し，その大部分がストレスの多い環境によるとされるからである．この環境ストレスとしては，21世紀における通常の活動で起こる恐怖に満ちた出来事への曝露のほか，特に幼少期の虐待や逆境の経験，青年期の戦争や自然災害，虐待関係の経験もある．

　恐怖に満ちた出来事への早期の曝露に関連した感覚刺激を何度も反復すること，すなわち爆発をみたりきいたりすること，ゴムが焼ける臭いをかぐこと，負傷した市民の写真をみること，そして洪水をみたりきいたりすることは，感情的な外傷的体験をもつPTSD患者において，心的外傷の再体験や全般化した過覚醒や恐怖の引き金となる．社会的状況に関連するパニックは，社交不安症患者に，社会的状況でパニックになるように「教える」のである．パニック症の患者において，人混み，橋の上，ショッピングセンターでこれまでに起きたパニック発作は，同じような状況に遭遇したとき，新たなパニック発作の引き金となる．不安症におけるこれらおよびその他の症状はすべ

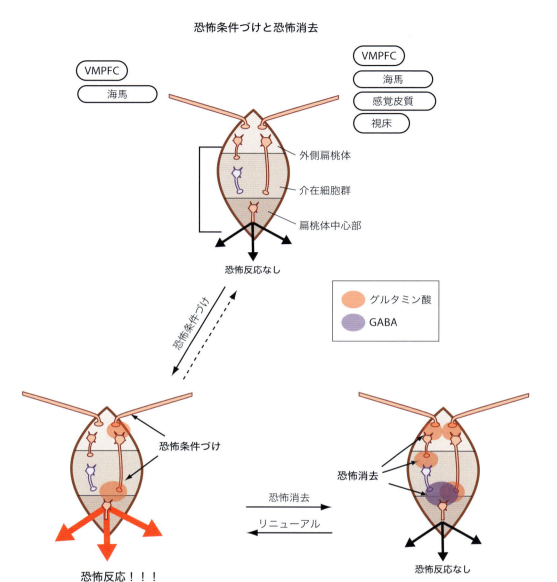

図8-21　恐怖条件づけと恐怖消去　ストレスの多い，もしくは恐怖に満ちた経験をしたとき，感覚入力は扁桃体に伝わり，そこで腹内側前頭前皮質（VMPFC）や海馬からの入力と統合され，恐怖反応が産生もしくは抑制される。扁桃体は，グルタミン酸神経伝達の効率を上昇させることにより，その経験と関連する刺激を「記憶」していると考えられる。その結果，刺激に将来も曝露されると，恐怖反応はより効率的に引き起こされる。VMPFCからの恐怖反応を抑制する入力の機会がなければ，恐怖条件づけは進行する。恐怖条件づけは，たやすくは戻らないが，新しい学習によって抑制することができる。この新しい学習は恐怖消去と呼ばれ，嫌悪的な結果を伴わない恐怖刺激を繰り返すことで，その刺激に対する反応を漸進的に抑制する。VMPFCと海馬は恐怖刺激に対する新しい内容を学習し，恐怖反応を抑制するために扁桃体へ入力を送る。しかし，条件づけされた恐怖の「記憶」はまだ存在する。
GABA：γ-アミノ酪酸

て，恐怖条件づけとして知られる学習の形なのである（図8-21）。

扁桃体は，経験したことのある恐怖に満ちた状況に関連するさまざまな刺激を「記憶」することに関与している。これは，それらの刺激に関する感覚入力が，視床や感覚皮質から扁桃体に入力されると，外側扁桃体におけるグルタミン酸シナプスの神経伝達の効率が上昇すると考えられる（図8-21）。この入力はそれから扁桃体中心部に連絡され，そこで，恐怖条件づけにより中心部の別のグルタミン酸シナプスの神経伝達の効率も上昇させる（図8-21）。どちらのシナプスも再構築され，永続的な学習がN-メチル-D-アスパラギン酸（NMDA）受容体によりこの神経回路に植えつけられて，長期増強とシナプス可塑性を引き起こすと考えられる。その結果，それに続いて起こる感覚皮質と視床からの入力は非常に効率的に処理され，恐怖反応が起こる。これは最初の恐怖に満ちた出来事に関連した感覚入力があるたびに，扁桃体中心部からの出力が起こるためである（図8-21，図8-8～図8-13も参照）。

外側扁桃体への入力は，前頭前皮質，特に，腹内側前頭前皮質ventromedial prefrontal cortex（VMPFC）と海馬により調節される。VMPFCが扁桃体で恐怖反応を抑制できないとき，恐怖条件づけは進行すると考えられている。海馬は恐怖条件づけの内容を「記憶」しており，恐怖に満ちた刺激や，それに関連したあらゆる刺激に遭遇したときに，必ず恐怖を引き起こす。不安や恐怖に対する現在の精神薬物療法のほとんどは，扁桃体からの恐怖の出力を抑制することによる（図8-17）。したがって，これらの治療を行ってもこのような患者の恐怖条件づけの背景にある基本的な神経学習はそのまま残るため，これらの治療は治癒的なものではない。他方，薬物療法により強化される精神療法的アプローチは，恐怖条件づけの「学習されていない」状態を目標とするため，おそらく不安症状に対してより長期の効果が期待できる。

不安症治療の新たなアプローチ

いったん恐怖条件づけが形成されると，もとに戻すのは非常に難しい。しかし，恐怖条件づけを無効にする2つの方法が考えられる。すなわち，消去extinctionという過程を促進するか，再固定reconsolidationという過程を制御するかである。消去と再固定の研究は，特にセロトニンやベンゾジアゼピン，$\alpha_2\delta$といった標準的薬物療法や曝露療法，認知行動療法といった標準的な精神療法に反応しない患者において，不安症状の斬新でより強力な，そしてより長期継続する治療を発見する道を開きつつある。特に，幼少期の子どもにおける人生早期の逆境や，成人での慢性的あるいは破滅的状況の「ストレス」の防止や，なるべくストレスを軽減することも研究されているが，実現は困難である。

恐怖消去

恐怖消去 fear extinctionは，恐怖刺激に対する反応の漸進的な減少であり，いかなる嫌悪的な結果も生じない刺激が繰り返されたときに起こる。恐怖消去が起こると，その過程でしだいに恐怖反応は大いに減弱するが，もともとの恐怖条件づけは実際は「忘れられて」いるわけではないようである。恐怖条件づけの前述のようなシナプス変化がもとに戻るというよりも，むしろ恐怖消去の間には，扁桃体で新たなシナプス変化を伴う新しい学習が起きていると考えられる。これらの変化は，もともとの学習を抑制することにより，不安や恐怖の症状を抑制するが，それらを除去するわけではない（図8-21）。具体的にいうと，腹内側前頭前皮質（VMPFC）による扁桃体の活性化が恐怖を伴わずに何度も起こると（例えば，曝露療法の間），仮説上，海馬は恐怖刺激が嫌悪的な結果を生じなくなったこの新しい状況を「記憶」しはじめ，もはや恐怖は活性化されなくなる。刺激が繰り返されると，恐怖消去という脱感作が進行し，もともとの刺激はもはや恐怖を活性化しなくなる。VMPFCと海馬からの入力が，「学習」して，外側扁桃体のグルタミン酸神経細胞を活性化し，それが扁桃体の介在細胞群のなかに位置する抑制性GABA介在神経細胞にシナプス連絡すると，恐怖消去が起こるという仮説がなりたつ（図8-21）。

この理論に従うと，このような活動が扁桃体中心部にゲートを形成し，恐怖条件づけ回路が優勢であれば恐怖の出力となり，恐怖消去回路が優勢であれば恐怖の出力は起こらない。

　このように新たな神経回路において，シナプスの強化と長期増強によりGABA系の抑制性作用が産生されると，それ以前に存在する恐怖条件づけ回路により産生されるグルタミン酸系の興奮性作用に打ち勝つことができ，恐怖消去が優勢となることが，最近の研究では示唆されている（図8-21）。恐怖消去と恐怖条件づけが同時に存在するとき，両方に対する記憶が存在するが，出力はどちらのシステムがより「強く」，「よく記憶」され，より強いシナプス効力をもっているかによって決まる。これらの要因により，恐怖反応のゲートと恐怖反応を抑制するゲートのどちらが開くかが決まる。不幸にも，実験モデルにおいても臨床の実際においても，恐怖条件づけが恐怖消去よりもしだいに優勢になっていくのかもしれない。恐怖条件づけと異なり，恐怖消去は不安定なようで，しだいにもとに戻る傾向がある。さらに，恐怖消去の過程で恐怖を抑制することを学習した場合でも，古い恐怖を別の場面で体験すれば，恐怖条件づけが「リニューアル」されて復活することがある。

恐怖消去の治療的な促進

　不安症状を改善する新たな治療のアプローチとしては，精神療法と薬物療法を組み合わせ，シナプス形成を促進し，恐怖消去を促進することである。このアプローチは，現在の有効な抗不安薬が，薬理学的に恐怖反応を抑制することで作用していることと対比される（図8-17〜図8-20）。不安に対して現在有効な治療のなかでは，認知行動療法が恐怖消去の促進に最も近い治療法かもしれない。これは，曝露技法を用い，患者を安全な環境下で恐怖を誘発する刺激に直面させることが必要とされる。これにより，認知行動療法が有効なとき，扁桃体における恐怖消去の学習の引き金が引かれると考えられる（図8-21）。不幸にも，海馬はこの消去の内容を「記憶」しているため，認知行動療法はしばしば内容特異的であり，患者がいったん安全な治療的環境の外に出てしまうと，この治療法が常に有効であるわけではなくなる。このように恐怖や憂慮は，現実の世界では「リニューアル」されるのかもしれない。現在，精神療法研究では，恐怖消去の学習を強化して，他の環境でも治療での学習を一般化できるようにするためには，どのように内容的な手がかりを用いるかが研究されている。現在の精神薬理学研究では，特定の薬物により，扁桃体ゲートの恐怖消去側のシナプスを，恐怖条件づけ側のシナプスよりも過剰に強化させ，消去学習を強化する方法が研究されている。これはどのようにすれば可能となるであろうか？

　消去学習が成功した動物実験にもとづけば，図8-22に示したように，患者が認知行動療法のセッションの間，恐怖刺激を系統的に受けると，そのたびにNMDA受容体活性が上昇すると考えられる。精神療法が進むにつれ，外側扁桃体と介在細胞群におけるグルタミン酸の遊離が刺激され，それが抑制性GABA神経細胞へと連絡し，学習が起こるという考えである。もしこれらの2つのグルタミン酸シナプスにおけるNMDA受容体を薬理学的に活性化することで，長期増強とシナプス可塑性を過剰に強化できれば，適切なタイミングで学習と治療を行うことができるであろう。これにより，理論的にはこれらのシナプスを選択的に活性化して，恐怖条件づけ回路よりも恐怖消去回路を優勢にできるかもしれない。動物実験ではこの可能性が示唆されており，初期臨床研究では常に一貫したデータが得られているとはいえないものの，ある程度支持されている。賢明なる精神薬理学者は，しばらくは現代の抗不安作用薬のポートフォリオと精神療法を巧みに組み合わせて使いこなすことになるであろう。多くの患者は，この組み合わせにより，すでに治療作用増強の恩恵を受けている。

恐怖条件づけと恐怖記憶を防ぐ

　恐怖記憶の**固定**や**再固定**を防ぐことは，不安症状治療で新たに開発中の治療アプローチである。

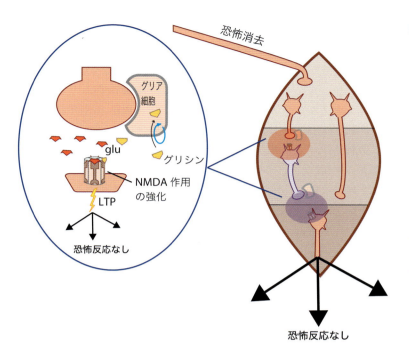

図8-22 NMDA受容体活性化による恐怖消去の促進 恐怖消去に関与するシナプスを強化することで，扁桃体での恐怖消去学習の進行を強化し，不安症の症状を軽減する可能性がある。曝露療法の間にNMDA作用を増強する物質を投与することで，シナプスでのグルタミン酸（glu）神経伝達の効率を上昇させる可能性がある。シナプスが曝露療法で活性化されている間に，これが長期増強（LTP）やシナプス可塑性をもたらせば，恐怖消去回路に関連する扁桃体の構造変化を引き起こし，恐怖条件づけ回路よりも恐怖消去回路を優勢にできるであろう。
NMDA：N-メチル-D-アスパラギン酸

恐怖が最初に条件づけられるとき，記憶は「固定」されるといわれている。これは，基本的には永続すると考えられてきた分子過程を介して行われる。恐怖条件づけの最初の固定の機序の手がかりは，ヒトにおいてでさえβ遮断薬もオピオイドも，もともとの心的外傷記憶の条件づけを和らげる可能性があるという観察にある。これらの薬物は心的外傷後のPTSDの発症率を減らす可能性が示唆されている（図8-23）。この治療的アプローチは，最初の恐怖を条件づけしたり固定したりするのを阻止することを目的に，心的外傷体験の後すぐに再度曝露された患者を対象に行われる。

古典的には，すでに「恐怖条件づけ」をされた情動記憶は永遠に継続すると考えられていたが，最近の動物実験では情動記憶が再体験されるとき，実際には減弱や，消滅することさえあることが示唆されている。最近の研究では，情動記憶が再体験されるときには，不安定で修正することができるが，一度情動の再体験や修正が完成すると，記憶は修正されて，「再固定」されることが示唆されている。再固定は統合された恐怖記憶の再活性化によるが，これは不安定であり，記憶を維持するにはタンパクの合成が必要である。

もし動物実験が示唆するように，情動記憶が恐怖条件づけとして固定されても，永続的ではなく，回復するときに変化することができるのであれば，恐怖記憶の再固定を防ぐために，精神療法と精神薬理学的アプローチの両方を用いるという考えができる。再固定を防ぐことで，理論的には患者が情動記憶を「忘れる」ことができるようにするのである。

以前の研究で，β遮断薬は恐怖条件づけの形成だけでなく，恐怖記憶の再固定を阻止することが示唆されている（図8-23）。より最近の研究では，シロシビン，3,4-メチレンジオキシメタンフェタミン（MDMA），ケタミンのような幻覚や解離，多幸感を引き起こす物質が，精神療法セッション中に活性化された記憶が再固定されることを阻害する作用があることがわかってきている。これらについての詳細は第13章の薬物乱用の項で述べる。シロシビンとMDMAについては簡潔に第7章に述べ，図7-87と図7-88に示した。ケタミンについても第7章でより詳しく述べている。将来的には，精神療法を用いてどのように情動記憶を

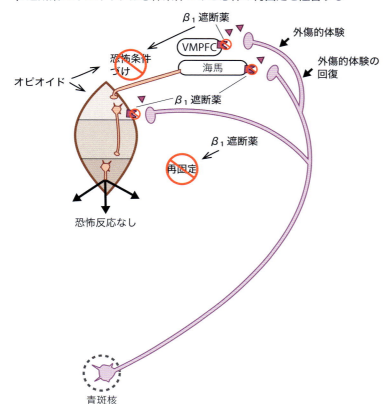

図8-23 恐怖条件づけと再固定の阻害 恐怖が最初に条件づけられるとき，記憶は「固定」されるといわれている。これは，かつては永続すると考えられていた分子過程を介して行われる。しかし，β遮断薬やオピオイドがもともとの心的外傷記憶の条件づけを和らげる可能性を示唆する研究がある。さらに，情動記憶が恐怖条件づけとして固定されても，回復へと変化する可能性を示す研究もある。再固定は固定された恐怖記憶の再活性化によるが，これは消滅しやすい。記憶を完全に維持するにはタンパクの合成が必要であり，これも恐怖条件づけと同様にβ遮断薬により阻止される。

VMPFC：腹内側前頭前皮質

引き起こし，それを再活性化するのか，そしてケタミンやシロシビン，MDMAなどの解離状態を作り出す幻覚作用のある薬物がこれらの情動記憶の再統合を阻害し，それによりPTSDや不安症の不安，心的外傷，再体験，情動記憶といった症状や難治患者の残存症状をどのように緩和するか，といった研究が試みられるかもしれない。この概念を臨床に適応するには時期尚早だが，これは精神療法と精神薬理学が統合しうるという新たな考えを支持するものである。この理論的な統合をどのように実現するかについては，さらに多くの研究が必要である。

不安症のサブタイプの治療

全般不安症

　全般不安症に対する薬物療法は，他の不安症やうつ病に対する薬物療法と多くが重複し，選択的セロトニン再取り込み阻害薬(SSRI)，セロトニン・ノルエピネフリン再取り込み阻害薬(SNRI)，ベンゾジアゼピン，buspirone，そしてプレガバリンやガバペンチンのような$\alpha_2\delta$リガンドが含まれる。物質乱用，特にアルコールの乱用を伴う全般不安症の患者にベンゾジアゼピンは処方すべきではないが，そうでない患者に対してはSSRIやSNRIを開始する際の短期間においては有用である。なぜなら，セロトニン系に作用するこれらの薬物はしばしば賦活作用があり，初期投与量では忍容性が低く，作用発現に時間がかかるからである。SSRIやSNRIでは部分的な症状緩和しかみられず，固定した患者において，ベンゾジアゼピンはSSRIやSNRIを「補充する」のに有用かもしれない。ベンゾジアゼピンは，症状が急に悪化して迅速に緩和する必要があるときに，間欠的に使用する場合にも有用である。$\alpha_2\delta$リガン

ドがベンゾジアゼピンの代わりに有用な患者もいる。$\alpha_2\delta$リガンドは欧州や他の国では不安治療に承認されているが，米国では承認されていない。しかし，増強療法として「適応外使用」であるが有用の可能性はある。

不安治療での「適応外使用」としては，ミルタザピン，トラゾドン，vilazodone，三環系抗うつ薬，さらにヒドロキシジンのような鎮静作用のある抗ヒスタミン薬などがある。

パニック症

パニック発作はパニック症だけではなく，多くの状況で起こる。パニック症はしばしば他の不安症やうつ病と併存する。したがって，パニック症に対する現代の治療が，他の不安症やうつ病の治療とかなり重複することは驚くに値しない。薬物療法には，SSRI，SNRI，ベンゾジアゼピン，$\alpha_2\delta$リガンドがある。不安症のパニック発作に対する「適応外使用」の治療にも，ミルタザピンやトラゾドンが含まれる。モノアミンオキシダーゼ阻害薬monoamine oxidase inhibitor（MAOI）については第7章で述べたが，一般的に精神薬理学ではまったく重要視されていない。特に治療抵抗性のパニック症の治療ではなおさらである。しかし，これらの薬物はパニック症において強力な効果をもつ可能性があり，他の薬物が失敗した場合には検討すべきである。認知行動療法や，精神薬理学的アプローチの代替療法や増強療法として有用な可能性があり，認知のゆがみを修正して，刺激への曝露をつうじて恐怖性回避行動を軽減させる。

社交不安症

この不安症に対する治療選択肢は，パニック症の治療にとても似ているが，いくつかの注目すべき違いがある。SSRI，SNRI，$\alpha_2\delta$リガンドは確かに有効な治療であるが，ベンゾジアゼピンの有用性は全般不安症やパニック症に対する治療ほど広く受け入れられてはいない。また，古典的抗うつ薬の有用性についても，社交不安症に対するエビデンスは少ない。β遮断薬はときにベンゾジアゼピンと併用されるが，明らかに異なった型の社交不安症，例えばパフォーマンスの際の不安に有用であろう。アルコールは「不幸にも」とても有効だが，いうまでもなく社交不安症の症状の治療に使用すべきではない。当然多くの患者がこのことに気づいており，より安全で効果的な治療をみつけるまでアルコールを乱用してしまうことがある。認知行動療法は強力な介入療法となりうる。しばしば薬物療法と組み合わせると有用であるが，ときに薬物療法よりも有効な場合がある。

心的外傷後ストレス障害（PTSD）

ある種のSSRIなどがPTSDに対して承認されているが，PTSDに対する薬物療法は他の不安症の場合ほど有効ではない。また，PTSDは他の疾患を合併していることが非常に多く，PTSDの中核症状よりも，うつ病，不眠，物質乱用，疼痛といった合併症に対する精神薬物療法が有効であることが多い。SSRIはしばしば患者に睡眠障害などの残遺症状を残す。したがって，PTSDのほとんどの患者は単剤での治療を受けていない。ベンゾジアゼピンは注意して使用すべきである。なぜなら，ベンゾジアゼピンはPTSDにおける有効性を示す臨床試験でのエビデンスが限定されているだけではなく，多くのPTSD患者がアルコールや他の物質を乱用するからである。PTSDの独特な治療として，悪夢を防ぐためにα_1アンタゴニストを夜間に投与することがある。より有効なPTSDに対する治療法の開発が強く望まれる。PTSD治療における進歩の大部分は，合併症を治療する薬物療法と，中核症状を治療する精神療法である。曝露療法は，おそらく精神療法のなかでは最も有効であろう。また，多くの型の認知行動療法が研究され，臨床場面で使用されている。PTSDの治療は，治療する医師の訓練しだいであり，患者個々の特別なニーズによっても変わってくる。情動記憶の再固定を精神療法と薬物（特にMDMA）を組み合わせることで阻止する治療法が現在PTSDに対して試みられている。第5章で述べた精神病に対する治療薬であるブレクスピプラゾールは，PTSDに対してSSRIのセルトラリンとの併用が試験中であり，初期の結果では有望である。

まとめ

　不安症や心的外傷性の障害には，恐怖と憂慮という中核症状がある。これは，全般不安症，パニック症，社交不安症，そして心的外傷後ストレス障害（PTSD）といった不安症のサブタイプのすべてのスペクトラムに共通である。扁桃体はこれらの状態における恐怖反応の中心的役割を担っており，皮質-線条体-視床-皮質（CSTC）回路は，憂慮の症状の調節における中心的役割を担うと考えられている。不安症の基礎となる神経回路の調節には多くの神経伝達物質が関与している。セロトニン，ノルエピネフリン，$\alpha_2\delta$リガンド，GABAはすべて恐怖と憂慮の回路の鍵となる調節因子と仮説できる。既知の有効な薬物療法はすべてこれらの神経伝達物質を標的としている。扁桃体回路における恐怖条件づけと恐怖消去という相反する作用の概念は，不安症における症状の形成と維持に関連していると仮説でき，精神療法と薬物療法を組み合わせる新たな潜在的治療法の基盤となるものである。恐怖記憶の再固定阻止という概念は，不安症状の新たな治療的アプローチとして現在試験中である。

　　　　　　　　　　　　　　　　（訳　原　恵利子）

慢性痛とその治療

9章

- 痛みとは何か？—419
  - 「正常」な痛みと侵害受容神経線維の活性化—421
  - 脊髄にいたる侵害受容性疼痛経路—421
  - 脊髄から脳にいたる侵害受容性疼痛経路—422
- 神経障害性疼痛—424
  - 神経障害性疼痛の末梢性機序—424
  - 神経障害性疼痛の中枢性機序—424
  - 疼痛性障害を伴う気分障害と不安症のスペクトラム—425
- 線維筋痛症—428
- 慢性疼痛症候群では灰白質が減少しているか？—428
- 脊髄後角を下行する脊髄シナプスと慢性痛の治療—431
- 感作回路を標的とした慢性疼痛状態の治療—433
- 線維筋痛症の随伴症状を標的とした治療—437
- まとめ—442

　本章では，さまざまな精神障害に伴って出現する慢性疼痛状態 chronic pain condition と，その向精神薬による治療を概観する。痛み pain を伴う疾患と，向精神薬によって治療される他の多くの疾患，特にうつ病と不安症との症候学的および病態生理学的な重なりについても述べる。臨床的な記述と，痛みを主訴とするさまざまな病態についての正式な診断基準については，ここでは軽くふれるにとどめる。この点については，標準的な参考書を参照されたい。本章では，脳の多様な神経回路と神経伝達物質（特に中枢での痛みの処理に関するもの）の機能に関する発見が，痛みを伴うさまざまな状態（精神障害の有無にかかわらず）の病態生理の理解と治療に，いかに貢献しているかについて詳述する。本章で読者に理解してもらいたいのは以下の点である。すなわち，痛みという症候の臨床的・生物学的側面，中枢神経系 central nervous system（CNS）における痛みの処理の変化による痛みの発生に関する理論，うつ病や不安症の諸症状と痛みの関係，さらには，痛みがうつ病や不安症の治療薬と同じ薬物によって治療されうる機序である。本章での議論は，概念的なレベルの内容であり，実用的なレベルではない。用量や副作用，薬物相互作用，その他これらの薬物を臨床場面で処方する際に問題となる点の詳細については，標準的な薬物療法の参考書（『精神科治療薬の考え方と使い方』など）を参照されたい。

痛みとは何か？

　われわれの注意を引き，行動に多大な影響を与え，苦痛を生み出す体験として，痛みに勝るものはない（痛みに関する有用な定義は表9-1に示す）。痛み，特に急性痛 acute pain の強烈な経験は，われわれが生きていくために不可欠な機能を担っている。つまり，自己の身体の損傷を認識し，傷ついた部分が癒えるまで休息をとるための機能である。急性痛の原因は**末梢性**である（すなわち，中枢神経系の外部に由来する）が，痛みが慢性痛として持続する場合，中枢性の疼痛機序に変化が生じ，そのせいでもとの末梢性の疼痛が増大したり持続したりすることがある。例えば，変形性関節症 osteoarthritis，腰痛 low back pain，糖尿病性末梢神経障害性疼痛 diabetic peripheral neuropathic pain はすべて末梢性の痛みとして発症

表9-1 痛みに関する有用な定義

痛み	不快な感覚・情動体験。何らかの組織損傷，または組織損傷が起こりそうな状況に伴って生じる。あるいは，組織損傷の関連で説明できる
急性痛	短期間で完全に消失する痛み。通常，組織損傷の回復または治癒に伴って消失する
慢性痛	治療に要すると期待される時間の枠を越えて持続する痛み。「慢性」の定義として，特定の期間（例えば，1カ月など）をあてはめるのは適切でない
神経障害性疼痛	末梢神経系または中枢神経系のいずれかの部分の損傷または機能異常によって生じる痛み
アロディニア	通常では痛みを感じない刺激で痛みが起こる現象
痛覚過敏	通常では強い痛みを感じない刺激に対する反応が増強する現象
痛覚脱失	痛みの感覚は軽減するが，通常の触覚は変化しない現象
局所麻酔	局所的にすべての感覚（非侵害性の感覚および痛み）を遮断すること
侵害刺激	身体組織に損傷を与える，または身体組織を損傷させうるような刺激
一次求心性神経細胞 primary afferent neuron（PAN）	体性感覚路における最初の神経細胞。末梢側の機械刺激，熱刺激，化学刺激を末梢側の終末で探知し，活動電位を脊髄の中枢側の末端へと伝達する。すべての一次求心性神経細胞の神経細胞体は後根神経節にある
侵害受容器	侵害刺激によってのみ活性化される一次求心性（感覚）神経細胞
侵害受容	侵害刺激が，「痛み」の情報を伝える感覚神経経路を活性化させる過程。すなわち，侵害受容器が侵害刺激を検知し，生成されたシグナル（活動電位）が侵害受容性疼痛経路を上行して上位中枢に伝播する過程
後根神経節 dorsal root ganglion（DRG）	一次求心性神経細胞の細胞体が存在する部位。神経伝達物質，受容体，構造タンパクなどのタンパクは後根神経節で合成され，末梢側および中枢側の神経終末へと移送される
介在神経細胞	脊髄内に軸索と樹状突起の両方がある神経細胞。興奮性（グルタミン酸系など）と抑制性（GABA系など）の2種類がある
投射神経細胞	脊髄後角で，一次求心性神経細胞や介在神経細胞からの入力を受け，脊髄を上行して高次処理中枢へと投射する神経細胞
脊髄視床路	脊髄から視床へ投射する神経路
脊髄延髄路	脊髄から脳幹神経核へ投射する複数の神経路の総称
体性感覚皮質	おもに表皮の感覚神経からの入力を受け取る大脳皮質の領域。皮質は隣接した各領域がそれぞれ隣接した身体領域からの入力を受け取るような配列となっている。体性感覚皮質を刺激すると，その部位に投射する身体領域で何らかの感覚が生じる

するが，これらの病態が一定期間持続すると，末梢痛を増大させるような中枢性の疼痛機序が始動し，さらなる中枢性の痛みが生じる。最近の研究で，末梢を起源とする慢性疼痛に対して，中枢性の疼痛機序に作用する向精神薬の有効性が示されたが，これは前述の機序によって説明がつくであろう。

その他の多くの慢性疼痛状態は末梢性の疼痛の原因をまったくもたず中枢性に発症すると考えられる。特に，うつ病，不安症，線維筋痛症など，説明不能の多発性疼痛性身体症状を伴う病態がこれにあたる。これらの中枢で調節される痛みには情動症状が伴うため，この種の痛みは，最近まで，「本物」の疼痛ではなく，どちらかというと未解決の心理的葛藤から非特異的に生じるものとされることが多く，精神医学的問題の解決に伴って改善すると考えられていた。そしてこのために，これらの痛みは特定の治療の対象とはみなされてこなかった。しかしながら，今日，末梢性の病巣が特定できない多様な痛みや，いったんは精神障害にのみ関連しているとされた痛みが，実は慢性神経障害性疼痛の一形態であり，精神障害とは関連のない神経障害性疼痛の治療薬が著効する病態である，という仮説が立てられている。こうした病態

の治療には，セロトニン・ノルエピネフリン再取り込み阻害薬serotonin-norepinephrine reuptake inhibitor（SNRI）〔第7章，気分障害の治療を参照（図7-28～図7-33）〕，$\alpha_2\delta$リガンド〔電位感受性カルシウムチャネルvoltage-sensitive calcium channel（VSCC）を阻害する抗痙攣薬，第8章，不安症を参照（図8-17，図8-18）〕などが用いられる。その他のさまざまな中枢神経部位に作用する向精神薬も多様な慢性疼痛に使用される。それらの薬物については後述する。また，新規の疼痛治療薬の候補として数多くの薬物の臨床試験が行われている。

痛みが一部の精神障害と関連していることは明らかで，多様な精神医学的状態の治療に用いられる向精神薬が，痛みの幅広い側面に有効である。したがって，痛みの精神医学的評価に関して，痛みの検出，定量化，そして治療は急速に標準化されつつある。近年の精神薬理学の専門家によると，痛みは精神医学的な「バイタルサイン」であり，ルーチンに評価し対症療法を行うべき症状である。実際，慢性疼痛状態に限らず，多くの精神障害においても完全寛解を得るためには痛みの除去が必須であると考えられるようになってきている。

「正常」な痛みと侵害受容神経線維の活性化

侵害受容性疼痛nociceptive painの経路は，神経細胞による侵害刺激の検知にはじまり，主観的な疼痛知覚で終わる。いわゆる「侵害受容性疼痛経路nociceptive pathway」は末梢に起始し，脊髄に入り，脳に投射される（図9-1）。与えられた刺激に伴う疼痛知覚を増強あるいは減弱するための入力情報の調整を可能にする過程を理解することが重要である。なぜなら，この過程によって，慢性の病的な痛みが生じる原因だけでなく，うつ病や不安症などの精神医学的病態に有効な薬物が疼痛緩和にも効果を発揮する理由を説明できるためである。

脊髄にいたる侵害受容性疼痛経路

一次求心性神経細胞primary afferent neuron（PAN）は，痛みを含む感覚入力を検知する（図9-1）。これらの神経細胞は，中枢神経外にある脊柱周囲の後根神経節dorsal root ganglion（DRG）に細胞体が存在するため，中枢ではなく末梢の神経細胞とみなされている（図9-1）。侵害受容は変換transductionにより開始される。変換とは，一次求心性神経細胞（PAN）の末梢の投射部位に位置

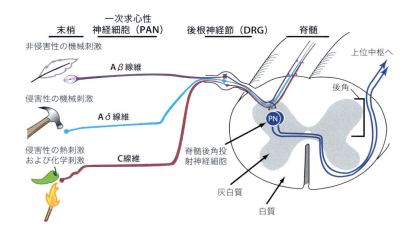

図9-1 侵害受容神経線維の活性化 侵害刺激の検出は一次求心性神経細胞（PAN）の末梢側の終末で生じ，活動電位が惹起されて，軸索に沿って伝播し，脊髄の神経細胞の中枢側の終末まで到達する。Aβ線維は非侵害刺激のみに反応する。Aδ線維は侵害性の機械刺激および準侵害性の熱刺激に反応する。C線維は侵害性の機械刺激，熱刺激，化学刺激に反応する。PANは細胞体を後根神経節（DRG）に有し，その終末を対応する脊髄分節に送ると同時に，より疎な側副枝を近くの脊髄に上行性に投射する。PANは，いくつかの異なる種類の脊髄後角投射神経細胞（PN）とシナプスを形成する。PNはそれぞれ別の経路を介して上位中枢に投射している。

する特異的膜タンパクが刺激を検知し，末梢の膜タンパクに電位変化を引き起こすことによって生じる過程である．一定以上の強度の刺激により，電位感受性ナトリウムチャネルvoltage-sensitive sodium channel(VSSC)の活性化に十分な膜電位の低下(膜の脱分極)がもたらされ，活動電位が惹起されて軸索に沿って伝播し，脊髄の神経細胞の中枢側の終末まで到達する(図9-1)．VSSCについては第3章，図3-19，図3-20を参照されたい．PANから中枢神経系に到達する侵害受容インパルスは，リドカインなどの局所麻酔薬の末梢からの投与によってVSSCを阻害することで減弱あるいは停止できる．

PANはそれぞれ特異的な反応特性を有している．この特性は，末梢に存在する各神経細胞に発現した特定の受容体やチャネルにより規定される(図9-1)．例えば，伸展活性化イオンチャネルを発現するPANは，機械刺激感受性である．一方，バニロイド受容体1 vanilloid receptor 1(VR1)イオンチャネルを発現する神経細胞は，トウガラシに含まれる刺激性成分であるカプサイシンにより活性化される．また，侵害性の熱刺激によっても活性化される．両刺激とも，焼けつくような感覚を引き起こす．これらの機能的反応特性により，PANは以下のように分類できる．すなわち，$A\beta$線維神経細胞$A\beta$-fiber neuron，$A\delta$線維神経細胞$A\delta$-fiber neuron，C線維神経細胞C-fiber neuronである(図9-1)．$A\beta$線維は，微小な運動，軽い接触，体毛の動き，振動を検知する．C線維の末梢側の終末は無髄神経終末であり，侵害性の機械刺激，熱刺激，または化学刺激によってのみ活性化される．$A\delta$線維は$A\beta$線維とC線維の中間的存在であり，侵害性の機械刺激および準侵害性の熱刺激を検知する(図9-1)．このように，侵害刺激の入力と痛みの発生は，PANによって末梢性に生じる．例えば，足首の捻挫，抜歯などの場合である．非ステロイド性抗炎症薬(NSAID)はこれらのPANからの痛みの入力を軽減する．この機序は末梢性と推定されている．オピオイドも，このような痛みを軽減するが，作用部位は後述のとおり中枢性である．

脊髄から脳にいたる侵害受容性疼痛経路

脊髄後角において，末梢性の侵害受容神経細胞の中枢側末端は，侵害受容性疼痛経路における後続の細胞である脊髄後角神経細胞にシナプスを形成している．脊髄後角神経細胞は多数の侵害受容神経細胞の入力を受け，上位中枢へと投射している(図9-2，図9-3)．このため，この細胞は脊髄後角投射神経細胞(図9-1～図9-3のPN)とも呼ばれる．侵害受容性疼痛経路において，脊髄後角神経細胞は，中枢神経系内に存在する神経細胞のなかで最も末梢側に位置する．したがって，中枢神経系に伝達される侵害受容神経細胞の活動を調整するうえで重要な部位である．脊髄後角には無数の神経伝達物質が存在する．その一部を図9-2に示す．

脊髄後角の神経伝達物質は，PANだけでなく，下行性神経細胞やさまざまな介在神経細胞など，脊髄後角にあるさまざまな神経細胞でも産生される(図9-2)．脊髄後角における一部の神経伝達物質系は，既存の鎮痛薬pain-relieving drugの標的である．これには，オピオイド，セロトニン(5HT)およびノルエピネフリン(NE)の活性を高めるSNRI，VSCCに作用する$\alpha_2\delta$リガンドなどがあげられる．脊髄後角で作用するすべての神経伝達物質系が，新しい鎮痛薬の標的の候補となりうる(図9-2)．多数の新規薬が臨床および前臨床段階で開発中である．

脊髄後角神経細胞はいくつかの種類に分けられる．一次感覚神経細胞から直接入力を受ける神経細胞，介在神経細胞，脊髄のシグナルを上位中枢に投射する神経細胞などがある(図9-3)．これらの投射神経細胞が上行する神経路は複数あり，それらは機能の面から2つに大別できる．すなわち，感覚/刺激弁別経路sensory/discriminatory pathwayと，感情/意欲経路emotional/motivational pathwayである(図9-3)．

感覚/刺激弁別経路では，脊髄後角神経細胞は脊髄視床路を上行し，視床の神経細胞が一次体性感覚皮質に投射する(図9-3)．この特殊な疼痛神経路は，侵害刺激の詳細な位置と強度を伝達すると考えられている．感情/意欲経路では，上記以外

多様な神経伝達物質が調節する脊髄における疼痛処理

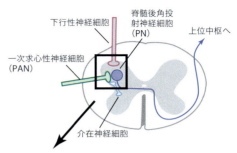

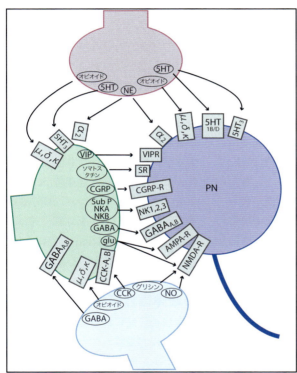

図9-2　多様な神経伝達物質が調節する脊髄での疼痛処理　脊髄後角には，多くの神経伝達物質と各物質に対応する受容体が存在する。脊髄後角の神経伝達物質は，一次求心性神経細胞，下行性の調節性神経細胞，脊髄後角投射神経細胞(PN)，および介在神経細胞から放出される。痛みの伝達に関して最もよく知られている脊髄後角の神経伝達物質には，サブスタンスP(NK1，NK2，NK3受容体)，エンドルフィン(μオピオイド受容体)，ノルエピネフリン(α_2受容体)，セロトニン($5HT_{1B/D}$，$5HT_3$受容体)がある。その他にもいくつかの神経伝達物質が存在する。バソプレシン抑制タンパク(VIP)とその受容体(VIPR)，ソマトスタチンとその受容体(SR)，カルシトニン遺伝子関連ペプチド(CGRP)とその受容体(CGRP-R)，GABAとその受容体($GABA_A$，$GABA_B$)，グルタミン酸(glu)とその受容体(AMPA-RおよびNMDA-R)，一酸化窒素(NO)，コレシストキニン(CCK)とその受容体(CCK-A，CCK-B)，グリシンとその受容体(NMDA-R)などである。

5HT：セロトニン，GABA：γ-アミノ酪酸，NE：ノルエピネフリン

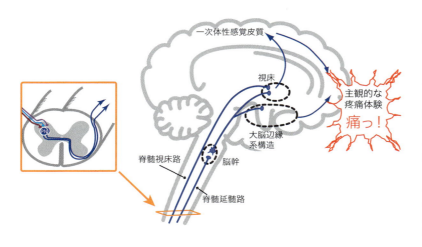

図9-3　侵害刺激の受容から痛みに至る過程　脊髄視床路を上行する脊髄後角神経細胞は，視床を経て一次体性感覚皮質に投射する。この経路は感覚/刺激弁別経路と呼ばれ，疼痛刺激の位置と強度の情報を伝達する。脊髄延髄路を上行する神経細胞は，脳幹神経核を経て視床および大脳辺縁系に投射する。これらの神経路は，疼痛体験の感情，意欲面を伝達する。感覚/刺激弁別経路（視床皮質路）と，感情/意欲経路（大脳辺縁系経路）が合わさってはじめて，ヒトは主観的な疼痛体験（「痛っ！」）を形成することができる。

PN：脊髄後角投射神経細胞

の脊髄後角神経細胞が脳幹神経核を経て辺縁系に投射している（図9-3）。この第2の疼痛神経路は，侵害刺激が惹起する情動的要素を伝達すると考えられている。感覚の識別と感情という両面が合一し，最終的に痛みの主観的知覚が形成されてはじめて，「痛い」という言葉を，その状態に対して使用することが可能となる（図9-3の「痛っ！」参照）。この段階以前においての議論は，単に，侵害刺激感受性または侵害受容性の神経路の活動についてであり，厳密には痛みとはいえないものである。

神経障害性疼痛

　神経障害性疼痛 neuropathic pain は，「末梢神経系または中枢神経系のいずれかの部位における損傷または機能障害に起因する痛み」を表す用語である。一方，「正常」な痛み（前項で解説した，いわゆる侵害受容性疼痛）は，侵害受容神経線維の活性化によって生じる。

神経障害性疼痛の末梢性機序

　末梢の求心性神経細胞における正常な変換と伝導が，特定の神経障害性疼痛状態に侵されると，侵害刺激がないにもかかわらず，侵害受容性シグナル伝達が持続する場合がある。疾患や外傷による神経損傷によって神経細胞の電気的活動が変化すると，神経細胞間の相互伝達が起こり，炎症過程が始動して「末梢性感作 peripheral sensitization」が起こる。本章では，末梢性感作による障害や末梢性感作の機序を詳細に述べることは避け，中枢性感作 central sensitization による障害とその機序をおもに扱うこととする。

神経障害性疼痛の中枢性機序

　疼痛神経路における主要な中継点において（図9-3），侵害受容シグナルは，内因性の過程によりシグナルを減弱または増強させるような調節のいずれにもよく反応する。このような調節は，前述した末梢の一次求心性神経細胞（PAN）においてだけでなく，脊髄後角の中枢性神経細胞や，さまざまな脳領域においても生じる。脊髄後角における調節は，脳領域の侵害受容性疼痛経路における調節よりも理解しやすい。しかし，脳における痛みの処理は，変形性関節症，腰痛，糖尿病性末梢神経障害性疼痛，そして感情障害や不安症，線維筋痛症 fibromyalgia などの慢性末梢性疼痛を呈する疾患での痛みの発現および増強を中枢性の観点から理解する鍵となりうる。

　「**分節性** segmental」中枢性感作 central sensitization は，可塑性の変化が脊髄後角に生じた際に

起こる過程と考えられている。古典的には，四肢切断後の幻肢痛 phantom pain などにおいて生じることが知られている。このタイプの脊髄後角における神経細胞の可塑性変化は，脊髄後角の疼痛神経路の持続的な発火により生じるため，特に活動依存性または使用依存性と呼ばれる。このような持続的な疼痛性入力は，「巻き上げ」と呼ばれるような，侵害入力に対する過剰反応（痛覚過敏 hyperalgesia）および遷延反応や，正常では侵害的と認識されない入力に対して疼痛反応が生じる現象（アロディニア allodynia）を引き起こすことがある。脊髄後角において重要な役割を果たす膜受容体やチャネルがリン酸化されると，シナプス伝達効率が高まり，システムが切り替わって疼痛神経路へのゲートが開かれ，中枢性感作が始動する。すなわち，疼痛知覚が増強されたり，末梢から疼痛性入力がないにもかかわらず疼痛知覚が作り出されたりする。古典的な「ゲートコントロール理論」の概念にあるように，ゲートは閉じることもある。この理論は，ケガの部位から離れた部位に非侵襲的な刺激（刺鍼術，振動，摩擦）を加えると，痛みのゲートを閉じ，ケガによる痛みが緩和される機序を説明するために構築された。

分節性中枢性感作においては，末梢組織の実損傷（図9-4A）に加え，その損傷部位から侵害受容入力を受けた脊髄分節における中枢性感作が生じている（図9-4B）。したがって，分節性中枢性感作症候群は，「混合性」の状態であり，腰痛，糖尿病性末梢神経障害性疼痛，ヘルペスウイルスによる有痛性皮疹（帯状疱疹）などの末梢組織の損傷（図9-4A）に加えて，中枢性の分節の変化による障害（図9-4B）が起こっている状態である。

「上分節性」中枢性感作は，侵害受容性疼痛経路に含まれる脳部位，特に視床および皮質に生じる可塑性の変化に関連すると考えられている。これには，末梢性の原因が存在する場合もあるが（図9-5A），明らかな誘因がない場合もある（図9-5B）。末梢性に活性化された上分節性中枢性感作においては，あたかも脳がその疼痛体験を「学習」し，その過程を継続するだけでなく，増強し慢性化させることを自己決定したかのようである。一方，末梢からの入力なしに中枢性にはじまった疼痛においては，脳が疼痛神経路を活性化する方法を習得したかのようにみえる。感作された脳の疼痛神経路における上記の過程を妨害し，中枢神経系でその分子記憶を「忘却」させることができれば，現在の精神薬理学において最高の治療法となるであろう。なぜならこの方法は，本章で論じた多様な慢性神経障害性疼痛を伴う病態に対する治療戦略となるばかりでなく，統合失調症，ストレスによる不安症や感情障害，依存症などさまざまな疾患における病態の進行の背景にあると考えられる分子レベルの変化に対する有用な治療的アプローチにもなるからである。末梢からの疼痛の入力なしに脳起始の疼痛を生じる上分節性中枢性感作症候群が原因と考えられている病態には，持続性の広範な疼痛を伴う症候群である線維筋痛症や，うつ病，不安症，とりわけ心的外傷後ストレス障害 posttraumatic stress disorder（PTSD）における疼痛を伴う身体症状などがある（図9-5B）。

疼痛性障害を伴う気分障害と不安症のスペクトラム

広範な疾患群で互いに共通の部分がみられ，感情症状，疼痛を伴う身体症状，あるいはその両方を伴うことがある（図9-6）。これまで長い間，痛みがあっても情動症状がない病態は神経疾患とみなされ，情動症状を伴う痛みは精神疾患とされてきたが，現在では痛みは疼痛回路の情報処理不全に起因することが明らかになった。それにつれて，ある症状が単独で生じても，随伴症状の1つとして生じても，単一の症状に対しては同じ治療法を行うという方法が広く検討されるようになってきた（図9-6）。ここに示すとおり，痛み（図9-6の右）は単独で生じるだけでなく，抑うつ気分や不安などの情動症状（図9-6の左）や，疲労感，不眠，集中困難などの身体症状（図9-6の中央）に伴って生じることもある。痛みが単独で生じるか，感情症状や身体症状に伴って生じるか，うつ病，全般不安症，PTSDなどの完全な精神疾患（図9-6の左）に伴って生じるかは関係なく，痛みは治療されるべきであり，このスペクトラムの疾患

末梢の疼痛状態からの急性痛の発生

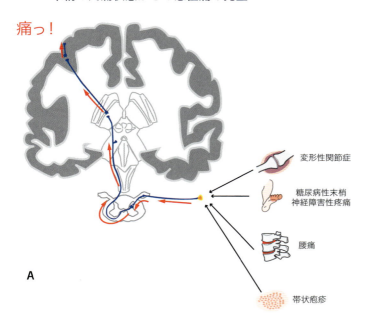

分節性中枢性感作の発生と痛みの増強

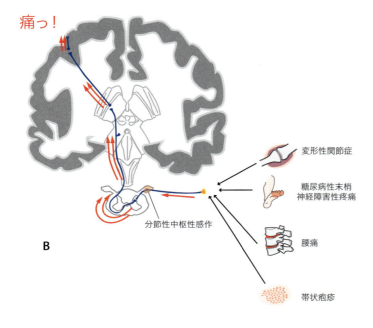

図9-4 急性痛と分節性中枢性感作の発生 (A)末梢で損傷が生じると，一次求心性神経細胞(PAN)からの侵害受容インパルスが脊髄後角神経細胞を経て上位中枢に伝達され，最終的に痛みとして解釈される(「痛っ！」)。(B)神経組織に直接影響を与えるような組織損傷や疾病は，中枢神経系における感作を引き起こすような可塑性の変化を生じさせる場合がある。中枢性感作が起こると，組織の損傷が回復した後も疼痛体験が持続する。異常な部位で，インパルスが自発的に，あるいは機械的な刺激をつうじて生成される。脊髄レベルでは，この過程は分節性中枢性感作と呼ばれる。この機序は，糖尿病性末梢神経障害性疼痛や帯状疱疹などの病態の基盤となっている。

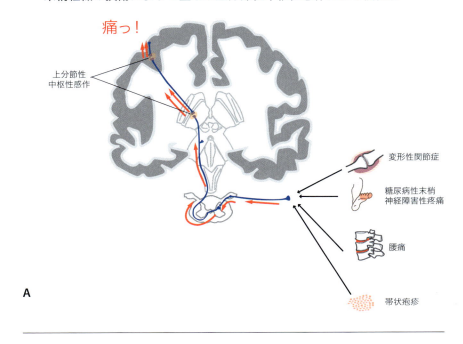

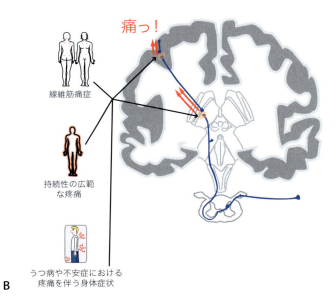

図9-5 上分節性中枢性感作 侵害受容性疼痛経路(特に視床や皮質)が含まれる脳部位の可塑性の変化によって感作が起こりうる。この脳内の過程は上分節性中枢性感作と呼ばれる。上分節性中枢性感作は、末梢組織の損傷によって起こる場合(**A**)と、明らかな誘因なしに生じる場合がある(**B**)。この機序は、線維筋痛症、持続性の広範な疼痛、うつ病や不安症における疼痛症状などの病態の基盤であると考えられている。

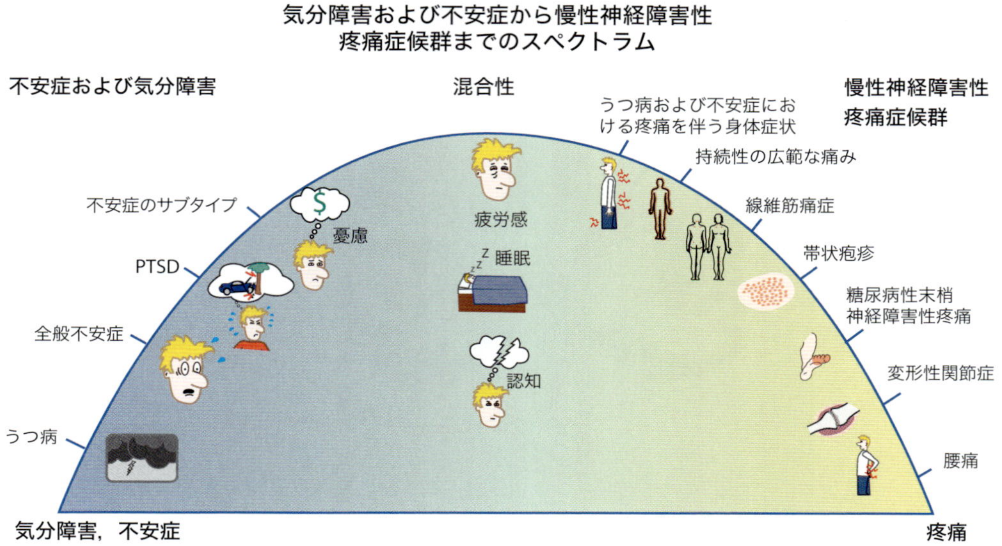

気分障害および不安症から慢性神経障害性疼痛症候群までのスペクトラム

図 9-6 気分障害および不安症から慢性神経障害性疼痛症候群までのスペクトラム 痛みは，うつ病や不安症において正式な診断基準に含まれる特徴ではないにもかかわらず，これらの病態で頻繁に認められる。同様に，抑うつ気分，不安，そしてうつ病や不安症にみられるその他の症状は，疼痛性障害においてもよく認められる。
PTSD：心的外傷後ストレス障害

すべてにおいて治療は同一であるべきである（図9-6）。その治療とはすなわち，セロトニン・ノルエピネフリン再取り込み阻害薬（SNRI）と $\alpha_2\delta$ リガンドであり，これについては以降で述べる。

線維筋痛症

線維筋痛症は，診断および治療が可能な疼痛症候群で，筋，靱帯，関節に圧痛 tenderness が生じるが，構造的な病変はみられない。線維筋痛症は，疲労感および回復感のない睡眠を伴う慢性かつ持続性の広範な疼痛を呈する症候群として認識される。診断は，患者が痛みを感じる身体領域の数〔広範囲疼痛指数 Wide-spread Pain Index（WPI）〕および，症候重症度（疲労感，起床時不快感，認知症状，その他の身体症候）にもとづいて行われる（図9-7）。線維筋痛症はリウマチ科の外来診療で2番目に頻度の高い診断であり，人口の2～4％が罹患している。線維筋痛症の症状は持続性で消耗性だが，必ずしも進行性ではない。原因は不明で，筋や関節における病理所見はみつかっていない。この症候群は諸症状の複合としてとらえることが可能で（図9-8），これらの症状は脳の神経回路の機能異常と考えても矛盾しないという仮説が立てられる（図9-9）。

慢性疼痛症候群では灰白質が減少しているか？

慢性痛に関して，非常に悩ましい内容の予備試験の報告が複数ある。それによると，慢性痛では背外側前頭前皮質 dorsolateral prefrontal cortex（DLPFC）領域（図9-10）に「脳萎縮」が生じている可能性があり，この現象が線維筋痛症（図9-8）や腰痛などの特定の疼痛状態において認知障害を引き起こしていることが示唆される。脳萎縮はストレスと不安症に関連しており，これについては第6章で述べ，図6-30に示した。疼痛を引き起こすストレス状態およびストレスを生じさせる痛みがすべて，線維筋痛症やその他の慢性疼痛状態における脳萎縮と認知障害に関連していてもおかしくはない。例えば，慢性腰痛は，前頭前皮質および視床の灰白質の密度の減少に関連するという報告がある（図9-10）。専門家の一部は，線維筋痛症お

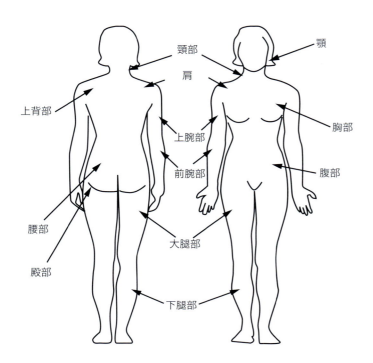

図9-7 **広範囲疼痛指数（WPI）** 線維筋痛症は，持続性の広範な疼痛を呈する症候群である．診断は，患者が痛みを感じる身体領域の数〔広範囲疼痛指数（WPI）〕および，症候重症度（疲労感，起床時不快感，認知症状，その他の身体症候）にもとづいて行われる．

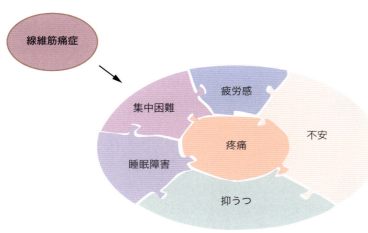

図9-8 **線維筋痛症の症状** 線維筋痛症の中核症状である痛みに加え，多くの患者は疲労感，不安，抑うつ，睡眠障害，集中困難を訴える．

よびその他の慢性神経障害性疼痛症候群においては，持続的な疼痛の知覚がDLPFCの神経細胞の酷使につながり，この脳領域で興奮毒性による細胞死が起こり，侵害受容性疼痛経路における皮質視床路に「ブレーキ」がかかるという仮説を提唱している．このような現象が起こると疼痛知覚の増強のみならず，ときに「フィブロ・フォッグfibro-fog」と呼ばれる，線維筋痛症でみられる実行機能の低下が生じうる．第6章では，副腎皮質刺激ホルモン放出因子(CRF)-副腎皮質刺激ホルモン(ACTH)-コルチゾール制御におけるストレス関連の視床下部-下垂体-副腎系 hypothalamic-pituitary-adrenal axis（HPA軸）の異常が海馬の萎縮に関連し（図6-32），神経成長因子の減少にも関与している可能性がある（図6-27，図6-29）と述べた．神経成長因子の変化は，慢性疼痛症候

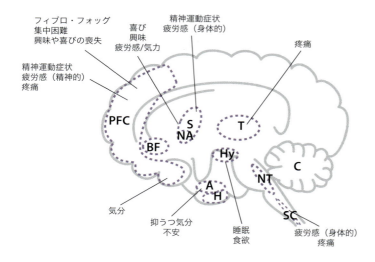

線維筋痛症の各症状を仮説上の神経回路の機能障害と結び付ける

図9-9　線維筋痛症の症状にもとづいた治療アルゴリズム　線維筋痛症に対する治療選択に関して，症状にもとづいたアプローチは，各患者の症状がそれぞれの症状を調節すると想定される脳の神経回路と神経伝達物質の機能障害とに結び付いているという理論にもとづいて行われる。この情報は，治療のための該当の薬理学的機序を選択するのに有用である。疼痛は視床(T)を介した情報伝達に関連している。一方，身体的疲労感は線条体(S)と脊髄(SC)に関連している。集中困難と興味の喪失（「フィブロ・フォッグ」と呼ばれる，霧の中にいるような感じ）および精神的疲労感は前頭前皮質(PFC)，とりわけ背外側前頭前皮質(DLPFC)に関連している。疲労感，気力の減退，興味の喪失は側坐核(NA)とも関連している。睡眠と食欲の障害は視床下部(Hy)，抑うつ気分は扁桃体(A)と眼窩前頭皮質，不安は扁桃体(A)に関連している。
BF：前脳基底部，C：小脳，H：海馬，NT：脳幹神経伝達物質中枢

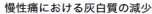
慢性痛における灰白質の減少

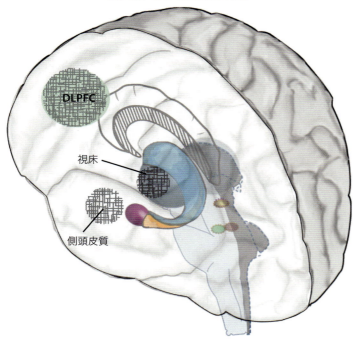

図9-10　慢性痛における灰白質の減少　不安症やストレス関連障害と同様に，慢性痛は脳萎縮をもたらすことを示唆する報告がある。特に，慢性疼痛状態にある患者では，背外側前頭前皮質(DLPFC)，視床，側頭皮質における灰白質の減少を示すデータがある。

群（線維筋痛症と腰痛）における灰白質の体積減少と関連している可能性がある。一方，その別の脳領域（DLPFC，側頭皮質，視床，図9-10）では，うつ病で体積減少がみられたとする報告がある（図6-30）。慢性痛の患者において，これら以外の脳領域の灰白質の体積は増加しないとも限らな

予備試験の段階ではあるが，これらの知見は，上分節性の中枢性感作が構造的な変化も引き起こしうることを示唆している(図9-10)。これはうつ病やストレスにおいて想定されているものとは異なる(図6-30)。疼痛の処理の異常，疼痛反応の増強，持続的な疼痛は，DLPFC回路および，その回路のドーパミン作動性の神経調節不全に関連し，これが慢性痛における認知障害，とりわけ線維筋痛症における「フィブロ・フォッグ」の原因となりうる(図9-9)。視床の異常は，理論的には，慢性疼痛症候群でみられる睡眠障害，回復感のない睡眠に関連している可能性がある(図9-8)。したがって，慢性疼痛症候群は痛みだけでなく，疲労感，集中困難，睡眠障害，抑うつ，不安といった問題も引き起こす(図9-8)。これらの症候を調節する脳領域(図9-9)において，非効率な情報処理に伴う脳の構造異常が生じていることによって，こうした多彩な症状(図9-8)がしばしば慢性疼痛症候群に伴って起こる理由を説明できる可能性がある。

脊髄後角を下行する脊髄シナプスと慢性痛の治療

　中脳水道周囲灰白質periaqueductal gray (PAG)は，脊髄を下行し脊髄後角に投射する下行性抑制路の起始部および調節部位である(図9-2)。PAGについては，扁桃体および恐怖の運動反応に関連して第8章で述べ，図8-9にも示した。PAGはまた，侵害受容性疼痛経路および，扁桃体や大脳辺縁系などの大脳辺縁系構造からの入力を統合し，脳幹神経核と吻側延髄腹内側部に出力を送って下行性抑制路を駆動させる。こうした下行路の一部はエンドルフィンを放出する。エンドルフィンは，おもにシナプス前μオピオイド受容体を介して，侵害受容性一次求心性神経細胞(PAN)の神経伝達を阻害する(図9-2)。脊髄のμオピオイド受容体は，オピオイド鎮痛薬の標的の1つであり，PAGのμオピオイド受容体も標的となる(図9-11)。興味深いことにAβ線維(図9-1)はμオピオイド受容体を発現せず，このためオピオイド鎮痛薬は正常な感覚入力を障害しない。エンケファリンはδオピオイド受容体を介した形でも作用し，やはり侵害受容を抑制する。一方，ダイノルフィンはκオピオイド受容体に作用し，侵害受容を抑制あるいは増強する。一般に，オピオイドは慢性の神経障害性疼痛状態に対してセロトニン・ノルエピネフリン再取り込み阻害薬(SNRI)や$α_2δ$リガンドほどには効果がない。一方で，線維筋痛症を含む多くの症例においては，オピオイドの有効性についてはまったく証明されていない点も興味深い。

　さらに，その他の2つの重要な下行性抑制路を図9-2に示した。1つ目は，下行性の脊髄ノルエピネフリン経路(図9-12A)で，青斑核locus coeruleus，特に脳幹神経伝達物質中枢の下部(尾側)の外側被蓋ノルエピネフリン神経系に起始する。もう1つの重要な下行路は下行性脊髄セロトニン経路(図9-13A)で，吻側延髄腹内側部の大縫線核，特に下部(尾側)セロトニン核(大縫線核，淡蒼縫線核，不確縫線核)に起始する。下行性ノルエピネフリン神経細胞は，抑制性$α_2$受容体を直接介して，一次求心性神経細胞(PAN)からの神経伝達物質の放出を抑制する。これにより，クロニジンのような直接作用型$α_2$アゴニストが一部の患者に対しては鎮痛作用を有することの説明がつく。セロトニンは，シナプス後セロトニン1B/D ($5HT_{1B/D}$)受容体を介して一次求心性神経終末を抑制する(図9-2)。これらの抑制性受容体はGタンパク結合型受容体で，イオンチャネルに間接的に作用し，神経終末を過分極させ，侵害受容神経伝達物質の放出を抑制する。しかし，セロトニンは脊髄における主要な**促進性**経路でもある。セロトニンは脊髄後角の特定の部位における一部のPANに放出され，興奮性セロトニン3($5HT_3$)受容体を介して支配的に作用し，これらPANからの神経伝達物質の放出を促す(図9-2)。セロトニンが抑制作用と促進作用を併せもつことから，セロトニン濃度のみを高める選択的セロトニン再取り込み阻害薬selective serotonin reuptake inhibitor(SSRI)の疼痛治療における有用性は一貫しないのに対して，セロトニンとノルエピネフリンの

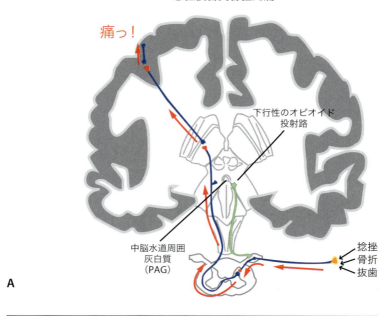
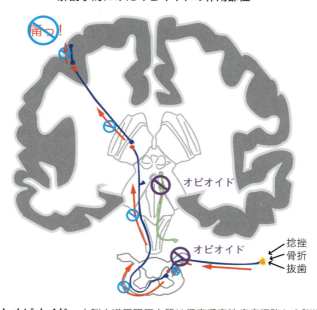

図9-11　急性侵害受容性疼痛とオピオイド　中脳水道周囲灰白質は侵害受容性疼痛経路と大脳辺縁系からの入力を統合し，その出力は下行性のオピオイド投射を含む下行性抑制路を活性化する．(**A**)末梢組織の損傷からの侵害受容入力が脳に伝達され，痛みとして感じられる過程を示す．下行性のオピオイド投射路は活性化されておらず，侵害受容入力を抑制しない．(**B**)下行性のオピオイド投射路における内因性オピオイドの放出または外因性のオピオイド投与によって，脊髄後角または中脳水道周囲灰白質(PAG)における侵害受容神経伝達が抑制され，疼痛体験を阻止または軽減する．

両方の濃度を高めるSNRIについては，線維筋痛症や糖尿病性末梢神経障害性疼痛を含む多様な神経障害性疼痛への有用性が現在証明されていることの説明がつく．

おもにセロトニンとノルエピネフリンを介した下行性抑制路は，正常な状態では安静時に活性化しており，消化活動，関節の運動などの不要な侵害受容入力を遮断していると考えられている（図9-12A，図9-13A）．うつ病，線維筋痛症あるいは関連の慢性疼痛症候群の患者が，明らかな末梢組織の外傷がないにもかかわらず痛みを感じる理由に対する仮説の1つに，下行性抑制路が不要な侵害受容入力を適切に遮断していないからであるという説がある．これによって，通常は無効化されるような正常の入力に対しても痛みを感じてしまうことになる（図9-12B，図9-13B）．この下行性のモノアミン作動性抑制がSNRIにより増強されると，線維筋痛症やうつ病，不安症では，関節や筋，背部からの，また過敏性腸症候群では消化活動や消化管からの不要な侵害受容入力が再度無効化され，痛みとして感じられなくなるのではないかと考えられている（図9-12C，図9-13C）．SNRIには，デュロキセチン，ミルナシプラン，levomilnacipran，ベンラファキシン，desvenlafaxine，一部の三環系抗うつ薬tricyclic antidepressant（TCA）がある．SNRIとTCAは第7章で詳しく述べた．

下行性抑制路は，重篤な損傷による侵害受容入力や，大脳辺縁系構造を介する危険な「闘争」状態においても活性化され，内因性オピオイドペプチド（図9-11B），セロトニン（図9-13A），ノルエピネフリン（図9-12A）を放出する．この現象によって，脊髄後角における侵害受容神経伝達物質の放出が減少する（図9-2）と同時に，脊髄から脳への侵害受容インパルスが減少し（図9-3），痛みの知覚が軽減し，ケガによって身体の活動性が低下するのを一時的に防いで危険な状態から個体が逃げられるようにする（図9-3の「痛っ！」の軽減）．安全な状態に戻ると，下行性促進路はバランスをとるように抑制路に置き換わり，負傷したことに対する認識を高め，負傷部位を休ませる（図9-3の

「痛っ！」の増強）．

このような痛みの制御は，スポーツや戦場で重傷を負った場合に威力を発揮する．このプラセボ効果には，これらの下行性抑制神経細胞からの内因性オピオイド放出も関係している（図9-11B）．痛みに対するプラセボ反応の活性化は，μオピオイド受容体アンタゴニストであるナロキソンによって拮抗される．これらは疼痛神経路における適応性変化であり，生存競争力を高め，個体の機能を強化する仕組みである．しかし，不適応性の変化がこれらの機序を乗っ取り，組織の損傷がないにもかかわらず不適切に痛みを長引かせることがある．このような変化は，糖尿病，線維筋痛症，その他の神経障害性疼痛のさまざまな形態で認められる．

感作回路を標的とした慢性疼痛状態の治療

中枢神経系における不可逆性の感作過程の現れとして持続している慢性痛は，中枢性感作と呼ばれる疼痛神経路における異常な神経活動による進行性の分子的変化が引き金となった疾患であることはすでに述べた．この変化が脊髄または脊髄分節レベルで生じた場合，これはその部位における多様な神経伝達物質の放出に関連することが多い．各神経伝達物質の放出機序において不可欠なのが，シナプス前神経細胞での脱分極とN型およびP/Q型電位感受性カルシウムチャネル（VSCC）の活性化（図9-14）である．この現象は，グルタミン酸，アスパラギン酸，サブスタンスP substance P（SP），カルシトニン遺伝子関連ペプチド calcitonin-gene-related peptide（CGRP），およびその他の神経伝達物質の放出をしばしば伴う（図9-2）．これが上分節レベルの視床や大脳皮質で起こると，同じN型およびP/Q型VSCCを介しておもにグルタミン酸の放出を引き起こす（図9-14，図9-15）．神経伝達物質の放出が少ないと，シナプス後受容体を刺激する神経伝達物質が不足するため疼痛反応が起こらない（図9-14A）．しかし，正常な量の神経伝達物質が放出されると，最大の侵害受容性疼痛反応が生じ，急性痛が起こる（図

ノルエピネフリン（NE）による下行性疼痛抑制

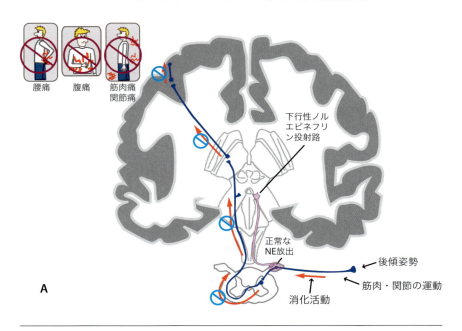

A

ノルエピネフリン（NE）による下行性抑制が不十分だと痛みが生じる

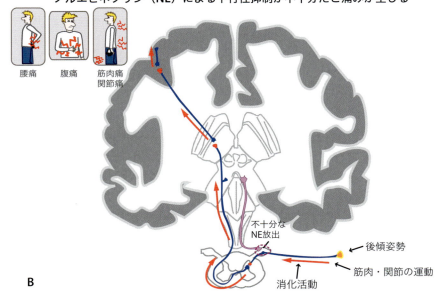

B

図9-12A・B　下行性のノルエピネフリン神経細胞と痛み　（A）下行性の脊髄ノルエピネフリン（NE）経路は，青斑核から起始する。下行性ノルエピネフリン神経細胞は，シナプス前 α_2 受容体を介して一次求心性神経細胞（PAN）からの神経伝達物質の放出を抑制し，シナプス後 α_2 受容体を介して脊髄後角神経細胞の活動を抑制する。この機序によって，身体組織からの入力（例えば，筋や関節，消化活動に関連した刺激）が脳に伝達されるのを防ぎ，疼痛刺激として認識されるのを防いでいる。（B）NEによる下行性抑制が不十分な場合，不要な侵害受容入力を適切に遮断できず，通常は無効化されるような刺激の入力に対しても痛みを感じてしまうことになる。この機序が，線維筋痛症，うつ病，過敏性腸症候群，不安症における痛みを伴う身体症状の要因になっていると考えられる。

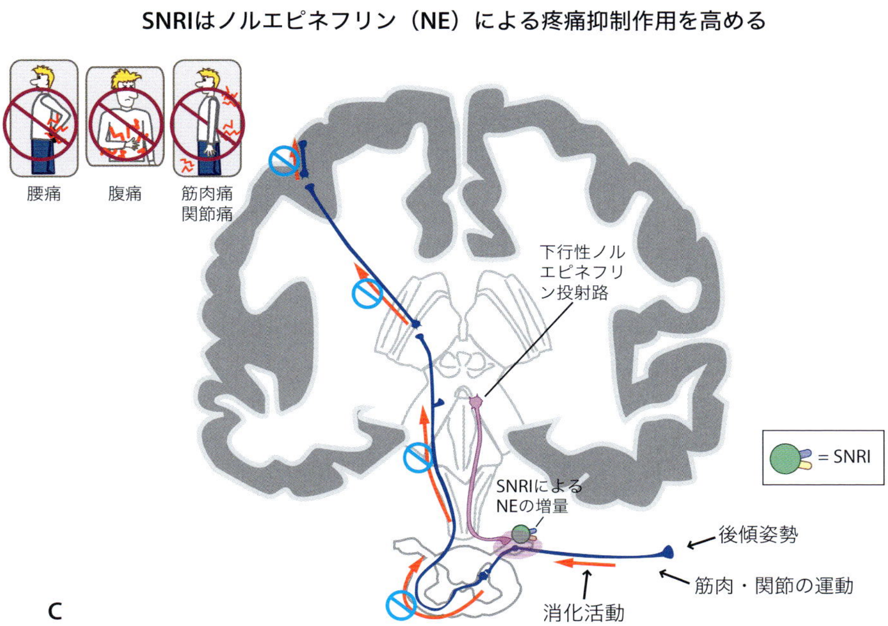

SNRIはノルエピネフリン（NE）による疼痛抑制作用を高める

腰痛　腹痛　筋肉痛
　　　　　　関節痛

下行性ノルエピネフリン投射路

SNRIによるNEの増量

＝ SNRI

後傾姿勢
筋肉・関節の運動
消化活動

C

図9-12C　ノルエピネフリン(NE)による下行性抑制の増強　セロトニン・ノルエピネフリン再取り込み阻害薬（SNRI）は，脊髄後角へと下行する脊髄神経路において，NEによる神経伝達を増強しうる。この働きによって，身体組織からの入力の抑制が増強され，入力が脳に達して痛みとして認識されるのを防いでいるのであろう。

9-14B）。仮説上，中枢性感作の状態では過剰かつ不要な侵害受容活動が持続することで神経障害性疼痛が生じると考えられている（図9-15A）。$\alpha_2\delta$リガンドであるガバペンチンやプレガバリン（図9-15，図9-16）によってVSCCを阻害すると，脊髄後角（図9-2，図9-15B，図9-17A）または視床や大脳皮質（図9-15B，図9-17B）において多様な神経伝達物質の放出が抑制される。これらの薬物は，神経障害性疼痛を呈するさまざまな疾患に対して有効であることはすでに示した。ガバペンチンとプレガバリン（図9-16）は，VSCCの「開構造」に対してより選択的に結合し（図9-17，図9-18），「使用依存性」の抑制により最も活動性の高いチャネルを特に効果的に阻害する（図9-17B，図9-18B）。こうした分子作用は，疼痛神経路において神経インパルスを活発に発射しているような，中枢性に感作されたVSCCに対して親和性が高いと推定される。したがって，神経障害性疼痛の原因となるこれらのVSCCに対して選択的に作用し，開構造ではないVSCCには作用しな

い。このため，中枢神経細胞において，病的な疼痛状態には関与しないような正常な神経伝達は阻害しない。

　神経障害性疼痛を含む疼痛の治療は「先行投資」をするか，少なくとも早期に手を打てば費用が少なくてすむ。疼痛の早期治療により中枢性感作が惹起されるのを防ぐことで，疼痛体験が中枢神経に刷り込まれるのを阻害し，持続的な慢性疼痛状態の発生を予防できると期待されている。すなわち，SNRIや$\alpha_2\delta$リガンドなどによって慢性神経障害性疼痛の苦痛な症状が緩和される機序と同じ機序で，持続的な慢性疼痛状態への進行を防ぐことができるかもしれない。このことが発見されてから，理論上は中枢神経系を起源とするこれらの病態の疼痛症状に対する積極的な治療，すなわち中枢性感作が疼痛回路に持続的に刷り込まれる前に，中枢性感作の過程を「封じ込める」治療が行われるようになった。したがって，うつ病，不安症，線維筋痛症は，すべてSNRIと$\alpha_2\delta$リガンドのいずれかまたは両方によって治療でき，疼痛を伴う

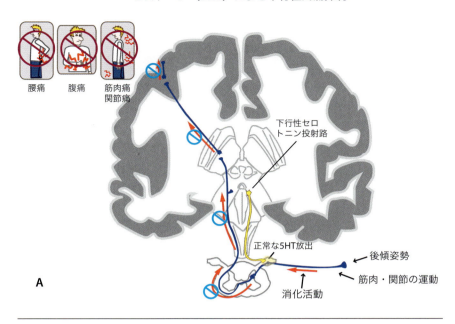

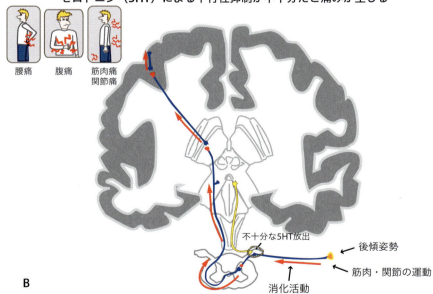

図9-13A・B　下行性のセロトニン神経細胞と痛み　(**A**)下行性の脊髄セロトニン経路は縫線核に起始する。下行性の脊髄セロトニン神経細胞は，おもにセロトニン(5HT)$_{1B/D}$受容体を介して脊髄後角神経細胞の活動を直接的に抑制する。この機序によって，身体組織からの入力(例えば，筋や関節，消化活動に関連した刺激)が脳に伝達されるのを防ぎ，疼痛刺激として認識されるのを防いでいる。(**B**)5HTによる下行性抑制が不十分な場合，不要な侵害受容入力を適切に遮断できず，通常は無効化されるような刺激の入力に対しても痛みを感じてしまうことになる。この機序が，線維筋痛症，うつ病，過敏性腸症候群，不安症における疼痛を伴う身体症状の要因になっていると考えられる。

SNRIはセロトニン（5HT）による疼痛抑制作用を高める

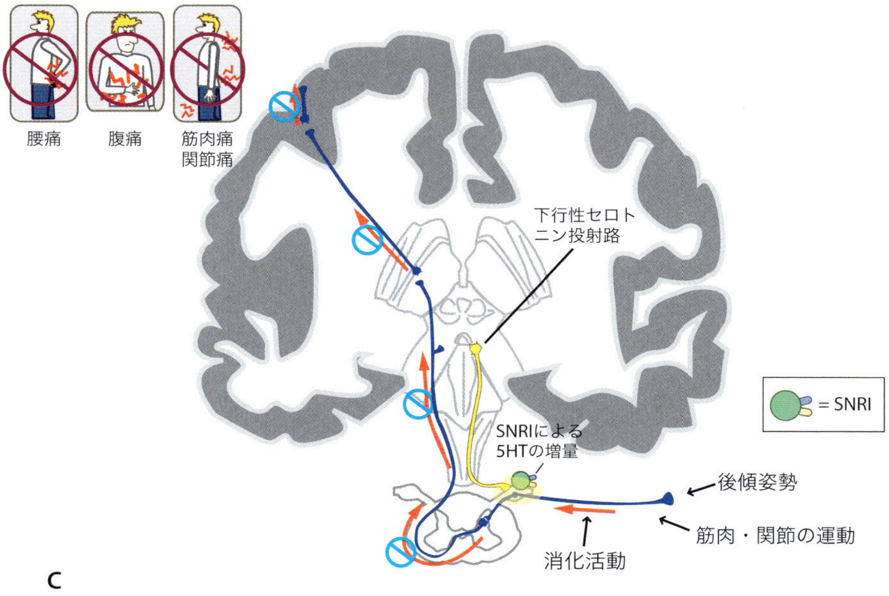

図9-13C　**セロトニンによる下行性抑制の増強**　セロトニン・ノルエピネフリン再取り込み阻害薬（SNRI）は，脊髄後角へと下行する脊髄神経路において，セロトニン（5HT）による神経伝達を増強しうる。この働きによって，身体組織からの入力の抑制が増強され，入力が脳に達して痛みとして認識されるのを防いでいるのであろう。ただし，SNRIの侵害受容入力に対する抑制作用に，より強く関与しているのはノルエピネフリン再取り込み作用のほうであろう。

身体症状が消失することにより完全寛解に導かれるかもしれない。疼痛を精神医学的な「バイタルサイン」として考え，精神疾患の評価と治療の際には，疼痛をルーチンに評価する必要があるとする考えが広まってきた理由の1つは，これによって慢性疼痛症候群や進行性の疼痛の悪化を食い止める機会が得られるからである。今後，鎮痛薬となりうる薬物の臨床試験を推進し，精神疾患および機能性身体症候群の経過の早期に生じる疼痛症状の消失が，予後を改善させるかどうかを明らかにすべきである。予後の改善には，症状の再燃予防，治療抵抗性の防止，さらには疼痛状態におけるストレスに起因する脳萎縮（図9-10）の防止および，不安症や感情障害におけるストレスに起因する海馬萎縮（図6-30）の防止が含まれる。2種類の神経伝達物質の再取り込み阻害薬（SNRI）および $α_2δ$ リガンドを用いて，疼痛が起こる以前に先制的治療を行うこと，あるいは少なくとも中枢神経介在性あるいは中枢性感作による疼痛が慢性化する前に治療することは，きわめて有用と考えられ，緻密な臨床的評価を行う価値がある。

線維筋痛症の随伴症状を標的とした治療

$α_2δ$ リガンドのガバペンチンとプレガバリン，およびSNRIのデュロキセチン，ミルナシプラン，ベンラファキシン，desvenlafaxineが線維筋痛症の疼痛症状に対して有効であると証明されたことについては，繰り返しふれてきた。しかし，これら2種の薬物の併用療法の効果までは調べられていない。にもかかわらず，臨床場面では，これら2種の薬物は経験則として併用されることが多く，併用することで疼痛緩和に対する効果が高まるという症例報告もある。それぞれの薬物は，線維筋痛症における異なる随伴症状に効果がある可能性がある。したがって，$α_2δ$ リガンドとSNRIは，その両者が線維筋痛症における疼痛に対して有効である一方，$α_2δ$ リガンドとSNRIの併用療

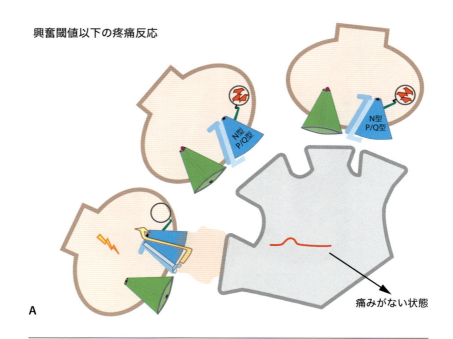
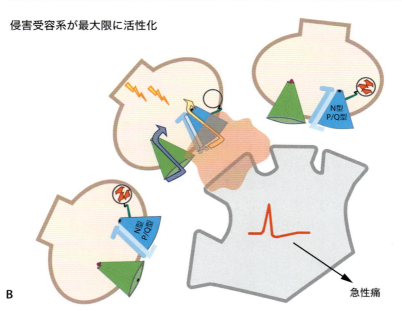

図9-14　疼痛神経路における活動依存性の侵害受容（その1：急性痛）　疼痛神経路における侵害受容神経活動によって，痛みを感じるかどうかが決まる。シナプス前神経細胞におけるナトリウムイオン（Na^+）の細胞内流入によって生じた活動電位は，カルシウムイオン（Ca^{2+}）の流入を引き起こし，最終的に神経伝達物質の放出を促す。（**A**）シナプス前神経細胞で生じた活動電位による神経伝達物質の放出が極端に少なかった場合，シナプス後神経細胞は十分に刺激されず，侵害受容入力は脳に到達しない（すなわち，痛みがない状態）。（**B**）シナプス前神経細胞において強力な活動電位が生じた場合，電位感受性カルシウムチャネル（VSCC）の開口時間が遷延し，より多くの神経伝達物質の放出が生じて，シナプス後神経細胞がより強く刺激される。この場合，侵害受容入力は脳に伝わり，急性痛が生じる。

線維筋痛症の随伴症状を標的とした治療

中枢性感作と過剰な侵害受容神経活動

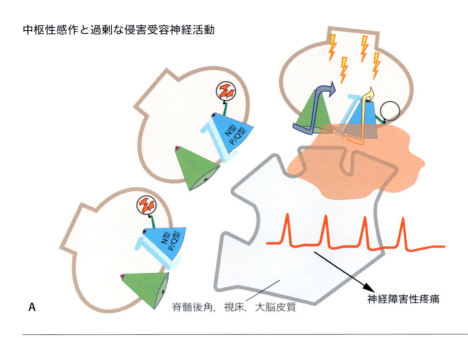

脊髄後角，視床，大脳皮質　　神経障害性疼痛

中枢性感作における疼痛を伴う
過剰な侵害受容神経活動の抑制

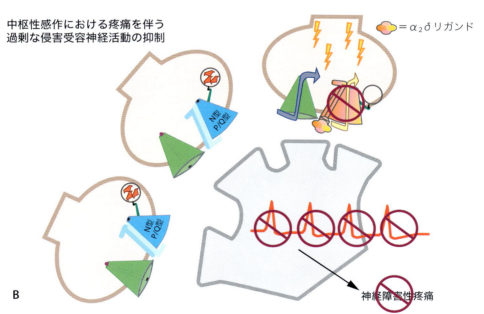

$= \alpha_2\delta$ リガンド

神経障害性疼痛

図9-15　疼痛神経路における活動依存性の侵害受容（その2：神経障害性疼痛）　疼痛神経路における侵害受容神経活動によって，痛みを感じるかどうかが決まる．シナプス前神経細胞におけるナトリウムイオン（Na^+）の細胞内流入によって生じた活動電位は，カルシウムイオン（Ca^{2+}）の流入を引き起こし，最終的に神経伝達物質の放出を促す．（**A**）シナプス前神経細胞での活動電位が強力だったり反復して生じた場合，カルシウムチャネルの開口時間が遷延し，シナプス間隙における神経伝達物質の放出が過剰となって，その結果シナプス後神経細胞が過剰に刺激される．この状態は，最終的には，軸索新芽形成を含む，分子，シナプス，構造の変化を引き起こす．この軸索新芽形成が，中枢性感作症候群における基質として想定されている．言い換えると，この機序が神経障害性疼痛を引き起こしているということである．（**B**）ガバペンチンやプレガバリンなどの $\alpha_2\delta$ リガンドは，電位感受性カルシウムチャネル（VSCC）の $\alpha_2\delta$ サブユニットに結合して構造変化を引き起こし，Ca^{2+} の細胞内流入を減少させ，シナプス後受容体への過剰な刺激を減弱させる．

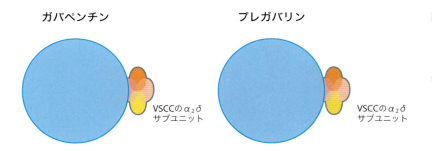

図9-16　ガバペンチンとプレガバリン　ガバペンチンとプレガバリンの薬理学的作用を示す。これらの薬物は，電位感受性カルシウムチャネル（VSCC）の $\alpha_2\delta$ サブユニットに結合する。

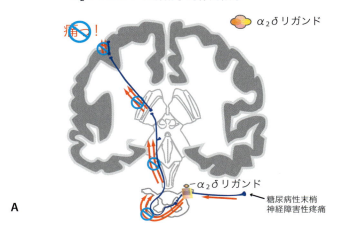

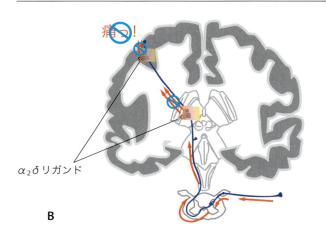

図9-17　$\alpha_2\delta$ リガンドの解剖学的作用機序　（A）$\alpha_2\delta$ リガンドは脊髄後角の電位感受性カルシウムチャネル（VSCC）に結合し，興奮性神経伝達を減弱させることによって疼痛を緩和する。（B）$\alpha_2\delta$ リガンドは視床や大脳皮質のVSCCにも結合し，興奮性神経伝達を減弱させることによって痛みを緩和する。

法は，それぞれの単剤療法よりもより広範な随伴症状を緩和できる可能性がある。例えば，$\alpha_2\delta$ リガンドは線維筋痛症における不安を軽減する可能性があり（不安に対する $\alpha_2\delta$ リガンドの作用については第8章，図8-17C，図8-18Cを参照），線維筋痛症における徐波睡眠の障害にも有効である可能性がある（睡眠障害とその治療については第10章を参照）。SNRIは，線維筋痛症における抑うつ症状と不安症状の緩和（抗うつ薬については第7章，気分障害の治療を参照），疲労感や，フィブロ・フォッグ（図9-8，図9-9参照）と呼ばれる線維筋痛症に関連する認知症状の治療に有用かもし

α₂δリガンドの分子作用
VSCCの開構造

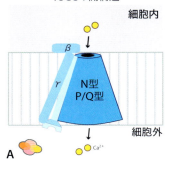

α₂δリガンドは開構造のVSCC
に結合し，VSCCを抑制する

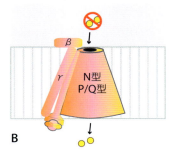

VSCCの閉構造

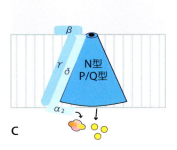

図9-18 α₂δリガンドの結合 (A)電位感受性カルシウムチャネル(VSCC)が開構造にあるとき，カルシウムイオン(Ca^{2+})の細胞内流入が生じる。(B)ガバペンチンやプレガバリンなどのα₂δリガンドはVSCCの開構造に最大の親和性があり，最大活動状態にあるこれらのチャネルを阻害する。(C)VSCCが閉構造にあるときには，α₂δリガンドは結合しないので，通常の神経伝達は阻害しない。

れない。広範な病態における実行機能の問題は通常，背外側前頭前皮質(DLPFC)における非効率な情報処理に関連している。DLPFCでは，ドーパミンによる神経伝達が脳の神経回路の制御に重要な役割を果たしている(統合失調症の認知機能については第4章，図4-17を参照)。DLPFCにおけるドーパミンによる認知の制御と，ドーパミン作動性神経伝達の促進が実行機能の改善に果たす役割については，注意欠如・多動症(ADHD)に関する第11章でも論じる。SNRIはDLPFCにおけるドーパミン濃度を上昇させるので(図7-33C)，線維筋痛症におけるフィブロ・フォッグにも有効である可能性がある。これは特に，SNRIのミルナシプランとlevomilnacipranにあてはまる。この2剤は臨床的有効用量であれば低用量でも，強力なノルエピネフリン再取り込み阻害特性を有する(図7-30，図7-31)。デュロキセチン(図7-29)，ベンラファキシン，desvenlafaxine(図7-28)は高用量で，ノルエピネフリン再取り込み阻害特性を増強し，DLPFCにおけるドーパミン濃度を高める(図7-33C)。線維筋痛症の「フィブロ・フォッグ」に対するその他の治療戦略は，うつ病における認知障害に対する治療と同様であり，モダフィニル，armodafinilや，アトモキセチンのような選択的ノルエピネフリン再取り込み阻害薬norepinephrine reuptake inhibitor(NRI)，bupropionのようなノルエピネフリン・ドーパミン再取り込み阻害薬norepinephrine-dopamine reuptake inhibitor(NDRI)，および精神刺激薬も慎重投与にて用いられる。SNRIは，ときにモダフィニル，精神刺激薬，またはbupropionと同列に議論の対象となるが，線維筋痛症における身体的疲労感および精神的疲労感といった症状に対しても有効となりうる。

線維筋痛症の疼痛に対する治療の第2選択は，ミルタザピン，三環系抗うつ薬といった鎮静作用の強い抗うつ薬と，三環系筋弛緩薬のcyclobenzaprineである。ベンゾジアゼピン，睡眠薬，トラゾドンといった他の睡眠補助薬は線維筋痛症の睡眠障害を軽減しうる。線維筋痛症に対するγ-hydroxybutyrate(GHBまたはsodium oxybate)の効果についてのエビデンスも蓄積されつつある(流用および乱用のおそれがあり，最大限に注意を払うこと)。GHBはナルコレプシーに対して適

応を認められた薬物で，徐波睡眠を増強する作用がある。これについては，睡眠に関する第10章で述べる（図10-67，図10-68参照）。重症かつ治療抵抗性の線維筋痛症の症例においては，専門家によるGHBの使用は大胆な治療法として正当化されるであろう。$\alpha_2\delta$リガンド以外の多くの抗痙攣薬（図9-16）も，慢性神経障害性疼痛状態の治療において第2選択薬として使用される。これらの薬物は，VSCCよりもVSSCに対する作用が強いと考えられており，したがって$\alpha_2\delta$リガンドとは異なる作用機序を有し，$\alpha_2\delta$リガンドでは効果が不十分な症例に有効である可能性がある。

まとめ

本章では，痛みを定義し，侵害受容神経活動から痛みに至る過程，そして末梢から脊髄，脊髄から脳へと至るその神経路について解説した。神経障害性疼痛については末梢性および中枢性の機序，中枢性感作の概念に至るまで包括的に述べた。下行性抑制路が，セロトニンとノルエピネフリンの放出により侵害受容性疼痛にかかわる神経細胞の活動を軽減するその重要な役割についても述べた。この役割は，セロトニン・ノルエピネフリン再取り込み阻害薬（SNRI）がさまざまな病態において疼痛知覚を和らげる薬物として作用する基盤となっていることを示した。その対象となる病態は，うつ病から線維筋痛症，糖尿病性末梢神経障害性疼痛，腰痛，変形性関節症，その他の関連する病態に至るまで幅広い。電位感受性カルシウムチャネル（VSCC）の重要な役割についても解説した。VSCCは，糖尿病性末梢神経障害性疼痛，線維筋痛症，うつ病や不安症における疼痛を伴う身体症状，帯状疱疹，その他の神経障害性疼痛において疼痛知覚を和らげる薬物として作用する$\alpha_2\delta$リガンドの基盤となっている。最後に，感情障害から慢性神経障害性疼痛に至る病態のスペクトラムについてもふれ，線維筋痛症の病態と最新の精神薬理学的な治療を中心に解説した。

（訳　宮島美穂）

10章 睡眠覚醒障害群とその治療：ヒスタミンとオレキシンの神経伝達物質回路

- 睡眠と覚醒の神経生物学—444
  - 覚醒度スペクトラム—444
  - ヒスタミン—444
  - オレキシン/ヒポクレチン—448
  - 睡眠/覚醒サイクルの覚醒と睡眠の経路—451
  - ウルトラディアンサイクル（縮日周期）—456
  - 神経伝達物質とウルトラディアンサイクル—456
  - なぜ眠るのか？　眠れないと死ぬのか？—457
- 不眠—459
  - 不眠とは何か？—459
  - 診断と併存症—460
- 不眠症の治療：催眠作用のある薬物—461
  - ベンゾジアゼピン系薬（$GABA_A$受容体の正のアロステリック調節物質）—461
  - Zドラッグ（$GABA_A$受容体の正のアロステリック調節物質）—464
  - 二重オレキシン受容体アンタゴニスト（DORA）—465
  - セロトニン系睡眠薬—466
- 睡眠薬としてのヒスタミン1（H_1）アンタゴニスト—467
- 睡眠薬としての抗痙攣薬—468
- 催眠作用と薬物動態：あなたの眠りは薬物レベルのなすがままに！—468
- 不眠症の行動療法—473
- 日中の過度な眠気（過眠）—473
  - 眠気とは何か？—473
  - 過眠の原因—474
  - サーカディアンリズム障害—480
- 覚醒促進薬と日中の過度な眠気の治療—482
  - カフェイン—483
  - amphetamineとメチルフェニデート—483
  - モダフィニル/armodafinil—485
  - solriamfetol，覚醒促進のノルエピネフリン・ドーパミン再取り込み阻害薬（NDRI）—488
  - pitolisant，H_3シナプス前アンタゴニスト—488
  - sodium oxybateとナルコレプシーおよび情動脱力発作—490
- まとめ—491

　本章では睡眠覚醒障害群の精神薬理学について概要を示す。これには不眠や日中の過度な眠気を引き起こす疾患の症状，診断基準や治療についての簡単な解説も含む。睡眠障害の臨床の詳細やいかに診断するかの公式な基準についてはついでに言及する程度にとどめている。これについては標準的な参考文献をあたってもらいたい。ここでは不眠や眠気を引き起こすさまざまな脳回路とその神経伝達物質の関係をおもに述べる。本章の目標は，いかに種々の疾患が睡眠と覚醒を変化させるか，いかに新しく進化した治療が不眠や眠気の症状を解消するのか，睡眠と覚醒の臨床的，生物学的見地を読者が習得することである。

　睡眠覚醒障害に気づき，これを評価し，治療することは，急速に精神医学的評価の基本の一部となりつつある。現代の精神薬理学者はますます睡眠を精神的な「バイタルサイン」と考えるようになり，ルーチンで行う評価や対症療法がいかなるときでも要求されるようになってきた。これは先の第9章で解説した痛みがもう1つの精神的「バイタルサイン」ととらえられることが増えてきたのと同様である。つまり，睡眠（と痛み）の障害は非

常に重要かつ広汎的で多くの精神疾患で出現するため，いかなる精神障害があろうとも，患者が症状から完全寛解し機能回復に至るためにはこれらの症状を消退させることが必要であることがますます認識されてきているということである。

本章で解説する多くの治療についてはこれまでの章で言及している。不眠治療の機序の詳細についてはうつ病治療でも使われるため第7章を参照されたい。また，ベンゾジアゼピン系の不眠治療についても第7章を参照されたい。さまざまな過眠症治療，特に刺激薬については，第11章の注意欠如・多動症（ADHD）と第13章の衝動性，強迫性，嗜癖でさらなる情報を提供している。本章での議論は概念レベルであり実用レベルではない。実地臨床におけるこれらの薬物の処方量や副作用，薬物相互作用についての詳細は，標準的な薬物ハンドブック（『精神科治療薬の考え方と使い方』など）を参考にしてほしい。

睡眠と覚醒の神経生物学
覚醒度スペクトラム

多くの専門家は症状を引き起こす**疾患**の分類，鑑別に重点をおいて不眠，眠気に迫ってきたが，実際的な精神薬理学者の多くは不眠や日中の過度な眠気を多くの疾患でみられる重要な**症候**で，覚醒不足から過覚醒までのスペクトラムに沿って起こるという見方をしている（図10-1）。覚醒し，注意深く，創造的で問題を解決することができる人が，覚醒の過不足の間で丁度よいバランスをとっていると考えられている（図10-1で基準の脳機能はスペクトラムの中央）。日中の覚醒度が正常を超えて上昇すると過覚醒となり（図10-1），これが夜に起こるなら不眠となる（図10-1，脳の過活動）。治療の観点からみると，不眠は過覚醒の疾患と考えられ，過覚醒の患者を睡眠へ移行させる催眠作用のある薬物で治療する（催眠作用のある特異的な薬物については後述する）。

一方で，覚醒度が低下すると単なる不注意からより重度の症状である認知障害に増悪し，患者は日中過度な眠気と睡眠発作を呈するまでになる（図10-1，脳の低活動）。治療の観点からみると，眠気は覚醒不足の障害と考えられ，覚醒を引き起こす薬物で覚醒不足状態から正常の注意力ある覚醒した状態へ移行させる（覚醒促進作用のある特異的な薬物は後述する）。

図10-1で注意すべきは，認知障害は覚醒度が低下しすぎても上昇しすぎても生じる産物である点である。皮質の錐体細胞が最適に「調整」される必要があり，過活動でも低活動でも同じように不調和となる。また，図10-1で示した覚醒度スペクトラムはいくつかの神経伝達物質の働きと関連しているが，これら神経伝達物質はつぎの段落以降で詳細に説明するのでそちらにも留意してほしい〔すなわち，ヒスタミン，オレキシン，ドーパミン，γ-アミノ酪酸 γ-aminobutyric acid（GABA）〕。これらの神経伝達物質回路の一部は覚醒を制御するため協働するので，1つのグループとして上行性網様体賦活系と呼ばれている。これは，ヒスタミン，ドーパミン，そしてノルエピネフリンとして第5章で述べ，図5-14に図示した。多くの薬物は同じ上行性神経伝達物質系の数カ所を遮断し鎮静を引き起こす（第5章と図5-8，図5-13参照）。図10-1はまた，過覚醒が不眠をとおり越して，パニック，幻覚，そして最後は明らかな精神病を引き起こす可能性も示している（スペクトラムの右端）。

ヒスタミン

ヒスタミンは覚醒を制御する鍵となる神経伝達物質の1つで，多くの覚醒促進薬（ヒスタミン放出を増強）と，睡眠促進薬（ヒスタミン H_1 受容体を遮断する抗ヒスタミン薬）の究極の標的である。ヒスタミンはアミノ酸のヒスチジンから生産されるが，ヒスチジンはヒスタミン神経に取り込まれヒスチジンデカルボキシラーゼによりヒスタミンに変換される（図10-2）。ヒスタミンの作用は，ヒスタミンをN-メチルヒスタミンに変換するヒスタミンN-メチルトランスフェラーゼと，N-メチルヒスタミンをN-メチルインドール酢酸（N-MIAA）という不活性化物質に変換するモノアミンオキシダーゼB（MAO-B）の2つの酵素が連続して作用することで終了する（図10-3）。脳外で

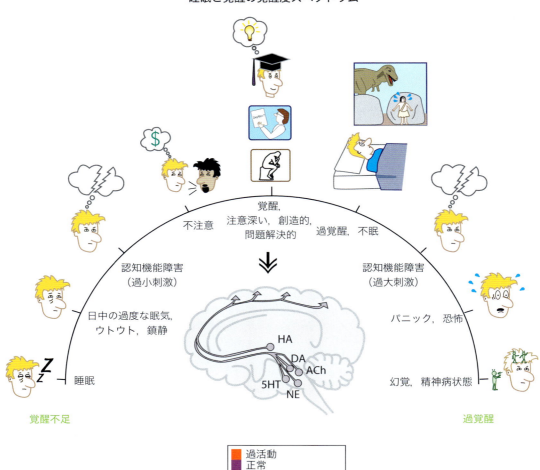

図10-1　睡眠と覚醒の覚醒度スペクトラム　覚醒度は単に「起きている」か「眠っている」かではなく，より複雑である。覚醒度は調光スイッチのようにさまざまな段階がある。スペクトラムのどこに位置するかは，ヒスタミン（HA），ドーパミン（DA），ノルエピネフリン（NE），セロトニン（5HT），アセチルコリン（ACh）とともに，γ-アミノ酪酸（GABA）やオレキシン（図示せず）といった鍵となる神経伝達物質の影響によって決まる。覚醒度が強すぎず弱すぎず，丁度バランスがよい状態（脳を灰色で示す）では，人は覚醒し，注意深く，ほどよく機能することができる。図の半円の右側へいくにつれ覚醒が上昇し，過覚醒となり夜間は不眠となる。さらに覚醒度が増すと，認知機能障害やパニックを引き起こし，極端な場合には幻覚すら引き起こすことがある。反対に，覚醒度が減弱した人は，不注意，認知機能障害，眠気を経験し最終的には眠ってしまうかもしれない。

はジアミンオキシダーゼのようなさらなる酵素もヒスタミン作用を終了させる。ヒスタミンには明らかな再取り込みポンプがないことに注意してほしい。すなわち，ヒスタミンは前頭皮質でのドーパミンのように，シナプスから離れて広範囲に存在すると思われる。

　ヒスタミンには多数の受容体がある（図10-4〜図10-7）。シナプス後ヒスタミン1（H_1）受容体が最もよく知られているが，これは「抗ヒスタミン薬」（すなわちH_1アンタゴニスト）の標的だからである（以降参照）。ヒスタミンがH_1受容体に作用すると，Gタンパクに連結した二次メッセンジャー系を活性化し，それがホスファチジルイノシトールと転写因子cFOSを活性化し，その結果，

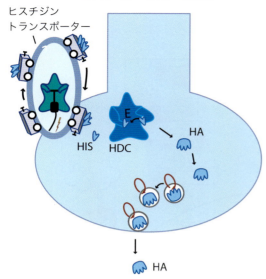

図10-2　ヒスタミンの産生　ヒスタミンの前駆体ヒスチジン（HIS）がヒスチジントランスポーターによってヒスタミン神経終末に取り込まれ，ヒスチジンデカルボキシラーゼ（HDC）でヒスタミン（HA）へ変換される。合成後，HAはシナプス小胞に貯蔵され神経伝達の際にシナプス間隙へ放出される。
E：酵素

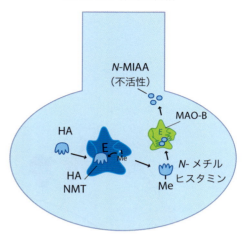

図10-3　ヒスタミン作用の終結　ヒスタミン（HA）は細胞内で2つの酵素により分解される。ヒスタミンはヒスタミンN-メチルトランスフェラーゼ（HA NMT）でN-メチルヒスタミンへ変換され，それからモノアミンオキシダーゼB（MAO-B）で不活性化物質N-メチルインドール酢酸（N-MIAA）に変換される。HAに明らかな再取り込みトランスポーターはないので，放出されたHAは広範に拡散する。
E：酵素，Me：メチル基

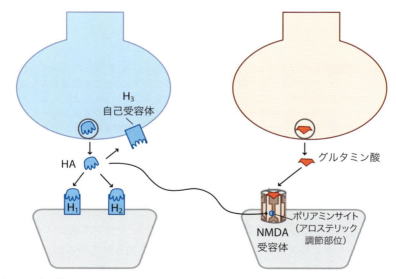

図10-4　ヒスタミン受容体　ヒスタミン（HA）の神経伝達を調整している受容体を示す。ヒスタミン1（H_1）とヒスタミン2（H_2）受容体はシナプス後にあり，一方でヒスタミン3（H_3）受容体はシナプス前自己受容体である。グルタミン酸系N-メチル-D-アスパラギン酸（NMDA）受容体上にもHAの結合部位があり，アロステリック調節部位であるポリアミンサイトで作用する。

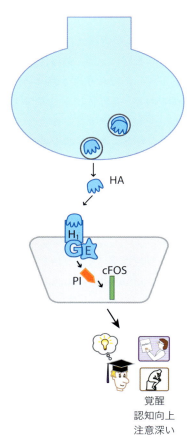

図10-5 ヒスタミン1(H_1)受容体 ヒスタミン(HA)がシナプス後H_1受容体に結合すると、Gタンパクを介して二次メッセンジャー系が活性化され、ホスファチジルイノシトール(PI)と転写因子cFOSが活性化される。この結果、正常な注意力ある覚醒状態を引き起こす。
E：酵素

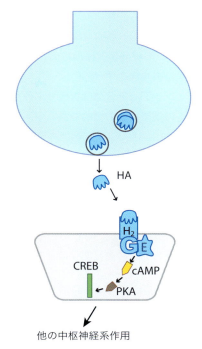

図10-6 ヒスタミン2(H_2)受容体 H_2受容体は体と脳の双方に存在する。ヒスタミン(HA)がシナプス後H_2受容体に結合すると、Gタンパクを介して二次メッセンジャー系の環状アデノシン一リン酸(cAMP)とホスホキナーゼA(PKA)、および遺伝子産物であるcAMP応答配列結合タンパク(CREB)を活性化する。このH_2受容体の脳内における機能はいまだ解明されていないが、覚醒状態に直接関連することはないようである。
E：酵素

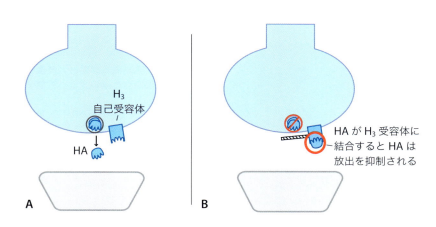

図10-7 ヒスタミン3(H_3)受容体 H_3受容体はシナプス前自己受容体で、ヒスタミン(HA)の門番として機能する。(**A**)HAがH_3受容体に結合しないと、分子ゲートは開いてHAが放出される。(**B**)HAがH_3受容体に結合すると、分子ゲートは閉じてHAの放出を阻止する。

覚醒し注意力のある認知に向いた機能をもたらす（図10-5）。これらH_1受容体が脳内で遮断されると，ヒスタミンの覚醒促進作用は阻害され，鎮静，眠気，睡眠を引き起こす（後述）。

ヒスタミン2（H_2）受容体は胃酸分泌作用でよく知られ多くの抗潰瘍薬の標的であるが，脳内にも存在する（図10-6）。このシナプス後受容体もまた，環状アデノシン一リン酸（cAMP），ホスホキナーゼA（PKA），および遺伝子産物のcAMP応答配列結合タンパク（CREB）とともに，Gタンパク二次メッセンジャー系を活性化する。脳内のH_2受容体の機能はいまだ明らかになってはいないが，どうやら覚醒に直接関与はしていないらしい。

第3のヒスタミン受容体は脳内に存在し，H_3受容体という（図10-7）。ヒスタミンH_3受容体はシナプス前にあり（図10-7A），自己受容体として機能する（図10-7B）。すなわち，ヒスタミンがこれらの受容体に結合するとヒスタミンのさらなる放出が止まる（図10-7B）。覚醒促進および認知機能亢進薬物への新しいアプローチの1つは，これら受容体を遮断しヒスタミンがH_1受容体で望ましい効果をだすようヒスタミン放出を促進することである（後述）。

第4のヒスタミン受容体はH_4受容体だが，脳内での存在は知られていない。最後に，ヒスタミンはN-メチル-D-アスパラギン酸 N-methyl-D-aspartate（NMDA）受容体にも作用する（図10-4）。面白いことに，ヒスタミンが自身の受容体からNMDAを含むグルタミン酸受容体へ拡散すると，ポリアミンサイトというアロステリック調節部位に作用し，NMDA受容体におけるグルタミン酸の作用を変化させる（図10-4）。ヒスタミンの役割とこの作用の機能についてはまだよくわかっていない。

ヒスタミン神経はすべて，覚醒を調整する結節乳頭核 tuberomammillary nucleus（TMN）という視床下部にある1つの小さな部位から起こる（図10-8）。このようにヒスタミンは，覚醒度，覚醒状態，睡眠において重要な役割を果たす。TMNは，両側性の小さな核でヒスタミン系入力を脳の主要部位や脊髄に供給している（図10-8）。

オレキシン/ヒポクレチン

この神経伝達ペプチドには2つの名称があるが，それは2つの異なる研究グループが同時に発

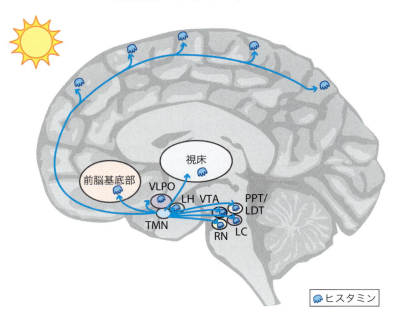

覚醒回路：ヒスタミン（HA）

図10-8　ヒスタミン投射と覚醒状態　ヒスタミン（HA）は脳内ではもっぱら視床の結節乳頭核（TMN）の細胞で産生される。ヒスタミン神経はTMNから覚醒状態に関与する前頭前皮質，前脳基底部，視床，脳幹の神経伝達中枢，腹外側視索前野と外側視床下部を含む脳の大半へ投射する。

LC：青斑核，LH：外側視床下部，PPT/LDT：脚橋被蓋核/背外側被蓋核，RN：縫線核，TMN：結節乳頭核，VLPO：腹外側視索前野，VTA：腹側被蓋野

見し，別々に命名したからである。1つのグループは外側視床下部での神経伝達物質の発見を報告したが，奇妙なことにインクレチンファミリーの1つである内臓ホルモンのセクレチンと似ており，視床下部hypothalamusのインクレチンファミリーを表す「ヒポクレチンhypocretin」と名付けた。同時にもう一方のグループが「オレキシンorexin」の発見を報告したが，こちらの名称はこの神経伝達ペプチドの食欲増進orexigenic活動を反映している。だが，すぐにこれらは同じ神経伝達物質と判明した。これらは1つの前駆体タンパクにより生成された約50％の配列相同性をもつ興奮性ペプチドで，アミノ酸33個のオレキシンAと28個のオレキシンBがある。この命名法は明らかに混乱を招いているが，今では多くが，遺伝子や遺伝子産物に言及する際は「ヒポクレチン」を使用し，神経伝達ペプチドそのものに言及する際は「オレキシン」を使用することで，その歴史を認識している。双方の呼び名は実際に使われているので残しておく必要がある。なぜなら，「HCRT」は標準的遺伝子データベースのシンボルであり，「OX」は国際社会においてペプチド系薬理学で使われるからである。

オレキシン/ヒポクレチン神経細胞は，視床下部の一部（視床下部外側野，視床下部脳弓周囲野，視床下部後部）にのみ局在する（図10-9）。これらの視床下部神経が変性すると安定した覚醒が困難になり，よって日中睡眠発作を起こすことを特徴とするナルコレプシーという障害を引き起こす。これらの神経細胞の脱落がオレキシン産生および下流の覚醒促進神経伝達物質中枢へのオレキシン放出を不可能にし，安定した覚醒状態が失われる。ナルコレプシーの治療は後述する。

視床下部のオレキシン/ヒポクレチン神経細胞は，オレキシンAとオレキシンBの2つの神経伝達物質を生産し，これらはあらゆる脳内の神経，特に脳幹のモノアミン系神経伝達物質中枢の神経に投射される（図10-9，図10-10）。オレキシンのシナプス後作用はオレキシン1とオレキシン2と呼ばれる2つの受容体で調整される（図10-11）。オレキシンAは双方の受容体に作用する可能性がある一方，神経伝達物質オレキシンBはオレキシン2受容体に選択的に結合する（図10-11）。オレキシンAがオレキシン1受容体に結合すると細胞内カルシウムイオン（Ca^{2+}）が増加するほか，ナトリウムイオン（Na^+）/Ca^{2+}交換が活性化する（図10-11）。オレキシンAもしくはBがオレキシン2受容体に結合するとNMDA型グル

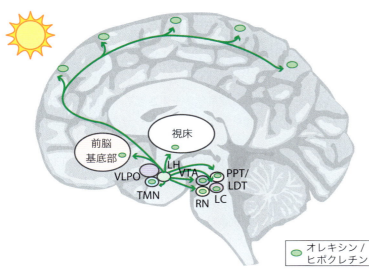

覚醒回路：オレキシン

図10-9　オレキシン/ヒポクレチン投射と覚醒状態　神経伝達物質オレキシン（ヒポクレチンとも呼ばれる）は視床下部，特に視床下部外側野と脳弓周囲部および視床下部後部にある細胞で産生される。視床下部からオレキシン神経細胞は，結節乳頭核（TMN），前脳基底部，視床，そして脳幹神経伝達物質中枢を含む脳のさまざまな部位へ投射する。

LC：青斑核，LH：外側視床下部，PPT/LDT：脚橋被蓋核/背外側被蓋核，RN：縫線核，VLPO：腹外側視索前野，VTA：腹側被蓋野

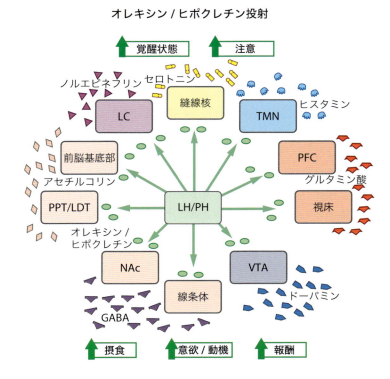

図10-10 オレキシン/ヒポクレチン投射は覚醒神経伝達物質と相互作用する オレキシン/ヒポクレチンは脳内に広く放出され，すべての覚醒神経伝達物質と相互作用し覚醒状態の安定化と注意の調節を行う。オレキシンは，摂食，意欲，報酬といった他の行動にも関与している。
GABA：γ-アミノ酪酸，LC：青斑核，LH/PH：外側視床下部/視床下部後部，NAc：側坐核，PFC：前頭前皮質，PPT/LDT：脚橋被蓋核/背外側被蓋核，TMN：結節乳頭核，VTA：腹側被蓋野

タミン酸受容体の発現が増加し，またGタンパクが調整する内向整流性カリウムチャネル（GIRK）が不活化する（図10-11）。

覚醒状態を安定させる役割に加え，オレキシンは，摂食行動，報酬，その他の行動を調整しているとも考えられている（図10-12）。覚醒状態の間，オレキシン/ヒポクレチン神経細胞は活性化され覚醒度を維持するため持続性発火するが，刺激の存在下では，回避可能な外部刺激であろうが血中二酸化炭素（CO_2）レベルの上昇のような内部刺激であろうが，オレキシン神経細胞はより速い相動性の群発発火をする（図10-12）。このヒポクレチン/オレキシン神経細胞の興奮はオレキシンの活動を上昇させるだけでなく，オレキシンが刺激する他の脳部位すべてを活性化し，報酬の達成や潜在的危険の回避のような適切な行動反応の遂行を誘導するのではないかと考えられている。このように，ヒポクレチン/オレキシン系は覚醒状態を維持するだけでなく，飢えに反応して摂食を増やすなどの目標指向的で，動機づけられた行動を促進させる（図10-12）。

オレキシン1受容体はノルエピネフリン系の青斑核に強く発現し，一方のオレキシン2受容体はヒスタミン系の結節乳頭核（TMN）に多く発現する。覚醒状態におけるオレキシン/ヒポクレチンの効果は，オレキシン2受容体が発現するTMNヒスタミン神経細胞の活性化によりおもに調整されると考えられている。しかし，オレキシン受容体とオレキシン投射はすべての覚醒系神経伝達物質中枢に存在するため，オレキシンは多くの覚醒系神経伝達物質の効果によって間接的に覚醒状態を調整するのに理想的な位置にあるのである（図10-13～図10-16）。このようにオレキシンそれ自体は覚醒状態を**引き起こす**覚醒系神経伝達物質とはいえないが，むしろ全覚醒系神経伝達物質との相互作用による覚醒状態の**安定化**に貢献している可能性がある（図10-10，図10-13～図10-16）。例えば，覚醒状態と注意を維持するためのオレキシンの作用は，前脳基底部，脚橋被蓋核/背外側被蓋核（PPT/LDT）からの**アセチルコリン**刺激（図10-13）と腹側被蓋野（VTA）からの**ドーパミン**放出（図10-14），青斑核（LC）からの**ノルエ**

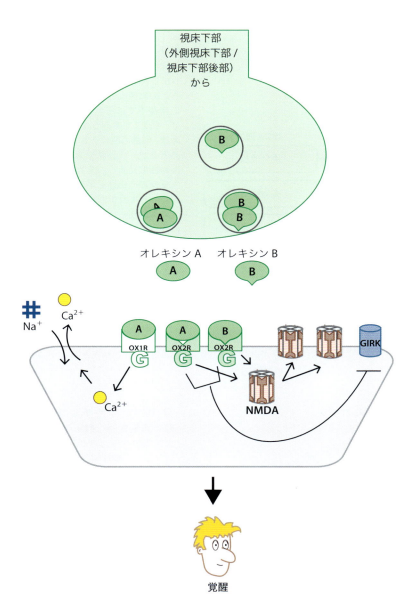

図10-11　**オレキシン/ヒポクレチン受容体**　オレキシン/ヒポクレチン神経細胞は，オレキシンAとオレキシンBの2つの神経伝達物質を作る。オレキシン神経伝達は，シナプス後Gタンパク共役受容体であるオレキシン1受容体（OX1R）とオレキシン2受容体（OX2R）により調節される。オレキシンAはOX1RとOX2Rの双方に作用するが，オレキシンBはOX2Rに選択的に結合する。オレキシンAがOX1Rに結合すると細胞内カルシウムイオン（Ca^{2+}）が上昇し，かつナトリウム/カルシウム交換輸送体も活性化する。オレキシンAとBがOX2Rに結合するとN-メチルD-アスパラギン酸（NMDA）型グルタミン酸受容体の発現が増加し，同時にGタンパクが調整する内向整流性カリウムチャネル（GIRK）が不活化される。OX1Rは特にノルエピネフリン系の青斑核に発現し，OX2Rはヒスタミン系の結節乳頭核（TMN）で高く発現する。

ピネフリン放出（図10-15），縫線核（RN）からのセロトニン放出（図10-16），結節乳頭核（TMN）からのヒスタミン放出（図10-8）により調整されるのかもしれない。うわ，すごい！

概日性駆動，恒常性駆動および暗闇のすべてが1日の終わりに作動すると，闇の中でオレキシンレベルは下がり，覚醒状態はもはや安定せず，GABA系神経伝達物質が増強され（図10-17），腹外側視索前野（VLPO）から眠りが促進され，こうして覚醒促進神経伝達物質の**すべてが抑制される**

（図10-8，図10-13～図10-16）。

睡眠/覚醒サイクルの覚醒と睡眠の経路

多くの神経伝達物質が覚醒度の調整に関与していることを示してきたが，これらの経路は図10-8，図10-9，図10-13～図10-17に図示してある。この調節は，**恒常性睡眠駆動**（homeostatic sleep drive）と**概日性覚醒駆動**（circadian wake drive）という2つの正反対の駆動によって調整さ

覚醒状態を促進するための　　ヒポクレチン / オレキシン
ヒポクレチン / オレキシン　　神経細胞の相動性発火
神経細胞の持続性発火

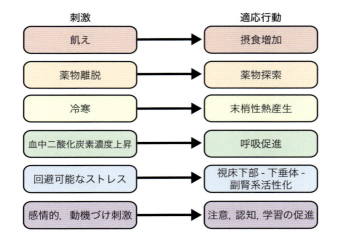

図10-12　オレキシン/ヒポクレチンによる適応行動の調整　覚醒状態の間，オレキシン/ヒポクレチン神経細胞は覚醒度を維持するために持続性に発火する。刺激の存在下ではそれが内因性（例えば，飢え）であろうが，外因性（例えば，回避可能なストレス因子）であろうが，オレキシン神経細胞は相動性に発火し，それによりオレキシン神経伝達を増加するだけでなくオレキシンが刺激する脳部位での活動性も上昇する。このようにオレキシンはただ単に覚醒状態を調整するだけでなく目標指向性行動を促進する。

覚醒回路：アセチルコリン

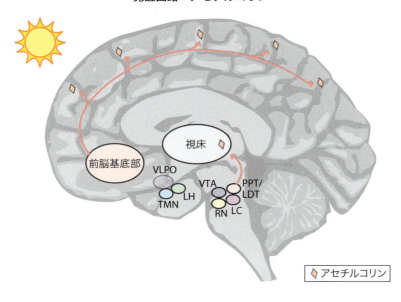

図10-13　アセチルコリン投射と覚醒状態　前脳基底部から大脳皮質へ放出されるアセチルコリンと，脚橋被蓋核/背外側被蓋核（PPT/LDT）から視床へ放出されるアセチルコリンは覚醒状態と関連している。オレキシン/ヒポクレチンはアセチルコリン（と他の覚醒系神経伝達物質）の調整をとおして覚醒状態を安定させているのかもしれない。
LC: 青斑核, LH: 外側視床下部, RN: 縫線核, TMN: 結節乳頭核, VLPO: 腹外側視索前野, VTA: 腹側被蓋野

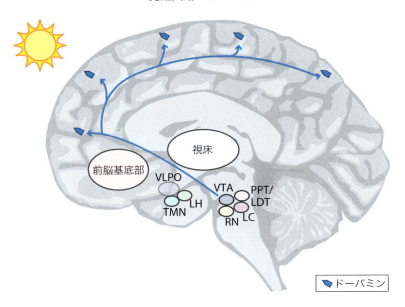

図10-14　ドーパミン投射と覚醒状態　腹側被蓋野(VTA)から皮質野へのドーパミン放出は覚醒状態に関与する。オレキシン/ヒポクレチンはドーパミン（と他の覚醒系神経伝達物質）の調整をとおして覚醒状態を安定させているのかもしれない。
LC：青斑核，LH：外側視床下部，PPT/LDT：脚橋被蓋核/背外側被蓋核，RN：縫線核，TMN：結節乳頭核，VLPO：腹外側視索前野

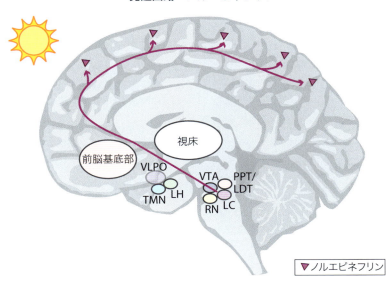

図10-15　ノルエピネフリン投射と覚醒状態　青斑核(LC)から皮質野へのノルエピネフリン放出は覚醒状態に関連する。オレキシン/ヒポクレチンはノルエピネフリン（と他の覚醒系神経伝達物質）の調整をとおして覚醒状態を安定させているのかもしれない。
LH：外側視床下部，PPT/LDT：脚橋被蓋核/背外側被蓋核，RN：縫線核，TMN：結節乳頭核，VLPO：腹外側視索前野，VTA：腹側被蓋野

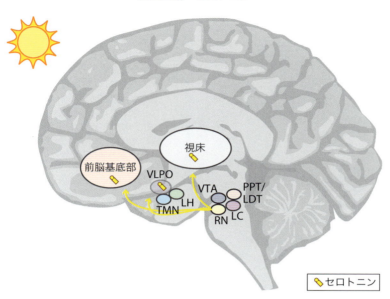

図10-16　セロトニン投射と覚醒状態　縫線核(RN)から前脳基底部と視床へのセロトニン放出は覚醒状態と関連する。オレキシン/ヒポクレチンはセロトニン(と他の覚醒系神経伝達物質)の調整をとおして覚醒状態を安定させているのかもしれない。
LC: 青斑核, LH: 外側視床下部, PPT/LDT: 脚橋被蓋核/背外側被蓋核, TMN: 結節乳頭核, VLPO: 腹外側視索前野, VTA: 腹側被蓋野

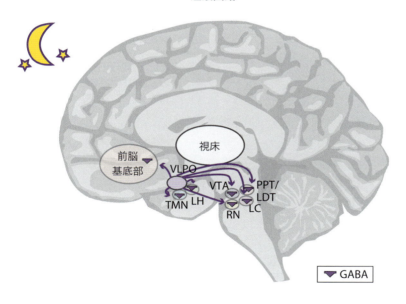

図10-17　GABA投射と睡眠　γ-アミノ酪酸(GABA)は視床下部の腹外側視索前野(VLPO)から結節乳頭核(TMN), 外側視床下部(LH), 前脳基底部と神経伝達物質中枢へ放出される。これら覚醒促進脳部位を抑制することで, GABAは睡眠を導くことができる。
LC: 青斑核, PPT/LDT: 脚橋被蓋核/背外側被蓋核, RN: 縫線核, VTA: 腹側被蓋野

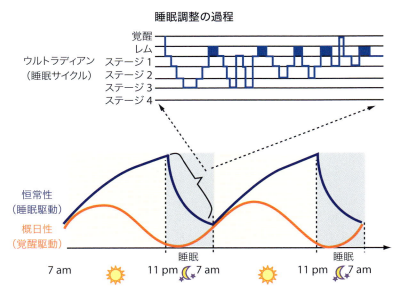

図10-18　睡眠調節の過程　睡眠/覚醒サイクルは，恒常性睡眠駆動と概日性覚醒駆動の2つの正反対の駆動で調整される。概日性覚醒駆動は視床下部の視交叉上核への入力（光，メラトニン，活動）の結果，オレキシン放出を刺激して覚醒状態を安定化する。恒常性睡眠駆動はアデノシンの蓄積によるが，長く起きていると増加し，眠ると減少する。蓄積したアデノシンは腹外側視索前野の脱抑制を導き，結節乳頭核のGABA放出を招いて覚醒状態を抑制する。1日が進むと概日性覚醒駆動は減少，恒常性睡眠駆動が転換点まで増加する。睡眠そのものは多くの相が周期的に繰り返し起こるが，これはウルトラディアンサイクルとして知られており図の上方に示した。

れ，睡眠と覚醒状態の1日のサイクルをもたらす（図10-18）。恒常性睡眠駆動は覚醒状態の明るい時間をとおして蓄積し，概日性覚醒駆動と対峙する。

　長く起きていれば起きているほど眠りへの恒常性駆動は強まる。この恒常性睡眠駆動はアデノシンの蓄積に依存するが，アデノシンは日中の疲れとともに増加し最終的には腹外側視索前野（VLPO）の脱抑制と睡眠回路（図10-17）でのGABA放出をもたらし，入眠を促進する。

　視交叉上核において光作用で調整されている概日性覚醒駆動は，覚醒回路の一部としてオレキシンの放出を刺激するが，他の覚醒促進神経伝達物質の放出を増強して覚醒状態を安定させる。明るい間，ヒスタミンは結節乳頭核（TMN）から脳皮質とVLPOに放出され，GABAの放出が抑制される（図10-8）。TMNからのヒスタミンはまた，外側視床下部と脳弓周囲野，視床下部後部からのオレキシンの放出を刺激する。そして，オレキシンには多くの以下のようなドミノ効果がある。

- オレキシンは前脳基底部から皮質野へ，および脚橋被蓋核/背外側被蓋核（PPT/LDT）から視床へのアセチルコリン放出を誘導する（図10-13）。
- オレキシンはまた，腹側被蓋野（VTA）から皮質へのドーパミン放出を引き起こす（図10-14）。
- オレキシンは青斑核（LC）から皮質へのノルエピネフリン放出を刺激する（図10-15）。
- 最後に，オレキシンはまた縫線核（RN）から前脳基底部と視床双方へのセロトニン放出を促進する（図10-16）。

　そして光が減弱し，青斑核からのノルエピネフリンと縫線核からのセロトニンが増強され外側視床下部の神経へ放出されると，**オレキシン放出抑制**という負のフィードバックがかかる。オレキシンなしでは覚醒状態はもはや安定せず，腹外側視索前野（VLPO）とGABAが指揮をとってすべての覚醒系神経伝達物質を抑制する（図10-17）。こうして眠りは促進されメラトニンが夜の闇のなか

で分泌され，休息が恒常性睡眠駆動を取り戻し光が覚醒系神経伝達物質を起動するというサイクルが繰り返される。

ウルトラディアンサイクル（縮日周期）

毎日の睡眠/覚醒サイクル（図10-18）に加え，ウルトラディアンサイクル（縮日周期）というのもある〔図10-18の挿入図を参照，このサイクルは1日（ディアン）より早い（ウルトラ）のでウルトラディアンと呼ぶ〕。完全なウルトラディアンサイクル〔ノンレムとレム（REM：急速眼球運動）〕は約90分持続し，一晩で4～5回起こる（図10-18の挿入図）。睡眠サイクルのステージ1と2はノンレム睡眠を作り出すが，ステージ3と4はより深い，徐波睡眠である。正常の睡眠時間ではノンレム睡眠の持続は夜間にしだいに低下する一方，レム睡眠時間は増加する。レム睡眠は脳波上覚醒状態時にみられるのと同様の速波で特徴づけられ，著明な眼の動きと末梢の筋麻痺および脱力と呼ばれる筋緊張の低下も起こる。夢をみるのはレム睡眠中だが，陽子線放射断層撮影（PET）研究ではレム睡眠の間，視床，視覚野と辺縁系の活性化とともに，背外側前頭前野や頭頂皮質といった他の部位の代謝低下が示されている。一方，ノンレム睡眠のときは脳全般での活動が減退する。

神経伝達物質とウルトラディアンサイクル

神経伝達物質（図10-8，図10-9，図10-13～図10-17）は1日の睡眠/覚醒サイクル（図10-8）を調整する役割だけでなく，ウルトラディアンサイクルのさまざまな睡眠相を調整する役割ももつ（図10-18の挿入図）。このように神経伝達物質は，24時間を基礎とする日内変動だけでなく毎晩の睡眠のさまざまな相をつうじても変動する（図10-19～図10-22）。驚くことではないが，GABAは一晩中活動するが，睡眠の最初の数時間で徐々に増加し，プラトーになり，それから起きる前までに徐々に減少する（図10-19）。これもまた驚くことではないが，オレキシンのパターンはその正反対で，オレキシンレベルは睡眠の最初の数時間で徐々に減少し，プラトーになり，それから覚醒前にしだいに増加する（図10-20）。その他の神経伝達物質のパターンは睡眠相に依存する（図10-21，図10-22）。すなわち，アセチルコリンレベルは睡眠サイクルをとおして増減し，睡眠ステージ4で最低値になりレム睡眠期でピークとなり，ステージ4とレム睡眠の間で毎回上下する（図10-21）。一方で，ドーパミン，ノルエピネフリン，セロトニン，ヒスタミンのレベルは異なる傾向を示す。これらは睡眠ステージ2でともにピー

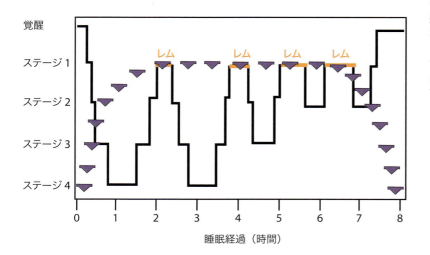

図10-19 睡眠サイクル中のGABAレベル　神経伝達物質レベルは睡眠サイクルをつうじて上下する。GABAレベルは眠りはじめの数時間でゆっくり上昇し，プラトーになり，覚醒前にゆっくり低下する。

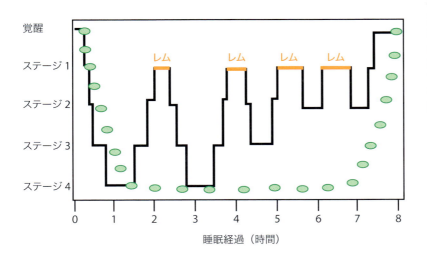

図10-20　睡眠サイクル中のオレキシン/ヒポクレチンレベル　神経伝達物質レベルは睡眠サイクルをつうじて上下する。オレキシン/ヒポクレチンレベルは眠りはじめの数時間で急速に低下し，プラトーになり，覚醒前にゆっくり上昇する。

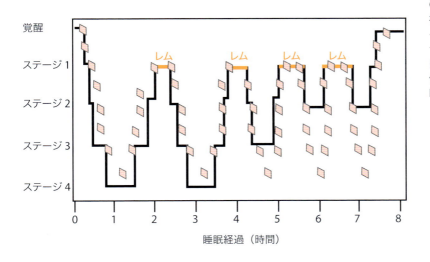

図10-21　睡眠サイクル中のアセチルコリンレベル　神経伝達物質レベルは睡眠サイクルをつうじて上下する。アセチルコリンレベルは睡眠相により変化し，ステージ4で最低となり，レム（急速眼球運動）睡眠でピークとなる。

クに達し，レム睡眠で最低値となる（図10-22）。

なぜ眠るのか？　眠れないと死ぬのか？

　睡眠の目的についてはまだ多くの論争がある。シナプスの成長に必要不可欠であるという議論がある一方，シナプスの刈り込みに必要だという議論もある（図10-23）。どちらの仮説が，もしくは両者を組み合わせた仮説が，より正確かにかかわらず，睡眠/覚醒サイクルの障害が多くの生理的，精神的機能に有害な影響を与えることがいっそう明らかになってきた。睡眠覚醒障害による経済的コストはさておき，心代謝性疾患，癌，精神疾患，そして全般的な生活の質（QOL）の低下といったすべてが，睡眠/覚醒サイクルが障害されると増加する（図10-23）。睡眠/覚醒サイクルの障害は注意障害や記憶障害，新しい情報を処理する能力の低下など認知機能により深刻な影響を及ぼす可

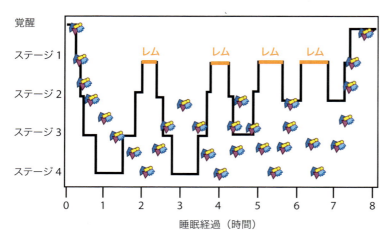

図10-22 睡眠サイクル中のモノアミンレベル 神経伝達物質レベルは睡眠サイクルをつうじて上下する。モノアミンのドーパミン，ノルエピネフリン，セロトニン，ヒスタミンはレム（急速眼球運動）睡眠の間最低となり，ステージ2でピークとなる。

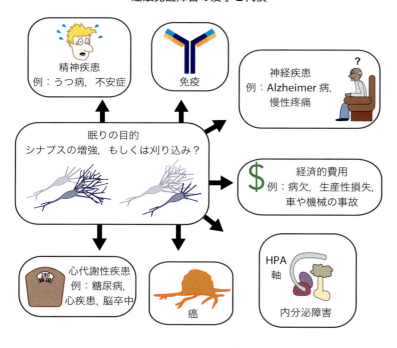

図10-23 睡眠覚醒障害の代償 睡眠/覚醒サイクルの障害は，身体，精神の双方の健康に多大な影響を与える可能性がある。神経病理学的見地から，睡眠障害はシナプスの増強や刈り込みに影響を与える可能性がある。慢性的な睡眠障害は，精神障害，心代謝性疾患，癌のほか，免疫や内分泌機能の障害を増加させうる。

HPA軸：視床下部-下垂体-副腎系

能性がある(図10-24)。実際，24時間の睡眠遮断や慢性的な短時間睡眠(例えば一晩4～5時間)は，飲酒による合法的酩酊でみられるのと同等の認知機能障害を起こす。レム睡眠が情緒的記憶の統合を調整し，ノンレム睡眠は陳述記憶や手続き記憶に重要で，レム睡眠もノンレム睡眠もともに最適な認知機能には不可欠なようである。神経生物学的なレベルでは，睡眠/覚醒サイクルの障害は海馬の神経新生を障害するという証拠があり，睡眠/覚醒サイクルが認知機能を障害することの部分的説明になる可能性がある。

最近では，睡眠と2型糖尿病や肥満といった心代謝性の問題との関連に興味が向けられている(図10-25)。多くがまだ不明ではあるが，睡眠/覚醒サイクルの障害が食欲不振(食欲抑制)ホルモンであるレプチンと，食欲増進(食欲促進)ホルモンのグレリン双方の循環レベルを阻害することが示されている(図10-25)。これらの変化はインスリンと糖，脂質代謝の障害を引き起こし，ついで，肥満，2型糖尿病，そして心血管疾患のリスクを高める可能性がある。さらに，睡眠/覚醒サイクルの変化は腸内細菌叢の自然変動を障害し，おそらくは糖の不耐性と肥満をさらに促進する可能性がある。

不眠

不眠とは何か？

不眠を概念化する1つの方法に夜間の過覚醒がある(図10-26)。なぜ不眠症患者のなかには夜間過覚醒の人たちがいるのか，どのように調整されているのかについては，よくわかっていない。最新のヒトの神経画像研究における証拠からは，不眠では脳が腹外側視索前野(VLPO)からの睡眠関連回路のスイッチを入れる能力がさほどないわけではなく(図10-17)，覚醒関連回路のスイッチを切ることができないことが示唆されている(図10-8，図10-9，図10-13～図10-16)。夜間不眠の患者のなかには日中も過覚醒であったりさらには不安だったりする患者がいるが，睡眠不足の割に日中必ずしも眠くはならない。こうした過覚醒がどうやって起こるのか，皮質の過活動が覚醒を促進する覚醒系神経伝達物質の夜間の減少を防ぐ

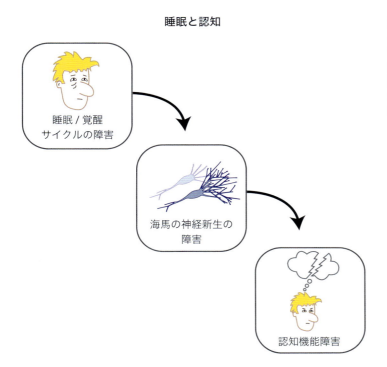

図10-24 **睡眠と認知** 睡眠/覚醒サイクルの障害は海馬の神経新生を障害することが示されており，睡眠不足が注意障害や記憶障害，新しい情報への処理困難を含む認知機能障害にはかりしれない影響を及ぼすことへの部分的な説明になるであろう。

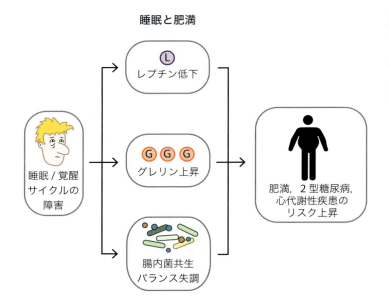

図 10-25　**睡眠と肥満**　睡眠/覚醒サイクルの障害は，食欲抑制ホルモンであるレプチンの循環レベルを低下させ，食欲刺激ホルモンのグレリンの循環レベルを上昇させ，また腸内菌共生バランス失調（ディスバイオシス）にも寄与する。これらの変化は，肥満，2型糖尿病，そして心代謝性疾患へのリスクを高める。

のか，覚醒を維持するオレキシンの過剰が覚醒を維持させるのか，今もなお盛んに研究されている。

診断と併存症

　米国では約4,000万人が慢性の不眠に，さらに2,000万人が一時的な不眠に悩まされている。しかし，その7割はかかりつけ医に報告していないようである。不適切な睡眠衛生や内科疾患，サーカディアンリズム障害やレストレスレッグス（むずむず脚）症候群，睡眠時無呼吸を含む他の睡眠覚醒障害，内服薬や物質乱用の影響，そして精神疾患など多くの状態が不眠に関与する（図10-27）。不眠症は，不安や不眠に伴って布団の中で覚醒状態が繰り返される自己永続的なもののようである。交感神経の活動亢進や糖代謝異常，GABAレベルの低下，夜間のメラトニン分泌減少，全身性炎症，脳体積の減少など，いくつかの生物学的因子が不眠に関連している（図10-28）。遺伝因子のなかにもまた，不眠のリスクを高めているものがある（図10-28）。不眠は，うつ病，不安症，物質使用障害などさまざまな精神疾患のリスク因子であったり，前駆症候であったりする可能性がある（図10-29）。加えて，精神疾患による不眠は，特にうつ病では，他の原因による不眠よりしつこいかもしれない。逆にうつ病で不眠を訴える患者（うつ病患者の約7割）は治療に対する反応が悪く，抑うつエピソードが多く，概して長期予後が悪いことがわかっている。

　不眠症は従来二次性（すなわち，精神疾患や内科疾患の症候の1つ）と一次性（すなわち，精神疾患や内科疾患，物質乱用やその離脱と関連がないもの）に分類されてきた（図10-30）。しかし，今では不眠症は精神疾患や内科疾患の症候というよりむしろ併存症であると完全に理解されている。最新のDSM-5における不眠症の診断基準は，一次性，二次性という概念を捨て，代わりに不眠症と精神疾患および内科疾患との永続的な，双方向の，複雑な関係を認識している（図10-30）。不眠症の患者はよく睡眠の質や時間の不足，入眠困難，夜間中途覚醒，早朝覚醒を訴える（図10-31）。多くの患者はまた，睡眠からの回復困難やそれによる日中の疲労，認知機能の低下や気分障害を訴える。

　睡眠ポリグラムは通常，不眠症の診断に必要とされないが，ナルコレプシーやレストレスレッグス（むずむず脚）症候群（RLS），閉塞性睡眠時無呼吸（OSA）の除外には有用であろう。睡眠時間の主

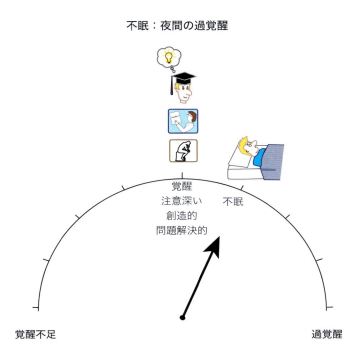

図10-26 不眠：夜間の過覚醒？ 不眠は夜間の過覚醒と関連すると考えられている。最近の神経画像データは、不眠が睡眠関連回路のスイッチを入れることができないというより、覚醒関連回路のスイッチを切ることができない結果であることを示唆している。

観的測定は客観的測定とあまり相関しないが、それでもなお睡眠時間が短いという訴えは頑固な不眠症と強く関連し、治療困難になりうるので、睡眠の主観的評価は重要である（図10-31）。このように、不眠症は主観的症候とともに覚醒の客観的障害としても治療されることで、最良の結果と同時に患者の満足が得られるのである。

不眠症の治療：催眠作用のある薬物

不眠症の治療薬は2つに分類される。1つは視床下部の睡眠中枢〔腹外側視索前野（VLPO）、図10-17に模式図〕におけるGABAの活性を介して**睡眠駆動を増強**し脳活動を低下させる薬物である。このカテゴリーの全薬物は、ベンゾジアゼピン系や「Zドラッグ」のようなGABA$_A$受容体の正のアロステリック調節物質（GABA$_A$ PAM）である。

もし不眠症が不十分な睡眠駆動でなく、むしろ過剰な覚醒駆動であれば、広く使われているベンゾジアゼピンやZドラッグで睡眠駆動を増強することが不眠症に対する最良の治療法かどうか疑問

となる。そこで、**覚醒を低下させる**ことで不眠症を治療することもでき、これに用いられるのが2つ目のカテゴリーの薬物である。このカテゴリーの薬物のさまざまな機序によって覚醒は低下する。すなわち、オレキシン遮断〔二重オレキシン受容体アンタゴニスト（DORA）による〕やヒスタミン遮断（H$_1$アンタゴニストによる）、セロトニン遮断（5HT$_{2A}$アンタゴニストによる）、ノルエピネフリン遮断（α$_1$アンタゴニストによる）である。不眠症治療にどのような戦略をとろうとも、狙いは睡眠時の異常で望ましくない覚醒状態を過覚醒から睡眠へ移動させることである（図10-32）。

ベンゾジアゼピン系薬（GABA$_A$受容体の正のアロステリック調節物質）

米国では少なくとも5種のベンゾジアゼピン系薬が特に不眠症に対して承認されている（図10-33）が、他国では他の種類も承認されている。不安症に対して承認されている種々のベンゾジアゼピン系薬もまた、よく不眠症治療に使われている。不安症治療におけるベンゾジアゼピン系薬の使用については第8章で述べた。ベンゾジアゼピ

不眠に関連する状態
身体疾患
物質乱用
精神疾患
うつ病
行動的 / 心理的原因
(ためいき)
内服薬副作用
睡眠覚醒障害

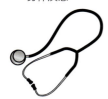

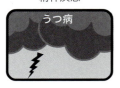

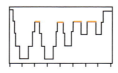

図 10-27　不眠に関連する状態　不眠には，身体疾患，精神疾患，他の睡眠覚醒障害，物質使用など，多くの状態が関連している。不眠はまた，内服薬の副作用とも関連する。

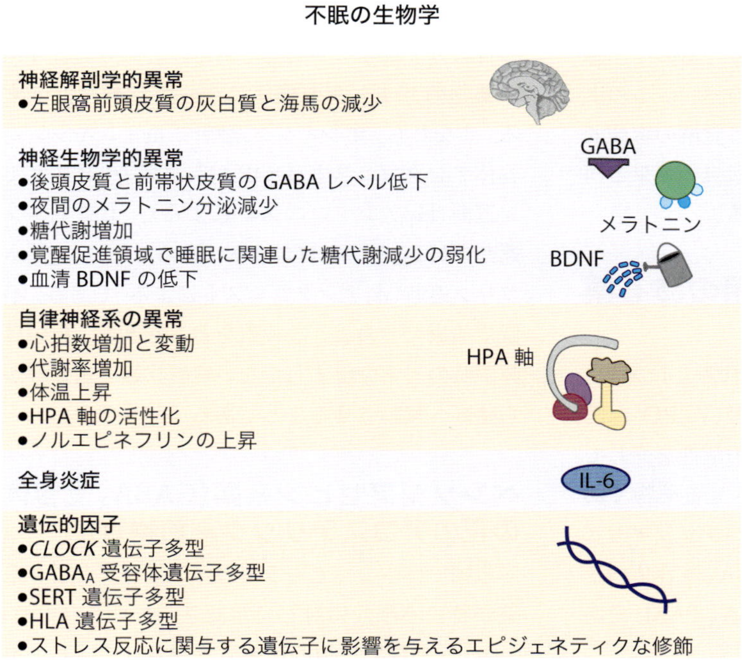

不眠の生物学
神経解剖学的異常
●左眼窩前頭皮質の灰白質と海馬の減少
神経生物学的異常
●後頭皮質と前帯状皮質の GABA レベル低下
●夜間のメラトニン分泌減少
●糖代謝増加
●覚醒促進領域で睡眠に関連した糖代謝減少の弱化
●血清 BDNF の低下
GABA
メラトニン
BDNF
自律神経系の異常
●心拍数増加と変動
●代謝率増加
●体温上昇
●HPA 軸の活性化
●ノルエピネフリンの上昇
HPA 軸
全身炎症
IL-6
遺伝的因子
●*CLOCK* 遺伝子多型
●$GABA_A$ 受容体遺伝子多型
●SERT 遺伝子多型
●HLA 遺伝子多型
●ストレス反応に関与する遺伝子に影響を与えるエピジェネティクな修飾

図 10-28　不眠の生物学　多くの神経解剖学的，神経生物学的，自律神経系の異常が不眠に関係している。また不眠のリスクの上昇に関与する遺伝的因子もある。

BDNF：脳由来神経栄養因子，GABA：γ-アミノ酪酸，HLA：ヒト白血球抗原，HPA 軸：視床下部-下垂体-副腎系，IL：インターロイキン，SERT：セロトニントランスポーター

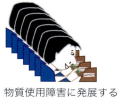

図10-29 **不眠と精神疾患** 不眠を有する人は，不安症，うつ病，物質使用障害へ発展するリスクが高い。不眠がリスク因子なのか，前駆症状なのかは明らかではない。

ン系薬のGABA$_A$受容体における正のアロステリック調節物質（PAM）としての作用機序は第6章で述べ，図6-17～6-23に示した。これらの薬物は，視床下部の腹外側視索前野（VLPO）から生じる抑制系睡眠回路内でGABA神経伝達物質を促進し不眠症を治療するように働くと思われる（図10-17）。

ベンゾジアゼピン系薬はGABA$_A$受容体の一部にのみ結合する。GABA$_A$受容体は，ベンゾジアゼピン系薬に対し感受性か非感受性か，調整するのは持続性の抑制性神経伝達か一過性の抑制性神経伝達か，シナプス性かシナプス外性か，によって特定のアイソフォームのサブユニットに分類される（第6章と図6-17～図6-23参照）。ベンゾジアゼピン系薬と，関連するZドラッグ，これは後述するが，どちらもシナプス後領域に局在するγサブユニットを含むGABA$_A$受容体を標的にし，一過性の抑制性神経伝達を調整する。GABA$_A$受容体がベンゾジアゼピン系薬やZドラッグに感受性を有するためには，2つのβユニットと，γ$_2$かγ$_3$サブタイプのどちらか1つのγユニットに加え，α$_1$，α$_2$，α$_3$サブタイプのうちいずれか2つのαユニットが必要である（第6章と図6-20C参照）。ベンゾジアゼピン系薬とZドラッグはGABA$_A$受容体の分子部位に結合するが，これはGABA自身が結合する部位とは異なる（つまりアロステリック，もしくは「別の部位」）。現在使用されているベンゾジアゼピン系薬は，異なるαサブユニットをもつGABA$_A$受容体に対し非選択的である（図10-33）。第6章で述べたように，δサブユニットを含むGABA$_A$受容体はシナプス外性で持続性の神経伝達を調整しベンゾジアゼピン系薬やZドラッグに非感受性である。

ベンゾジアゼピン系薬は時間とともに効果が薄れる耐性や離脱効果，もともとの不眠より悪化する反跳性不眠など長期にわたる問題を引き起こすため，一般的には睡眠薬として使う際は第2選択薬となる。しかし，第1選択の睡眠薬（Zドラッグ

図10-30 DSM-5による不眠症診断基準 不眠症は以前，概念上では一次性と二次性に分類されていた。しかし，DSM-5では，不眠は他の疾患の症状というよりはむしろ併存症のことが多い可能性があると考えられている。

不眠症の診断基準案
- 平均睡眠潜時＞30分
- 中途覚醒時間（WASO）＞30分
- 睡眠効率＜85％
- 睡眠時間＜6.5時間

図10-31 不眠症の診断基準案 ほとんどの場合，不眠症は主観的測定で診断される。これは入眠困難（睡眠潜時），中途覚醒，睡眠の質の低さ，睡眠時間の減少を反映しているのかもしれない。

や他の種々の神経伝達物質受容体遮断薬）の効果がない場合，特に，さまざまな精神疾患，内科疾患に関連した重度で治療抵抗性の不眠症に対する治療では，ベンゾジアゼピン系薬はいまだに一定の地位を保っている。

Zドラッグ（$GABA_A$受容体の正のアロステリック調節物質）

もう1つの$GABA_A$受容体の正のアロステリック調節物質は，「Zドラッグ」と呼ばれることがある〔というのも，zaleplon，ゾルピデム（zolpidem），ゾピクロン（zopiclone）のようにすべてZではじまるから〕が，それらもまた催眠効果を期待して処方される（図10-34）。Zドラッグがベンゾジアゼピン系薬と異なるアロステリック部位に結合するのか，同じ部位だが別の分子的方法で結合するから耐性や依存が少ないのか，これらについてはいまだ不明である。Zドラッグの結合部位がいわゆるベンゾジアゼピン感受性$GABA_A$受容体のアロステリック部位におけるベンゾジアゼピン結合部位と異なるかどうかに関係なく，あるZドラッグはベンゾジアゼピン感受性$GABA_A$受容体のα_1サブユニットに選択的に結合する（例えば，zaleplonとゾルピデム）（図10-34）。一方，ベンゾジアゼピン系薬（とともに，ゾピクロン/エスゾピクロン）は4つのαサブユニット（α_1，α_2，α_3，α_5）に結合する（図10-33，図10-34）。α_1選択性の機能的意義はまだ証明されていないが，耐性と依存性のリスク低下に寄与している可能性がある。α_1サブユニットは鎮静を引き起こすのに重要と判明しており，効果のある$GABA_A$ PAM系睡眠薬，すなわちベンゾジアゼピン系薬とZドラッグ双方の標的となる。α_1サブユニットはまた，日中の鎮静，抗痙攣作用，そしておそらくは健忘にも関連している。この受容体を標的にした慢性的な睡眠治療に対して受容体が適応すると，耐性と離脱を引き起こすと考えられる。α_2とα_3受容体サブタイプは抗不安作用，筋弛緩作用とアルコール強化作用に関連する。最後に，α_5サブユニットは，おもに海馬では，認知など他の機能に関連していると思われる。

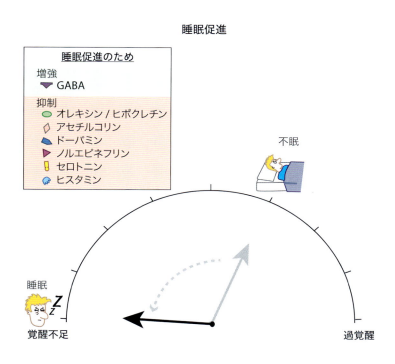

図10-32　**睡眠促進**　不眠治療のため，睡眠駆動を増強するγ-アミノ酪酸（GABA）系のベンゾジアゼピン系薬やZドラッグを使用することが可能である。代わって，覚醒状態に関与する神経伝達物質を抑制することで覚醒を減弱するような薬物，特にオレキシン，ヒスタミン，セロトニン，そしてノルエピネフリン受容体のアンタゴニストを使用することも可能である。

　Zドラッグのうちゾルピデムとゾピクロンの2つは複数の剤形が臨床で使われている。ゾルピデムではゾルピデム徐放製剤として知られている徐放性製剤（図10-34）があり，作用時間を即放性ゾルピデムの2〜4時間から6〜8時間に延長し，睡眠の維持を改善する。ゾルピデムの代替の剤形は作用発現をより速くする舌下投与で，中途覚醒のある不眠症患者に深夜でも通常量の何分の一かを投与できる。ゾピクロンではR-ゾピクロンとS-ゾピクロンのラセミ混合体が米国外で入手可能で，単一のS体鏡像異性体であるエスゾピクロンは米国内で入手可能である（図10-34）。活性をもつ鏡像異性体とラセミ混合体との，臨床における意味ある相違については十分にわかっていない。

二重オレキシン受容体アンタゴニスト（DORA）

　オレキシン/ヒポクレチン，その受容体および経路はすでに述べ，図10-9〜図10-12に示してある。オレキシン受容体の薬理学的遮断は催眠作用を有するが，ベンゾジアゼピン系薬やZドラッグのように睡眠促進中枢〔腹外側視索前野（VLPO）〕におけるGABA抑制作用を増強することによるものではない（図10-17）。二重オレキシン受容体アンタゴニストdual orexin receptor antagonist（DORA）（オレキシン1, 2受容体双方に作用）はオレキシンの覚醒維持効果を，特にオレキシン2受容体で遮断する（図10-35，図10-36）。DORAは内因性のオレキシンがヒスタミンやアセチルコリン，ノルエピネフリン，ドーパミン，そしてセロトニンといった他の覚醒促進神経伝達物質の放出を促進する能力を抑制する（図10-37に示した）。DORA投与後は，オレキシンはもはや覚醒を増強せず，覚醒状態も安定せず，患者は眠りに入る。スボレキサントとレンボレキサントの双方とも（図10-35）入眠だけでなく睡眠の維持を改善し，ベンゾジアゼピン系薬やZドラッグで起こりうる副作用である，依存，離脱，反跳性不眠，ふらつき，混乱，健忘や呼吸抑制などはない。

　スボレキサントとレンボレキサントの双方（図10-35）とも可逆的阻害薬で，朝に内因性オレキシンが増加すると，DORAの阻害作用は逆転する。夜間にはDORAがオレキシン濃度より高い

ベンゾジアゼピン系睡眠薬

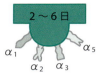
フルラゼパム（ダルメート®）

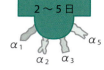
クアゼパム（ドラール®）

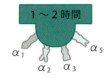
トリアゾラム（ハルシオン®）

エスタゾラム（ユーロジン®）

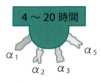
temazepam

図10-33　ベンゾジアゼピン系睡眠薬　米国ではここに示した5つのベンゾジアゼピン系薬が不眠治療に承認されている。フルラゼパム，クアゼパムは長時間作用型で，トリアゾラムは超短時間作用型，エスタゾラム，temazepamは中時間作用型である。これらのベンゾジアゼピン系薬は非選択的にGABA$_A$受容体の異なるαサブユニットに結合する。

ため，より効果を発揮する。夜が明けると内因性オレキシン濃度は上昇し，その分DORAが低下する（すなわち，DORAの対オレキシン比が低い）。オレキシン受容体遮断の閾値がなくなると，患者は覚醒する。スボレキサントはオレキシン1とオレキシン2受容体双方に同程度の親和性を有し，レンボレキサントはオレキシン1よりオレキシン2受容体に高い親和性をもつ（図10-35）。レンボレキサントはオレキシン2受容体に対し，スボレキサントより速い結合速度と解離速度をもつと報告されている。これについての臨床上の特徴は明らかでないが，朝に内因性オレキシン濃度が上昇してオレキシン受容体に競合して結合する際，スボレキサントよりレンボレキサントのほうが速い可逆性を有することを意味しているのかもしれない。他のDORA（例えばdaridorexant）や，

選択的なオレキシン2および選択的オレキシン1アンタゴニストも現在開発中である。内因性の神経伝達物質と同じ受容体に競合する薬物については，D$_3$受容体に対するD$_3$アンタゴニスト，部分アゴニスト，そしてドーパミンそのものに関して，第7章ですでに述べたことと同じである。

セロトニン系睡眠薬

不眠症治療に明らかに承認されていないにもかかわらずよく使われる睡眠薬の1つは，5HT$_{2A}$/α$_1$/H$_1$アンタゴニストのトラゾドン（図7-46）である（第7章のうつ病におけるトラゾドン使用についての解説と図7-45～図7-47を参照）。トラゾドンは不眠において睡眠駆動を増強するのではなく，DORAのように覚醒を低下させるように働くもう1つの薬物である。トラゾドンの催眠機序は，覚醒系神経伝達物質であるセロトニン，ノルエピネフリン，ヒスタミンを遮断することによる（図7-46）。α$_1$アドレナリン系とH$_1$ヒスタミン系経路の遮断はある種の精神病治療薬の副作用として第5章で述べ，図5-13と図5-14に示してある。確かに，日中これらの覚醒系神経伝達物質のすべてを遮断することは好ましくない。しかし，α$_1$遮断がH$_1$遮断と組み合わされ（後述，図10-38～図10-40に示す），さらにこれらの作用が5HT$_{2A}$拮抗と組み合わさると，強い催眠作用を起こす。5HT$_{2A}$拮抗は特に，回復睡眠と日中の痛みや疲労の改善にも関連しうる徐波睡眠/深睡眠を増強させる。

トラゾドンは，最初のうちはセロトニン再取り込みも遮断する高用量でうつ病のために研究され（図7-45），短時間作用型の速放錠として1日2～3回投与された。抗うつ薬として有効ではあるが，日中の鎮静も生じた。即効性トラゾドンの用量を減らして夜間投与すると夜明け前に効果が薄れる非常に効果的な睡眠薬であることが思いがけず発見され，新しい睡眠薬として全世界で最もよく処方される薬物であり続けている。トラゾドンが最適な抗うつ作用を発揮するためには増量しなければならず，その忍容性のために抗うつ作用に必要で催眠作用を生じない血中濃度を示す1日1回の

GABA_A PAM（Zドラッグ）

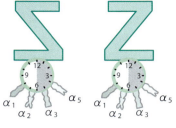

R-, S-ゾピクロン
（アモバン®）

エスゾピクロン
（ルネスタ®）

zaleplon

ゾルピデム
（マイスリー®）

ゾルピデム徐放製剤

図10-34　Zドラッグ：GABA_A 受容体の正のアロステリック調節物質（PAM）　Zドラッグのいくつかを示す。ラセミ体ゾピクロン（米国では入手不可），エスゾピクロン，zaleplon，ゾルピデム，ゾルピデム徐放製剤である。zaleplonとゾルピデム，ゾルピデム徐放製剤は α_1 サブユニットを含む GABA_A 受容体に選択性があるが，ゾピクロンやエスゾピクロンは同じ選択性をもたないと思われる。

図10-35　オレキシン受容体アンタゴニスト　二重オレキシン受容体アンタゴニスト（DORA）のスボレキサントとレンボレキサントを示す。スボレキサントはオレキシン1受容体（OX1R）とオレキシン2受容体（OX2R）に同程度の親和性があるが，レンボレキサントは OX1R より OX2R により高い親和性をもつ。

徐放製剤が使われている（図7-47）。トラゾドンは，耐性，離脱，依存や反跳性不眠はみられない。

睡眠薬としてのヒスタミン1（H_1）アンタゴニスト

抗ヒスタミン薬は鎮静系薬物として重宝されており，市販の睡眠補助薬として人気がある〔特に，ジフェンヒドラミン（ドリエル®）または doxyl-amine〕（図10-38）。抗ヒスタミン薬は睡眠薬としてだけではなく抗アレルギー薬としても何年にもわたって広く使われてきたので，ジフェンヒドラミンのような古典的な薬物の特徴が抗ヒスタミン薬全般にもあてはまるとよく誤解される。すべての抗ヒスタミン薬が霧視や便秘，記憶の問題，口渇などの抗コリン系副作用がある，夜間睡眠薬として使用すると朝に持ち越す，催眠作用に耐性が起こる，そして体重増加を引き起こす，といった誤解である。抗ヒスタミン薬に対するこれらの考えの一部は，強い抗ヒスタミン性質をもつ多くの薬物が抗コリン作用を同様にもっていることによると考えられる（図10-38，図10-39）。これはアレルギーで使われる抗ヒスタミン薬だけでな

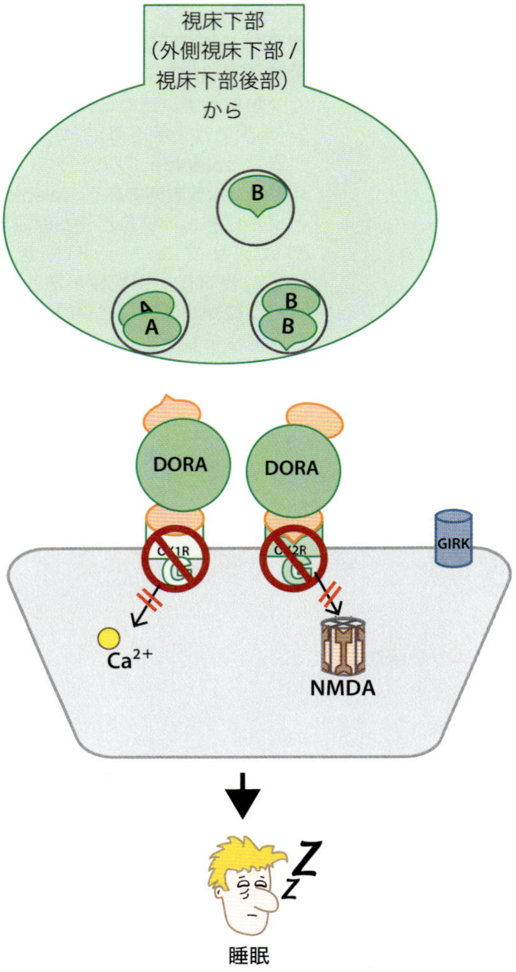

三環系抗うつ薬のdoxepinはH₁受容体に高い親和性をもつので興味深い一例である。低〜極低用量，すなわちうつ病治療で使うよりかなり低い用量で，相対的な選択的H₁アンタゴニストとなる（図10-39）。望まない抗コリン作用はなく，セロトニン，ノルエピネフリン再取り込み阻害作用はうつ病治療で使う高用量でしかみられない（図10-39）。実際，doxepinは低用量で強いH₁選択性をもつので，PETで中枢神経系のH₁受容体を選択的にラベルするリガンドとして使用される。doxepinは中枢神経系のかなりの数のH₁受容体を占拠し（図10-39，図10-40），抗うつ作用に必要な量より少ない使用量で催眠作用があると証明されている。覚醒系神経伝達物質のなかでも重要なものの1つであるヒスタミンのH₁受容体を遮断するのが睡眠を誘導するのに効果的な方法の1つであるのは明らかである。

H₁アンタゴニストに耐性が生じるという指摘があるが，離脱，依存，反跳性不眠はない。

睡眠薬としての抗痙攣薬

抗痙攣薬は不眠症の治療に承認されていないが，いくつかは，特にガバペンチンとプレガバリンは，眠りを促進するために適応外使用されることがある。オープンチャネル阻害薬かつN型とP/Q型電位感受性イオンチャネル阻害薬で，$\alpha_2\delta$リガンドでもあるこれらの薬物の作用機序は第9章の痛みで説明し，図9-15〜図9-18に示してある。これらの$\alpha_2\delta$リガンドは痛みとてんかんに承認されているだけでなく，不安に適応がある国もあり，抗不安作用は第8章の不安で説明し，図8-17と図8-18に示してある。$\alpha_2\delta$リガンドのガバペンチンとプレガバリンは特に鎮静作用はなく，回復睡眠である徐波睡眠を増強し痛みの改善を助ける。

催眠作用と薬物動態：あなたの眠りは薬物レベルのなすがままに！

本章ではこれまでのところ不眠を治療する薬物の薬物動態学的性質，すなわち薬理学的作用につ

図10-36　オレキシン受容体遮断　オレキシン神経伝達は，シナプス後Gタンパク共役受容体であるオレキシン1（OX1R）とオレキシン2（OX2R）の2つの受容体で調整される。OX1Rは特にノルエピネフリン系青斑核に発現し，一方OX2Rはヒスタミン系結節乳頭核（TMN）に多く発現する。二重オレキシン受容体アンタゴニスト（DORA）によるオレキシン受容体遮断は，オレキシン神経伝達物質の興奮性作用を抑制する。特にOX2Rの遮断はN-メチルD-アスパラギン酸（NMDA）型グルタミン酸受容体の発現を減少させ，Gタンパクが調整する内向整流性カリウムチャネル（GIRK）の不活化を阻止する。

く，精神疾患への使用を承認された薬物〔例えば，クロルプロマジン（図5-27）やクエチアピン（図5-45）〕，うつ病での使用を承認された薬物〔doxepin（図10-39）や他の三環系抗うつ薬（図7-67）〕が少量で睡眠薬として使われる際にもあてはま

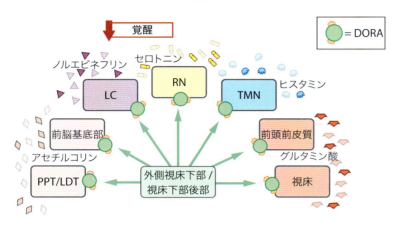

図10-37 二重オレキシン受容体アンタゴニスト（DORA）の仮説的作用　オレキシン受容体，特にオレキシン2受容体（OX2R）を遮断し，オレキシンが他の覚醒促進神経伝達を放出するのを阻止する。
LC：青斑核，PPT/LDT：脚橋被蓋核/背外側被蓋核，RN：縫線核，TMN：結節乳頭核

ジフェンヒドラミン（ドリエル®）の睡眠薬としての機序は何か？

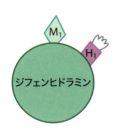

図10-38 ジフェンヒドラミン　ジフェンヒドラミンは，ヒスタミン1(H_1)受容体アンタゴニストで睡眠薬としてよく使われる。しかし，この薬物はH_1受容体に選択的ではなく，その他の作用もありうる。ジフェンヒドラミンは特にムスカリン1(M_1)受容体アンタゴニストでもあり，抗コリン作用（霧視，便秘，記憶障害，口渇）が生じうる。

いて述べてきた。精神薬理学の多くの領域は，薬物の即時型分子作用により分類されるが，薬物は重要な遅滞型分子作用も有しており，それが明らかに治療効果に関係していて，効果が遅れて出現することがある。催眠作用を有する薬物はそうではなく，睡眠導入薬では即時の薬理学的作用が即座の治療作用を引き起こす。事実，あなたの睡眠導入は理論的には受容体占拠の臨界閾値以上であるあなたの薬のなすがままなのだ！ $GABA_A$系薬物では，前臨床試験によるとその閾値は約25〜30％の受容体占拠である（図10-41A）。DORAでは，それは約65％である（図10-41A）。セロトニンとヒスタミンのアンタゴニストでは閾値はさほど研究されていないが，単一受容体の遮断では約80％で，1つ以上の受容体が同時に遮断されるとそれより低くなると思われる。正確な閾値がいくつであれ，睡眠薬が睡眠導入の閾値を超えた途端に眠れ，薬物濃度が閾値以下になるやいなや目が覚めることは明らかである。臨床ではこれらの効果は即時的ではなく，閾値付近では眠気はあるが眠れないこともある。それにもかかわらず，閾値が重要な概念であるのは，睡眠薬では薬物動態学的半減期（すなわち，薬物の半分がなくなるまでどれくらいかかるか）はさほど重要ではなく，睡眠の閾値以上である時間がどれだけ長いかが重要だからである。これらの概念は図10-41A・B，図10-41C・Dに示した。閾値以上が短すぎず長すぎず丁度よい睡眠薬の理想的プロフィールを図10-41Aに示した。図10-41Bと図10-41Cには，半減期が長すぎて（より重要なのは閾値以上が長すぎること）「効きすぎ」の結果，翌日の持ち越し効果があることを示した。最後に，半減期が短すぎて（より重要なのは閾値以上の時間が十分長くないこと）「効かなすぎ」で希望の時間より早く目が覚めてしまうことを示した（図10-41D）。閾値を超えて効果を維持する必要があることは，精神薬

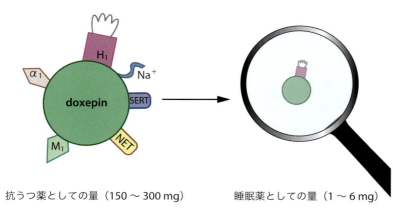

図10-39 doxepin doxepinは三環系抗抗うつ薬（TCA）で，抗うつ薬としての使用量（1日150〜300 mg）でセロトニンとノルエピネフリンの再取り込みを阻害し，かつヒスタミン1(H_1)，ムスカリン1(M_1)，そして$α_1$受容体のアンタゴニストとなる。低用量（1日1〜6 mg）ではdoxepinはH_1受容体に対して選択性が強くなり，睡眠薬として用いられることもある。
NET：ノルエピネフリントランスポーター，SERT：セロトニントランスポーター

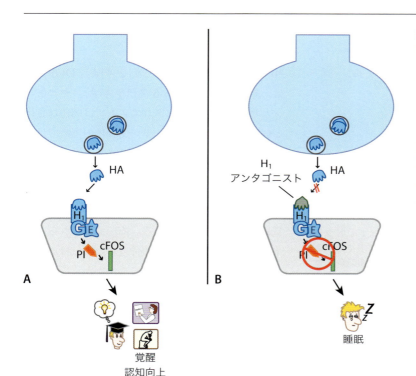

図10-40 ヒスタミン1(H_1)拮抗作用 （A）ヒスタミン（HA）がシナプス後ヒスタミン1(H_1)受容体に結合すると，Gタンパクを介して二次メッセンジャー系が活性化され，それによりホスファチジルイノシトール（PI）と転写因子cFOSが活性化する。この結果，覚醒状態と正常な注意力をもたらす。（B）H_1アンタゴニストはこの二次メッセンジャーの活性化を阻止し，眠気を引き起こす。

理学の他の領域，すなわち注意欠如・多動症（ADHD）の治療に用いる精神刺激薬にも適用される。これは第11章のADHDで述べる。

これらの概念が処方する者にとって重要である理由は，患者ごとに閾値が異なるので，閾値をよく予測することではない。代わりに，これらの概念は，個々の患者に最適な解を得るにはどうしたらよいかを処方する者に教えているのである。もし患者が十分に速やかに眠りに落ちない場合は，理論的には十分速く閾値に達していないので，夜の早い時間に投与するか，食べ物と一緒に摂取しないようにするか（食事はある種の薬物の吸収を遅らせる），用量を増やすか，作用機序を変えるか検討する。もし患者が十分な時間眠れないなら

(図10-41D),理論的には閾値以下に落ちる時間が早すぎるので,用量を増やすか,閾値以上である時間が長い薬物(通常は薬物動態学的半減期が長い薬物,図10-41Aと図10-41Cを参照)に変えることであろう。もし患者が朝フラフラするようなら,理論的には起きる時間でも薬物レベルの閾値以上が続いているので,用量を減らすか,早い時間帯に投与するか,作用時間の短い薬物(通常は薬物動態学的半減期が短い薬物,図10-41Aと図10-41Dを参照)に変えることになる。

最後に,これがDORAにどう適用されるか一言。GABA$_A$受容体,セロトニン受容体,ノルエピネフリン受容体,そしてヒスタミン受容体の阻害は実際上競合的ではないことを思い出そう。ZドラッグやベンゾジアゼピンNA系薬と競合するGABA PAM部位に作用する睡眠/覚醒サイクルに関連する内因性リガンドは知られていない。神経伝達物質であるセロトニン,ノルエピネフリンおよびヒスタミンの内因性濃度は睡眠薬の結合によって逆転するような濃度ではない。しかし,オレキシンAのオレキシン1および2受容体に対する親和性はDORAのレンボレキサントとスボレキサントによる同受容体への親和性とほぼ同じ水準にある。これが意味することは,内因性オレキシン濃度が低い夜間には,投与したDORA濃度はオレキシン受容体を遮断するが,オレキシンが

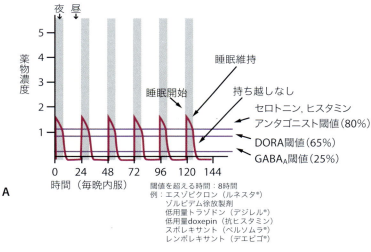

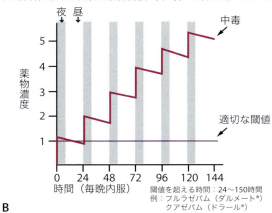

図10-41A・B　睡眠薬の薬物動態(その1)　(A)催眠効果が生じる受容体占拠率の臨界閾値は,GABA$_A$系薬物で25〜30%,二重オレキシン受容体アンタゴニスト(DORA)では65%,セロトニンとヒスタミンアンタゴニストでは80%と考えられている。閾値に達し効果発現までと睡眠閾値を超えている時間帯の双方が臨床効果にとって重要である。理想的な睡眠薬は閾値を超える時間が8時間程度であろう。(B)長時間作用型(24時間以上,例:フルラゼパム,クアゼパム)の睡眠薬は慢性使用により蓄積を引き起こす可能性がある。睡眠閾値を超える時間が長すぎると,転倒の危険が増すなど,特に高齢者で障害を引き起こすであろう。

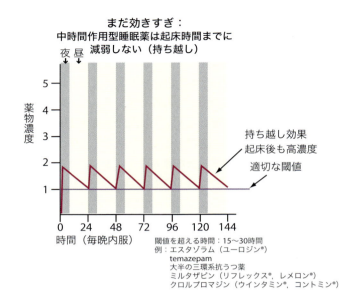

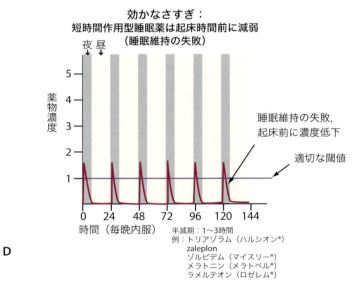

図10-41C・D　睡眠薬の薬物動態（その2）（C）中時間作用型（15～30時間）の睡眠薬は，起きなければならない時間までに睡眠閾値を超えた受容体占拠が減弱せず，「持ち越し」効果（鎮静，記憶障害）につながる可能性がある。（D）超短時間作用型の睡眠薬（1～3時間）は，睡眠閾値を超える受容体占拠が十分長く継続せず，睡眠維持ができないことがある。

上昇する早朝にはあたかもDORA濃度が低下したかのようにその遮断が逆転する。これが臨床に適用されるかどうかは，不眠や併存疾患のある症例でオレキシンレベルが異常に高いかどうかにより，高い場合は高用量のDORAが必要になるであろう。また，早朝覚醒のある患者でも，高用量のDORAが必要になるであろう。一方，朝持ち越し効果を呈している患者では低用量のDORAで十分で，臨床実践ではよくあることである。薬物濃度と内因性オレキシン濃度の双方で，受容体遮断の総量が眠りの閾値を上回る持続時間を決めており，DORAの薬物動態学的半減期は臨床上あまり関与しない。レンボレキサント対スボレキサントの潜在的利点を明確に示した直接比較研究はない。しかし，結合性質（オレキシン1と2受容体に対する親和性，結合/解離速度，血漿薬物レベル，そして摂取後最初の8時間，特に早朝の重要な時間帯でのオレキシン受容体遮断）はレンボレキサントとスボレキサントでは有意に異なり，このことから一方で最適な反応を示さなった場合

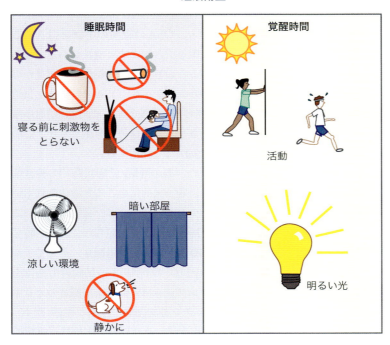

図10-42 **睡眠衛生** よい睡眠衛生としては，寝床は睡眠だけに使い，読書やテレビ鑑賞などの活動で使わないこと，アルコール，カフェイン，ニコチンなどの刺激物，および寝る前の激しい運動を避けること，寝床で起きている時間を制限すること(20分以内に眠れないなら寝床から離れて，眠くなってからまた寝床へ入る)，時計をみない，規則正しい睡眠習慣を身につけ，夜間は光を避ける，などがある。

不眠の非薬物的治療
リラクゼーション法 身体の緊張と睡眠を邪魔する侵入思考を減らすことを目的とする
刺激制御法 眠くないときは寝床からでて，眠るときだけ寝床を使い，昼寝はしない
睡眠制限法 寝床にいる時間を制限して軽い睡眠不足を作り出し，睡眠を強化する
集中的睡眠再訓練法 25時間の断眠期間を設け，その間50回寝入る機会を与えられるが眠ったら3分で起こされる
認知行動療法 睡眠に対する否定的態度と誤解を減らす

図10-43 **不眠の非薬物的治療** 不眠の非薬物的治療には，リラクゼーション法，刺激制御法，睡眠制限法，集中的睡眠再訓練法，認知行動療法がある。

は，もう一方で良好な反応を示す可能性が示唆される。どちらの薬物も，耐性，離脱，依存，反跳性不眠はみられない。

不眠症の行動療法

よい睡眠衛生(図10-42)で不眠症の患者は薬物治療を回避できることがある。薬物以外の不眠症の治療法には，リラクゼーション法，刺激制御法，睡眠制限法，集中的睡眠再訓練法，そして認知行動療法がある(図10-43)。これらさまざまな介入法は，睡眠効率や睡眠の質などの睡眠パラメーターのいくつかで有益な効果を示しており，非常に効果的でありうるので，睡眠薬を使用する前に考慮すべきである。ついでに，行動療法的アプローチは，薬物だけでは適切に反応しない患者で睡眠薬の補助的治療として有用であろう。

日中の過度な眠気(過眠)

眠気とは何か？

眠気(図10-44)の最も多い理由は睡眠不足であり，治療は眠ることである。しかし，眠気を引

き起こす原因で評価と特別な治療を必要とするものも多くある。これら日中の過度な眠気を引き起こす原因には，ナルコレプシー（図10-45～図10-48）といった過眠症や，閉塞性睡眠時無呼吸（OSA）（図10-45，図10-49）を含む種々の医学的疾患，サーカディアンリズム障害（図10-45，図10-50～10-55），その他（図10-45）がある。社会ではしばしば睡眠の価値を低くみがちで，眠気を訴えるのは弱虫だけだとほのめかすことがあるが，日中の過度の眠気は良性ではなく，実は致死的でもありうるのは明らかである。つまり，睡眠不足はアルコールの法的酩酊レベルと同等の能力低下を生じ，それゆえ驚くことでもないが交通事故や死亡を引き起こす。このように眠気を評価するのは重要であるが，眠気があるのに患者は訴えすらしないことがよくある。眠気のある患者を包括的に評価するには，患者のパートナー，特に一緒に寝ている人から得られるさらなる情報が必要である。大半の状態は患者とパートナーへの問診で評価されうるが，ときにはエプワース眠気スケール Epworth Sleepiness Scale のような眠気の主観的評価や，もちろん終夜睡眠ポリグラム検査，それに加えて翌日の睡眠潜時反復検査 multiple sleep-latency test（MSLT）や覚醒維持検査 maintenance of wakefulness test（MWT）といった客観的評価で補強する。

過眠の原因

過眠は人口の6％くらいに存在する。過眠症の患者のうち約25％は気分障害を有することがある。さまざまな過眠の原因を治療する際，閉塞性睡眠時無呼吸 obstructive sleep apnea（OSA）（図10-49），精神疾患，そして治療薬の副作用といった二次的に引き起こされた過眠症（図10-45）をまず除外することが重要である。これは最初に行われる広汎な臨床的問診や睡眠/覚醒日記から集めたデータで可能となる。もし必要なら，この情報は1～2週間分のアクチグラフィーや終夜睡眠ポリグラム検査（睡眠脳波），睡眠潜時反復検査（MSLT）で補完できる。二次性過眠症の最も多い原因はOSAである（図10-49）。成人15人中1人に中等度OSAがあり，不眠症者の約75％に睡眠関連呼吸障害（sleep-related breathing disorder）がある。つまり，OSAは夜間の不眠を引き起こし，日中の過眠を引き起こす可能性があるのである。OSAがあるとおもに心血管疾患との関連から医療費が約2倍かかりうる。OSAの特徴は上気道の完全閉塞（無呼吸）か部分閉塞（低呼吸）が血中酸素濃度を低下させるエピソードを生じるが，このエピソードは覚醒にて終結する。

過眠にはまた，脳の睡眠/覚醒回路での神経病理学的異常により一次的に起こると考えられている障害がいくつかある（図10-45～図10-47）。これらは「中枢性過眠症」として知られており，特発性過眠症（図10-46），再発性過眠症，そしてナルコレプシー（図10-47）がある。情動脱力発作を有するナルコレプシーは外側視床下部でのオレキシン/ヒポクレチン神経細胞の深刻な脱落（図10-48）により生じるが，それ以外の中枢性過眠症の神経病理学的背景はまだ多くが不明である。

特発性過眠症（図10-46）は，正常もしくは長い睡眠時間とそれに伴う持続する日中の過度の眠気，入眠潜時の短縮，そして眠っても爽快感がないという訴えのいずれかによって特徴づけられる。特発性過眠症の患者は，睡眠酩酊や睡眠に至る傾眠，および記憶や注意の障害，消化器系統の問題，抑うつや不安も訴える可能性がある。特発性過眠症の診断は，3カ月以上続く日中の過度の眠気，睡眠潜時の短縮，睡眠ポリグラム検査で入眠直後のレム睡眠期〔入眠時レム睡眠期 sleep onset REM period（SOREMP）〕が2回未満であることが含まれる。脳脊髄液のヒスタミンレベルが低値のことがあるが，脳脊髄液のオレキシンレベルは典型的には影響されない。

ナルコレプシー（図10-47）は日中の過度な眠気，覚醒時の睡眠発作，SOREMPを含む異常なレム睡眠を特徴とする。情動脱力発作や感情による筋緊張の消失もみられることがある（図10-48）。覚醒時に起こる入眠時幻覚もまたよくある。すでに述べたように，情動脱力発作を伴うナルコレプシーでは明らかな神経病理学的基盤，すなわち外側視床下部のオレキシン神経細胞の深刻な脱

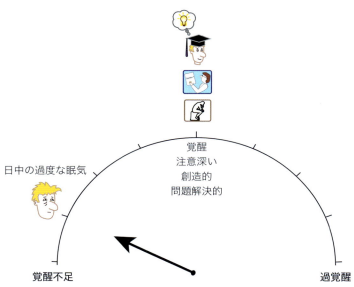

図10-44 **日中の過度な眠気：日中の覚醒不足？** 日中の過度な眠気は日中の低覚醒に関連すると考えられており，睡眠不足だけでなく，ナルコレプシー，閉塞性睡眠時無呼吸（OSA），サーカディアンリズム障害といった症状がみられる。

過眠

中枢性過眠症
- 特発性過眠症
- 反復性過眠症
- 情動脱力発作を伴うナルコレプシー
- 情動脱力発作を伴わないナルコレプシー

過眠の他の原因
- 内科疾患
- 内服薬副作用
- 物質乱用
- 精神疾患

図10-45 **過眠に関連する症状** 中枢性過眠症は，特発性過眠症，反復性過眠症，情動脱力発作を伴う，もしくは伴わないナルコレプシーがある。過眠を引き起こす他の原因には，内科疾患，内服薬の副作用，物質使用障害，そして精神疾患がある。

落が確認されている。オレキシン神経細胞が覚醒促進神経伝達物質（セロトニン，ノルエピネフリン，ドーパミン，アセチルコリン，ヒスタミン）の放出を促進することでいかに覚醒状態維持に関係しているか，すでに広範囲にわたって述べてきた。したがって，オレキシン神経細胞がナルコレプシーで脱落していると，覚醒がもはや維持できず覚醒状態において睡眠発作が起こるのは驚くことではない。

オレキシンはまた，運動動作を安定させ，オレキシンレベルが高い日中は通常の動作ができるようにし，オレキシンレベルが低くなっている夜間，特にレム睡眠時には動作を抑制する。オレキシン神経細胞の脱落で日中のオレキシンレベルが低いときは（図10-48），日中の運動動作が不安定となり，覚醒状態で運動抑制や筋弛緩が突然起こる情動脱力発作を引き起こす。

これらナルコレプシーや情動脱力発作を伴うナルコレプシーを疑う際，脳脊髄液のオレキシンレベルが110 pg/mLより低いとナルコレプシーの診断となる。通常，特に情動脱力発作のないナルコレプシーでは，特発性や再発性過眠症と同様，オレキシンレベルは正常範囲である。オレキシン

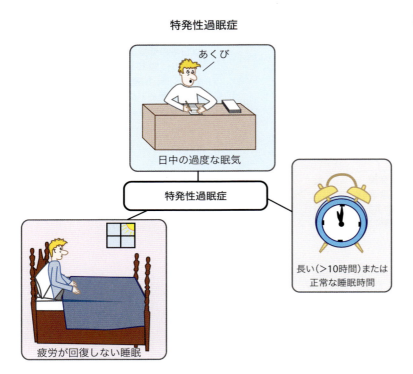

図10-46　特発性過眠症　特発性過眠症は中枢性過眠症であり，脳内の睡眠/覚醒回路の神経病理学的異常により起こると考えられている。睡眠時間は長いか正常，日中の過度な過眠と眠っても疲れがとれないという訴えを特徴とする。

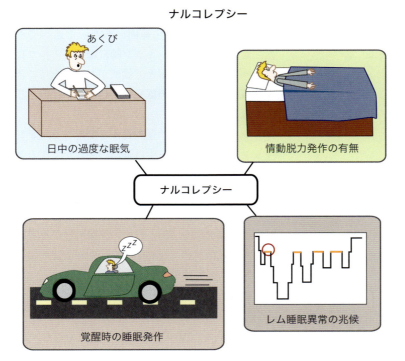

図10-47　ナルコレプシー　ナルコレプシーは中枢性過眠症であり，脳内の睡眠/覚醒回路の神経病理学的異常の結果起こると考えられている。日中の過度な眠気，覚醒時の睡眠発作，入眠時レム睡眠期などレム睡眠の異常で特徴づけられる。ナルコレプシーは，情動脱力発作（情動を引き金にした筋緊張消失）を伴うことも伴わないこともある。

情動脱力発作を伴うナルコレプシーの神経生物学

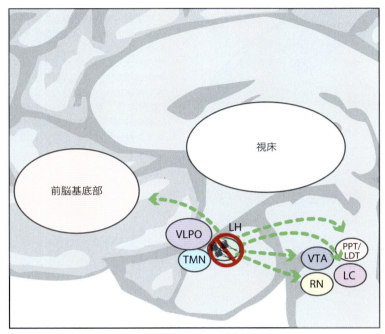

図10-48　情動脱力発作を伴うナルコレプシーの神経生物学　オレキシンは覚醒状態と動機づけ行動における役割に加え，運動動作を安定化し，日中（オレキシンレベルが高い）の動きを正常化し，夜間（オレキシンレベルが低い）に運動動作を抑制することにも関与している。オレキシン神経細胞の変性でオレキシンレベルが低いと覚醒時に運動抑制の侵入を許すことになり筋緊張が消失し，情動脱力発作として知られる状態となる。
LC：青斑核，LH：外側視床下部，PPT/LDT：脚橋被蓋核/背外側被蓋核，RN：縫線核，TMN：結節乳頭核，VLPO：腹外側視索前野，VTA：腹側被蓋野

閉塞性睡眠時無呼吸（OSA）

図10-49　閉塞性睡眠時無呼吸（OSA）　OSAはよくある過眠症である。上気道の完全閉塞（無呼吸），もしくは部分閉塞（低呼吸）のエピソードを特徴とし，その結果，血中酸素飽和度が低下する。

臨床的特徴
- いびきがうるさい
- 肥満
- 高血圧
- 首周囲径＞43 cm
- 扁桃腺肥大
- 興味の喪失
- 日中の過度な眠気
- 疲労
- 抑うつ

病態生理
- 上気道の部分または完全虚脱
- 狭窄はさまざまな部位で生じる
- 筋緊張，気道反射
- 前頭葉白質と海馬の代謝異常

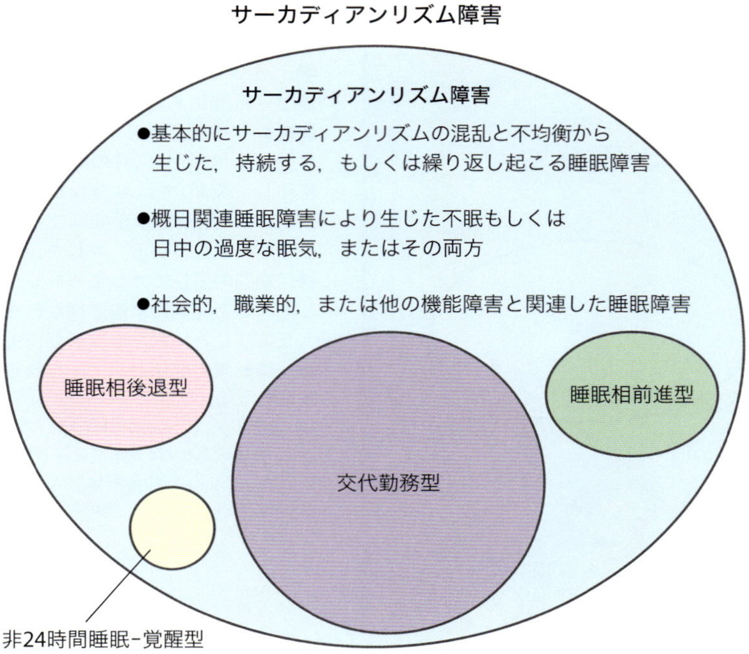

サーカディアンリズム障害

サーカディアンリズム障害
- 基本的にサーカディアンリズムの混乱と不均衡から生じた，持続する，もしくは繰り返し起こる睡眠障害
- 概日関連睡眠障害により生じた不眠もしくは日中の過度な眠気，またはその両方
- 社会的，職業的，または他の機能障害と関連した睡眠障害

睡眠相後退型　睡眠相前進型　交代勤務型　非24時間睡眠−覚醒型

図10-50　サーカディアンリズム障害　サーカディアンリズム障害は，体内概日時計が外部の日中・夜間を知らせる合図と同調しないときに起こる。交代勤務型概日リズム睡眠−覚醒障害，睡眠相前進型概日リズム睡眠−覚醒障害，睡眠相後退型概日リズム睡眠−覚醒障害，非24時間睡眠−覚醒型概日リズム睡眠−覚醒障害のすべてがサーカディアンリズム障害に含まれる。

交代勤務型概日リズム睡眠−覚醒障害

- 通常眠っている時間に重なる勤務スケジュールが繰り返され，これに一時的に関連して起こる不眠や過度な眠気
- 交代勤務スケジュールに関連する症候が少なくとも1カ月ある
- 睡眠記録か（睡眠日記とともに）アクチグラフィーを少なくとも7日間施行し睡眠障害（不眠）と概日と睡眠時間の不均衡が示される
- 睡眠障害は，他の再発性睡眠障害，身体疾患，精神疾患，物質使用障害，その他の内服薬によるものではない

図10-51　交代勤務型概日リズム睡眠−覚醒障害　交代勤務は午後6時から午前7時までの間の仕事と定義される。交代勤務者の睡眠/覚醒サイクルはたいてい内因性サーカディアンリズムとの同期からはずれる。よって交代勤務者のなかには，通常寝ている時間に重なる勤務スケジュールが繰り返されることで，一時的にこれに関連した不眠と過度な眠気を生じる交代勤務型概日リズム睡眠−覚醒障害になる者もいる。

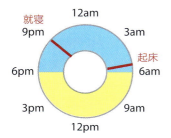

図10-52　**睡眠相前進型概日リズム睡眠-覚醒障害**　睡眠相前進型概日リズム睡眠-覚醒障害の患者は望ましい時間より早く眠くなるので，早く就寝し，早く起床してしまう。総睡眠時間と睡眠の質は十分である。

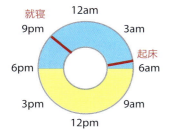

図10-53　**睡眠相後退型概日リズム睡眠-覚醒障害**　睡眠相後退型概日リズム睡眠-覚醒障害の患者は早朝まで入眠できず，朝遅くか午後早くにならないと起きられない。総睡眠時間と睡眠の質は十分であるが，後退した睡眠スケジュールは日常機能の活動をしばしば障害する。

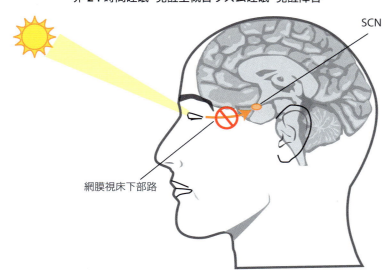

図10-54　**非24時間睡眠-覚醒型概日リズム睡眠-覚醒障害**　視覚障害者は，網膜視床下部路をとおして視交叉上核(SCN)に作用する光で体内概日時計を同調することができない。この非同調の内部時計が，不規則な睡眠/覚醒パターンや不眠と日中の過度な眠気の双方を特徴とする非24時間睡眠-覚醒型概日リズム睡眠-覚醒障害を引き起こす可能性がある。

レベルが低くなくとも，情動脱力発作を伴う，もしくは伴わないナルコレプシーでは，MSLTでSOREMPが2回以上，もしくは，睡眠ポリグラム検査でSOREMPが1回あり，かつMSLTで睡眠潜時の短縮（8分以内）を示すので，これらの測定もナルコレプシーの診断で考慮される。さらに，多くのナルコレプシーの患者（90%），特に情動脱力発作を伴う群では HLA DQB1-0602 多型を有するが，一般人口ではこの多型を有するのは20%だけである。

サーカディアンリズム障害

サーカディアンリズム障害（図10-50）は，体内概日時計と外部からの「昼間」や「夜間」という合図が同期しないことで起こる。この同期不全は，睡眠/覚醒サイクルを典型的な24時間サイクル内に維持するのを困難にする。サーカディアンリズム障害には，交代勤務型概日リズム睡眠-覚醒障害（図10-51），睡眠相前進型概日リズム睡眠-覚醒障害（図10-52），睡眠相後退型概日リズム睡眠-覚醒障害（図10-53），非24時間睡眠-覚醒型概日リズム睡眠-覚醒障害（図10-54）がある。

交代勤務は午後6時から午前7時まで（通常の勤務時間外）の仕事と定義される。交代勤務は，夜勤，遅番，輪番勤務を含み，米国の労働力の約15～25%を占める。交代勤務者の睡眠/覚醒サイクルはたいがい内因性のサーカディアンリズムとは同期せず，時間外や輪番で働く人の多くは（すべてではないが）交代勤務型 shift work type 概日リズム睡眠-覚醒障害になる。実際，交代勤務者の10～32%ほどが交代勤務型になり，交代勤務者の9.1%は重症となる。より若い年齢や生まれながら生物学的時計がより夜型に調整されている人は交代勤務型になりにくいかもしれない。しかし交代勤務型になった人には，日中の過度な眠気や夜間不眠などの睡眠覚醒障害を越える身体的，精神的結果が生じることもある。交代勤務型を有する人では，心血管疾患，癌，胃腸疾患，それに気分障害のリスクが劇的に高くなっている。

睡眠相前進型 advanced sleep phase type 概日リズム睡眠-覚醒障害（図10-52）の患者は，睡眠時間や睡眠の質は適切であっても，望ましい時間より早くに就寝・起床し，通常の睡眠/覚醒サイクルよりも6時間早くなっている。PER2遺伝子（分子時計の必須要素）の多型が睡眠相前進型に関連しており，実際，PER2遺伝子変異がある家族性睡眠相前進症候群（FASPS）という常染色体優性の疾患がある。不眠症などの他の睡眠覚醒障害の鑑別に加え，睡眠相前進型の診断には睡眠日記や最低1週間のアクチグラフィー，それに朝型夜型質問紙 Morningness-Eveningness Questionnaire（MEQ）の実施が含まれる。正常高齢者は通常，軽度から中等度の睡眠相前進型を有する。

睡眠相後退型 delayed sleep phase type 概日リズム睡眠-覚醒障害（図10-53）では，患者は早朝まで入眠できず，午前遅く，もしくは午後早くに目が覚める。睡眠相後退型はサーカディアンリズム障害のなかで最も多く，CLOCK遺伝子（分子時計のもう1つの必須要素）の多型と関連がある。睡眠相前進型と同様，睡眠時間や睡眠の質は正常だが，睡眠/覚醒サイクルが移動しているため日常の機能に支障をきたす。多くの正常10代が軽度から中等度の睡眠相後退型を有するが，うつ病の患者の多くでも有している。

非24時間睡眠-覚醒型 non-24-hour sleep-wake type 概日リズム睡眠-覚醒障害（図10-54）は基本的に盲目の人が罹患するサーカディアンリズム障害である。視覚障害者は網膜視床下部路をつうじて視交叉上核上で機能する内部概日時計を光と同調させることができない。この非同調の内部時計が不規則な睡眠/覚醒パターンを引き起こし，不眠や日中の過度の眠気などの原因となる。

概日治療

概日治療は睡眠相前進型概日リズム睡眠-覚醒障害や睡眠相後退型概日リズム睡眠-覚醒障害といったサーカディアンリズムの偏りをリセットするのに役立つ（図10-55）。これには，高照度光療法（図10-56）とメラトニン系薬（図10-57）がある。これらは気分障害では抗うつ薬と，交代勤務型概日リズム睡眠-覚醒障害ではモダフィニルや armodafinil と併用されたりする。

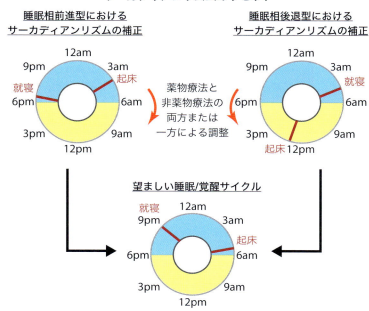

図10-55　**サーカディアンリズムのリセット**　高照度光療法やメラトニン系薬による概日治療は，睡眠相前進型，後退型双方の障害でサーカディアンリズムをリセットするために使われる。睡眠相前進型概日リズム睡眠-覚醒障害では，夕方の早い時間の高照度光と早朝のメラトニンが有効であろう。睡眠相後退型概日リズム睡眠-覚醒障害では，朝の高照度光と夕方のメラトニンが有効であろう。

図10-56　**高照度光療法**　高照度光療法は概日治療の1つである。朝の明るい光は睡眠相後退型概日リズム睡眠-覚醒障害の患者で有効であり，また交代勤務型概日リズム睡眠-覚醒障害の患者にも有益であろう。高照度光療法はまた，うつ病の治療にも使われる。

朝の光と夕方のメラトニンは，うつ病，睡眠相後退型，交代勤務型に有効であろう。一方，夕方の早い時間帯での光照射と早朝のメラトニンは睡眠相前進型に有効であろう。非24時間睡眠-覚醒型概日リズム睡眠-覚醒障害には強力なメラトニン系薬のtasimelteonによって概日サイクルへ同調することが有益である（図10-57）。これら種々の概日治療はまた，正常高齢者（早朝のメラトニンと夕方の光）や，10代の若者（朝の光と夕方のメラトニン）で生物学的時計をリセットするのに有益であろう。親たちは早朝からカーテンを開けて光を入れることが冬眠中の10代を起こして学校に間に合うよう行かせるのに有用だと以前から認識している。

メラトニン系睡眠薬

メラトニンは松果体によって分泌される神経伝達物質で，特に視交叉上核においてサーカディアンリズムを調整するよう働く（第6章で述べ，図6-34〜図6-36で示した）。メラトニンは特に位相が後退している人，それはうつ病の患者だけでなく，睡眠相後退型概日リズム睡眠-覚醒障害で

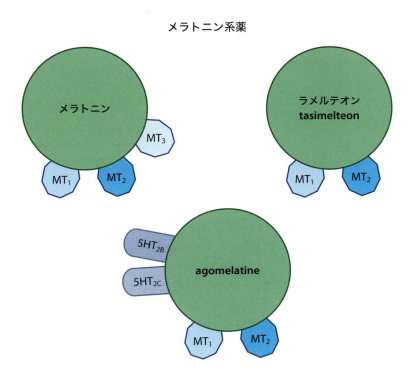

図10-57　**メラトニン系薬**　内因性メラトニンは松果体で分泌されサーカディアンリズムを調整するためおもに視交叉上核で作用する。メラトニン受容体には3型あり，MT_1とMT_2は両方とも睡眠に関与する。MT_3はNRH-キノン オキシドレダクターゼ2そのものであり，睡眠生理には関与していないと考えられている。いくつかの薬物はメラトニン受容体に作用する。メラトニンそのものは市販されており[*1]，MT_1とMT_2の双方の受容体とMT_3部位でも作用する。ラメルテオンとtasimelteonはどちらもMT_1とMT_2受容体アゴニストで入眠作用をもつが，睡眠維持作用をもたないと思われる。agomelatineはMT_1とMT_2受容体アゴニストであるだけでなく，セロトニン$5HT_{2C}$と$5HT_{2B}$受容体アンタゴニストでもあり，米国外では抗うつ薬として使用されている。

*1訳注：日本では市販されていない。

も，正常10代や時差ボケの人でも，眠りたい適切な時間に摂取するとサーカディアンリズムが移動する。いずれの場合も，メラトニンは入眠を促進する。

メラトニンは，メラトニン1（MT_1）やメラトニン2（MT_2）だけでなく，メラトニン3と呼ばれることのあるNRH-キノン オキシドレダクターゼ2としても知られている第3の部位でも働くが，この第3の部位はおそらく睡眠生理には関与していない（図10-57）。MT_1を介して調整された視交叉上核（SCN）における神経抑制は，おそらくSCNの覚醒信号を減衰させ，睡眠信号を優位にし，そこで機能している概日「時計」や「ペースメーカー」の覚醒促進作用を低下させることで睡眠促進を助け，睡眠を導いている。正常の睡眠/覚醒サイクルにおける相の移動やサーカディアンリズムの効果は，SCNにてこれらの信号に同調するMT_2受容体でおもに調整されていると考えられている。

ラメルテオンはMT_1/MT_2アゴニストで不眠症に対して市販されており，tasimelteonはもう1つのMT_1/MT_2のアゴニストで，非24時間睡眠-覚醒型概日リズム睡眠-覚醒障害に対して市販されている（図10-57）。これらの薬物は入眠を改善するが，数日連続で使ったほうがよいときもある。睡眠維持を助けることも知られているが，多くは初期の不眠症患者に自然な睡眠を引き起こすと思われる。tasimelteonのMT_2受容体における作用は概日時計を再同調する効果があると考えられている。

覚醒促進薬と日中の過度な眠気の治療

なぜ眠気を治療するのか？　もし眠気の一番の原因が睡眠不足だったら，眠気は薬物ではなく睡眠で治療できないか？　簡単にいってしまえば答えは，残念ながらできない，である。ここでは，カフェイン，刺激薬，モダフィニル/armodafinilのほか，ノルエピネフリン・ドーパミン再取り込み阻害薬norepinephrine-dopamine reuptake inhibitor（NDRI）やH_3アンタゴニストのような新薬を含むその他の薬物など，種々の覚醒促進薬

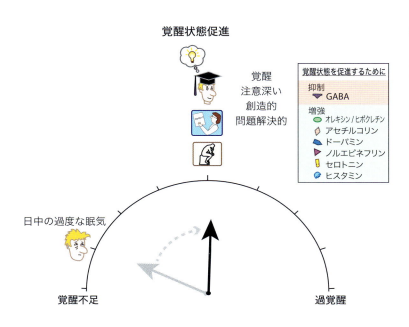

図10-58 覚醒状態の促進 日中の過度な眠気を治療するため，覚醒状態に関与する神経伝達を強化し，なかでもドーパミンとヒスタミン神経伝達を増強することによって覚醒を促進するような薬物が使用可能である。
GABA：γ-アミノ酪酸

による日中の過度な眠気の治療について述べる。また，非薬理学的治療も提示する。

　もし日中の過度な眠気を特徴とする疾患が日中の覚醒不足と考えられるなら（図10-44），覚醒促進治療とは脳の活動や覚醒度を増強する薬物である（図10-58）。方法はたくさんあるが，特にドーパミンやヒスタミンといった覚醒促進神経伝達物質の放出を増強する薬物である。

カフェイン

　カフェインは世界中で最も広く消費される向精神薬である。どのように働くのか？　答えは，カフェインは神経伝達物質アデノシンのアンタゴニスト，である（図10-59）。アデノシンは本章のはじめのほうで恒常性睡眠駆動と関連していることで知られる化学物質であると述べた（図10-18に示した）。アデノシンは疲労により蓄積するので，本質的に恒常性駆動に関与しているが，アデノシンは疲労の「会計士」あるいは「経理担当」として働き，睡眠の恒常性駆動を記録化，定量化しているという人もいる。興味深いことに，この恒常性駆動に貯金をして疲労を減少させる1つの方法はコーヒー豆である！　つまり，コーヒーや他の物から摂取したカフェインは覚醒を促進し疲労を軽減し恒常性睡眠駆動を低下させる。どうしてそうなるのか？　カフェインはアデノシンのアンタゴニストで，アデノシン蓄積の効果の一部を分子的にも行動的にも遮断することが可能だからである（図10-59）。

　ドーパミンD_2受容体はドーパミンに高い親和性で結合するが（図10-59A），アデノシンの存在下では，D_2受容体はアデノシン受容体と連結することがあり（すなわち，ヘテロ二量体），ドーパミンのD_2受容体親和性を低下させる（図10-59B）。しかし，カフェインはアデノシンがアデノシン受容体に結合するのを遮断し，アデノシン存在下ですらドーパミンのD_2受容体親和性を回復させる（図10-59C）。カフェインがこのように作用するとき，ドーパミン作用は増強され，これが覚醒促進と疲労軽減をもたらす（図10-59C）。

amphetamineとメチルフェニデート

　覚醒促進神経伝達物質であるドーパミン，ノルエピネフリンを増強することで覚醒を促進するのは，古典的にはamphetamine[*1]やメチルフェニデートで行われてきた（図10-60）。これらは活動

[*1]訳注：日本では医用として使用されていない。

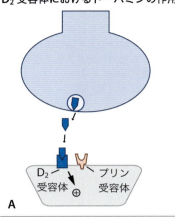
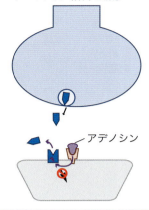
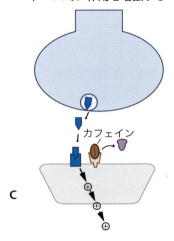

図10-59 **カフェイン** カフェインはプリン受容体，特にアデノシン受容体のアンタゴニストである。(**A**)これらの受容体はドーパミンが結合し刺激作用を示すドーパミンD_2受容体のような，ある種のシナプス後ドーパミン受容体と機能的に共役する。(**B**)アデノシンがその受容体に結合するとD_2受容体の感受性が低下する。(**C**)カフェインによるアデノシン受容体拮抗はアデノシンがその受容体に結合するのを阻害し，ドーパミン作用を増強する。

的にさせ，覚醒を促進し，疲労を軽減させるので，amphetamineとメチルフェニデートの効果は刺激的であり，古典的には精神刺激薬と呼ばれる。ここではこれらの薬物を，ノルエピネフリン・ドーパミン再取り込み阻害薬(NDRI)としての特徴によって，またamphetamineに関してはドーパミン放出薬と競合性シナプス小胞モノアミントランスポーター2 vesicular monoamine transporter 2(VMAT2)阻害薬としても言及する。VMAT2阻害薬は第5章で述べ，図5-10Aと図5-10Bに示した。NDRIの抗うつ薬としての機序は第7章で論じ，図7-34～図7-36に示した。d-amphetamine，dl-amphetamine，メチルフェニ

デートは，すべてナルコレプシーの治療で特に覚醒促進薬としての使用が承認されているが，閉塞性睡眠時無呼吸(OSA)や交代勤務型概日リズム睡眠-覚醒障害での使用は承認されていない。ただし「適応外」でしばしば使われる。amphetamine，メチルフェニデートともに多くの剤形が現在はADHD治療で入手可能で，詳細は第11章(図11-9，図11-10，図11-33，図11-35，図11-36参照)および，第13章の物質乱用で述べている(図13-8参照)。

amphetamineとメチルフェニデートは，覚醒を促進する覚醒系神経伝達物質であるドーパミンとノルエピネフリンのシナプス機能を増強するの

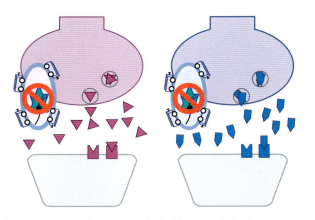
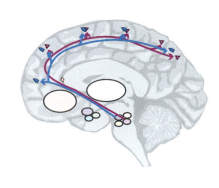

図10-60 amphetamineとメチルフェニデート　amphetamineとメチルフェニデートはともにノルエピネフリン(左)とドーパミン(右)の再取り込み阻害薬であり，さらにamphetamineはシナプス小胞モノアミントランスポーター2(VMAT2)を抑制するという性質もあり，これがドーパミン放出を引き起こす。睡眠/覚醒回路(右端)でこれらの神経伝達物質を増強すると覚醒を促進し疲労を軽減することができるため，これらはともにナルコレプシーにおける日中の過度な眠気への適応が承認されており，過眠症関連の他の症状にも適応外で使用される。

で，ナルコレプシーの眠気の治療に使われ，有意な再強化を引き起こすことなくナルコレプシーにおける覚醒を改善する(図10-60)。それにもかかわらず，amphetamineとメチルフェニデートが規制薬物であるのは，特にADHDの眠気の治療で使われる量より高用量で乱用や転用の可能性が高く，また精神病状態，躁状態，高血圧，他の副作用を引き起こす可能性があるからである(第11章と第13章)。しかし，ナルコレプシーでは覚醒を促進するには非常に効果的な薬物である。

モダフィニル/armodafinil
作用機序
ラセミ体モダフィニルとそのR体鏡像異性体であるarmodafinil(図10-61)は覚醒促進薬で，ナルコレプシー治療だけではなく閉塞性睡眠時無呼吸(OSA)や交代勤務型概日リズム睡眠-覚醒障害での補助療法としても承認されている。これらの薬物はおもにドーパミントランスポーター(DAT)やドーパミン再取り込み阻害薬として作用していると考えられる(図10-62)。モダフィニルは弱いDAT阻害薬だが，経口摂取後血中濃度はかなり高くなり，DAT上で実質作用を呈するには十分である。事実，モダフィニルの薬物動態学的には血漿濃度を緩徐に上昇させ，6～8時間維持し，DATを不完全ながら占有することで作用することを示しており，強化作用や乱用を促進する一過性ドーパミン活動ではなく，覚醒を促進する持続性ドーパミン活動(図10-63)を増強するので理想的な性質であろう(第11章のADHDと図11-9，図11-10，図11-33，図11-36と，第13章の物質乱用と図13-8も参照)。一度モダフィニルでドーパミン放出が活性化されると，大脳皮質が興奮し，下流で結節乳頭核(TMN)からのヒスタミン放出を導き，さらに覚醒を維持するためオレキシンを放出し外側視床下部のさらなる活動を引き起こす(図10-63)。しかし，モダフィニルはナルコレプシーで外側視床下部のオレキシン神経

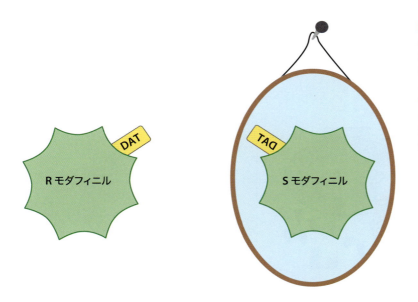

図10-61　モダフィニルとarmodafinil　モダフィニルは2つの鏡像異性体であるR体とS体を有し，R体はarmodafinilとして開発され市販されている。モダフィニルとarmodafinilはともに主としてドーパミントランスポーター（DAT）を抑制する作用があると考えられている。

細胞が脱落している患者でも覚醒を促進するので，外側視床下部の活動とオレキシンの放出はモダフィニルの作用に必須ではなさそうである。TMNと外側視床下部神経の活性化は二次性で，下流の作用がモダフィニルのドーパミン神経細胞に対する効果をもたらすのかもしれない。

　関連する覚醒促進薬はモダフィニルのR体鏡像異性体で，armodafinilという（図10-61）。armodafinilはラセミ体モダフィニルよりピークに達する時間が遅く，半減期が長く，高い血中濃度を経口投与後6〜14時間保つ。armodafinilの薬物動態学的性質は理論的にはモダフィニルの臨床特徴を改良したもので，持続性ドーパミン発火をより活性化するので，ラセミ体モダフィニルでは1日にもう一度追加する必要がたびたびあるが，それが不要となる可能性もある。

ナルコレプシー

　モダフィニル/armodafinilは，amphetamineやメチルフェニデートほど強力ではないが，ナルコレプシーの眠気に有効な治療である。しかし，直接比較試験は行われてこなかった。そのうえ，モダフィニル/armodafinilの乱用の可能性はamphetamineやメチルフェニデートに比してかなり低く，副作用も重度ではない。加えて，モダ

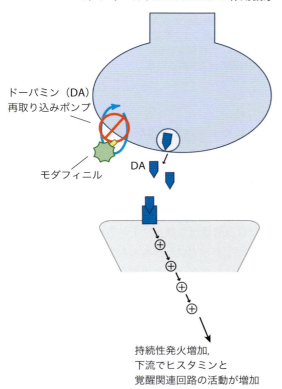

図10-62　モダフィニル/armodafinilの作用機序　モダフィニルとarmodafinilはドーパミントランスポーター（DAT）への結合親和性は弱いが，高い血漿濃度がこれを相殺する。DATの遮断によってシナプスのドーパミン（DA）が増加し持続性発火，およびヒスタミン（HA）とオレキシン（ヒポクレチン）を含む覚醒状態に関与する神経伝達物質の下流効果が増強する。

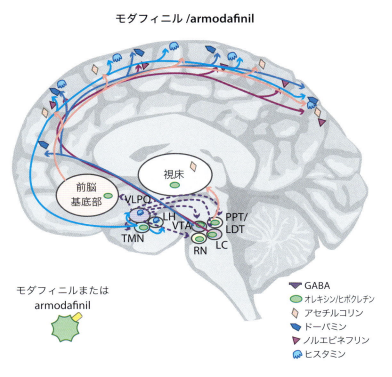

図10-63 覚醒回路におけるモダフィニル/armodafinil　モダフィニル/armodafinilによるドーパミントランスポーター(DAT)の遮断がドーパミン神経細胞の持続性発火を増加し，覚醒促進神経伝達物質への下流効果を増強する。特に，皮質からの覚醒促進神経伝達物質の放出が増加し，下流で結節乳頭核(TMN)からのヒスタミン放出が増加し外側視床下部(LH)のさらなる活性化を引き起こし，これに伴うオレキシン放出も増加し覚醒状態が安定する。
LC：青斑核，PPT/LDT：脚橋被蓋核/背外側被蓋核，RN：縫線核，VLPO：腹外側視索前野，VTA：腹側被蓋野

フィニルもarmodafinilも，amphetamineとメチルフェニデートでは適応のない2つの疾患の治療，すなわち交代勤務型概日リズム睡眠–覚醒障害と閉塞性睡眠時無呼吸(OSA)の補助的治療で承認されている。

閉塞性睡眠時無呼吸(OSA)

OSA(図10-49)の第1選択治療は持続気道陽圧呼吸continuous positive airway pressure(CPAP)である(図10-64)。CPAPは非常に有効で入院率と医療費を減少させることが示されているが，使用遵守率が低い(54％)。CPAPに耐えられないとわかった患者には，二相性陽圧呼吸bilevel positive airway pressure(BiPAP)，自動圧設定型気道陽圧呼吸(APAP)，睡眠中に顎や舌を安定させるようにつくられた口腔内装置，OSAに関与するような身体的特性を矯正するさまざまな手術など，他の治療法が考慮される。さらに，減量(BMI 25未満になるまで)，運動，飲酒や睡眠薬を避けること，それに体位療法(すなわち，バックパックなどを使用し臥位で眠らないようにする)といった諸々の行動的介入がOSAの改善に有用なこともある。モダフィニルとarmodafinilは特に気道閉塞が基礎にある症例の標準治療の補助として承認されているが，OSAに関連した過眠症の治療にはしばしば不十分である。CPAPの使用遵守率が低いので，モダフィニル/armodafinilはCPAPに耐えられない患者に適応外で単剤療法として使われることもある。

交代勤務型概日リズム睡眠–覚醒障害

交代勤務型概日リズム睡眠–覚醒障害(図10-51)は，特に患者が常に異なる一定しない勤務スケジュールである場合，治療が難しい。あえていうが，交代勤務型の労働者は眠気が強いことが多いが，それでも働き，運転し，機能的でなければならない。交代勤務型に悩んでいるとき，モダフィニル/armodafinilは個々人の覚醒時の機能能力において大きな効果をもたらすことがある。サーカディアンリズムの補助療法にモダフィニ

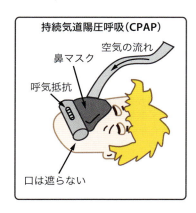
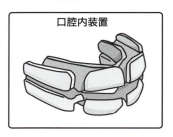

図10-64 閉塞性睡眠時無呼吸（OSA）の治療　OSAの治療の第1選択は持続気道陽圧呼吸（CPAP）である。口腔内装置や外科的介入など，他の治療選択肢もある。薬物はOSAに伴う日中の過度な眠気に対し補助的に使用することが可能である。

ル/armodafinilを補足すると有用なことがよくある（図10-55）。これは特に日中眠いときに機能的でなければならない際に，朝の光で生物時計をリセットしようとすることに併用する（図10-56）。光への曝露はサーカディアンリズムを変化させメラトニンの放出を抑制する。10,000ルクス高照度ブルーライトを1日30分浴びる治療はサーカディアンリズムをリセットするのに使われることがある（図10-56）。重要なのは，高照度光療法の施行は患者のメラトニン分泌のサーカディアンリズムに一致させ，夕方のメラトニン分泌（メラトニン系薬の経口投与で増幅できる可能性がある，図10-57）の約8時間後に光照射を開始するか，もしくはあらかじめ決められた光位相反応曲線に合わせて適切にタイミングを合わせなければならない。高照度光療法の1つである夜明け模倣療法（dawn simulating therapy）は，睡眠サイクルの終わりにゆっくり，漸増した光照射を行うことである。高照度光でサーカディアンリズムを再同調することにより，交代勤務者の夜勤帯における遂行能力，覚醒，気分が改善する可能性を示すデータがある。

solriamfetol，覚醒促進のノルエピネフリン・ドーパミン再取り込み阻害薬（NDRI）

solriamfetolはナルコレプシーの日中の眠気と気道閉塞のある閉塞性睡眠時無呼吸（OSA）の機械的治療の補助療法として最近承認された。ノルエピネフリンとドーパミンの再取り込み阻害によって作用し（第7章と図7-34～図7-36参照），この点ではbupropionよりは強力で，amphetamineやメチルフェニデートより強力ではないが，忍容性があり乱用の可能性も低い。半減期が短く朝に摂取したら就寝時間には減弱している。

pitolisant，H₃シナプス前アンタゴニスト

pitolisant（図10-65）はヒスタミン放出を抑制するシナプス前H₃自己受容体の正常機能を遮断してナルコレプシーにおける覚醒を改善する新しい機序の薬物である（図10-66A・B）。シナプス前

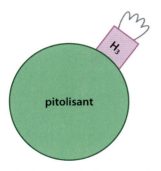

図10-65　**pitolisant**　pitolisantはシナプス前ヒスタミン3(H_3)自己受容体のアンタゴニストである。ナルコレプシーにおける日中の過度な眠気の治療に承認されている。

H_3受容体の阻害はシナプス前ヒスタミンの脱抑制(つまり放出)を引き起こし(図10-66C),これが覚醒を促進する。pitolisantはシナプス前H_3自己受容体アンタゴニスト(図10-65,図10-66C)で,ナルコレプシーの治療で承認されており,情動脱力発作にも効果があるかもしれないという観察事例もある。pitolisantは規制薬物ではなく乱用の可能性は知られておらず,閉塞性睡眠時無呼吸(OSA)の日中の過度な眠気を改善するか試験中である。pitolisantは活性化作用が強く不安や不眠を引き起こす可能性がある。研究では日中の過度な眠気を改善するのにモダフィニルと同程度の効果があり,amphetamineやメチルフェニデートほどの効果はないであろうと示唆されている。

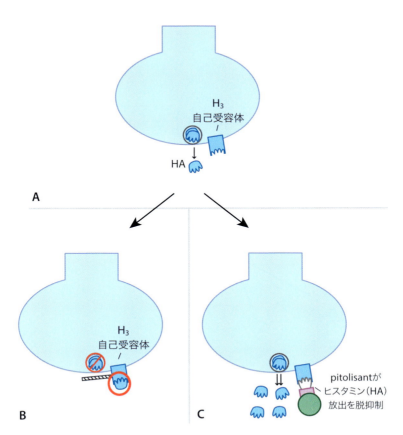

図10-66　**pitolisantの作用機序**　ヒスタミン3(H_3)受容体はシナプス前自己受容体でヒスタミン(HA)の門番として働く。(**A**)H_3受容体はHAに結合していないとき,分子ゲートが開きHAが放出される。(**B**)HAがH_3受容体に結合しているとき,分子ゲートは閉じHA放出を妨げる。(**C**)pitolisantがH_3受容体を遮断すると,脱抑制となりHA放出がはじまる。

sodium oxybate とナルコレプシーおよび情動脱力発作

sodium oxybate（図10-67）はγ-ヒドロキシ酪酸γ-hydroxybutyrate（GHB）としても知られ，GHB受容体の完全アゴニスト，かつGABA_B受容体の部分アゴニストとして作用する（図10-68）。sodium oxybateはGABA_B部分アゴニストなので，GABAレベルが高いときにはアンタゴニストとして，GABAレベルが低いときにはアゴニストとして機能する。GHBは作用するGHB受容体とともに脳内に存在する天然産物である（図10-68）。GHBは神経伝達物質GABAから形成され

図10-67　**sodium oxybate**　sodium oxybateはγ-ヒドロキシ酪酸（GHB）としても知られており，GHB受容体の完全アゴニストで，かつGABA_B受容体の部分アゴニストとしても作用する。情動脱力発作および日中の過度な眠気の双方に承認されており，徐波睡眠を増強すると考えられている。

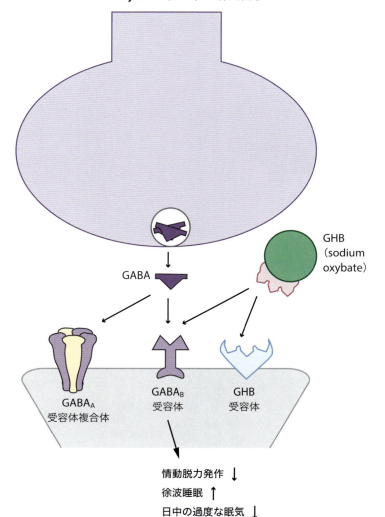

図10-68　**sodium oxybateの作用機序**　sodium oxybateはγ-ヒドロキシ酪酸（GHB）受容体に完全アゴニストとして，またGABA_B受容体には部分アゴニストとして結合する。GABA_B受容体における作用が徐波睡眠の改善や情動脱力発作の減少といった臨床効果に寄与していると推定される。sodium oxybateは部分アゴニストのためGABA_B受容体への刺激はγ-アミノ酪酸（GABA）そのものに比し弱いが，GABAがない場合はより強くなる。このように，GABA_B刺激はGABAレベルが高いときには減じ，GABAレベルが低いときには増強する。

る。sodium oxybateは徐波睡眠を増加させてGABA$_B$受容体におけるこれらの作用から情動脱力発作を改善すると仮定されている。

sodium oxybateは情動脱力発作と過度な眠気の双方で使用が承認されており，徐波睡眠を増強し入眠時幻覚と睡眠麻痺を減少させると考えられる。このように，sodium oxybateは日中の過度な眠気に対する他のすべての治療薬と同じように覚醒促進神経伝達を改善するのではなく，夜間に徐波睡眠でよく眠らせ回復させるので日中眠くならないのであろう。

sodium oxybateは乱用の可能性と華やかな歴史から規制薬物とされ，米国ではその供給は中央薬局で厳重に規制されている。酒とともに摂取すると意識朦朧となり健忘を残すので，「デートレイプドラッグ」などと報道されてきた。徐波睡眠を著しく増加させ，それに伴い成長ホルモン分泌を増大させるので，特に健康食品店で市販されていた1980年代には，アスリートにより能力強化剤として使用（乱用）された。欧州ではGHBがアルコール依存症の治療に使われている国もある。徐波睡眠の増加が観察されたことから，GHBは線維筋痛症を対象とした試験で成功し（第9章の線維筋痛症などの疼痛症候群の解説を参照），ときに難治例に「適応外」使用される。

まとめ

覚醒状態の神経生物学は，ヒスタミン，ドーパミン，ノルエピネフリン，アセチルコリン，セロトニンの5つの神経伝達物質と，上行性網様体賦活系の覚醒維持神経伝達物質オレキシンが利用される覚醒システムと関連している。睡眠と覚醒はまた，ヒスタミンを神経伝達物質として利用する結節乳頭核(TMN)の覚醒促進神経細胞と，GABAを神経伝達物質として利用する腹外側視索前野(VLPO)の睡眠促進神経細胞を介して，視床下部睡眠/覚醒スイッチにより調整される。ヒスタミンとオレキシン神経伝達の合成，代謝，受容体，経路について本章では解説した。不眠症とその治療については，GABA$_A$受容体の正のアロステリック調節物質として作用するベンゾジアゼピンを含む古典的睡眠薬と，使用頻度の高いZドラッグの作用機序とともに考察した。トラゾドン，メラトニン系睡眠薬，抗ヒスタミン薬，二重オレキシン受容体アンタゴニスト(DORA)を含む他の催眠系薬物についても解説した。また，日中の過度な眠気についても，覚醒促進薬であるモダフィニル，カフェイン，そして刺激薬とともに記載した。sodium oxybate〔γ-ヒドロキシ酪酸(GHB)〕と多くの新規睡眠および覚醒促進薬についても解説した。

（訳　石倉菜子）

11章 注意欠如・多動症（ADHD）とその治療

- 症状と神経回路：前頭前皮質の障害としてのADHD—493
- ドーパミンとノルエピネフリンによる前頭前皮質の非効率な「調整」障害としてのADHD—498
- 神経発達とADHD—502
- ADHDの治療法—510
- どの症状を最初に治療すべきか？—510
- 精神刺激薬によるADHDの治療—512
- ADHDのノルエピネフリン作動性治療薬—525
- 将来のADHDの治療—530
- まとめ—531

　注意欠如・多動症attention-deficit hyperactivity disorder（ADHD）は，単なる「注意」の障害ではないし，「多動」を含む必要もない。パラダイムシフトにより，不注意inattentionから衝動性impulsivityや多動性hyperactivityに至るADHDの幅広い症状，さらには覚醒中の全時間にわたる症状，および幼児から成人期をつうじて全生涯にわたる症状に対する，治療選択肢の展望は変わりつつある。本章ではADHDの精神薬理学を概観することにし，ADHDの症状については短く述べるにとどめる。ADHDに対してこれまで精神刺激薬や非精神刺激薬と呼ばれていた治療薬の作用機序を強調して述べる。ADHDとその症状を診断し評価するための十分な臨床記述や公式の基準については，標準的な参考資料から得てもらう必要がある。ここで強調するのは，さまざまな神経回路とその神経伝達物質，およびADHDの多様な症状や併存症との関連，さらにはこれらがどのように効果的な精神薬理学的治療と関連しているかについてである。本章での目標は，注意，衝動性，多動性の臨床的および生物学的な知識を読者に習熟してもらうことである。用量，副作用，薬物相互作用，および臨床現場でADHD治療薬の処方に関係するその他の問題については，標準的な薬物療法の参考書（『精神科治療薬の考え方と使い方』など）を参照されたい。

症状と神経回路：前頭前皮質の障害としてのADHD

　ADHDは，不注意，多動性，衝動性の3つの症状で有名である（図11-1）。現在，これらすべての症状は，前頭前皮質に関連するさまざまな神経回路における非効率な情報伝達から生じると仮定されている（図11-2〜図11-8）。特に，ADHDにおいて最も顕著な症状である「不注意」は，より正確には「実行機能障害executive dysfunction」であり，問題を解決するのに十分な時間注意を**維持**できないこともいえる。実行機能障害は，背外側前頭前皮質dorsolateral prefrontal cortex（DLPFC）における非効率な情報処理に関連すると仮定されている（図11-2，図11-3，図11-7）。DLPFCはNバック課題n-back testとして知られている認知課題によって活性化される。これは，テスト中の患者をそのままで機能的磁気共鳴画像functional magnetic resonance imaging（fMRI）で脳スキャンすることにより測定できる（図11-3で説明する）。この脳部位の活性化に関連する障害は，実行機能障害の症状を共有する多くの精神疾患，すなわちADHDだけでなく，統合失調症（第4章），うつ病（第6章），躁病（第6章），不安（第8章），疼痛（第9章），および睡眠覚醒障害（第10章）などに横断的にみられる。特に認知的「負荷」を与えたときに，この特異的なDLPFC回路にお

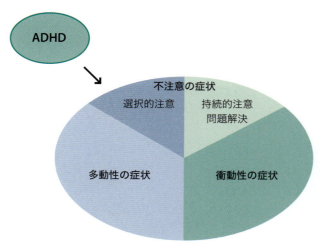

図11-1　注意欠如・多動症（ADHD）の症状　ADHDに関連する3つの主要な症状がある。不注意，多動性，および衝動性である。不注意自体は，選択的注意の困難と，持続的注意および問題解決の困難に分けることができる。

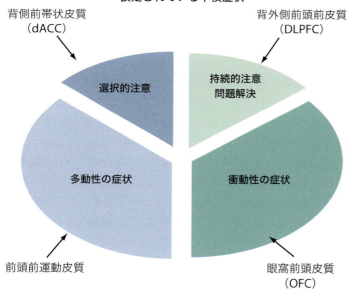

図11-2　ADHDの症状を神経回路にあてはめる　選択的注意の障害は背側前帯状皮質（dACC）における非効率な情報処理と関連し，持続的注意の障害は背外側前頭前皮質（DLPFC）における非効率な情報処理と関連すると考えられている。多動性は前頭前運動皮質によって調節され，衝動性は眼窩前頭皮質（OFC）によって調節されているのであろう。

ける情報処理不全が，多くのさまざまな精神疾患で共通してみられる実行機能障害，注意維持障害，解決困難などの症状とどのように関連しうるかが理解できる。これが，なぜ精神科診断が，現在多くの症状を混合した記述的で**カテゴリー的**な症状群（DSMやICDでみられるように）から，多くの精神疾患を横断する実行機能障害など単独の**症状次元**や**ドメイン**を特徴づける方向に移行しつつあるかの理由である。診断よりも症状に重点をおくのは多くの神経生物学的研究の流れであり，そこでは神経画像，バイオマーカー，遺伝学とよりよく関連する要因の発見をめざしている。

　ADHDにおける実行機能障害のもう1つの次元は**選択的**不注意，つまり注意を**集中**できないことである。したがって，これは前述の注意**維持**の困難とは異なる。集中困難あるいは選択的不注意

N バック課題による持続的注意と問題解決能力の評価

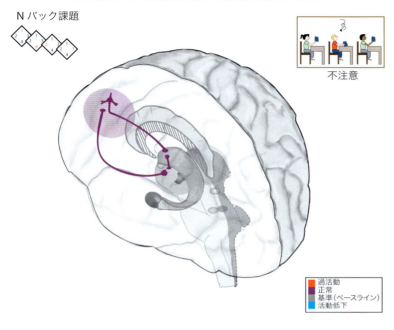

図11-3　持続的注意と問題解決：N バック課題　持続的注意は仮説上，線条複合体に投射する背外側前頭前皮質（DLPFC）を含む皮質−線条体−視床−皮質cortico-striato-thalamo-cortical（CSTC）回路によって調節されている。DLPFCの非効率な活性化は，タスクを遂行したり完了したりすることができないこと，秩序がないこと，精神的努力が維持できないことなどをもたらすことがある。Nバック課題などのタスクは，持続的注意や問題解決能力を測定するために用いられる。Nバック課題の0バック変法では，被験者がスクリーン上の数字をみて，その番号が何であったかをボタンを押して示す。1バック変法では，被験者は最初の数字はみるだけで，2番目の数字が現れたときに，最初の数字が示されたボタンを押す。変数「N」の数字が大きくなるほど，この課題の難易度は上昇する。

Stroop 課題による選択的注意の評価

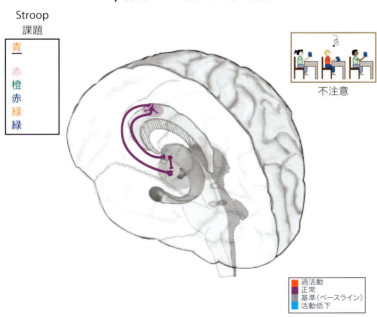

図11-4　選択的注意：Stroop課題　選択的注意は仮説上，背側前帯状皮質（dACC）からはじまり，線条複合体に投射後，視床に投射し，dACCに戻る皮質−線条体−視床−皮質（CSTC）回路によって調節されている。dACCの非効率な活性化は，細かなことに少ししか注意を払わないこと，不注意なミスをおかすこと，話をきかないこと，物をなくすこと，気が散りやすいこと，もの忘れなどの症状を引き起こすことがある。選択的注意に関連し，dACCを活性化させるテストの1例がStroop課題である。Stroop課題では，被験者は言葉そのものをいうのではなく，言葉が書かれている色の名前をいうことが求められる。例えば，黄色で「青」という言葉が書かれているときには，正解は「黄」であり，「青」は間違いである。

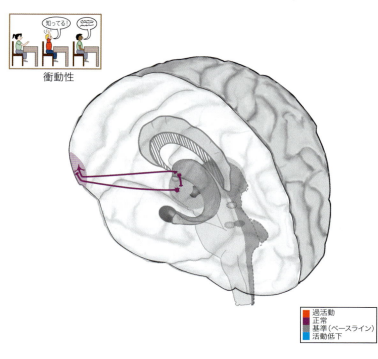

図11-5 衝動性 衝動性は，眼窩前頭皮質(OFC)，線条複合体，視床などを含む皮質-線条体-視床-皮質(CSTC)回路と関連している。ADHDにおける衝動症状の例として，しゃべりすぎること，うっかり話してしまうこと，自分の話す順番を守らないこと，話に割り込むことなどがある。

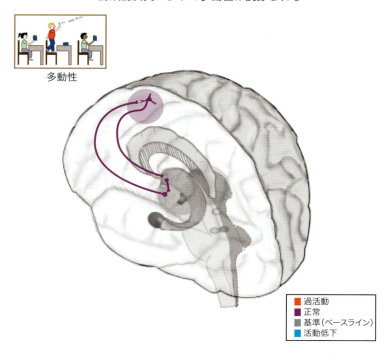

図11-6 多動性 多動，精神運動焦燥，精神運動制止などの運動活動は，前頭前運動皮質から被殻(外側線条体)，そして視床に至り，前頭前運動皮質に戻る，皮質-線条体-視床-皮質(CSTC)回路によって調節されうる。ADHDの小児においてよくみられる多動症状としては，ソワソワすること，席を立つこと，走り回ったりよじ登ったりすること，いつもあちこち動き回っていること，静かに遊べないことなどがある。

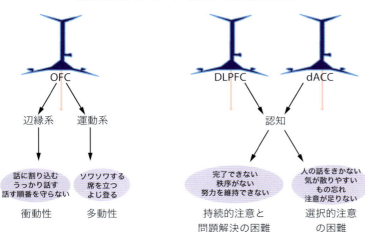

図11-7　**ADHDの中核症状：前頭前皮質（PFC）の調節の部位別の問題**　ADHDの症状は，患者が認知課題に対し適切にPFC領域を活性化できないために生じるのかもしれない。眼窩前頭皮質（OFC）内の変化は仮説上，衝動性や多動性の問題を引き起こすと考えられている。背外側前頭前皮質（DLPFC）や背側前帯状皮質（dACC）の不適切な調整は，それぞれ持続的注意あるいは選択的注意の困難を引き起こすことがある。

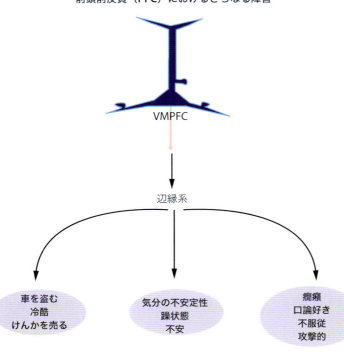

図11-8　**ADHDと併存する症状**　腹内側前頭前皮質（VMPFC）の不適切な調整は，ADHD患者によくみられる併存症状と関連することがある。これらの併存症には，素行症，反抗挑発症，さらには気分の不安定性や不安などがある。

の症状は仮説上，背側前帯状皮質dorsal anterior cingulate cortex（dACC）と呼ばれる，先と異なる脳部位における情報処理不全と関連している（図11-2，図11-4，図11-7）。dACCはStroop課題Stroop test（図11-4で説明）などの選択的注意の課題で活性化することができる。ADHD患者は，注意を集中しなければならないときにdACCを活性化できなかったり，この脳部位をきわめて非効率にしか，しかもたいへんな努力と疲労なくしては活性化できなかったりする。

前頭前皮質以外にADHDで効率的に機能していないと仮定されている部位には，衝動性と関連する眼窩前頭皮質orbitofrontal cortex（OFC）（図11-2，図11-5，図11-7）や，多動性に関連する補足運動野supplementary motor area（図11-2，図11-6，図11-7）などがある。OFCは仮説上，いくつかの精神疾患を横断する広範な症状に関連している。これらの症状には，ADHDにおける衝動性（図11-2，図11-5，図11-7），統合失調症における衝動性と暴力（第4章），うつ病における自殺傾向（第6章），躁病における衝動性（第6章），物質乱用における衝動性/強迫性（第13章）などがある。ADHDと併存することが多いその他の精神疾患における衝動性症状も，仮説上はOFCと関連している。これらの精神疾患には，素行症，反抗挑発症，双極性障害（図11-8）などがある。物質乱用，摂食障害，強迫症obsessive-compulsive disorder（OCD）などを含む多くの精神疾患における，衝動性と強迫性の詳細な議論については第13章を参照されたい。

ドーパミンとノルエピネフリンによる前頭前皮質の非効率な「調整」障害としてのADHD

ADHD患者は仮説上，注意や問題解決（実行機能）の認知課題に応じて適切に前頭前皮質領域を活性化しない（図11-7〜図11-21）。これは，ADHDにおける前頭前皮質のシナプス結合において実際にみられる神経発達の遅れによる可能性があり（図11-22，図11-23参照），それによりドーパミンdopamine（DA）やノルエピネフリンnorepinephrine（NE）の神経伝達により制御される前頭前皮質回路での情報処理の非効率な「調整」を引き起こす（図11-9，図11-10）。これは，睡眠に関する第10章で論じ図10-1と図10-44で示した覚醒ネットワークと同じである。

前頭前皮質を支配しているノルエピネフリン神経細胞の発火がADHDで低すぎると（図11-11，図11-12），不十分な「持続性tonic」刺激となり，ノルエピネフリン神経伝達の基本的な「緊張度tone」を低すぎた設定にしてしまう。低いノルエピネフリン緊張度は仮説上ADHDの認知機能障害に関係し（図11-11），シナプス後神経細胞上の最も感受性の高いノルエピネフリン受容体を優先的に刺激する（図11-12）。ノルエピネフリン濃度の適度な上昇は，より感受性の高いシナプス後α_{2A}受容体を刺激することによって，仮説上は前頭前皮質機能を刺激する（図11-12）。しかし，ノルエピネフリンの高すぎる上昇（ストレスの高い状況や，不安，物質乱用，躁病などさまざまな併存疾患などで起きる可能性があるように）は，より感受性の低いα_1とβ_1受容体も動員される場合，作業記憶の悪化を引き起こす可能性がある（図11-13〜図11-15）。したがって，認知機能を最適化するためには，ノルエピネフリンによる神経伝達は高すぎずまた低すぎずの「最適領域sweet spot」内で生じなければならない（図11-15）。

同様に，前頭前皮質を支配しているドーパミン神経細胞の発火もADHDで低すぎると，仮説上は不十分な「持続性」ドーパミン刺激となり，安静時にドーパミンシナプスの基本的な「緊張度」を低すぎる設定にしてしまう（図11-11，図11-12）。低いドーパミン遊離は，シナプス後神経細胞上の最も感受性の高いドーパミン受容体（つまり，D_3受容体，図11-9。また第4章と図4-9も参照）を優先的に刺激するが，より感受性の低いD_1受容体も不適切に刺激してしまう（図11-11，図11-12，図11-15，図11-16）。これにより不適切な下流の神経シグナル伝達や認知機能障害が引き起こされることがある。ドーパミン濃度の適度な上昇は，仮説上は前頭前皮質機能を改善するであろ

う。それは，部分的にはまずD_3受容体，ついで中程度の感受性のD_2受容体，最終的に最も感受性の低いD_1受容体での持続性シグナル伝達の増強による（図11-9，図11-11～図11-13，図11-15，図11-16。また第4章と図4-9も参照）。

ドーパミン神経細胞は，3種類すべてのドーパミン受容体サブタイプを動員した突然のドーパミン遊離を伴う**相動性**phasicと呼ばれる突発的発火も示す（図11-10）。相動性のドーパミン遊離は学習や報酬条件づけを強化すると考えられており，当然報酬が得られる経験を求める動機を生み出すことになる。教育，認識，キャリア開発，社会や家族のつながりの強化など適切で顕著な感覚入力があるときは，ドーパミン系は**相動性**に発火するように適応的にプログラムされている。認知課題を効率的に処理するために，相動性ドーパミンシグナル伝達を適度に促進することは，仮説上ADHD治療における治療目標である。しかし，相動性ドーパミン系がストレスや不安，物質乱用，躁病などの併存症により過度に活性化されると，過度の覚醒を伴い認知機能を悪化させる（図11-13～図11-16）。相動性ドーパミン系は薬物によって乗っ取られることさえあり，制御不可能なドーパミン発火が引き起こされ，薬物の報酬を強化し，強迫的な薬物乱用に至る（第13章で詳しく述べる）。したがって，高すぎずまた低すぎない適度のD_1受容体刺激は，至適な緊張度を調整して前頭前皮質の機能を至適化することには有益であると考えられている（図11-15，図11-16）。シナプス後D_1受容体は前頭前皮質で優位を占めており，最もよい機能的結果は「調整」されて，過少刺激でもなく過剰刺激でもないときである（図11-15，図11-16）。

前頭前皮質ではα_{2A}とD_1受容体は，しばしば皮質錐体神経細胞の樹状突起棘spineに存在し，入力シグナルをゲートで調節する（図11-17～図

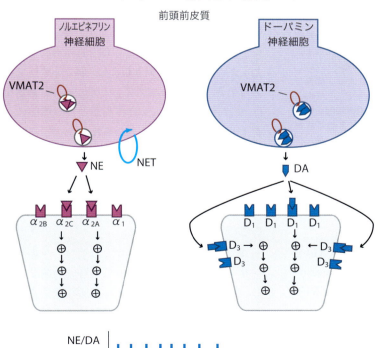

図11-9 ベースラインのノルエピネフリン(NE)とドーパミン(DA)の持続性発火　前頭前皮質機能の調節，およびそれによる注意と行動の調節は，NEとDAの至適な遊離に依存している。正常な状態では，前頭前皮質prefrontal cortex(PFC)において遊離されたNEとDAは，シナプス後神経細胞の少数の受容体を刺激して，至適なシグナル伝達と神経発火を可能にする。NE濃度が適度な場合には，NEはシナプス後α_{2A}受容体を刺激することによって，PFC機能を改善すると考えられている。同様に，DA濃度が適度な場合には，ドーパミン1と3(D_1とD_3)受容体を刺激し，それはPFC機能に役立つ。NE系とDA系の両方において適度な調整は確かに重要である。

NET: ノルエピネフリントランスポーター，VMAT2: シナプス小胞モノアミントランスポーター2

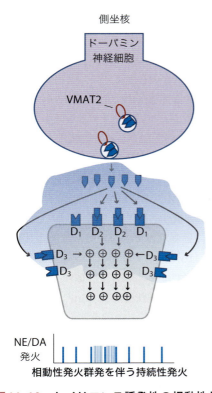

図11-10　セイリエンス誘発性の相動性ドーパミン（DA）発火　前頭前皮質にみられるような持続性発火はしばしば神経系では望ましいが，側坐核におけるわずかなDAの相動性発火も好ましいことである。相動性発火はDAの突発的遊離を引き起こし，これが制御下に生じれば，学習や報酬条件づけを強化できる。これは，当然報酬が得られる経験（例えば，教育，キャリア開発など）を求める動機を生み出すものである。しかし，このシステムが境界を越えると，例えば薬物乱用の報酬を強化するというような制御不能のDA発火が引き起こされる。この場合，報酬回路が乗っ取られ，衝動性は薬物探索のための制御不能の強迫行動へと発展してしまう。
NE：ノルエピネフリン，VMAT2：シナプス小胞モノアミントランスポーター2

11-21)。α_{2A}受容体は，抑制性Gタンパク（G_i）を介して環状アデノシン―リン酸cyclic adenosine monophosphate（cAMP）分子に結合している（図11-17)。これに対して，D_1受容体は促進性Gタンパク（G_s）を介してcAMPシグナル伝達系に結合している（図11-17)。どちらの場合も，cAMP分子は受容体を過分極活性化環状ヌクレオチド依存性hyperpolarization-activated cyclic nucleotide-gated（HCN）陽イオンチャネルに結び付ける。開口したチャネルは膜抵抗を下げ，それにより入力を棘からそらせることになる。チャネルが開口していると，シグナルは漏出し，その後消失してしまう。しかし，これらのチャネルが閉口しているときには，入力シグナルは存続し，神経細胞を下行していくことができる。これにより，類似した神経細胞の回路網の結合性を強め，適切なシグナル伝達と反応が引き起こされる。

　ノルエピネフリンあるいはノルエピネフリン作動性アゴニストがα_{2A}受容体に結合すると，活性化したG_i結合系がcAMPを抑制し，それによりHCNチャネルが閉じられる（図11-18)。チャネルの閉口により，シグナルは棘を通過して神経細胞内を下行することができ，類似した神経細胞の回路網の結合性を強める（図11-18)。したがって一般的には，前頭前皮質ではα_{2A}受容体刺激は入力シグナルを増強する。

　対照的に，D_1受容体刺激はシグナルの減弱を引き起こす（図11-19)。つまり，ドーパミンあるいはドーパミン受容体アゴニストがD_1受容体に結合すると，活性化したG_s結合系はHCNチャネルの刺激の増強，すなわちチャネルの開口を引き起こす。HCNチャネルの開口は，特に過剰であるとシグナルの漏出を引き起こし，棘からすべての入力をそらせることになる。したがって，過剰なD_1受容体刺激はα_{2A}受容体刺激とは対照的にシグナルの消失や減弱をもたらす。α_{2A}受容体（図11-18)とD_1受容体（図11-19)の作用機序は，なぜ一般に両タイプの受容体への適度な刺激（図11-17)が，前頭前皮質神経細胞でのシグナル対ノイズ比を高めるためには好ましいかを説明している（図11-20)。

　α_{2A}受容体とD_1受容体がそれぞれノルエピネフリンとドーパミンによって同時に刺激されると，何が生じるであろうか（図11-20)？　さまざまな皮質領域でのα_{2A}とD_1受容体の正確な局在と密度は，なお熱心に研究されているが，同じ錐体神経細胞が，青斑核locus coeruleus（LC）からのノルエピネフリン入力をある1つの棘で受け，

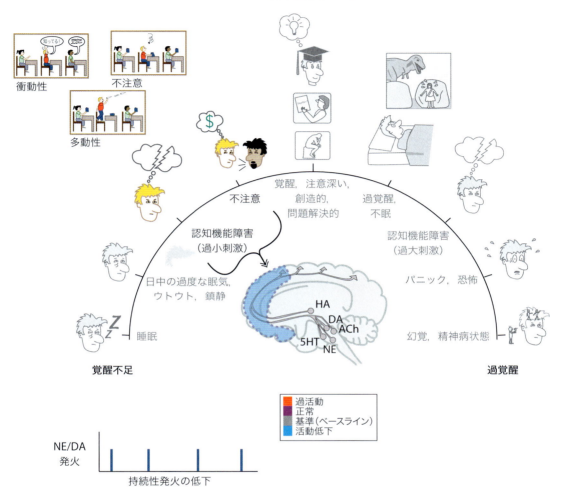

図11-11　**ADHDにおける認知機能：それは低下している？**　覚醒は，スペクトラムに沿って多くの段階をもった調光スイッチ上にあるかのようである。スペクトラム上のどこに位置するかは，いくつかの重要な覚醒促進系の神経伝達物質，例えば，ヒスタミン（HA），ドーパミン（DA），ノルエピネフリン（NE），セロトニン（5HT），アセチルコリン（ACh）などによって影響される。神経伝達がバランスを保っているときには，起きて覚醒しており，よく活動できる。過剰であるか過小であるかにかかわらず，これらの重要な神経伝達物質の機能変化は，認知機能障害を引き起こすことがある。ADHDにおける認知機能は低い持続性NEおよびDA発火の結果であろう。

腹側被蓋野ventral tegmental area（VTA）からのドーパミン入力を別の棘で受けていることを想像することができる。このシステムが適切に「調整」されていれば，D_1受容体刺激はノイズを減少させ，$α_{2A}$受容体刺激はシグナルを増強し，前頭前皮質を適切に機能させることになる（図11-20）。これにより，理論的には適切な誘導注意guided attention（図11-15，図11-16），特定の課題への集中，情動や衝動の適切な制御などがもたらされるであろう。

しかし，ノルエピネフリンとドーパミンの両方の遊離が少なく，そのためこれらの錐体神経細胞の棘におけるD_1受容体と$α_{2A}$受容体の両方の刺激が少ないときには，何が生じるであろうか（図11-21）？　理論的にはドーパミンとノルエピネフリン入力の低下はそれぞれノイズを増やしてシ

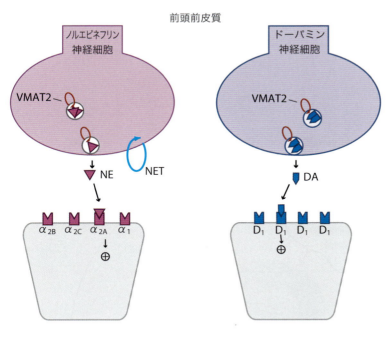

図11-12　ADHDと覚醒不足
前頭前皮質(PFC)は覚醒経路における重要な担い手である他に，ADHDにおいてノルエピネフリン(NE)系とドーパミン(DA)系の不均衡が生じていると仮説上考えられている主要な脳部位でもある。PFCのNE系とDA系の神経回路における不十分なシグナル伝達は，シナプス後受容体の刺激の減弱に反映される。特に，認知機能に関連するD_1受容体はドーパミンに対してさほど敏感でない。したがって，DA濃度が低いとD_1受容体は刺激されない。NEとDA濃度を上昇させると，シナプス後$α_{2A}$受容体刺激の上昇と，D_1受容体刺激の上昇によって，仮説上はPFCの機能を改善するのであろう。
NET：ノルエピネフリントランスポーター，VMAT2：シナプス小胞モノアミントランスポーター2

グナルを減らし，その結果，位相のそろったシグナル coherent signal が送られるのが妨げられる（図11-21）。これにより，仮説上は前頭前皮質における誤調整された錐体神経細胞の局在に応じて，多動性，不注意，衝動性，あるいはこれらの組み合わせの症状が引き起こされることがある（図11-3～図11-8参照）。さらに，一方の神経伝達物質が少なく，もう一方が多いときには，患者はまったく異なった組み合わせの症状を示すことがある。ノルエピネフリンとドーパミンの両方の濃度と，障害されている可能性のある特定部位を知ることができれば，将来的には患者が苦しんでいる症状の程度と種類を予測できるようになるかもしれない。これらを考慮に入れて，図11-7と図11-8は，さまざまな脳部位の錐体神経細胞が，ADHDにおけるさまざまな症状の現れ方にどのように関係しているかを示している。

神経発達とADHD

ADHDは従来，小児の疾患と考えられていたが，ADHDの概念は変化し，小児期に発症するがしばしば成人期に継続すると考えられるようになってきた。実際，ほとんどの精神疾患は小児期と青年期に発症し，その後成人期まで続く（図11-22，図11-23）。この理由は，小児期と青年期の成長は脳が重要な成熟期にあたるからであろう（図11-22A，図11-23）。

脳の成長は遺伝的および環境的影響によって導かれる（精神病性障害については第4章で述べ，図4-61と図4-62に示した）。ADHDは精神医学において約75％という最も強力な遺伝成分の1つをもっている。多様な遺伝子がADHDに関与しており，どの精神疾患でもそうであるように，遺伝的因果関係は複雑で多因性である。ADHDの統一的な定式化は，ADHDは前頭前皮質回路の成熟の遅れで生じ，それが少なくとも12歳までにADHDの症状が出現するというものである。前頭前皮質ではシナプスは6歳までに急速に増加し，最大でその半分は青年期までに急速に除去される（図11-22。また第4章と図4-63，図4-64も参照）。このADHDの発症時期は，小児期における前頭前皮質でのシナプス形成と（おそらくこち

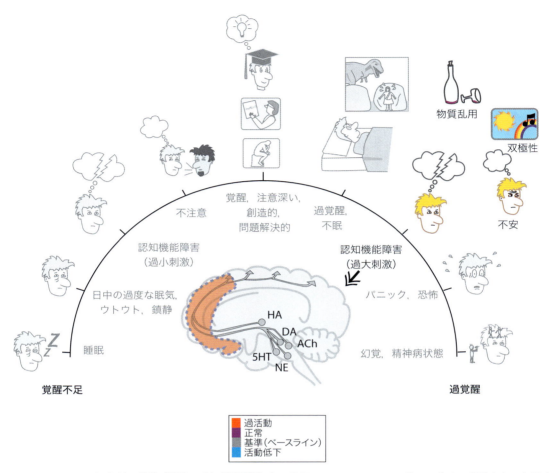

図11-13　ADHDにおける認知機能：それは過剰か？　覚醒は，スペクトラムに沿って多くの段階をもった調光スイッチ上にあるかのようである。スペクトラム上のどこに位置するかは，いくつかの重要な覚醒促進系の神経伝達物質，例えばヒスタミン（HA），ドーパミン（DA），ノルエピネフリン（NE），セロトニン（5HT），アセチルコリン（ACh）などによって影響される。神経伝達がバランスを保っているときには，起きて覚醒しており，よく活動できる。過剰であるか過小であるかにかかわらず，これらの重要な神経伝達物質の機能変化は認知機能障害を引き起こすことがある。NEあるいはDAを過剰に上昇させると，シナプス後の受容体を過剰に刺激し，認知機能低下を引き起こす可能性がある。

らのほうがより重要と考えられるが）除去のためのシナプスの選択とが，この疾患の発症と生涯にわたる病態生理の一因となっていることを示唆している（図11-22，図11-23）。12歳から成人早期での新規のシナプス形成によって，これらの前頭前皮質の異常を代償できる人たちは，「自身のADHDから脱却する」人たちなのかもしれない。そしてこれが，成人期のADHDの有病率が小児期や青年期の半分にすぎない理由であろう。

ADHDでの前頭前皮質回路におけるこれらの問題の原因は何であろうか？　現時点では，ADHDの前頭前皮質回路において神経発達の障害が生じているという有力な仮説が提唱されている（図11-2〜図11-8）。異常なシナプス形成や異常なシナプス神経伝達など，統合失調症の神経発達基盤についての多くの概念は，ADHDに対しても同様に概念的枠組みや神経生物学的モデルとして役立っており，これについては第4章で述べ

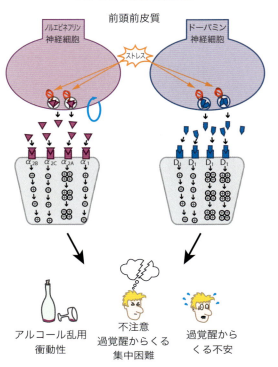

図11-14　ADHDと過覚醒　前頭前皮質（PFC）におけるノルエピネフリン（NE）とドーパミン（DA）神経伝達が至適に調整されていると，シナプス後 α_{2A} 受容体と D_1 受容体への適度の刺激は，効率的な認知機能をもたらすことができる。ストレス状況や，不安や物質乱用などの併存症があるときのように，NEやDAが過剰なときには，シナプス後受容体が過剰に刺激され，その結果認知機能障害だけでなく他の症状も引き起こされることがある。特に，過剰なNEの神経伝達は，α_1（および β_1）受容体の刺激により作業記憶を低下させることがある。過剰なDAの神経伝達はPFCの D_1 受容体の過剰刺激を引き起こすことがある。

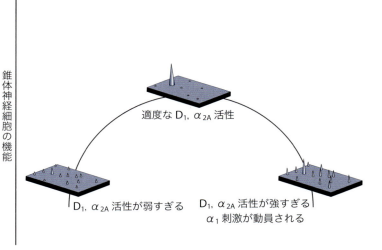

図11-15　ADHDと不適応的なシグナル対ノイズ比　前頭前皮質（PFC）が適切に働くためには，ノルエピネフリン（NE）による適度な α_{2A} 受容体刺激と，ドーパミン（DA）による適度な D_1 受容体刺激が必要である。理論的には，NEの役割はPFCの神経回路網の結合性を強めて，入力シグナルを増強することであり，一方でDAの役割は不適切な結合が生じるのを防ぐことにより，ノイズを減弱させることである。ここで示した逆U字曲線の頂点では，α_{2A} と D_1 受容体の両方の刺激が適度で，錐体神経細胞の機能は最適である。α_{2A} と D_1 受容体での刺激が弱すぎるときには（左），すべての入力シグナルは同じになり，1つの課題に集中できなくなる（非誘導注意）。刺激が強すぎるときには（右），さらなる受容体が動員されてシグナルは混乱してしまい，注意を誤った方向に導いてしまう。

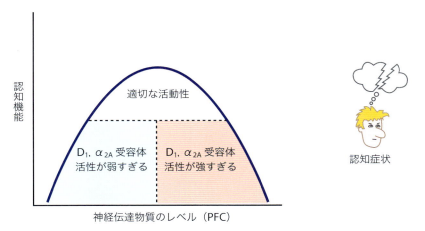

図11-16　皮質ドーパミン(DA)の機能転帰　前頭前皮質(PFC)が適切に働き，認知機能が至適化されるためには，ノルエピネフリン(NE)によるα_{2A}受容体の適度な刺激と，DAによるD_1受容体の適度の刺激が必要である。α_{2A}受容体とD_1受容体への刺激がどちらも弱すぎたり強すぎたりすると，認知機能障害が生じることがある。

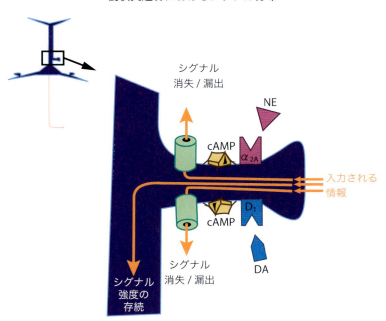

図11-17　樹状突起棘におけるシグナル分布　前頭前皮質(PFC)の皮質錐体神経細胞の樹状突起棘にα_{2A}とD_1受容体が存在することにより，入力シグナルをゲートで調節できるようになる。α_{2A}とD_1受容体の両方とも環状アデノシン一リン酸(cAMP)分子に結合している。ノルエピネフリン(NE)とドーパミン(DA)のそれぞれの受容体での結合から生じるcAMPへの作用は正反対である(NEでは抑制，DAでは興奮)。どちらの場合も，cAMPは過分極活性化環状ヌクレオチド依存性(HCN)陽イオンチャネルに結合する。HCNチャネルが開口していると，入力シグナルは伝えられる前に漏出してしまう。しかし，これらのチャネルが閉口していると，入力シグナルは存続し神経細胞内を下行していくことができる。

α₂ₐ受容体でのノルエピネフリン（NE）の作用はシグナルを増強する

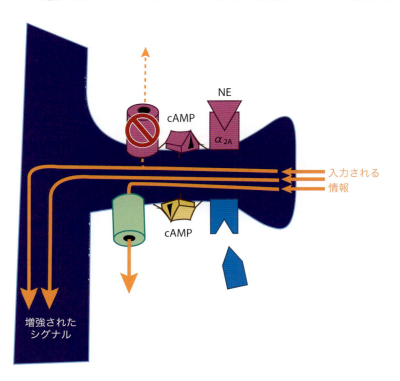

図11-18　α₂ₐ受容体でのノルエピネフリン(NE)の作用は入力シグナルを増強する　α₂ₐ受容体は抑制性Gタンパク inhibitory G protein（G_i）を介して環状アデノシン一リン酸（cAMP）に結合している。NEがこれらのα₂ₐ受容体を占拠すると，活性化されたG_i結合系がcAMPを抑制し，過分極活性化環状ヌクレオチド依存性（HCN）チャネルを閉口させ，入力シグナルの消失を防ぐ。

D₁受容体でのドーパミン（DA）の作用はシグナルを減弱する

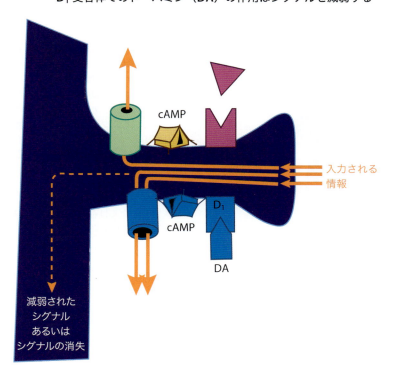

図11-19　D₁受容体でのドーパミン(DA)の作用は入力シグナルを減弱する　D₁受容体は刺激性Gタンパク stimulatory G protein（G_s）を介して環状アデノシン一リン酸（cAMP）に結合している。DAがこれらのD₁受容体を占拠すると，活性化されたG_s結合系がcAMPを活性化し，過分極活性化環状ヌクレオチド依存性（HCN）チャネルを開口させる。HCNチャネルの開口は，特に過剰なときには，入力シグナルを伝えられる前に消失させてしまう。

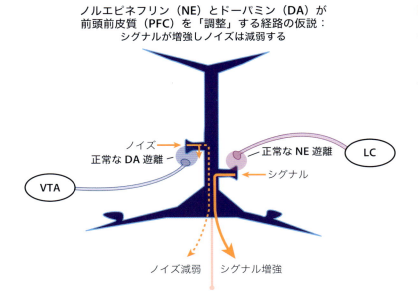

図11-20 ノルエピネフリン(NE)とドーパミン(DA)は前頭前皮質(PFC)を「調整」する 同じ錐体神経細胞が，青斑核(LC)からのNE入力をある棘で受け，腹側被蓋野(VTA)からのDA入力を別の棘で受けていることがある。これが適切に「調整」されていれば，$α_{2A}$受容体刺激はシグナルを増強し，D_1受容体刺激はノイズを減弱させ，それにより適切な前頭前皮質(PFC)の機能，誘導注意，特定の課題への集中，情動や衝動の適切な制御などがもたらされるであろう。

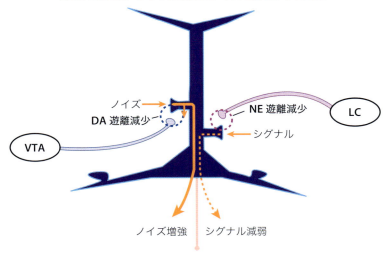

図11-21 ノルエピネフリン(NE)とドーパミン(DA)はADHDでは不適切に前頭前皮質(PFC)を「調整」する 同じ錐体神経細胞が，青斑核(LC)からのNE入力をある棘で受け，腹側被蓋野(VTA)からのDA入力を別の棘で受けていることがある。DA遊離減少は理論的にはノイズを増強させ，一方でNE遊離減少は入力シグナルの減弱をもたらす。仮説上，このNEとDAによるPFCの不適切な調整は，多動性や不注意，あるいはその両者を引き起こすことがある。

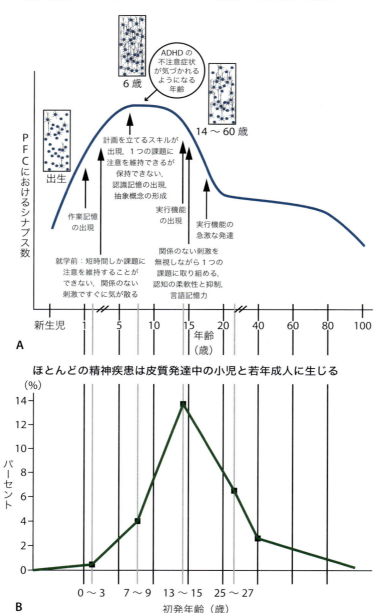

図11-22　皮質の発達とADHD　前頭前皮質（PFC）におけるシナプス形成は，ADHDの発症へと脳を準備させる神経結合の変更に関係している可能性がある．特に，青年期をつうじて実行機能は発達する．（**A**）1歳で作業記憶が出現する．3〜4歳ごろの小児はまだ長期間注意を維持することができず，注意が容易にそれてしまう．6〜7歳ごろまでには変化し，注意を維持することができ，計画を立てることができるようになる．この年齢は「シナプスの刈りこみ synaptic pruning」として特徴づけられる．この刈りこみは，過剰に作られたあるいは「弱い」シナプスを「引き抜く」過程であり，これにより小児の認知機能は成熟する．この過程がうまくいかない場合，仮説上は実行機能のさらなる発達に悪影響がでる可能性があり，これがADHDの病因の1つとなりうる．この時系列を示した図は，ADHD症状がしばしば気づかれる時期を表し，それは6歳前後である．（**B**）ほとんどの精神疾患は小児期と若年成人に発症し成人期に続く．これは重大な皮質の成長と一致している．

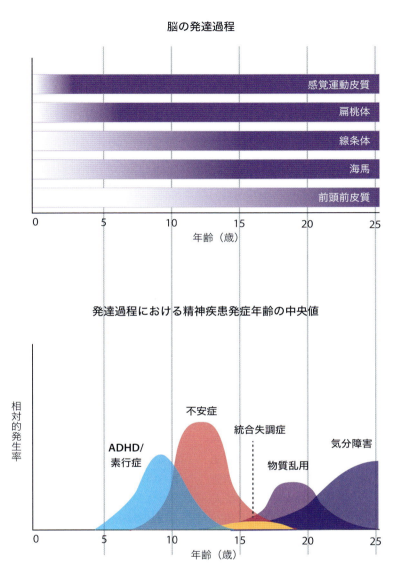

図11-23 **脳の発達過程と精神疾患の発症** 脳の発達過程は，知覚運動皮質と脳辺縁系が最初に発達し，前頭前皮質（PFC）は後に発達するというものである。ADHDでは同じ様式がみられるが，皮質の発達は遅れる。このことは，ADHDの小児期発症と，ADHDは成人期にも続くことがあるにせよ，成人期には発症しないことの説明になるかもしれない。これに対して，他の疾患は小児期にもはじまりうるが，ADHDよりも通常は診断されるのは遅く，発症は成人期に続く。

た。ADHDの特異的な症状への神経発達の影響は，図11-24に示した。就学前のADHDの小児では不注意症状はあるにしても，容易には特定できない。これはおそらく，正常発育と比べて異常となるほどの症状を出現させるには，まだ前頭前皮質が十分に成熟していないためであろう。就学前のADHDとその治療はこの分野で現在議論が絶えない概念である。なぜなら，精神刺激薬についての研究の大半は6歳以上の小児を対象にしたものだからである。いったん不注意がADHDの主要症状として現れると，この症状は生涯にわたって変化することはない（図11-24）。しかし，衝動性や多動性は明らかに青年期や成人早期に減弱する。一方，ADHD患者が成人になるに従い，

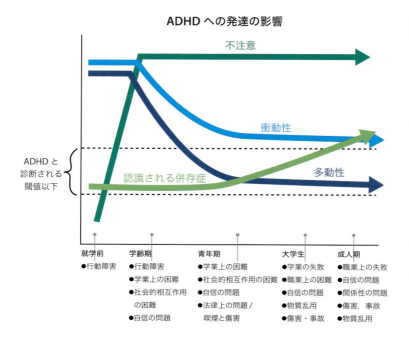

図11-24　ADHDへの発達の影響　われわれの神経発達の理解に一致して，ADHDにおける症状の進展は，就学前には不注意は一般に確認されないが，患者が年をとるに従ってよくみられるようになり，成人期まで続く。多動性と衝動性は小児期の重要な症状であるが，単に他の形で現れてくることはあるにせよ，成人期に明白になることはまれである。年齢とともに併存症の割合は上昇する。これは，ADHDの小児ではいくつかの併存症が見過ごされるためであろう。あるいは，ADHDよりも発症の遅い他の精神疾患についてのデータに一致するが，実際に併存症は遅く出現するのかもしれない。

認識された併存症の頻度は飛躍的に上昇する（図11-24）。

　ごく最近診断基準が変わったのは，過去のDSM-Ⅳの診断基準では初発年齢を7歳以前であることを求めていたのが，今やDSM-5では初発年齢が12歳以前となったことである。成人期発症の（あるいは，少なくとも発症時期不明の成人として認識された）ADHDというものがあるのかどうかについては，論争さえある。成人期でのADHDの有病率は小児の約半分にすぎないかもしれないが，小児期ほどよく気づかれるわけではない。これはおそらく，その診断がより難しく，その症状が治療されることはほとんどないためであろう。すべてのADHDの小児や青年の半数は診断され治療されていると考えられるが，ADHDの成人は1/5以下しか診断され治療されていないと考えられている。その理由は多様であるが，ADHD症状が12歳までにはじまるという診断上の条件に端を発している。成人では，特に小児期に疾患が同定されず治療もされていない場合，しばしば後方視的な診断を正確に下すことが難しい。さらに，多くの専門家が現在疑問に思っているのは，ADHDの診断から，12歳以降に発症するADHD症状，いわゆる遅発性のADHDの成人を除外するのは適切かということである。症例によっては，最長45歳で発症することもあるかもしれない。これらの患者はADHDであろうか？あるいは彼らの実行機能障害は，抑うつ，不安，あるいは睡眠障害などの併存症の症状なのであろうか？　重要な点は，認知症状がADHDの部分症状なのか併存症なのかを調べてそれを治療することである。

ADHDの治療法
どの症状を最初に治療すべきか？

　精神薬理学的治療で最初に標的とすべき症状の優先順位をつけることは，いくつかの症状の治療をしばらく遅らせるという代償を払ってでも，また，ある症状を最初に治療している間にいくつかの併存症を一時的に悪化させてしまったとしても，ADHDを治療するうえで有用なことがありうる（図11-25）。このアプローチについての明確な研究はないものの，多くの専門家の臨床経験が示すところによれば，併存症をもつ患者では，アルコールや精神刺激薬を乱用し続けているときには，治療を進めることがきわめて困難となること

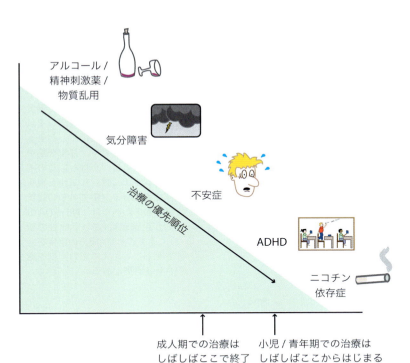

図11-25　**ADHDと併存症：何を先に治療すべきか？**　ADHDと併存症をもつ患者では，すべての疾患を，しかも最も重度の障害を考慮して適切に治療する必要がある。このことは，ある患者では最初にアルコール乱用を安定化させる必要があるが，他の患者ではADHD症状のほうが基礎にある不安症よりも重症度が高いかもしれないことを意味する。さらに，これらの疾患の治療に使用される薬物には，併存する疾患を悪化させるかもしれないものがある。そのため，適切な治療法を選択する際には注意が必要である。それぞれの患者ごとに個別化された治療計画を，全体的な症状に沿って確立しなければならない。

がある。したがって，物質乱用の問題は最初に対処しなければならない（図11-25）。ADHDを治療するには，気分障害や不安症治療からの改善を待たなければならないこともあるであろう。ADHDの認知症状はむしろ患者の全体的な症状への微調整以上のものとみなせるからである（図11-25）。

しかし，どの症状と障害を最初に治療すべきかという優先順位を決めるこのアプローチには問題がある。例えば，多くの小児ではADHDが最初に治療される。そのとき，精神刺激薬による治療に対して確実な反応を示さないと判明するまで，生じうる併存症は必ずしも評価されるわけではない。成人では，物質乱用，気分障害，不安症などの治療があまりに困難なため，治療の際にADHDに焦点があてられることは決してなく，ニコチン依存でも当然あてられない。つまり，ADHDは，治療の一次的焦点である気分障害や不安症がいったん治療された後に，認知機能が寛解しなければ対処することが考慮されるべき単なる補足と考えられている。ADHDは併存症がな

いかぎり成人では治療の焦点となることが少ないということは興味深い。ADHDの成人で併存症がないことがまれであるということは，ADHDの成人の大多数が治療されていないことを説明するであろう。

最近の見識のある精神薬理学者は，気分障害，不安症，物質使用障害の特に成人患者においてADHDの存在を疑う高度な指標を持ち続け，常に症状の完全な寛解をめざして患者を治療している。実際には，気分障害，不安症，物質使用障害の第1選択治療に対する増強療法としてADHD治療の適応を探ることを目標としており，その逆ではない。それはまた，いったん認知症状がコントロールされると，ADHDの長期管理は最終的にはニコチン依存の治療に取り組むのと同様になることを意味している（図11-25）。ADHDの成人と青年は統合失調症の成人と青年と同じくらい喫煙し，米国における健常成人の喫煙率の約2倍である。これは，特にADHDが治療されていない患者は，ニコチンがADHD症状を改善することを自覚しているためであろう。ニコチンはドー

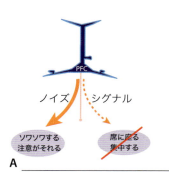
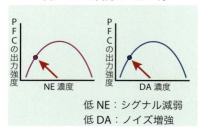
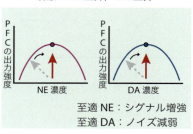

図11-26　ADHDの前頭前皮質(PFC)におけるノルエピネフリン(NE)とドーパミン(DA)の濃度の重要性　(A)NEとDAの濃度のどちらも低すぎると(逆U字曲線の左側)，PFCでの出力強度も弱すぎ，シグナルが減弱してノイズが増強する。席にじっと座っていられないことや，注意を集中できないことは，しばしばこの不均衡なシグナル対ノイズ比を表す臨床症状である。(B)これらの症状を治療するためには，NEとDAの両方が至適濃度(逆U字曲線の頂点)に達するまで，両方の濃度を上昇させることにより出力強度を増強させる必要がある。

パミン遊離を亢進し覚醒度を高める。したがって，ニコチンがADHD症状に主観的に有効であるかもしれないことは驚くにはあたらない。ニコチン依存および禁煙の精神薬理学的治療は，衝動性，強迫性，および嗜癖についての第13章でさらに詳しく述べる。

精神刺激薬によるADHDの治療
一般原則

　前述し，図11-11と図11-12に示したように，ノルエピネフリンとドーパミンのどちらも低すぎると，前頭前皮質での出力強度も弱すぎ，シグナルが減弱してノイズが増強する(図11-26A。また図11-15，図11-16，図11-21も参照)。行動学的には，これが人に変換されると，その人は席にじっとしていられず，また集中できず，ソワソワして注意をそらせがちになるのであろう(図11-26A)。これらの症状を治療するためには，ノルエピネフリンとドーパミンの両方の遊離が至適なレベルに達するまで，これらを調整してシグナル強度を増強させる必要がある(図11-26B)。これは，後述するように，ノルエピネフリンとドーパミンの再取り込みを阻害する精神刺激薬と，いくつかのノルエピネフリン作動薬の両者によって行うことができる。前頭前皮質の出力を高めることは，仮説上，重要なシグナルをそうでないシグナルから引き出す患者の能力を回復させるために役に立ち，これにより患者は静かに座り注意を集中できるようになると考えられる。

　ノルエピネフリンとドーパミンのシグナルが過剰なときはどうなるであろうか？　前頭前皮質におけるノルエピネフリンとドーパミンの過剰な活性化も，前述した不十分な活性化と同様に，ノイズを増強させシグナルを減弱させることにより，ADHDを引き起こしうる(図11-13〜図11-16参照)。その理論はつぎのとおりである。当初は，そして患者の一部では，ADHDに罹患しているというストレスは，環境からの他のストレッサーに加え，さらにノイズを増強させシグナルを減弱させる。その結果，当初はノルエピネフリンと

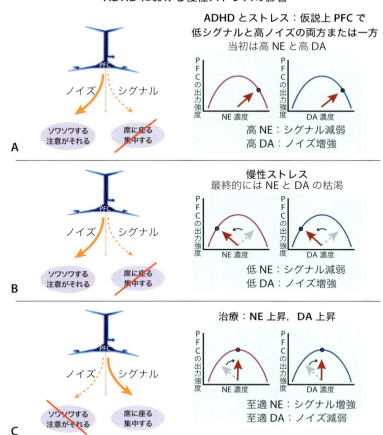

図11-27　ADHDにおける慢性ストレス　前頭前皮質（PFC）におけるノルエピネフリン（NE）とドーパミン（DA）の過剰な刺激は，ノイズを増強させシグナルを減弱させることにより，ADHDを引き起こしうる。(**A**)最初はADHDに罹患しているという付加的なストレスが，さらにノイズを増強させシグナルを減弱させることがある（高濃度のNEとDAは出力の減弱を引き起こす）。(**B**)慢性ストレスがはじまるにつれ，NEとDAの濃度は急激に低下するが（低濃度のNEとDAも出力の減弱を引き起こす），シグナル出力の減弱という点は改善されない。(**C**)NEとDAの濃度を上昇させる治療は，行動を正常化するであろう（ノイズは減弱しシグナルは増強する）。

ドーパミンの遊離が増加し，シグナルの減弱と非効率な情報処理が引き起こされる（図11-27A）。しかし，ストレスが慢性化すると，ノルエピネフリンとドーパミンの濃度は長期にわたる枯渇により最終的に急激に低下するが，シグナル出力の減弱という点では改善されない（図11-27B）。最終的には，適切な治療とはノルエピネフリンとドーパミンの濃度を上昇させ，行動の正常化をもたらすこととなる（図11-27C，ノイズは減弱しシグナルが増強している）。

経験ある臨床医は，ノルエピネフリンとドーパミンが多すぎる患者（図11-27Aに示す），ノルエピネフリンとドーパミンが少なすぎる患者（図11-27Bに示す），あるいは異なった経路でのこれらの組み合わせの場合，治療がきわめて困難となりうることをよく知っている。例えば，小児での

チックの合併は，一般に運動線条体での**過剰な**ドーパミン活性化が仮説上出現していて治療にはドーパミン阻害が必要であるが，ADHD患者ではチックを同時に管理することは非常に困難となることがある。この患者では，皮質では仮説上ドーパミン系の活動が**不十分**であり，同時にドーパミン亢進作用をもつ精神刺激薬が必要だからである。精神刺激薬はADHD症状に役立つかもしれないが，チックをより悪化させてしまう。素行症，反抗性障害，間欠爆発症，秩序破壊的行動障害，精神病性障害あるいは双極性躁病，あるいは混合状態（理論的には前頭前皮質回路におけるドーパミン系の過活動と関連する）（図11-8）をもつ小児や青年，また不幸にも併存するADHD（理論的には他の前頭前皮質回路におけるドーパミン系の不十分な活動と関連する）（図11-7）を

もつ小児や青年は，臨床医にとって最も治療が困難な患者である。

　したがって，仮説上ドーパミン系の過剰な活性化を伴う状態は，ドーパミン阻害薬（第5章参照）による治療を示唆するにもかかわらず，併存したADHDは精神刺激薬による治療を示唆する。ドーパミン阻害薬と精神刺激薬の薬物を併用することはできるであろうか？　実際，大胆な治療の場合は，精神刺激薬はセロトニン・ドーパミンアンタゴニストと併用できる。この組み合わせの理論的根拠は，セロトニン・ドーパミンアンタゴニストは仮説上前頭前皮質でドーパミンを遊離させ，そこのシナプス後D_1受容体を刺激し（図5-17C参照），一方で同時に辺縁系のD_2受容体を阻害し，そこのD_2受容体におけるドーパミン活性を減弱させるという事実を利用している。このようなアプローチには異論も多く，単剤療法では適切に改善しない困難な患者は，専門医に任せるのが最善である。このセロトニン・ドーパミン阻害薬の作用機序と脳のさまざまな部位における作用は第5章で詳しく述べた。

　ADHDと不安症状をもつ患者に対して，精神刺激薬の治療でADHDを改善しようとするのは，困難で自滅的でさえあり，不安を悪化させてしまうだけである。ADHDと物質乱用をもつ成人に対しては，ADHDを治療するために精神刺激薬を投与することはほとんど意味がない。このような場合，長時間作用型のノルエピネフリントランスポーター norepinephrine transporter（NET）阻害薬，あるいは精神刺激薬ではなく，α_{2A}アゴニストなどの，ノルエピネフリン系やドーパミン系の持続的な賦活薬を用いて抗うつ薬や抗不安薬治療を増強することが，ADHDに併存する不安，抑うつ，物質乱用などに対する効果的な長期的取り組みとなりうる。NET阻害薬の研究で，ADHDと不安症状の両方の改善を報告したものや，ADHDと大量飲酒の両方の改善を報告したものがある。

メチルフェニデート

　いわゆる精神刺激薬（おそらくノルエピネフリンおよびドーパミン再取り込み阻害薬と呼ぶほうがよい）の作用機序は図11-28～図11-37に示した。精神刺激薬であるメチルフェニデートを臨床承認用量で経口投与すると，ノルエピネフリンとドーパミン両方に対するトランスポーター（それぞれNETとDAT）が阻害される（図11-28，図11-29A～C）。通常，ドーパミンは遊離されると（図11-29Aの矢印①），DATによりドーパミン神経細胞に再取り込みされ（図11-29Aの矢印②），最終的にVMATによりシナプス小胞に蓄えられる（図11-29Aの矢印③）。メチルフェニデートはアロステリックにDATとNETを阻害し，DATを介するドーパミン再取り込み（図11-29B）とNETを介するノルエピネフリン再取り込み（図11-29C）を阻害するが，VMAT2には作用しない（図11-29B，図11-29C）。メチルフェニデートは抗うつ薬とほとんど同じ機序でNETとDATを阻害する（第7章の議論と図7-36参照）。つまり，モノアミンがNETやDATに結合する部位とは異なる部位に結合する（アロステリックな作用）。したがって，メチルフェニデートは再取り込みポンプを阻害するので，メチルフェニデートはシナプス前神経細胞には輸送されない（図11-29B，図11-29C）。

　メチルフェニデートにはD体とL体の異性体があるが（図11-28），D体はL体よりもNETとDATの両者に対してずっと強力である（図11-28）。メチルフェニデートは速放性製剤と放出制御製剤の両剤形で，単独の鏡像体であるD-メチルフェニデートとしても使用できる。幅広いD,L-メチルフェニデート製剤のリストを表11-1に，またD-メチルフェニデート製剤のリストを表11-2に示した。

amphetamine

　精神刺激薬であるamphetamineの臨床承認用量の経口投与もまた，メチルフェニデートと同様にノルエピネフリンとドーパミンの両方のトランスポーターを阻害するが，阻害様式は異なる（図11-30～図11-32）。メチルフェニデートやうつ病に使われる再取り込み阻害薬とは異なり，

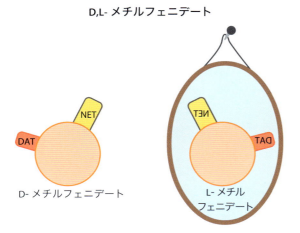

図11-28　D,L-メチルフェニデート　メチルフェニデートは，D体とL体の2つのエナンチオマーからなる。ラセミ体のD,L-メチルフェニデートとD-メチルフェニデートの両者が治療選択肢として利用できる。D,L-メチルフェニデートとD-メチルフェニデートの両者はノルエピネフリントランスポーター（NET）とドーパミントランスポーター（DAT）を阻害する。D-メチルフェニデートはL体エナンチオマーよりも両方のトランスポーターに対しての効力は大きい。

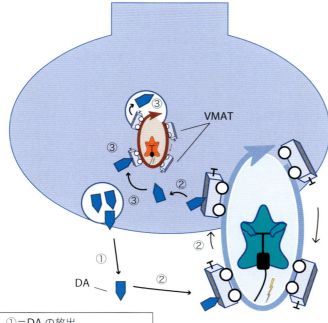

①＝DAの放出
②＝DATによるDAの輸送
③＝VMATによるDAの輸送

図11-29A　シナプスのドーパミン(DA)の輸送と利用度の調節　シナプスのDAの調節は，ドーパミントランスポーター（DAT）とシナプス小胞モノアミントランスポーター（VMAT）と呼ばれる2つのトランスポーターが適切に働くことによっている。DAは遊離されると(①)，シナプス後受容体に働くか，あるいはDATを介して神経終末に運び戻される(②)。神経終末内では，DAはすぐにVMATを介して小胞に「封じ込め」られる(③)。これらのDAがつまった小胞は細胞膜と融合し，より多くのDAを遊離する。このように精密に調整された機序によって，DA濃度はシナプスだけでなくドーパミン神経終末でも，中毒量には絶対に達しないようになっている。DAを小胞に「飲み込む」ことにより，ドーパミン神経細胞はDAの正常な機能を確保することができる。

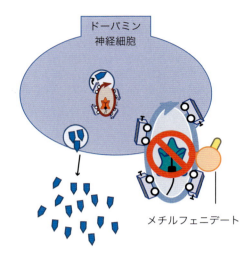
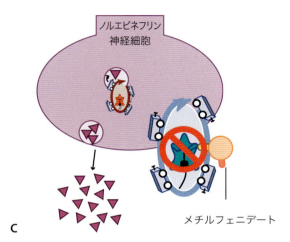

図11-29B　ドーパミン神経細胞でのメチルフェニデートの作用機序　メチルフェニデートは，アロステリック（ドーパミン（DA）結合部位とは異なるという意味）部位に結合することによりDAの神経終末への再取り込みを阻害する。メチルフェニデートは基本的にはトランスポーターを静止させ，DA再取り込みを阻害して，シナプスでのDA利用度を高めるようにする。

図11-29C　ノルエピネフリン神経細胞でのメチルフェニデートの作用機序　メチルフェニデートは，アロステリック〔ノルエピネフリン（NE）結合部位とは異なるという意味〕部位に結合することにより神経終末へのNEの再取り込みを阻害する。メチルフェニデートは基本的にはトランスポーターを静止させ，NE再取り込みを阻害して，シナプスでのNE利用度を高めるようにする。

amphetamineはNETやDATに対する**競合的阻害薬**で偽基質pseudosubstrateである（図11-32の左上）。つまり，モノアミンがトランスポーターに結合するのと**同じ**部位に結合し，ノルエピネフリンとドーパミンの再取り込みを阻害する（図11-32の左上）。ADHD治療に対して使用されるamphetamineの用量では，amphetamineとメチルフェニデートの臨床的な作用の違いは比較的わずかなことがある。しかし，精神刺激薬の嗜癖者が使用するような高用量のamphetamineでは，さらなるamphetamineの薬理作用が誘発される。DATの競合的阻害（図11-32の左上）の後には，amphetamineは実際ヒッチハイカーのようにシナプス前ドーパミン神経終末に輸送されてしまう。これはメチルフェニデートや，うつ病に使用される再取り込み阻害薬がもっていない作用である（図11-32の左上）。十分な量，例えば乱用のために摂取する用量の場合では，amphetamineはノルエピネフリンとドーパミン両方のシナプス小胞トランスポーター2（VMAT2）の競合的阻害薬にもなる（図11-32の右上）。いったんamphetamineがヒッチハイクしてシナプス小胞に乗り換えると，そこでドーパミンを追い出し，ドーパミンの大流出を引き起こす（図11-32の左下）。シナプス前神経細胞の細胞質にドーパミンが蓄積すると，DATの輸送方向を逆転させることで細胞内ドーパミンをシナプス間隙に漏出させ，またシナプス前チャネルも開口させてドーパミンをシナプス間隙にさらに大量に遊離させる（図11-32の右下）。これらの高用量amphetamineの薬理作用はADHDの治療作用には関係せず，amphetamine乱用における強化，報酬，多幸感などに関係する。速放性製剤の経口，経鼻，経静脈，あるいは吸煙などによる，高用量のamphetamine，メタンフェタミン，コカイン（もう1つのDAT阻害薬）の作用については，薬物乱用に関する第13章でさらに詳しく述べる。

amphetamineにはD体とL体の異性体がある（図11-30）。amphetamineのD体はDAT結合に対してL体よりも強力であるが，NET結合に対し

表11-1 D,L-メチルフェニデート製剤

製剤	製品名	作用時間	投与法	承認対象年齢
速放性錠	リタリン	早期に最高値，3〜4時間の持続	昼食時に2回目投与	6〜12歳および成人
速放性内用液	Methylin	早期に最高値，3〜4時間の持続	昼食時に2回目投与	6〜12歳
徐放性錠	Ritalin SR Methylin ER Metadate ER	早期に最高値，3〜8時間の持続	昼食時の投与が必要な場合あり	6歳以上
徐放性錠	コンサータ	低い早期の最高値，12時間の持続	1日1回朝投与	6歳以上
徐放性咀嚼錠	QuilliChew ER	5時間後に最高値，8時間の持続	1日1回朝投与	6歳以上
徐放性カプセル	Metadate CD	高い早期の最高値，8時間の持続	1日1回朝投与	6〜17歳
徐放性カプセル	Ritalin LA	2つの高い最高値(早期と4時間後)，6〜8時間の持続	1日1回朝投与	6〜17歳
徐放性カプセル	Aptensio XR	12時間以内の持続	1日1回朝投与	6歳以上
徐放性口腔内懸濁液	Quillivant XR	5時間後に最高値，12時間の持続	1日1回朝投与	6歳以上
徐放性経皮パッチ	Daytrana	7〜10間後に1つの最高値，12時間の持続	1日1回朝投与	6〜17歳
口腔内崩壊錠	Cotempla XR-ODT	12時間の持続	1日1回朝投与	6〜17歳
徐放性カプセル	Jornay PM	初期の吸収は10時間以内と遅れる，14時間後に単一の最高値	1日1回夕投与	6歳以上
徐放性カプセル	Adhansia XR	2つの最高値(1.5時間後と12時間後)	1日1回朝投与	6歳以上

表11-2 D-メチルフェニデート製剤

製剤	製品名	作用時間	投与法	承認対象年齢
速放性錠	Focalin	早期に最高値，4〜6時間の持続	昼食時に2回目投与	6〜17歳
徐放性カプセル	Focalin XR	2つの最高値(1.5時間後と6.5時間後)，8〜10時間の持続	1日1回朝投与	6〜17歳および成人

てはD-およびL-amphetamineは同程度に強力である。したがって，D-amphetamine製剤はNETよりもDATでの作用が比較的強い。一方，D-およびL-amphetamineの混合塩はD-amphetamineよりもNETでの作用が比較的強いが，全体としてはなおNETよりもDATでの作用が強い（図11-33）。精神刺激薬のこれらの薬理学的作用機序は，特にADHD治療で利用される低治療用量で現れはじめる。D-amphetamineはアミノ酸のリジンと結合した製剤としても発売されている（リスデキサンフェタミン，図11-31）。この製剤は胃で緩徐に活性型D-amphetamineに開裂してはじめて，急速ではなくゆっくりと吸収される。幅広いD,L-amphetamine製剤のリストを表11-3に，またD-amphetamine製剤のリストを表11-4に示した。

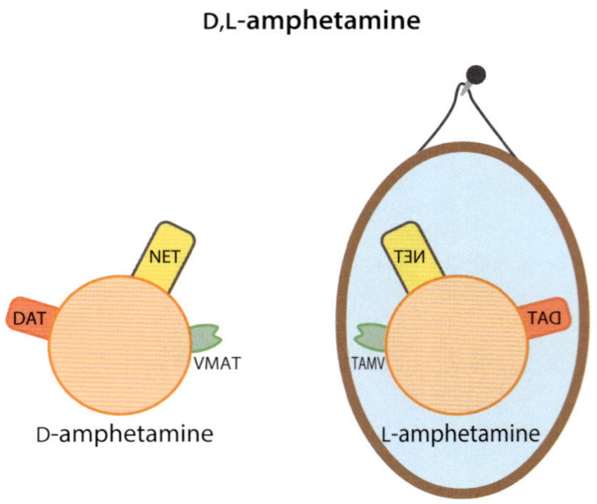

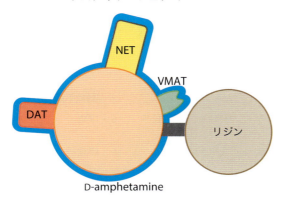

図11-30　D,L-amphetamine　amphetamineは，D体とL体の2つのエナンチオマーからなる。D,L-amphetamineとD-amphetamineは，どちらもドーパミントランスポーター（DAT），ノルエピネフリントランスポーター（NET）およびシナプス小胞モノアミントランスポーター（VMAT）の競合的阻害薬である。D-amphetamineはL体エナンチオマーよりもDAT結合に対する効力は大きいが，一方D体とL体のエナンチオマーはNET結合に対しては同じ効力をもつ。

図11-31　リスデキサンフェタミン　リスデキサンフェタミンはD-amphetamineのプロドラッグであり，アミノ酸であるリジンに結合している。胃において活性代謝物であるD-amphetamineと遊離のL-リジンに開裂してはじめて，D-amphetamineとして中枢性の作用をもつことになる。

DAT：ドーパミントランスポーター，NET：ノルエピネフリントランスポーター，VMAT：シナプス小胞モノアミントランスポーター

謎のDAT

　ドーパミントランスポーター（DAT）を標的とすることは，精神薬理学における他のどの部位を標的とするのとも異なる。同じDATを標的として得られる結果に，なぜそれほど多くの相違があるかという謎を解くには，少なくとも3つの部分が必要である。それは単にどうDATに的を絞るかによっている。DATを標的とすると，即時の治療作用（ADHDにおける作用と昼間の眠気），遅発性の治療作用（うつ病における作用），即時の乱用（多幸感，ハイな気分），遅発性の嗜癖などが生じることがあり，これらはすべてどのようにDATがかかわるかによって決まる。つまり，どのように早く，どのように長く，どのように強くかかわるかである。DATとドーパミンの神経生物学が理解できると，この謎を明らかにし，この部位の奇妙な特性の謎が解けるだけではなく，処方者は，臨床応用の意図にかかわらず，最善の結果を得るためにこの標的に対して最善の取り組みをすることができるようにもなる。

　まず，モノアミン神経伝達物質トランスポーターへの関与が，どのようにうつ病での治療作用の遅れをもたらし，この遅れが仮説上は神経栄養因子の生成など下流の分子的反応に関係していることを述べた（第6章で解説し図6-27でも示し，また第7章でも解説し図7-62に示した）。即時のドーパミン濃度の上昇（同時に起こるNET阻害によるノルエピネフリン濃度の上昇をしばしば伴う）は抗うつ効果に関連しない。その代わり，DAT（およびNET）は多かれ少なかれ絶え間なく治療濃度になければならない。その結果，神経伝達物質のシナプスでの濃度は十分な程度となり，遅発性の下流の分子的反応を引き起こし続け，通常これには数週間かかる。同様に，このような治療作用は，理論的にはうつ病で不足しているとされる持続性ドーパミン神経伝達の改善に関係しているのかもしれない。

　つぎに，この同じDATに関与することで，臨界閾値を超えた占拠率の達成により，ADHDや日中の眠気で即時の治療効果を発現させることができる。その治療作用はDAT占拠率がこの閾値

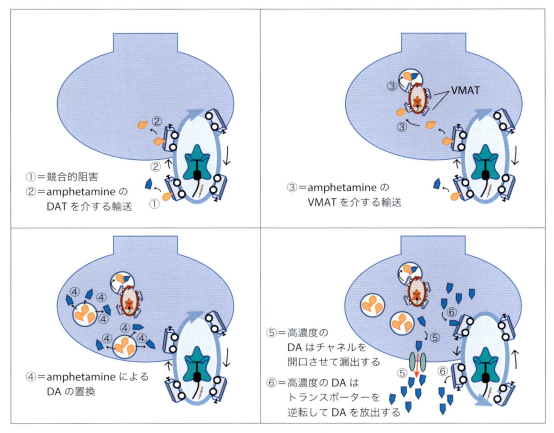

図11-32　ドーパミン神経細胞でのamphetamineの作用機序　amphetamineはドーパミントランスポーター（DAT）で競合的阻害薬として働き，ドーパミン（DA）の結合を阻害している（①）。これは，メチルフェニデートのDATやノルエピネフリントランスポーター（NET）での作用とは異なり，競合的ではない。また，amphetamineはシナプス小胞モノアミントランスポーター（VMAT）の競合的阻害薬（メチルフェニデートにはない特徴）でもあるので，DATを介してドーパミン神経終末に実際に取り込まれ（②），そこで小胞につめこまれる（③）。高濃度ではamphetamineは小胞からDAを追い出し，DAを神経終末に移動させる（④）。さらに，DAの臨界閾値に達すると，2つの機序によって神経終末から追い出される。1つは，チャネル開口によるシナプス間隙への大量遊離であり（⑤），もう1つは，DATの輸送方向の逆転である（⑥）。このDAの急速な遊離は，amphetamine使用後に経験する多幸効果を引き起こすことになる。amphetamineはノルエピネフリン神経細胞に対してもこれらと同じ作用をもっている。

以下に低下するやいなや即時に終了してしまう（図11-34A）。治療作用の即時の発現と終了というこの概念は，精神薬理学の他の領域でもみることができる。例えば，第10章で述べ図10-41Aで示した不眠の治療である。同じような考えをADHDの治療効果に対する最小閾値とともにここで示したが，おそらく約50～60％のDAT占拠率であろう。

臨界閾値を超えてADHDを標的とするDATのこの特性は顕著なために，製薬企業全体が，望まれる方法を用いて達成し，維持し，閾値以下に低下させる最善の方法を獲得しようとしている。メチルフェニデートとamphetamineという2つの精神刺激分子で現在臨床的に使用できるものは2ダース以上あり（表11-1～表11-4），さらにいくつか開発中である。それぞれの薬物は，対象患

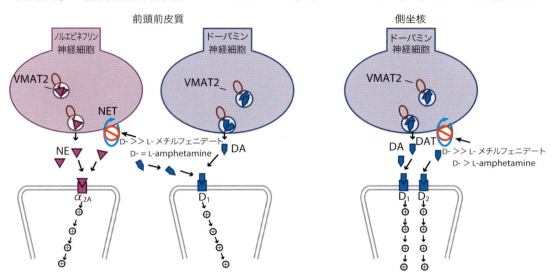

「緩徐投与」の精神刺激薬は持続性のノルエピネフリン（NE）とドーパミン（DA）シグナルを増強する

緩徐投与の精神刺激薬
OROS-メチルフェニデート，LA-メチルフェニデート，XR-D-メチルフェニデート，経皮メチルフェニデート，D-amphetamineスパンスル型製剤，XR-D,L amphetamine混合塩，D-amphetamineプロドラッグ（リスデキサンフェタミン）

図11-33　緩徐投与の精神刺激薬は持続性のノルエピネフリン（NE）とドーパミン（DA）シグナルを増強する
仮説上，薬物が乱用可能性をもつかどうかは，それがどのようにDA系の神経回路に作用するかによっている。言い換えれば，精神刺激薬の薬力学的および薬物動態学的特性は，治療特性だけでなく乱用可能性の特性にも影響を与える。精神刺激薬の経口徐放性製剤，メチルフェニデートの経皮パッチ，および新規のプロドラッグであるリスデキサンフェタミンはすべて「緩徐投与」の精神刺激薬であり，ADHDで減弱していると考えられる持続性のNEとDAシグナルを増強する可能性がある。これらの薬物は，前頭前皮質（PFC）のノルエピネフリントランスポーター（NET）と側坐核のドーパミントランスポーター（DAT）を阻害する。仮説上「緩徐投与」の精神刺激薬は，十分緩徐な立ちあがりで，またそれぞれシナプス後受容体である$α_{2A}$受容体とD_1受容体を介して，持続性のNEとDAシグナルを活性化するために十分な作用時間をもって，PFCのNETを占拠する。しかし，このときD_2受容体を介する相動性シグナルを増強させないように，側坐核ではDATを急速かつ広範に占拠しないことも重要である。後者は仮説上，乱用可能性の低下を示唆している。
VMAT2：シナプス小胞モノアミントランスポーター2

者のタイプに応じて理想的なDAT占拠率を得るために，理想的な薬物送達を獲得しようとしている（例えば，図11-34B）。このような薬物は通常，朝起きたときには急速に閾値以上の濃度を達成し，生産的な一日をすごすために必要な間はこのDAT占拠率にとどまるが，就寝時には閾値以下に低下するという形をとる。そして，それを1日1回の服用で行う。遅すぎると朝の症状（図11-34B），持続が短すぎると午後遅くから夕方の症状（図11-34B），持続が長すぎると午後遅くから夕方の副作用や不眠を引き起こす（図11-34C）。夕方の血清濃度が早く下がりすぎて，過活動と不眠が続いて起こるという反跳現象もある。睡眠作用でまさに述べたように，目標は「熱すぎず」（長すぎず，高すぎず，速すぎず），「冷たすぎず」（短すぎず，低すぎず），しかし「ちょうどよい」（図11-34A）という理想的な「ゴルディロックスの解決」であり，完全に実行された現実というよりもむしろ目標である。

すべての患者の毎日に適応する「万能」の精神刺激薬の送達特性はなく，すべての患者にとって理想的な単一の技法もない。そのため，利用できる多くの選択肢のなかから個々の患者に最適なものを探すのが賢明であろう（表11-1〜表11-4参

表11-3　D,L-amphetamine製剤

製剤	製品名	作用時間	投与法	承認対象年齢
速放性錠	Adderall	4〜6時間	昼食時に2回目投与	3歳以上
速放性錠	Evekeo	6時間	昼食時に2回目投与	3歳以上
徐放性口腔内崩壊錠	Adzenys XR-ODT	8〜12時間。5時間後に最高値	1日1回朝投与	6歳以上
徐放性経口懸濁液	Dyanavel XR	10〜12時間。4時間後に最高値	1日1回朝投与	6〜17歳
徐放性カプセル	Adderall XR	8〜12時間。6〜8時間後に最高値	1日1回朝投与	6歳以上
徐放性カプセル	Mydayis	16時間以内	1日1回朝投与	13歳以上
徐放性経口懸濁液	Adzenys ER	非公表	1日1回朝投与	6歳以上

表11-4　D-amphetamine製剤

製剤	製品名	作用時間	投与法	承認対象年齢
速放性錠	Zenzedi	4〜5時間	昼食時に2回目投与	3〜16歳
速放性内用液	ProCentra（以前はLiquadd）	4〜6時間	昼食時に2回目投与	3〜16歳
徐放性カプセル	Dexedrine	6〜8時間	1日1回朝投与	6〜16歳
リスデキサンフェタミンジメシル酸塩カプセル	ビバンセ	12時間以内。3.5時間後に最高値	1日1回朝投与	6〜17歳および成人

照）。6時間の持続と16時間の持続のどちらを望むか？　就寝前の夜の時間に強い効果と弱い効果のどちらを望むか？　多くのADHD患者は朝が苦手なので，朝の急速な作用開始と閾値以上の薬物で起床することのどちらを望むか？　これらのすべては現在使用できる剤形で達成可能である（表11-1〜表11-4）。個々の患者はそれぞれの反応を示し，同じ患者でも柔軟な生活スタイルに合わせるために，日によって違った反応を望むかもしれない。そして，これらすべては謎のDATと，ADHDにおける治療効果（および過剰な日中の眠気）の閾値によっている。おそらくこれらの治療作用は，慎重に制御された相動性ドーパミン神経伝達の増強に関連していると思われ，そこに持続性のドーパミン神経伝達の増強が伴い，その両者は理論的にはADHDと眠気において多少とも不足しているのであろう。

パズルの最後のピースについて述べる。ADHDと眠気に対して即時の治療効果をもたらし，うつ病に対しては遅延性の効果をもたらすDATという標的は，どのようにして治療目的の使用ではなく問題となるような薬物乱用を引き起こすのであろうか？　DATの機能は，どれくらいの速度で，どれくらい徹底的に，またどれくらいの持続時間でDATとかかわるかによって非常に異なっていることに気づくと，はじめてこれが理解できる（図11-35のパルス状作用と図11-33の持続性作用を比較せよ）。つまり，急速で高度のDAT占拠は多幸感を引き起こし，乱用や嗜癖の原因となる（図11-35，また第13章と図13-7も参照）。実際，より急速かつ徹底的にDATが阻害されるほど，薬物はより強化力をもち乱用しやすくなる。このことは，DAT阻害薬であるメチルフェニデート，モダフィニル，amphetamineにあてはまるだけ

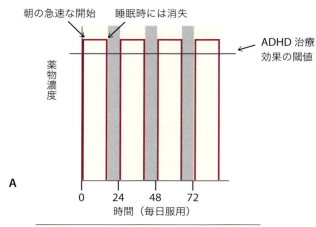
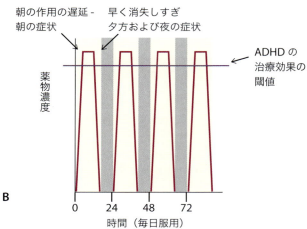
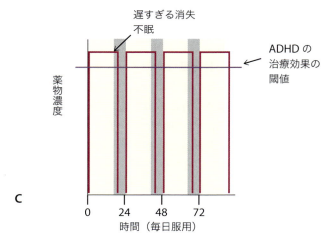

図 11-34　ドーパミントランスポーター（DAT）占拠率と治療効果　DAT阻害の治療効果は，占拠率が治療閾値の臨界点以上になることができるかどうかによっており，この閾値下に占拠率が下がるとすぐに治療効果がなくなる。ADHDにおける治療作用の開始に対する受容体占拠率の臨界閾値は50〜60％と思われる。閾値に達するための開始時点と，閾値以上にある持続時間はどちらも効果と忍容性にとって重要である。（**A**）理想的には治療的なDAT占拠を達成するための開始時点は覚醒後すぐであろう。この濃度は一日中臨界閾値内に保たれ，就寝時には閾値以下に低下する。（**B**）臨界閾値でDAT阻害の開始が遅れると，朝の症状を引き起こし，一方でDAT阻害の不適切な持続は夕方の症状を引き起こすことがある。（**C**）もしDAT阻害が臨界閾値内で長くとどまりすぎると，特に不眠など夕方の副作用を引き起こしてしまうことがある。

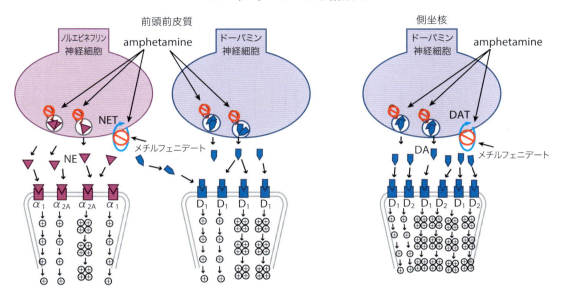

図11-35　パルス状投与の精神刺激薬は持続性および相動性のノルエピネフリン(NE)とドーパミン(DA)シグナルを増強する　仮説上，薬物が乱用可能性をもつかどうかは，それがどのようにDA系の神経回路に作用するかによっている。言い換えれば，精神刺激薬の薬力学的および薬物動態学的特性は，治療特性だけでなく乱用可能性の特性にも影響を与える。精神刺激薬の速放性経口製剤は，経静脈製剤や経鼻製剤，吸煙剤(これらはパルス状精神刺激薬と考えられる)と同様に，前頭前皮質(PFC)のノルエピネフリントランスポーター(NET)と側坐核のドーパミントランスポーター(DAT)を阻害することにより，NEとDA濃度を急速に上昇させる。側坐核におけるドーパミンの相動性神経発火の急激な増加は，多幸感と乱用に関連する。メチルフェニデートとamphetamineの速放性製剤の乱用可能性は，持続性だけでなく相動性のDAシグナル増強によっているのかもしれない。

でなく，同じくDAT阻害薬でもあるメタンフェタミンやコカインにもあてはまる。経口投与でDAT阻害薬を脳へ送ることはできるが，経鼻投与ほど速くはなく，経静脈投与ほど速くもなく，また確実に吸煙ほど速くない。高用量では，特にこれら他の投与法によると，徹底的で，破滅的で，突然のDAT阻害がもたらされる。急速なシナプスのドーパミンの増加(図11-35)は，より緩徐で，持続的で，低レベルのDAT占拠でみられるようなものとはまったく異なる(図11-33)。実際，ドーパミン濃度が非常に高くなるので，突然で，徹底的で，破滅的なDAT阻害により大量のドーパミン遊離に追加するため，DATはシナプス前終末外にドーパミンをふたたび輸送する可能性がある(本章で既述，図11-32の右下に示した)。したがって，より緩徐で慎重なDAT阻害の導入がどのように治療的になるのかを理解する一方で，同じ薬物が破滅的にもなりうることを理解することで，はじめてDAT阻害薬の最も賢明な投与ができるようになる。それも注意深く！　またDATをずさんに扱わないこと！　これで謎は解けたであろう。

緩徐放出と即時放出の精神刺激薬

　DATの謎が今や解決したことにもとづき，多くの薬物送達機序は，DATがどの程度，またどれ

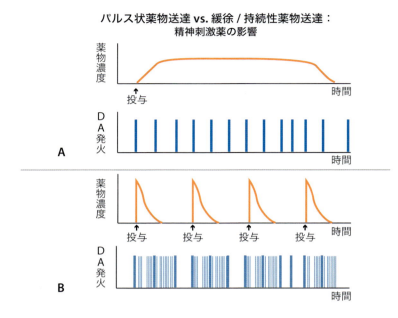

図11-36　パルス状 vs. 緩徐および持続性薬物送達　治療薬となるか，あるいは乱用薬となるかという精神刺激薬の違いは，作用機序にあるのではなく，投与経路と投与量にある。つまり，ドーパミントランスポーター（DAT）阻害の開始時点と作用時間にある。(**A**)患者を治療するために精神刺激薬を使うときには，立ちあがりが緩徐で，一定で，安定した薬物濃度を得るようにするのが望ましいであろう。このような場合は，ドーパミン（DA）の発火パターンは持続性かつ規則的で，DA濃度の浮動性変化に左右されない。(**B**)パルス状発火は，特に強化的な学習やセイリエンスに関係するときには有益なこともある。しかし，過剰なDAはストレス下でのDAの作用，あるいは最高用量での薬物乱用に似た作用を示す。持続的なDA投与とは異なり，パルス状のDA投与は，高度に強化的で享楽的な薬物乱用作用をもたらし，さらに強迫的な使用や嗜癖に至るかもしれない。

くらい長く阻害されているかだけでなく，どの程度素早く阻害されるかを調節するように設計されている。これらはすべて，ADHDで治療効果を最大化し，乱用と副作用を最小化するためである（図11-36，表11-1〜表11-4）。目標は，低〜中くらいの持続的な薬物送達によって，相動性ドーパミン神経伝達を増強することである（図11-36A）。これは，ちょっと危ない火遊びになるかもしれないと認識しながら，多くは持続性ドーパミン発火を増加させ，相動性ドーパミン発火は慎重に増やすだけにしようとしているのである。薬物乱用の状況でパルス状の薬物送達によって生じるような火傷をしないように（図11-36Bを参照），乱用や嗜癖に至るような相動性ドーパミン神経伝達で悲惨な増加をもたらさないように，持続性および相動性ドーパミン神経伝達物質の慎重かつ治療的な改善を達成しようとするには，持続的な送達こそが望まれる。したがって，精神刺激薬の放出制御製剤は薬物濃度をゆっくり上昇させ，一定にし，定常状態を保つことができる（図11-33，図11-34A，図11-36A）。このような状況では，ドーパミンの発火様式は理論的にはほとんど持続性，規則的で，ドーパミンの浮動性変化に左右されない。学習やセイリエンス salience の強化に関係するときには，パルス状の発火でもよい（図11-10）。しかし，図11-15と図11-16に示したように，ドーパミン刺激が逆U字曲線に沿い，その結果，過剰なドーパミンはストレス下での高用量のドーパミンに似た作用（図11-14）を示し，また最高用量では薬物乱用（図11-36B）に似た作用を示す。このように，ドーパミンの即時の遊離を引き起こすパルス状の薬物投与は，放出制御製剤と異なり，特に十分な高用量かつ急速な投与法では，高度に強化的で享楽的な薬物乱用作用を引き起こす可能性がある。このような理由で速放性の中枢刺激薬の利用は，特に青年や成人では，しだいに避けられるようになってきている。

同様に重要なことは，図11-33に示したよう

に，「緩徐投与」の精神刺激薬は，ADHDにおける治療目的の使用に対してDATを精神刺激薬が占拠する強度，程度，および持続時間を最適化するだけでなく，ADHDにおける治療目的の使用に対してNETが緩徐に占拠されることを利用している。ADHD（および眠気）における精神刺激薬の最適な精神薬理学的使用は，多くは望ましくないが，DATへの効果をおもに得ようと投与量を増加させることではなく，NETとDATの両者を標的とすることである。ADHDに対する最適化とは，DATを標的にすることだけではない。十分に緩徐な立ちあがりで，α_{2A}受容体を介する持続性ノルエピネフリンシグナルを十分に長い時間にわたって増強させ，十分な量の前頭前皮質のNETを占拠することを標的とすることでもある（第7章で論じ，NET阻害がノルエピネフリン作用を増強するようすを図7-33で示した）。第7章で説明し図7-33で示したように，NET阻害は前頭前皮質ではD_1受容体を介してドーパミンシグナルの増強も引き起こすことがある。これによって，特に側坐核ではD_2受容体を介した相動性シグナルを増強させないよう，より少ない謎のDATを注意深く占拠することによって，ADHDにおいて好ましい効果を生じさせることができる（図11-35，図11-36）。

まとめると，ADHD患者の治療的改善は，精神刺激薬がNETとDATの占拠をどれくらいの速度で，どれくらいの程度，どれくらいの時間占拠するかに左右されると思われる。緩徐な立ちあがり，確実に効果は現れるが飽和レベル以下の薬物濃度，低下および減弱しない長時間作用というように，理想的な状態に調節されているときには，患者はADHD症状の改善および数時間の症状緩和，しかし多幸感を伴わないという理想的な利益が得られる（図11-34，図11-36）。

ADHDのノルエピネフリン作動性治療薬

アトモキセチン

アトモキセチン（図11-37）は選択的ノルエピネフリン再取り込み阻害薬norepinephrine reuptake inhibitor（NRI）である。NET阻害薬とも呼ばれ，選択的NRIは既知の抗うつ薬の特性を有している（第7章参照）。ADHDにおける治療的作用機序に関しては，本章でNETに作用する中枢刺激薬について説明したことと，また第7章でうつ病治療に用いられる薬物を説明し図7-33で示したことと，ちょうど同じである。前頭前皮質のNET阻害は前頭前皮質のドーパミンとノルエピネフリンの両方を増加させ（図11-38），これが，NET阻害薬がADHDに働くと考えられている理由である。しかし，側坐核ではノルエピネフリン神経細胞とNETが少ないので，そこではNET阻害はノルエピネフリンとドーパミンどちらの上昇も引き起こさない（図11-38）。これが，NETが強化作用，乱用，嗜癖などの可能性をもたないと考えられる理由である。

bupropionは弱いNRIかつ弱いDAT阻害薬であり，ノルエピネフリン・ドーパミン再取り込み阻害薬norepinephrine–dopamine reuptake inhibitor（NDRI）として知られている。これについては，第7章のうつ病の治療で述べ，図7-34〜図7-36に示した（図11-37も参照）。desipramineやノルトリプチリンなどいくつかの三環系抗うつ薬tricyclic antidepressant（TCA）は，注目すべきNRI作用をもっている。NRIの特性をもつこれらの薬物はすべてADHDの治療に使用されているが，成功率はさまざまである。このうち，アトモキセチンだけが詳しく調べられ，小児と成人での使用が承認されている。

ノルエピネフリンとドーパミンの過剰な相動性遊離に関連すると考えられる，ストレスや併存症をもつADHD患者におけるアトモキセチンの作用仮説は，図11-11と図11-12の未治療の状態と，図11-39でのアトモキセチンによる長期治療後に理論的にみられる変化を比較して概念的に示した。つまり，慢性ストレスや併存症に伴う障害に関連するADHDは，理論的にはノルエピネフリンとドーパミンの過剰な相動性活動を生じさせる前頭前皮質でのノルエピネフリンとドーパミン回路の過活動によって引き起こされている（図11-13）。アトモキセチンによって，緩徐な立ちあ

アトモキセチンと bupropion の分子作用の比較

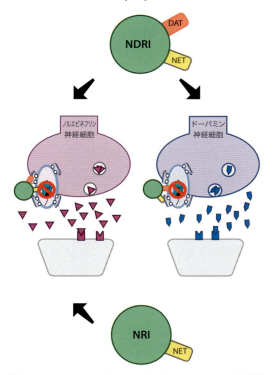

図11-37　アトモキセチンと bupropion の分子作用の比較　アトモキセチンは選択的ノルエピネフリン再取り込み阻害薬（NRI）であるが，bupropion はノルエピネフリン・ドーパミン再取り込み阻害薬（NDRI）である。どちらの薬物も前頭前皮質（PFC）におけるノルエピネフリントランスポーター（NET）を阻害し，その部位でノルエピネフリン（NE）とドーパミン（DA）の両方の増加を引き起こす（NET は DA も輸送するからである）。NDRI はドーパミントランスポーター（DAT）も阻害するが，DAT は PFC には存在せず側坐核に存在する。

NRI 作用は24時間の症状緩和をもたらす。この作用は，選択的セロトニン再取り込み阻害薬 selective serotonin reuptake inhibitor（SSRI）やセロトニン・ノルエピネフリン再取り込み阻害薬 serotonin-norepinephrine reuptake inhibitor（SNRI）のうつ病や不安の治療に対する作用とほとんど同じである。通常，短期試験では選択的 NRI は精神刺激薬よりも ADHD 症状を軽減する効果量 effect size は小さく，特に併存症のない患者では小さい。しかし，精神刺激薬によって治療されたことのない ADHD 患者，あるいは長期治療（8～12週以上）されていた ADHD 患者では，必ずしも NRI が精神刺激薬に劣るわけではない。複雑な併存症や副作用をもつか，精神刺激薬に反応しない患者では，NRI は精神刺激薬よりも実際は望ましいかもしれない。

α_{2A} アゴニスト

ノルエピネフリン受容体については第6章で述べ，図6-14～図6-16 に示した。α 受容体のサブタイプは，通常 α_{2A} サブタイプであるシナプス前自己受容体（図6-14）から，シナプス後 α_{2A}, α_{2B}, α_{2C} および α_1 サブタイプである α_{1A}, α_{1B}, α_{1D}（図6-14～図6-16）まで数多くある。α_{2A} 受容体は中枢神経系に広く分布し，皮質と青斑核に多い。これらの受容体は，ADHD の不注意，多動性，衝動性などの症状を調節する前頭前皮質におけるノルエピネフリンの作用の一次メディエータと考えられている。α_{2B} 受容体は視床に多く，ノルエピネフリンの鎮静作用に重要であろう。一方，α_{2C} 受容体は線条体で最も多い。α_1 受容体は通常，α_2 と逆の作用をもち，ノルエピネフリン遊離が低度から中等度のとき（つまり，通常の注意の状態）には α_2 の作用が優勢であるが，（例えば，ストレスや併存症と関連して）ノルエピネフリン遊離が大きいときには，ノルエピネフリンシナプスでは α_1 の作用が優勢であり，これが認知障害の一因となっている。このように，選択的 NRI は低用量では，まずシナプス後 α_{2A} 受容体で活性をあげ，認知能力を高めるが，高用量では過剰なノルエピネフリンによりシナプスが無力になり，鎮

がりで長期間，基本的に絶え間なく前頭前皮質の NET が阻害されると，理論的には持続性のシナプス後 D_1 および α_{2A} アドレナリン作動性シグナルが回復し，相動性ノルエピネフリンとドーパミン作用がダウンレギュレートされ，シナプス後ノルエピネフリンとドーパミン受容体が脱感作される（図11-39）。その起こりうる結果は，ADHD 症状の改善に伴うストレスの低下である。もしそうであれば，ADHD 症状の減少は不安や抑うつや大量飲酒の減少も伴う可能性がある。治療作用が血漿中の薬物濃度や瞬間的な NET/DAT 占拠に左右される精神刺激薬の使用とは異なり，長期の

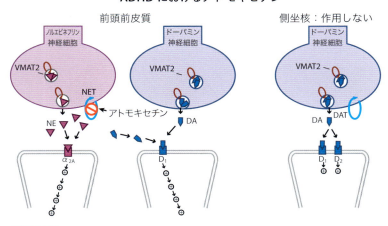

図11-38 前頭前皮質(PFC)のノルエピネフリン(NE)とドーパミン(DA)シグナルの減弱を伴うADHDにおけるアトモキセチン　アトモキセチンはノルエピネフリントランスポーター(NET)阻害により，PFCでのNEとDAの増加を引き起こす。この部位では，これら両方の神経伝達物質の不活性化はほとんどNET(左)によっている。同時に，側坐核では比較的NETが乏しいので，アトモキセチンはこの脳部位でのNEやDAの濃度の上昇を引き起こさず，そのため乱用のリスクが低い(右)。他のNET阻害薬も同じ効果が期待できるかもしれない。
DAT：ドーパミントランスポーター，NDRI：ノルエピネフリン・ドーパミン再取り込み阻害薬，NRI：ノルエピネフリン再取り込み阻害薬，SNRI：セロトニン・ノルエピネフリン再取り込み阻害薬，TCA：三環系抗うつ薬，VMAT2：シナプス小胞モノアミントランスポーター2

静や認知障害，あるいはその両者を引き起こすかもしれない。選択的NRIに対してこのような反応を示す患者では，減量でよくなるかもしれない。α_2受容体は前頭前皮質に高密度に存在するが，側坐核にはわずかしか存在しない。

ADHD治療に使用され，α_2受容体に直接作用する2つのアゴニストには，グアンファシン(図11-40)とクロニジン(図11-41)がある。グアンファシンは比較的α_{2A}受容体により選択的である(図11-40)。最近，グアンファシンには放出制御製剤であるグアンファシン徐放錠が開発された。これは，1日1回投与で，グアンファシンの速放性製剤よりも最高値時の副作用が小さくなっている。グアンファシンの放出制御製剤だけがADHD治療に承認されている[*1]。クロニジンはα_{2A}，α_{2B}，α_{2C}受容体への作用のある，比較的非選択的なα_2アゴニストである(図11-41)。さらに，クロニジンはイミダゾリン受容体への作用もあり，これはある程度クロニジンの鎮静作用および血圧降下作用に関連していると考えられている(図11-41)。α_{2A}受容体でのクロニジンの作用はADHDの治療可能性を示すが，それ以外の受容体での作用は副作用を増加させるかもしれない。クロニジンは高血圧に対して承認されているが，クロニジン放出制御製剤だけがADHDに対して承認されている。クロニジンとグアンファシンの両者は，特に放出制御製剤では，素行症，反抗挑発症，Tourette症候群に対して「適応外」で使用される。クロニジンと異なり，グアンファシンはα_{2B}やα_{2C}受容体に比べてα_{2A}受容体に15～60倍選択的である。さらに，グアンファシンはクロニジンに比べ，鎮静作用や血圧降下作用は10倍弱いが，前頭前皮質の機能亢進に対しては25倍強力である。クロニジンとグアンファシン両者の治療上の利点は，仮説上は前頭前皮質のシナプス後受容体での薬物の直接作用に関連している。この作用により，神経回路網への入力の強化と，図11-42と図11-43に示すような行動の改善がもたらされる。

[*1]訳注：わが国で承認されているインチュニブ®はこのグアンファシン徐放製剤である。

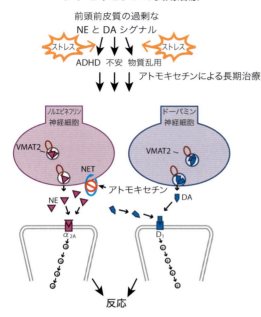

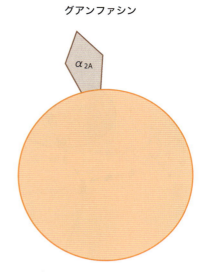

図11-40　**グアンファシン**　グアンファシンはα_{2A}受容体アゴニストである。特にグアンファシンはα_{2A}受容体に対し，α_{2B}とα_{2C}受容体と比べ15～60倍選択的である。

図11-39　**過剰なシグナルを伴うADHDにおけるアトモキセチンの長期治療**　慢性のストレスや併存症と関連する病態につながっているADHDは，理論上は過剰に活動的なノルエピネフリンとドーパミン神経回路によって引き起こされる。持続的なノルエピネフリントランスポーター（NET）阻害は，持続性のシナプス後D_1およびα_{2A}受容体の信号を回復させ，相動性のノルエピネフリン（NE）とドーパミン（DA）活動をダウンレギュレートし，シナプス後ノルエピネフリンとドーパミン受容体を脱感作する。

VMAT2：シナプス小胞モノアミントランスポーター2

α_2アゴニスト単剤療法の最適な候補はどのような患者であろうか？　仮説上一部の患者ではADHDの症状は，ドーパミン神経伝達の障害はないが，前頭前皮質のノルエピネフリン濃度が低いことにより生じている可能性がある（図11-43A）。このため乱雑なシグナルが背後のノイズで失われてしまう。これは行動上，多動性，衝動性，不注意などとしてみられることがある（図11-43A）。この場合，選択的α_{2A}アゴニストによる治療は，直接的なシナプス後受容体刺激を介してシグナルを増強させ，それが患者に転換されることで，患者は集中すること，静かに座ること，適切に行動することができるようになるのであろ

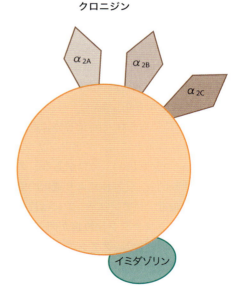

図11-41　**クロニジン**　クロニジンはα_2受容体アゴニストである。クロニジンは非選択的であるため，α_{2A}，α_{2B}，α_{2C}受容体に結合する。さらにクロニジンはイミダゾリン受容体にも結合し，これは鎮静作用や血圧降下作用を引き起こす一因になっている。

クロニジンとグアンファシンの作用機序と3つのα_2受容体への作用

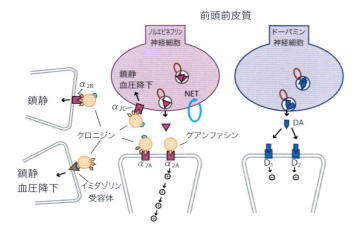

図11-42 クロニジンとグアンファシンの作用機序 α_2受容体は前頭前皮質（PFC）には高密度に存在するが，側坐核にはわずかしか存在しない。α_2受容体は3つのサブタイプに分けられる。すなわち，α_{2A}，α_{2B}，α_{2C}受容体である。PFCで最もよくみられるサブタイプはα_{2A}受容体である。α_{2B}受容体はおもに視床に局在し，鎮静作用に関連している。α_{2C}受容体は青斑核に局在し，PFCにはわずかしかない。血圧降下作用に関連する他，鎮静作用とも関係がある。ADHDでは，クロニジンとグアンファシンは，シナプス後受容体を刺激することによって，ノルエピネフリン（NE）による神経伝達を正常レベルに増加させることができる。シナプス後ドーパミン受容体への作用がないことは，乱用可能性がないことと同義である。
DA：ドーパミン

ADHDにおけるα_{2A}アゴニストの作用

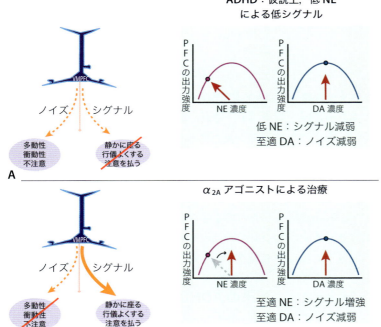

図11-43 ADHDにおけるα_{2A}アゴニストの作用 （A）ADHDの症状は仮説上，ドーパミン（DA）による神経伝達の障害はないが，前頭前皮質（PFC）のノルエピネフリン（NE）濃度が低いことにより生じている可能性がある。結果として乱雑なシグナルが生じ，多動性，衝動性，不注意などとして現れることがある。（B）選択的α_{2A}アゴニストによる治療では，直接的なシナプス後受容体刺激を介してシグナルを増強させることで，結果として患者は静かに座り注意を集中することができるようになるであろう。

ADHDと反抗性疾患をどのように治療するか？

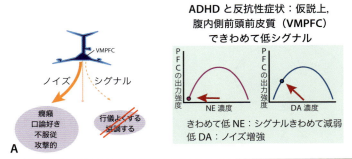

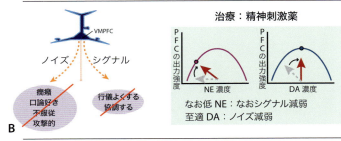

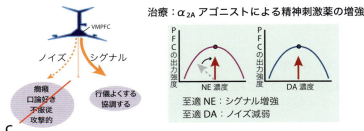

図11-44　ADHDと反抗性症状をどのように治療するか？
口論好き，不服従，攻撃的な行動は，しばしばADHDと反抗性症状をもつ患者に認められる。(A) これらの行動は，理論的には一部の患者で腹内側前頭前皮質（VMPFC）におけるきわめて低濃度のノルエピネフリン（NE）と低濃度のドーパミン（DA）を原因とする可能性がある。そのため，シグナルはきわめて減弱し，ノイズは増強してしまう。(B) 精神刺激薬による治療はノイズを減弱させるかもしれないが，高度のNE低下を改善することはない。したがって，部分的に行動を改善するだけである。(C) $α_{2A}$アゴニストによる精神刺激薬の増強により，NE濃度を最適化することで，すでに最適化されているDA出力に加えてシグナルを増強することができる。

う（図11-43B）。現時点では，グアンファシン徐放製剤を経験的に使ってみる以外に，あらかじめこれらの患者を同定する方法はない。

ADHDや反抗性症状をもつ患者は，口論好きで，不服従で，攻撃的であり，癲癇を起こしやすい（図11-8，図11-44A）。これらの症状は仮説上，腹内側前頭前皮質 ventromedial prefrontal cortex（VMPFC）におけるきわめて低濃度のノルエピネフリンと低濃度のドーパミンに関連しており，そのためシグナルはきわめて減弱し，ノイズは増強してしまっている（図11-44A）。精神刺激薬による治療はノイズを減弱させることにより状況を改善するが，仮説上高度のノルエピネフリン低下を解決することはなく（図11-44B），したがって部分的に行動を改善するだけである。$α_{2A}$アゴニストによる精神刺激薬の増強により（図11-44C），仮説上はノルエピネフリン濃度が最適化され，それによりすでに最適化されているドーパミン出力に加えてシグナルを増強することで，問題を解決できるかもしれない。行動上はこれにより患者は協力的になり，適切な行動が仮説上とれるようになる可能性がある。精神刺激薬では十分な反応を示さない患者に対して，グアンファシン徐放錠は増強薬として承認されており[*2]，特に反抗性症状をもつ患者に有用かもしれない。

将来のADHDの治療

amphetamineとメチルフェニデートに対する薬物送達の新しい技術は進化し続けている。これらのほとんどは開発途中である。それは，そうす

[*2]訳注：わが国では増強薬としての承認はない。

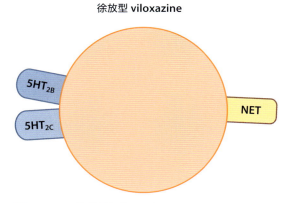

図11-45　徐放型viloxazine　viloxazineはノルエピネフリントランスポーター（NET）の阻害薬であり，またセロトニン2B（5HT$_{2B}$）とセロトニン2C（5HT$_{2C}$）受容体にも作用する。放出制御製剤がADHDに対して臨床開発の後期段階にある。

れば望まれる治療作用の持続時間をカスタマイズできるからであり，また特許を取り商品化できるからである。放出制御製剤の新しい一面は，吸入・経鼻・吸煙・注射のための粉末化をさせまいとするマトリックスで製剤を作る可能性があることである。

viloxazineと呼ばれる選択的NRI（図11-45）は，うつ病治療に対して海外では販売されていたものの米国では販売されなかったが，ADHDにおける使用に対し放出制御製剤としてふたたび開発されており，現在ADHDに対して臨床開発の後期段階にある。

DAT阻害薬であるマジンドールは，かつて食欲抑制のために承認されたが，試験中である。同様に，三重（セロトニン-ノルエピネフリン-ドーパミン）再取り込み阻害薬であるcentanafadineも試験中である。

まとめ

　注意欠如・多動症（ADHD）の中核症状には，不注意，多動性，衝動性があり，理論的には前頭前皮質における神経回路の特異的な機能不全に関連している。ADHDは前頭前皮質におけるノルエピネフリンとドーパミンの調節不全障害とも概念化することができ，そこにはノルエピネフリンとドーパミンが不足している患者もいれば，過剰なノルエピネフリンとドーパミンをもつ患者もいる。理論的には，治療は患者の前頭前皮質の回路における情報処理を正常に戻すことによる。小児と成人のADHDの間には違いがあり，これら2群の患者をどのように治療するかには特別に配慮することがある。薬力学および薬物動態学の見地から，ADHDに対する精神刺激薬の作用機序を詳細に述べた。治療の目標は，精神刺激薬の送達速度，トランスポーター占拠の程度，精神刺激薬によるトランスポーター占拠の持続時間などを調節することにより，相動性でない持続性のノルエピネフリンとドーパミンの作用を増強することである。アトモキセチンなどの選択的ノルエピネフリン再取り込み阻害薬（NRI）の理論的な作用機序や，慢性ストレスや併存症を伴う成人患者におけるこれらの薬物の有用性などについても述べた。新規のα_{2A}アゴニストの作用機序についても紹介した。

（訳　仙波純一）

12章 認知症：原因，対症療法，および神経伝達物質ネットワーク（アセチルコリン）

- 認知症：診断と原因—534
  - 認知症とは？—534
  - 軽度認知障害（MCI）とは？—534
  - 認知症の4つの主要原因疾患—535
- Aβを標的とするAlzheimer病の疾患修飾療法の探求—542
  - アミロイドカスケード仮説—542
  - アミロイドカスケード仮説とAβ標的治療の現状—546
- 遅きに失する前にAlzheimer病を診断する—547
  - 第1期（前症候期）—547
  - 第2期（軽度認知障害（MCI））—547
  - 第3期（認知症）—551
- 認知症の対症療法の概要—551
- アセチルコリンを標的とするAlzheimer病の記憶および認知に対する対症療法—552
  - アセチルコリン：合成，代謝，受容体，経路—553
  - アセチルコリンエステラーゼを阻害することによるAlzheimer病の記憶および認知に対する対症療法—557
- グルタミン酸を標的とするAlzheimer病の記憶および認知に対する対症療法—561
  - メマンチン—563
- 認知症の行動症状に対する治療—570
  - Alzheimer病でみられる焦燥性興奮と精神病症状の定義—570
- 認知症でみられる精神病症状および焦燥性興奮の薬物療法—571
  - セロトニンを標的とする認知症関連精神病症状の対症療法—572
  - Alzheimer病でみられる焦燥性興奮の神経回路—576
  - 多様な神経伝達物質（ノルエピネフリン，セロトニン，ドーパミン）を標的とするAlzheimer病の焦燥性興奮に対する対症療法—580
  - グルタミン酸を標的とするAlzheimer病の焦燥性興奮に対する対症療法—580
  - 認知症でみられる抑うつの治療—582
  - 情動調節障害（病的泣き笑い）—584
  - アパシー—584
  - 認知症の行動症状に対するその他の治療法—586
- まとめ—586

本章では，認知症のさまざまな原因とその病理，最新の診断基準およびバイオマーカーが臨床，特にAlzheimer病の臨床においてどのように取り入れられつつあるかなどについて概観する。詳細な臨床記述や病理学的所見，および種々の認知症を診断するための正式な診断基準については，標準的な参考書を参照されたい。本章では，さまざまな病理学的メカニズムが，異なる認知症においてどのように脳の神経回路や神経伝達物質を損傷するかということに重点をおく。また，こういった脳神経回路の損傷が認知症のさまざまな症状といかに関連しているか，また，これらの神経回路とその神経伝達物質を標的にする薬物がいかに症状の改善をもたらすかといったことについても，記憶，精神病症状および焦燥性興奮などに重点をおいて示すつもりである。本章の目標は，認知症の臨床的および生物学的側面とともに，種々の承認薬による現在の治療法や台頭しつつある薬物による治療法について理解することである。認知症の原因となっている病理学的過程を，

遅延，停止，あるいはもとに戻すことができる可能性を秘めた疾患修飾療法の開発については希望が薄れてしまったが，いくつかの新たな治療法は，精神病症状や焦燥性興奮など，認知症患者の数が爆発的に増えるとともによりいっそう問題になっている認知症の行動症状を改善する。したがって，本章では認知症の症状の生物学的基盤と精神科学的薬物による治療，およびこれらの症状の治療薬の作用機序などに力点をおいた。薬物の投与量や副作用，薬物相互作用，その他臨床においてこれらを処方する際の関連事項については，薬物療法の標準的な参考書を参照されたい（『精神科治療薬の考え方と使い方』など）。

認知症：診断と原因

認知症とは？

「認知症」という用語は，通常の活動を行う能力に支障をきたし，もともとの機能レベルからの明らかな低下を引き起こすほどの認知および神経精神症状を意味する（表12-1）。これらの症状には，認知障害，記憶障害，論理的思考能力の障害，視空間認知障害，言語およびコミュニケーションの障害，精神病症状や焦燥性興奮などの行動症状などが含まれる（表12-1）。

軽度認知障害（MCI）とは？

軽度認知障害mild cognitive impairment（MCI）はしばしば認知症と混同される。MCIは多くの場合，認知症の前駆状態ではあるが，MCIそのものは認知症ではない（図12-1，表12-1）。MCIは単に軽度の認知機能低下を意味しており，日常生活で活動を行う能力に有意な影響を及ぼすには至っていない。また，すべてのMCI患者が認知症に進展するわけではない。実際のところ，正常老化に対してMCIとは何であるのかについては，大いに論議されている。バイオマーカーおよび神経画像研究が将来この問題に決着をつけてくれることを期待する。純粋に臨床的な観点からは，地域在住高齢者の半数以上は，4つの自覚的な記憶力の衰えを訴えている〔subjective memory complaints（SMCs）〕。すなわち，自身の5年あるいは10年前の機能レベルに比べて，(1)名前を記憶する，(2)正しい言葉をみいだす，(3)物のおき場所を記憶する，(4)集中する，といった能力の低下を自覚している。こういった訴えが，明らかな認知症，うつ病，不安症，睡眠覚醒障害，疼痛性障害，注意欠如・多動症（ADHD）などがないなかでみられた場合，多くの専門家はこれをMCIとする。MCIという用語を，Alzheimer病の最も早期の段階（「前認知症期Alzheimer病」，「Alzheimer病によるMCI」，「前駆期Alzheimer病」）に限って使っている専門家もいる。しかし，現時点ではSMCsを有するもののなかでAlzheimer病に進展するものとそうでないものとを判別することは不可能である。このように，MCIは，SMCsのあらゆる原因を包括する用語として使われる傾向がある。バイオマーカーを用いて，正常老化とうつ病のような可逆的な状態を判別する試みや，正常老化とAlzheimer病や他の認知症に進展するものを判別する試みがなされている。バイオマーカーを用いず臨床情報だけにもとづく研究によれば，年間6〜15％のMCI患者が認知症に移行することが示されている。また，5年後には約半数が認知症の診断基準を満たし，10年後あるいは剖検時には最大80％がAlzheimer病であると判明するであろう。このように，MCIは必ずしも認知症の前駆状態とはいえないが，多くの場合はそうである。可逆的で治療可能なMCIの原因については，精査のうえ適切に診断し，可能であれば治療すべ

表12-1　あらゆる原因による認知症の診断

あらゆる原因による認知症
● 通常の活動を行う能力に支障をきたす認知および神経精神症状
● もともとの機能レベルからの低下
● せん妄や主要な精神疾患によっては説明されない
● 神経心理検査や情報提供者をつうじて認知障害が診断される
● 認知障害は，以下のうち2つを含んでいる 　○ 新しい情報を獲得し保持する能力の障害 　○ 論理的思考の障害 　○ 視空間認知障害 　○ 人格や行動の変化

軽度認知障害（MCI）

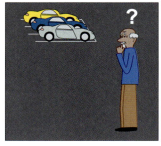

65歳以上の
15〜20%が
MCIを有する

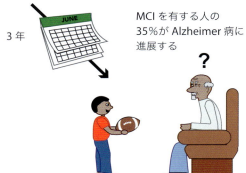

3年

MCIを有する人の
35%がAlzheimer病に
進展する

図12-1　軽度認知障害（MCI）
多くの高齢者は記憶の衰えを自覚している。そのなかには、日常生活活動を行う能力に有意な影響を及ぼすに至らず、認知症の診断基準を満たさない軽度認知障害（MCI）を有する一群がある。MCIがAlzheimer病の前駆期に相当することは明らかであるが、すべてのMCI患者がAlzheimer病に進展するわけではない。実際、認知障害がみられるものの多くは精神疾患（うつ病など）や睡眠障害に罹患している可能性がある。MCIの人は、3年間で約35%がAlzheimer病に進展する。

きである。

認知症の4つの主要原因疾患

全世界で3,500万人以上の人が何らかの認知症を有しており、その数は急速に増加している。異なる病理学的背景をもつ数多くの認知症原因疾患があるが、これらはすべて重なり合うと同時に独特な臨床的特徴（表12-2）と神経画像所見（表12-3）を有する。4つの主要原因疾患としては、Alzheimer病、血管性認知症、Lewy小体型認知症、前頭側頭型認知症（FTD）があげられる（表12-2，表12-3）。

Alzheimer病

Alzheimer病は、認知症の原因疾患として最もよくみられ、患者や家族、介護者および経済状況に甚大な結果をもたらすことから、ほぼ間違いなく加齢に関連する最も破壊的な疾患といえる。現在540万人の米国人がAlzheimer病に罹患しており、2050年までにはこの数が倍以上の1,400万人になると推定されている。剖検時にみられるAlzheimer病脳の病理学的特徴は、つぎの3点である。(1)凝集して老人斑を形成するアミロイドβ（Aβ）、(2)過剰リン酸化タウからなる神経原線維変化、(3)神経細胞脱落（図12-2）。神経細胞脱落はしばしば非常に高度であるため、剖検時の脳で肉眼的に認めることができる（図12-3）。

Alzheimer病でみられる神経細胞脱落は、フルオロデオキシグルコース陽電子放出断層撮影 ^{18}F-2-deoxy-D-glucose positron emission tomography（FDG-PET）を用いて患者脳の糖代謝を測定することにより検出することができる。正常対照群では、脳全体でしっかり保たれた糖代謝がみられるが、軽度認知障害（MCI）では、側頭頭頂皮質などの脳の後方領域で糖代謝の低下が認められる（図12-4）。病気が進行してAlzheimer病を発症すると、後方領域での糖代謝低下がよりいっそう明らかになる（図12-4）。Alzheimer病の進行に伴う糖代謝の悪化は、側頭頭頂皮質のような重要な脳領域で神経変性が進んでいることを反映して

表12-2　鑑別診断：臨床所見

MCI	Alzheimer病	血管性認知症	LBD	FTD
● 精神的処理速度や選択反応時間の低下 ● 軽度で一貫しておらず，機能的障害と関連しない良性の健忘	● 近時記憶障害† ● 実行機能障害 ● 日常生活動作の障害 ● 時間および場所の見当識障害 ● 言語障害 ● 人格変化	● 抽象思考，心的柔軟性，処理速度およびワーキングメモリーの障害 ● 言語性記憶は比較的保たれている ● 認知機能低下はより緩徐 ● 卒中発作後数ヵ月以内に認知症発症	● 幻視 ● 特発性パーキンソニズム ● 認知の変動 ● 視空間認知，注意および実行機能の低下 ● 記憶障害はさほど重度ではない ● 早期にみられる精神病症状や人格変化 ● レム睡眠行動障害	● 社会的行為を損なう進行性の行動および人格変化（アパシー，脱抑制など） ● 言語障害 ● エピソード記憶は保たれている可能性あり

FTD：前頭側頭型認知症，LBD：Lewy小体認知症，MCI：軽度認知障害
†訳注：原著では"Short-term memory loss"。short term memory（短期記憶）は即時記憶に含まれるごく短い記憶であり，Alzheimer病の記憶障害の特徴ではない。近時記憶（recent memory）障害とするのが適切と思われ，そのように翻訳した。

表12-3　鑑別診断：神経画像所見

	Alzheimer病	血管性認知症	LBD	FTD
MRI	内側側頭葉の萎縮†	内側側頭葉の萎縮†，白質異常	内側側頭葉の萎縮†	内側側頭葉の萎縮†
FDG-PET	側頭頭頂皮質	前頭-皮質下回路	頭頂後頭皮質，側頭頭頂皮質	前頭側頭皮質

FDG-PET：フルオロデオキシグルコース陽電子放出断層撮影法，FTD：前頭側頭型認知症，LBD：Lewy小体認知症
†訳注：原著どおりにすべての欄に，"Medial temporal lobe atrophy（内側側頭葉の萎縮）"と記載したが，これはAlzheimer病以外では特徴的な所見とはいえない。血管性認知症のMRI画像の特徴は，白質異常の他ラクナ梗塞，脳出血，多発皮質梗塞等などである。また，LBDではAlzheimer病に比し内側側頭葉は比較的保たれている。FTDでは，前頭葉と前部側頭葉の萎縮が特徴的な所見である。

いると考えられている。

　磁気共鳴画像（MRI）は，Alzheimer病患者における神経細胞脱落，特に側頭葉内側部での神経細胞脱落を検知することができる（図12-5）。軽度のAlzheimer病患者であっても嗅内皮質体積の20〜30％の減少，海馬体積の15〜25％の減少，脳室拡大などの所見を呈しうる（図12-5）。患者がAlzheimer病による認知症の軽度の徴候を示す頃には，脳の損傷はすでに広範で不可逆的なものになっている可能性がある。

血管性認知症

　血管性認知症は2番目によくみられる認知症であり，認知症の約20％を占める（図12-6）。血管性認知症は，基本的には心血管疾患の神経症状であり，動脈硬化，梗塞，白質変化，微小出血，脳血管内へのAβ沈着などに起因する脳血流低下を伴う（図12-6）。実際，脳卒中を起こした高齢者の約30％で，脳卒中後認知障害あるいは認知症がみられる。末梢性心血管疾患と関連する危険因子（高血圧，喫煙，心疾患，コレステロール高値，糖尿病など）の多くは，血管性認知症とも関連する。

　血管性認知症とAlzheimer病はしばしば重なり合う。比較的「純粋な」血管性認知症では，FDG-PETでAlzheimer病とは異なる低灌流（血流低下）パターンを示す（図12-6）。血管性認知症では，FDG-PETで感覚運動野と皮質下領域での代謝低下が認められ，連合皮質では相対的に代謝が保たれている。一方，Alzheimer病では，上に述べたように，側頭頭頂皮質など脳の後方領域において糖代謝の低下が認められる（図12-4，図12-6）。

　しかし，多くのAlzheimer病患者は，血管性認知症の病理も合わせもっており，このオーバーラップの一部はAβ代謝と脳血管系との間のダイナミックな関係に起因する（図12-7）。すなわち，

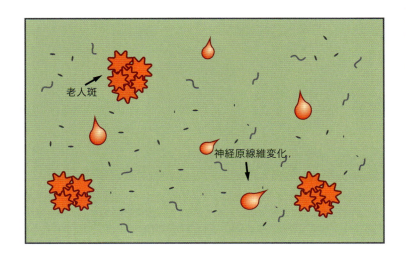

図12-2 **Alzheimer病の病理所見** Alzheimer病の脳で剖検時にみられる2つの特徴的な病理所見は，Aβからなる老人斑とリン酸化タウタンパク過剰からなる神経原線維変化である。

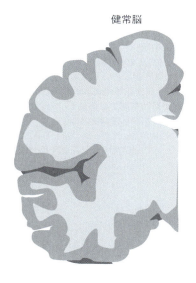

図12-3 **Alzheimer病の病理所見：神経細胞死** Alzheimer病でみられる3つ目の特徴的な病理所見は，神経細胞脱落である。これはしばしば非常に高度であるため，剖検時に肉眼的に認めることができる。神経細胞脱落は辺縁系と皮質領域でみられ，他の神経伝達物質系も影響を受けるが，コリン作動性神経細胞の脱落が顕著である。

脳血管内へのAβ沈着が血管性認知症のリスクを増大させると考えられ，逆に脳血管の統合性が失われ，脳血液関門の透過性が増すことにより，Aβ産生が増大したり脳からのAβクリアランスが低下したりすると考えられている（図12-7）。

Lewy小体認知症

Lewy小体型認知症 dementia with Lewy bodies（DLB）と認知症を伴うParkinson病 Parkinson's disease dementia（PDD）は，まとめてLewy小体認知症 Lewy body dementia（LBD）として知られており，認知症全体の10～15％程度を占めている。しかし，「純粋な」LBDといえるものはこのうち20％と推定されている。というのも，LBD患者の約80％は，他の認知症，とりわけAlzheimer病の病理所見を合併しているからである。DLBとPDDは，αシヌクレインと呼ばれるタンパクの異常な蓄積がみられるという病理学的所見を共有していることから，「シヌクレイノパチー（synucleinopathy）」とも呼ばれる。LBDにおいては，何

フルオロデオキシグルコース陽電子放出断層撮影（FDG-PET）

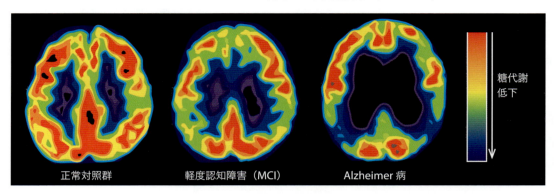

図12-4　FDG-PET　生体脳では，脳内での糖代謝を測定するフルオロデオキシグルコース陽電子放出断層撮影（FDG-PET）を用いてAlzheimer病でみられる神経細胞脱落を検出することができる。正常対照群の脳では，糖代謝がしっかり保たれている。軽度認知障害（MCI）では，側頭頭頂皮質などの脳の後方領域で糖代謝の低下が認められる。Alzheimer病では，後方領域での糖代謝低下がよりいっそう明らかになる。Alzheimer病患者でみられるFDG-PETの異常は，神経変性の進行を反映していると考えられている。FDG-PETの所見は有用ではあるが，それだけでAlzheimer病の診断はできない。

磁気共鳴画像（MRI）

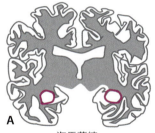
A　海馬萎縮

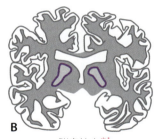
B　脳室拡大＊¹

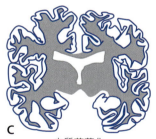
C　皮質菲薄化

図12-5　磁気共鳴画像（MRI）　生体脳では，MRIを用いてAlzheimer病でみられる神経細胞脱落をとらえることができる。特に，側頭葉内側において海馬萎縮（**A**），脳室拡大（**B**），皮質菲薄化（**C**）などが認められる。MRI所見は有用ではあるが，それだけでAlzheimer病の診断はできない。

＊1 訳注：図中の太い紫色の線で囲ってある部位ではなく，中央で白く抜けている部分が脳室である。

らかの原因によってαシヌクレインが凝集してオリゴマーを形成し，神経細胞が変性するにしたがって，最終的にLewy小体やLewy神経突起となる（図12-8）。

probable DLBとpossible DLBの診断基準は表12-4に示すとおりである。PDDに関していうと，Parkinson病を有する多くの患者（約80％）は，病気の進行に伴って何らかの原因による認知障害を呈する。Parkinson病の診断から認知症発症までの平均期間は10年である。PDDは死亡率の上昇と関連しており，PDD発症から平均4年で死に至る。Alzheimer病と同様に，Parkinson病におけ

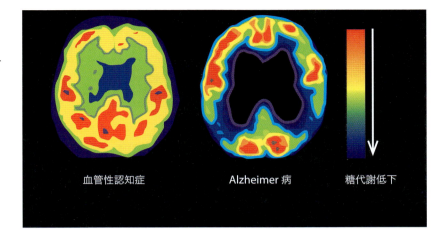

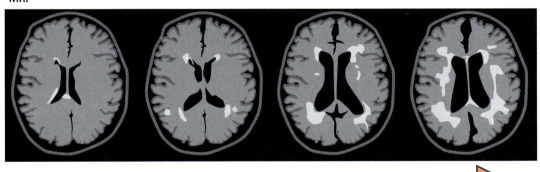

図12-6 **血管性認知症** 血管性認知症は，基本的には心血管疾患の神経症状であり，動脈硬化，梗塞，白質変化，微小出血，脳血管内へのAβ沈着などに起因する脳血流低下を伴う。血管性認知症とAlzheimer病はしばしば重なり合う。比較的「純粋な」血管性認知症では，FDG-PETでAlzheimer病とは異なる低灌流パターンを示す。すなわち，感覚運動野と皮質下領域において代謝低下が認められ，連合皮質では相対的に代謝が保たれている。MRIでは，白質高信号の程度が強まっていく。

る認知症の前駆状態としてしばしばMCIがみられる。PDDの症状には，記憶障害（再認も含む），実行機能障害，注意障害，視覚認知の変容などがある。PDDでは，視床，尾状核，海馬などでみられる神経細胞変性と萎縮がその病理学的基盤であると考えられている。それは，同部位にLewy小体やLewy神経突起が蓄積しているからである（図12-9）。Lewy小体の病理所見はしばしば新皮質でも認められるが，辺縁領域でのαシヌクレイン（アミロイドやタウも同様）の病理所見の重症度がPDDにおける認知症の重症度と関連している。DLBとPDDが，臨床症状と経過が若干異なるが実際は同一疾患といっていいのか，あるいは2つの異なる疾患であるのかについては，大いに議論がなされている（図12-10）。確かにPDDとDLBは多くの病理学的および臨床的な特徴を共有しており，DLBとPDDの鑑別診断は，主として運動症状が出現した時点と認知症が発症した時点との関係によっている。すなわち，もし運動症状が認知症発症より1年以上先行して出現してい

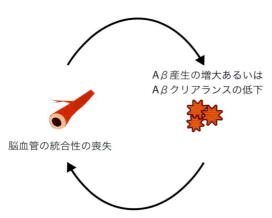

図12-7 Alzheimer病と血管性認知症の併存 多くのAlzheimer病患者は，血管性認知症の病理もあわせもっている。これは，Aβ代謝と脳血管系の統合性との間のダイナミックな関係に起因すると考えられている。すなわち，脳血管内へのAβ沈着が血管性認知症のリスクを増大させると考えられ，逆に脳血管の統合性が失われ，脳血液関門の透過性が増すことにより，Aβ産生が増大したり脳からのAβクリアランスが低下したりすると考えられている。

表12-4 Lewy小体型認知症(DLB)：診断基準

認知症が認められる
中核的特徴 ● 注意や集中の変動 ● 繰り返し出現する構築された幻視 ● 特発性パーキンソニズム
示唆的臨床特徴 ● 急速眼球運動(レム)睡眠行動障害 ● 抗精神病薬に対する重篤な過敏性 ● SPECTまたはPETで示される基底核におけるDATの取り込み低下
支持的臨床特徴 ● 繰り返す転倒 ● 一過性の意識喪失 ● 幻視以外の幻覚 ● 高度の自律神経障害 ● 抑うつ ● 妄想 ● 失神
DLBの診断の可能性を低くする要素 ● 脳血管疾患の存在 ● 部分的にあるいは全体的に臨床像を説明しうる他の身体疾患または脳障害の存在 ● 重度の認知症の時期になってはじめてパーキンソニズムが出現する

DAT：ドーパミントランスポーター，PET：陽子線放射断層撮影，SPECT：単光子放出コンピューター断層撮影法

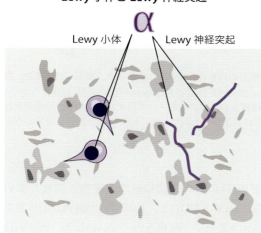

図12-8 Lewy小体とLewy神経突起 Lewy小体型認知症(DLB)と認知症を伴うParkinson病(PDD)の病理所見では，いずれにおいてもαシヌクレインと呼ばれるタンパクの異常な蓄積が認められる。αシヌクレインは，凝集してLewy小体やLewy神経突起を形成し，これらは組織染色により同定される。Lewy小体やLewy神経突起は，αシヌクレインの他に，ニューロフィラメント，パーキン，ユビキチンなどのさまざまなタンパクも含んでいる。

るのであればPDDと診断され，もし認知症がパーキンソニズム出現と同時期あるいはそれに先立って発症しているようであればDLBと診断される。この「1年ルール」は恣意的なものであり，治療指針の観点からも益がないという指摘がある。

Alzheimer病とParkinson病は歴史的には2つの異なる疾患単位であるとみなされていたが，両疾患の間のオーバーラップがしだいに認識されるようになっている。Alzheimer病患者の70%ほどは最終的に錐体外路症状，パーキンソン症状を呈し，約30%の患者ではLewy小体が認められる。同様に，Parkinson病患者の約50%は認知症を発症し，しばしばAlzheimer型の病理所見が認められる。DLBは，Alzheimer病と共通する多くの神経精神医学的所見を有するとともに，Parkinson病と同様の運動症状(多くの場合，重症度はより軽い)を呈する。病理所見と臨床症状においてこのようなオーバーラップがみられることから，Alzheimer病とParkinson病はスペクトラム上の

認知症を伴う Parkinson 病（PDD）

図12-9　認知症を伴う Parkinson 病（PDD）
PDD の病理学的基盤は，視床，尾状核，海馬などでみられる神経細胞変性と萎縮と考えられている。Lewy 小体の病理所見はしばしば新皮質でも認められるが，Parkinson 病でみられる認知症の重症度は，辺縁領域での α シヌクレイン（アミロイドやタウも同様）の病理所見の重症度と関連している。

Lewy 小体型認知症（DLB）と認知症を伴う Parkinson 病（PDD）の鑑別診断

図12-10　Lewy 小体型認知症（DLB）と認知症を伴う Parkinson 病（PDD）の鑑別診断　DLB と PDD は多くの病態生理学的および臨床的な特徴を共有している。その鑑別診断は，主として運動症状が出現した時点と認知症が発症した時点との関係によっている。もし運動症状が認知症発症より1年以上先行して出現しているのであれば PDD と診断される。もし認知症がパーキンソン症状出現と同時期またはそれに先立って発症しているようであれば DLB と診断される。この「1年ルール」は恣意的なものであり，治療指針の観点からも益がないという指摘がある。

対極に位置し，DLB は Alzheimer 病と Parkinson 病の間のどこかに位置するという説が現在提唱されている（図12-11）。患者の神経精神症状と身体症状は，脳内に存在する異常なタンパクの固有の組み合わせと，脳のどの部位の病変が最も強いかということを反映していると考えられるようになっている（すなわち，Alzheimer 病の病理所見および Parkinson 病の病理所見の程度と，皮質，皮質下それぞれにおける病理所見の程度によって，スペクトラム上のどこに位置するかが決まる）。

前頭側頭型認知症

　前頭側頭型認知症frontotemporal dementia (FTD)は，LBDと同様によくみられ，全世界で65歳以上の高齢者の3〜26％の有病率を示し，平均発症年齢は50〜65歳である．FTD(図12-12)は4つのサブタイプに分けられる．すなわち，行動障害型behavioral variant(表12-5)と3つの原発性進行性失語型primary progressive aphasia variant(図12-12)である．行動障害型FTD (bvFTD)は，FTDのサブタイプのうち最もよくみられるものであり，通常，徐々に進行する人格変化(脱抑制，アパシー，共感や感情移入の欠如など)，口唇傾向，保続的または強迫的行動などがみられ，ついには認知障害が認められるようになるが，視空間認知能力は通常保たれる．bvFTDの患者は，自身の不適切な行動を自覚していないことが多く，Alzheimer病の患者と異なり，通常，急速な記憶障害はみられず，手がかりを与えられれば記憶課題はかなりよくできる．病理学的には，前頭葉皮質および側頭葉前部皮質の萎縮，特に前頭前皮質，島，前部帯状回，線条体，視床の萎縮が特徴であり，典型的には非優位半球の障害がより強い．FTDの臨床症状や病理はしばしば他の認知症とオーバーラップし，多くの患者がパーキンソン病様の特徴を示すことから，その診断がいくぶん複雑になることがある．FTDは，Alzheimer病のバイオマーカーがみられないことにより，Alzheimer病と鑑別することができる．

　前頭側頭葉変性症frontotemporal lobar degeneration(FTLD)は，さまざまな臨床症状，遺伝的特徴，および病態生理を有する異なる疾患群を表す包括的な用語である．リン酸化タウが凝集して神経原線維変化を形成することがAlzheimer病の特徴であることはすでに指摘した(図12-2)．タウタンパクをコードする遺伝子〔微小管結合タンパクタウ microtubule-associated protein tau (MAPT)〕の変異は，実際のところAlzheimer病とは関連せず，タウの凝集とタウの病理所見の進行がみられるいくつかのFTLDのタイプと関連する(図12-13)．

混合型認知症

　これまでの議論で明らかになったように，複数の認知症の臨床症状，神経画像所見，病理所見を有する患者(すなわち「混合型認知症」)が多く存在することは，臨床場面で認知症のさまざまな原因を特定することをしばしば非常に困難にする(図12-14)．実際，剖検結果によれば，大部分の認知症患者は，異常タンパク蓄積と血管病変のさまざまな組み合わせからなる混合病理を有することが明らかになっている．(図12-14)．

　もし，個々の認知症がそこまで入り組んでいなければ，1人の患者における認知症の組み合わせが，診断やその後の治療の複雑さを構成することになる．例えば，地域在住成人を対象としたある研究では，56％の認知症患者が複数の背景病理を有していた(Alzheimer病とLBDまたは脳血管障害の合併，あるいはAlzheimer病とLBDおよび脳血管障害の合併)．年齢調整後でも，複数の背景病理を有するものは1種類の背景病理を有するものに比べて，3倍近く認知症に進展しやすかった．別の研究では，Alzheimer病の病理所見を有する患者の59〜68％がLewy小体あるいは血管性病変を有することが示された．特定の認知症に対する特異的な治療が可能になれば，認知症の生前診断はより重要になるであろう．しかし，大部分の患者は，複数の認知症原因疾患を有しており，1つの治療法にとどまらずより多くの治療法を必要とする可能性がある．

Aβを標的とするAlzheimer病の疾患修飾療法の探求
アミロイドカスケード仮説

　この仮説によれば，Alzheimer病は，毒性のあるAβの蓄積によって老人斑が形成され，さらに過剰リン酸化タウ，神経原線維変化，シナプス機能不全が引き起こされ，最終的に神経細胞脱落により記憶障害および認知症が生じる(図12-15)．この考え方は，血管壁へのコレステロールの異常な沈着が動脈硬化を引き起こす過程にいくぶんなぞらえることができる．この仮説から導かれる当然の結論は，このカスケードをブロックしてAβ

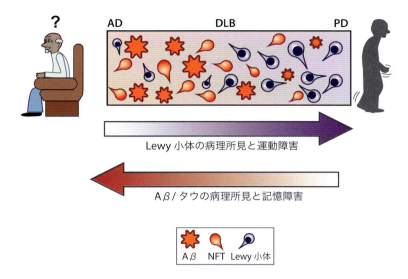

図12-11　**Parkinson病-Alzheimer病スペクトラム仮説**　Parkinson病とAlzheimer病との間には，臨床的および病理学的なオーバーラップがある。Alzheimer病患者の70％は，最終的に錐体外路症状，パーキンソン症状を呈し，約30％の患者ではLewy小体が認められる。同様に，Parkinson病患者の半数は認知症を発症し，しばしばAlzheimer型の病理所見が認められる。Lewy小体型認知症（DLB）は，Alzheimer病と共通する多くの神経精神医学的所見を有するとともに，Parkinson病と同様の運動症状（多くの場合，重症度はより軽い）を呈する。病理所見と臨床症状においてこのようなオーバーラップがみられることから，Alzheimer病とParkinson病はスペクトラム上の対極に位置し，DLBはAlzheimer病とParkinson病の間のどこかに位置するという説が現在提唱されている。患者の臨床症状は，脳内の異常なタンパクの固有の組み合わせと，最も強い病変がみられる特定の脳領域を反映すると考えられている。

AD：Alzheimer病，NFT：神経原線維変化，PD：Parkinson病

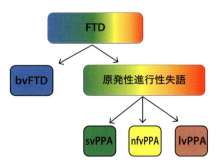

図12-12　**前頭側頭型認知症（FTD）**　FTDは4つのサブタイプに分けられる。すなわち，行動障害型FTD（bvFTD）と3つの原発性進行性失語〔意味型原発性進行性失語 semantic variant primary progressive aphasia（svPPA），非流暢性原発性進行性失語 non-fluent variant primary progressive aphasia（nfvPPA），ロゴペニック型原発性進行性失語 logopenic variant primary progressive aphasia（lvPPA）〕に分けられる。bvFTDは，最もよくみられるサブタイプである。FTDの臨床症状や病理所見はしばしば他の認知症とオーバーラップすることから，診断がいくぶん複雑になることがある。FTDは，Alzheimer病のバイオマーカーがみられないことにより，Alzheimer病としばしば鑑別することができる。

表12-5　**行動障害型前頭側頭型認知症（bvFTD）**

臨床症状
● 進行性の人格変化 　○ 脱抑制 　○ アパシー 　○ 共感や感情移入の欠如 ● 口唇傾向 ● 保続的または強迫的行動 ● 認知障害 ● 手がかり再生や視空間認知能力は保たれる
病理学的所見
● 萎縮が以下の部位に認められる 　○ 前頭前皮質 　○ 島 　○ 前部帯状回 　○ 線状体 　○ 視床 ● 非優位半球の障害がより強い

の凝集を回避して老人斑や神経原線維変化が生じないようにすれば，Alzheimer病の予防や進行阻止，あるいはもとに戻すことさえも可能になるであろうというものである。

Aβは前駆体タンパク〔アミロイド前駆体タン

パク amyloid precursor protein（APP）］が酵素によって切断されてより小さいペプチドになることで形成される（図12-16，図12-17）。酵素によるAPPの切断には2つの経路がある。すなわち，非アミロイド形成経路とアミロイド形成経路である。非アミロイド形成経路では，APPの中のAβドメイン内をαセクレターゼが直接切断する。このため，αセクレターゼによるAPPのプロセシングの際には，Aβの産生は起こらない。アミロイド形成経路では，APPはまずβセクレターゼによって切断され，ついでγセクレターゼによって切断される。（図12-16）。γセクレターゼはAPPを切断して，38〜43のアミノ酸からなるいくつかのAβペプチドにする（図12-17）。Aβ40が最もよくみられるアイソフォームであるが，Aβ42は凝集してオリゴマーをより形成しやすく，Aβペプチドのなかで毒性がより強いタイプと考えられている。Aβ43は比較的まれなタイプであるが，Aβ42より凝集しやすいと考えられている。Aβプロセシング酵素であるα，β，γセクレターゼはすべて，APPからのアミロイド原性ペプチド産生を阻止することによりAlzheimer病発症を防ぐことが期待される新規治療法の標的となっている（表12-6）。残念なことに，今までのところこれらの治療アプローチは効果がなく安全とはいえない。

Alzheimer病に関連するいくつかの遺伝子でみられる変異が，アミロイド形成経路を介するAPP産生を増大させるということは，アミロイドカスケード仮説を支持するものである。Aβ産生に関

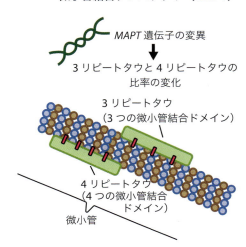

図12-13　微小管結合タンパクタウ（MAPT）　タウタンパクをコードする遺伝子 MAPT（microtubule-associated protein tau）の変異は，前頭側頭葉変性症のうちのいくつかのタイプと関連している。通常，これらの変異は3リピートタウと4リピートタウの比率を変化させ，異常なタウの蓄積を引き起こす。

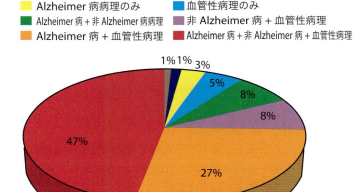

図12-14　混合型認知症　1種類の病理しかみられない認知症は，一般的であるというよりむしろ例外である。剖検結果からは，大部分の認知症患者は，異常タンパク蓄積と血管病変のさまざまな組み合わせからなる混合性の病理所見を有することが明らかになっている。

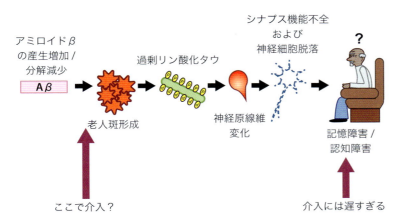

図12-15 早期発見の重要性
Alzheimer病は，Aβの産生増加とその分解減少によって起こると考えられている。このAβにより老人斑が形成され，さらにリン酸化タウの過剰，神経原線維変化，シナプス機能不全が引き起こされ，最終的に神経細胞脱落により記憶障害および認知症が生じる。明らかな記憶障害や認知障害が生じた時期に介入するのでは遅すぎる。というのも，その段階ではすでに神経変性が起きてしまっているからである。もし，もっと早い時期に介入できれば，一連の有害なイベントを回避することができるであろう。

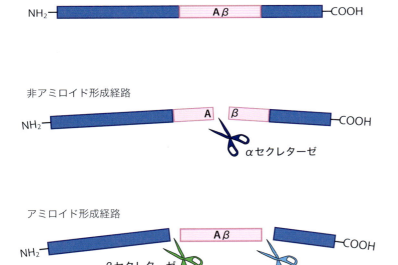

図12-16 アミロイド前駆体タンパク Aβペプチドは，アミロイド前駆体タンパク(APP)と呼ばれる，より大きなタンパクから切り出される。APPが切断される経路には，非アミロイド形成経路とアミロイド形成経路の2つがある。非アミロイド形成経路では，αセクレターゼと呼ばれる酵素がAPPのなかのAβドメイン内を直接切断する。このため，αセクレターゼによるAPPのプロセシングの際には，Aβの産生は起こらない。アミロイド形成経路では，APPは，まずβセクレターゼによってAβのアミノ(NH_2)末端で切断され，ついでγセクレターゼによって切断される。

与しAlzheimer病と関連するもう1つの遺伝的素因は，アポリポタンパクE(ApoE)の遺伝子(*APOE*)である。このタンパクは，神経細胞がシナプス発達，樹状突起形成，長期増強，軸索誘導などのために必要とするコレステロールを運搬する。ApoEタンパクは，Aβの代謝，凝集および脳内沈着などとも密接な関係を有すると考えられている。*APOE*遺伝子にはいくつかの対立遺伝子がある(図12-18)。*APOE4*遺伝子を1つでも保有すると，Alzheimer病発症のリスクが3倍になる。*APOE4*を2つ受け継ぐと，Alzheimer病発症リスクは10倍に増える。逆に，*APOE2*遺伝子はAlzheimer病に対して何らかの保護作用を有すると考えられている。一方，*APOE3*遺伝子(最も多くみられる*APOE*遺伝子)は，*APOE2*と*APOE4*の中間のリスクを有する。一般人口においては，約15%の人が*APOE4*を保有しているが(図12-18)，Alzheimer病患者においてはその割合が

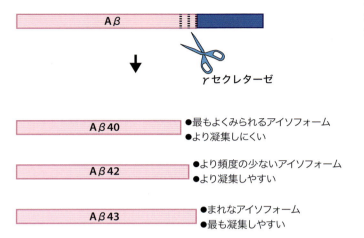

図12-17　Aβアイソフォーム　γセクレターゼはアミロイド前駆体タンパク（APP）を切断して，38〜43のアミノ酸からなるいくつかのAβペプチドにする。Aβ40が最もよくみられるアイソフォームであるが，Aβ42は凝集してオリゴマーをより形成しやすい。Aβ43は比較的まれなタイプであるが，Aβ42より凝集しやすいと考えられている。

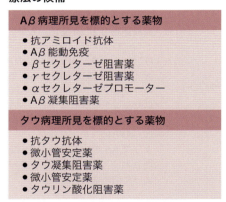

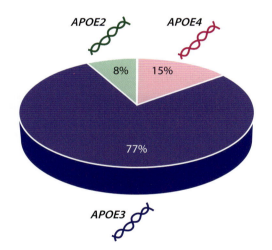

44%になる。

アミロイドカスケード仮説とAβ標的治療の現状

　アミロイドカスケード仮説は，30年以上にわたってAlzheimer病の発症機序の主流をなしており，Alzheimer病の予防や進行阻止，あるいはもとに戻すことができるのではないかという希望のもとに，数十年にわたるAβ標的治療の探究がなされてきた。Aβ関連の標的に働きかけることに成功した数多くの薬物が開発されているが，いまだにAlzheimer病において治療的ベネフィット

図12-18　アポリポタンパクE　Alzheimer病の発症リスクに関与する遺伝的素因のなかでは，アポリポタンパクE（ApoE）の遺伝子が最も大きな影響力を有している。ApoEは，神経細胞がシナプス発達，樹状突起形成，長期増強，軸索誘導などのために必要とするコレステロールを運搬するタンパクである。また，ApoEは，Aβの代謝，凝集および脳内沈着などとも密接な関係を有すると考えられている。APOE4を1つでも保有すると，Alzheimer病発症のリスクが3倍になる。APOE4を2つ受け継ぐと，Alzheimer病発症リスクは10倍に増える。一般人口においては，約15%の人がAPOE4を保有しているが，Alzheimer病患者においてはその割合が44%になる。逆に，APOE2はAlzheimer病に対して何らかの保護作用を有すると考えられている。一方，APOE3（最も多くみられるAPOE遺伝子）は，APOE2とAPOE4の中間のリスクを有する。

を示すことができていない(表12-6)。Alzheimer病に対するAβ標的治療の多くが失敗していることから、すべての専門家がアミロイドカスケード仮説を正しいと確信しているわけではない。それに代わる説として、Alzheimer病におけるAβ形成は神経変性に伴って生じる付帯現象であり、神経細胞死のマーカーの役割を果たす「墓石」にすぎず、神経変性の原因ではないというものがある。すべての墓石を除去したからといって人が死ぬのを止めることができないのと同様に、Aβを除去することがAlzheimer病における神経細胞変性を防ぐことにはならないのである。

一方、アミロイドカスケード仮説を引き続き支持する者は、これまでの抗Aβ療法の臨床治験がうまくいかなかったのは、仮説が間違っているせいではなく、治験に登録された対象者が、脳に非可逆的な傷害が起きるところまで進行してしまっていたことによると主張している(図12-15)。ネガティブな結果になった多くのAβ標的治療の治験では、すべて臨床診断可能なAlzheimer病あるいは軽度認知障害(MCI)の患者が登録されている。アミロイドカスケード仮説の支持者は、ひとたびアミロイドカスケードが始動すると、酸化ストレス、炎症、神経原線維変化、シナプス機能不全といった有害な事象が、Aβの蓄積進行とは無関係に、自己永続的な破壊サイクルを形成すると想定している(図12-15)。したがって、これらの支持者たちは、Aβ凝集の徴候をできる限り早い段階でとらえて、アミロイドカスケードが非可逆的に動きだす前に、そしてAlzheimer病さらにはMCIの臨床徴候が明らかになる前に、抗Aβ療法を開始しなければならないと考えている。このように、これから先の治療を成功させるためには、無症候の段階でAlzheimer病を診断できるようにする必要がある。そのために、死を迎える時期よりも早急にというばかりでなく、神経変性がはじまる前にAlzheimer病と診断できるようにするための研究が数多くなされてきた。その結果として、現在Alzheimer病は、前症候期、軽度認知障害(MCI)、認知症の3つの病期に分けて考えられている。

遅きに失する前にAlzheimer病を診断する

第1期（前症候期）

Alzheimer病の第1期（前症候期）（図12-19）は、無症候性アミロイドーシスとも呼ばれる。Alzheimer病における神経変性過程は、脳内にアミロイドが蓄積するとともに潜行性にはじまる。老人斑をラベルする放射性トレーサーを用いたPET検査によって、Alzheimer病の前症候期にAβを検出することができる(図12-20)。50歳未満の人の脳でAβが検出されることはめったになく、認知機能正常な高齢者の多くはAβ陰性であるが(図12-20A)、認知機能正常な高齢対照群の約4分の1はAβ陽性を示し(図12-20B、図12-21)、前症候期のAlzheimer病であると考えられる。PETでAβが検出されるということは、たとえその時点で症状がまだ認められなくとも、Alzheimer病発症に至る導火線にすでに火がついたことを意味する。Aβが脳内から除去されるかわりに脳内に蓄積しているため、前症候期の段階で髄液のAβ濃度も低値を示す(図12-19)。

第2期（軽度認知障害（MCI））

Alzheimer病の第2期は、「前認知症期Alzheimer病」「Alzheimer病によるMCI」「前駆期Alzheimer病」などと呼ばれる。この病期の患者は、無症候性のアミロイドーシスである第1期Alzheimer病から、MCIの臨床症状と神経変性の徴候を示す第2期Alzheimer病に進行している。神経変性は、髄液中のタウタンパク濃度の上昇やMRIにおける萎縮、または髄液中や血清中のニューロフィラメント軽鎖 neurofilament light chain(NfL)の存在によって示される。タウは微小管結合タンパクで、病的な状態ではないタウは、軸索内で微小管に結合して、それを安定化させる(図12-22A)。神経伝達物質を運ぶシナプス小胞は、通常これらの微小管に沿って輸送されてシナプスに至る(図12-22A)。タウは過剰にリン酸化されると微小管に結合できなくなり、微小管が不安定になってシナプスの機能不全が起こる(図12-22B)。過剰リン酸化タウは対らせん状細線維 paired helical

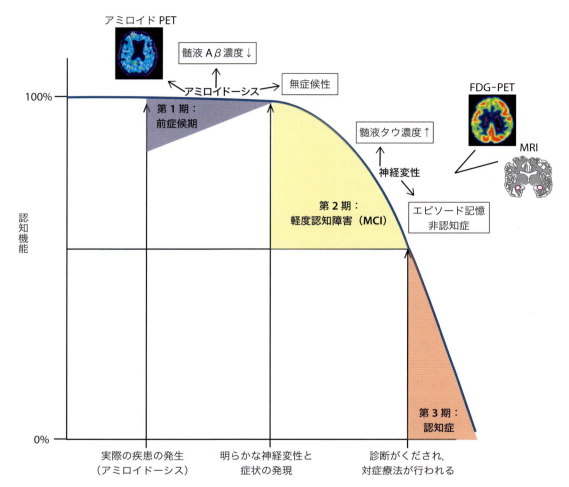

図12-19 Alzheimer病の3つの病期 Alzheimer病の第1期は，前症候期または無症候性アミロイドーシスと呼ばれる。第1期においては，アミロイドPETの陽性所見や髄液中の有毒なAβ濃度の低下など，脳内のアミロイド濃度の上昇を示すエビデンスがあるにもかかわらず，認知機能は正常である。第2期には，エピソード記憶障害という形で認知障害の臨床徴候がみられるようになる。第2期における臨床症状の出現は神経変性の程度と相関している。神経変性は，髄液中のタウの上昇，FDG-PETでの糖代謝低下，MRIにおける特定の部位の萎縮などによって確かめられる。Alzheimer病の第3期（認知症）では，認知障害が重度になる。現在のところ，Alzheimer病の症状に対する治療は，通常この第3期に至るまで開始されず，実際の疾患の発生時点からは相当経過している。

filamentも形成し，これが凝集してAlzheimer病の特徴の1つである神経原線維変化neurofibrillary tangle（NFT）となる（図12-22C）。神経変性と神経細胞脱落が進行するとともに，髄液中のタウ濃度は上昇する。神経画像においてもMRI（図12-5）やFDG-PET（図12-4）で神経変性が示される。MCI患者におけるFDG-PET低代謝所見は，その80〜90％が1〜1.5年以内に認知症に進展することを予測する。

第2期AlzheimerはMCIとして顕在化するが，すべてのMCI患者が検出可能なアミロイドーシスを有するわけではない（図12-20C〜E）。したがって，すべてのMCI患者がAlzheimer病に向かう軌道上にあるというわけではない。実際，MCI患者の半数ではAβ沈着が認められず（図12-20C），軽度認知機能低下の原因として，

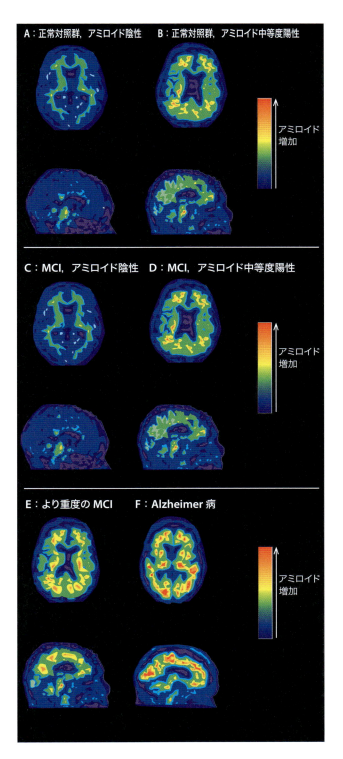

図12-20　アミロイドPET画像　Aβトレーサーを用いたPET検査は，Alzheimer病の進行過程におけるAβ沈着を検出することができる。(**A**)多くの正常対照者のアミロイドPET画像では，Aβは認められない。(**B**)認知機能は正常だがAβが中等度に沈着している人は，Alzheimer病の第1期である前症候期にあると考えられる。(**C**)軽度認知障害（MCI）は，Alzheimer病の第2期である前駆期にしばしばみられるが，すべてのMCI患者でAβ沈着が認められるわけではない。このような患者では，Alzheimer病以外の原因による認知障害の可能性が考えられる。(**D**)残念ながら，MCIはAlzheimer病が差し迫っていることの前触れであることが多い。こういった患者では，認知障害とともにAβ沈着が認められる。(**E**)Alzheimer病が進行するとともに，Aβ沈着もMCIの臨床症状も悪化していく。(**F**)Alzheimer病の最終段階である第3期では，臨床的に認知症の症状が明らかになり，脳内で広範なAβ沈着が認められる。

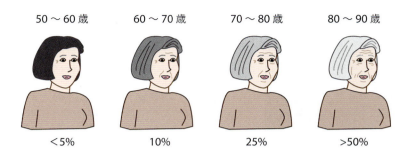

図12-21 **AβとAlzheimer病のリスク** Aβが検出された人がすべてAlzheimer病に罹っているわけではない。Aβ陽性であることは，認知機能が若干低下していることと関連するが，Aβ陽性者のおよそ25〜35%は，認知機能検査で正常範囲内の成績を示す。このような人たちは，認知症の前臨床期または前駆期にあると考えられ，十分に長く生きれば必然的に認知症に進展するであろう。

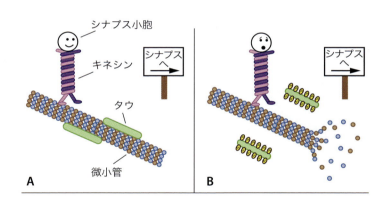
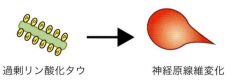

図12-22 **Alzheimer病の病理：神経原線維変化** タウは微小管結合タンパクである。(**A**)病的な状態ではないタウは，軸索内で微小管に結合して，それを安定化させる。神経伝達物質を運ぶシナプス小胞は，この微小管に沿って輸送されてシナプスに至る。(**B**)タウが過剰リン酸化されると微小管に結合できなくなり，微小管が不安定になってシナプス機能不全が起こる。(**C**)過剰リン酸化タウは対らせん状細線維も形成し，これが凝集して神経原線維変化となる。

うつ病や他の認知症原因疾患など，Alzheimer病以外の原因を有すると考えられる（表12-2）。残りの半数のMCI患者は中等度（図12-20D）ないし重度（図12-20E）のAβ沈着を呈し，probable Alzheimer病（第3期Alzheimer病）と臨床診断された患者のほぼ100%は重度のAβ沈着を示す（図12-20F）。Aβ陽性MCI患者の半数は1年以内に認知症に進展し，80%は3年以内に認知症に進展する可能性がある。しかし，第1期Alzheimer病からMCI症状を呈する第2期に進展させるのも，第2期Alzheimer病から第3期の認知症に進展させるのも，アミロイドーシスではなく，実に

神経変性なのである。

第3期（認知症）

Alzheimer病の最終段階は認知症である（図12-19）。臨床診断基準によってprobable Alzheimer病と診断するためには，患者はまずあらゆる原因による認知症の診断基準を満たさなければならない（表12-1参照）。それに加えて患者は，潜行性に発症し，時間経過とともに認知機能が低下し，健忘症状（学習と想起の障害），または非健忘症状（言語，視空間，実行機能障害）が認められなければならない。Alzheimer病の病態生理学的基盤を有するprobable Alzheimer病は，脳のAβ沈着/アミロイドーシス（図12-20），またはその結果として生じる神経変性（図12-4，図12-5）など，はっきりとしたバイオマーカー陽性所見を呈する。

認知症の対症療法の概要

最初に承認されたAlzheimer病の治療薬は，認知機能障害や記憶障害を標的にしているが，神経変性の容赦ない進行を止めることはできていない。それらは対症療法であり，疾患修飾療法ではない。Alzheimer病を予防したり進行を止めたり，あるいはもとに戻したりすることができるような治療法の早期開発に対する希望が薄れるにつれ，新薬の開発は，認知症の症状を治療して患者の苦痛を改善し，認知症を患う人の数が爆発的に増えていることによって生じている介護者の負担を軽減することをめざすようになった。これらの治療は，認知症でみられるさまざまな症状を制御すると考えられている異なる脳の神経回路の神経伝達物質を標的にしている（図12-23）。この治療アプローチは，認知症でみられるさまざまな症状は，神経変性の原因が何であるかにかかわらず，神経変性部位の解剖学的な違いによって生じるものであるという考え方に根ざしている（図12-23）。これは，本書において一貫して展開されている考え方，すなわち精神疾患においてみられる行動症状は，原疾患が精神病，抑うつ，躁，不安，睡眠障害，疼痛性障害，ADHD，認知症のいずれであるかにかかわらず，機能不全に陥っている脳回路の局在部位に起因するという考え方と同じである。さらに，この考えにもとづくと，同じ回路で機能不全が起これば，同一の症状が多くの異なる疾患でみられるということになる。したがって，例えば統合失調症でみられるのと同様に，認知症においても精神病症状が生じうる。なぜならどちらにおいても同じ回路が機能不全に陥っていると考えられるからである。精神病症状は新皮質においてみられる病理と関連していると考えられ，認知症でみられるすべての症状（例えば，幻視，幻聴，妄想，記憶や認知の障害，焦燥性興奮など，図12-23）と同様に，それぞれ特定の皮質領域の損傷を反映していると思われる。

認知症でみられる症状に対する治療戦略も，それぞれの症状は特定の神経細胞回路によって制御されているという考え方にもとづいている。個々の回路は，シナプス部位で，グルタミン酸，γ-アミノ酪酸（GABA），セロトニン，ドーパミン神経細胞など，異なる神経細胞どうしを結び付けている。それによって，直接連結した神経細胞ばかりでなく，シナプスで始動する下流への作用を介して回路全体に影響を及ぼすことができる。シナプスは通常，そのシナプスで機能している神経伝達物質に薬物が作用することにより，治療効果を発揮する場となる。このようにして，アセチルコリンとグルタミン酸は，記憶回路内の異なるシナプスにおいて，認知機能を改善するための標的となりうる（図12-23A）。同様に，精神病症状についても，精神病症状回路のドーパミンシナプスやセロトニンシナプスを治療上の標的にしうることがわかっている。というのも，両者とも同じ神経細胞回路内で互いに連結しているからである（第4章の解説を参照，図12-23B）。最後に，焦燥性興奮に関与する回路内の多様な神経伝達物質（ノルエピネフリン，セロトニン，ドーパミン，グルタミン酸など）が，認知症でみられる焦燥性興奮を改善するために，標的となりうる（図12-23C）。この戦略により，認知症の行動症状，特に精神病症状と焦燥性興奮に対する治療が，いくつかの新薬の登場とともに近年目覚ましい進歩を遂げたのである。

認知症でみられる治療可能な症状の神経回路

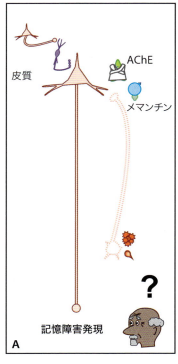
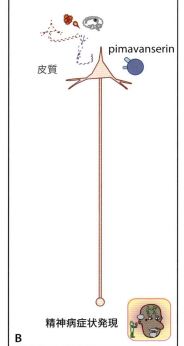
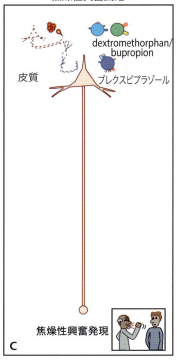

図12-23　認知症でみられる治療可能な症状の神経回路　現在認知症の治療は疾患修飾療法というよりむしろ対症療法である．認知症には治療可能な3つの主要症状がある．すなわち，記憶障害，精神病症状，焦燥性興奮である．これらの症状に対する治療戦略は，それぞれの症状は特定の神経細胞回路によって制御されているという考え方にもとづいている．個々の回路は，シナプス部位で，グルタミン酸，γ-アミノ酪酸（GABA），セロトニン，ドーパミン神経細胞など，異なる神経細胞どうしを結び付けている．それによって，直接連結した神経細胞ばかりでなく，シナプスで始動する下流への作用を介して回路全体に影響を及ぼすことができる．（**A**）アセチルコリンとグルタミン酸は，それぞれアセチルコリンエステラーゼ acetylcholinesterase（AChE）阻害薬，N-メチル-D-アスパラギン酸（NMDA）アンタゴニストのメマンチンの標的となり，記憶回路における認知機能を改善する．（**B**）精神病症状は，精神病症状回路のセロトニンシナプスやドーパミンシナプスで標的になる．具体的には，$5HT_{2A}$ アンタゴニストである pimavanserin が，Parkinson病の精神病症状の治療薬として承認されている．（**C**）焦燥性興奮回路では，多様な神経伝達物質（ノルエピネフリン，セロトニン，ドーパミン，グルタミン酸）が認知症でみられる焦燥性興奮を改善するための標的になる．NMDAアンタゴニストのデキストロメトルファンは，bupropion や多元作用性の（multimodal）ブレクスピプラゾールと組み合わせて，認知症の焦燥性興奮に対する使用が検討されている．

アセチルコリンを標的とするAlzheimer病の記憶および認知に対する対症療法

Alzheimer病において，軽度認知障害（MCI）から認知症に進展するにつれてみられる記憶障害のうちのいくつかの最早期症状の基盤には，コリン作動性神経細胞の変性があると考えられている．Alzheimer病に対して承認されたさまざまな薬物

によってアセチルコリン系神経伝達の欠乏を標的にすることが、いかに記憶や認知面における症状改善の基盤になっているのかについて述べる前に、アセチルコリン系神経伝達、アセチルコリン受容体およびアセチルコリン回路について理解しておくことが重要である。

アセチルコリン：合成，代謝，受容体，経路

アセチルコリンはコリン作動性神経細胞内で2つの前駆体から合成される。すなわち、コリンとアセチル補酵素A acetyl coenzyme A (AcCoA) である（図12-24）。コリンは食事あるいは神経細胞内から補給され、AcCoAは神経細胞のミトコンドリア内でグルコースからつくられる。この2つの基質が合成酵素であるコリンアセチルトランスフェラーゼ choline acetyltransferase (ChAT) と相互に作用して神経伝達物質のアセチルコリン acetylcholine (ACh) を産生する。AChの作用は、アセチルコリンエステラーゼ acetylcholinesterase (AChE) かブチリルコリンエステラーゼ butyrylcholinesterase (BuChE) の2つの酵素のうちのどちらかによって終結させられる（図12-25）。BuChEは「偽コリンエステラーゼ」あるいは「非特異的コリンエステラーゼ」と呼ばれることもある。両方の酵素ともAChをコリンに変換し、コリンはシナプス前コリン作動性神経細胞に戻されてAChの再合成に使われる（図12-25）。AChEとBuChEは両方ともAChを代謝できるが、それぞれ異なる遺伝子によってコードされ、組織分布や基質パターンを異にする、という点においてかなり異なるものである。これら2つの酵素を阻害することによる臨床的な効果も異なることがある。AChEは脳内、特にACh入力を受ける神経細胞に高濃度に存在する（図12-25）。BuChEも同様に脳内、特にグリア細胞に多く存在する（図12-25）。後述するように、コリンエステラーゼ阻害薬のなかには、AChEを特異的に阻害するものもあるが、どちらの酵素も阻害するものもある。コリン作動性シナプスにおいてAChを不活化する主要な酵素はAChEと考えられているが、AChが

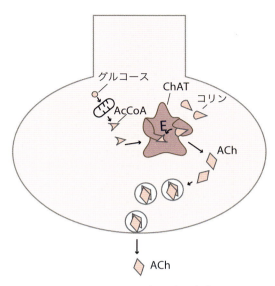

図12-24 アセチルコリン（ACh）の産生 AChは、2つの前駆体（コリンとアセチル補酵素A（AcCoA））とコリンアセチルトランスフェラーゼ（ChAT）との相互作用により合成される。コリンは食事あるいは神経細胞内から補給され、AcCoAは神経細胞のミトコンドリア内でグルコースから作られる。

近くのグリア細胞まで拡散した場合にはBuChEがAChを不活化する（図12-25）。AChEは、腸管、骨格筋、赤血球、リンパ球、血小板などにも存在する。BuChEも、腸管、血漿、骨格筋、胎盤、肝臓などに存在する。BuChEはある種の特殊な神経細胞や老人斑にも存在する可能性がある。

中枢神経系の神経細胞から放出されたAChは、AChEによって急速かつ完全に分解されてしまうので、シナプス前神経細胞に取り込まれて利用されることはない。しかし、AChの分解によって生じたコリンは、シナプス前コリン作動性神経終末にすばやく取り込まれる。これは、ノルエピネフリン、ドーパミン、セロトニン神経細胞などに関連して述べたその他の神経伝達物質のトランスポーターと類似のトランスポーターによる。コリンはひとたびシナプス前神経終末に戻ると、新たなACh合成に再利用される（図12-25参照）。シナプス前神経細胞で合成されたAChは、モノアミンやその他の神経伝達物質のシナプス小胞トラ

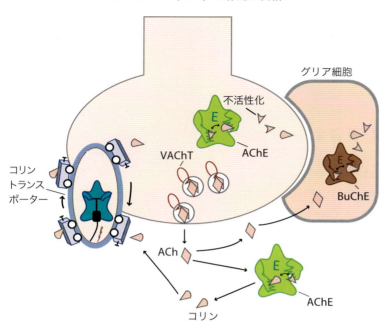

図 12-25 アセチルコリン（ACh）の作用の終結 AChの作用は 2 つの異なる酵素により終結させられる。すなわち細胞内および細胞外に存在するアセチルコリンエステラーゼ（AChE）と，グリア細胞内に存在するブチリルコリンエステラーゼ（BuChE）である。2 つの酵素ともアセチルコリンをコリンに変換する。つぎにこのコリンはシナプス間隙の外に運ばれ，コリントランスポーターを介してシナプス前神経細胞に取り込まれる。ひとたびシナプス前神経細胞に取り込まれたコリンは再利用されてアセチルコリンになり，シナプス小胞アセチルコリントランスポーター（VAChT）の作用により小胞内に取り込まれる。

ンスポーターに類似した，シナプス小胞アセチルコリントランスポーター（VAChT）によって小胞内に輸送された後，シナプス小胞内に貯蔵される。

AChには多くの受容体が存在する（図12-26〜図12-29）。おもなサブタイプとしてはニコチン性とムスカリン性のコリン受容体がある。古典的には，ムスカリン受容体はキノコアルカロイドであるムスカリンにより刺激され，ニコチン受容体はタバコアルカロイドであるニコチンによって刺激される。ニコチン受容体はすべてリガンド依存性で開始の速い興奮性イオンチャネルであり，クラーレによって遮断される。これに対してムスカリン受容体は，Gタンパク結合型で，興奮性であることも抑制性であることもあり，アトロピンやスコポラミン，その他いわゆる「抗コリン薬」としてよく知られ，本書でも述べられている薬物によって遮断される。ニコチン受容体，ムスカリン受容体とも，多くの受容体サブタイプに分類される。

ムスカリン受容体には，M_1，M_2，M_3，M_4，M_5 の 5 つのサブタイプがある（図12-26）。M_1，M_3，M_5 受容体は下流の二次メッセンジャー系に対して興奮性に作用し，コリン作動性シナプスでシナプス後に存在する（図12-26）。M_2，M_4 受容体は，下流の二次メッセンジャー系に対して抑制性に作用し，シナプス前で自己受容体として働き，ひとたびシナプスでのアセチルコリン濃度が高まると，さらなるアセチルコリンの放出を遮断する。（図12-26）。脳領域によっては，M_4 受容体がシナプス後受容体としても存在すると考えられている（図12-26）。

M_1 受容体は海馬や新皮質における記憶機能の鍵と考えられており，この部位でのドーパミン放出を促進している。一方でM_4受容体は，腹側被蓋野（VTA）のドーパミン神経細胞の制御にかかわっており，中脳辺縁系経路におけるドーパミン放出を遮断して精神病症状を軽減すると考えられている。第 5 章で統合失調症患者の前臨床試験および死後脳研究について簡潔にふれた。すなわち，中枢コリン系の変化が統合失調症の認知機能と陽性症状双方の病態生理の鍵であり，M_4受容体刺激が精神病症状を軽減し，M_1受容体刺激が認知機能を改善するというものである。M_4/M_1 ア

アセチルコリンを標的とするAlzheimer病の対症療法

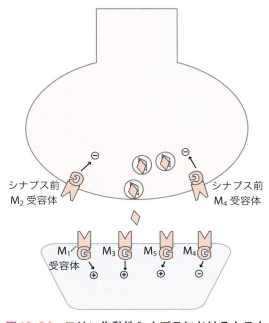

図12-26　コリン作動性シナプスにおけるムスカリン性アセチルコリン受容体　ムスカリン性アセチルコリン受容体はGタンパク結合型で，興奮性であることも抑制性であることもある。M_1，M_3，M_5受容体は，興奮性のシナプス後受容体であり，下流の二次メッセンジャー系を刺激する。M_2，M_4受容体は，抑制性のシナプス前自己受容体であり，アセチルコリンのさらなる放出を遮断する。M_4受容体は，抑制性のシナプス後受容体として存在することもあると考えられている。

ゴニストのxanomeline（第5章と図5-67参照）は，前臨床試験の結果によると，腹側被蓋野のドーパミン細胞の発火を低下させ，初期の臨床試験の結果によると統合失調症の陽性症状を改善させる。xanomelineあるいは同様の機序で作用する他の薬物は，理論上 Alzheimer病でみられる精神病症状や認知障害を軽減する可能性がある。M_2受容体とM_4受容体は，GABAやグルタミン酸といった他の神経伝達物質を放出する非コリン作動性神経細胞上にも存在する（図12-27）。AChがコリン作動性シナプスから拡散してこれらのシナプス前ヘテロ受容体を占拠すると，その神経細胞が担う神経伝達物質（例えば，GABAやグルタミン酸）の放出を遮断することができる（図12-27）。

多くのニコチン受容体サブタイプも脳内に存在するが，それとは別のサブタイプが脳外の骨格筋や神経節に存在する。中枢神経系にあるニコチン受容体のうち最も重要なものは，すべてα_7サブユニットからなるサブタイプと，α_4およびβ_2サブユニットからなるサブタイプである（図12-28）。$\alpha_4\beta_2$サブタイプはシナプス後にあり，側坐核におけるドーパミン放出の調節に重要な役割を果たしている。このサブタイプはタバコに含まれるニコチンの主要な標的であり，タバコの強化特性や依存特性に関与すると考えられている。ニコチン受容体の$\alpha_4\beta_2$サブタイプについては，薬物乱用に関する第13章でさらに詳細に述べる。

α_7ニコチン受容体は，シナプス前およびシナプス後の両方に存在する（図12-28，図12-29）。シナプス後α_7ニコチン受容体は，前頭前野皮質における認知機能の重要な調節因子となる。コリン作動性神経細胞上のシナプス前α_7受容体をアセチルコリンが占拠すると，「フィードフォワード」放出過程を介して，アセチルコリンの放出を促進する（図12-28）。さらに，α_7ニコチン受容体は，ドーパミンやグルタミン酸といった他の神経伝達物質を放出する神経細胞上にも存在する（図12-29）。アセチルコリンがシナプスから拡散して，これらのシナプス前ヘテロ受容体を占拠すると，ドーパミンやグルタミン酸などの神経伝達物質の放出を促進することになる（図12-29）。

以前の章で，$GABA_A$受容体（第6章の気分障害に関する記述と図6-20，図6-21参照，また第7章のうつ病の治療薬に関する記述と図7-56も参照）や N-メチル-D-アスパラギン酸 N-methyl-D-aspartate（NMDA）受容体（第4章の精神病に関する記述と図4-30，および第10章の睡眠に関する記述と図10-4を参照）のような，その他のリガンド依存性イオンチャネルについて述べたのと同様に，リガンド依存性ニコチン受容体もアロステリック調節物質により制御されている（図12-30）。ここには示していないが，ムスカリン受容体も正のアロステリック調節物質 positive allosteric modulator（PAM）によって調節されていると考えられている。脳内のニコチン受容体に対

シナプス前ムスカリン性ヘテロ受容体はGABAとグルタミン酸の放出を遮断する

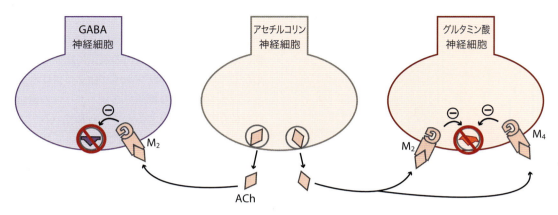

図12-27　シナプス前ムスカリン性ヘテロ受容体　M_2およびM_4受容体は，γ-アミノ酪酸（GABA）やグルタミン酸（glu）神経細胞などの非コリン作動性神経細胞のシナプス前にも存在する。アセチルコリン（ACh）がシナプスから拡散してこれらのシナプス前ヘテロ受容体を占拠すると，GABAやgluの放出を遮断することができる。

コリン作動性シナプスにおけるニコチン性アセチルコリン受容体

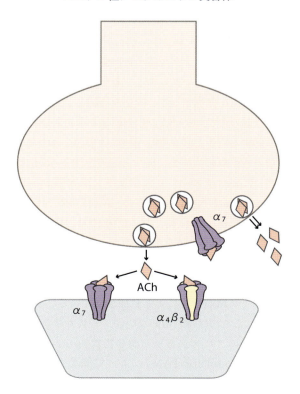

図12-28　コリン作動性シナプスにおけるニコチン性アセチルコリン受容体　アセチルコリン（ACh）による神経伝達は，ここに示すように，ニコチン受容体として知られるリガンド依存性の興奮性イオンチャネルによって制御される。ニコチン受容体には，含まれるサブユニットによって規定される多数のサブタイプがある。そのうち最も重要な2つは，すべて$α_7$サブユニットからなるものと，$α_4$および$β_2$サブユニットからなるものである。$α_7$ニコチン受容体はシナプス前に存在してAChの放出を促進する。また，シナプス後にも存在して，前頭前皮質における認知機能の調整に重要な役割を果たす。$α_4β_2$ニコチン受容体はシナプス後に存在し，側坐核におけるドーパミンの放出を調節する。

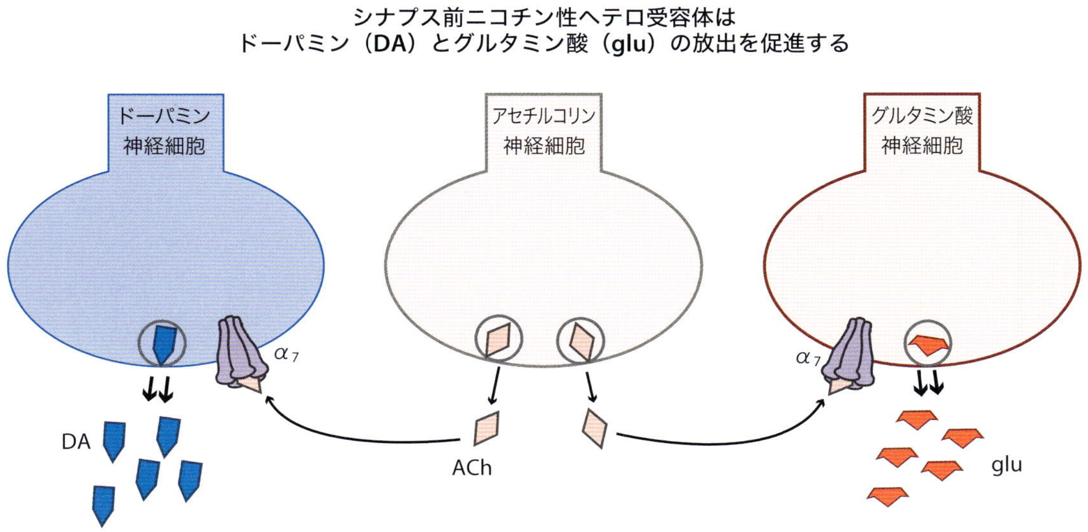

シナプス前ニコチン性ヘテロ受容体はドーパミン（DA）とグルタミン酸（glu）の放出を促進する

図12-29　シナプス前ニコチン性ヘテロ受容体　シナプスから拡散したアセチルコリン（ACh）は，ドーパミンおよびグルタミン酸神経細胞上にあるシナプス前 α_7 ニコチン受容体に結合し，それぞれの神経伝達物質の放出を刺激する。

するPAMについてはかなり解明されている。後述するように，Alzheimer病に対して使われているコリンエステラーゼ阻害薬のガランタミンは，ニコチン受容体に対するPAMという第2の治療機序をもっている。

主要なコリン神経回路を図12-31と図12-32に示した。コリン神経回路のうちのあるものは，脳幹にある神経細胞からはじまって前頭前皮質，前脳基底部，視床，視床下部，扁桃体，海馬など多くの脳領域に投射している（図12-31）。その他の神経回路は前脳基底部にある神経細胞から前頭前皮質，扁桃体，海馬に投射し，記憶に関してとりわけ重要であると考えられている（図12-32）。基底核にあるその他のコリン神経線維については図示していない。

アセチルコリンエステラーゼを阻害することによるAlzheimer病の記憶および認知に対する対症療法

コリン系の機能不全に伴って加齢による認知機能低下がみられることは定説になっており，これは前脳基底部からコリン作動性神経細胞が早期に脱落することによると考えられている〔図12-33A認知機能正常と図12-33B軽度認知障害（MCI）を比較せよ〕。記憶力低下のこの初期段階においては，コリン作動性神経細胞の神経分布は失われるが，コリン作動性のシナプス後の標的細胞は残存している（図12-33B）。このため，AChEを阻害することによりACh濃度を上げてシナプス後コリン受容体を刺激すれば，変性したコリン作動性神経細胞の失われた機能をある程度回復させることができると考えられる（図12-33C 早期Alzheimer病の認知機能に対する効果的なコリン療法）。このモデルは，レボドパによるParkinson病治療において，変性したドーパミン神経細胞の失われた機能をある程度回復させることができることと類似している。しかし，Alzheimer病が進行して，MCIおよび早期認知症から認知症後期の段階に至るにつれ，新皮質と海馬の神経細胞は進行性に脱落していく。この過程で，コリン療法の標的になる受容体も失われ，AChE阻害薬によってコリンを増強する対症療法は，その効果を失いはじめることになる（図12-33D Alzheimer病の進行とコリン増強療法の効果消失）。

とはいえ，Alzheimer病中期の認知および記憶症状に対して最も成功している治療アプローチは，AChの分解を止めることによってコリン系の機能を高めるというものである。これは，AChE

ニコチン受容体のアロステリック調節

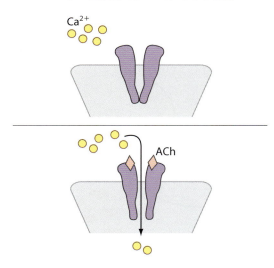

脳幹からのコリン作動性投射

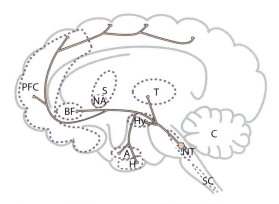

図12-30 ニコチン受容体のアロステリック調節 ニコチン受容体はアロステリック調節によっても制御される。これらのリガンド依存性イオンチャネルは，神経細胞へのカルシウムイオン（Ca^{2+}）の流入を制御している（上段）。アセチルコリン（ACh）がこれらの受容体に結合すると，神経細胞内にCa^{2+}が流入する（中段）。AChの存在下で，正のアロステリック調節物質が結合すると，このイオンチャネルの開口頻度が上昇する。これによって，より多くのCa^{2+}が神経細胞内に流入することになる（下段）。

図12-31 脳幹からのコリン作動性投射 コリン作動性神経細胞の細胞体は脳幹に存在し，前脳基底部（BF），前頭前皮質（PFC），視床（T），視床下部（Hy），扁桃体（A），海馬（H）など，多くの異なる脳領域に投射している。
C：小脳，NA：側坐核，NT：脳幹神経伝達物質中枢，S：線条体，SC：脊髄

前脳基底部（BF）からのコリン作動性投射

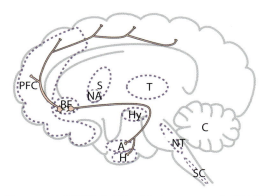

図12-32 前脳基底部（BF）からのコリン作動性投射 BFに細胞体が存在するコリン作動性神経細胞もあり，そこから前頭前皮質（PFC），扁桃体（A），海馬（H）に投射している。これらの経路はとりわけ記憶に重要な役割を果たしていると考えられている。
C：小脳，Hy：視床下部，NA：側坐核，NT：脳幹神経伝達物質中枢，S：線条体，SC：脊髄，T：視床

を阻害することによって容易に達成することができる（図12-23A，図12-25）。AChEの阻害により，AChの作用を効率的に終結することができなくなるため，AChの作用が増強する。AChの利用率が高まるとAlzheimer病患者の認知および記憶症状に効果を発揮し，記憶が改善することもある。しかし多くの場合，現状の記憶機能レベルを維持し，記憶力低下の進行を遅らせることに寄与している。

ドネペジル

ドネペジルは可逆性で長時間作用型の選択的AChE阻害薬であるが，BuChEは阻害しない（図12-34）。ドネペジルは，シナプス前コリン作動性

記憶回路とコリン作動性投射

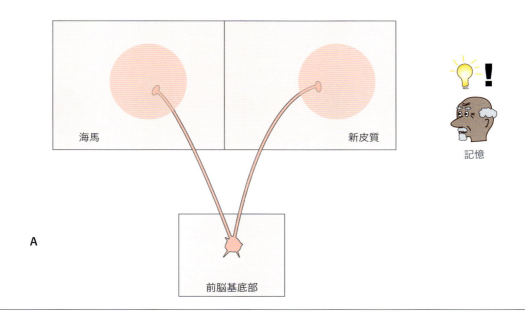

コリン作動性投射の消失と軽度認知障害（MCI）および早期 Alzheimer 病の記憶回路におけるコリン作動性標的の保持

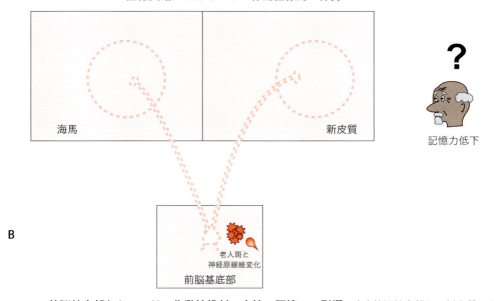

図12-33A・B　前脳基底部からのコリン作動性投射の変性：記憶への影響　（A）前脳基底部から新皮質および海馬に至るコリン作動性投射は，特に記憶に重要な役割を果たしていると考えられている．（B）老人斑と神経原線維変化が脳内に蓄積すると神経変性が起こり，これらのコリン作動性投射が特に障害されて記憶力低下が生じる．Alzheimer 病の早期の段階では，コリン作動性の神経分布は失われるが，コリン作動性のシナプス後の標的は残存している[*1]．

＊1 訳注：図Bの海馬，新皮質の点線で囲まれた丸の部分は，図Aと同様に薄オレンジ色で塗りつぶされた丸になっているのが正しいと思われる．

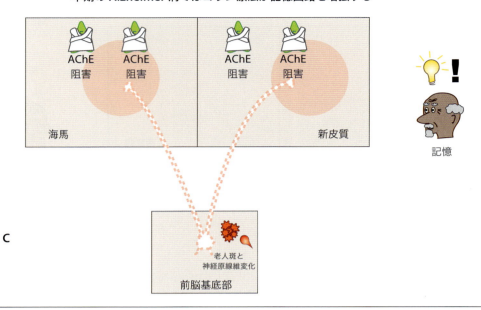

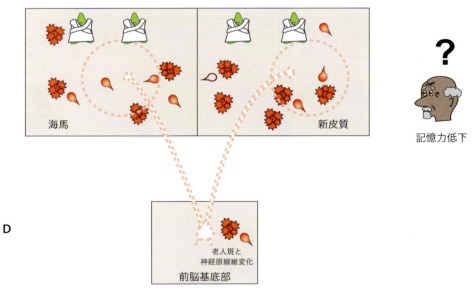

図12-33C・D　前脳基底部からのコリン作動性投射の変性：コリン療法の効果　（C）Alzheimer病の早期の段階では，コリン作動性の神経分布は失われるが，コリン作動性のシナプス後の標的は残存している．このため，海馬および新皮質でのアセチルコリン（ACh）濃度を上げることにより，記憶を改善することができる．これは，アセチルコリンエステラーゼ（AChE）阻害薬のような，アセチルコリンの代謝を阻害する薬物により達成することができる．（D）Alzheimer病が進行すると，新皮質および海馬における神経細胞脱落は，AChの標的になる受容体の喪失をも意味する．このため，AChEの効果もみられなくなる．

神経細胞，シナプス後コリン作動性神経細胞の双方においてAChEを阻害し，コリン神経細胞以外でもこの酵素が広範にみられる他の中枢神経系領域でAChEを阻害する(図12-34A)。中枢神経系においては通常，コリン作動性神経細胞の支配を受けているが，シナプス前コリン作動性神経細胞の死滅によりAChが欠乏状態となっている部位で，AChの利用率を高める働きをする(図12-33B，図12-33C)。ドネペジルは末梢のAChEも阻害するので，消化器系でその作用が発揮されると消化器系副作用が生じる(図12-34B)。ドネペジルは容易に投与することができ，消化器系副作用があるがほとんどは一過性である。

リバスチグミン

リバスチグミンは「偽不可逆性」(数時間後にはもとに戻ることを意味する)で，中間作用型の薬物で，BuChEよりもAChEに選択的であるばかりでなく，脳の他の脳領域よりも皮質および海馬に存在するAChEに対して選択的である(図12-35A)。リバスチグミンはグリア細胞内のBuChEも阻害し，中枢神経系内のACh濃度をある程度高めることにも関与している(図12-35A)。グリア細胞内のBuChEの阻害は，皮質神経細胞の死滅に伴ってグリオーシスが進行するAlzheimer病患者にとってはより重要でさえあると考えられる。というのは，これらのグリア細胞はBuChEを含んでおり，増大した酵素の作用を阻害することは，第2の機序を介して残存するコリン受容体のACh利用率を高めることに資すると思われるからである(図12-35B)。リバスチグミンは，その薬物動態学的な特性と末梢においてAChEとBuChEの両方を阻害する作用のため，経口投与された場合に消化器系の副作用がよりでやすい可能性があるが，ドネペジルに匹敵する安全性と効果を有している(図12-35C)。しかし，今や経皮吸収型のリバスチグミン製剤が使えるようになったため，薬物送達を最適化しピーク血中濃度を低下させることにより，経口製剤の末梢性副作用は大幅に軽減された。

ガランタミン

ガランタミンは，マツユキソウやスイセンでみいだされた非常に興味深いコリンエステラーゼ阻害薬である！ ガランタミンはAChE阻害作用(図12-36A)とニコチン受容体の正のアロステリック調節作用という二重の作用機序を有している(図12-36B)。理論的には，AChE阻害作用(図12-36A)は，ニコチン受容体に対するガランタミンの正のアロステリック調節作用が加わることにより増強すると考えられる(図12-36B)。つまり，AChE阻害作用によるニコチン受容体でのACh濃度の上昇は，ガランタミンの正のアロステリック調節作用により強化されるのである(図12-36B)。しかし，この理論的には有利に働くニコチン受容体に対する正のアロステリック調節という第2の作用が，臨床的にどのような利点をもたらすのかは，まだ明らかになっていない。

グルタミン酸を標的とするAlzheimer病の記憶および認知に対する対症療法

コリン系の機能不全のみがAlzheimer病における唯一の問題ではないことは，いうまでもない。患者が軽度認知障害(MCI)からAlzheimer病に移行するにつれ，コリン系とグルタミン酸系回路の双方で進行性の変性が認められる。グルタミン酸は，ひとたびAlzheimer病に進展すると過剰に放出されるようになると考えられている(図4-52Dと第4章の議論を参照，また図12-23Aも参照)。おそらく一部は老人斑と神経原線維変化の神経毒性が引き金となり，GABA介在神経細胞の変性に伴ってGABAによる正常な抑制が解除されることでグルタミン酸が放出されると考えられる(第4章と図4-52D参照，また図12-37A, B, Cを比較せよ)。すなわち，休止状態ではグルタミン酸は通常作用せず，NMDA受容体はマグネシウムイオン(Mg^{2+})により生理的にブロックされている(図12-37A)。正常な興奮性神経伝達が到来すると，グルタミン酸が一気に放出される(図12-37B)。シナプス後NMDA受容体は「同時発生検知器」であり，3つの事象が同時に発生すると

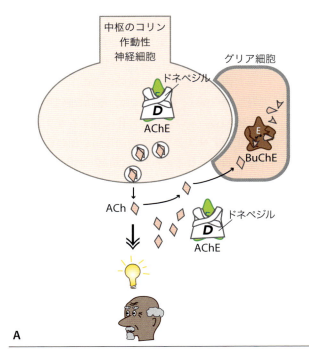

ドネペジルの作用：中枢神経系

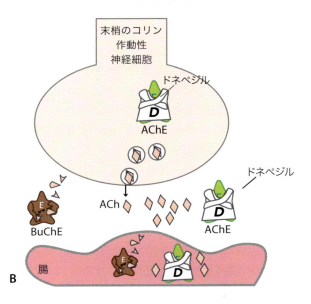

ドネペジルの作用：末梢

図12-34　ドネペジルの作用　ドネペジルは可逆性のアセチルコリンエステラーゼ(AChE)阻害薬である。AChEは中枢神経系と末梢の両方に存在する。(**A**)中枢性のコリン作動性神経細胞は記憶の制御に重要な役割を果たしているので、中枢神経系においてAChE阻害によりアセチルコリン(ACh)の作用を増強することは認知機能の改善に寄与する。(**B**)末梢のコリン作動性神経細胞は腸に存在し、消化管への作用をもたらす。このため、AChE阻害によって末梢のAChの作用が増強されると、消化器系の副作用が生じる可能性がある。

BuChE：ブチリルコリンエステラーゼ

イオンを流入させる。その3つの事象とは、神経細胞の脱分極が起こること〔しばしば近くにあるα-アミノ-3-ヒドロキシ-5-メチル-4-イソオキサゾール-プロピオン酸 α-amino-3-hydroxy-5-methyl-4-isoxazole-propionic acid(AMPA)受容体の賦活によって生じる〕、グルタミン酸がNMDA受容体上の結合部位を占拠すること、共存伝達物質であるグリシンがNMDA受容体上の結合部位を占拠すること、である(図12-37B)。もし老人斑や神経原線維変化がグルタミン酸の恒

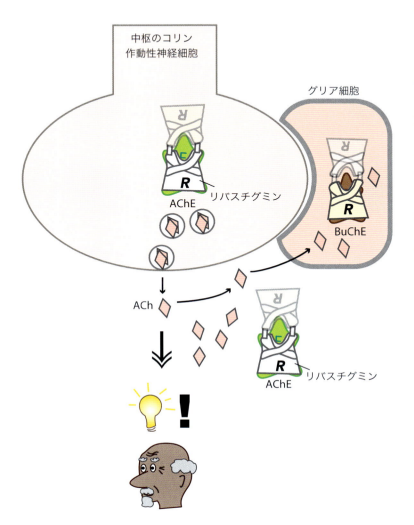

図12-35A　リバスチグミンの作用（その1）　リバスチグミンは偽不可逆性（数時間後にはもとに戻る）で、アセチルコリンエステラーゼ（AChE）とブチリルコリンエステラーゼ（BuChE）を阻害する。これらの酵素は中枢神経系と末梢の両方に存在する。中枢のコリン作動性神経細胞は記憶の制御に重要な役割を果たしているので、中枢神経系でのAChE阻害によりアセチルコリンの作用を増強することは、認知機能の改善に寄与する。特に、リバスチグミンは、脳の他の領域よりも皮質と海馬（記憶にとって重要な2つの領域）に存在するAChEに対しある程度の選択性がある。グリア細胞におけるリバスチグミンのBuChE阻害作用も、アセチルコリン（ACh）濃度の上昇に一役買っていると思われる。

常的な「漏出」を引き起こすとすると（第4章と図4-52D参照）、それは理論的にはグルタミン酸神経伝達の微妙な調節を障害し、記憶や学習を妨げることになるが、必ずしも神経細胞に損傷を与えるわけではない（図12-37C）。仮説としては、Alzheimer病が進行するにつれて、グルタミン酸の放出が持続的にシナプス後受容体に損傷を与えるレベルにまで増大すると考えられ、ひいては樹状突起を死滅させ、さらに興奮毒性による細胞死によって神経細胞全体を死滅させるに至る（図12-23A、図12-37C）。

メマンチン

NMDAアンタゴニストの一種であるメマンチン（図12-38）を使用することの根拠は、グルタミン酸神経伝達の異常な活性化を減弱することにより、Alzheimer病の病態生理に歯止めをかけ、認知機能を改善し進行を遅らせることにある（図12-23A、図12-37D）。慢性的にNMDA受容体を遮断することは、記憶形成と神経可塑性を阻害する可能性がある。過剰な興奮を抑えてNMDA受容体がもたらす興奮毒性を低レベルに維持する一方で、学習、記憶、神経可塑性などを阻害せず、統合失調症様の状態に至らないようにするために

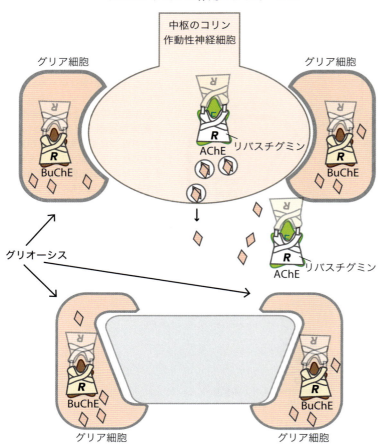

図12-35B　リバスチグミンの作用（その2）　リバスチグミンはアセチルコリンエステラーゼ（AChE）とブチリルコリンエステラーゼ（BuChE）を阻害する。これらの酵素は中枢神経系と末梢の両方に存在する。BuChEの阻害は、疾患がより進行した段階でその重要性を増す。というのは、より多くのコリン作動性神経細胞が死滅してグリオーシスが起こると、BuChEの活性が増すからである。

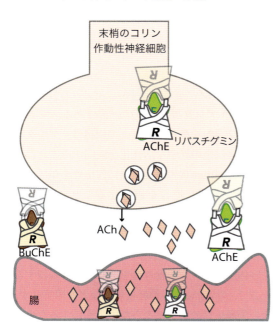

図12-35C　リバスチグミンの作用（その3）　リバスチグミンはアセチルコリンエステラーゼ（AChE）とブチリルコリンエステラーゼ（BuChE）を阻害する。これらの酵素は中枢神経系と末梢の両方に存在する。末梢のコリン作動性神経細胞は腸に存在し、消化管への作用をもたらす。このため、AChEおよびBuChEの阻害によって末梢のアセチルコリン（ACh）の作用が増強されると、消化器系の副作用が生じる可能性がある。

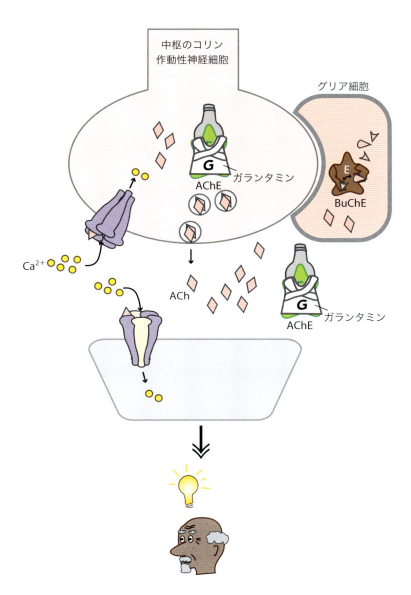

図12-36A　ガランタミンの作用（その1）　ガランタミンはアセチルコリンエステラーゼ（AChE）の阻害薬である。中枢のコリン作動性神経細胞は記憶の制御に重要な役割を果たしているので，中枢神経系でのAChE阻害によりアセチルコリン（ACh）の作用を増強することは，認知機能の改善に寄与する。

BuChE：ブチリルコリンエステラーゼ

はどうしたらいいのであろうか？

　その答えは，NMDAによって仲介されるグルタミン酸神経伝達を，弱い（低親和性の）NMDAアンタゴニストによって阻害することにあると思われる。このようなNMDAアンタゴニストは通常，休止時にマグネシウムイオン（Mg^{2+}）が結合してイオンチャネルに栓をするのと同じ部位を占拠して，イオンチャネルを阻害する（図12-37D）。すなわち，メマンチンは低～中等度親和性の非競合的NMDA受容体アンタゴニストであり，電位感受性の開口チャネル阻害薬として，急速に遮断したりもとに戻したりする特性をもつ。いってみればNMDA受容体のイオンチャネルが開口しているときだけそれを遮断するのである。これがチャネル開口アンタゴニストと呼ばれ電位感受性（すなわちチャネルを開口させる）である所以である。メマンチンはチャネル開口を急速に遮断するが，正常なグルタミン酸神経伝達に対しては速や

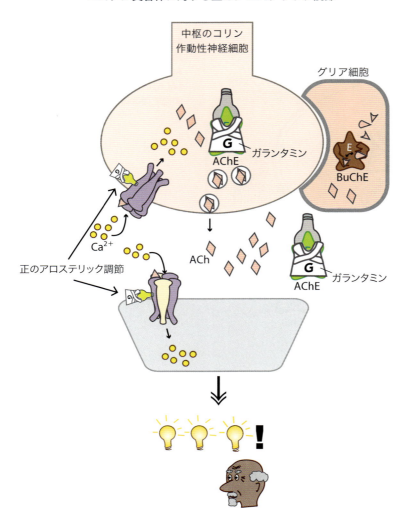

図12-36B ガランタミンの作用(その2) ガランタミンは，ニコチン性コリン受容体に対する正のアロステリック調節物質(PAM)でもあるという点で，コリンエステラーゼ阻害薬のなかで特徴的な位置を占めている。これにより，この受容体におけるアセチルコリン(ACh)の作用を増強する。理論的には，ガランタミンはニコチン受容体に対してPAMとして作用することで，コリンエステラーゼ阻害薬としての主作用を強めることになる。

AChE：アセチルコリンエステラーゼ，
BuChE：ブチリルコリンエステラーゼ

かにもとに戻りチャンネルを開口させる(図12-37E)。

　上述の概念を図12-37C〜Eに示す。まず，Alzheimer病でみられる興奮毒性の際，グルタミン酸神経細胞がどのような状態にあるのかについての仮説を図12-37Cに示す。ここでは一定の持続的で過剰なグルタミン酸が連続性に放出され，グルタミン酸神経細胞の正常な休止状態が阻害されている(図12-37C)。そして，確立された記憶機能，新しい事柄の学習，正常な神経可塑性が障害される。さらに，細胞内の酵素を活性化してシナプス後樹状突起の膜を損傷する有毒なフリーラジカルを産生し，最終的に神経細胞全体を破壊する(図12-37C)。メマンチンが投与されると，グルタミン酸の持続的な放出による下流への作用が阻害され，グルタミン酸が連続的に放出されているにもかかわらず，グルタミン酸神経細胞を新たな休止状態に復するようにする(図12-37D)。理論的には，このことにより，過剰なグルタミン酸が休止時のグルタミン酸神経細胞の生理活性を阻害することを阻止し，記憶を改善すると考えられる。また，過剰なグルタミン酸が神経毒性を発揮しないように作用し，Alzheimer病における神経細胞死とそれに関連する進行性の認知機能低下を

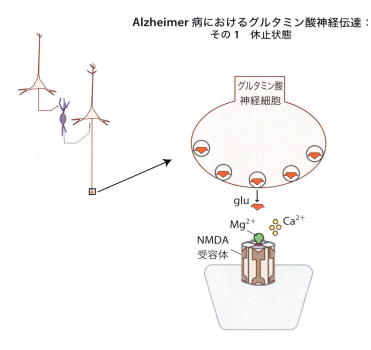

図12-37A Alzheimer病におけるグルタミン酸神経伝達(その1)　休止状態〔グルタミン酸(glu)は結合していない〕では，NMDA受容体はマグネシウムイオン(Mg^{2+})によりブロックされている。

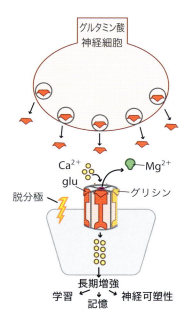

図12-37B Alzheimer病におけるグルタミン酸神経伝達(その2)　正常な神経伝達の際には，グルタミン酸(glu)が放出されNMDA受容体に結合する。神経細胞が脱分極し，同時にグリシンがNMDA受容体に結合すると，チャネルが開口してイオン流入が起こる。

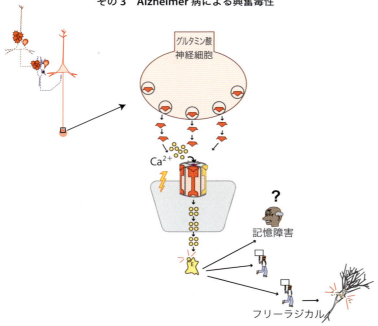

図12-37C　Alzheimer病におけるグルタミン酸神経伝達（その3）　老人斑と神経原線維変化によって生じた神経変性は，グルタミン酸の恒常的な漏出を引き起こす可能性があり，結果としてシナプス後神経細胞に過剰なカルシウムイオン（Ca^{2+}）が流入することになる。このことは，短期的には記憶障害を引き起こし，長期的にはフリーラジカルの蓄積を生じさせて，神経細胞の破壊を招く。

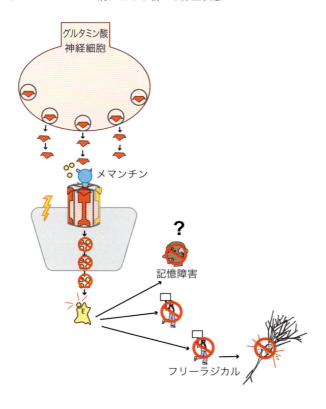

図12-37D　Alzheimer病におけるグルタミン酸神経伝達（その4）　メマンチンは，非競合的な低親和性NMDA受容体アンタゴニストで，チャネルが開口している際には，そのマグネシウムイオン（Mg^{2+}）結合部位を占拠する。このようにメマンチンはNMDA受容体のイオンチャネルに「栓」をすることにより，グルタミン酸の持続的な放出によって生じる下流への作用を阻害する。これにより記憶が改善し，グルタミン酸の興奮毒性による神経細胞死を回避することができる。

**Alzheimer 病におけるグルタミン酸神経伝達：
その 5　正常な神経伝達**

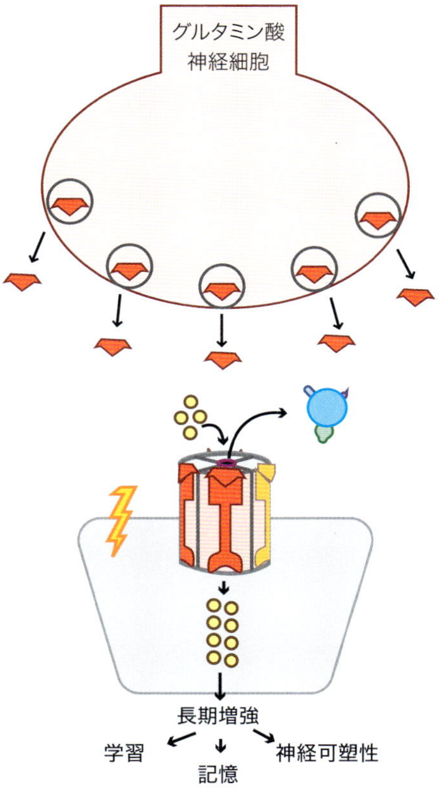

図 12-37E　Alzheimer 病におけるグルタミン酸神経伝達（その 5）　メマンチンの親和性は低いので，グルタミン酸の相動性の放出と脱分極が起こると，メマンチンはイオンチャネルから容易に取り除かれ，正常な神経伝達が行われる。このことは，メマンチンが精神症状惹起作用を示さず，新しい事柄の学習を妨げるものではないことを意味する。

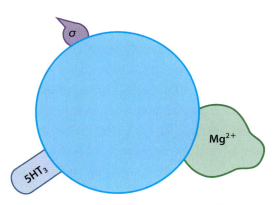

図 12-38　メマンチン　メマンチンは，非競合的な低親和性 NMDA 受容体アンタゴニストで，チャネルが開口している際には，そのマグネシムイオン（Mg^{2+}）結合部位を占拠する。また，メマンチンはσ結合特性と弱い $5HT_3$ アンタゴニストとしての特徴も有している。

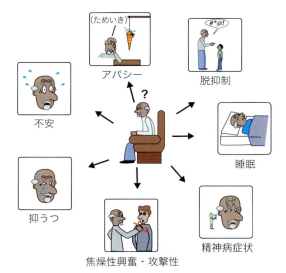

図 12-39　認知症の行動症状　認知症の患者は，認知障害と記憶障害に加えて多くの行動症状を示し，それぞれ異なる神経細胞回路によって制御されている可能性がある。

遅らせることになると考えられる（図12-37D）。

しかし，同時に，メマンチンはグルタミン酸シナプスにおける神経伝達をすべて阻害するほど強力なNMDA受容体アンタゴニストではない（図12-37E）。正常なグルタミン酸神経伝達の際に相同性のグルタミン酸放出による一過性のグルタミン酸濃度上昇が起こると脱分極が生じるが，この脱分極は，メマンチンによる阻害に拮抗して生じることができる（図12-37E）。このためメマンチンは，phencyclidine（PCP）やケタミンのようなより強力なNMDAアンタゴニストがもつ精神障害発現作用は示さず，新しい事柄の学習や必要時に正常な神経伝達を生じさせる能力をシャットダウンしてしまうようなことはない（図12-37E）。メマンチンによるNMDA受容体の阻害は一種の「人工的マグネシウム」とみなすこともでき，興奮毒性をもたらすグルタミン酸の放出に圧倒されてしまうマグネシウムの生理的阻害よりも効果的である。しかし，PCPやケタミンほどの効果はなく，グルタミン酸システムが完全に遮断されてしまうことはない。いわば，二兎を追う者が二兎を得たようなものである。

メマンチンはσ結合特性と弱い5HT₃アンタゴニストとしての特徴も有している（図12-38）が，これがAlzheimer病に関してどのような作用をもたらしているのかは明らかではない。Alzheimer病に対するメマンチンの作用機序は，コリンエステラーゼ阻害薬とは非常に異なっているので，この両方の機序による作用を最大限に生かし付加的な効果を得るために，メマンチンは通常，コリンエステラーゼ阻害薬と一緒に投与される。

認知症の行動症状に対する治療

認知症は，基本的に記憶と認知の障害とみなされることが多いが，認知症に関連する重要な行動症状も多数あり（図12-39），それぞれ異なる神経細胞回路によって制御されていると考えられている（図12-23）。Alzheimer病に関する多くの研究から集積された認知症の行動症状の頻度は，表12-7に示すとおりである。認知症による精神病症状，焦燥性興奮，抑うつ，アパシーなどの治療

表12-7 認知症の行動・心理症状（BPSD）の有症率

症状	%
アパシー	49
抑うつ	42
攻撃性	40
睡眠障害	39
不安	39
易刺激性	36
食行動異常	34
異常行動	32
妄想	31
脱抑制	17
幻覚	16
多幸	7

有症率の推定は，Alzheimer病でみられるBPSDについてNeuropsychiatric Inventory（NPI）を用いて評価した48研究を統合して得られたものである。
（Zhao et al. 2016のデータより）

については，すべてここで述べることにする。

Alzheimer病でみられる焦燥性興奮と精神病症状の定義

おそらく認知症の症状のなかで焦燥性興奮ほど注意を喚起する症状はないであろう。とりわけ，それが攻撃的な行動となって現れる場合はなおさらである。このような行動としては，ドアを荒々しく閉める，物を投げる，蹴る，叫ぶ，押す，引っ掻く，噛みつく，徘徊する，他の人の邪魔をする，ソワソワする，じっとしていない，歩き回る，服薬を拒否する，ADL介助を拒否する，不適切な性的行動をとる，などがあげられる（表12-8）。

焦燥性興奮は，臨床および研究目的のために，International Psychogeriatric Association〔国際老年精神医学会（IPA）〕のAgitation Definition Work Group（焦燥性興奮定義作業グループ）によってつぎのように定義されている。

- 認知障害あるいは認知症症候群を有する患者で起こる

表12-8 焦燥性興奮の評価

CMAI

身体的/攻撃的	身体的/非攻撃的
● 叩く ● 蹴る ● つかむ ● 押す ● 物を投げる ● 噛みつく ● 引っ掻く ● つばを吐く ● 自分自身や他者を傷つける ● 物を壊す ● 性的行動をとる	● あてもなくウロウロする ● 不適切な着衣・脱衣 ● 違う場所に行こうとする ● 故意にころぶ ● 不適切なものを食べたり飲んだりする ● 物を不適切に取り扱う ● 物を隠す ● 奇異な行動を繰り返す ● 物をため込む ● 全般的な不穏
言語的/攻撃的	**言語的/非攻撃的**
● 叫ぶ ● 言葉による性的な言い寄り ● 悪態をつく・言葉による攻撃	● 同じ言葉や質問を繰り返す ● 奇声を発する ● 不平不満をいう ● 拒絶症 ● 絶えず不当に注意をひこうとする

CMAI：Cohen-Mansfield agitation Inventory（コーエン・マンスフィールド焦燥評価票）

- 情動的な苦痛に合致した行動を示す
- 過度の活動，言葉による攻撃，身体的な攻撃などを示す
- 過度の障害を引き起こす行動であることが明らかであり，他の疾患に起因するものではない

これに対して，認知症に関連する精神病症状はつぎのように定義されている。

- 認知機能低下が発症した後に生じた妄想あるいは幻覚で，
- 少なくとも1カ月持続し，
- せん妄や他の精神疾患によって説明することができない。

精神病症状や焦燥性興奮は，Alzheimer病でみられる記憶障害からは比較的容易に区別できるが，焦燥性興奮と精神病症状は混同されやすい。しかし，焦燥性興奮と精神病症状という2つの症候は，認知症において，まったく異なる神経細胞回路の機能不全に起因すると考えられており（図

表12-9 認知症の行動症状に対する非薬物的対応

- 満たされていない欲求（空腹，痛み，のどの渇き，退屈）に対処する
- 環境的なストレスを特定/修正する
- 日々の日課でストレスになっていることを特定/修正する
- 介護者のサポート/トレーニング
- 行動変容
- グループ/個人療法
- 問題解決
- 気分転換
- うっ積したエネルギーのはけ口を提供する（運動，活動など）
- 行動の引き金になるようなことを避ける
- 社会的かかわりあいを増やす
- リラクゼーション
- 回想法
- 音楽療法
- アロマセラピー
- ペット療法

12-23BとCを比較せよ），まったく異なる治療が必要になる。精神病症状と焦燥性興奮に対して登場してきている新たな治療法が，これらの神経細胞回路をそれぞれ個別に標的にしていることを考えると，認知症における焦燥性興奮を精神病症状から区別できるということが，かつてないほど重要になる。さらに，侵入的な幻覚や妄想などの精神病症状は，焦燥性興奮を引き起こしたり攻撃的な行動に結び付いたりする。このため，患者によっては焦燥性興奮と精神病症状の両方の症状を示し，両者に対する治療が必要になることもある。

認知症の焦燥性興奮あるいは精神病症状の治療をするために薬物を使用する前に，特に焦燥性興奮に関する以下の可逆的な促進要因ついて非薬物的に対処すべきである（表12-9）。

- 痛み
- ニコチン離脱
- 薬物の副作用
- 診断されていない身体疾患および神経疾患
- 刺激がありすぎるか，あるいは十分な刺激がなく，焦燥性興奮を誘発する環境

認知症でみられる精神病症状および焦燥性興奮の薬物療法

認知症でみられる精神病症状や焦燥性興奮に対

して承認された薬物療法はまだ存在しないが，いくつかの薬物が治験の後期段階にある。現在に至るまで，認知症でみられる精神病症状と焦燥性興奮は，格別しっかりと鑑別されてはこなかった。というのも，臨床的に両者とも治療されないままであったか，通常は統合失調症の治療に使われ認知症に対しては未承認であるドーパミン受容体阻害薬を用いて，非特異的にまた賛否両論を引き起こしながら治療されていたからである。認知症の行動症状のケアにおいて，焦燥性興奮や精神病症状に対する現行の対応ほど議論のあるトピックはなかった。とりわけドーパミンD_2受容体阻害薬の使用に関してそれはいえる。

ドーパミンD_2受容体阻害薬がなぜ論争の的になるのか？それは，これらの薬物が「化学的抑制」として働いて患者に過鎮静をもたらすということを含めて，多くの要因が絡んでいるからである。また，安全上の多大な懸念があり，これらの薬物使用に起因する脳卒中や死などの心血管イベントに関する警告もだされている。死亡のリスクは，脳卒中，血栓塞栓症，転倒，QT間隔延長による心合併症の他，特に誤嚥のリスクを高める薬物（抗コリン薬，催眠鎮静薬，ベンゾジアゼピン系薬，オピオイド，アルコールなど）による鎮静がなされた際の肺炎などによるものと考えられる。

一方，いくつかのドーパミン受容体阻害薬は，小規模の治験や臨床観察において，プラセボ反応率の高い比較対照試験に比べてより大きな効果を示している。また実際には，認知症でみられる焦燥性興奮，攻撃性，精神病症状を治療しないことにより，早期の施設入所に至ったり，このような行動が本人や周囲の人に危険をもたらしたりするといったリスクもある。したがって，個々の認知症患者にとってのリスクとベネフィットを慎重に検討した後，適応外のドーパミン阻害薬により注意深く治療されることもある。この際に使用される薬物はリスペリドン，オランザピン，ハロペリドールなどであり，クエチアピンその他は使われない（精神病に対して使われる薬物についての解説は第5章参照）。

安全性に対する警告があるにもかかわらずドーパミン阻害薬を用いて治療する必要があるということによって生じるジレンマは，精神病症状および焦燥性興奮の治療に有効であることが証明され十分に安全なプロフィールを有する薬物の探求を推し進めた。新たに登場したいくつかの治療薬の臨床治験が，精神病症状の回路（$5HT_{2A}$アンタゴニストであるpimavanserinの使用）や焦燥性興奮の回路（ブレクスピプラゾールやdextro-methorphan/bupropionなど多元作用性のグルタミン酸およびモノアミン製剤の使用）を個別に，かつより特異的に標的にして，進行している。このように，焦燥性興奮を精神病症状から区別することが，かつてないほどに重要になっている。というのも，それぞれの治療はまったく異なる脳回路を標的にしており，焦燥性興奮に対しては効果のない精神病症状の新規治療薬や，逆に精神病症状への効果のない焦燥性興奮の治療薬が用いられるからである。

セロトニンを標的とする認知症関連精神病症状の対症療法

精神病症状の有症率は，前頭側頭型認知症（FTD）における10％からLewy小体型認知症に

表12-10　Alzheimer病，血管性認知症，DLB，認知症を伴うParkinson病，FTDにおける精神病症状，妄想，幻覚の有症率(％)

	Alzheimer病	血管性認知症	DLB	認知症を伴うParkinson病	FTD
精神病症状全般	30	15	75	50	10
妄想	10〜39	14〜27	40〜57	28〜50	2.3〜6
幻覚	11〜17	5〜14	55〜78	32〜63	1.2〜13

DLB：Lewy小体型認知症，FTD：前頭側頭型認知症

おける 75％まで幅がある（表 12-10）。米国においては，200 万人超の人が認知症による精神病症状を呈している。幻視は，あらゆる型の認知症において，精神病症状の際立った特徴をなすものである。特に Lewy 小体型認知症と認知症を伴う Parkinson 病において顕著である（表 12-10, 図 12-40, 図 12-41）。妄想もすべてのタイプの認知症, 特に Alzheimer 病で観察され（図 12-40），物盗られ妄想や嫉妬妄想，誤認などが最もよくみられる。しかし，誤認は精神病症状というより記憶障害の一型と考えられることもある。Parkinson 病における精神病症状は，しばしば認知症の前触れであり，その逆もしかりである。認知症を伴う Parkinson 病の患者の 50〜70％で幻覚が報告されているのに対して，認知症を伴わない Parkinson 病患者ではその頻度は 10％にすぎない（図 12-41, 表 12-10）。精神病症状を伴う Parkinson 病患者のおよそ 85％では幻覚だけがみられ，7.5％では幻覚と妄想，7.5％では妄想のみが認められた（図 12-41）。精神病症状の重症度とその具体的な症状は，認知症の原因疾患によって変化す

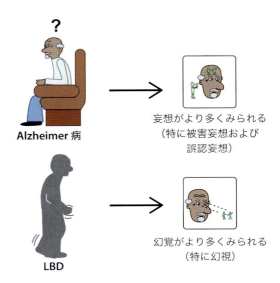

図 12-40　Alzheimer 病と Lewy 小体認知症（LBD）における精神病症状　Alzheimer 病では，幻覚よりも妄想がよくみられ，特に被害妄想や誤認妄想が多い。LBD では通常，幻覚がみられ，特に幻視が多い。

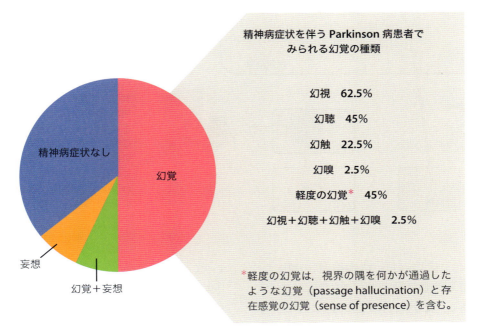

図 12-41　Parkinson 病でみられる精神病症状　精神病症状は Parkinson 病に関連してよくみられるものであり，しばしば認知症発症の前触れとなる（逆もまた然り）。Parkinson 病患者の訴える幻覚は，多くの場合幻視であるが，それ以外の幻覚がみられることもある。

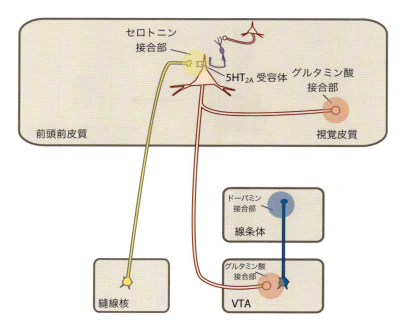

図12-42A　精神病症状の基本的な回路　精神病症状は，グルタミン酸，γ-アミノ酪酸(GABA)，セロトニンおよびドーパミン神経細胞間のシナプス(接合部)における伝達によって調節されていると考えられている。前頭前皮質のグルタミン酸神経細胞は，腹側被蓋野(VTA)に投射しており，そこでドーパミン神経細胞と連結する(グルタミン酸接合部)。このドーパミン神経細胞は，線条体に投射する。縫線核にあるセロトニン神経細胞は前頭前皮質に投射し，そこでグルタミン酸神経細胞と連結する(セロトニン接合部)。前頭前皮質から視覚皮質に投射するグルタミン酸神経細胞は，そこで他のグルタミン酸神経細胞と連結する(グルタミン酸接合部)。

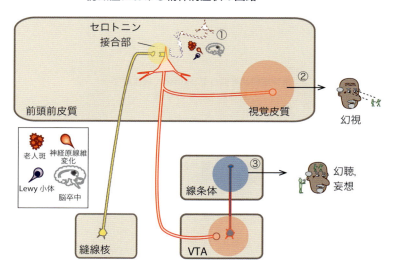

図12-42B　認知症における精神病症状の回路　①老人斑，神経原線維変化あるいはLewy小体の蓄積や，脳卒中による損傷は，他の神経細胞は保ったまま，グルタミン酸作動性錐体細胞やGABA作動性介在神経細胞を損なうことがある。GABAによる抑制がなくなることで，グルタミン酸作動性錐体細胞に対する制御バランスが，少なくとも一時的に崩れる。興奮性5HT$_{2A}$受容体の刺激作用が，GABAによる抑制によって制御されないと，グルタミン酸の実質的な神経伝達が増加する。②視覚皮質におけるグルタミン酸の過剰な放出は，幻視をもたらす。③腹側被蓋野(VTA)への過剰なグルタミン酸放出により，妄想や幻聴を引き起こす。

る(図12-40，図12-41)。精神病症状の頻度も，時間経過および認知症の自然経過に伴って変化するものであり，より進行した認知症患者でより多く精神病症状が認められる。どのタイプの認知症でも，その精神病症状は新皮質における病理学的変化と関連していると思われ，認知症でみられる

すべての症状と同様，幻聴，幻視，妄想といった具体的な症状は，特定の皮質領域の損傷を反映していると考えられている(図12-23B，図12-42A〜C)。認知症による精神病症状は，一貫して介護者の負担増大や，重度認知症への進行，施設入所および死に関連してきた。ここで，認知症に

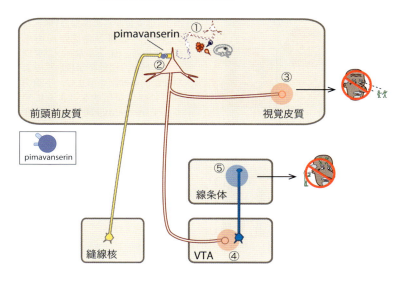

図12-42C　認知症における精神病症状の回路：治療時　①老人斑，神経原線維変化，Lewy小体の蓄積や，脳卒中による損傷は，他の神経細胞は保ったまま，グルタミン酸作動性錐体細胞やGABA作動性介在神経細胞を損なうことがある。GABAによる抑制がなくなることで，グルタミン酸作動性錐体細胞に対する制御バランスが，少なくとも一時的に崩れる。②5HT$_{2A}$アンタゴニストであるpimavanserinが前頭前皮質のグルタミン酸神経細胞上の5HT$_{2A}$受容体に結合すると，グルタミン酸およびGABA神経細胞の変性によって生じたGABA抑制の喪失を代償することになる。③視覚皮質に至るグルタミン酸神経伝達が正常化すると，幻視が少なくなる。④腹側被蓋野（VTA）に至るグルタミン酸神経伝達が正常化すると，⑤ドーパミン神経伝達が正常化し，妄想および幻聴が減少する。

よる精神病症状を理解するうえで，つぎのような疑問が生じてくる。原因がまったく異なっているにもかかわらず，なぜ多くの認知症疾患で精神病症状がみられるのか？　なぜすべての認知症の患者が精神病症状を示さないのか？

　これらの疑問に対する答えは，認知症において精神病症状をもたらす脳回路についての仮説を理解することによりみいだされるであろう（図12-23B，図12-42B，また第4章の精神病についての解説と図4-34，図4-52D，図4-55も参照）。精神病症状は，理論的には，記憶の処理にかかわっている異なる脳回路での情報処理が効率的に行われなくなっていることによって生じる症状である（図12-23Aと図12-42Aを比較せよ）。どの認知症においても，その破壊的プロセスが合理的な思考や感覚入力の処理を制御している精神病回路を侵すと（図12-42A），結果として精神病症状が生じることになる（図12-42B，また第4章と図4-34，図4-52D，図4-55も参照）。精神病症状の回路についてわれわれが知っているところによれば，妄想と幻覚は，グルタミン酸，GABA，セロトニン，ドーパミン神経細胞などを連結する神経細胞回路により制御されているようである（図12-42Aと図12-42Bを比較せよ）。これらの異なる神経細胞間のシナプス部位は，この回路における「接合部（node）」と考えられている。そこでは，神経伝達物質が精神病症状の脳回路全体を制御するように作用する（図12-42A）。認知症では，老人斑，神経原線維変化，Lewy小体の蓄積や，脳卒中が，GABAとグルタミン酸を連結する皮質接合部に生じると，制御に重要な役割を果たしている神経細胞，特に抑制性のGABA介在神経細胞を無力化してしまう。それによりグルタミン酸の過活動が起こり，さらに下流のドーパミンの過活動と精神病症状を引き起こすと考えられる（図12-42B）。

　なぜ，ある認知症患者では精神病症状がみられ，別の患者ではみられないのか？　1つの仮説は，精神病症状を呈する患者では，神経変性が記憶回路（図12-33B）だけではなく，精神病症状の回路（図12-42B）にも及ぶというものである。精神病症状を示さない認知症患者では，神経変性が精神病症状の回路を制御する神経細胞を無力化するには至っていないのである。

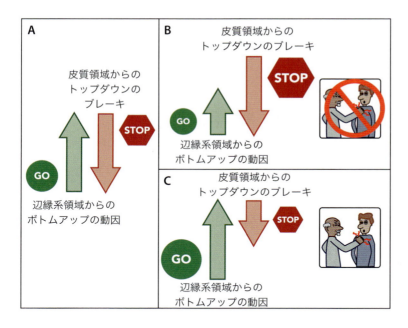

図12-43 Alzheimer病でみられる焦燥性興奮 (A)「トップダウン」の皮質からの抑制と「ボトムアップ」の辺縁系動因が均衡を保っている。(B)正常なトップダウンの抑制が、辺縁系領域からのより衝動的な動因を阻止し、不適切な行動症状が起きないようにする。(C)Alzheimer病では、神経変性のために辺縁系動因に対するトップダウンの抑制が不十分になり、行動症状が生じる。

理論的には精神病症状の回路のどの接合部 (node) も治療の標的になるが、現時点ではGABAやグルタミン酸系の薬物により精神病症状の回路に働きかける有効な手立てはない。認知症でみられる精神病症状に対しては、ドーパミン受容体の阻害が抗精神病効果を発揮するが、こういった薬物は脳卒中や死亡のリスクを高めるため、認知症の精神病症状の治療薬としては承認されていない。

それでは、どのようにすれば認知症の精神病回路の過活動を抑えることができるのであろうか？ その答えは、この回路にある$5HT_{2A}$受容体への興奮性のセロトニンの入力をpimavanserinにより阻害することにある（図12-42C，精神病症状に対するpimavanserinについての議論は第5章と図5-16，図5-17，図5-59参照）。認知症の精神病症状において、pimavanserinは、老人斑、神経原線維変化、Lewy小体、脳卒中などによって生じた精神病症状の回路でのグルタミン酸の過活動を減弱させると考えられるが、これは、神経変性のためにGABAによる抑制を失ったグルタミン酸神経細胞に対して、正常な$5HT_{2A}$刺激を低下させることによってなされる。これは残存するグルタミン酸神経細胞の出力を再調整し、$5HT_{2A}$アンタゴニスト作用とそれによる神経細胞刺激の減弱により、GABAによる抑制欠如を代償することになる。$5HT_{2A}$アンタゴニストであるpimavanserinは、Parkinson病による精神病症状の治療薬として承認されており、あらゆる原因による認知症の精神病症状に対しても肯定的な治験結果がでている。

Alzheimer病でみられる焦燥性興奮の神経回路

Alzheimer病でみられる焦燥性興奮の回路についての単純なモデルは、「トップダウン」の皮質からの抑制と「ボトムアップ」である辺縁系および情動動因 (drive) との間に不均衡が生じているというものである（図12-43，図12-44）。実のところこの単純なモデルは、精神病の精神運動興奮（第4章で解説）、躁病および混合性の特徴（第6章で解説）、ADHDのような衝動性の障害（第11章で解説）、および多くの衝動−強迫症状（強迫症、ギャンブル、物質乱用、そして暴力さえ含まれる）（第13章で解説）など、多数の疾患にまたがる広範な症候に関連している。Alzheimer病においては、神経変性がトップダウンの抑制を担う神経細胞を破壊する。このため、ボトムアップの動因が勢い

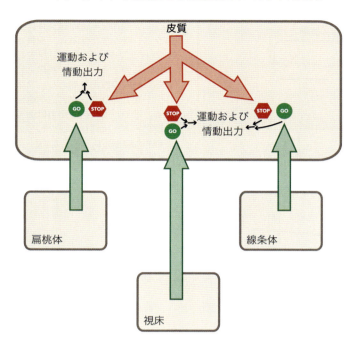

焦燥性興奮・衝動性回路：トップダウンのブレーキがボトムアップの感覚および情動動因のバランスをとる

図12-44　焦燥性興奮・衝動性の回路　扁桃体，視床，線条体からのボトムアップの感覚および情動入力は，皮質に伝達される．皮質からのトップダウンの抑制は，ボトムアップの入力のバランスをとり，適切な運動および情動出力にする．

を弱めずに進み，焦燥性興奮が発現するに至ると考えられる．

　Alzheimer病でみられる焦燥性興奮についてのより複雑なモデルは，皮質からのトップダウンの抑制がなくなることにより視床の感覚入力フィルター機能に障害が生じることを想定しており，その結果として，焦燥性興奮の**運動**および**情動**表出が生じる（図12-45A，図12-45B，図12-46A，図12-46B）．皮質からの正常なトップダウンの抑制は，**感覚**入力を選別することにより，反射的で無分別な**運動**反応が生じないようにする（図12-45A）．同様に，損傷を受けていないトップダウンの皮質抑制は**情動**入力も選別し，**情動**反応が起こらないようにする（図12-46A）．

　Alzheimer病患者では，皮質の感覚，情動および運動領域は保たれている一方，トップダウンの抑制性新皮質神経細胞は変性しており，運動や情動面の出力を表出する能力は損なわれずに保たれているが，それを抑制する能力が損なわれる（図12-45B，図12-46B）．このように，トップダウンの抑制力が損なわれると，**感覚**入力が視床から

でて皮質に及び，無分別で反射的な**運動性**の焦燥性興奮を誘発する（図12-45B）．トップダウンの抑制がないと，情動入力も同様に，辺縁系の立役者である扁桃体から多くのボトムアップ障害を引き起こすことになる（図12-46B）．すなわち，**情動**入力が視床のフィルター機能によって選別されないと，扁桃体を始動させて辺縁系からのボトムアップの興奮を引き起こすことになる（図12-46B）．具体的には，扁桃体から腹側被蓋野（VTA）への出力は，中脳辺縁系経路でのドーパミン放出を賦活し，視床フィルターを劣化させて**情動**を活性化する（図12-46B）．扁桃体から青斑核への出力は，覚醒と情動を始動させる皮質でのノルエピネフリン放出を引き起こす（図12-46B）．最終的に，扁桃体から直接皮質に至る出力は，情動および感情性の焦燥性興奮を引き起こす（図12-46B）．

　現在に至るまでAlzheimer病の焦燥性興奮に対する治療は，すでに述べたドーパミン受容体阻害薬も含めて，特別に効果があるというわけではなかった．承認された薬物が1つもないなかで，

トップダウンの抑制が焦燥性興奮回路の過剰刺激を防ぐ：運動出力

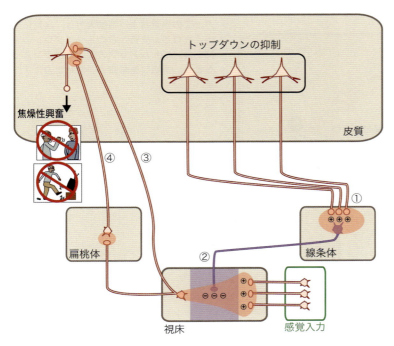

図12-45A　トップダウンの抑制が焦燥性興奮回路の過剰刺激を防ぐ：運動出力　①皮質のグルタミン酸神経細胞が線条体にグルタミン酸を放出すると，皮質からのトップダウンの抑制が生じる。②このようにして，視床におけるGABAの放出を刺激し，フィルターをとおして感覚入力を選別する。③そして視床の出力は直接皮質に行き，④扁桃体を介しての反射的な運動反応は生じない。

認知症における神経変性がトップダウンの抑制を損なう：運動出力

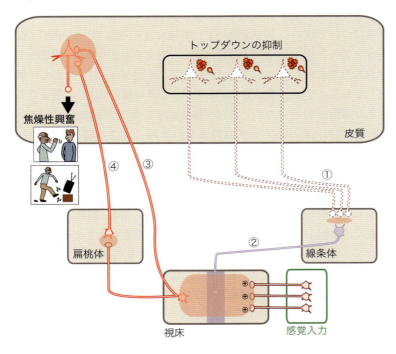

図12-45B　認知症における神経変性はトップダウンの抑制を損なう：運動出力　①老人斑や神経原線維変化の蓄積が，線条体に投射しているグルタミン酸神経細胞を破壊するために，皮質からのトップダウンの抑制が減弱する。②視床へのGABAの流入が不十分となり，感覚入力が適切に選別されない。③視床からの過剰な出力が直接皮質に行き，④扁桃体を介して反射的な運動反応が生じる。

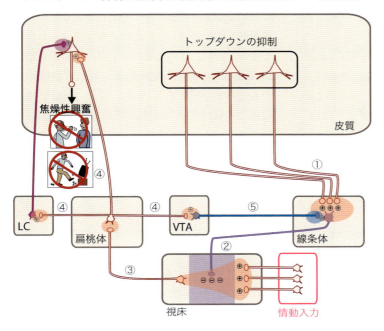

図12-46A　トップダウンの抑制が焦燥性興奮回路の過剰刺激を防ぐ：情動出力　①皮質のグルタミン酸神経細胞が線条体にグルタミン酸を放出すると，皮質からのトップダウンの抑制が生じる。②これが視床におけるGABAの放出を刺激し，フィルターをとおして情動入力を選別する。③このようにして，視床の出力は扁桃体に行き，④さらに青斑核（LC）と皮質に制御された出力が伝達され，反射的な情動反応は生じない。同様に，腹側被蓋野（VTA）への制御された出力は，⑤VTAから線条体への制御されたドーパミン出力をもたらす。

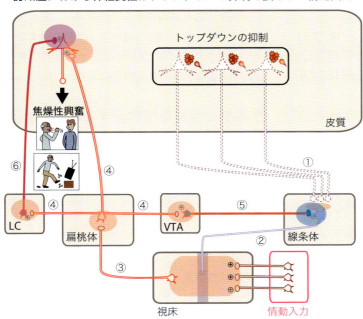

図12-46B　認知症における神経変性はトップダウンの抑制を損なう：情動出力　①老人斑や神経原線維変化の蓄積が，線条体に投射しているグルタミン酸神経細胞を破壊するために，皮質からのトップダウンの抑制が減弱する。②視床へのGABAの流入が不十分となり，情動入力が適切に選別されない。③視床から扁桃体に行った過剰な出力は，④青斑核（LC），皮質，腹側被蓋野（VTA）への過剰な出力をもたらす。⑤VTAから線条体へと放出されたドーパミンは，視床のフィルター機能をさらに低下させ，反射的な情動反応をもたらす。⑥LCから皮質にノルエピネフリンが放出され，反射的な情動反応が生じる。

多くの専門家は，認知症の焦燥性興奮や攻撃性に対する薬物療法の第1選択は，選択的セロトニン再取り込み阻害薬（SSRI）およびセロトニン・ノルエピネフリン再取り込み阻害薬（SNRI）であると考え，それが助けになる患者もいる。ドーパミン受容体阻害薬の使用を避ける一助となる第2選択薬としては，β遮断薬，カルバマゼピンの他，ガバペンチンやプレガバリンなどが含まれるが，バルプロ酸やトピラマート，oxcarbazepine，ベンゾジアゼピン系薬などは該当しない。残念なことに，これらの薬物の多くは効果が確実ではないうえに，鎮静，ふらつき，下痢，脱力といった顕著な副作用がみられる。未承認薬のなかでは，カルバマゼピンが認知症の神経精神症状の治療において，これまでのところ最大の効果を示してきたが，著しい副作用のリスクがあり，高齢患者によく処方される他の薬物と相互作用をきたす可能性がある。コリンエステラーゼ阻害薬は，Lewy小体認知症（LBD）の患者以外では，認知症の行動症状の多くに対してわずかな有効性を示すのみである。

多様な神経伝達物質（ノルエピネフリン，セロトニン，ドーパミン）を標的とするAlzheimer病の焦燥性興奮に対する対症療法

ブレクスピプラゾールは，第5章で精神病の承認治療薬の1つとして取り上げたセロトニン・ドーパミン・ノルエピネフリンアンタゴニスト/部分アゴニストであり（図5-57），第7章では，単極性うつ病の治療においてSSRI/SNRIを増強する薬物として解説した。この薬物ではいくつかの同時進行する作用機序が組み合わさって，Alzheimer病の焦燥性興奮回路での過剰な活動をしずめる。すなわち，そのよく知られたドーパミンD_2部分アゴニスト作用と$5HT_{1A}$部分アゴニスト作用，$5HT_{2A}$アンタゴニスト作用，およびα_1，α_2受容体の両方を阻害するという比較的ユニークな作用が相まって効果を発揮する（図5-57，図12-47）。ブレクスピプラゾールは，認知症の精神病症状について死亡率を高めるという警告がなさ

れたが，統合失調症の治療の際に一般的に使われる量よりも少ない量で，この薬物を認知症の焦燥性興奮の治療に対して使えば，安全域はより大きくなる。特に，この薬物の5つの作用の相乗効果がAlzheimer病の焦燥性興奮に対して治療効果をもたらすからである（図12-47）。具体的には，扁桃体の賦活により生じた腹側被蓋野（VTA）からのドーパミン放出を減弱させることにより，情動入力に対する視床のフィルター機能の改善をもたらすのである。また，ブレクスピプラゾールの多様な作用は，運動性および情動性の焦燥性興奮をもたらす錐体細胞からの過剰な出力を抑制するいくつかの相互作用部位からなる（図12-47）。青斑核からのノルエピネフリンにより，皮質錐体細胞の樹状突起上にあるα_{2C}およびα_1シナプス後受容体の賦活を阻害することによって，覚醒および情動反応が減弱する（図12-47）。アンタゴニスト作用によって$5HT_{2A}$受容体での正常なセロトニン興奮を阻害し，部分アゴニスト作用によって$5HT_{1A}$受容体での正常なセロトニン抑制を高めることも，辺縁系に由来する焦燥性興奮の運動および情動出力を減弱させる（図12-47）。ブレクスピプラゾールは，統合失調症やうつ病に対する使用が承認されており，Alzheimer病の焦燥性興奮に対する臨床治験も後期段階にある。

グルタミン酸を標的とするAlzheimer病の焦燥性興奮に対する対症療法

記憶回路における過剰なグルタミン酸放出についてはすでに解説した（図12-37A～C，また図4-52Dと第4章の解説も参照）。NMDAグルタミン酸アンタゴニストであるメマンチンが，Alzheimer病の認知機能・記憶の対症療法薬として有効であることが示されているが，Alzheimer病の焦燥性興奮については，系統的に試されてはいない。さらに，メマンチンが広く使われるようになっているものの，焦燥性興奮に対して効果があるというエピソードも示されていない。おそらくこれは，メマンチンが相対的に弱いNMDA受容体阻害薬で力価が低いことによると思われる。

より強力なNMDA受容体阻害は，第7章でう

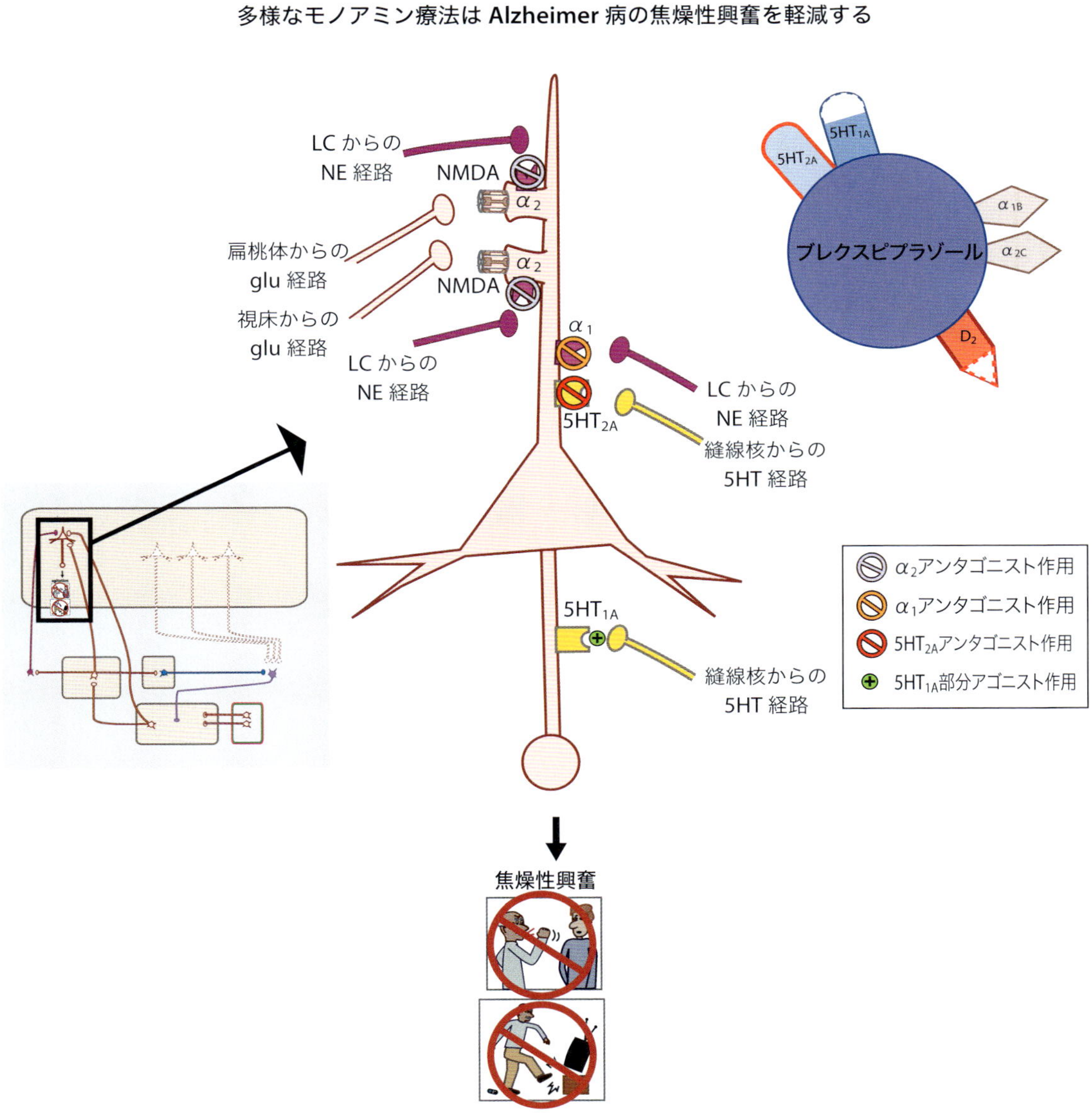

多様なモノアミン療法はAlzheimer病の焦燥性興奮を軽減する

図12-47　焦燥性興奮に対する多様なモノアミン療法　ブレクスピプラゾールは多様な精神薬理学的機序を有しており，それが相乗的に作用することにより焦燥性興奮を軽減すると考えられる。青斑核（LC）からのノルエピネフリン（NE）により，皮質錐体細胞の樹状突起上にある α_{2C} および α_1 シナプス後受容体の賦活を阻害することにより，覚醒および情動反応が減弱する。アンタゴニスト作用によって $5HT_{2A}$ 受容体での正常なセロトニン興奮を阻害し，部分アゴニスト作用によって $5HT_{1A}$ 受容体での正常なセロトニン抑制を高めることも，辺縁系に由来する焦燥性興奮の運動および情動出力を減弱させる。
5HT：セロトニン，glu：グルタミン酸

つ病に対する薬物として解説し，図7-84に示したデキストロメトルファンによって得られる。第7章で述べたように，重水素化誘導体やデキストロメトルファンと2種類の異なるCYP450 2D6阻害薬（bupropionかキニジン）のどちらかとの合剤などを含むさまざまなタイプのデキストロメトルファンの治験が行われている。デキストロメトルファンとCYP450 2D6阻害薬，ノルエピネフリン・ドーパミン再取り込み阻害薬（NDRI）のbupropionとの合剤（AXS-05としても知られて

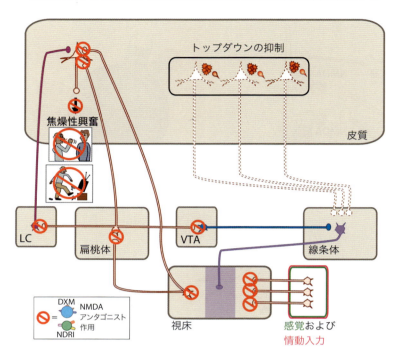

図12-48 焦燥性興奮に対するNMDAアンタゴニスト療法
NMDAアンタゴニストのデキストロメトルファン(DXM)とノルエピネフリン・ドーパミン再取り込み阻害薬(NDRI)のbupropionとの合剤は，焦燥性興奮の治療薬として治験が行われている。この合剤は，皮質，視床，扁桃体，腹側被蓋野(VTA)，青斑核(LC)などにおけるNMDA受容体を遮断することにより，運動性および情動性の焦燥性興奮を引き起こすことになる焦燥性興奮回路からの過剰なグルタミン酸放出を阻害する。

いる，図7-84)は，うつ病と治療抵抗性うつ病(第7章の気分障害の治療に関する項で解説)，およびAlzheimer病の焦燥性興奮(本章で論述，図12-48に図示した)に対して，有望な結果を示している。デキストロメトルファン配合剤の治療メカニズムについてはいくつかの可能性があるが，NMDAアンタゴニスト作用がAlzheimer病の焦燥性興奮の改善に寄与していると考えられる。dextromethorphan/bupropionは，皮質，視床，扁桃体，腹側被蓋野(VTA)，青斑核などにあるNMDA受容体を阻害することにより，運動性(図12-45B)および情動性(図12-46B)の焦燥性興奮をもたらすことになる焦燥性興奮回路の過剰な興奮性グルタミン酸の放出を抑える(図12-48)。dextromethorphan/quinidineの合剤は，偽性球麻痺の情動反応の治療薬として承認されており，デキストロメトルファンおよびその誘導体とbupropion，キニジンいずれかとの合剤は，うつ病，治療抵抗性うつ病，Alzheimer病の焦燥性興奮に関して，治験の後期段階にある。

認知症でみられる抑うつの治療

うつ病と認知症の間には密接な関連がある。しかし，この複雑な関係の本質については十分に解明されていない(図12-49)。うつ病の患者はしばしば記憶障害について訴える(高齢者でみられる場合は，仮性認知症といわれる)。これは，抗うつ薬治療によりもとに戻りうるが，うつ病は最終的には認知症に至る治療不能な前駆症状，あるいは危険因子でもある(図12-49)。実際のところ，うつ病の既往歴は，認知症，特に血管性認知症になるリスクを2倍に増やし，老年期に発症したうつ病はAlzheimer病の前駆徴候を意味する可能性がある。さらに，認知症と診断された人の少なくとも50%に抑うつ症状が認められ，適応がある場合にはそれに対処すべきである。

抑うつ症状は，認知症患者のQOLに多大な影響を及ぼし，実際に認知機能の悪化をきたす可能性もあるので，非薬物療法(表12-9)や薬物療法(図12-50)，あるいは両者の併用によってそれに対処することを優先すべきである。心理社会的介入は，認知症でみられる抑うつの治療として常に

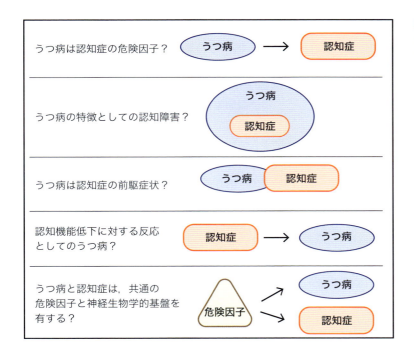

図12-49 **うつ病と認知症の関係についての仮説** うつ病と認知症の間には密接な関連があるが，この複雑な関係の本質については十分に解明されていない。

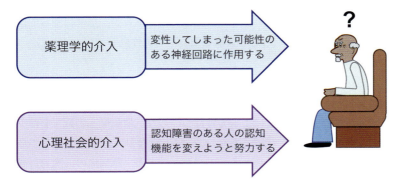

図12-50 **認知症患者における抑うつの治療** 認知症の高齢患者における抑うつの治療は，抑うつに対する薬理学的介入が作用する神経回路が変性してしまっているために困難なものになる可能性がある。心理社会的介入は適切な選択肢ではあるが，認知障害のある人に実施するのは難しいかもしれない。

試みる価値があるが，第7章で取り上げた通常の抗うつ薬は，認知症でみられる抑うつに対してはしばしば無効である。おそらくそれは，これらの薬物が作用する神経回路が変性してしまっていることによる思われる。認知症でみられる抑うつの治療をさらに複雑にしているのは，高齢者でよくみられる身体疾患に対して処方される薬物が，抑うつ症状を悪化させたり標準的な抗うつ薬との間で相互作用をきたしたりする可能性があることである。認知症患者でみられるうつ病の薬物療法に関しては，セルトラリン，citalopram，エスシタロプラム，fluoxetineなどのSSRIが，限定的な効果を示している（うつ病に対するこれらの薬物については第7章の解説を参照）。一般的に，長期にわたる抗うつ薬治療は，認知症のリスク低減，認知機能の改善，認知症高齢患者の進行速度低下と

関連している。認知症でみられるうつ病に対する治療効果に関してはデータ上結論がでていないが，SSRI（例えばcitalopramだが，これはQT延長をきたす。エスシタロプラムは，QT延長をきたさずに同様の効果を示す可能性がある）は抑うつ症状の他に認知症患者の焦燥性興奮や不適切な行動を改善する目的で適用できる可能性がある。SSRIは比較的忍容性があると考えられているものの，転倒の増加や骨粗鬆症と関連する可能性があり，他の薬物との相互作用も生じうる。さらにSSRIは，レストレスレッグス（むずむず脚）症候群，周期性四肢運動障害，レム睡眠行動障害など，Parkinson病でみられるいくつかの症候を悪化させる可能性がある。したがって，SSRI（あるいは他のどのような抗うつ薬でも）を試す必要があると判断される場合には，効果の得られる必要最小量を使い，継続的なモニタリングが必要である。

　認知症でみられる抑うつに対するその他の治療薬としては，抗うつ薬としての治療量でセロトニントランスポーターを阻害するトラゾドンがある（第7章と図7-44, 図7-45参照）。トラゾドンも，セロトニン2A（5HT$_{2A}$）および5HT$_{2C}$，ヒスタミンH$_1$，α$_1$受容体に対するアンタゴニストとしての特徴があり（図7-44, 図7-45），これにより強い鎮静作用を呈する。低用量ではセロトニン再取り込みを十分に阻害しないが，他の特性は保持している（図7-46）。トラゾドンは，比較的半減期が短い（6〜8時間）ので，1日1回就寝前に低用量で投与すれば，日中への影響をきたすことなく睡眠を改善することができる。認知症患者でみられる二次的な行動症状の治療にトラゾドンを使う意義は，抑うつ症状よりもむしろ睡眠を改善する効果にある。トラゾドンは，Alzheimer病に対してばかりではなく，他の認知症，特に前頭側頭型認知症（FTD）でみられる他の行動症状も改善させる可能性がある。

　ボルチオキセチン（第7章，図7-49）は，デュロキセチン（図7-29）のようなSNRIが老年期うつ病に対して同様の効果を有しているように，うつ病における認知機能，特に処理速度（図7-50）を改善させる可能性がある。しかし，このような認知機能改善効果は，抑うつ症状を有する認知症患者では示されていない。

情動調節障害（病的泣き笑い）

　情動調節障害は，社会的文脈に釣り合わなかったり不適切であったりする制御不能な涕泣や笑いによって特徴づけられる情動表出障害である。しばしば気分障害と間違えられるが，実際は情動表出障害であり，気分に一致せずそぐわないものである。情動調節障害は，Alzheimer病および他のさまざまな認知症，多発性硬化症，筋萎縮性側索硬化症，頭部外傷，その他情動表出回路の阻害（トップダウンの抑制，図12-44, 図12-46B参照）による病態など，多岐にわたる神経変性疾患で認められる。情動調節障害は，dextromethorphan/quinidineの合剤（図7-84参照）の有するNMDAグルタミン酸受容体およびσ受容体への作用によって治療することができる。dextromethorphan/quinidineあるいはdextromethorphan/bupropionの合剤は，第7章で治療抵抗性うつ病に対する治療選択肢として解説し（図7-84, 図7-85），本章においてもAlzheimer病の焦燥性興奮に対する治療選択肢（図12-48）として取り上げた。適応外ではあるが，患者によってはSSRIのようなセロトニン作動薬も用いられる。

アパシー

　アパシーは，意欲低下や目標指向行動の低下などによって特徴づけられ，情動反応の低下を伴う状態であり，認知症の経過中に約90％の患者で認められる。アパシーは実際，認知症の二次的行動症状のなかで最もよくみられる症状の1つであり，病気の悪化を予測することが示されており，介護者にとって多大な負担となるものである。アパシーは認知障害と気分症状が混合したものであるとする現在の考え方からすると，アパシーを定義することには困難がつきまとう。なぜなら，アパシーは認知症の症状というだけではなく，統合失調症（第4章の統合失調症の陰性症状についての解説を参照）や単極性あるいは双極性障害の抑うつエピソードの症状でもあるからである（第6

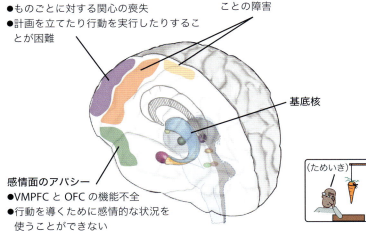

図12-51　アパシーの神経回路仮説と治療　アパシーのABC（Affective/emotional, Behavioral, Cognitive）モデルは，アパシーを3つのタイプに分類しており，それぞれ異なる脳領域の障害と関連し，基底核にある報酬回路と結び付きがあると考えられている。
DLPFC：背外側前頭前皮質，DMPFC：背内側前頭前皮質，VMPFC：腹内側前頭前皮質，OFC：眼窩前頭皮質

章のうつ病の意欲低下や興味の喪失についての解説を参照）。

　アパシーのABC（Affective/emotional, Behavioral, Cognitive）モデルは，アパシーを3つのタイプに分類しており，それぞれ異なる脳領域の障害と関連し，基底核にある報酬回路と結び付きがあると考えられている（図12-51）。アパシーの他の下位分類は，つぎのようなものである。

- 発動性の喪失
- 関心の喪失
- 感情鈍麻

　しかし，どのように特徴づけるにしろ，アパシーの中心は**意欲の喪失**であるという点に関しては意見が一致している。意欲の喪失は，つぎの事項と関連している。

- 目標指向的行動の喪失（自発性のものも環境への反応によるものも含む）
- しばしば関心の喪失として現れる目標指向的認知活動の喪失
- 自発性あるいは反応性の感情表出の喪失。これは，よく感情鈍麻とみなされる。

　これらのさまざまな説明は，すべて自発的な行動および感情の喪失という概念と環境に対する反応低下とを統合しており，焦燥性興奮でみられることとしばしば反対である（表12-8）。

　アパシーの臨床症状は，認知症のさまざまな原因疾患によって異なることが多い。例えば，感情性のアパシーは，Alzheimer病に比し行動障害型FTD（bvFTD）でより多くみられる。さまざまなタイプのアパシーには，ドーパミン系とコリン系双方の神経伝達物質が関与しているようである。したがって，bupropion，レボドパ，精神刺激薬などのドーパミンアゴニストやコリンエステラーゼ阻害薬などが治療薬の候補となるが，いずれもこの使用目的では承認されておらず，効果が確立しているわけでもない。

　うつ病に対して使われる薬物が認知症のアパシーに対して効果を発揮しないおもな理由は，アパシーはうつ病では**ない**からである。すなわち，罪責感，無価値感，絶望感などのうつ病特有の症

状（第6章と図6-1参照）は通常，認知症のアパシーの患者ではみられ**ない**。認知症のアパシーに対して投薬が必要な際には，コリンエステラーゼ阻害薬が有効な場合があり，Alzheimer病においては第1選択になる。しかし，これらの症状が出現した際の治療というよりは，その予防により効果を発揮すると考えられる。FTD患者では，SSRI（citalopramあるいはエスシタロプラム）やSNRIがより効果を発揮する可能性がある。

認知症の行動症状に対するその他の治療法

すでに指摘し，表12-9でも示したように，認知症患者の精神神経症状の治療にはいくつかの非薬物的な選択肢がある。薬物療法に関連したリスクや，多くの薬物が未承認であること，効果が十分ではないことなどを鑑みると，非薬物療法は常に第1選択として考慮すべきである。この原則は，たとえpimavanserinがあらゆる原因による認知症の精神病症状の治療薬として承認され，ブレクスピプラゾールやdextromethorphan/bupropionがAlzheimer病の焦燥性興奮に対して承認されたとしても変わることはない。

疼痛，感染，局所の炎症などが，認知症患者でみられる二次的行動症状の原因となりうることを念頭においておくことは，とりわけ重要である。ちょうど家庭のペットや幼い子どもがそうであるように，認知症の患者は自分が感じている身体の痛みを表現したり言葉で伝えたりすることができない可能性がある。このため，焦燥性興奮や抑うつなどの精神神経症状を招来する可能性のある痛みの原因を突き止めてそれを治すことは，明敏な臨床医や介護者の腕にかかっている。もし痛みが行動症状の原因になっているとすると，向精神薬の投与はほとんど効果がなく，痛みを軽減することが著効を示すであろう。例えば，アセトアミノフェンの投与が，ときに焦燥性興奮を改善することがある。同様に，行動症状の原因として改善しうるもの（退屈，過剰な刺激など）をつきとめて対処する必要がある。

まとめ

認知症の原因疾患として最もよくみられるのはAlzheimer病であり，その病因についての主要な説は，アミロイドカスケード仮説である。血管性認知症，Lewy小体型認知症，認知症を伴うParkinson病，前頭側頭型認知症（FTD）など，その他の認知症についても，その異なる病理学的変化，臨床症状および神経画像所見について述べた。新たな診断基準では，Alzheimer病について3つの病期を定義している。すなわち，無症候期，軽度認知障害（MCI），認知症である。最近の研究の主力は，脳内でのAβ蓄積を阻止することにより病気の進行を止めたりもとに戻したりする可能性のある疾患修飾薬を探究することからは外れている。というのも，このような治療の多くは，この30年間うまくいかなかったからである。今日のAlzheimer病治療の主流は，コリンエステラーゼ阻害薬を用いた記憶および認知機能に対する対症療法であり，これは健忘についてのコリン仮説に依拠している。いまひとつは，NMDAアンタゴニストのメマンチンによる対症療法であり，これは認知機能低下についてのグルタミン酸仮説にもとづいている。承認されつつある新しい治療法としては，5HT$_{2A}$アンタゴニストpimavanserinによる認知症の精神病症状に対する治療と，ブレクスピプラゾールおよびdextromethorphan/bupropionによるAlzheimer病の焦燥性興奮に対する対症療法がある。

（訳　小山恵子）

13章 衝動性，強迫性，および嗜癖

- 衝動性と強迫性とは何か？—587
- 神経回路と衝動性：強迫性障害—589
  - 嗜癖のドーパミン仮説：報酬の最終共通経路としての中脳辺縁系ドーパミン経路—590
- 物質嗜癖—591
  - 精神刺激薬—593
  - ニコチン—597
  - アルコール—604
  - 鎮静催眠薬—609
  - γ-ヒドロキシ酪酸—609
  - オピエートあるいはオピオイド？—609
  - 大麻—614
- 幻覚薬—617
- エンパソーゲン—620
- 解離性薬物—622
- 離脱するまで好きに乱用する？—623
- 「治療的」解離，幻覚，および共感？—626
- 行動嗜癖—627
  - 過食性障害—627
  - その他の行動嗜癖—628
- 強迫症と関連疾患—628
- 衝動制御障害（impulse-control disorder）—630
- まとめ—631

衝動性と強迫性は多くの精神疾患で横断的にみられる症状である。衝動性をおもな特徴とするいくつかの疾患については，すでに躁病（第4章），注意欠如・多動症 attention-deficit/hyperactivity disorder（ADHD，第11章），認知症における激越（第12章）などで述べた。衝動性や強迫性が中核的な特徴である他の疾患については本章で述べる。ここで述べる数多くの既知の診断的疾患単位を診断するために必要な完全な臨床的記述や公式の診断基準については，診断に関する標準的な書籍や参考資料にあたられたい。ここで強調しておく重要事項は，衝動性と強迫性を調節する脳回路や神経伝達物質について何が知られており，また何が想定されているかであり，さらに衝動性/強迫性回路網におけるさまざまな結節（ノードnode）で，神経伝達物質をどのように関与させると精神薬理学的な治療に成功するかである。

衝動性と強迫性とは何か？

衝動性 impulsivity は，内的あるいは外的な刺激に対して急速で無計画な反応をしがちな傾向で，これらの行動によって生じる負の結果を考慮することが減弱していると定義することができる。これに対して**強迫性** compulsivity は，適応的な機能をもたない反復的で機能が障害されている行為と定義される。強迫行動は，厳格な規則に従うか予想される負の結果を避けるために，習慣的あるいは常同的な方法で行われる。これらの2つの症状構成概念は，この両者において反応の制御が**どのように**失敗しているかによって最もよく区別できるであろう。つまり，衝動性は行動の**開始**を止められない，また強迫性は現在進行中の行動を**終了**できないのである。したがって，これらの概念は歴史的には正反対のもので，衝動性はリスク志向 risk seeking に，衝動性は損害回避 harm avoidance に関連するとみられている。現在強調されているのは，どちらも違った形で認知の硬直

性を共有しており，それにより強い制御喪失感をもたらすという事実である。

　より正確にいうと，**衝動性**は先を見越さずに行動することと定義される。この行動には，自分の行動の結果を深く考えない，より有益な遅延報酬 delayed reward よりも即時報酬 immediate reward を好んで報酬を先にのばすことができない，運動の抑制ができず，しばしば危険な行動を選択する，あるいは（あまり科学的ではないが）誘惑に負けないための自制心に乏しいなどが含まれる。これに対して**強迫性**は，状況に対して不適切であるにもかかわらず継続し，しばしば望まない結果を生じるような行動と定義される。実際，強迫行為は負のフィードバック後に行動を適応させることができないという不思議な特徴をもっている。

　習慣 habit は強迫行為の一種で，環境刺激によって引き起こされる反応とみなすことができ，その反応の結果が現在望ましいかどうかは関係がない。目標指向的活動は，結果を知ったり求めたりすることによってもたらされるが，対照的に習慣は，刺激反応連関（行動反復を介して神経回路に刻印され頻回の訓練後に形成される）を介して外的刺激によって制御され，刺激によって自動的に引き起こされ，さらに結果に対する無頓着によって定義される。目標指向的活動は認知面からは比較的面倒であることを考慮すると，日々の決まりきった行動のためには，少し意識するだけで行動できる習慣に任せるほうが適応的と考えられる。しかし，習慣は行動のひどく不適応な保続 perseveration を，さまざまな衝動性-強迫性障害の部分症状として示すこともある（表13-1）。

　嗜癖についての別の見方は，習慣はパブロフの犬の行動によく似ていると捉えることである！つまり，薬物探索と薬物摂取行動は，薬物あるいは渇望や離脱に関連したヒト，場所，事柄などの状況下にあるという**条件刺激** conditioned stimulus に対する**条件反応** conditioned response とみなすことができる。嗜癖に陥ると，薬物探索と薬物摂取は，条件刺激に対してほとんど反射的に生じる自動的で無思慮で条件づけられた反応になってしまう。それはちょうど食物と関連づけられたベルの音に反応してよだれを流すようになるパブロフの犬とそっくりである。このような刺激-反応条件づけが嗜癖で暴走すると，この条件づけは，日常的な課題をするのに認知的な努力を残しておくという適応的な目的が果たせなくなる。その代わり，薬物嗜癖という「習慣」はゆがんだ学習形式となり，ほとんど精神疾患になる方法を学んだかのようになってしまうのである！

表13-1　衝動性-強迫性障害

物質嗜癖
- 大麻
- ニコチン
- アルコール
- オピオイド
- 精神刺激薬
- 幻覚薬
- エンパソーゲン
- 解離性薬物

行動嗜癖
- 過食性障害
- ギャンブル障害
- インターネットゲーム障害

強迫症関連障害
- 強迫症
- 身体醜形症
- 抜毛症
- 皮膚むしり症
- ためこみ症
- （病的）買い物
- 心気症
- 身体化

衝動制御障害
- Alzheimer病における激越
- ADHDにおける運動および行動の衝動性
- 気分障害
  - 躁病における挑発的行動
  - 重篤気分調節症
- 放火症
- 窃盗症
- パラフィリア
- 性欲過多障害
- 自閉スペクトラム症
- Tourette症候群とチック症
- 常同運動症
- 境界性パーソナリティ障害
- 自傷およびパラ自殺行動
- 素行症
- 反社会性パーソナリティ障害
- 反抗挑発症
- 間欠爆発症
- 攻撃性と暴力
  - 衝動的
  - 精神病的
  - サイコパシー的

ADHD：注意欠如・多動症

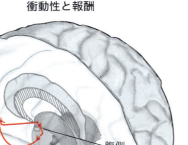
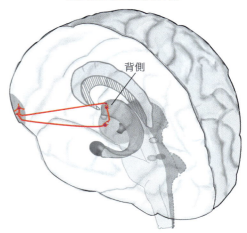

図13-1　**衝動性と報酬の神経回路**　衝動性を駆動する「ボトムアップ」の回路は，腹側線条体から視床へ，視床から腹内側前頭前皮質 ventromedial prefrontal cortex（VMPFC）と前帯状皮質 anterior cingulate cortex（ACC）へ，VMPFC/ACC から腹側線条体へと戻る投射のループである。この回路は通常，前頭前皮質（PFC）から「トップダウン」に調節されている。もしこのトップダウンの反応抑制系が不適切であったり，腹側線条体からの活動によって圧倒されたりすると，衝動行為が引き起こされることがある。

図13-2　**強迫性と運動反応抑制の神経回路**　強迫性を駆動する「ボトムアップ」の回路は，背側線条体から視床へ，視床から眼窩前頭皮質 orbitofrontal cortex（OFC）へ，OFC から腹側線条体へと戻る投射のループである。この習慣回路は OFC から「トップダウン」に調節されることもあるが，もしこのトップダウンの反応抑制系が不適切であったり，腹側線条体からの活動によって圧倒されたりすると，強迫行為が引き起こされることがある。

神経回路と衝動性：強迫性障害

衝動性と強迫性は，神経解剖学的にも神経化学的にも異なるが多くの面で類似している皮質－皮質下回路の構成要素を介してもたらされると考えられている（図13-1，図13-2）。これらの回路網が機能不全に陥ると，仮説上，思考や行動の「制御欠如」を引き起こす。簡単にいうと，衝動性と強迫性はどちらも「ノー」とはいいにくい脳に起因する症状である。

なぜ強迫性と衝動性はいろいろな精神疾患において止められないのであろうか？　ごく単純化した説明は第12章で述べ，強すぎる「ボトムアップ」の辺縁系の情動駆動と，弱すぎる「トップダウン」の皮質の情動抑制について図12-43と図12-44に示した。例えばAlzheimer病では，激越に至る衝動性は主としてトップダウンの制御の神経変性によると考えられている（第12章と図12-45B，図12-46B参照）。ADHDでは，衝動性，特に運動性の衝動性は神経発達の遅延あるいはトップダウンの皮質の制御欠如と考えられる（第11章と図11-17，図11-21参照）。つぎに述べるような非常に多様な他の疾患では，問題は2つの並行する皮質－線条体回路のどこかに存在するのかもしれない。この回路とは，2つの線条体結節（1つは衝動性でもう1つは強迫性）で，これらの行動を駆動するもの，あるいは2つの対応する前頭前皮質結節で，これらを抑制するもの，である（図13-1，図13-2）。これら2つの並行する回路網間の重複は，衝動性回路における問題が強迫性回路の問題に，あるいはその逆に結局なってしまうということである。これにより，この症状領域を中核的な特徴の1つとしてもつ「衝動性－強迫性障害」という概念が導かれる。このような精神疾患は，強迫症 obsessive-compulsive disorder（OCD）から嗜癖，またはそれ以上の広い範囲の障害を含んでいる（表13-1）。それぞれ区別されているこれらのさまざまな疾患では，多くの他の重要な症状領域もあるが，すべて障害された衝動性あるいは強迫性と関係する可能性があり，これがここで述べて

いるこれらの精神症状の共有領域である。

　神経解剖学的には，衝動性は腹側で調節される学習系である行動-結果(図13-1)として，一方，強迫性は背側にある習慣系habit system(図13-2)によって制御されると仮定されている。つまり，多くの行動は，報酬と動機に反応する腹側ループがもたらすインパルスとして開始される(図13-1)。しかし，時間がたつにつれて，これらの行動に対する制御の中心は背側に移動する(図13-2)。それは，習慣系に関与する神経適応性と神経可塑性の一連の反応によっており，その習慣系により最終的に衝動行為は強迫的となる(図13-2，図13-3)。この自然に生じる過程は毎日の生活には適応的な価値をもつ可能性があり，それにより脳は新奇で認知的にはやっかいな活動のほうに力を傾けられるようになる。しかし，無数の精神疾患(表13-1)において仮に暴走したりすると，目標はこの衝動的な神経ループから強迫的な「習慣」ループへの情報のスパイラルを止める，あるいは逆転させることになる。残念なことに，現在衝動性-強迫性障害に対しては，高い治療効果をもつものは比較的少ない。第11章でADHDに対して，第12章でAlzheimer病の激越に対して有効な治療について述べた。ここでは，仮説上共有している多くの他の衝動性-強迫性障害の神経生物学を説明し，これらの疾患のいくつかに対して利用できる治療法はどれかについて述べる。

嗜癖のドーパミン仮説：報酬の最終共通経路としての中脳辺縁系ドーパミン経路

　嗜癖の有力な理論は40年以上にわたってドーパミン仮説であり，すべての快楽をもたらすものに対する，脳内の強化と報酬の最終共通経路は中脳辺縁系ドーパミン経路とされている(図13-4)。この仮説は多少単純化しすぎており，おそらく最も適用可能なのは，ドーパミン遊離に最も大きな効果を生じさせる薬物，特に中枢刺激薬とニコチンであり，マリファナやオピオイドにはあまり適用できない。中脳辺縁系ドーパミン経路は，精神病に関する第4章で述べた脳回路と同じであり，精神病では過活動で，統合失調症の陽性症状や動機と報酬をもたらすと仮定されているので，読者もよく知っていることであろう(図4-14～図4-16参照)。中脳辺縁系ドーパミン経路を脳の「快楽中枢center of hedonic pleasure」と考え，ドーパミンを「快楽中枢の神経伝達物質」と考える人さえいるかもしれない。この考えによれば，中脳辺縁系ドーパミン神経細胞からドーパミンを遊離させようとする多くの自然にできる方法がある。これには，知的な達成感から，運動競技による達成感，すばらしい交響曲の愉悦，オーガズムの経験に至るまで大きな広がりがある。これらはときに「自然な高揚感natural high」と呼ばれることがある(図13-4)。

　これらの自然な高揚感をもたらす中脳辺縁系経路への入力には，内在性物質の非常に驚くべき「薬局」がかかわっている。これらの内在性物質には，脳自身のモルヒネ/ヘロイン(エンドルフィン)，脳自身のマリファナ(アナンダミド)，脳自身のニコチン〔アセチルコリンacetylcholine(ACh)〕，脳自身のコカインとamphetamine(ドーパミン自体)などがある(図13-5)。したがって，すべての乱用薬だけでなく，ギャンブル，過食binge eating，インターネット使用など多くの非適応的となりうる行動も，快楽を引き起こす最終共通経路をもつという概念が形成される。これは中脳辺縁系経路におけるドーパミン遊離を誘発することから生じ，その遊離は自然に生じるというよりも，しばしばより爆発的でより快楽的に生じる。このような薬物の処方設計では，薬物は脳自身の神経伝達物質を飛び越え，これら同じ薬物に対する脳自身の受容体を直接刺激し，ドーパミンを遊離させる。脳ではすでに乱用薬に似た神経伝達物質を使用しているので，報酬を自然に得る必要はない。なぜなら，脳の自然な報酬系による自然な高揚感から得られる報酬よりも短時間に強力な，乱用薬からの求めに応じた報酬が得られるからである。しかし，自然な高揚感と異なり，薬物誘発性の報酬は悪魔的な神経適応の連鎖を開始し，習慣形成へと導いてしまう。

物質嗜癖 | 591

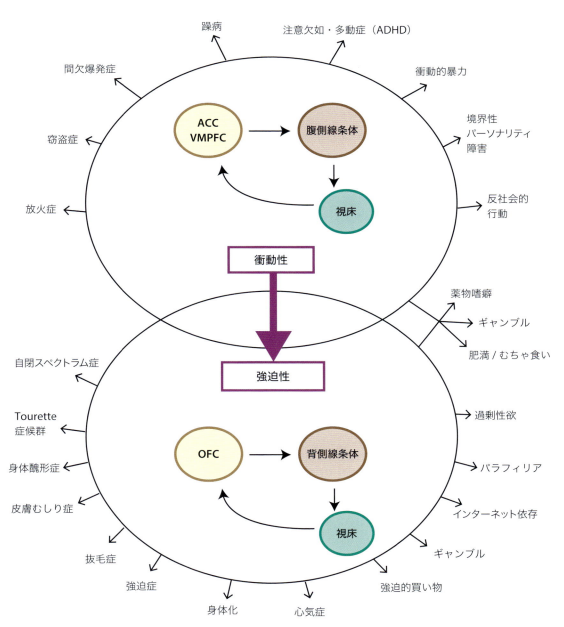

図13-3　衝動性-強迫性障害の構成概念　衝動性と強迫性は広汎な精神疾患でみられる。衝動性は行動の開始を止められないことと考えることができ，腹側線条体を中心とし，視床，腹内側前頭前皮質（VMPFC），および前帯状皮質（ACC）につながる神経回路に関与している。強迫性は現在進行している行動を中止できないことと考えることができ，仮説上は背側線条体を中心とし，視床および眼窩前頭皮質（OFC）につながる神経回路に関与している。薬物使用，ギャンブル，過食などの衝動行為は，最終的には神経可塑的な変化によって強迫的となりうる。この可塑的な変化には背側習慣系が関与しており，理論的には腹側ループのインパルスを背側ループに移動させる。

物質嗜癖

　嗜癖は恐るべき病気である。ちょっとした楽しみとしてはじまり，腹側線条体でのドーパミン遊離が増加し，前帯状皮質 anterior cingulate cortex（ACC）の活動亢進を伴う。また報酬は，習慣回路での制御部位を基本的には抵抗できない無分別で，自動的で，薬物を手に入れようとする強力な強迫的欲動としてしまう。嗜癖者において行動

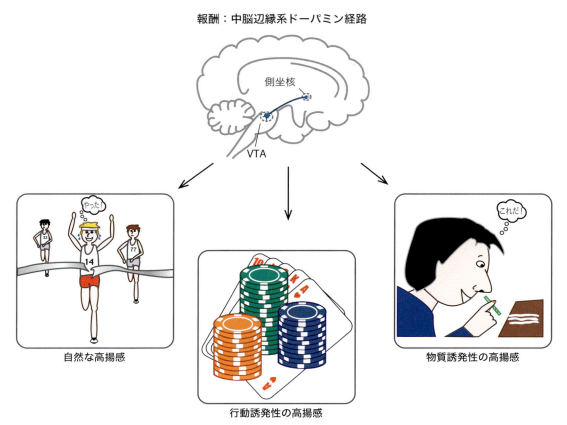

図13-4　ドーパミンは報酬の中心　ドーパミン(DA)，および特に腹側被蓋野(VTA)から側坐核への中脳辺縁系ドーパミン経路は，強化と報酬の調節において主要な役割を演じていると長く考えられている。大きな成果をあげるなどの自然に報酬を得られる活動は，中脳辺縁系経路でDAの急速で確実な増加を引き起こしうる。乱用薬もまた中脳辺縁系経路でDA遊離を引き起こす。実際，乱用薬は自然に起こるよりも，しばしば爆発的で快楽的にDAを増加させることができる。

制御を乗っ取った邪悪な習慣回路を，どのような治療機序が抑制するかは現在知られていないので，嗜癖に対する治療法はとても少なく，しばしばさほど効果的ではない。求められるものは，習慣回路から制御を奪還し自発的な制御に戻すことができる治療法である。おそらくそれは，嗜癖の出現前に事態がはじまった，背側から腹側への逆移動を制御する神経可塑性によるのであろう。

ひとたび嗜癖に陥ると，脳は主として薬物それ自体から報酬を受けることはもはやないが，薬物とその報酬の**期待** anticipationからなお報酬を受ける。これにより，それ自体が報酬をもたらすような強迫的な薬物探索行動がはじまる。つまり，いくつかの研究で示されるところでは，腹側線条体に終わるドーパミン神経細胞(図13-1)は実際一次性の強化因子(すなわち，薬物摂取，食物摂取，ギャンブル)に反応することを中止し，その代わり背側線条体に終わるドーパミン神経細胞(図13-2)は薬物を摂取する前に(！)**条件刺激**(すなわち，ヘロイン注射筒をもつ，コカイン吸入パイプを手に感じる，カジノに入る)に反応しはじめる。嗜癖に陥ったときには薬物探索と薬物摂取はおもな動機づけの欲動となるので，このことが説明しているのは，嗜癖に陥った人は薬物を入手しようとしているときには興奮し動機づけられているが，薬物に関連しない活動が目の前にあるときには引きこもって無関心になっているという理由である。薬物乱用が強迫性のこの段階に至ると，

物質嗜癖 593

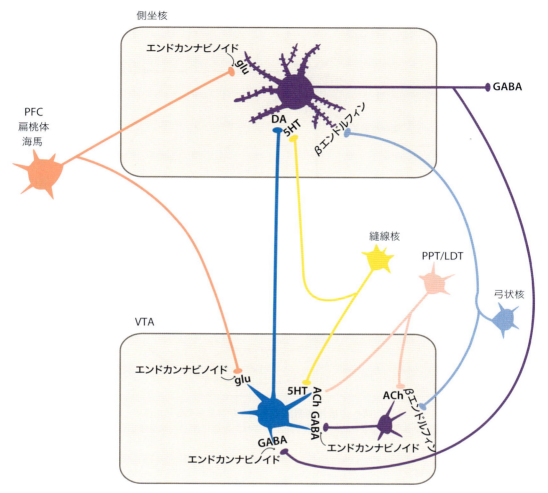

図13-5　神経伝達物質による中脳辺縁系の報酬の調節　適応的な行動（摂食，飲水，性行為）に正常な強化を与え，それによって喜びや達成感などの「自然な高揚感」をもたらすために，中脳辺縁系ドーパミン経路は脳内の多くの内在性物質によって調節されている。報酬系に入力するこれらの神経伝達物質には，脳自身のモルヒネ/ヘロイン（エンドルフィン），脳自身の大麻/マリファナ（アナンダミドなどのエンドカンナビノイド），脳自身のニコチン（アセチルコリン（ACh）），脳自身のコカイン/amphetamine（ドーパミンdopamine（DA）自体）などがある。多くの乱用される向精神薬は，脳自身の神経伝達物質を飛び越えて報酬系にある脳の受容体を直接刺激し，それによりDAを遊離させ，その結果「人工的な高揚感」を引き起こす。このように，アルコール，オピオイド，精神刺激薬，マリファナ，ベンゾジアゼピン系薬，鎮静催眠薬，幻覚薬，ニコチンなどはすべて，この中脳辺縁系ドーパミン経路に影響を与える。
5HT：セロトニン，GABA：γ-アミノ酪酸，glu：グルタミン酸，PFC：前頭前皮質，PPT/LDT：背外側被蓋核/脚橋被蓋核，VTA：腹側被蓋野

これは明らかに非適応的な保続行動，つまり習慣やパブロフの条件反応であり，もはや単にちょっとした悪さとか誘惑に負けたなどという状態ではない。

精神刺激薬

治療薬としての精神刺激薬についてはADHDの治療を扱った第11章で述べた。ADHDの至適な治療のためには，定められた治療用量域内で一定の薬物濃度を送達するように，精神刺激薬の投

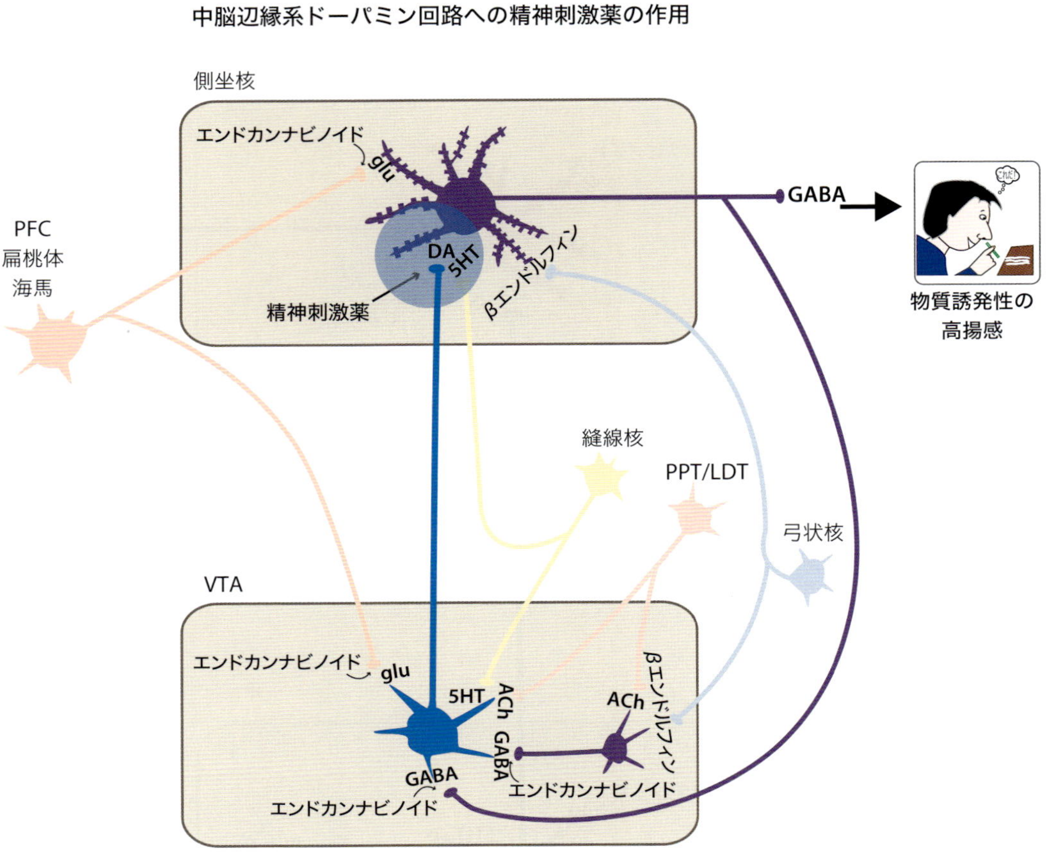

図13-6 中脳辺縁系ドーパミン回路への精神刺激薬の作用 精神刺激薬の強化作用と乱用可能性は，中脳辺縁系報酬回路におけるドーパミントランスポーター（DAT）が阻害されたときに生じ，側坐核におけるドーパミン（DA）の相動性の増加を引き起こす。
5HT：セロトニン，ACh：アセチルコリン，GABA：γ-アミノ酪酸，glu：グルタミン酸，PFC：前頭前皮質，PPT/LDT：背外側被蓋核/脚橋被蓋核，VTA：腹側被蓋野

与を注意深く制御する必要がある（第11章と図11-34参照）。理論的には，これはドーパミンの持続性放出を増大させ，認知促進的なADHD治療効果を至適化する（図11-33）。一方，これらとまったく同じ精神刺激薬でも，用量や投与経路を変えることによって相動性ドーパミン刺激やそれによる強化作用を高め，乱用薬としても用いられる可能性がある（図11-35）。精神刺激薬の**治療作用**は，前頭前皮質に向かい，そこで中等度のドーパミントランスポーターdopamine transporter（DAT）とノルエピネフリントランスポーターnorepinephrine transporter（NET）の占拠下で，ノルエピネフリンとドーパミン両方の神経伝達を促進することと考えられているが（図11-26），精神刺激薬の**強化作用**と**乱用**は，中脳辺縁系の報酬経路におけるDATが突然破壊され大規模に阻害されるときに生じる（図13-6）。

精神刺激薬が脳に入る速度は主観的な「高揚感」の強さを決定する（図13-7）。このことは第11章でも「謎のDAT」の特徴の1つとして述べた。このかかわり方によるDATの感受性がよく説明されているのは，なぜ精神刺激薬は乱用時にはしばしば経口摂取されないが，強化特性を最大限にするために，吸煙，吸入，吸鼻，注射などによって急速で爆発的に脳に移行できるようにするのかという点である。経口摂取では脳に入る速度は腸管か

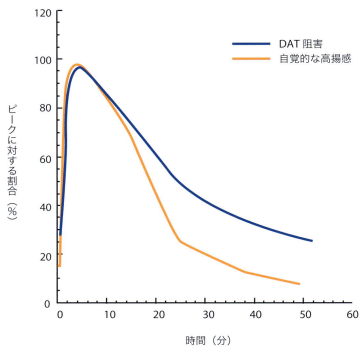

図13-7　ドーパミン，薬物動態，および強化作用　急性の薬物使用は線条体でドーパミン遊離を引き起こす。しかし，薬物の強化作用は，その大部分は脳内のドーパミン量だけでなく，ドーパミンの増加率によっても決定され，この増加率は薬物の脳への流出入の速度によって決められる。急激で大量のドーパミン増加(乱用薬で引き起こされる増加など)は，報酬とセイリエンスの情報を伝えることに関連する相動性ドーパミン発火に似ているためと考えられる。ここに示したように，経静脈投与のコカインに伴う自覚的な高揚感は，ドーパミントランスポーター(DAT)阻害率と阻害の程度の両方に相関している。薬物の取り込み率は投与経路に依存する。経静脈投与と吸入は最も急激な薬物取り込みを生じさせ，吸鼻がそれにつぐ。さらに，それぞれの乱用薬は個々の作用機序にもとづき，それぞれ異なった「報酬価値」をもつ(つまり，ドーパミンの増加率はそれぞれ異なる)。

らの吸収過程によってかなり遅延するので，精神刺激薬の強化特性を減弱させる。コカインは経口摂取では活性さえもたないので，使用者は数年間のうちに経鼻摂取を身につけていく。吸鼻では薬物は肝臓を介さず脳に直接入り，静注よりも急速な開始を得ることができる。薬物を脳に送達させる最も急速で強固な方法は，この投与経路に適した吸煙である。なぜなら，吸煙は肝臓を介した初回通過代謝を避けることができ，広い表面積をもつ肺から急速に吸収されて，薬物の動脈/頸動脈ボーラス投与にやや似た様式を示すからである。より急速に薬物が脳に入るほど，その強化作用はより強くなる(図13-7)。おそらくこの薬物送達法は，報酬に関連する型である相動性ドーパミン発火を引き起こすからであろう(第11章での解説と図11-35参照)。

amphetamine，メタンフェタミンおよびコカインは，すべてDATとNETの阻害薬である。コカインはセロトニントランスポーターserotonin transporter(SERT)も阻害し，局所麻酔薬でもある。フロイトは自身の舌癌の痛みを和らげるために使用したことがある。彼はまたこの薬物の2番目の特性を利用したかもしれない。その特性とは，DATにおけるドーパミン再取り込みの阻害により，ほんのわずかな時間であっても，薬物誘発性の強迫性に薬物誘発性の報酬が置き換わるま

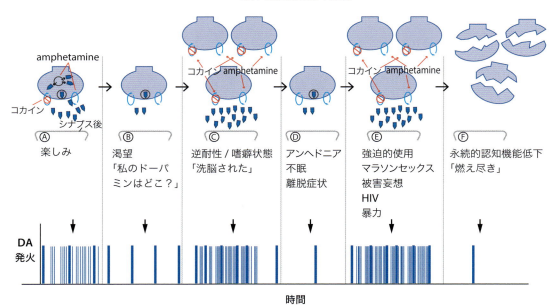

図13-8　精神刺激薬乱用の進行　Ⓐメタンフェタミンやコカインなどの精神刺激薬の初期投与は，快楽的な相動性ドーパミン（DA）発火を引き起こす。Ⓑ慢性使用によって，報酬の条件づけは精神刺激薬投与と残遺性の持続性DA発火との間に渇望を引き起こすが，快楽的な相動性DA発火はない。Ⓒこの嗜癖状態で，相動性DA発火による快楽的な高揚感を得るために，さらに高用量の精神刺激薬が必要になる。Ⓓ残念なことに，投与量が多くなればなるほど，また少なくなればなるほど，精神刺激薬の投与間には，患者は高揚感の欠如だけでなく不眠やアンヘドニアなどの離脱症状も体験する。Ⓔ離脱症状を避けようとして，強迫的な使用や精神刺激薬を確保するための衝動的で危険な行動に至ることがある。Ⓕ結局，非可逆性ではないにしても永続的な変化がドーパミン神経細胞で生じることがある。この変化には，DA濃度の長期にわたる枯渇や軸索の変性などがあり，臨床的また病理学的に「燃え尽き」と呼ぶのにふさわしい状態になる。

DA：ドーパミン

で，多幸感が生じ，疲労感が減退し，頭のさえた感じがもたらされることである。

　高用量の精神刺激薬は，振戦，情動不安定，落ち着きのなさ，易刺激性，パニック，反復的常同行動などを引き起こす。さらに高用量の反復投与により，精神刺激薬は統合失調症に類似した被害妄想や幻覚（第4章と図4-14〜図4-16参照）や，高血圧，頻脈，心室性過敏 ventricular irritability，高体温，呼吸抑制を引き起こすことさえある。精神刺激薬の過量摂取では，急性心不全，脳卒中，てんかん性発作などを引き起こすことがある。時間がたつにつれ，精神刺激薬の乱用は進行性になりうる（図13-8）。快楽的な相動性ドーパミン発火を引き起こす精神刺激薬の初回投与は，慢性投与に伴う報酬条件づけreward conditioningと嗜癖を許すことになり，精神刺激薬の投与間の渇望と，快楽的な相動性ドーパミン発火のない，残遺性の持続性ドーパミン発火を引き起こす（図13-8Ⓑ）。嗜癖に陥ると，相動性ドーパミン発火の快楽的な高揚感を得るために，ますます高用量の精神刺激薬が必要になる（図13-8Ⓒ）。残念なことに，精神刺激薬の用量が多ければ多いほど，少なければ少ないほど，また投与と投与の間では，嗜癖者は高揚感を感じないだけでなく，眠気やアンヘドニアなどの離脱症状を経験する（図13-8Ⓓ）。離脱と戦う努力は習慣形成と相まって，薬物供給を確実にしようとして強迫的使用と最終的には危険な行動に至ってしまう。ついには，非可逆とはいわないまでも，持続的な変化をドーパミン神経細胞にもたらす。この変化には

ドーパミン濃度の長期にわたる枯渇や軸索変性などがあり，それは臨床的にも病理学的にも「燃え尽き burn out」と呼ぶのにふさわしい状態である（図13-8Ⓕ）。

非定型な精神刺激薬

いわゆる"bath salt（入浴剤）"は精神刺激薬の一種である。この名前が生まれたのは，乱用される可能性のある精神刺激薬を，入浴で使われるふつうのエプソム塩 epsom salt*1 に装おうとして，白やカラフルな粉末，細粒，あるいは結晶と同じ包装デザインにしたためであるが，化学的にはまったく別物である！ bath salt はしばしば「非食用」と表示されているが，それはエプソム塩とさらに誤解させようとする試みであり，薬物禁止法を逃れようとしているのである。

bath salt は入浴用ではないが，活性含有物であるメチレンジオキシピロバレロン methylenedioxypyrovalerone（MDPV）を含む合成精神刺激薬であり，メフェドロン mephedrone やメチロン methylone をも含むであろう。これらはまた「plant food（肥料）」とも呼ばれ，他の精神刺激薬と同様に強化効果をもつだけでなく，激越，被害妄想，幻覚，自殺念慮および胸痛なども引き起こすことがある。

吸入薬 inhalant を精神刺激薬の非定型なものと考える人もいるかもしれない。なぜならこれは側坐核での直接的なドーパミン遊離物質と考えられるからである。シンナー，フェルトペン，接着剤，いろいろなエアロゾルスプレーに含有されているトルエン，さらにはエアコンに使われるフロンガス（フレオン）などの物質の蒸気を吸入すると〔この吸入法は「ハフィング huffing*2 と呼ばれる〕，アルコール中毒に似た感覚を生じさせ，ふらつき，浮遊感，脱抑制などが起こり，さらには判断力の低下や幻覚を生じさせる可能性もある。長期にわたるハフィングは，抑うつ，体重減少，脳損傷を引き起こすことがある。ハフィングは短期でも危険なことがあり，心停止，誤嚥，窒息などにより急死する可能性がある。特にフロンガスはこれらの効果を引き起こす可能性があり，さらに肺を凍らせるため，きわめて危険なものとなる。ハフィングされる物質は薬物検査では検出されない。

精神刺激薬嗜癖に対する治療法

残念ながら，精神刺激薬嗜癖に対して承認された治療法は現在ない。多くのドーパミン関連あるいはセロトニン関連の治療法が失敗しているためである。将来，脳にコカインが達する前に取り除いてしまい，薬物摂取に伴う強化作用がこれ以上にならなくなるという，コカインワクチンができるかもしれない。

ニコチン

臨床精神薬理学の臨床現場で喫煙はどれくらいよくみられるものであろうか？　ある推計では，半数以上のタバコは精神疾患を併発している患者によって消費されており，喫煙は重度の精神疾患患者のなかで最もよくみられる併存症とされる。別の推計では，（米国における）一般人口の約16〜20％は喫煙し，一般医を定期受診する人の約25％が喫煙するが，精神薬理学の現場では40〜50％の患者が喫煙している。これには，ADHD，統合失調症，双極性障害の患者の60〜85％が含まれる。残念なことに，現在の喫煙歴は，精神保健の現場では喫煙者に対する診断の1つとして注意深くは聴取されておらず，記録もされていないことが多い。何らかの効果的な治療があるにもかかわらず，喫煙者のわずか10％しか，精神薬理学者やその他の臨床医から積極的に治療をすすめられていないと報告されている。

ニコチンは中脳辺縁系報酬回路におけるニコチン性アセチルコリン受容体（ニコチン受容体）に直接作用し，ドーパミンを遊離する（図13-9）。コリン作動性神経細胞と神経伝達物質であるアセチルコリン（ACh）については，第12章で述べ図12-24〜図12-32に示した。ニコチン受容体は具体

---

*1 訳注：硫酸マグネシウム七水和物。
*2 訳注：口を開けたまま数回少量の空気を早くかつ強く吐き出す方法。

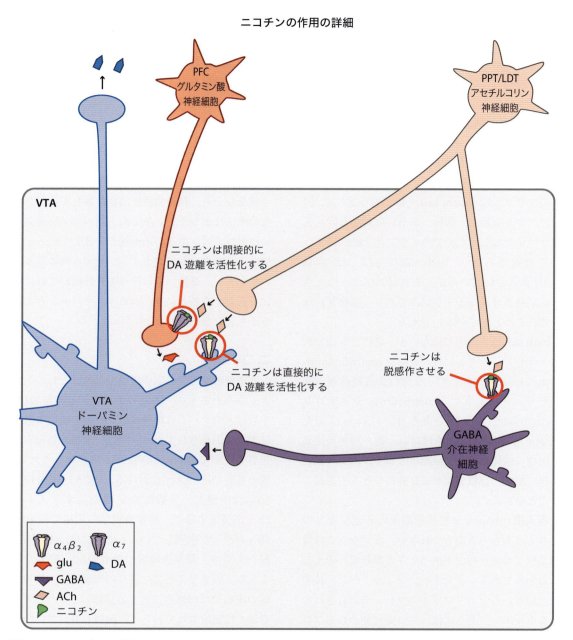

図13-9　ニコチンの作用　腹側被蓋野(VTA)のドーパミン神経細胞上のシナプス後 $\alpha_4\beta_2$ ニコチン受容体に結合することによって，ニコチンは直接側坐核でドーパミン(DA)遊離を引き起こす。さらに，ニコチンはVTAのグルタミン酸神経細胞上のシナプス前 α_7 ニコチン受容体に結合し，これにより側坐核のDA遊離を導く。また，ニコチンはVTAのGABA介在神経細胞上のシナプス後 $\alpha_4\beta_2$ ニコチン受容体を脱感作させるようである。GABA神経伝達の減弱は中脳辺縁系ドーパミン神経細胞を脱抑制するので，側坐核のドーパミン遊離を促進する第3の機序になる。
ACh：アセチルコリン，GABA：γ-アミノ酪酸，glu：グルタミン酸，PFC：前頭前皮質，PPT/LDT：背外側被蓋核/脚橋被蓋核

的に図12-28に示した。脳内にはいくつかのニコチン受容体サブタイプがある。前頭前皮質神経細胞のシナプス後にある α_7 ニコチン受容体は，ニコチンの認知促進作用と精神覚醒作用に関連している可能性があるが，嗜癖作用には関連していないと思われる。喫煙とニコチン嗜癖に最も関連し

ているのは，ここで述べ，図13-9に示した$\alpha_4\beta_2$サブタイプである．つまり，腹側被蓋野ventral tegmental area（VTA）のドーパミン神経細胞に直接向けられたシナプス後$\alpha_4\beta_2$ニコチン受容体へのニコチンの作用は，理論的には嗜癖と関連した作用である（図13-9）．ニコチンはまた，グルタミン酸神経細胞のニコチン性シナプス前受容体を活性化することにより，グルタミン酸放出を引き起こし，それがつぎにドーパミン放出を引き起こすことによって，間接的にVTAからのドーパミン放出を活性化する（図13-9）．ニコチンはVTAにある抑制性GABA作動性介在神経細胞上のシナプス後$\alpha_4\beta_2$受容体の脱感作もするようである．それにより間接的にドーパミン作動性中脳辺縁系神経細胞を脱抑制することにより，側坐核でのドーパミン遊離を間接的に引き起こす（図13-9）．

$\alpha_4\beta_2$ニコチン受容体は，ニコチンにより長期間にわたって間欠的にパルス状の刺激が与えられると，それに適応していき嗜癖に至る（図13-10）．休止状態にある受容体は当初はニコチンの送達によって開口し，それによってドーパミン遊離と強化，快楽，報酬などをもたらす（図13-10A）．タバコを吸い終わるまでには，受容体は脱感作され，そのため一時的に機能できず，アセチルコリンにもニコチンにも反応することができない（図13-10A）．これ以上の報酬を得るという点では，この時点で喫煙をやめるほうがよいかもしれない．興味深い疑問としては，ニコチン受容体が脱感作するのにどれくらいかかるかというものがある．その答えは，ふつうのタバコ1本をすべてふかしながら吸って，吸い殻になるまでの時間といえるであろう．したがって，タバコがその長さであるのは偶然ではないのかもしれない．それより短ければ快楽を最大にできないし，それより長ければ，吸い終わるまでにはすべての受容体はどのみち脱感作されてしまうので無駄になってしまう（図13-10A）．

喫煙者にとって問題なのは，受容体が休止状態に再感作したときに，それ以上のドーパミン遊離がないために，渇望と離脱がはじまってしまうことである（図13-10A）．もう1つの興味深い疑問は，ニコチン受容体が再感作されるまでどれくらいかかるかである．その答えは，喫煙者がつぎのタバコを吸うまでの時間くらいであると思われる．1日あたり平均1箱として，喫煙者は16時間覚醒していることから，約45分と推定される．おそらくこれが1箱に20本（平均的な喫煙者が1日中完全にニコチン受容体を脱感作し続けるのに十分な量）のタバコが入っている理由であろう．

脱感作することでニコチン受容体を働けないようにすると，神経細胞は受容体数をアップレギュレートすることによって，機能している受容体の不足を補おうとする（図13-10B）．しかし，これは無駄である．なぜなら，ニコチンはタバコがつぎに吸われたときに，それらすべての受容体を脱感作させるだけだからである（図13-10C）．さらに，増加した受容体が休止状態に再感作されたときに生じる渇望が増強されるため，このアップレギュレーションは自己破滅的である（図13-10C）．

受容体の面からみれば，喫煙のもともとの目的はすべての$\alpha_4\beta_2$ニコチン受容体を脱感作し，ドーパミンの最大遊離を得ることであるが，結局はその多くが渇望を防ぐためとなってしまう．喫煙者の$\alpha_4\beta_2$受容体の陽子線放射断層撮影（PET）スキャンを用いることで，ドーパミンの最大遊離を得るために，ニコチン受容体はちょうど十分な喫煙間隔で，ちょうど十分なニコチン量に曝露されていることが確認できる．渇望はニコチン受容体再感作の最初の徴候としてはじまるようである．したがって，受容体の再感作で悪い点は渇望である．嗜癖した喫煙者の側からみてよい点は，受容体が再感作されると，受容体はより多くのドーパミンを遊離し，快楽をもたらしたり，渇望や離脱をふたたび抑制したりすることができることである．

ニコチン嗜癖の治療法

ニコチン依存を治療することは容易ではない．実験動物では，ニコチン嗜癖は最初の喫煙からはじまり，最初の喫煙で徴候は1カ月続くというエビデンスがある（例えば，前帯状皮質の活性化は1

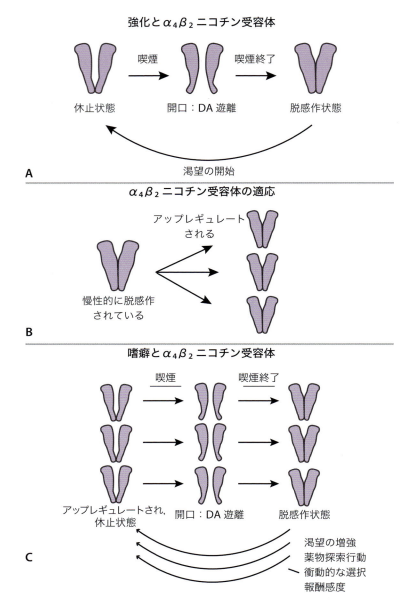

図 13-10 強化と $\alpha_4\beta_2$ ニコチン受容体 （**A**）休止状態では $\alpha_4\beta_2$ ニコチン受容体は閉口している（左）。喫煙によるニコチンの摂取は受容体を開口させ，それによりドーパミン（DA）遊離を導く（中央）。これらの受容体の長期刺激は脱感作を引き起こし，その結果ニコチン（あるいはアセチルコリン）に対して一時的にそれ以上反応できなくなる。脱感作はタバコ1本を吸い終わるのとほぼ同じ時間で起こる（右）。受容体が再感作される（休止状態に戻る）と，これ以上の DA 遊離がないために渇望と離脱がはじまる。（**B**）慢性の脱感作により $\alpha_4\beta_2$ ニコチン受容体は代償のためアップレギュレートする。（**C**）しかし，もし継続的に喫煙すると，ニコチンの反復摂取はこれらすべての $\alpha_4\beta_2$ ニコチン受容体の脱感作を導き続ける。したがって，このアップレギュレーションは役に立たない。実際，余剰の受容体がその休止状態へ再感作するので，アップレギュレーションは渇望の増強を引き起こすことになる。

回の喫煙でこれだけ長く続く）。渇望は反復摂取の1カ月以内にはじまる。おそらくもっと問題なのは，衝動性から強迫回路に至る腹側から背側へ の制御の移行という「悪魔的な学習 diabolical learning」は，ひとたびニコチン曝露が中止されると，ひどく長く続くかもしれないという所見で

ニコチン受容体部分アゴニスト（NPA）の分子作用

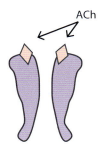
ニコチン受容体完全アゴニスト：頻繁にチャネルを開口させる

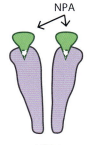
NPA：さほど頻繁には開口させない状態にチャネルを安定させる，脱感作されていない

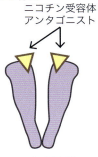
ニコチン受容体アンタゴニスト：閉口状態にチャネルを安定させる，脱感作されていない

図13-11　ニコチン受容体部分アゴニスト（NPA）の分子作用
アセチルコリン（ACh）やニコチンなどの$\alpha_4\beta_2$ニコチン受容体の完全アゴニストは，頻繁にチャネルを開口させる（左）。それに対して，この受容体のアンタゴニストはチャネルを閉口状態に安定させる。その結果，受容体は脱感作されない（右）。ニコチン受容体部分アゴニスト（NPA）はチャネルを中間の状態に安定させ，完全アゴニストほどは頻回に開口させないが，アンタゴニストよりは開口させる（中央）。

ある。長く禁煙している元喫煙者であっても，ニコチンに対する「分子記憶molecular memory」という形で，このような変化は生涯続くことを示唆するエビデンスもある。ニコチン依存の治療に最初に有効性が証明されていた薬物の1つはニコチンそれ自体であるが，それは，ガム，トローチ，鼻スプレー，吸入剤，経皮パッチなど喫煙以外の経路で投与される。喫煙以外の方法によるニコチンの送達では，喫煙によって脳に送達されるときのような高濃度あるいはパルス状の曝露を得ることができないため，さほど強化作用が強くない。これについては，精神刺激薬の送達の箇所ですでに述べ図13-7で示している。しかし，これらの代替のニコチン送達法は，送達されるニコチン量が一定であるために，渇望を低下させることに有用である。おそらく，一定量のニコチンは再感作され渇望しているニコチン受容体を重要な数だけ脱感作するのであろう。

もう1つのニコチン依存の治療法は，選択的$\alpha_4\beta_2$ニコチン受容体部分アゴニストであるバレニクリンである（図13-11，図13-12）。図13-11では，ニコチン受容体に関連する陽イオンチャネルにおける，ニコチン受容体部分アゴニストnicotinic partial agonist（NPA），ニコチン受容体完全アゴニスト，ニコチン受容体アンタゴニストの作用を比較した。ニコチン受容体完全アゴニストには，超短時間作用型の完全アゴニストであるア

セチルコリンと超長時間作用型の完全アゴニストであるニコチンなどがある。これらはチャネルを完全にまた頻回に開口させる（図13-11の左）。これとは対照的に，ニコチン受容体アンタゴニストはチャネルを閉口状態に安定させるが，これらの受容体を脱感作しない（図13-11の右）。NPAは，ニコチン受容体を脱感作させることはなく，完全アゴニストによるときほど頻回にはチャネルを開口させず，しかしアンタゴニストによるときよりも開口させるという中間の状態に安定させる（図13-11の中央）。

タバコはどの程度嗜癖性があるか？　またNPAはどううまく働いて禁煙を達成させるのであろうか？　喫煙者の約2/3は禁煙したいと思い，1/3は禁煙を試みるが，長期的に成功するのはわずか2〜3％である。ある調査が示すところでは，すべての乱用される物質のなかで，1回でも使用したときに依存させてしまう確率の最も高いものがタバコであったという。したがって，ニコチンは知られているうちで最も嗜癖性が高い物質であるということができるかもしれない。よい知らせとしては，NPAであるバレニクリンはプラセボに比べて1カ月，6カ月，1年の禁煙率を3倍にも4倍にもすることである。しかし，悪い知らせとしては，この意味するところはバレニクリンを服用したわずか約10％の喫煙者しか1年間禁煙を続けられないことである。これらの多くの患者は

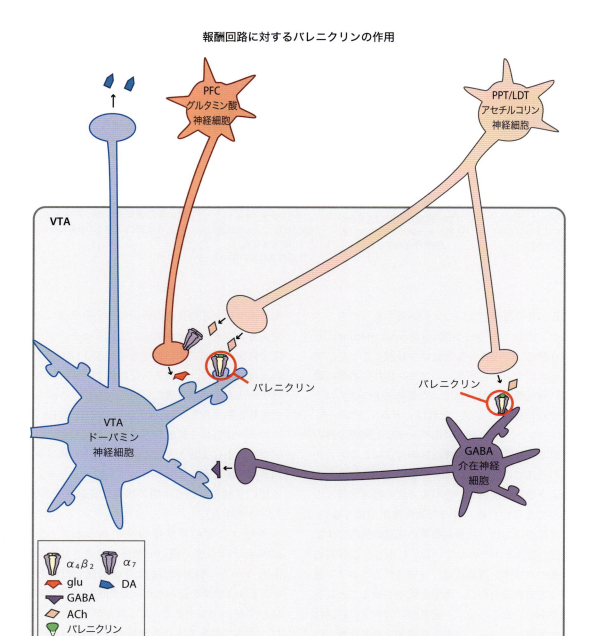

図13-12　報酬回路に対するバレニクリンの作用　バレニクリンは$α_4β_2$サブタイプに選択的なニコチン受容体部分アゴニスト（NPA）である。バレニクリンが$α_4β_2$に結合すると〔この受容体は腹側被蓋野（VTA）のドーパミン神経細胞，グルタミン酸神経細胞，およびGABA介在神経細胞上に存在する〕，チャネルを中間の状態に安定させる。ここでは，ニコチンが結合したときよりも開口頻度は低いが，ニコチンアンタゴニストが結合したときよりは頻度は高い。それによって，患者が喫煙するときに（ニコチンと競合することによって）生じるドーパミン作動性の報酬を軽減するだけでなく，少なくともいくつかの神経伝達物質を刺激することによって，離脱症状も軽減することができる。
ACh：アセチルコリン，DA：ドーパミン，GABA：$γ$-アミノ酪酸，glu：グルタミン酸，PFC：前頭前皮質，PPT/LDT：背外側被蓋核/脚橋被蓋核

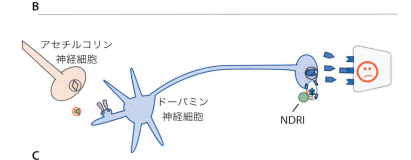

図13-13　禁煙におけるbupropionの作用機序　(A)日常的に喫煙する人では，定時的にニコチン（赤い囲みで示した）が送達され，辺縁系領域において頻繁にドーパミン（DA）が遊離される。これにより，右の辺縁系ドーパミン2（D_2）受容体に対して報酬効果がもたらされる。(B)しかし，禁煙を試みている間，ニコチンによる中脳辺縁系神経細胞からのDA遊離がなくなれば，DAは遮断されるであろう。これは辺縁系のシナプス後D_2受容体を動揺させ，渇望と，いわゆる「ニコチン発作」を引き起こす。(C)禁煙の早期段階で渇望を減弱する治療的試みの1つとして，bupropionを用いることで神経終末でのDAの再取り込みを阻害して，少しのDA自体を直接神経終末に送達させる方法がある。ニコチンほど強力ではないが，渇望を弱め禁煙をより耐えられるようにすることができる。
ACh：アセチルコリン，NDRI：ノルエピネフリン・ドーパミン再取り込み阻害薬

わずか12週しかバレニクリンを処方されていない。これは効果を最大にするにはあまりにも短すぎる期間かもしれない。

　禁煙治療のもう1つの取り組みは，ドーパミンをノルエピネフリン・ドーパミン再取り込み阻害薬 norepinephrine-dopamine reuptake inhibitor（NDRI）である bupropion で増強することにより，禁煙中に起こる渇望を軽減しようという試みである（第7章，図7-34～図7-36参照）。その概念は，少し前のニコチン離脱からドーパミンが「回復」していない状態に，ドーパミン2（D_2）受容体が再調節している間，側坐核において渇望しているシナプス後D_2受容体にドーパミンを送り返すことである（図13-13）。したがって，喫煙している間は，VTAのドーパミン神経細胞上の$\alpha_4\beta_2$ニコチン受容体でのニコチンの作用により，側坐核ではドーパミンは幸いにも遊離されている（図13-13A）。禁煙している間は，もはやニコチンを受けられない再感作されたニコチン受容体は，側坐核でのドーパミン遊離がないために，渇望状態にある（「私のドーパミンはどこ？」）（図13-13B）。NDRIであるbupropionが投与されると，理論的にはわずかなドーパミンが側坐核で遊離され，渇望を弱くはするが通常は消去しない（図13-13C）。禁煙にbupropionはどれくらい効果的であろうか？　bupropionによる中断率は，NPAであるバレニクリンの約半分である。経皮パッチなど代替の投与経路によるニコチンの中断率は，bupropionと同等である。ニコチン嗜癖治療の新規の取り組みには，ニコチンワクチンやその他の直接作用性のニコチン性コリン作動性薬物の開発などがある。

アルコール

著名な画家であるVincent van Goghはひどい大量飲酒者といわれ，自身の双極性障害をこのような方法で自己治療していたと推測する人もいる。「心の嵐があまりに騒々しくなりすぎると，自分を気絶させようと飲みすぎてしまう」と彼が述べていたことからこの説が支持されている。アルコールは気絶させるかもしれないが，精神疾患を適応的に長期治療することはない。残念なことに，精神疾患を併存した多くのアルコール症の患者は，より適切な精神薬理学的な薬物を得るための治療を求めずに，アルコールで自己治療を続ける。アルコール症の患者では精神疾患が頻繁に併存するほか，85％は喫煙もしていると推測されている。多くのアルコール症患者は，さらにベンゾジアゼピン系薬，マリファナ，オピオイドなどの薬物も乱用している。

アルコールがその向精神作用を実際どのようにもたらすかについての理解はなお苦戦中であるとはいえ，アルコールの作用機序をごく単純化すると，アルコールはγ-アミノ酪酸（GABA）シナプスでの抑制を亢進し，グルタミン酸シナプスでの興奮を減弱する。GABAシナプスでアルコールは，仮説上シナプス前$GABA_B$受容体の阻害を介し，またシナプス後$GABA_A$受容体の正のアロステリック調節にもより，GABA遊離を促進する。特に，神経ステロイド調節に関与するがベンゾジアゼピン調節には関与しない$GABA_A$受容体のδサブユニットを直接刺激する（図13-14，図13-15）。δサブユニットを含む非ベンゾジアゼピン感受性$GABA_A$受容体については第7章で述べ，図7-56に示した。アルコールはまた，仮説上シナプス前代謝調節型グルタミン酸受容体metabotropic glutamate receptor（mGluR）とシナプス前電位感受性カルシウムチャネルvoltage-sensitive calcium channel（VSCC）に作用し，グルタミン酸遊離を抑制する（図13-15）。mGluRについては第4章で紹介し，図4-23と図4-24に示した。VSCCとそのグルタミン酸遊離における作用については第3章でも紹介し，図3-22〜図3-24に示した。アルコールは，シナプス後N-メチル-D-アスパラギン酸N-methyl-D-aspartate（NMDA）受容体とシナプス後mGluR受容体におけるグルタミン酸の作用を直接あるいは間接的に減弱させる可能性がある（図13-15）。

アルコールの強化作用は，理論的には中脳辺縁系経路での下流のドーパミン遊離を引き起こすGABAやグルタミン酸シナプスにおける作用だけでなく，中脳辺縁系報酬回路のオピオイドシナプスにおける作用によってももたらされる（図13-15）。オピオイド神経細胞は弓状核から生じVTAに投射し，グルタミン酸とGABA神経細胞の両者とシナプスを形成する。オピオイドシナプスでのアルコール作用の最終的な結果は，側坐核におけるドーパミンの遊離と考えられる（図13-15）。アルコールのこの作用は，μオピオイド受容体での直接作用によることもあるし，βエンドルフィンなどの内因性オピオイドの遊離によることもある。

アルコール症の治療

アルコールのオピオイドシナプスへの作用は，naltrexoneやナルメフェンなどのアンタゴニストによるμオピオイド受容体阻害の理論的な根拠となる（図13-16）。naltrexoneやナルメフェン（米国外で承認）は仮説上，大量飲酒の多幸感や「高揚感」を阻害するμオピオイドアンタゴニストである。この理論はつぎのような臨床試験によって支持されている。naltrexoneを経口あるいは30日作用の注射で投与すると，大量飲酒（男性では5ドリンク以上，女性では4ドリンク[*3]）の日数を減らし，またアルコールからの完全な離脱を達成できる可能性が高まる。オピオイドアンタゴニストを服用時に飲酒すると，アルコールによって遊離されるオピオイドは快楽をもたらさない。そうであればわざわざ飲酒する必要はない。なぜわざわざオピオイドアンタゴニストを服用するのかといって飲酒に舞い戻ってしまう患者がいるかもしれない。したがって，長期作用の注射が好ましいかもしれないが，残念なことにこれらのどれもほ

[*3]訳注：1ドリンクはエタノールとして12g。

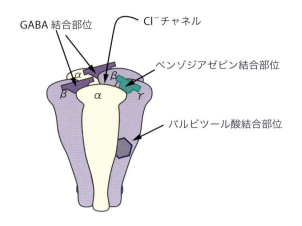

図13-14 鎮静催眠薬の結合部位 （A）ベンゾジアゼピンとバルビツール酸はどちらも正のアロステリック調節物質としてGABA$_A$受容体に作用するが，その結合部位は異なる。ベンゾジアゼピンはすべてのGABA$_A$受容体に作用するのではなく，むしろδサブユニットを含まずにγサブユニットを含むα$_1$, α$_2$, α$_3$およびα$_5$受容体サブタイプに対して選択的である。（B）全身麻酔薬，アルコール，神経ステロイドは，GABA$_A$受容体の他のサブタイプ，特にδサブユニットを含む受容体に結合する。Cl$^-$：塩素イオン，GABA：γ-アミノ酪酸

とんど処方されていない。

アカンプロサートはアミノ酸であるタウリンの誘導体で，グルタミン酸系を抑制しGABA系を促進するというように，その両者と相互作用する。これは「人工的なアルコール」にやや似たところがある（図13-15と図13-17を比較せよ）。このように，アルコールを慢性的に摂取してから離脱すると，仮説上グルタミン酸系とGABA系の両方に生じる適応的変化は，GABA欠乏だけでなく，グルタミン酸の過剰興奮や興奮毒性さえも引き起こす。離脱中の患者でアカンプロサートがアルコールの代わりになる程度では，アカンプロサートはグルタミン酸過剰興奮とGABA欠乏を軽減する（図13-17）。これが生じるのは，アカンプロサートがある種のグルタミン酸受容体，特にmGluR（なかでもmGluR5とおそらくmGluR2）に対して直接的な阻害作用をもつためのようである。いずれにしても，アカンプロサートはアルコール離脱に伴うグルタミン酸遊離を抑制するようである（図13-17）。NMDA受容体での作用は，たとえあったとしてもGABA系での作用と同じように間接的なもので，両者ともアカンプロサートのmGluRへの作用からくる二次的な下流への作用であろう（図13-17）。アカンプロサートは承

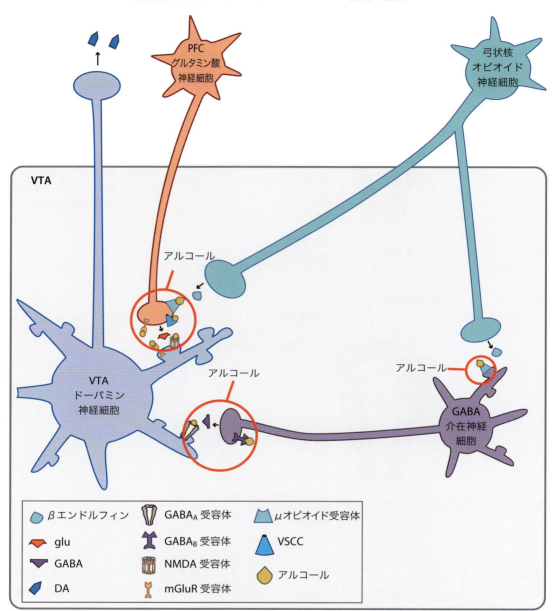

図13-15 腹側被蓋野(VTA)におけるアルコールの作用 アルコールは仮説上GABA$_A$とGABA$_B$受容体の両方に結合することによって，GABAシナプスにおける抑制を増強する。また仮説上はシナプス後代謝調節型グルタミン酸受容体(mGluR)とシナプス前電位感受性カルシウムチャネル(VSCC)に作用して，グルタミン酸シナプスでの興奮を減弱する。また，アルコールはシナプス後NMDA受容体とシナプス後mGluR受容体でのグルタミン酸(glu)の作用を減弱させることがある。さらに，アルコールの強化作用はVTA内のオピオイドシナプスにおける作用によってもたらされることがある。そこでのμオピオイド受容体の刺激は側坐核でのドーパミン(DA)遊離を引き起こす。アルコールは直接μ受容体に作用するか，あるいはβエドルフィンなどの内因性オピオイドの遊離を引き起こすことがある。
GABA：γ-アミノ酪酸，NMDA：N-メチル-D-アスパラギン酸，PFC：前頭前皮質

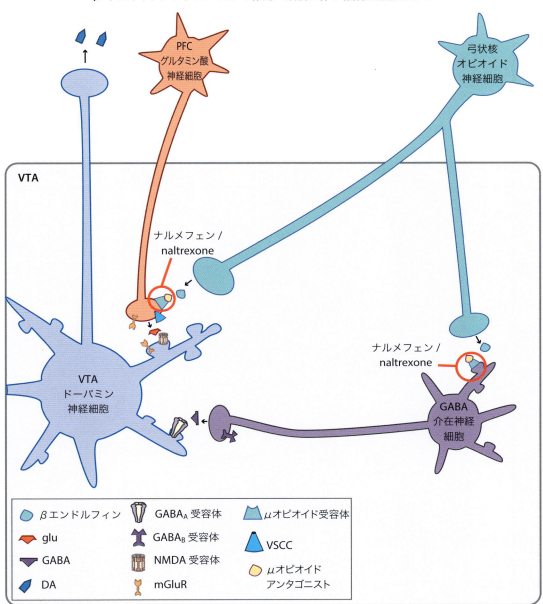

図13-16　腹側被蓋野(VTA)におけるμオピオイドアンタゴニストの作用　オピオイド神経細胞はVTAでGABA介在神経細胞とグルタミン酸神経細胞のシナプス前神経終末とにシナプスを形成する。アルコールは直接μオピオイド受容体に作用したり，βエンドルフィンなどの内因性オピオイドの遊離を引き起こしたりする。どちらの場合でも，結果は側坐核に対するドーパミン(DA)遊離の促進が引き起こされる。naltrexoneやナルメフェンなどのμオピオイド受容体のアンタゴニストはμオピオイド受容体を介するアルコールの快楽作用を抑制する。

GABA：γ-アミノ酪酸，glu：グルタミン酸，mGluR：代謝調節型グルタミン酸受容体，NMDA：N-メチル-D-アスパラギン酸，PFC：前頭前皮質，VSCC：電位感受性カルシウムチャネル

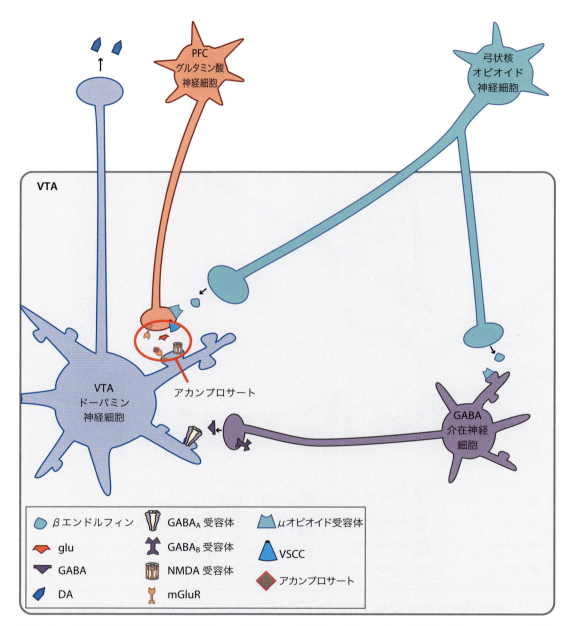

図13-17　腹側被蓋野（VTA）におけるアカンプロサートの作用　アルコールを慢性的に摂取していた人が離脱すると，グルタミン酸系とGABA系の両方に生じる適応的変化は，GABA欠乏だけでなくグルタミン酸（glu）の過剰興奮を作り出す。アカンプロサートは，おそらく代謝調節型グルタミン酸受容体（mGluR）を阻害することによって，アルコール離脱状態に関連するグルタミン酸遊離を低下させるようである。
DA：ドーパミン，GABA：γ-アミノ酪酸，，NMDA：N-メチル-D-アスパラギン酸，PFC：前頭前皮質，VSCC：電位感受性カルシウムチャネル

認されているものの，それほど多くは処方されていない．

ジスルフィラムはアルコール症治療の古典的な薬物である．これは通常，アルコールを代謝する肝臓の酵素であるアルデヒドデヒドロゲナーゼの不可逆性阻害薬である．ジスルフィラム存在下にアルコールを摂取すると，アルコールの代謝は抑制され，その結果は中毒域のアセトアルデヒドの蓄積である．これにより，顔面紅潮，悪心・嘔吐，低血圧などを伴う不快な体験が引き起こされ，うまくいけば飲酒に対するポジティブな反応でなく，ネガティブな反応に患者を条件づけることができる．明らかに服薬遵守性がこの薬物では問題となり，この不快な反応はときに危険である．ジスルフィラムの使用は以前のほうが多く，現在はそれほど多くは処方されていない．

アルコール症治療に効果的かもしれない未承認薬物には，抗痙攣薬のトピラマート，$5HT_3$アンタゴニストであるオンダンセトロンなどがある．他のいくつかの薬物は「未承認」として特に欧州で使用されている．アルコールの乱用と依存をどのように治療するかという問題は明らかに複雑で，アルコール症に対するどのような精神薬物治療でも，併存する精神疾患の適切な精神薬理学的治療，さらに12段階プログラムなどの構造化された治療を統合したときに，より有効になる．しかし，この治療については本書の範囲を超えている．

鎮静催眠薬

鎮静催眠薬には，バルビツール酸と，etchlorvynol，ethinamate，抱水クロラールとその誘導体，glutethimideやmethyprylonなどのピペリジンジオン誘導体などがある．専門家はしばしば，アルコール，ベンゾジアゼピン系薬（第8章で解説），またZドラッグ系睡眠薬（第10章で解説）もこのクラスに含めている．鎮静催眠薬の作用機序は，第7章（うつ病に対する薬物について），第8章（不安に対する薬物について），および第10章（不眠に対する薬物について）で述べ，図13-14で示したものと基本的には同じである．つまり，ベンゾジアゼピン感受性（図13-14A）あるいはベンゾジアゼピン非感受性（図13-14B），あるいはその両方の$GABA_A$受容体に対する正のアロステリック調節物質（PAM）としている．バルビツール酸は過量投与されるとベンゾジアゼピン系薬よりもずっと安全性が低く，より頻繁に乱用され，はるかに危険な離脱反応が生じる．そのために，現在では鎮静睡眠薬や抗不安薬としてはまれにしか処方されない．

γ-ヒドロキシ酪酸

γ-ヒドロキシ酪酸 γ-hydroxybutyrate（GHB）については第10章でナルコレプシー/カタプレキシーの治療として述べた．これは背をのばしたい人や，デートの相手を中毒に陥れようとする犯罪者にも乱用されることがある（GHBは「デートレイプ薬」の1つである．詳しくは第10章の記述を参照）．GHBの作用機序は自身のGHB受容体と$GABA_B$受容体でのアンタゴニスト作用である（図10-68に示した）．

オピエートあるいはオピオイド？

微妙なことではあるが，オピエートとオピオイドの区別は重要である．**オピエート**opiateはケシの花のアヘンに由来する天然の薬物である．オピエートの例として，ヘロイン，その誘導体であるモルヒネとコデインなどが含まれる．一方，**オピオイド**opioidという用語はより広く，オピエートを含み，天然であろうと合成であろうと，脳のオピオイド受容体に結合するすべての薬物についていう．この脳のオピオイド受容体は疼痛の調節，報酬，嗜癖性行動などに関与している．合成オピオイドの例としては，処方薬である痛み止めのhydrocodoneやオキシコドン（オキシコンチン），さらにはフェンタニルやメサドンなども含まれる．

内因性オピオイド神経伝達系

併存する3つのオピオイド系があり，それぞれ自身の神経伝達物質と受容体をもっている．βエンドルフィン β-endorphinを遊離する神経細胞

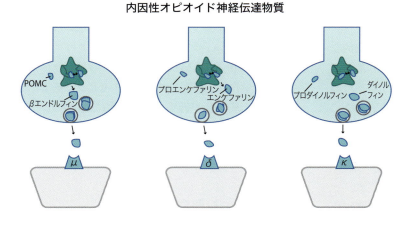

図13-18　内因性オピオイド神経伝達物質　内因性オピオイドは，プロオピオメラノコルチン（POMC），プロエンケファリン，プロダイノルフィンなどと呼ばれる前駆体タンパクに由来するペプチドである。これらの前駆体タンパクの一部は開裂してエンドルフィン，エンケファリン，ダイノルフィンなどを形成する。その後，これらはオピオイド神経細胞に貯蔵され，おそらく強化や快楽をもたらす神経伝達の際に遊離される。エンドルフィンを遊離する神経細胞はμオピオイド受容体をもつ部位にシナプスを形成し，エンケファリンを遊離する神経細胞はδオピオイド受容体を含む部位と，またダイノルフィンを遊離する神経細胞はκオピオイド受容体を含む部位とシナプスを形成する。

は，「脳自身のモルヒネ」とも呼ばれ，μオピオイド受容体を含むシナプス後部位にシナプスを形成する。エンケファリンenkephalinを遊離する神経細胞はシナプス後δオピオイド受容体とシナプスを形成し，エンドルフィンendorphinを遊離する神経細胞はシナプス後κオピオイド受容体とシナプスを形成する（図13-18）。これらはすべてプロオピオメラノコルチンpro-opiomelanocortin（POMC），プロエンケファリンproenkephalin，プロダイノルフィンprodynorphinなどと呼ばれる前駆体タンパクに由来するペプチドである（図13-18）。これらの前駆体タンパクの一部は開裂してエンドルフィン，エンケファリン，ダイノルフィンdynorphinなどを形成し，オピオイド神経細胞に貯蔵され，内因性のオピオイド作用をもたらすために神経伝達の際に遊離される。

オピオイド嗜癖

ケシに由来する違法なオピオイドが嗜癖的な特徴をもつことは数世紀前から知られていたが，現代の生活と社会に壊滅的な影響を与えるオピオイド乱用の最近の深刻な流行は，痛みを和らげるために合法的に処方された経口オピオイドの強力な破壊的可能性をわれわれに認識させた。最近の調査では，米国は世界の合法および非合法のオピオイド供給の85%を消費しているという。米国では毎年6,000万人以上がオピオイドを少なくとも1回処方されており，そのうち20%はオピオイドを処方以外の方法で使用し，他の20%は錠剤を分けあったりしているといい，200万人以上が医原性の嗜癖に陥っている。より大量の投与への要求が，処方者や路上で得られる錠剤を超えてしまうと，多くの患者はより得やすい街中の吸引や注射のヘロインに頼ろうとじ，オピオイド嗜癖の「竜を追いかけるchase the dragon[*4]」状態になる。路上で売られているヘロインにはモルヒネよりも100倍強力なフェンタニルが混入されるようになってきている。象の鎮静薬といわれるcarfentanilのようなフェンタニル誘導体はモルヒネよりも10,000倍強力である。実際，フェンタニルとその誘導体は強力なので，ナロキソンなどのオピオイドアンタゴニストでは回復させられないほどで，そのため年間60,000人の米国の過量服用による死亡の1/3はフェンタニルとその誘導体によって引き起こされていると推測される。急性の痛みに対する正当な治療としてはじまったことが，非常に悲しい結果を招いている。

最近のこのオピオイド嗜癖の流行は，経口放出制御製剤は嗜癖しやすさを軽減するという誤りを打ち砕いた。痛みを和らげるあらゆる種類の経口

[*4] 訳注：薬物を吸入することの俗語。

オピオイドによって引き起こされた継続的かつ広範な蔓延は，やや意外なことに，オピオイドは長期的には高い効果をもつ鎮痛薬とはいえず，短期でのみ効果的で，耐性，依存，中毒が出現するにしたがって，数日から数週間で鎮痛効果が失われることを教えてくれた。したがって，処方されるオピオイドは，痛みをもつ患者の依存を減らすため，またオピオイドが他の人に転用されるのを防ぐために，量と時間がますます制限されるようになってきている。

　鎮痛薬としての用量あるいはそれ以上の量で，オピオイドは多幸感を引き起こす。これはオピオイドのおもな強化特性である。中脳辺縁系快楽中枢ではオピオイドは精神刺激薬よりもドーパミン遊離が少ないが，明らかに快楽は少なくない。したがって，オピオイドの「ハイ（高揚気分）」がどのように完全にもたらされているかはまったく不明である。おそらく衝動性の腹側回路が，快楽を伴う強化作業をオピオイド使用早期にはじめるからであろう。オピオイドは"rush"とも呼ばれるきわめて強力であるが短期の多幸感を引き起こすこともあり，これに続いて，数時間以上続くことのある深い平穏，その後に，眠気（「ウトウトするnodding」），気分変動，意識の曇り，アパシー，緩徐な運動などが認められる。過量服用では，オピオイドは呼吸抑制薬として働き，昏睡をも引き起こしうる。オピオイドの急性作用は，μオピオイド受容体でアンタゴニストとして競合するナロキソンなどの合成オピオイド受容体アンタゴニストによって，十分早期にまた十分な用量で投与できれば，回復させることができる。オピオイドアンタゴニストはオピオイド依存者の離脱症状を引き起こすこともある。

　慢性的に服用すると，オピオイドはすぐに耐性と依存の両方を引き起こす。オピオイド受容体の適応は，オピオイドの慢性的な投与後かなり急速に生じるからである。この適応は仮説上腹側回路から背側習慣回路への行動制御の移行に相関する。この最初の徴候は，痛みを緩和したり望んでいる多幸感を引き起こしたりするために，患者がよりいっそうオピオイドの高用量の摂取を望むこ

とである。最終的には，多幸を生じる用量と過剰摂取による毒性を生じる用量との間に，わずかな差しかなくなることがある。依存が生じ，またアゴニスト作用に対するオピオイド受容体の感受性低下が生じたことを示すもう1つの徴候は，慢性的に投与しているオピオイドの作用が減弱したときに，離脱症状が生じることである。オピオイド離脱症状は，患者が不快気分を経験し，さらに追加のオピオイド投与を渇望し，易刺激的になり，頻脈，振戦，発汗などの自律神経過敏徴候を示すことによって特徴づけられている。立毛（「鳥肌goose-bumps」）はしばしばオピオイド離脱，特に薬物を突然中止したとき（"cold turkey"）に関連している。これは主観的にはひどく恐ろしいものであるため，オピオイド乱用者は離脱症状を緩和しようともう一度オピオイドを得たいと思い，しばしば何があってもやめられなくなってしまう。したがって，多幸感の追求のためにはじめたことが，離脱の回避追求に終わってしまうことがある。

オピオイド嗜癖の治療

　オピオイド嗜癖の治療は離脱の管理からはじまる。金銭と薬物の供給が尽きることだけでなく，投獄されることも強制的な離脱法となりうるが，より穏やかな方法は離脱症状を緩和するかあるいは避けることである。そうするための1つの方法は，既知の用量で処方されたオピオイドを置き換えて，経静脈投与を避けることである。これにはメサドンとブプレノルフィンの2つの選択肢がある。メサドンはμオピオイド受容体の完全アゴニストであり，経口で通常はクリニックにおいて毎日投与することによって離脱症状を完全に抑制することができる。ブプレノルフィンはμオピオイド受容体の部分アゴニストで，よりアゴニスト作用は弱いが，特に乱用されたオピオイドの中止後すでに軽度の離脱が生じているときには，離脱症状を抑制することができる。ブプレノルフィンは飲み込むと十分に吸収されないので舌下投与する。クリニックに毎日通院するかわりに，外来患者として数日分を渡し服用するように処方するこ

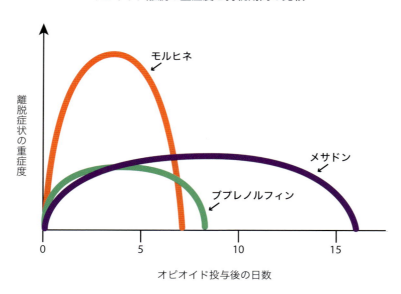

図13-19　オピオイド離脱の重症度と持続期間の比較　突然の中止後，離脱症状のピークまでの時間と症状の持続は，関連する薬物の半減期に依存する。モルヒネ（およびヘロイン）の離脱では，症状のピークは36〜72時間で7〜10日続く。メサドンの離脱では症状はより軽く，ピークは72〜96時間であるが，14日以上も続くことがありうる。ブプレノルフィン離脱では症状のピークは2〜3日後で，モルヒネ/ヘロインよりも軽く，症状の持続はモルヒネ/ヘロインと同様である。

ともできる。ブプレノルフィンは通常，ナロキソンと併用される。ナロキソンは注射によって作用し，経口や舌下投与では吸収されないため，経静脈投与による乱用を防ぐことができる。ブプレノルフィンとナロキソンの併用注射は高揚感を生じさせず，むしろ離脱を生じさせることさえあり，そのため舌下投与製剤の経静脈投与への転用を防ぐことになる。ブプレノルフィンは植込み型の6カ月持続製剤，あるいは1カ月持続のデポ注射としても処方することができる。

　オピオイド禁断状態まで直接メサドンやブプレノルフィンを減量していくことは，理論的には可能であるが，長期的に成功することはまれである。住居併設のリハビリテーション施設に入所し，すべての薬物を避け，30〜90日間の治療を受けたオピオイド嗜癖の患者のうち，嗜癖が再発してしまうのは1カ月以内で60〜80％，3カ月以内で90〜95％という分析がある。嗜癖者の習慣回路から生じる，路上で得たオピオイドを再開しようとする衝動は（特に，以前のオピオイド乱用に関連する人，場所，道具一式などの環境的手がかりに再曝露したとき），パブロフの犬の鈴が大きくまた明瞭に鳴っている状況に自分をおくことと同じである。不随意で，何も考えず，また強力な習慣の衝動は，反射的に支配し，自発的な意志の力を超越し，もはや薬物探索や薬物摂取を抑制することができなくなる。このような結果が生じるかどうかは，オピオイド嗜癖者がメサドン，ブプレノルフィン，あるいは路上で得たオピオイドのいずれをやめようとするかにかかわらず生じる。

　どのようにすればこの悲惨な結末を避けることができるのであろうか？　まず，オピオイドを含むほとんどの薬物の離脱症状の強度と持続期間は，薬物の半減期と関係していることを認識することが大切である（図13-19）。モルヒネやヘロイン製剤などの半減期の短い完全アゴニストは，長期作用のメサドン（離脱症状は弱いが持続時間はずっと長い）やブプレノルフィン（離脱症状は弱く，かつ持続時間は短い）のいずれよりも離脱症状は強く持続時間はずっと短い（図13-19）。第2にはメサドンやブプレノルフィンの離脱の持続ではなく強度は，α_{2A}アゴニストの追加によって軽減できることである。クロニジンとlofexidineのどちらも，離脱中の自律神経の過活動症状を軽減するα_{2A}アゴニストであり，解毒過程の助けとなる。そして最後に，長期にわたる離脱を促進しようとするときに，オピオイド嗜癖者は離脱ではなく，naltrexoneのような長期作用型の注射製剤オ

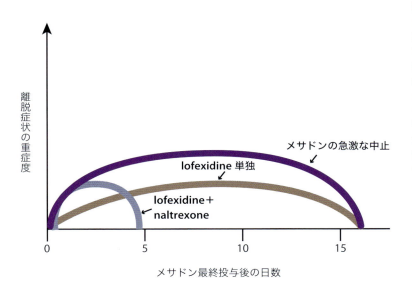

図13-20 **メサドン中止後の離脱の重症度と持続期間** メサドンの突然の中止後，離脱症状は72〜96時間でピークに達するが，14日以上も続くことがある。離脱症状の持続期間ではなく，その重症度はlofexidineやクロニジンなどのα_2アゴニストを投与することで軽減できる。特にこれらの薬物は自律神経症状を緩和することができる。α_2アゴニストとnaltrexoneなどのμオピオイド受容体アンタゴニストを両方投与すると，離脱症状の持続期間だけでなく重症度も軽減できる。

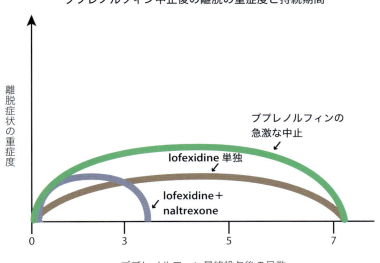

図13-21 **ブプレノルフィン中止後の離脱の重症度と持続期間** ブプレノルフィンの突然の中止後，離脱症状は72時間前後でピークに達し約1週間続く。離脱症状の持続期間ではなく，その重症度はlofexidineやクロニジンなどのα_2アゴニストを投与することで軽減できる。特にこれらの薬物は自律神経症状を緩和することができる。α_2アゴニストとnaltrexoneなどのμオピオイド受容体アンタゴニストを両方投与すると，離脱症状の持続期間だけでなく重症度も軽減できる。

ピオイドアンタゴニストによる維持のほうに移行させられることがある。短期的には，naltrexoneはメサドン（図13-20）やブプレノルフィン（図13-21）と一緒に投与されたα_{2A}アゴニストの離脱時間を短縮する。長期にnaltrexoneを投与する利点は，経口でnaltrexoneを投与することと比較して，薬物の治療域を終日保つことができることである（図13-22）。さらに，1カ月ごとのnaltrexone注射によって，オピオイド離脱の患者は，30日間30回の注射の代わりに，30日ごとに1回の薬物投与を選ぶかを決めさえすればよいことになる。さらによいことに，衝動的な患者は再発するために注射製剤のnaltrexoneを止めることは簡単にはできないのである。

メサドンやブプレノルフィンのようなアゴニストによる代替治療〔しばしば薬物介在療法（medi-

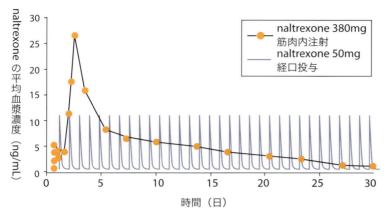

図13-22　naltrexone製剤
μオピオイド受容体アンタゴニストであるnaltrexoneは，経口製剤と月1回の筋肉内注射製剤の両方が利用できる。経口naltrexoneでは患者の血漿濃度とは浮動性で用量依存性である。さらに，治療を続けるべきか否かを毎日決めなければならない。月ごとの注射では，患者の血漿濃度は上昇して一定に保たれ，30日ごとに1回治療を受けるかどうかを決定するだけでよい。

cation-assisted therapy：MAT）と呼ばれる〕は，ランダムな尿の薬物スクリーニングと，強力な心理的，医学的および職業的サービスを含む構造化された継続治療プログラムで利用するのが最適である。長期作用型のnaltrexoneの注射による場合も同様である。残念なことに，オピオイド嗜癖者のごく少数しか治療に入っていかず，治療中の人のうちMATを受けているのはほとんどいない。その理由は，各治療施設の理念の違いによるのか，経済的なインセンティブ，治療的なニヒリズムによるのかは不明だが，現在利用可能な最善の治療は十分に行われていないようである。

大麻

吸引することなく実際にハイになることができる（図13-5で遊離されているエンドカンナビノイドを参照）！　脳は神経伝達物質のように自身の大麻様神経伝達物質，アナンダミドanandamideと2-アラキドノイルグリセロール2-arachidonoylglycerol（2-AG）（図13-23，図13-24）を作る。身体も同様である。これらの神経伝達質とカンナビノイド1および2（CB1およびCB2）受容体は，「エンドカンナビノイド」系，すなわち内因性カンナビノイド系を作りあげる（図13-23）。脳内では，古典的神経伝達物質が遊離されると，シナプス後の脂質細胞膜に蓄えられた前駆体からエンドカンナビノイド合成が刺激される（図13-24A）。これらのエンドカンナビノイドはシナプスに遊離されると，逆行性にシナプス前のCB1受容体に向かいシナプス前神経細胞に「返答」し，そこで古典的神経伝達物質の遊離を抑制することができる（図13-24B）。逆行性神経伝達は第1章で紹介し図1-5で示した。CB1とCB2受容体のどちらも脳内に存在し，CB1受容体のほうが分布密度は高い。両方の受容体はどちらのエンドカンナビノイドにも結合するが，2-AGは効力が高く，アナンダミドは効力が低い（図13-23）。CB2受容体は末梢にも存在し，ほとんどは免疫細胞にあり，やはり同じ2つのエンドカンナビノイドと結合する（図13-23）。

大麻cannabisは，数百の化合物と100以上のアルカロイド・カンナビノイドの混合物である。そのうち最も重要なのはtetrahydrocannabinol（THC）とcannabidiol（CBD）である（図13-25）。THCはCB1とCB2受容体と相互作用し精神作用性の特徴をもっている。CBDはTHCの異性体でCB1とCB2受容体に対しては比較的活性をもたない（図13-25）。CBDは精神作用性の特徴をもたず，その作用機序は実際には不明である（図13-25）。大麻はTHCとCBDのさまざまな混合物である（図13-26）。CBD含有量が多いほど幻覚，妄想，記憶障害などのリスクは低い（図13-26）。純粋なCBDは抗精神病作用と抗不安作用をもつことさえあるかもしれない（図13-26）。時間の経過とともに，より多くのTHCとより少ないCBDという点で大麻はより強力になり，その結果，幻覚，

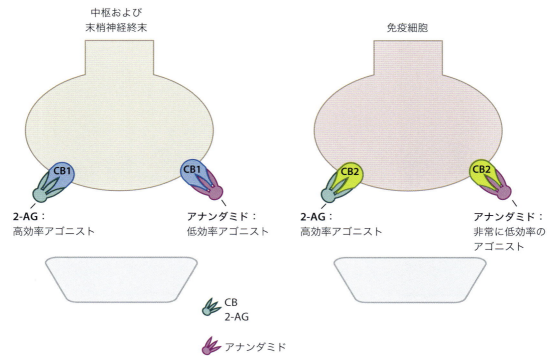

図13-23　エンドカンナビノイド系：受容体とリガンド　カンナビノイドcannabinoid（CB）受容体には2つの主要なタイプがある。CB1受容体は最も豊富に存在し，中枢と末梢神経系全体にわたり神経終末に存在する。CB2受容体は脳内にはそれほど広く発現していないが，グリア細胞や脳幹に存在する。その代わり，CB2受容体はおもに免疫細胞に発見され，そこで細胞移動やサイトカイン遊離を調節している。多様な内在性CBのうち，最もよく知られているのはアナンダミドと2-アラキドノイルグリセロール（2-AG）である。アナンダミドはCB1受容体では低効率のアゴニストで，CB2受容体では非常に低効率のアゴニストである。2-AGはCB1とCB2受容体での高効率のアゴニストである。

妄想，不安，記憶障害などのリスクが高くなる（図13-26）。現時点では大麻によって精神症状や統合失調症をきたしやすい人を事前に同定することはできない。にもかかわらず，最近の有力な研究では，もし高力価の大麻を誰も吸引しなければ，欧州における初発精神病の全症例のうち12％は予防可能で，ロンドンでは32％，アムステルダムでは50％にまで高くできると結論づけられている。大麻は精神病をすでにもっている患者での精神病症状を悪化させることもある。

精神病のリスクをもたないほとんどの人々に対して，通常の中毒量では大麻は安心した気分，リラクゼーション，親近感，一時的な覚醒喪失，さらに現在と過去の混同，思考過程の緩徐化，短期記憶の障害，特別な内省を得た感覚などをもたら

す。高用量では，パニック，中毒性せん妄，さらに脆弱な人では精神病症状を引き起こすことがある。長期使用の合併症の1つとして，「無気力症候群 amotivational syndrome」が頻回使用者にみられる。この症候群は重度の連日使用者に主としてみられ，意欲や熱意の低下の出現，つまり「無気力な状態」によって特徴づけられる。この症候群はまた，社会的および仕事上の障害をもたらす症状とも関連している。それには，注意持続時間の短縮，判断力低下，転導性亢進，コミュニケーション能力の障害，内向性，対人状況での能力低下などが含まれる。個人の習慣は荒廃し，洞察力が失われ，離人感さえみられるかもしれない。

近年，大麻全般，特にTHCとCBDの治療的使用の可能性を探る研究が進んでいる。「医療用マリ

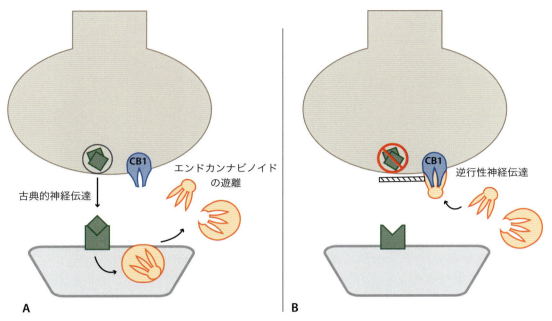

図13-24　エンドカンナビノイド系：逆行性神経伝達　（**A**）エンドカンナビノイドの前駆体はシナプス後神経細胞の脂質膜に蓄えられている。脱分極を介してか，あるいはGタンパク結合受容体への神経伝達物質の結合によって，神経細胞が活性化されると，これが引き金になってエンドカンナビノイドを合成し遊離する酵素反応がはじまる。（**B**）そうするとエンドカンナビノイドはシナプス前カンナビノイド受容体に結合し，神経伝達物質遊離の抑制を引き起こす。この神経伝達の様式は逆行性神経伝達として知られている

tetrahydrocannabinol（THC）と cannabidiol（CBD）

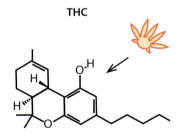

THC

精神活性作用
不安惹起作用

治療効果の可能性？
● 抗炎症作用
● 多幸感
●「オピエート型の疼痛緩和」

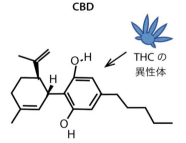

CBD

THCの異性体

精神活性作用は**ない**
抗不安作用
抗痙攣作用

治療効果の可能性？
● 神経障害性疼痛の緩和
● 抗炎症作用
● 患者特異的

図13-25　tetrahydrocannabinol（THC）と cannabidiol（CBD）　よく知られており比較的よく研究されている2つの外在性カンナビノイドがある。(1)THCは精神活性作用をもつと考えられ，CB1とCB2受容体に部分アゴニストとして結合するが，神経伝達物質の遊離抑制を引き起こす。(2)CBDは精神活性作用をもたないと考えられ，CB受容体での結合については十分明らかでないが，セロトニン系などの他の神経伝達物質系と相互作用すると考えられる。

tetrahydrocannabinol（THC）と cannabidiol（CBD）：精神疾患への影響

	 CBD 低含有の大麻	 CBD 高含有の大麻	 CBD のみ
精神病症状	●幻聴と妄想の高いリスク	●幻聴と妄想の低いリスク	●抗精神病作用の可能性
精神病性障害	●より早い発症	●より遅い発症	
認知機能	●急性の記憶障害に対する高いリスク	●急性の記憶障害に対する低いリスク	
不安	●不安惹起作用 ●扁桃体活動の上昇		●抗不安作用 ●扁桃体活動の低下

図13-26　tetrahydrocannabinol（THC）と cannabidiol（CBD）：精神疾患への影響　大麻の系統ごとに，60〜100の既知のカンナビノイドが異なった組み合わせで含まれていることがある。THCと低CBDを含む大麻は，精神病症状，記憶障害，不安など高いリスクを伴うことがある。THCと高CBDを含む大麻は，精神病症状，記憶障害，不安などのリスクは低いであろう。純粋なCBDは，抗精神病薬あるいは抗不安薬としての使用可能性について研究されている。

ファナ medical marijuana」に伴う問題は，それが処方薬の基準によって開発できる治療選択肢ではないということである。これらの基準では，治療薬には一貫性があり，純粋で，明確に決められた化学組成が必要であるが，医療用マリファナは500の化学物質と100以上のカンナビノイドが含まれた未処理の植物である。処方薬には一貫性があり明確に決められた薬物動態学的特徴が必要で，さらに二重盲検プラセボ対照ランダム化臨床試験による安全性と有効性が必要なだけでなく，すべての起こりうる副作用に対する警告も必要である。しかし，医療用マリファナは植物ごとに異なる成分を含み，殺虫剤やカビによる汚染などの残留不純物も含んでおり，投与法も十分に調節されていない。たとえそうであるにしても，医療用マリファナには無数の研究があり，それらは最近，専門家会議によって審査された。十分なエビデンスから中等度エビデンス，限定的なエビデンス（表13-2），不十分なエビデンス（表13-3）まで幅広いエビデンスをもつ，さまざまな利益とリスクが報告されている。

しかし，純粋なTHCと純粋なCBDはどちらも米国食品医薬品局（FDA）により，さまざまな適応症に対して従来の薬物基準により承認されている（表13-4）。大麻の有用性と安全性がある程度説明されているこれらいくつかの分野（表13-2）で，どの適応症に対して純粋な化合物がFDAから正式に承認されるかは，現在検討中である。

幻覚薬

一時的な幻覚だけでなく，より一般的には，非日常の心理状態と意識変容をもたらすさまざまな薬物を分類するのは大変である。これらの物質に対する命名法は絶え間なく進歩していて，科学的というよりも記述的である。ここでは幻覚薬 hallucinogen という分類を，少なくとも部分的には $5HT_{2A}$ 受容体でアゴニストとして働く3種類の薬物という意味で使用することにする（図13-27）。それらは：

- トリプタミン類 tryptamines（シロシビン psilocybin など）

表13-2　大麻の利益とリスクに幅のある分野

	利益を伴う	リスクを伴う
十分なエビデンス	・慢性疼痛 ・化学療法誘発性嘔吐 ・多発性硬化症における痙縮（患者の報告）	・呼吸器系症状 ・自動車の衝突 ・低体重出産 ・精神病症状
中等度のエビデンス	・閉塞性睡眠時無呼吸での睡眠，線維筋痛症，慢性疼痛，多発性硬化症 ・気道力学 ・努力性肺活量 ・精神病における認知機能	・小児における過量服用の障害 ・学習，記憶，注意力の低下 ・双極性障害における（軽）躁病の増加 ・抑うつ性障害 ・自殺傾向と自殺完遂 ・社交不安症 ・他の物質使用障害への発展
限定的なエビデンス	・HIV/AIDSにおける食欲増進/体重減少 ・多発性硬化症における痙縮（医師の報告） ・Tourette症候群 ・不安 ・PTSD	・精巣癌 ・急性心筋梗塞 ・くも膜下出血による虚血発作 ・前糖尿病 ・COPD ・妊娠合併症 ・新生児集中治療室への入院 ・学業成績の低下 ・失業の増加 ・社会機能の低下 ・統合失調症における陽性症状の悪化 ・双極性障害 ・不安症（社交不安症以外） ・PTSD症状の重症度上昇

AIDS：後天性免疫不全症候群，COPD：慢性閉塞性肺疾患，HIV：ヒト免疫不全ウイルス，PTSD：心的外傷後ストレス障害

表13-3　大麻の利益とリスクに対して十分なエビデンスがない分野

	利益を伴う	リスクを伴う
不十分なエビデンス	・認知症 ・緑内障に伴う眼圧上昇 ・慢性痛や多発性硬化症における抑うつ ・癌 ・神経性やせ症 ・過敏性腸症候群 ・てんかん ・脊髄損傷における痙縮 ・筋萎縮性側索硬化症 ・Huntington病 ・Parkinson病 ・ジストニア ・嗜癖 ・精神病症状	・肺，頭部，頸部の癌 ・食道癌 ・前立腺癌，子宮頸癌 ・ある種の白血病 ・喘息 ・C型肝炎患者における肝線維症あるいは肝疾患 ・有害な免疫細胞反応 ・HIVにおける免疫状態への有害作用 ・口腔内ヒトパピローマウイルス ・すべての原因による死亡 ・業務上の事故/けが ・過量服用による死亡 ・出生児への遅発性の転帰（例：乳幼児突然死症候群，学業成績，後年の物質乱用） ・統合失調症における陰性症状の増悪

HIV：ヒト免疫不全ウイルス

- エルゴリン類ergolines〔リゼルグ酸ジエチルアミド lysergic acid diethylamide（LSD）など〕
- フェネチラミン類 phenethylamines（メスカリン mescalineなど）

幻覚薬は5HT$_{2A}$受容体に対してだけ選択的なのではなく，その他のセロトニン受容体サブタイプでの作用も精神変容状態に関与しているかもしれない（第7章と図7-88参照）。シロシビン（4-ホスホリルオキシ-N, N-ジメチルトリプタミン 4-

表13-4　tetrahydrocannabinol（THC）とcannabidiol（CBD）の承認された使用

	活性内容物	剤形	承認	米国の規制分類
dronabinol	合成THC	経口カプセルあるいは内用液	化学療法誘発性悪心・嘔吐（米国） AIDS消耗症候群における食欲増進（米国）	スケジュールⅢ
nabilone	合成THC類似物	経口カプセル	化学療法誘発性悪心・嘔吐（米国）	スケジュールⅡ（その力価による）
nabiximols	THCとCBDが約1：1になるよう精製	噴霧	多発性硬化症によって生じた痙縮（米国，カナダ，欧州，オーストラリア，ニュージーランド，イスラエル） 多発性硬化症と癌における疼痛（カナダ，イスラエル）	適用なし
Epidiolex	マリファナから精製されたCBD	内用液	2つのまれで重篤なてんかん，すなわちLennox-Gastaut症候群およびDravet症候群に伴う発作，2歳以上の患者で（米国）	規制薬物ではない

AIDS：後天性免疫不全症候群

5HT$_{2A}$受容体における幻覚薬の作用

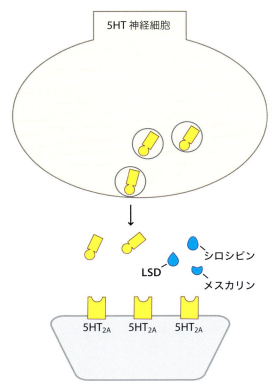

図13-27　**5HT$_{2A}$受容体における幻覚薬の作用**　シロシビン，リゼルグ酸ジエチルアミド（LSD），メスカリン，などの幻覚惹起物質の主要な作用は5HT$_{2A}$受容体でのアゴニスト作用である。これらの幻覚薬はその他のセロトニン受容体に対してさらなる作用をもっているかもしれない。

phosphoryloxy-N, N-dimethyltryptamine）は幻覚作用をもつマッシュルームに由来する原型的な幻覚薬である。シロシビンは活性をもつ薬物であり，同時にシロシンpsilocin（N, N-ジメチルトリプタミンN, N-dimethyltryptamine，あるいはDMT）と呼ばれる他の幻覚薬のプロドラッグでもある。シロシビン，シロシン，および他のトリプタミン，エルゴリン，この種のフェネチラミンは，5HT$_{2A}$受容体だけでなく，5HT$_{2B}$，5HT$_7$，5HT$_{1D}$，5HT$_{1E}$，5HT$_{2C}$，5HT$_6$，さらにはこれ以外のセロトニン受容体サブタイプにも作用する（図7-88参照）。ある研究では，ドーパミンD$_2$アンタゴニストではなく，5HT$_{2A}$アンタゴニストがヒトにおける幻覚薬の作用を逆転させることが示されており，幻覚薬の主要な作用機序が5HT$_{2A}$受容体でのアゴニストであることを支持している（図13-27）。

幻覚薬は時に1回の使用でも，信じられないほどの耐性を生じることがある。5HT$_{2A}$受容体の脱感作は，理論上この急速な臨床的および薬理学的な耐性の基本となると考えられている。もう1つの幻覚薬の独特な点は，「フラッシュバック」の出現である。フラッシュバックとはいわば中毒症状のうちのいくつかの自然発生的な再発であり，数秒から数時間持続する。これはしばらく幻覚薬を

投与していなくても生じ，ほとんどはLSDで報告されている。最後の薬物使用の数日から数カ月後に生じ，多くの環境刺激によって明らかに誘発されうる。フラッシュバックの基本になる精神薬理学的機序は知られていないが，症候学的には，信じられないほど長く続く逆耐性reverse toleranceに関連したセロトニン系とその受容体の神経化学的適応の可能性を示唆している。あるいは，フラッシュバックは情動的条件づけの一種である可能性がある。このフラッシュバックは扁桃核に埋め込まれており，幻覚薬を摂取していないにもかかわらず，その後の情動的体験により幻覚薬中毒のときに生じた経験の1つが思い出されることで引き起こされる。幻覚薬によって中毒下にあるときに生じる一連の感情のすべてが，これによって急に引き起こされる可能性がある。これは，心的外傷後ストレス障害posttraumatic stress disorder（PTSD）の患者において薬物なしに生じる再体験のフラッシュバックと類似しており，また幻覚と共感を生じる薬物がPTSDの治療目的で現在注意深く使用されている理由でもある（後述参照）。

　幻覚薬の中毒状態は感覚的経験の変化を伴う「トリップtrip」とも呼ばれ，錯視や，ときに幻覚などを含む知覚変容体験を伴う。実際，幻覚薬はしばしば**幻覚**hallucination（実際にはないものを明らかに知覚する）を引き起こさず，**錯覚**illusion（実際にあるものをゆがんで知覚する体験）を引き起こすことのほうがずっと多い。これらの幻覚は意識レベルが清明で錯乱していない状態で出現し，サイケデリックかつ精神異常発現性のことがある。**サイケデリック**psychedelicとは，主観的な体験を表す用語で，知覚認識の亢進により，人の心が拡大していること，あるいは人が人類や世界と一体となっていてある種の宗教的体験をしていることをいう。**精神異常発現性**psychotomimeticとは，その経験が精神病状態と類似していることを意味するが，「トリップ」と精神病の類似点はせいぜい表面的なものである。精神刺激薬のコカインとamphetamine（第4章の記述と本章の精神刺激薬についての記述も参照）およびクラブドラッグのフェンシクリジンphencyclidine（PCP）（第4章と以降でも述べる）は，幻覚薬よりも精神病に純粋に類似した症状を示す。むしろ，幻覚薬中毒の症状には，錯視，視覚的な「痕跡」（視覚イメージに視覚的痕跡が横切ったとき，視覚イメージににじんだ細長い筋が残ってしまう），大視症macropsiaと小視症micropsia，情動や気分の不安定性，主観的な時間の緩徐化，色がきこえ音がみえるという感覚，音知覚の増大，離人症状と，現実感喪失などがあるが，完全な覚醒状態はなお保たれている。その他の変化としては，判断力低下，正気を失うのではという恐れ，不安，悪心，頻脈，血圧上昇，体温上昇などがあるであろう。驚くにはあたらないが，幻覚薬中毒はパニック発作として考えられているような状態，つまりしばしば「バッドトリップbad trip」と呼ばれる状態を引き起こすことがある。中毒が増悪すると，せん妄と呼ばれる急性錯乱状態を経験することがあり，乱用者は見当識を失い興奮する。これはさらなる幻覚や妄想を伴う明らかな精神病に発展することがある。

エンパソーゲン

　精神作用性薬物のもう1つの範疇はエンパソーゲンempathogenあるいはエンタクトゲンentactogenと呼ばれる。エンパソーゲンは，情動の共有，一体感，関連性や情動の開放性，つまり共感や同情の体験とされるような意識変容をもたらす。エンパソーゲンの原型は，3,4-メチレンジオキシメタンフェタミン3,4-methylenedioxymethamphetamine（MDMA）である。MDMAは合成されたamphetamine誘導体で，ドーパミントランスポーター（DAT）やノルエピネフリントランスポーター（NET）よりもセロトニントランスポーター（SERT）に作用するが，一方amphetamine自身はSERTよりもDATとNETにより選択的に作用する。ドーパミンとセロトニンシナプスの両方におけるamphetamineの一次作用は第11章で解説し図11-32に示した。

　エンパソーゲンのより重要なセロトニン作用としては，MDMAは**競合的**阻害薬および偽基質

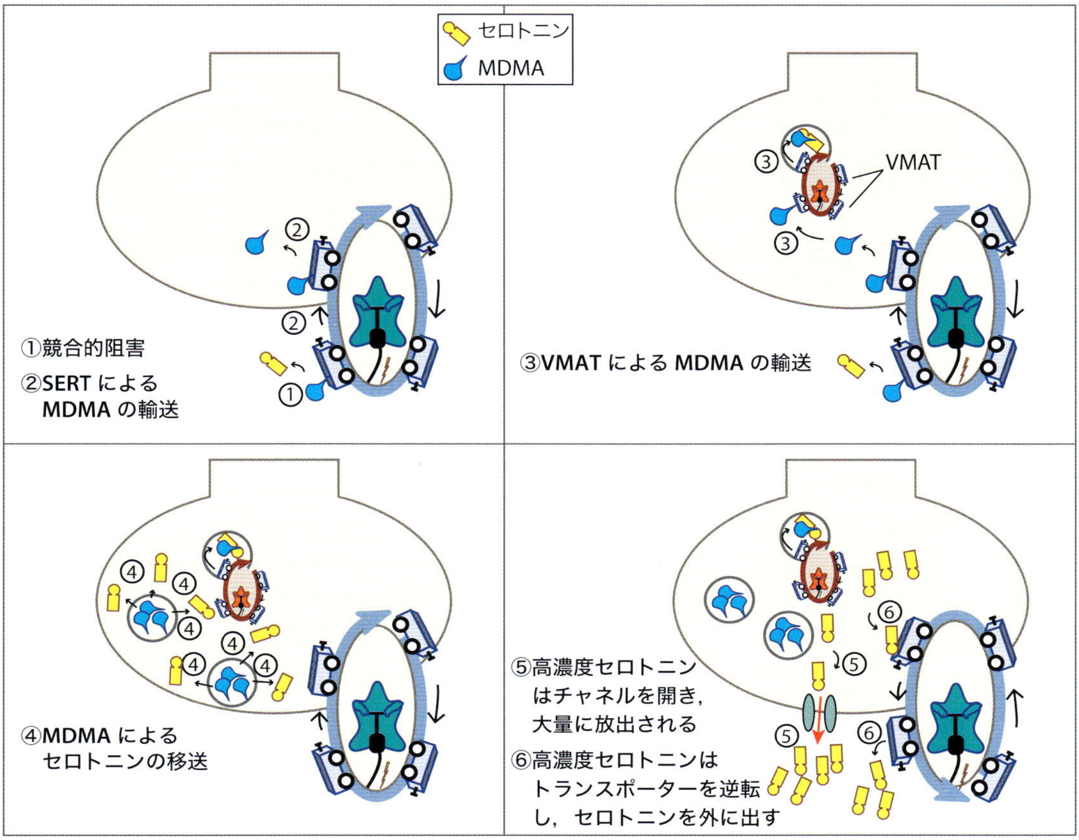

物質嗜癖　621

セロトニンシナプスにおける MDMA の作用

①競合的阻害
②SERT による MDMA の輸送

③VMAT による MDMA の輸送

④MDMA によるセロトニンの移送

⑤高濃度セロトニンはチャネルを開き，大量に放出される
⑥高濃度セロトニンはトランスポーターを逆転し，セロトニンを外に出す

図13-28　**セロトニンシナプスにおける MDMA の作用**　MDMA は，合成 amphetamine 誘導体で，ドーパミントランスポーター（DAT）よりも選択的にセロトニントランスポーター（SERT）に作用する。MDMA は SERT に対して競合的阻害薬であり偽基質である。したがって，セロトニンの結合を阻害し（①），それ自体が SERT を介してセロトニン終末に取り込まれる（②）。MDMA はシナプス小胞モノアミントランスポーター（VMAT）の競合的阻害薬でもあり，シナプス小胞に包み込まれることがある（③）。高濃度では MDMA はシナプス小胞から神経終末へとセロトニンを移動させる（④）。さらにセロトニンの臨界閾値に達すると，セロトニンは2つの機序によって神経終末から追い出される。この機序は，大量のセロトニンをシナプスに放出させるチャネルの開口（⑤）と SERT の逆転（⑥）である。
MDMA：3,4-メチレンジオキシメタンフェタミン

pseudosubstrate（図13-28の左上）として SERT を標的とすることである。つまり，エンパソーゲンはセロトニンがこのトランスポーターに結合するのと同じ部位に結合し，それによりセロトニン再取り込みを阻害する（図13-28の左上）。向精神作用をもつ用量では，SERT の競合的阻害の後（図13-28の左上），MDMA は実際にはヒッチハイカーのようにシナプス前セロトニン神経終末に輸送される。そこで十分な量があると，MDMA はセロトニンに対するシナプス小胞モノアミントランスポーター vesicular monoamine transporter（VMAT）の競合的阻害薬ともなる（図12-28の右上）。MDMA がヒッチハイクで他のシナプス小胞に乗り移ると，MDMA はセロトニンを取り除き，シナプス前でセロトニンをシナプス小胞から細胞質へ遊離させ（図12-28の左下），その後セロトニン受容体に作用するためにシナプス前細胞質からシナプスへセロトニンを遊離させる（図12-28の右下）。シナプスにあるときには，セロトニンはそこにあるどのセロトニン受容体にも作用すること

ができるが，エビデンスが示すところでは，幻覚薬と同じように，そのほとんどは5HT$_{2A}$受容体への作用である。しかし，MDMA摂取後の病態が多少とも幻覚薬摂取後の病態と異なるとすれば，セロトニン受容体での作用様式は多少異なる可能性がある。ヒトと動物実験の両方で，MDMAの作用は選択的セロトニン再取り込み阻害薬（SSRI）で阻害されることが示されているということは，MDMAはSERTに乗ってシナプス前神経細胞に入りセロトニンを遊離するという見解を支持するものである。

いわゆる幻覚薬であるシロシビンと，いわゆるエンパソーゲンであるMDMAの体験にはたしかに重複するところがあるが，いくつかの相違点は科学よりも文化に結びついている。使用者によって強調されるMDMAの主観的作用には，安心した気分，高揚した気分，多幸感，他の人と親密である感覚，社交性の向上などがある。MDMAは複雑な主観的状態をもたらすこともあり，「エクスタシーEcstasy」ともいわれる。エクスタシーはMDMAを利用する人たちがこれを呼ぶときにも使われる。また「モリーMolly」とも呼ばれ，おそらくこれは「分子のmolecular」の隠語であろう。MDMAは当初，ナイトクラブや徹夜のダンスパーティー（「レイブrave」）で有名であった。そこでは，閉鎖空間でのダンスのしすぎによる脱水や過熱が高体温による死亡を引き起こすこともあった。MDMA使用者には，幻視，偽幻視/錯覚，共感覚synesthesia，記憶や創造力の促進，時間と空間に対する知覚の変容などを経験するという人もいる。その他，不快な躁病様体験，不安な現実感喪失，思考障害，思考や体の制御が失われる恐れを感じる人もいる。

解離性薬物

解離性薬物dissociativesは，N-メチル-D-アスパラギン酸N-methyl-D-aspartate（NMDA）受容体アンタゴニストであるフェンシクリジン（PCP）とケタミンである。両者はNMDA受容体の同じ部位に作用する（第4章で述べ，図4-1，図4-29B，図4-30～図4-33，および表4-1で示した）。これらの薬物は，カタレプシーcatalepsy，健忘，鎮痛などに特徴づけられる解離状態を引き起こすため，もともと麻酔薬として開発された。この状態では，患者はゆがんだ視覚と聴覚，および周囲から隔離された感覚，つまり解離を経験する。脳から意識や体へ向かう信号が阻害されたようにみえる。手術や疼痛を伴う手技に対して十分な効果があれば，これは**解離性麻酔dissociative anesthesia**と呼ばれる麻酔の一種と考えられる。ここでは患者は必ずしも意識を消失しないが，意識の解離した感覚を体験する。患者は周囲や体から断絶され，思考，記憶，周囲の環境，行動や自己同一性間の連続性の喪失を体験する。この解離状態は，幻覚，感覚遮断感，夢幻状態やトランス状態を伴うこともある。

高用量ではPCPとケタミンは全般的な抑制効果をもち，鎮静，呼吸抑制，鎮痛，麻酔，運動失調，さらに認知と記憶の障害と健忘をもたらす。そのためPCPは麻酔薬としての使用はまったく受け入れられないことが判明した。それは，しばしば麻酔から覚醒するときに，統合失調症ときわめて類似した強力で独特の精神異常惹起性/幻覚体験を引き起こすからである（第4章と図4-1，図4-30～図4-33，および表4-1を参照）。

したがって，PCPによって引き起こされるNMDA受容体の活動低下は，統合失調症の基礎にあると提唱されている同じ神経伝達物質異常のモデルとなっている。PCPは，強い鎮痛，健忘，せん妄，抑制作用だけでなく，刺激作用，よろめき歩行，不明瞭な発語，独特の眼振のタイプ（つまり垂直性眼振）なども引き起こす。重度の中毒では，カタトニア（昏迷とカタレプシーが交互に現れる興奮），幻覚，妄想，パラノイア（被害妄想），失見当識，判断力低下などを引き起こしうる。過量服用の影響には，昏睡，超高体温，痙攣発作，筋肉の破壊（横紋筋融解症）などがある。

PCPと構造的に関連し，また作用機序も関連する類似体のケタミンは，今なお解離性麻酔薬として，特に小児で使用されており，引き起こす精神異常惹起性/幻覚体験はPCP投与後にみられるものよりずっと弱い。動物の鎮静薬として獣医学で

も使われる。ケタミンを「クラブドラッグ」の1つとして乱用する人がおり，"special K"とも呼ばれる。麻酔域下の用量では，解離性薬物は，メスカリン，LSD，シロシビンなどの他の幻覚薬によって影響される同じ認知および知覚過程の多くを変化させる。したがって，解離性薬物は幻覚薬かサイケデリック薬とも考えられる。

しかし，幻覚薬はうつ病治療に用いる麻酔域下のケタミンとはまったく共通せず，この用量では解離性薬物と幻覚薬（LSD，シロシビン，メスカリンなど）との間の最も大きな主観的相違点はケタミンの解離性作用である。この相違点には，離人感，現実でない感じ，自分自身から隔絶している感じ，自分の行動を制御できない感じ，および現実感喪失，外の世界が現実でなく夢をみているような感じなどがある。

麻酔域下の経静脈注射や経鼻スプレーで投与されたときのケタミンとその光学異性体であるエスケタミンesketamineについては，第7章と図7-59～図7-63で，治療抵抗性うつ病に対する画期的な急速作用の新治療として述べた。これらの薬物は急速に自殺念慮を除去するための試験中でもあり，さまざまな疾患に対してケタミン/エスケタミンと精神療法を組み合わせようとする研究も出現しつつある。解離の感覚は仮説上，以降で述べるように精神療法の成果を形成するために利用することができる。

離脱するまで好きに乱用する？

本質的には現行の薬物嗜癖の治療はすべて，薬物を「好きになるliking」と「欲しくなるwanting」，つまり報酬を求める衝動性によって駆動されている嗜癖の第1相を標的としている（図13-29A）。これらはすべて急性の受容体作用を阻害することで行われる（つまり，ニコチン，アルコール，オピオイドなどの作用。しかし，精神刺激薬に対して承認された治療法はない）。しかし，物質乱用に対して現在承認された治療はすべて，腹側から背側へ（図13-1，図13-2）および衝動性から強迫性へ（図13-29A）の制御の移行を阻害できない。それはわれわれがこの神経細胞の適応機序を知らないからであり，そのためわれわれはそれを（いまだに）阻害できないのである。

より重要なことは，嗜癖患者は**衝動**相の間に治療されることがあまり多くないことである。その間は嗜癖患者がなお嗜癖を発展させており，またその間は**刺激-反応条件づけ** stimulus-response conditioningを予防するのに薬物の受容体阻害作用が最も有用と考えられる。その代わり，すでに刺激-反応条件づけが生じて**習慣**回路がしっかりと制御されていれば，物質嗜癖の患者はほぼ必ず自身の疾患の**強迫**相で治療を求める。残念ながら，現在この現象を薬理学的に戻すことはできないが，長期にわたる離脱によってのみ，刺激-反応条件づけの緩徐な転換を期待できる。嗜癖から逃れられないときに，この現象が生じるために十分な期間離脱を保つということは，もちろんどの効果的な治療に対しても困難な課題である。

一方，乱用薬を阻害する精神薬理学的な治療と，その薬物をさらに乱用することで報酬を消去することを組み合わせると，薬物習慣の回復を促進させることができるという事例報告がある。どういうことであろうか？？ どのようにして，薬物のさらなる乱用が薬物の非乱用を導くのであろうか？ 嗜癖患者が離脱しはじめるときに，しばしば途中で「脱落slip」し「（薬物検査を）ごまかすcheat」という観察から，この新しい概念は生まれている。彼らは「つい禁酒を破ってしまうfall off the wagon」（あるいはその他いくつもの再使用を表す表現がある）。なぜなら回復の本質とは再発することだからである。もしあなたが馬乗りであれば，たぶん「7回馬から落ちないと馬に乗れるようにはならない」という表現に聞き覚えがあるであろう。つまり，残念なことではあるが，特に修得中の場合，乗馬の本質とは落馬することなのである。同様に，回復の本質は再発することであり，もしかすると本当に離脱するまでは実際は7回以上かもしれない。再発はもはや報酬をもたらさないということを学ぶことによって，習慣回路を転換させるためには，何回もの再発が不可避であることを，ここで説明した新しい概念はうまく利用している。

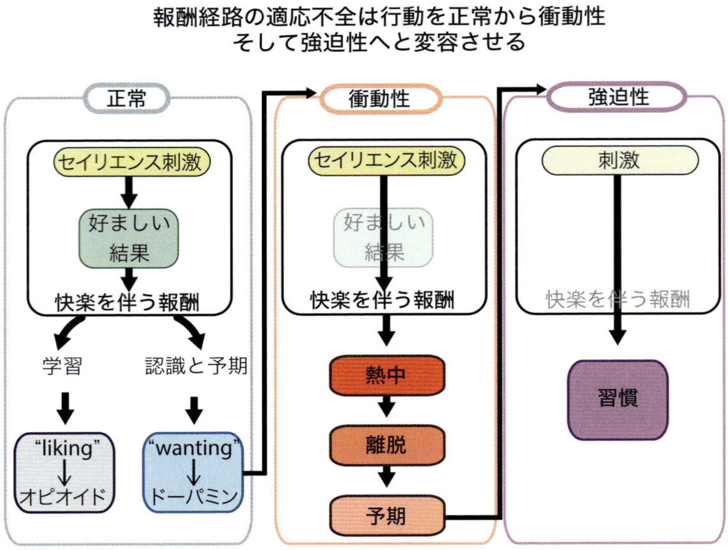

報酬経路の適応不全は行動を正常から衝動性そして強迫性へと変容させる

図13-29A　報酬経路の適応不全　左：正常な状態では，セイリエンス刺激が好ましい結果をもたらせば，この行動は快楽を伴う報酬としてコード化される。この快楽を伴う報酬の学習は"liking（好きになる）"と呼ばれ，オピオイド依存性の過程である。この快楽を伴う報酬の認識と予期は"wanting（欲しくなる）"と呼ばれ，ドーパミン依存性の過程である。中央："wanting"の増大は衝動性の根底にあると考えられ，その結果，快楽を伴う報酬を求める欲動は結果を上回り，事前の見とおしなしに行動が繰り返される。衝動的な行動は必ずしもずっと繰り返されるのではなく，その行動がなければ，報酬に対してより強い欲望や期待が引き起こされる。強迫を引き起こすのはこの熱中−離脱−予期のサイクルである。右：行動が強迫的になると，報酬はもはや問題ではなくなり，行動は厳密に刺激によって駆動される。習慣が発展するのはこの機序によると考えられる。

禁酒するまで好きに飲む

　この考えは，**薬理学的消去**を導くために脳の神経可塑性，学習および衝動−強迫回路における制御の移行という機序を用いる。薬物乱用は一種の学習された行動なので，アルコール症の患者は飲酒時に（オピオイド系を介して）増強された強化を経験する（前述，図13-15と図13-16で示した）。以前の考えとは異なり，解毒とアルコール遮断はアルコール渇望を止めることはなく，逆にさらにアルコール飲酒を**増大させる**。回復したアルコール症の患者は，最後の飲酒から何年たっても行きつけのバーを車で通り過ぎるだけで，渇望の爆発を感じると述べることが多い。それは十分には消えていない飲酒習慣の残滓である。

　つまり，進行中のアルコール症の患者にアルコールを与え，快楽の欠如，多幸感の欠如，および通常飲酒がもたらす渇望の欠如を患者に体験させること，また特に大量飲酒がそうさせることを体験させるということである。治療プログラムには，経口のオピオイドアンタゴニスト（例えば，naltrexoneやナルメフェン）をアルコール摂取の約1時間前に投与することが含まれている。オピオイドアンタゴニストのためにアルコールがもはや望まれる効果を生じさせないとき，アルコールはもはや強化作用をもたない。もしこの取り組みが短期間成功し，それを何度も繰り返すことができれば，**消去**過程が開始される。患者は服用しているオピオイドアンタゴニストに「かまわず飲酒するdrink over」ことはできず，飲酒はもはや報酬をもたらさないことを徐々に学ぶようになる。あるいは，ついには報酬が大きく減弱し，アルコール摂取の習慣は最終的に少なくとも部分的には消去されるようになり，少なくとも理論上は最終的な禁酒を達成しやすくなる。アルコールの強化特性を阻害することによって，飲酒を促すような環境での無意識で自動的な反応を減弱させることができる。もし飲酒が強化作用をもたなくなれば，飲酒は減るという説もある。ベルの音で流涎

習慣学習の転換と長期作用型 naltrexone 注射の可能性

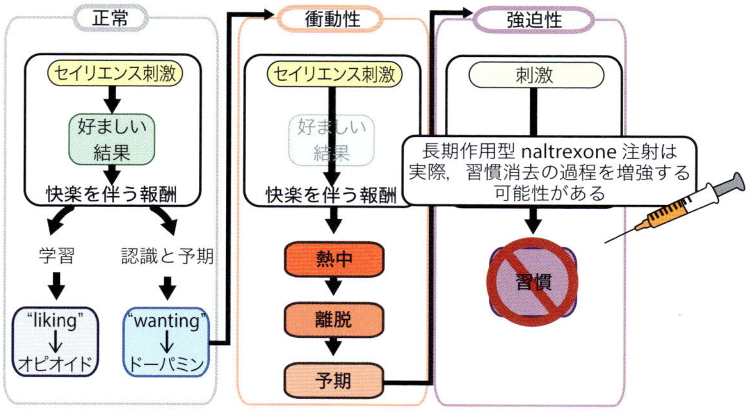

図 13-29B　習慣学習の転換　薬物乱用は学習された行動の一種なので，理論的には薬理学的な消去を誘導することが可能である．アルコールやオピオイド依存の場合は，アルコールやオピオイド使用が生じるのと同じときに（むしろ離脱時ではなく）μオピオイドアンタゴニストを投与することで理論的にはこれを達成できる．これにより物質摂取に伴う愉悦や多幸感のすべてが抑制される．このアプローチが短期的な成功をおさめ，何度も繰り返されるのならば，消去や習慣の転換の過程が開始される．最終的には，条件刺激（離脱と環境からの手がかり）に反応したアルコールやオピオイド摂取の条件反応は消去されていく．理論的には，過去の誘因からアルコールやオピオイド使用の関係を切り離し，不随意的習慣回路から離れて随意的行動回路への回帰を制御することを，脳が「再学習」するのである．

を垂らすと条件づけられたパブロフの犬というのではなく，食物がもはやベルに関連づけられていなくなると，遅かれ早かれ不随意の流涎は消去され，ベルはもはや流涎を生じさせなくなる．

シンクレア Sinclair 法とも呼ばれ，北欧で最初に推進されたアルコール症に対する治療的介入は，多くの臨床研究で試みられ，よい効果が報告されている．ここで興味深いのは，オピオイドアンタゴニストは**飲酒と組み合わせたときに特に有効**であるが，**禁酒中に投与したときは比較的効果がない**という観察結果である．飲酒の「習慣」を転換するためには，アルコール乱用の報酬が飲酒と組み合わされていない場合に消去学習が行われなければならないという意見にこのことは一致する（図 13-29B）．これは，naltrexone の長期作用型注射に「かまわず飲酒する」ことを試みる（そして失敗する）ときにも可能である．残念なことに，非常に少数のオピオイドアンタゴニスト治療しかアルコール使用障害に対して処方されていない．その 1 つの理由は，オピオイドアンタゴニスト治療は大量飲酒を減らすときに最も有効で，完全な禁酒の促進に対しては必ずしも有効でないからもしれない．

ヘロインを離脱するまで好きに注射する

北欧などの研究者は，オピオイド使用障害の患者はオピオイドアンタゴニスト治療に対して，アルコール使用障害患者と同様の行動をとることにも気づいている．つまり，路上で得た違法なオピオイドとともに長期作用型 naltrexone を「かまわず注射」しようとするオピオイド依存患者は，オピオイドがもはや強化作用をもたないことに気づくのである．何度試みてもハイになることができない回数が多いほど，注射が報酬と関連していると学習し，習慣の消去をより早く達成する（図 13-29B）．オピオイド注射という行動は報酬をもたらさないので，いまやオピオイドからの学習された強化行動はゆっくり転換される．最終的には，条件刺激（離脱と環境からの手がかり）に反応したオピオイド摂取という条件反応は消去される（図 13-29B）．理論的には，脳はオピオイド使用を過去のきっかけから切り離すことを「再学習」していて，不随意の習慣回路から遠く離れ，随意作用の回路に制御が戻る．残念なことに，非常に少

数のオピオイドアンタゴニスト治療しかオピオイド嗜癖者に対して処方されていない。

禁煙するまで好きに喫煙する

　行動学的および薬理学的な消去による禁煙の進行を補助しているこの「ごまかしcheating」と同じ現象が，禁煙治療でもみられている。禁煙治療を受けている多くの喫煙者はそれでも同時に喫煙をしている。つまり，このような患者はニコチンパッチやbupropionにも「かまわず喫煙し」，渇望を鎮めることができ，治療を受けているにもかかわらず習慣を持続させる。しかし，ニコチン部分アゴニストであるバレニクリンがあると，彼らはこの治療に「かまわず喫煙する」ことはできない。なぜなら，バレニクリンはニコチン自身よりもニコチン受容体部分アゴニストに親和性が高く，その結果バレニクリン服用中にはごまかしからの強化がなくなるからである。もしバレニクリン服用中の喫煙が強化作用をもたず，アルコールやオピオイドの場合と同じようにこれが何度も繰り返されると，脳が喫煙習慣を「学習しない」ので，喫煙は条件反射として消去される（図13-29B）。

「治療的」解離，幻覚，および共感？

　解離性薬物，幻覚薬，およびエンパソーゲンのような不可思議な体験をもたらす効能は，宗教的およびヒーリング目的で，何世紀も古代文化や先住民の間で利用されてきた。現代では，これらと同じ薬物は，精神療法家によって管理された診療場面において同じ体験を生じさせるために「解離介在精神療法（dissociation-assisted psychotherapy）」と呼ばれる治療技法のなかで使用されはじめている。広大な無限感，内的統一感，外的統一感，神聖感，「理性で得られるnoetic」洞察，時空の超越，深い肯定的気分，いいようのなさなどを伴う不可思議な体験は，精神科で最も治療抵抗性の疾患のうちのいくつかを「ヒーリング（癒やす）」できるように精神療法を導くことができる。

　このアプローチはまだ初期の段階で，治療の成功を導く可能性のあるパラメーターは定義される途中にある。変数には，「設定set」，「背景setting」，「登場人物cast」などがある。つまり，患者の「思考態度mind-set」は何か，この体験で生じる部屋の音などを含む「背景」や環境は何か，治療者やそこにいる人々を含む誰が「登場人物」なのか，などである。明らかにすべき準備変数には，患者と治療者が前もって信頼関係を築いていること，患者に何が期待できるかを説明していること，薬物，用量やそれに伴う精神療法の選択などがある。これらの変数のうち少数しかまだ十分に確立していない。今までこれらのアプローチのほとんどは，数時間に及ぶ精神療法を行いながら，治療者のオフィス（診察室）で解離や不可思議な心理状態を引き起こすために，ケタミン，シロシビン，あるいはMDMAを用いていた。研究中の精神療法には，非指示的/自己指示的精神療法，マインドフルネスにもとづく行動変容療法，動機づけ強化療法などがある。

ケタミン介在の精神療法

　治療抵抗性うつ病に対して，精神療法を伴わずにケタミンやesketamineを利用することは，第7章で述べ図7-59〜図7-62に示した。コカイン，ニコチン，アルコールなどを含む幅広い物質の渇望や乱用の治療に対する麻酔域下のケタミン静脈内投与は現在研究者によって評価され，ある程度成功が得られている。ケタミン使用の背後にある意図の1つは，本章で詳しく述べた（図13-29A参照）。薬物に関連した腹側から背側への神経系制御の移行を転換させるために前頭前皮質（PFC）の神経可塑性を促進させ（図7-61，図7-62参照），また精神療法家からの指導でこれを促進することである。

シロシビン介在の精神療法

　シロシビンは当初，終末期の癌に関連する不安の治療に利用されていたが，他の治療抵抗性の不安症や特に治療抵抗性うつ病の治療へと使用は広がっており，ある程度期待できそうな予備的結果が得られている。シロシビンはまた強迫症（OCD），疼痛，さまざまな嗜癖，性機能障害，群発性片頭痛，軽度外傷性脳損傷など，より多くの

疾患でも研究中である。シロシビンが引き起こす心理状態あるいはシロシビンの薬理が何らかの治療効果と関連しているのかはわからない。また，これらシロシビンによって変化するものと，ケタミンやMDMAによって引き起こされた変化との違いが，どの疾患をもったどの患者での反応に寄与しているのかもわからない。ケタミンで生じるのと同じような好ましい神経可塑性変化を誘発する可能性に対して，5HT$_{2A}$受容体が何らかの働きをするかはまだよくわかっていない。

MDMA介在の精神療法

MDMAによって引き起こされた共感的状態は，シロシビンによる不可思議な状態，あるいはケタミンによる解離状態よりも，つらい記憶を患者がたどりやすくするという点で優れているであろうという考えがある。MDMAは外傷的記憶とそれによって生じた症状を軽減するのを目的として，ほとんどは心的外傷後ストレス障害（PTSD）で研究されている。PTSDの第1選択治療は曝露療法（恐怖消去）であるが，外傷的記憶への反復される曝露が成功しなかったりつらすぎたりする患者が多数いる。恐怖記憶の消去については，不安症に関する第8章で述べ，図8-21と図8-22で示した。MDMAは安全な心理状態をもたらすことができる可能性があり，苦痛な外傷的記憶を文脈化し，それを軽減するために，治療者のもとで外傷的記憶を自律的に探求することができる。第8章では外傷的記憶の再固定過程も論じ，図8-21と図8-22で示した。この定式化では，情動記憶は再体験されたとき弱めやすいか，あるいは抹消さえできると考えられている。この考えの示すところは，MDMAによって生じた安全な心理状態では，信頼され経験豊かな治療者のもとでは，外傷的記憶の再体験はつらい情動記憶の再固定の阻害や弱体化を促進することができる，ということである。

行動嗜癖

過食性障害

食物に対して嗜癖することはあるか？ 神経回路が食べるように命令するのか？ 「食物嗜癖 food addiction」はまだ正式の診断として受け入れられていないが，過食性障害 binge-eating disorder（BED）は現在DSMの正式診断名である。明らかに満腹感があり，これ以上食べると不健康に陥るとわかっていながら，外的な刺激により非適応的な食習慣が引き起こされるときには，薬物嗜癖と同じように異常な食行動が形成され，これは強迫行動や習慣と考えられる。BEDや過食症における強迫的摂食は，神経性やせ症 anorexia nervosaにおける強迫的な拒食とよく似ている。BEDは摂食に対する制御の欠如によって特徴づけられる。これは物質乱用者が物質を探索し摂取するのを制御することができないのと似ている。BEDの公式の診断基準や臨床的特徴，さらには類似した疾患である神経性大食症 bulimia nervosaとの鑑別などについては，標準的な教科書を参照されたい。ここではBEDの構成概念を衝動性-強迫性障害の範疇に入るものとして述べる。

簡潔にいうと，BEDは反復性のむちゃ食いのエピソードをもち，そのむちゃ食いは別々の期間に生じ，ほとんどの人が同じような時間や状況で食べると思われる以上の量を食べることと定義される。おそらく，かつては空腹や食欲を満たすための楽しい食事であったものが，今では無意識で強迫的な摂食になり，制御を失い，著しい苦痛を伴うような状態となっている。BEDの約半数は肥満であるとはいえ，BEDのすべてが肥満というわけではないし，肥満の人が必ずしもBEDではない。BEDは最もよくみられる摂食障害であるが通常は診断されていない。多くの臨床家はこのことについて，患者が肥満だとしてもたずねることはしない。おそらくこのような質問は患者に不快にとらえられることを憚るためであろう。現実には，医療の専門家に相談に来院するほとんどのBED患者は併存する精神疾患をもっており，むちゃ食いよりもそれらに対する治療を通常は求めている。実際，BED患者の80％は，気分障害，不安症，その他の物質乱用障害，注意欠如・多動症（ADHD）などの診断基準を満たす。臨床家が覚えていなければならないことの1つは，これらの

障害のいずれかをもつ患者にむちゃ食いがあるかを聴取することである。なぜなら，治療は可能であり，長期の肥満の合併症は重篤だからである（精神病に対する薬物については第5章で述べた）。実際，ADHDに関する第11章で述べ，図11-31で示したD-amphetamine前駆体であるリスデキサンフェタミンは現在BEDに対する治療として唯一承認されている*5。

　限定的な効果と副作用をもつが適応外で使用されている薬物には，トピラマート，うつ病治療に用いられるいくつかの薬物，naltrexoneなどがある。BEDは嗜癖性障害群に属し，衝動性-強迫性障害に含まれる疾患でもある。なぜなら，BEDは，衝動性（図13-1）が強迫性（図13-2）へと導かれる皮質線条体回路における異常に関連しているとも仮説上考えられるからである。D-amphetamineがむちゃ食い症状を回復させる機序は，むちゃ食いが強迫的になったときにでも，もはや食欲はBEDを駆り立てることはしないので，その食欲低下作用によるものではないであろう。その代わり，精神刺激薬は特に線条体で神経可塑性を引き起こすことが知られている。仮説では，衝動的な摂食が強迫的になったとき，食物関連行動は腹側から背側調節へと制御を移行させるが，線条体の神経可塑性の促進はその食物関連行動を転換させるのに役立つ。ほとんどの衝動性-強迫性障害と同様に，BEDの薬物治療にいろいろな精神療法を追加する研究の多くは効果の増強を報告している。

その他の行動嗜癖

　ギャンブルや過度のインターネットゲームなどの行動は，BEDや物質乱用障害と多くの類似点があるものの，いまだ一般的には正式に行動「嗜癖」とは認められていない。インターネット依存には，行動を止められないこと，耐性，離脱，行動を再開したときの苦痛軽減などが含まれる。多くの専門家は，ギャンブル障害は薬物嗜癖と一緒に，またBEDは非薬物乱用/行動嗜癖障害として分類すべきと考えている。ギャンブル障害が特徴とするのは，有害な結果になるにもかかわらず中止しようとして何回も無益な努力をすること，耐性（ギャンブルをすればするほど賭け金が上昇する），ギャンブルをしないときの心理的ひきこもり，ギャンブル再開時の安心感などである。ギャンブルはドーパミンアゴニストやドーパミン部分アゴニストによる治療後に観察されており，中脳辺縁系ドーパミン報酬経路の刺激は一部の患者でギャンブルを引き起こす可能性を示唆している。表13-1に示した他の行動障害の神経生物学と治療法は，衝動から強迫へ，つまり異常あるいは望ましくない行動の制御が腹側から背側へ移行する可能性として，すべて研究中である。期待としては，衝動性-強迫性障害の1つに対して有効な治療法が，このグループの他の障害のスペクトラムにわたって役立つかもしれないことである。

強迫症と関連疾患

　強迫症 obsessive-compulsive disorder（OCD）はかつて不安障害に分類されていたが（図13-30），現在はDSM-5などいくつかの診断体系によって独自のカテゴリーにおかれている。OCDでは，多くの患者は常同的で儀式的な行動を，それらの行動がいかに無意味で過剰であるかを十分理解していながら，またそれらの行動の結果を本当は望んでいないにもかかわらず，行わなければならないと強い衝動を感じている。最もよくみられる強迫行動のタイプは確認と洗浄である。OCDにとって，習慣に至る一般的な傾向は単に回避として現れ，これは患者がいう併存する不安によるものである。強い不安のなかで，迷信的な回避反応は安心を生むことがあり，それがさらに行動を強化する。ストレスと不安は，積極的あるいは消極的な動機によるかにかかわらず，習慣形成を強めるであろう。しかし，習慣がさらに強迫的になると，安心の経験はもはや駆動力とはならず，代わりに行動は条件反応のように外的な制御下におかれてしまう。過度に柔軟性のない行動は，個別の強迫観念に誘発された不安や苦悩を中和するために行われるとしばしば考えられている。逆説的

---

*5訳注：わが国では承認されていない。

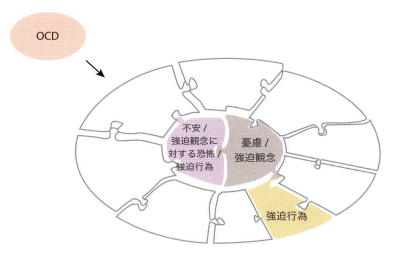

図13-30　強迫症（OCD）
OCDに伴う典型的な症状をここに示した。これには，侵入的で望まれず著明な不安や苦痛をもたらす強迫観念だけでなく，強迫観念に関連する苦痛を防ぎ抑制することを目的とする強迫行為がある。強迫行為は反復される行動（例えば，手洗い，確認）や心のなかの行為（例えば，祈祷，数えること）であることもある。

ではあるが，OCD患者はこれらの行動をやむを得ず行うように感じているが，患者はしばしばこれらの行動は有用というよりも混乱を生じるものであると気づいている。どうしてそうなるのであろうか？　強迫行動を不安軽減のための目標指向的活動と考えるよりも（図13-30），これらの儀式は環境下の刺激から無意味に誘発された習慣と理解するほうがよいようである。これが，OCDを不安障害のカテゴリーにもはや入れない診断体系がある理由である。

　OCDの環境刺激によって誘発される強迫的習慣は，本章全体で嗜癖について述べたのと同じ神経回路内で生じる同じ現象と仮説上考えられる。では，OCD患者はみずからの強迫観念や強迫行為に嗜癖しているのであろうか。たしかに，これはOCD症状に対する1つの見方である。OCD患者は眼窩前頭皮質 orbitofrontal cortex（OFC）での効率的な情報過程を行えず（図13-2），認知的な柔軟性に欠け，そのため強迫反応/習慣を抑制することができないことが示されている。薬物嗜癖とまったく似ている。このようなOCDにおける仮説的な習慣学習（薬物，ギャンブル，むちゃ食いなどに適応すると，嗜癖と呼ばれる）は，曝露と反応防御によって，OCDでは軽減したり回復させたりすることができる。これには，不安を誘発する刺激/環境への段階的な曝露や，関連する回避強迫行動の抑制などがある。この種の認知行動療法 cognitive behavioral therapy が治療作用をもつのは，外的環境に対する反応（例えば，ドアをみると確認が誘発される）を支配的に制御し，また不適切な不安を引き起こし続ける強迫的回避のパターンを遮断することによる。強迫行為を異常な強迫観念に対する行動反応と考えるのではなく，実はその逆が真理なのかもしれない。つまり，OCDの強迫観念は，実際そうでもしなければ説明できない強迫的な衝動に対する後づけの合理化かもしれない。残念なことに，これと同じ種類の認知行動療法は薬物や行動嗜癖では有効性が劣ることがしばしば示されている。成功すれば，認知行動療法はOCD行動を制御する神経回路を，元来属している背側から腹側に戻すのに治療上役に立つので，認知行動療法はOCDにおける習慣を転換する。これと同じことを他の形で行うことが，効果の高い治療法や介入がほとんどない嗜癖に対する強固な治療法を発展させる鍵となるかもしれない。

　OCD薬物療法の第1選択は現在選択的セロトニン再取り込み阻害薬（SSRI）のなかのいくつかであるが，その効果はささやかで，これらの薬物で治療された半分の患者は反応不良である。反応防御を伴う曝露療法などの行動学的治療法はしばしばセロトニン系薬物による治療よりも効果が高い。セロトニン系薬物治療は異常な神経回路を抑制し，一方で曝露療法は実際に異常な神経回路を

転換させるかのようにみえる。なぜなら曝露療法中止後も症状は改善し続けるが，SSRI中止後はそうならないからである。セロトニン作動性の特性をもつ三環系抗うつ薬のクロミプラミン，セロトニン・ノルエピネフリン再取り込み阻害薬(SNRI)，モノアミンオキシダーゼmonoamine oxidase (MAO)阻害薬などによる第2選択の治療法はすべて考慮に値するものであるが，いくつかのSSRIでは奏効しなかった患者に対する最善の治療選択肢は，しばしば非常に高用量のSSRIや，非定型抗精神病薬によるSSRIの増強を考慮することである。これらの薬物すべての作用機序は第5章と第7章で詳細に述べた。ベンゾジアゼピン系薬，リチウム，あるいはbuspironeによるSSRIの増強も考慮することができる。反復経頭蓋磁気刺激 repetitive transcranial magnetic stimulation (rTMS)はOCDに対して承認されている[*6]。OCDに対する実験的な治療には，最も治療抵抗性の症例に対して，深部脳刺激法，あるいは図13-1と図13-2で示した衝動-強迫回路の定位的な切除もある。

OCDに関連する疾患はSSRIにある程度反応するかもしれない。これには，ため込みhoardingや強迫的買い物 compulsive shopping，強迫的皮膚むしり compulsive skin picking，身体醜形症body dysmorphic disorderが含まれるが，抜毛症 trichotillomania(強迫的抜毛 compulsive hair pulling)は特に反応しない。これらの障害に対してはどのような薬物も正式には承認されていない(表13-1)。例えば身体醜形症は，外見に欠陥や欠点があると受け取られていることへの執着である。そのため鏡を眺めたり，身繕いをしたり，保証を求めたりなどの反復行為が生じる。健康，身体機能，痛みなどに対する執着は，心気症 hypochondriasisや身体化障害 somatization disorderにみられ，この種の強迫観念と考える専門家もいる。明らかに，異なった作用機序によるより確固とした治療法が強迫症関連症群に対して求められている。

[*6]訳注：わが国では承認されていない。

衝動制御障害(impulse-control disorder)

衝動制御が欠如するきわめてさまざまな障害を表13-1に示した。これらの障害のうちいくつが，皮質-線条体回路の異常を伴う衝動-強迫スペクトラム内に概念づけられるかは未解決であるが，これらのさまざまな疾患の衝動性症状との記述的な類似性は，このような考えの表面的妥当性を与える。これらの疾患のどの衝動性にも承認された治療法はないが，衝動性-強迫性障害の1つでうまく働く介入法が，同じ精神症状次元を共有する疾患スペクトラムを超えて有効であるかもしれないという期待が残されている。しかし，このことは証明されなければならないし，非常に複雑でまったく異なる疾患を過剰に単純化するという危険性がある(図13-1)。検討中であり，かつこれら多種多様な障害の枠を超えて適用する一般的な原則として，頻繁に反復される短期間の報酬をもつ衝動的行動を止めることができるような介入は，これらの行動が，悪い機能的な結果しかもたらさない長期の習慣に変換されるのを防止するように働いてくれるかもしれないことである。

攻撃性 aggressionと**暴力** violenceは，精神医学で長く論点となっている。専門家は暴力を，精神病性，衝動性，サイコパシー性に分類しており，最もよくみられるのは衝動性である(図13-31)。おそらく驚かれるかもしれないが，暴力行為のなかで最も少ないタイプは，冷血で計算高いサイコパシー性のものである。サイコパシー性の暴力は最も死に至りやすく，治療に最も反応しづらい。暴力行為の約20％は精神病性であり，そのもとにある精神病に対して，積極的な治療でないにしても，標準的な治療が必要である。最もよくある暴力行為のタイプは衝動性で，特に施設内でのもので，特に精神病がもとにある患者におけるものである(図13-31)。

それぞれのタイプの攻撃性は異なった神経回路での機能障害によるのであろう。ここで述べる衝動性の暴力は，第12章で認知症の激越で解説し，図12-43と図12-44に示したように，トップダ

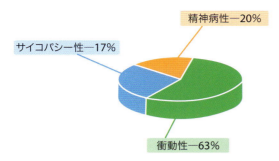

図13-31　暴力の多様性　暴力は，精神病性，衝動性，サイコパシー性に分類される。最もよくみられるのは衝動性によるもので，最も少ないのはサイコパシー性である。暴力行為の約20％は精神病性のものである。

ウンの抑制とボトムアップの情動駆動のバランスという同じ問題に関連している。衝動性の暴力は，薬物誘発性精神病，統合失調症，双極性躁病，さらには境界性パーソナリティ障害や他の衝動性-強迫性障害（表13-1）など，多くの種類の精神性障害で生じることがある。しばしば精神病に対する薬物（第5章で述べた）による基礎疾患の治療が役立つ。このような疾患における攻撃性と暴力は，すでに認知症（図12-43，図12-44）と，本書の他の衝動性-強迫性障害（表13-1）で述べたように，トップダウンの「停止」信号とボトムアップの「進行」信号の不均衡の一例と考えられる。衝動的攻撃性は徐々に操作的で計画的というよりも強迫的になっていくときには，ある種の嗜癖行動と考えることができ，また純粋な精神薬理学的な取り組みよりも行動学的な介入によって消去されるべき習慣とも考えることができる。

まとめ

本章では，現在多くの精神障害に横断的に出現する精神症状の次元として概念化されている衝動性と強迫性について述べた。報酬行動と薬物や行動に対する嗜癖は，仮説上同じ基盤にある回路を共有している。これらの疾患は当初は衝動性（長期の利益よりも短期の報酬を選んでしまうために中止することが困難な行動と定義される）によって特徴づけられている。このような衝動性は仮説上，前頭前皮質（PFC）-腹側線条体報酬回路上に位置づけられる。衝動性は強迫性（元来は行動が習慣となり，その習慣が緊張や離脱効果を軽減するために，中止できなくなった報酬行動と定義される）へ移行することがある。強迫性は仮説上，前頭前皮質（PFC）-背側運動反応抑制回路に位置づけられる。トップダウンの抑制とボトムアップの駆動力のバランスがとれないことが，衝動性とその移行である強迫性の共通する基本的な神経生物学的機序である。

薬物と行動は両方とも衝動性/強迫性と関連することがあり，薬物嗜癖や精神疾患に対する広範な精神症状の次元である。本章では，報酬の精神薬理と報酬を調節する神経回路について述べた。また，さまざまな乱用薬物の精神薬理学的な作用を説明しようと試みてもいる。これらの乱用薬物には，ニコチンからアルコール，またオピオイド，精神刺激薬，鎮静催眠薬，大麻，幻覚薬，エンパソーゲンや，解離性薬物などがある。ニコチンとアルコールについては，さまざまな新規の精神薬理学的な治療を解説した。例えば，禁煙に対する選択的$α_4β_2$ニコチン受容体部分アゴニスト（NPA）のバレニクリン，オピオイド嗜癖に対するオピオイド置換療法，およびオピオイドとアルコール嗜癖の両方に対するオピオイドアンタゴニストなどである。嗜癖治療における習慣消去は，治療抵抗性疾患に対する解離性薬物/幻覚薬介在精神療法での使用として発展中なので，これについても広く検討した。過食性障害は行動嗜癖の原型として，また精神刺激薬による治療についても述べた。衝動性の暴力は同じように衝動性-強迫性障害の一種としてありうることを述べた。

（訳　仙波純一）

参考文献

参考図書

Brunton LL (ed.) (2018) *Goodman and Gilman's The Pharmacological Basis of Therapeutics*, 13th edition. New York, NY: McGraw Medical.

Schatzberg AF, Nemeroff CB (eds.) (2017) *Textbook of Psychopharmacology*, 5th edition. Washington, DC: American Psychiatric Publishing.

関連図書（『精神薬理学エセンシャルズ』シリーズ）

Cummings M, Stahl SM (2021) *Management of Complex, Treatment-Resistant Psychiatric Disorders*. Cambridge: Cambridge University Press.

Goldberg J, Stahl SM (2021) *Practical Psychopharmacology*. Cambridge: Cambridge University Press.

Kalali A, Kwentus J, Preskorn S, Stahl SM (eds.) (2012) *Essential CNS Drug Development*. Cambridge: Cambridge University Press.

Marazzitti D, Stahl SM (2019) *Evil, Terrorism and Psychiatry*. Cambridge: Cambridge University Press.

Moutier C, Pisani A, Stahl SM (2021) *Stahl's Handbooks: Suicide Prevention Handbook*. Cambridge: Cambridge University Press.

Pappagallo M, Smith H, Stahl SM (2012) *Essential Pain Pharmacology: the Prescribers Guide*. Cambridge: Cambridge University Press.

Reis de Oliveira I, Schwartz T, Stahl SM. (2014) *Integrating Psychotherapy and Psychopharmacology*. New York, NY: Routledge Press.

Silberstein SD, Marmura MJ, Hsiangkuo Y, Stahl SM (2016) *Essential Neuropharmacology: the Prescribers Guide*, 2nd edition. Cambridge: Cambridge University Press.

Stahl SM (2009) *Stahl's Illustrated: Antidepressants*. Cambridge: Cambridge University Press.

Stahl SM (2009) *Stahl's Ilustrated: Mood Stabilizers*. Cambridge: Cambridge University Press.

Stahl SM (2009) *Stahl's Illustrated: Chronic Pain and Fibromyalgia*. Cambridge: Cambridge University Press.

Stahl SM, Mignon L (2009) *Stahl's Illustrated: Attention Deficit Hyperactivity Disorder*. Cambridge: Cambridge University Press.

Stahl SM, Mignon L (2010) *Stahl's Illustrated: Antipsychotics*, 2nd edition. Cambridge: Cambridge University Press.

Stahl SM, Grady MM (2010) *Stahl's Illustrated: Anxiety and PTSD*. Cambridge: Cambridge University Press.

Stahl SM (2011) *Essential Psychopharmacology Case Studies*. Cambridge: Cambridge University Press.

Stahl SM (2018) *Stahl's Essential Psychopharmacology: the Prescribers Guide Children and Adolescents*. Cambridge: Cambridge University Press.

Stahl SM (2019) *Stahl's Self-Assessment Examination in Psychiatry: Multiple Choice Questions for Clinicians*, 3rd edition. Cambridge: Cambridge University Press.

Stahl SM (2021) *Stahl's Essential Psychopharmacology: the Prescribers Guide*, 7th edition. Cambridge: Cambridge University Press.

Stahl SM, Davis RL (2011) *Best Practices for Medical Educators*, 2nd edition. Cambridge: Cambridge University Press.

Stahl SM, Grady MM (2012) *Stahl's Illustrated: Substance Use and Impulsive Disorders*. Cambridge: Cambridge University Press.

Stahl SM, Moore BA (eds.) (2013) *Anxiety Disorders: a Concise Guide and Casebook for Psychopharmacology and Psychotherapy Integration*. New York, NY: Routledge Press.

Stahl SM, Morrissette DA (2014) *Stahl's Illustrated: Violence: Neural Circuits, Genetics and Treatment*. Cambridge: Cambridge University Press.

Stahl SM, Morrissette DA (2016) *Stahl's Illustrated: Sleep and Wake Disorders*, Cambridge: Cambridge University Press.

Stahl SM, Morrissette DA (2018) *Stahl's Illustrated: Dementia*. Cambridge: Cambridge University Press..

Stahl SM, Schwartz T (2016) *Case Studies: Stahl's Essential Psychopharmacology*, Volume 2. Cambridge: Cambridge University Press.

Stein DJ, Lerer B, Stahl SM (eds.) (2012) *Essential Evidence Based Psychopharmacolgy*, 2nd edition. Cambridge: Cambridge University Press.

Warburton KD, Stahl SM (2016) *Violence in Psychiatry*. Cambridge: Cambridge University Press.

Warburton KD, Stahl SM (2021) *Decriminalizing Mental Illness*. Cambridge: Cambridge University Press.

第1～3章（基礎的神経科学）

Byrne JH, Roberts JL (eds.) (2004) *From Molecules to Networks: An Introduction to Cellular and Molecular Neuroscience*. New York, NY: Elsevier.

Charney DS, Buxbaum JD, Sklar P, Nestler EJ (2018) *Charney and Nestler's Neurbiology of Mental Illness*, 5th edition. New York, NY: Oxford University Press.

Iversen LL, Iversen SD, Bloom FE, Roth RH (2009) *Introduction to Neuropsychopharmacology*. New York, NY: Oxford University Press.

Meyer JS, Quenzer LF (2019) *Psychopharmacology: Drugs, the*

Brain, and Behavior, 3rd edition. New York, NY: Sinauer Associates, Oxford University Press.

Nestler EJ, Kenny PJ, Russo SJ, Schaefer A (2020) *Molecular Neuropharmacology: A Foundation for Clinical Neuroscience*, 4th edition. New York, NY: McGraw Medical.

Purves D, Augustine GJ, Fitzpatrick D, et al. (2018) *Neuroscience*, 6th edition. New York, NY: Sinauer Associates, Oxford University Press.

Squire LR, Berg D, Bloom FE, et al. (eds.) (2012) *Fundamental Neuroscience*, 4th edition. San Diego, CA: Academic Press.

第4章（精神病，統合失調症そして神経伝達物質ネットワーク：ドーパミン，セロトニンおよびグルタミン酸）
第5章（精神病，気分障害，その他の疾患のドーパミンとセロトニン受容体を標的とする薬物：いわゆる「抗精神病薬」）

神経経路：セロトニン，ドーパミン，グルタミン酸に関連する参考文献

Alex KD, Pehak EA (2007) Pharmacological mechanisms of serotoninergic regulation of dopamine neurotransmission. *Pharmacol Ther* 113: 296–320.

Amargos-Bosch M, Bortolozzi A, Buig MV, et al. (2004) Co-expression and in vivo interaction of serotonin 1A and serotonin 2A receptors in pyramidal neurons of prefrontal cortex. *Cerbral Cortex* 14: 281–99.

Baez MV, Cercata MC, Jerusalinsky DA (2018) NMDA receptor subunits change after synaptic plasticity induction and learning and memory acquisition. *Neural Plast*, doi.org/10,1155/2018/5093048.

Beaulier JM, Gainetdinov RR (2011) The physiology, signaling and pharmacology of dopamine receptors. *Pharmacol Rev* 63: 182–217.

Belmer A, Quentin E, Diaz SL, et al. (2018) Positive regulation of raphe serotonin neurons by serotonin 2B receptors. *Neuropsychopharmacology* 42: 1623–32.

Calabresi P, Picconi B, Tozzi A, Ghiglieri V, Di Fillippo M (2014) Direct and indirect pathways of basal ganglia: a critical reappraisal. *Nature Neurosci* 17: 1022–30.

Cathala A, Devroye C, Drutel G, et al. (2019) Serotonin 2B receptors in the rat dorsal raphe nucleus exert a GABA-mediated tonic inhibitor control on serotonin neurons. *Exp Neurol* 311: 57–66.

De Bartolomeis A, Fiore G, Iasevoli F (2005) Dopamine glutamate interaction and antipsychotics mechanism of action: implication for new pharmacologic strategies in psychosis. *Curr Pharmaceut Design* 11: 3561–94.

DeLong MR, Wichmann T (2007) Circuits and Ciruit disorders of the basal ganglia. *Arch Neurol* 64: 20–4.

Fink KB, Gothert M (2007) 5HT receptor regulation of neurotransmitter release. *Pharmacol Rev* 59: 360–417.

Hansen KB, Yi F, Perszyk RE, et al (2018) Structure, function and allosteric modulation of NMDA receptors. *J Gen Physiol* 150: 1081–105.

Homayoun H, Moghaddam B (2007) NMDA receptor hypofunction produces opposite effects on prefrontal cortex interneurons and pyramidal neurons. *J Neurosci* 27: 11496–500.

Nicoll RA (2017) A brief history of long-term potentiation. *Neuron* 93: 281–99.

Paoletti P, Neyton J (2007) NMDA receptor subunits: function and pharmacology. *Curr Opin Pharmacol* 7: 39–47.

Scheefhals N, MacGillavry HD (2018) Functional organization of postsynaptic glutamate receptors. *Mol Cell Neurosci* 91: 82–94.

Sokoloff P, Le Foil B (2017) The dopamine D_3 receptor: a quarter century later. *Eur J Neurosci* 45: 2–19.

Stahl SM (2017) Dazzled by the dominions of dopamine: clinical roles of D_3, D_2, and D_1 receptors. *CNS Spectrums* 22: 305–11.

統合失調症，Parkinson病の精神病，認知症関連精神病を含むドーパミン・セロトニン・グルタミン酸仮説

Aghajanian GK, Marek GJ (2000) Serotonin model of schizophrenia: emerging role of glutamate mechanisms. *Brain Res Rev* 31: 302–12.

Bloomfield MAP, Morgan CJA, Egerton A, et al. (2014) Dopaminergic function in cannabis users and its relationship to cannabis-induced psychotic symptoms. *Biol Psychiatry* 75: 470–8.

Brugger SP, Anelescu I, Abi-Dargham A, et al. (2020) Heterogeneity and striatal dopamine function in schizophrenia: meta analysis of variance. *Biol Psychiatry* 67: 215–24.

Bubenikova-Valesova V, Horacek J, Vrajova M, et al. (2008) Models of schizophrenia in humans and animals based on inhibition of NMDA receptors. *Neurosci Biobehav Rev* 32: 1014–23.

Demjaha A, Murray RM, McGuire PK (2012) Dopamine synthesis capacity in patients with treatment resistant schizophrenia. *Am J Psychiatry* 169: 1203–10.

Driesen N, McCarthy G, Bhagwagar Z, et al (2013) The impact of NMDA receptor blockade on human working memory-related prefrontal function and connectivity. *Neuropsychopharmacol* 38: 2613–22.

Egerton A, Chaddock CA, Winton-Brown TT, et al. (2013) Presynaptic striatal dopamine dysfunction in people at ultra high risk for psychosis: findings in a second cohort. *Biol Psychiatry* 74: 106–12.

Gellings Lowe N, Rapagnani MP, Mattei C, Stahl SM (2012)The psychopharmacology of hallucinations: ironic insights into mechanisms of action. In *The Neuroscience of Hallucinations*, Jardri R, Thomas P, Cachia A and Pins D. (eds.), Berlin: Springer, 471–92.

Howes OD, Bose SK, Turkheimer F, et al. (2011) Dopamine synthsis capacity before onset of psychosis: a prospective ^{18}F-DOPA PET imaging study. *Am J Psychiatry* 169: 1311–17.

Howes OD, Montgomery AJ, Asselin MC, et al. (2009) Elevated striatal dopamine function linked to prodromal signs of schizophrenia. *Arch Gen Psychiatry* 66: 13–20.

Juahar S, Nour MM, Veronese M, et al. (2017) A test of the transdiagnostic dopamine hypothesis of psychosis using positron emission tomographic imaging in bipolar affective disorder and schizophrenia. *JAMA Psychiatry* 74: 1206–13.

Lodge DJ, Grace AA (2011) Hippocampal dysregulation of dopamine system function and the pathophysiology of schizophrenia. *Trends Pharmacol Sci* 32: 507–13.

McCutcheon RA, Abi-Dargham A, Howes OD (2019) Schizophrenia, dopamine and the striatum: from biology to symptoms. *Trends Neurosci* 42: 205–20.

Mizrahi R, Kenk M, Suridjan I, et al (2014) Stress induced dopamine response in subjects at clinical high risk for schizophrenia with and without concurrent cannabis use. *Neuropsychopharmacology* 39: 1479–89.

Paz RD, Tardito S, Atzori M (2008) Glutamatergic dysfunction in schizophrenia: from basic neuroscience to clinical psychopharmacology. *Eur Neuropsychopharmacol* 18: 773–86.

Stahl SM (2016) Parkinson's disease psychosis as a serotonin–dopamine imbalance syndrome. *CNS Spectrums* 21: 355–9.

Stahl SM (2018) Beyond the dopamine hypothesis of schizophrenia to three neural networks of psychosis: dopamine, serotonin, and glutamate. *CNS Spectrums* 23: 187–91.

Weinstein JJ, Chohan MO, Slifstein M, et al. (2017) Pathway-specific dopamine abnormalities in schizophrenia. *Biol Psychiatry* 81: 31–42.

統合失調症：参考文献

Alphs LD, Summerfelt A, Lann H, Muller RJ (1989) The Negative Symptom Assessment: A new instrument to assess negative symptoms of schizophrenia. *Psychopharmacol Bull* 25: 159–63.

Arango C, Rapado-Castro M, Reig S, et al. (2012) Progressive brain changes in children and adolescents with first-episode psychosis. *Arch Gen Psychiatry* 69: 16–26.

Cruz DA, Weawver CL, Lovallo EM, Melchitzky DS, Lewis DA. (2009) Selective alterations in postsynaptic markers of chandelier cell inputs to cortical pyramidal neurons in subjects with schizophrenia. *Neuropsychopharmacology* 34: 2112–24.

Dragt S, Nieman DH, Schultze-Lutter F, et al. (2012) Cannabis use and age at onset of symptoms in subjects at clinical high risk for psychosis. *Acta Psychiatr Scand* 125: 45–53.

Eisenberg DP, Berman KF (2010) Executive function, neural circuitry, and genetic mechanisms in schizophrenia. *Neuropsychopharmacology* 35: 258–77.

Foti DJ, Kotov R, Guey LT, Bromet EJ (2010) Cannabis use and the course of schizophrenia: 10-year follow-up after first hospitalization. *Am J Psychiatry* 167: 987–93.

Fusar-Poli P, Bonoldi I, Yung AR, et al. (2012) Predicting psychosis: meta-analysis of transition outcomes in individuals at high clinical risk. *Arch Gen Psychiatry* 69: 220–9.

Goff DC, Zeng B, Ardelani BA, et al. (2018) Association of hippocampal atrophy with duration of untreated psychosis and molecular biomarkers during initial antipsychotic treatment of first episode psychosis. *JAMA Psychiatry* 75: 370–8.

Henry LP, Amminger GP, Harris MG, et al. (2010) The EPPIC follow up study of first episode psychosis: longer term clinical and functional outcome 7 years after index admission. *J Clin Psychiatry* 71: 716–28.

Kane JM, Robinson DG, Schooler NR, et al. (2016) Comprehensive versus usual community care for first-episode psychosis: 2-year outcomes from the NIMH RAISE early treatment program. *Am J Psychiatry* 173: 362–72.

Kendler KS, Ohlsson H, Sundquist J, et al. (2019) Prediction of onset of substance induced psychotic disorder and its progression to schizophrenia in a Swedish National Sample. *Am J Psychiatry* 176: 711–19.

Large M, Sharma S, Compton MT, Slade T, Nielssen O (2011) Cannabis use and earlier onset of psychosis. *Arch Gen Psychiatry* 68: 555–61.

Lieberman JA, Small SA, Girgis RR (2019) Early detection and preventive intervention in schizophrenia: from fantasy to reality. *Am J Psychiatry* 176: 794–810.

Mechelli A, Riecher-Rossler A, Meisenzahl EM, et al. (2011) Neuroanatomical abnormalities that predate the onset of psychosis. *Arch Gen Psychiatry* 68: 489–95.

Morrissette DA, Stahl SM (2014) Treating the violent patient with psychosis or impulsivity utilizing antipsychotic polypharmacy and high-dose monotherapy. *CNS Spectrums* 19: 439–48.

Stahl SM (2014) Deconstructing violence as a medical syndrome: mapping psychotic, impulsive, and predatory subtypes to malfunctioning brain circuits. *CNS Spectrums* 19: 357–65.

Stahl SM (2015) Is impulsive violence an addiction? The habit hypothesis. *CNS Spectrums* 20: 165–9.

Stahl SM, Morrissette DA, Cummings M (2014) California State Hospital Violence Assessment and Treatment (Cal-VAT) guidelines. *CNS Spectrums* 19: 449–65.

Wykes T, Huddy V, Cellard C, McGurk SR, Czobar P (2011) A meta-analysis of cognitive remediation for schizophrenia: methodology and effect sizes. *Am J Psychiatry* 168: 472–85.

遅発性ジスキネジアとその治療

Artukoglu BB, Li F, Szejko N, et al. (2020) Pharmacologic treatment of tardive dyskinesia: a meta analysis and systematic review. *J Clin Psychiatry* 81: e1–11.

Bhidayasin R, Jitkretsandakul O, Friedman JH (2018) Updating the recommendations for treatment of tardive syndromes: a systematic review of new evidence and practical treatment algorithm. *J Neurol Sci* 389: 67–75.

Carbon M, Kane JM, Leucht S, et al. (2018) Tardive dyskinesia risk with first- and second-generation antipsychotics in comparative randomized controlled trials: a meta analysis.

World Psychiatry 173: 330–40.

Citrome L (2017) Valbenazine for tardive dyskinesia: a systematic review of the efficacy and safety profile for this newly approved novel medication – what is the number needed to treat, number needed to harm and likelihood to be helped or harmed? *Int J Clin Practice*, doi.org 10.1111/ijcp.12964.

Citrome L (2017) Deutetrabenazine for tardive dyskinesia: a systematic review of the efficacy and safety profile for this newly approved novel medication – what is the number needed to treat, number needed to harm and likelihood to be helped or harmed? *Int J Clin Practice*, doi.org 10.1111/ijcp.13030.

Jacobsen FM (2015) Second generation antipsychotics and tardive syndromes in affective illness: a public health problem with neuropsychiatric consequences. *Am J Public Health* 105: e10–16.

Niemann N, Jankovic J (2018) Treatment of tardive dyskinesia: a general overview with focus on the vesicular monoamine transporter 2 inhibitors. *Drugs* 78: 525–41.

Stahl SM (2017) Neuronal traffic signals in tardive dyskinesia: not enough "stop" in the motor striatum. *CNS Spectrums* 22: 427–34.

Stahl SM (2018) Mechanism of action of vesicular monoamine transporter 2 (VMAT2) inhibitors in tardive dyskinesia: reducing dopamine leads to less "go" and more "stop" from the motor striatum for robust therapeutic effects. *CNS Spectrums* 23: 1–6.

Stahl SM (2018) Comparing pharmacological mechanism of action for the vesicular monoamine transporter 2 (VMAT2) inhibitors valbenazine and deutetrabenazine in treating tardive dyskinesia: does one have advantages over the other? *CNS Spectrums* 23: 239–47.

Woods SW, Morgenstern H, Saksa JR, et al. (2010) Incidence of tardive dyskinesia with atypical versus conventional antipsychotic medications: a prospective cohort study. *J Clin Psychiatry* 71: 463–74.

長期作用型の注射製剤

Brissos S, Veguilla MR, Taylor D, et al. (2014) The role of long-acting injectable antipsychotics in schizophrenia: a critical appraisal. *Ther Adv Psychopharmacol* 4: 198–219.

Kishimoto T, Nitto M, Borenstein M, et al. (2013) Long acting injectable versus oral antipsychotics in schizophrenia: a systematic review and meta analysis of mirror image studies. *J Clin Psychiatry* 74: 957–65.

MacEwan JP, Kamat SA, Duffy RA, et al. (2016) Hospital readmission rates among patients with schizophrenia treated with long acting injectables or oral antipsychotics. *Psychiatr Serv* 67: 1183–8.

Meyer JM (2013) Understanding depot antipsychotics: an illustrated guide to kinetics. *CNS Spectrums* 18: 58–68.

Meyer JM (2017) Converting oral to long acting injectable antipsychotics: a guide for the perplexed. *CNS Spectrums* 22: 17–27.

Stahl SM (2014) Long-acting injectable antipsychotics: shall the last be first? *CNS Spectrums* 19: 3–5.

Tiihonen J, Haukka J, Taylor M, et al. (2011) A nationwide cohort study of oral and depot antipsychotics after first hospitalization for schizophrenia. *Am J Psychiatry* 168: 603–9.

精神病と気分障害に対するセロトニン・ドーパミン系薬：更新情報と新薬

Berry MD, Gainetdinov RR, Hoener MC, et al. (2017) Pharmacology of human trace amine-associated receptors: therapeutic opportunities and challenges. *Pharmacol Ther* 180: 161–80.

Brannan S (2020) KarXT (a new mechanism antipsychotic based on xanomeline) is superior to placebo in patients with schizophrenia: phase 2 clinical trial results. Abstract, American Society of Clinical Psychopharmacology Annual Meeting.

Citrome L (2015) Brexpiprazole for schizophrenia and as adjunct for major depressive disorder: a systematic review of the efficacy and safety profile for the newly approved antipsychotic – what is the number needed to treat, number needed to harm and likelihood to be helped or harmed? *Int J Clin Pract* 69: 978–97.

Correll CU, Davis RE, Weingart M, et al. (2020) Efficacy and safety of lumateperone for treatment of schizophrenia: a randomized clinical trial. *JAMA Psychiatry* 77: 349–58.

Dedic N, Jones PG, Hopkins SC, et al. (2019) SEP363856: a novel psychotropic agent with unique non D_2 receptor mechanism of actions. *J Pharmacol Exp Ther* 371: 1–14.

Earley W, Burgess MV, Rekeda L, et al. (2019) Cariprazine treatment of bipolar depression: a randomized double-blind placebo-controlled phase 3 study, *Am J Psychiatry* 176: 439–48.

Gainetdinov RR, Hoener MC, Berry MD (2018) Trace amines and their receptors. *Pharmacol Rev* 70: 549–620.

Koblan KS, Kent J, Hopkins SC, Krystal JH, et al. (2020) A non-D_2-receptor-binding drug for the treatment of schizophrenia. *New Engl J Med* 382: 1407–506.

遅発性ジスキネジアとその治療

Lieberman JA, Davis RE, Correll CU, et al. (2016) ITI-007 for the treatment of schizophrenia: a 4-week randomized, double-blind, controlled trial. *Biol Psychiatry* 79: 952–6.

Loebel A, Cucchiaro J, Silva R, et al. (2014) Lurasidone monotherapy in the treatment of bipolar I depression: a randomized double-blind, placebo-controlled study. *Am J Psychiatry* 171: 160–8.

Loebel A, Cucchiaro J, Silva R, et al. (2014) Lurasidone as adjunctive therapy with lithium or valproate for the treatment of bipolar I depression: a randomized, double blind, placebo-controlled study. *Am J Psychiatry* 171: 169–77.

Marder SR, Davis JM, Couinard G (1997) The effects of risperidone on the five dimensions of schizophrenia derived by factor analysis: combined results of the north American trials. *J Clin Psychiatry* 58: 538–46.

McIntyre RS, Suppes T, Early W, Patel M, Stahl SM (2020)

Cariprazine efficacy in bipolar I depression with and without concurrent manic symptoms: post hoc analysis of three randomized, placebo-controlled studies. *CNS Spectrums* 25: 502–10.

Meyer JM, Cummings MA, Proctor G, Stahl SM (2016) Psychopharmacology of persistent violence and aggression. *Psychiatr Clin N Am* 39: 541–56.

Meyer JM, Stahl SM (2020) *Stahl's Handbooks: the Clozapine Handbook*. Cambridge: Cambridge University Press.

Nemeth G, Laszlovszky I, Czoboar P, et al. (2017) Cariprazine versus risperidone monotherapy for treatment of predominant negative symptoms in patients with schizophrenia: a randomized double-blind controlled trial. *Lancet* 389: 1103–13.

Pei Y, Asif-Malik A, Canales JJ (2016) Trace amines and the trace amine-associated receptor 1: pharmacology, neurochemistry and clinical implications. *Front Neurosci* 10: 148.

Perkins DO, Gu H, Boteva K, Lieberman JA (2005) Relationship between duration of untreated psychosis and outcome in first episode schizophrenia: a critical review and meta-analysis. *Am J Psychiatry* 162: 1785–804.

Roth BL. Ki determinations, receptor binding profiles, agonist and/or antagonist functional data, HERG data, MDR1 data, etc. as appropriate was generously provided by the National Institute of Mental Health's Psychoactive Drug Screening Program, Contract # HHSN-271-2008-00025-C (NIMH PDSP). The NIMH PDSP is directed by Bryan L. Roth MD, PhD at the University of North Carolina at Chapel Hill and Project Officer Jamie Driscol at NIMH, Bethesda MD, USA. For experimental details please refer to the PDSP website http://pdsp.med.unc.edu/

Schwartz MD, Canales JJ, Zucci R, et al. (2018) Trace amine associated receptor 1: a multimodal therapeutic target for neuropsychiatric diseases. *Expert Opin Ther Targets* 22: 513–26.

Shekar A, Potter WZ, Lightfoot J, et al. (2008) Seletive muscarinic receptor agonist xanomeline as a novel treatment approach for schizophrenia. *Am J Psychiatry* 165: 1033–9.

Snyder GL, Vanover KE, Zhu H, et al. (2014) Functional profile of a novel modulator of serotonin, dopamine and glutamate neurotransmission. *Psychopharmacology* 232: 605–21.

Stahl SM (2013) Classifying psychotropic drugs by mode of action and not by target disorder. *CNS Spectrums* 18: 113–17.

Stahl SM (2013) Role of α1 adrenergic antagonism in the mechanism of action of iloperidone: reducing extrapyramidal symptoms. *CNS Spectrums* 18: 285–8.

Stahl SM (2014) Clozapine: is now the time for more clinicians to adopt this orphan? *CNS Spectrums* 19: 279–81.

Stahl SM (2016) Mechanism of action of brexpiprazole: comparison with aripiprazole. *CNS Spectrums* 21: 1–6.

Stahl SM (2016) Mechanism of action of cariprazine. *CNS Spectrums* 21: 123–7.

Stahl SM (2016) Mechanism of action of pimavanserin in Parkinson's disease psychosis: targeting serotonin $5HT_{2A}$ and $5HT_{2C}$ receptors. *CNS Spectrums* 21: 271–5.

Stahl SM (2017) Drugs for psychosis and mood: unique actions at D_3, D_2, and D_1 dopamine receptor subtypes. *CNS Spectrums* 22: 375–84.

Stahl SM, Cucchiaro J, Sinonelli D, et al. (2013) Effectiveness of lurasidone for patients with schizophrenia following 6 weeks of acute treatment with lurasidone, olanazapine, or placebo: a 6-month, open-label study. *J Clin Psychiatry* 74: 507–15.

Stahl SM, Laredo SA, Morrissette DA (2020) Cariprazine as a treatment across the bipolar I spectrum from depression to mania: mechanism of action and review of clinical data. *Ther Adv Psychopharmacol* 10: 1–11.

Stahl SM, Morrissette DA, Citrome L, et al. (2013) "Meta-guidelines" for the management of patients with schizophrenia. *CNS Spectrums* 18: 150–62.

Suppes T, Silva R, Cuccharino J, et al. (2016) Lurasidone for the treatment of major depressive disorder with mixed features: a randomized, double blind placebo controlled study. *Am J Psychiatry* 173: 400–7.

Tarazi F, Stahl SM (2012) Iloperidone, asenapine and lurasidone: a primer on their current status. *Expert Opin Pharmacother* 13: 1911–22.

Thase ME, Youakim JM, Skuban A, et al. (2015) Efficacy and safety of adjunctive brexipiprazole 2 mg in major depressive disorder. *J Clin Psychiatry* 76: 1224–31.

Zhang L, Hendrick JP (2018) The presynaptic D2 partial agonist lumateperone acts as a postsynaptic D2 antagonist. *Matters*: doi: 10.19185/matters.201712000006.

第6章（気分障害）と第7章（気分障害の治療）：ノルエピネフリンとGABA含む

神経経路：ノルエピネフリン，GABA，神経活性ステロイドに関連する参考文献

Alvarez LD, Pecci A, Estrin DA (2019) In searach of GABA A receptor's neurosteroid binding sites. *J Med Chem* 62: 5250–60.

Belelli D, Hogenkamp D, Gee KW, et al. (2020) Realising the therapeutic potential of neuroactive steroid modulators of the GABA A receptor. *Neurobiol Stress* 12: 100207.

Botella GM, Salitur FG, Harrison BL, et al. (2017) Neuroactive steroids. 2. 3α-hydroxy-3β-methyl-21-(4-cyano-1H-pyrazol-1′-yl)-19-nor-5β-pregnan-20-one (SAGE 217): a clinical next generation neuroactive steroid positive allosteric modulator of the GABA A receptor. *J Med Chem* 60: 7810–19.

Chen ZW, Bracomonies JR, Budelier MM, et al. (2019) Multiple functional neurosteroid binding sites on GABA A receptors. *PLOS Biol* 17: e3000157; doi.org/10.137/journal.pbio.3000157.

Gordon JL, Girdler SS, Meltzer-Brody SE, et al. (2015) Ovarian hormone fluctuation, neurosteroids and HPA axis dysregulation in perimenopausal depression: a novel heuristic model. *Am J Psychiatry* 172: 227–36.

Gunduz-Bruce H, Silber C, Kaul I, et al. (2019) Trial of SAGE 217 in patients with major depressive disorder. *New Engl J Med* 381: 903–11.

Luscher B, Mohler H (2019) Brexanolone, a neurosteroid antidepressant, vindicates the GABAergic deficit hypothesis of depression and may foster reliance. *F1000Research* 8: 751.

Marek GJ, Aghajanian GK (1996) Alpha 1B-adrenoceptor-mediated excitation of piriform cortical interneurons. *Eur J Pharmacol* 305: 95–100.

Marek GJ, Aghajanian GK (1999) $5HT_{2A}$ receptor or alpha 1-adrenoceptor activation induces excitatory postsynaptic currents in layer V pyramidal cells of the medial prefrontal cortex. *Eur J Pharmacol* 367: 197–206.

Meltzer-Brody S, Kanes SJ (2020) Allopregnanolone in postpartum depression: role in pathophysiology and treatment. *Neurobiol Stress* 12: 100212.

Pieribone VA, Nicholas AP, Dagerlind A, et al. (1994) Distribution of alpha 1 adrenoceptors in rat brain revealed by in situ hybridization experiments utilizing subtype specific probes. *J Neurosci* 14: 4252–68.

Price DT, Lefkowitz RJ, Caron MG, et al. (1994) Localization of mRNA for three distinct alpha1 adrenergic receptor sybtypes in human tissues: implications for human alpha adrenergic physiology. *Mol Pharmacol* 45: 171–5.

Ramos BP, Arnsten AFT (2007) Adrenergic pharmacology and cognition: focus on the prefrontal cortex. *Pharmacol Ther* 113: 523–36.

Santana N, Mengod G, Artigas F (2013) Expression of alpha1 adrenergic receptors in rat prefrontal cortex: cellular colocalization with $5HT_{2A}$ receptors. *Int J Neuropsychopharmacol* 16: 1139–51.

Zorumski CF, Paul SM, Covey DF, et al. (2019) Neurosteroids as novel antidepressants and anxiolytics: GABA A receptors and beyond. *Neurobiol Stress* 11: 100196.

気分障害（うつ病，双極性うつ病）：参考文献

Bergink V, Bouvy PF, Vervoort JSP, et al. (2012) Prevention of postpartum psychosis and mania in women at high risk. *Am J Psychiatry* 169: 609–16.

Bogdan R, Williamson DE, Hariri AR. (2012) Mineralocorticoid receptor Iso/Val (rs5522) genotype moderates the association between previous childhood emotional neglect and amygdala reactivity. *Am J Psychiatry* 169: 515–22.

Brites D, Fernandes A (2015) Neuroinflammation and depression: microglia activion, extracellular microvesicles and micro RNA dysregulation. *Front Cell Neurosci* 9: 476.

Fiedorowicz JG, Endicott J, Leon AC, et al. (2011) Subthreshold hypomanic symptoms in progression from unipolar major depression to bipolar disorder. *Am J Psychiatry* 168: 40–8.

Goldberg JF, Perlis RH, Bowden CL, et al. (2009) Manic symptoms during depressive episodes in 1,380 patients with bipolar disorder: findings from the STEP-BD. *Am J Psychiatry* 166: 173–81.

McIntyre RS, Anderson N, Baune BT, et al. (2019) Expert consensus on screening assessment of cognition in psychiatry. *CNS Spectrums* 24: 154–62.

Price JL, Drevets WC (2010) Neurocircuitry of mood disorders. *Neuropsychopharmacology* 35: 192–216.

Rao U, Chen LA, Bidesi AS, et al. (2010) Hippocampal changes associated with early-life adversity and vulnerability to depression. *Biol Psychiatry* 67: 357–64.

Roiser JP, Elliott R, Sahakian BJ (2012) Cognitive mechanisms of treatment in depression. *Neuropsychopharmacology* 37: 117–36.

Roiser JP, Sahakian BJ (2013) Hot and cold cognition in depression. *CNS Spectrums* 18: 139–49.

Roy A, Gorodetsky E, Yuan Q, Goldman D, Enoch MA (2010) Interaction of *FKBP5*, a stress-related gene, with childhood trauma increases the risk for attempting suicide. *Neuropsychopharmacology* 35: 1674–83.

Semkovska M, Quinlivan L, Ogrady T, et al. (2019) Cognitive function following a major depressive episode: a systematic review and meta-analysis. *Lancet Psychiatry* 6: 851–61.

Stahl SM (2017) Psychiatric pharmacogenomics: how to integrate into clinical practice. *CNS Spectrums* 22: 1–4.

Stahl SM (2017) Mixed-up about how to diagnose and treat mixed features in major depressive episodes. *CNS Spectrums* 22: 111–15.

Stahl SM, Morrissette DA (2017) Does a "whiff" of mania in a major depressive episode shift treatment from a classical antidepressant to an atypical/second-generation antipsychotic? *Bipolar Disord* 19: 595–6.

Stahl SM, Morrissette DA (2019) Mixed mood states: baffled, bewildered, befuddled and bemused. *Bipolar Disord* 21: 560–1.

Stahl SM, Morrissette DA, Faedda G, et al. (2017) Guidelines for the recognition and management of mixed depression. *CNS Spectrums* 22: 203–19.

Yatham LN, Liddle PF, Sossi V, et al. (2012) Positron emission tomography study of the effects of tryptophan depletion on brain $serotonin_2$ receptors in subjects recently remitted from major depression. *Arch Gen Psychiatry* 69: 601–9.

気分障害に対するセロトニン・ドーパミン系薬（前述の第4・5章を参照）

ケタミン，esketamine，NMDAアンタゴニスト（デキストロメトルファン，dextromethadone）

Aan het Rot M, Collins KA, Murrough JW, et al. (2010) Safety and efficacy of repeated dose intravenous ketamine for treatment resistant depression. *Biol Psychiatry* 67: 139–45.

Abdallah CG, DeFeyter HM, Averill LA, et al. (2018) The effects of ketamine on prefrontal glutamate neurotransmission in healthy and depressed subjects. *Neuropsychopharmacology* 43: 2154–60.

Anderson A, Iosifescu DV, Macobsen M, et al. (2019) Efficacy and safety of AXS-05, an oral NMDA receptor antagonist with multimodal activity, in major depressive disorder: results of a phase 2, double blind active controlled trial. Abstract, American Society of Clincal Psychopharmacology Annual Meeting.

Deyama S, Bang E, Wohleb ES, et al. (2019) Role of neuronal VEGF signaling in the prefrontal cortex in the rapid antidepressant effects of ketamine. *Am J Psychiatry* 176: 388-400.

DiazGranados N, Ibrahim LA, Brutsche NE, et al. (2010) Rapid resolution of suicidal ideation after a single infusion of an N-methyl-D-aspartate antagonist in patients with treatment-resistant depressive disorder. *J Clin Psychiatry* 71: 1605–11.

Duman RS, Voleti B (2012) Signaling pathways underlying the pathophysiology and treatment of depression: novel mechanisms for rapid-acting agents. *Trends Neurosci* 35: 47–56.

Dwyer JM, Duman RS (2013) Activation of mammalian target of rapamycin and synaptogenesis: role in the actions of rapid acting antidepressants. *Biol Psychiatry* 73: 1189–98.

Fu DJ, Ionescu DF, Li X, et al. (2020) Esketamine nasal spray for rapid reduction of major depressive disorder symptoms in patients who have active suicidal ideation with intent: double blind randomized study (ASPIRE K). *J Clin Psychiatry* 61: doi.org/10.4088/JCP.19m13191.

Hanania T, Manfredi P, Inturrisi C, et al. (2020) The NMDA antagonist dextromethadone acutely improves depressive like behavior in the forced swim test performance of rats. *AA Rev Public Health* 34: 119–38.

Hasler G (2020) Toward specific ways to combine ketamine and psychotherapy in treating depression. *CNS Spectrums* 25: 445–7.

Ibrahim L, Diaz Granados N, Franco-Chaves J (2012) Course of improvement in depressive symptoms to a single intravenous infusion of ketamine vs. add-on riluzole: results from a 4-week, double-blind, placebo-controlled study. *Neuropsychopharmacology* 37: 1526–33.

Li N, Lee B, Lin RJ, et al. (2010) mTor-dependent synapse formation underlies the rapid antidepressant effects of NMDA antgonists. *Science* 329: 959–64.

Monteggia LM, Gideons E, Kavalali EG (2013) The role of eukaryotic elongation factor 2 kinase in rapid antidepressant action of ketamine. *Biol Psychiatry* 73: 1199–203.

Mosa-Sava RN, Murdock MH, Parekh PK, et al. (2019) Sustained rescue of prefrontal circuit dysfunction by antidepressant induced spine formation. *Science* 364: doi: 10.1126/Science.aat80732019.

Murrough JW, Perez AM, Pillemer S, et al. (2013) Rapid and longer-term antidepressant effects of repeated ketamine infusions in treatment resistant major depression. *Biol Psychiatry* 74: 250–6.

O'Gorman C, Iosifescu DV, Jones A, et al. (2018) Clinical development of AXS-05 for treatment resistant depression and agitation associated with Alzheimer's disease. Abstract, American Society of Clinical Psychopharmacology Annual Meeting.

O'Gorman C, Jones A, Iosifescu DV, et al. (2020) Efficacy and safety of AXS-05, an oral NMDA receptor antagonist with multimodal activity in major depressive disorder: results from the GEMINI phase 3, double blind placebo-controlled trial. Abstract, American Society of Clinical Psychopharmacology Annual Meeting.

Phillips JL, Norris S, Talbot J, et al. (2019) Single, repeated and maintenance ketamine infusions for treatment resistant depression: a randomized controlled trial. *Am J Psychiatry* 176: 401–9.

Price RB, Nock MK, Charney DS, Mathew SJ (2009) Effects of intravenous ketamine on explicit and implicit measures of suicidality in treatment-resistant depression. *Biol Psychiatry* 66: 522–6.

Salvadore G, Cornwell BR, Sambataro F, et al. (2010) Anterior cingulate desynchronization and functional connectivity with the amygdala during a working memory task predict rapid antidepressant response to ketamine. *Neuropsychopharmacology* 35: 1415–22.

Stahl SM (2013) Mechanism of action of ketamine. *CNS Spectrums* 18: 171–4.

Stahl SM (2013) Mechanism of action of dextromethorphan/quinidine: comparison with ketamine. *CNS Spectrums* 18: 225–7.

Stahl SM (2016) Dextromethorphan–quinidine-responsive pseudobulbar affect (PBA): psychopharmacological model for wide-ranging disorders of emotional expression? *CNS Spectrums* 21: 419–23.

Stahl SM (2019) Mechanism of action of dextromethorphan/bupropion: a novel NMDA antagonist with multimodal activity. *CNS Spectrums* 24: 461–6.

Wajs E, Aluisio L, Holder R, et al. (2020) Esketamine nasal spray plus oral antidepressant in patients with treatment resistant depression: assessment of long term safety in a phase 3 open label study (SUSTAIN2). *J Clin Psychiatry* 81: 19m12891.

Williams NR, Heifets B, Blasey C, et al. (2018) Attenuation of antidepressant effects of ketamine by opioid receptor antagonism. *Am J Psychiatry* 175: 1205–15

Zarate Jr. CA, Brutsche NE, Ibrahim L (2012) Replication of ketamine's antidepressant efficacy in bipolar depression: a randomized controlled add-on trial. *Biol Psychiatry* 71: 939–46.

気分障害の治療：更新情報と他の新薬

Alvarez E, Perez V, Dragheim M, Loft H, Artigas F (2012) A double-blind, randomized, placebo-controlled, active reference study of Lu AA21004 in patients with major depressive disorder. *Int J Neuropsychopharmacol* 15: 589–600.

BALANCE investigators and collaborators, et al. (2010) Lithium plus valproate combination therapy versus monotherapy for relapse prevention in bipolar I disorder (BALANCE): a randomized open-label trial. *Lancet* 375: 385–95.

Baldessarini RJ, Tondo L, Vazquez GH (2019) Pharmacological treatment of adult bipolar disorder. *Mol Psychiatry* 24: 198–217.

Bang-Andersen B, Ruhland T, Jorgensen M, et al. (2011) Discovery of 1-[2-(2,4-dimethylphenylsulfanyl)phenyl]piperazine (LuAA21004): a novel multimodal compound for the treatment of major depressive disorder. *J Med Chem* 54: 3206–21.

Carhart-Harris RL, Bolstridge M, Day CMG, et al. (2018) Psilocybin with psychological support for treatment-resistant depression: six month follow up. *Psychopharmacology* 235: 399–408.

Carhart-Harris RL, Bolstridge M, Rucker J, et al. (2016) Psilocybin with psychological support for treatment resistant depression: an open label feasibility study. *Lancet Psychiatry* 3: 619–27.

Carhart-Harris RL, Goodwin GM (2017) The therapeutic potential of psychedelic drugs: past, present and future, *Neuropsychopharmacology* 42: 2105–13.

Carhart-Harris RL, Leech R, Williams TM, et al. (2012) Implications for psychedelic assisted psychotherapy: a functional magnetic resonance imaging study with psilocybin. *Br J Psychiatry*: doi:10.1192/bjp.bp.111.103309.

Chiu CT, Chuan DM (2010) Molecular actions and therapeutic potential of lithium in preclinical and clinical studies of CNS disorders. *Pharmacol Ther* 128: 281–304.

Cipriani A, Pretty H, Hawton K, Geddes JR (2005) Lithium in the prevention of suicidal behavior and all-cause mortality in patients with mood disorders: a systematic review of randomized trials. *Am J Psychiatry* 162: 1805–19.

Frye MA, Grunze H, Suppes T, et al. (2007) A placebo-controlled evaluation of adjunctive modafinil in the treatment of bipolar depression. *Am J Psychiatry* 164: 1242–9.

Grady M, Stahl SM (2012) Practical guide for prescribing MAOI: Debunking myths and removing barriers. *CNS Spectrums* 17: 2–10.

Mork A, Pehrson A, Brennum LT, et al. (2012) Pharmacological effects of Lu AA21004: a novel multimodal compound for the treatment of major depressive disorder. *J Pharmacol Exp Ther* 340: 666–75.

Pasquali L, Busceti CL, Fulceri F, Paparelli A, Fornai F (2010) Intracellular pathways underlying the effects of lithium. *Behav Pharmacol* 21: 473–92.

Perlis RH, Ostacher MJ, Goldberg JF, et al. (2010) Transition to mania during treatment of bipolar depression. *Neuropsychopharmacology* 35: 2545–52.

Pompili M, Vazquez GH, Forte A, Morrissette DA, Stahl SM (2020) Pharmacological treatment of mixed states. *Psychiatr Clin N Am* 43: 157–86. doi:10.1016/j.psc.2019.10.015

Schwartz TL, Siddiqui US, Stahl SM (2011) Vilazodone: a brief pharmacologic and clinical review of the novel SPARI (serotonin partial agonist and reuptake inhibitor). *Ther Adv Psychopharmacol* 1: 81–7.

Settimo L, Taylor D (2018) Evaluating the dose-dependent mechanism of action of trazodone by estimation of occupancies for different brain neurotransmitter targets. *J Psychopharmacol* 32: 960104.

Stahl SM (2009) Mechanism of action of trazodone: a multifunctional drug. *CNS Spectrums* 14: 536–46.

Stahl SM (2012) Psychotherapy as an epigenetic "drug": psychiatric therapeutics target symptoms linked to malfunctioning brain circuits with psychotherapy as well as with drugs. *J Clin Pharm Ther* 37: 249–53.

Stahl SM (2014) Mechanism of action of the SPARI vilazodone: (serotonin partial agonist reuptake inhibitor). *CNS Spectrums* 19: 105–9.

Stahl SM (2014) Mechanism of action of agomelatine: a novel antidepressant exploiting synergy between monoaminergic and melatonergic properties. *CNS Spectrums* 19: 207–12.

Stahl SM (2015) Modes and nodes explain the mechanism of action of vortioxetine, a multimodal agent (MMA): enhancing serotonin release by combining serotonin (5HT) transporter inhibition with actions at 5HT receptors ($5HT_{1A}$, $5HT_{1B}$, $5HT_{1D}$, $5HT_7$ receptors). *CNS Spectrums* 20: 93–7.

Stahl SM (2015) Modes and nodes explain the mechanism of action of vortioxetine, multimodal agent (MMA): actions at serotonin receptors may enhance downstream release of four pro-cognitive neurotransmitters. *CNS Spectrums* 20: 515–19.

Stahl SM, Fava M, Trivedi M (2010) Agomelatine in the treatment of major depressive disorder: an 8 week, multicenter, randomized, placebo-controlled trial. *J Clin Psychiatry* 71: 616–26.

Undurraga J, Baldessarini RJ, Valenti M, et al. (2012) Bipolar depression: clinical correlates of receiving antidepressants. *J Affect Disord* 139: 89–93.

Zajecka J, Schatzberg A, Stahl SM, et al. (2010) Efficacy and safety of agomelatine in the treatment of major depressive disorder: a multicenter, randomized, double-blind, placebo-controlled trial. *J Clin Psychopharmacol* 30: 135–44.

第8章（不安と心的外傷）
不安症：薬理学と精神療法

Batelaan NM, Van Balkom AJLM, Stein DJ (2010) Evidence-based pharmacotherapy of panic disorder: an update. *Int J Neuropsychopharmacol* 15: 403–15.

De Oliveira IR, Schwartz T, Stahl SM (eds.) (2014) *Integrating Psychotherapy and Psychopharmacology*. New York, NY: Routledge Press.

Etkin A, Prater KE, Hoeft F, et al. (2010) Failure of anterior cingulate activation and connectivity with the amygdala during implicit regulation of emotional processing in generalized anxiety disorder. *Am J Psychiatry* 167: 545–54.

Monk S, Nelson EE, McClure EB, et al. (2006) Ventrolateral prefrontal cortex activation and attentional bias in response to angry faces in adolescents with generalized anxiety disorder. *Am J Psychiatry* 163: 1091–7.

Otto MW, Basden SL, Leyro TM, McHugh K, Hofmann SG (2007) Clinical perspectives on the combination of D-cycloserine and cognitive behavioral therapy for the treatment of anxiety disorders. *CNS Spectrums* 12: 59–61.

Otto MW, Tolin DF, Simon NM, et al. (2010) Efficacy of D-cycloserine for enhancing response to cognitive-behavior therapy for panic disorder. *Biol Psychiatry* 67: 365–70.

Stahl SM (2010) *Stahl's Illustrated: Anxiety and PTSD*. Cambridge: Cambridge University Press.

Stahl SM (2012) Psychotherapy as an epigenetic "drug": psychiatric therapeutics target symptoms linked to malfunctioning brain circuits with psychotherapy as well as with drugs. *J Clin Pharm Ther* 37: 249–53.

Stahl SM, Moore BA (eds.) (2013) *Anxiey Disorders: A Guide for Integrating Psychopharmacology and Psychotherapy*. New York, NY: Routledge Press.

ストレス，人生早期の逆境

Chen Y, Baram TZ (2016) Toward understanding how early life stress reprograms cognitive and emotional brain networks. *Neuropsychopharm Rev* 41: 187–296.

Hanson JL, Nacewicz BM, Suggerer MJ, et al. (2015) Behavioral problems after early life stress: contributions of the hippocampus and amygdala. *Biol Psychiatry* 77: 314–23.

Kundakavic M, Champagne FA (2015) Early life experience, epigenetics and the developing brain. *Neuropsychopharmacol Rev* 40: 141–53.

Marusak HA, Martin K, Etkin A, et al. (2015) Childhood trauma exposure disrupts the automatic regulation of emotional processing. *Neuropsychopharmacology* 40: 1250–8.

McEwen BS, Nasca C, Gray JD (2016) Stress effects on neuronal structure: hippocampus, amygdala and prefrontal cortex. *Neuropsychopharm Rev* 41: 3–23.

McLaughlin KA, Sheridan MA, Gold AL, et al. (2016) Maltreatment exposure, brain structure and fear conditioning in children and adolescents. *Neuropsychopharmacology* 41: 1956–65.

Teicher MH, Anderson CM, Ohashi K, et al. (2014) Childhood maltreatment: altered network centrality of cingulate precuneus, temporal pole and insula. *Biol Psychiatry* 76: 297–305.

Tyrka AR, Burgers DE, Philip NS (2013) The neurobiological correlates of childhood adversity and implications for treatment. *Acta Psychiatr Scand* 138: 434–47.

Zhang JY, Liu TH, He Y, et al. (2019) Chronic stress remodels synapses in an amygdala circuit-specific manner. *Biol Psychiatry* 85: 189–201.

恐怖条件づけ，恐怖消去，再固定，回路

Anderson KC, Insel TR (2006) The promise of extinction research for the prevention and treatment of anxiety disorders. *Biol Psychiatry* 60: 319–21.

Barad M, Gean PW, Lutz B (2006) The role of the amygdala in the extinction of conditioned fear. *Biol Psychiatry* 60: 322–8.

Bonin RP, De Koninck Y (2015) Reconsolidation and the regulation of plasticity: moving beyond memory. *Trends Neurosci* 38: 336–44.

Dejean C, Courtin J, Rozeaske RR, et al. (2015) Neuronal circuits for fear expression and recovery: recent advances and potential therapeutic strategies. *Biol Psychiatry* 78: 298–306.

Feduccia AA, Mithoefer MC (2018) MDMA-assisted psychotherapy for PTSD: are memory reconsolidation and fear extinction underlying mechanisms. *Prog Neuropsychopharmacol Biol Psychiatry* 84: 221–8.

Fox AS, Oler JA, Tromp DPM, et al. (2015) Extending the amygdala in theories of threat processing. *Trends Neurosci* 38: 319–29.

Giustino RF, Seemann JR, Acca GM, et al. (2017) Beta adrenoceptor blockade in the basolateral amygdala, but not the medial prefrontal cortex, rescues the immediate extinction deficit. *Neuropsychopharmacol* 42: 2537–44.

Graham BM, Milad MR (2011) The study of fear extinction: implications for anxiety disorder. *Am J Psychiatry* 168: 1255–65.

Hartley CA, Phelps EA (2010) Changing fear: the neurocircuitry of emotion regulation. *Neuropsychopharmacol Rev* 35: 136–46.

Haubrich J, Crestani AP, Cassini LF, et al. (2015) Reconsolidation allows fear memory to be updated to a less aversive level through the incorporation of appetitive information. *Neuropsychopharmacology* 40: 315–26.

Hermans D, Craske MG, Mineka S, Lovibond PF (2006) Extinction in human fear conditioning. *Biol Psychiatry* 60: 361–8.

Holbrook TL, Galarneau ME, Dye JL, et al. (2010) Morphine use after combat injury in Iraq and post traumatic stress disorder. *New Engl J Med* 362: 110–17.

Keding TJ, Herringa RJ (2015) Abnormal structure of fear circuitry in pediatric post traumatic stress disorder. *Neuropsychopharmacology* 40: 537–45.

Krabbe S, Grundemann J, Luthi A (2018) Amygdala inhibitory circuits regulate associative fear conditioning. *Biol Psychiatry* 83: 800–9.

Kroes MCW, Tona KD, den Ouden HEM, et al. (2016) How administration of the beta blocker propranolol before extinction can prevent the return of fear. *Neuropsychopharmacology* 41: 1569–78.

Kwapis JL, Wood MA (2014) Epigenetic mechanisms in fear conditioning: implications for treating post traumatic stress disorder. *Trends Neurosci* 37: 706–19.

Lin HC, Mao SC, Su CL, et al. (2010) Alterations of excitatory transmission in the lateral amygdala during expression and extinction of fear memory. *Int J Neuropsychopharmacol* 13: 335–45.

Linnman C, Zeidan MA, Furtak SC, et al. (2012) Resting amygdala and medial prefrontal metabolism predicts functional activation of the fear extinction circuit. *Am J Psychiatry* 169: 415–23.

Mahan AL, Ressler KJ (2012) Fear conditioning, synaptic plasticity and the amygdala: implications for post traumatic stress disorder. *Trends Neurosci* 35: 24–35.

Mithoefer MC, Wagner MT, Mithoefer AT, et al. (2011) The safety and efficacy of {+/−} 3,4-methylenedioxymethamphetamine-assisted psychotherapy in subjects with chronic, treatment-resistant posttraumatic stress disorder: the first randomized controlled pilot study. *J Psychopharmacol* 25: 439–52.

Myers KM, Carlezon WA Jr. (2012) D-Cycloserine effects on extinction of conditioned responses to drug-related cues. *Biol Psychiatry* 71: 947–55.

Onur OA, Schlaepfer TE, Kukolja J, et al. (2010) The *N*-methyl-D-aspartate receptor co-agonist D-cycloserine facilitates declarative learning and hippocampal activity in humans. *Biol Psychiatry* 67: 1205–11.

Otis JM, Werner CR, Muelier D (2015) Noradrenergic regulation of fear and drug-associated memory reconsolidation. *Neuropsychopharmacology* 40: 793–803.

Ressler KJ (2020) Translating across circuits and genetics toward progress in fear- and anxiety-related disorders. *Am J Psychiatry* 177: 214–22.

Sandkuher J, Lee J (2013) How to erase memory traces of pain and fear. *Trends Neurosci* 36: 343–52.

Schwabe L, Nader K, Pruessner JC (2011) Reconsolidation of human memory: brain mechanisms and clinical relevance. *Biol Psychiatry* 76: 274–80.

Schwabe L, Nader K, Wold OT (2012) Neural signature of reconsolidation impairments by propranolol in humans. *Biol Psychiatry* 71: 380–6.

Shin LM, Liberzon I (2010) The neurocircuitry of fear, stress and anxiety disorders. *Neuropsychopharmacol Rev* 35: 169–91.

Soeter M, Kindt M (2012) Stimulation of the noradrenergic system during memory formation impairs extinction learning but not the disruption of reconsolidation. *Neuropsychopharmacology* 37: 1204–15.

Stern CAJ, Gazarini L, Takahashi RN, et al. (2012) On disruption of fear memory by reconsolidation blockade: evidence from cannabidiol treatment. *Neuropsychopharmacology* 37: 2132–42.

Tamminga CA (2006) The anatomy of fear extinction. *Am J Psychiatry* 163: 961.

Tronson NC, Corcoran KA, Jovasevic V, et al. (2011) Fear conditioning and extinction: emotional states encoded by distinct signaling pathways. *Trends Neurosci* 35: 145–55.

心的外傷後ストレス障害（PTSD）

Aupperle RL, Allard CB, Grimes EM, et al. (2012) Dorsolateral prefrontal cortex activation during emotional anticipation and neuropsychological performance in posttraumatic stress disorder. *Arch Gen Psychiatry* 69: 360–71.

Bonne O, Vythilingam M, Inagaki M, et al. (2008) Reduced posterior hippocampal volume in posttraumatic stress disorder. *J Clin Psychiatry* 69: 1087–91.

De Kleine RA, Hendriks GJ, Kusters WJC, Broekman TG, van Minnen A (2012) A randomized placebo-controlled trial of D-cycloserine to enhance exposure therapy for posttraumatic stress disorder. *Biol Psychiatry* 71: 962–8.

Feduccia AA, Mithoefer MC (2018) MDMA-assisted psychotherapy for PTSD: are memory reconsolidation and fear extinction underlying mechanisms. *Prog Neuropsychopharmacol Biol Psychiatry* 84: 221–8.

Ipser JC, Stein DJ (2012) Evidence-based pharmacotherapy of post-traumatic stress disorder (PTSD). *Int J Neuropsychopharmacol* 15: 825–40.

Jovanovic T, Ressler KJ (2010) How the neurocircuitry and genetics of fear inhibition may inform our understanding of PTSD. *Am J Psychiatry* 167: 648–62.

Mercer KB, Orcutt HK, Quinn JF, et al. (2012) Acute and posttraumatic stress symptoms in a prospective gene X environment study of a university campus shooting. *Arch Gen Psychiatry* 69: 89–97.

Mithoefer MC, Wagner MT, Mithoefer AT, et al. (2011) The safety and efficacy of {+/−} 3,4-methylenedioxymethamphetamine-assisted psychotherapy in subjects with chronic, treatment-resistant posttraumatic stress disorder: the first randomized controlled pilot study. *J Psychopharmacol* 25: 439–52.

Orr SP, Milad MR, Metzger LJ (2006) Effects of beta blockade, PTSD diagnosis, and explicit threat on the extinction and retention of an aversively conditioned response. *Biol Psychol* 732: 262–71.

Perusini JN, Meyer EM, Long VA, et al. (2016) Induction and expression of fear sensitization caused by acute traumatic stress. *Neuropsychopharm Rev* 41: 45–57.

Raskind MA, Peskind ER, Hoff DJ (2007) A parallel group placebo controlled study of prazosin for trauma nightmares and sleep disturbance in combat veterans with post-traumatic stress disorder. *Biol Psychiatry* 61: 928–34.

Rauch SL, Shin LM, Phelps EA. (2006) Neurocircuitry models of posttraumatic stress disorder and extinction: human neuroimaging research – past, present and future. *Biol Psychiatry* 60: 376–82.

Reist C, Streja E, Tang CC, et al. (2020) Prazocin for treatment of post traumatic stress disorder: a systematic review and met analysis. *CNS Spectrums*: doi.org/10.1017/S1092852920001121.

Sandweiss DA, Slymen DJ, Leardmann CA, et al. (2011) Preinjury psychiatric status, injury severity, and postdeployment posttraumatic stress disorder. *Arch Gen Psychiatry* 68: 496–504.

Sauve W, Stahl SM (2019) Psychopharmacological and neuromodulation treatment of PTSD. In *Treating PTSD in Military Personnel*, 2nd edition, Moore BA and Penk WE (eds.), Guilford Press: 155–72.

Shin LM, Bush G, Milad MR, et al. (2011) exaggerated activation of dorsal anterior cingulate cortex during cognitive interference: a monozygotic twin study of posttraumatic stress disorder. *Am J Psychiatry* 168: 979–85.

Stein MB, McAllister TW (2009) Exploring the convergence of posttraumatic stress disorder and mild traumatic brain injury. *Am J Psychiatry* 166: 768–76.

Vaiva G, Ducrocq F, Jezequel K, et al. (2003) Immediate treatment with propranolol decreases postraumatic stress disorder two months after trauma. *Biol Psychiatry* 54: 947–9.

van Zuiden M, Geuze E, Willemen HLD, et al. (2011) Pre-existing high glucocorticoid receptor number predicting development of posttraumatic stress symptoms after military deployment. *Am J Psychiatry* 168: 89–96.

第9章（慢性痛）

Apkarian AV, Sosa Y, Sonty S, et al. (2004) Chronic back pain is associated with decreased prefrontal and thalamic gray matter density. *J Neurosci* 24: 10410–15.

Bar KJ, Wagner G, Koschke M, et al. (2007) Increased prefrontal activation during pain perception in major depression. *Biol Psychiatry* 62: 1281–7.

Benarroch EE (2007) Sodium channels and pain. *Neurology* 68: 233–6.

Brandt MR, Beyer CE, Stahl SM (2012) TRPV1 antagonists and chronic pain: beyond thermal perception. *Pharmaceuticals* 5: 114–32.

Davies A, Hendrich J, Van Minh AT, et al. (2007) Functional biology of the alpha 2 beta subunits of voltage gated calcium channels. *Trends Pharmacol Sci* 28: 220–8.

Descalzi G, Ikegami D, Ushijima T, et al. (2015) Epigenetic mechanisms of chronic pain *Trends Neurosci* 38: 237–46.

Dooley DJ, Taylor CP, Donevan S, Feltner D (2007) Ca^{2+} Channel alpha 2 beta ligands: novel modulators of neurotransmission. *Trends Pharmacol Sci* 28: 75–82.

Farrar JT (2006) Ion channels as therapeutic targets in neuropathic pain. *J Pain* 7 (Suppl 1): S38–47.

Gellings-Lowe N, Stahl SM (2012) *Antidepressants in pain, anxiety and depression*. In *Pain Comorbidities*, Giamberardino MA and Jensen TS (eds.), Washington, DC: IASP Press, 409–23.

Gracely RH, Petzke F, Wolf JM, Clauw DJ (2002) Functional magnetic resonance imaging evidence of augmented pain processing in fibromyalgia. *Arthritis Rheum* 46: 1222–343.

Khoutorsky A, Price TJ (2018) Translational control mechanism in persistent pain. *Trends Neuosci* 41: 100–14.

Luo C, Kuner T, Kuner R (2014) Synaptic plasticity in pathological pain. *Trends Neurosci* 37: 343–55.

McLean SA, Williams DA, Stein PK, et al. (2006) Cerebrospinal fluid corticotropin-releasing factor concentration is associated with pain but not fatigue symptoms in patients with fibromyalgia. *Neuropsychopharmacology* 31: 2776–82.

Nickel FT, Seifert F, Lanz S, Maihofner C (2012) Mechanisms of neuropathic pain. *Eur Neuropsychopharmacol* 22: 81–91.

Norman E, Potvin S, Gaumond I, et al. (2011) Pain inhibition is deficient in chronic widespread pain but normal in major depressive disorder. *J Clin Psychiatry* 72: 219–24.

Ogawa K, Tateno A, Arakawa R, et al. (2014) Occupancy of serotonin transporter by tramadol: a positron emission tomography study with ^{11}C-DSDB. *Int J Neuropsychopharmacol* 17: 845–50.

Stahl SM (2009) Fibromyalgia: pathways and neurotransmitters. *Hum Psychopharmacol* 24: S11–17.

Stahl SM, Eisenach JC, Taylor CP, et al. (2013) The diverse therapeutic actions of pregabalin: is a single mechanism responsible for several pharmacologic activities. *Trends Pharmacol Sci* 34: 332–9.

Wall PD, Melzack R (eds.) (1999) *Textbook of Pain*, 4th edition. London: Harcourt Publishers Limited.

Williams DA, Gracely RH (2006) Functional magnetic resonance imaging findings in fibromyalgia. *Arthritis Res Ther* 8: 224–32.

第10章（睡眠覚醒障害群とその治療：ヒスタミンとオレキシン）

ヒスタミン

Broderick M, Masri T (2011) Histamine H_3 receptor (H_3R) antagonists and inverse agonists in the treatment of sleep disorders. *Curr Pharm Design* 17: 1426–9.

Kotanska M, Kuker KJ, Szcaepanska K, et al. (2018) The histamine H_3 receptor inverse agonist pitolisant reduces body weight in obese mice. *Arch Pharmacol* 391: 875–81.

Nomura H, Mizuta H, Norimoto H, et al. (2019) Central histamine boosts perirhinal cortex activity and restores forgotten object memories. *Biol Psychiatry* 86: 230–9.

Romig A, Vitran G, Giudice TL, et al. (2018) Profile of pitolisant in the management of narcolepsy: design, development and place in therapy. *Drug Des Devel Ther* 12: 2665–75.

Schwartz JC (2011) The histamine H_3 receptor: from discovery to clinical trials with pitolisant. *Br J Pharmacol* 163: 713–21.

Szakacs Z, Dauvilliers Y, Mikhaulov V, et al. (2017) Safety and efficacy of pitolisant on cataplexy in patients with narcolepsy: a randomized, double-blind placebo controlled trial. *Lancet Neurol* 16: 200–7.

オレキシン

Bennett T, Bray D, Neville MW (2014) Suvorexant, a dual orexin receptor antagonist for the management of insomnia. *PT* 39: 264–6.

Bettica P, Squassante L, Groeger JA, et al. (2012) Differential effects of a dual orexin receptor antagonist (SB-649868) and zolpidem on sleep initiation and consolidation, SWS, REM sleep, and EEG power spectra in a model of situational insomnia. *Neuropsychopharmacology* 37: 1224–33.

Beuckmann CT, Suzuki M, Ueno T, et al. (2017) In vitro and in silico characterization of lemborexant (E2006), a novel dual orexin receptor antagonist. *J Pharmacol Exp Ther* 362: 287–95.

Beuckmann CT, Ueno T, Nakagawa M, et al. (2019) Preclinical in vivo characterization of lemborexant (E2006) a novel dual orexin receptor antagonist for sleep/wake regulation. *Sleep*: doi 10.1093/sleep/zsz076.

Bonnavion P, de Lecea L (2010) Hypocretins in the control of sleep and wakefulness. *Curr Neurol Neurosci Rep* 10: 174–9.

Bourgin P, Zeitzer JM, Mignot E (2008) CSF hypocretin-1 assessment in sleep and neurological disorders. *Lancet Neurol* 7: 649–62.

Brisbare-Roch C, Dingemanse J, Koberstein R, et al. (2007) Promotion of sleep by targeting the orexin system in rats, dogs and humans. *Nat Med* 13: 150–5.

Cao M, Guilleminault C (2011) Hypocretin and its emerging

role as a target for treatment of sleep disorders. *Curr Neurol Neurosci Rep* 11: 227–34.

Citrome L (2014) Suvorexant for insomnia: a systematic review of the efficacy and safety profile for this newly approved hypnotic – what is the number needed to treat, number needed to harm and likelihood to be helped or harmed? *Int J Clin Pract* 68: 1429–41.

Coleman PJ, Schreier JD, Cox CD, et al. (2012) Discovery of [(2R, 5R)-5-{[(5-fluoropyridin-2-yl)oxy]methyl}-2-methylpiperidin-1-yl] [5-methyl-2-(pyrimidin-2-yl)phenyl] methanone (MK-6096): a dual orexin receptor antagonist with potent sleep-promoting properties. *Chem Med* 7, 415–24.

Dauvilliers Y, Abril B, Mas E, et al. (2009) Normalization of hypocretin-1 in narcolepsy after intravenous immunoglobulin treatment. *Neurology* 73: 1333–4.

de Lecea L, Huerta R (2015) Hypocretin (orexin) regulation of sleep-to-wake transitions. *Front Pharmacol* 5: 1–7.

DiFabio R, Pellacani A, Faedo S (2011) Discovery process and pharmacological characterization of a novel dual orexin 1 and orexin 2 receptor antagonist useful for treatment of sleep disorders. *Bioorg Med Chem Lett* 21: 5562–7.

Dubey AK, Handu SS, Mediratta PK (2015) Suvorexant: the first orexin receptor antagonist to treat insomnia. *J Pharmacol Pharmacother* 6: 118–21.

Equihua AC, De la Herran-Arita AK, Drucker-Colin R (2013) Orexin receptor antagonists as therapeutic agents for insomnia. *Front Pharmacol* 4: 1–10.

Gentile TA, Simmons SJ, Watson MN, et al. (2018) Effects of suvorexant, a dual orexin hypocretin receptor antagonist on impulsive behavior associated with cocaine. *Neuropsychopharmacology* 43: 1001–9.

Gotter AL, Winrow CJ, Brunner J, et al. (2013) The duration of sleep promoting efficacy by dual orexin receptor antagonists is dependent upon receptor occupancy threshold. *BMC Neurosci* 14: 90.

Griebel G, Decobert M, Jacquet A, et al. (2012) Awakening properties of newly discovered highly selective H_3 receptor antagonists in rats. *Behav Brain Res* 232: 416–20.

Herring WJ, Connor KM, Ivgy-May N, et al. (2016) Suvorexant in patients with insomnia: results from two 3-month randomized controlled clinical trials. *Biol Psychiatry* 79: 136–48.

Hoever P, Dorffner G, Benes H, et al. (2012) Orexin receptor antagonism, a new sleep-enabling paradigm: a proof-of-concept clinical trial. *Clin Pharmacol Ther* 91: 975–85.

Hoyer D, Jacobson LH (2013) Orexin in sleep, addiction, and more: is the perfect insomnia drug at hand? *Neuropeptides* 47: 477–88.

Jones BE, Hassani OK (2013) The role of Hcrt/Orx and MCH neurons in sleep–wake state regulation. *Sleep* 36: 1769–72.

Krystal AD, Benca RM, Kilduff TS (2013) Understanding the sleep–wake cycle: sleep, insomnia, and the orexin system. *J Clin Psychiatry* 74 (Suppl 1): 3–20.

Mahler SV, Moorman DE, Smith RJ, et al. (2014) Motivational activation: a unifying hypothesis of orexin/hypocretin function. *Nat Neurosci* 17: 1298–303.

Michelson D, Snyder E, Paradis E, et al. (2014) Safety and efficacy of suvorexant during 1-year treatment of insomnia with subsequent abrupt treatment discontinuation: a phase 3 randomised, double-blind, placebo-controlled trial. *Lancet Neurol* 13: 461–71.

Nixon JP, Mavanji V, Butterick TA, et al. (2015) Sleep disorders, obesity, and aging: the role of orexin. *Aging Res Rev* 20: 63–73.

Rosenberg R, Murphy P, Zammit G, et al. (2019) Comparison of lemborexant with placebo and zolpidem tartrate extended release for the treatment of older adults with insomnia disorder: a phase 3 randomized clinical trial. *JAMA Network Open* 2: e1918254

Ruoff C, Cao M, Guilleminault C (2011) Hypocretin antagonists in insomnia treatment and beyond. *Curr Pharm Design* 17: 1476–82.

Sakurai T, Mieda M (2011) Connectomics of orexin-producing neurons: interface of systems of emotion, energy homeostasis and arousal. *Trends Pharmacol Sci* 32: 451–62.

Scammel TE, Winrow CJ (2011) Orexin receptors: pharmacology and therapeutic opportunities. *Annu Rev Pharmacol Toxicol* 51: 243–66.

Stahl SM (2016) Mechanism of action of suvorexant. *CNS Spectrums* 21: 215–18.

Steiner MA, Lecourt H, Strasser DS, Brisbare-Roch C, Jenck F (2011) Differential effects of the dual orexin receptor antagonist almorexant and the $GABA_A$-α1 receptor modulator zolpidem, alone or combined with ethanol, on motor performance in the rat. *Neuropsychopharmacology* 36: 848–56.

Vermeeren A, Jongen S, Murphy P, et al. (2019) On the road driving performance the morning after bedtime administration of lemborexant in healthy adult and elderly volunteers. *Sleep*: doi: 10.1093.sleep/zsy260.

Willie JT, Chemelli RM, Sinton CM, et al. (2003) Distinct narcolepsy syndromes in *orexin recepter-2* and *orexin* null mice: molecular genetic dissection of non-REM and REM sleep regulatory processes. *Neuron* 38: 715–30.

Winrow CJ, Gotter AL, Cox CD, et al. (2012) Pharmacological characterization of MK-6096: a dual orexin receptor antagonist for insomnia. *Neuropharmacology* 62: 978–87.

Yeoh JW, Campbell EJ, James MH, et al. (2014) Orexin antagonists for neuropsychiatric disease: progress and potential pitfalls. *Front Neurosci* 8: 1–12.

睡眠障害, 不眠症, レストレスレッグス（むずむず脚）症候群

Abadie P, Rioux P, Scatton B, et al. (1996) Central benzodiazepine receptor occupancy by zolpidem in the human brain as assessed by positron emission tomography. *Science* 295: 35–44.

Allen RP, Burchell BJ, MacDonald B, et al. (2009) Validation of the self-completed Cambridge–Hopkins questionnaire (CH-RLSq) for ascertainment of restless legs syndrome (RLS) in a population survey. *Sleep Med* 10: 1079–100.

Bastien CH, Vallieres A, Morin CM (2001) Validation of the Insomnia Severity Index as an outcome measure for insomnia research. *Sleep Med* 2: 297–307.

Bonnet MH, Burton GG, Arand DL (2014) Physiological and medical findings in insomnia: implications for diagnosis and care. *Sleep Med Rev* 18: 95–8.

Burke RA, Faulkner MA (2011) Gabapentin enacarbil for the treatment of restless legs syndrome (RLS). *Expert Opin Pharmacother* 12: 2905–14.

Buysse DJ, Reynolds CF III, Monk TH, et al. (1989) The Pittsburgh Sleep Quality Index: a new instrument for psychiatric practice and research. *Psychiatry Res* 28: 193–213.

Cappuccio FP, D'Elia L, Strazzullo P, et al. (2010) Sleep duration and all-cause mortality: a systematic review and meta-analysis of prospective studies. *Sleep* 33: 585–92.

Chahine LM, Chemali ZN (2006) Restless legs syndrome: a review. *CNS Spectrums* 11: 511–20.

Dawson GR, Collinson N, Atack JR (2005) Development of subtype selective $GABA_A$ modulators. *CNS Spectrums* 10: 21–7.

De Lecea L, Winkelman JW (2020) Sleep and neuropsychiatric illness. *Neuropsychopharmacol Rev* 45: 1–216.

Drover DR (2004) Comparative pharmacokinetics and pharmacodynamics of short-acting hypnosedatives – zaleplon, zolpidem and zopiclone. *Clin Pharmacokinet* 43: 227–38.

Durmer JS, Dinges DF (2005) Neurocognitive consequences of sleep deprivation. *Semin Neurol* 25: 117–29.

Espana RA, Scammell TE (2011) Sleep neurobiology from a clinical perspective. *Sleep* 34: 845–58.

Fava M, McCall WV, Krystal A, et al. (2006) Eszopiclone co-administered with fluoxetine in patients with insomnia coexisting with major depressive disorder. *Biol Psychiatry* 59: 1052–60.

Freedom T (2011) Sleep-related movement disorders. *Dis Mon* 57: 438-47.

Frenette E (2011) Restless legs syndrome in children: a review and update on pharmacological options. *Curr Pharm Design* 17: 1436–42.

Garcia-Borreguero D, Allen R, Kohnen R, et al. (2010) Loss of response during long-term treatment of restless legs syndrome: guidelines approved by the International Restless Legs Syndrome Study Group for use in clinical trials. *Sleep Med* 11: 956–9.

Green CB, Takahashi JS, Bass J (2008) The meter of metabolism. *Cell* 134: 728–42.

Harris J, Lack L, Kemo K, et al. (2012) A randomized controlled trial of intensive sleep retraining (ISR): a brief conditioning treatment for chronic insomnia. *Sleep* 35: 49–60.

Hening W, Walters AS, Allen RP, et al. (2004) Impact, diagnosis and treatment of restless legs syndrome (RLS) in a primary care population: the REST (RLS Epidemiology, Symptoms, and Treatment) Primary Care Study. *Sleep Med* 5: 237–46.

Koffel EA, Koffel JB, Gehrman PR (2015) A meta-analysis of group cognitive behavioral therapy for insomnia. *Sleep Med Rev* 19: 6–16.

Krystal AD, Walsh JK, Laska E, et al. (2003) Sustained efficacy of eszopiclone over 6 months of nightly treatment: results of a randomized, double-blind, placebo-controlled study in adults with chronic insomnia. *Sleep* 26: 793–9.

Morin CM, Benca R (2012) Chronic insomnia. *Lancet* 379: 1129–41.

Nofzinger EA, Buysse DJ, Germain A, et al. (2004) Functional neuroimaging evidence for hyperarousal in insomnia. *Am J Psychiatry* 161: 2126–9.

Nutt D, Stahl SM (2010) Searching for perfect sleep: the continuing evolution of $GABA_A$ receptor modulators as hypnotics. *J Psychopharmacol* 24: 1601–2.

Orzel-Gryglewska J (2010) Consequences of sleep deprivation. *Int J Occup Med Environ Health* 23: 95–114.

Palma JA, Urrestarazu E, Iriarte J (2013) Sleep loss as a risk factor for neurologic disorders: a review. *Sleep Med* 14: 229–36.

Parthasarathy S, Vasquez MM, Halonen M, et al. (2015) Persistent insomnia is associated with mortality risk. *Am J Med* 128: 268–75.

Pinto Jr LR, Alves RC, Caixeta E, et al. (2010) New guidelines for diagnosis and treatment of insomnia. *Arq Neuropsiquiatr* 68: 666–75.

Plante DT (2017) Sleep propensity in psychiatric hypersomnolence: a systematic review and meta-analysis of multiple sleep latency findings. *Sleep Med Rev* 31: 48–57.

Reeve K, Bailes B. (2010) Insomnia in adults: etiology and management. *JNP* 6: 53–60.

Richey SM, Krystal AD (2011) Pharmacological advances in the treatment of insomnia. *Curr Pharm Design* 17: 1471–5.

Roth T, Roehrs T (2000) Sleep organization and regulation. *Neurology* 54 (Suppl 1): S2–7.

Sahar S, Sassone-Corsi P (2009) Metabolism and cancer: the circadian clock connection. *Nature* 9: 886–96.

Schutte-Rodin S, Broch L, Buysse D, et al. (2008) Clinical guideline for the evaluation and management of chronic insomnia in adults. *J Clin Sleep Med* 4: 487–504.

Sehgal A, Mignot E (2011) Genetics of sleep and sleep disorders. *Cell* 146: 194–207.

Tafti M (2009) Genetic aspects of normal and disturbed sleep. *Sleep Med* 10: S17–21.

Thorpe AJ, Clair A, Hochman S, et al. (2011) Possible sites of therapeutic action in restless legs syndrome: focus on dopamine and α2δ ligands. *Eur Neurol* 66: 18–29.

Vgontzas AN, Fernadez-Mendoza J, Bixler EO, et al. (2012) Persistent insomnia: the role of objective short sleep duration. *Sleep* 35: 61–8.

Wu JC, Gillin JC, Buchsbaum MS, et al. (2006) Frontal lobe

metabolic decreases with sleep deprivation not totally reversed by recovery sleep. *Neuropsychopharmacology* 31: 2783–92.

Zeitzer JM, Morales-Villagran A, Maidment NT (2006) Extracellular adenosine in the human brain during sleep and sleep deprivation: an in vivo microdialysis study. *Sleep* 29: 455–61.

覚醒障害，傾眠，閉塞性睡眠時無呼吸(OSA)，ナルコレプシー，サーカディアンリズム障害，交代勤務型概日リズム睡眠-覚醒障害

Abad VC, Guilleminault C (2011) Pharmacological treatment of obstructive sleep apnea. *Curr Pharm Design* 17: 1418–25.

Adenuga O, Attarian H (2014) Treatment of disorders of hypersomnolence. *Curr Treat Options Neurol* 16: 302.

Ahmed I, Thorpy M (2010) Clinical features, diagnosis and treatment of narcolepsy. *Clin Chest Med* 31: 371–81.

Aloia MS, Arnedt JT, Davis JD, Riggs RL, Byrd D (2004) Neuropsychological sequelae of obstructive sleep apnea–hypopnea syndrome: a critical review. *J Int Neuropsychol Soc* 10: 772–85.

Arallanes-Licea E, Caldelas I, De Ita-Perez D, et al. (2014) The circadian timing system: a recent addition in the physiological mechanisms underlying pathological and aging processes. *Aging Dis* 5: 406–18.

Artioli P, Lorenzi C, Priovano A, et al. (2007) How do genes exert their role? Period 3 gene variants and possible influences on mood disorder phenotypes. *Eur Neuropsychopharmacol* 17: 587–94.

Aurora RN, Chowdhuri S, Ramar K, et al. (2012) The treatment of central sleep apnea syndromes in adults: practice parameters with an evidence-based literature review and meta-analyses. *Sleep* 35: 17–40.

Banerjee S, Wang Y, Solt LA, et al. (2014) Pharmacological targeting of the mammalian clock regulates sleep architecture and emotional behaviour. *Nat Commun* 5: 5759.

Barger LK, Ogeil RP, Drake CL, et al. (2012) Validation of a questionnaire to screen for shift work disorder. *Sleep* 35: 1693–703.

Benedetti F, Serretti A, Colombo C, et al. (2003) Influence of *CLOCK* gene polymorphisms on circadian mood fluctuation and illness recurrence in bipolar depression. *Am J Med Genet B, Neuropsychiatr Genet* 123 : 23–6.

Black JE, Hull SG, Tiller J, et al. (2010) The long-term tolerability and efficacy of armodafinil in patients with excessive sleepiness associated with treated obstructive sleep apnea, shift work disorder, or narcolepsy: an open-label extension study. *J Clin Sleep Med* 6: 458–66.

Bogan RK (2010) Armodafinil in the treatment of excessive sleepiness. *Expert Opin Pharmacother* 11: 993–1002.

Bonacci JM, Venci JV, Ghandi MA (2015) Tasimelteon (HetliozTM): a new melatonin receptor agonist for the treatment of non-24 sleep-wake disorder. *J Pharm Pract* 28: 473–8.

Brancaccio M, Enoki R, Mazuki CN, et al. (2014) Network-mediated encoding of circadian time: the suprachiasmatic nucleus (SCN) from genes to neurons to circuits, and back. *J Neurosci* 34: 15192–9.

Carocci A, Catalano A, Sinicropi MS (2014) Melatonergic drugs in development. *Clin Pharmacol Adv Applications* 6: 127–37.

Cauter EV, Plat L, Scharf MB, et al. (1997) Simultaneous stimulation of slow-wave sleep and growth hormone secretion by gamma-hydroxybutyrate in normal young men. *J Clin Invest* 100: 745–53.

Cermakian N, Lange T, Golombek D, et al. (2013) Crosstalk between the circadian clock circuitry and the immune system. *Chronobiol Int* 30: 870–88.

Cirelli C (2009) The genetic and molecular regulation of sleep: from fruit flies to humans. *Nat Rev Neurosci* 10: 549–60.

Colwell CS (2011) Linking neural activity and molecular oscillators in the SCN. *Nat Rev Neurosci* 12: 553–69.

Cook H et al. (2003) A 12-month, open-label, multicenter extension trial of orally administered sodium oxybate for the treatment of narcolepsy. *Sleep* 26: 31–5.

Crowley SJ, Lee C, Tseng CY, et al. (2004) Complete or partial circadian re-entrainment improves performance, alertness, and mood during night-shift work. *Sleep* 27: 1077–87.

Czeisler CA, Walsh JK, Roth T, et al. (2005) Modafinil for excessive sleepiness associated with shift-work sleep disorder. *New Engl J Med* 353: 476–86.

Dallaspezia S, Benedetti F (2011) Chronobiological therapy for mood disorders. *Expert Rev Neurother* 11: 961–70.

Darwish M, Bond M, Ezzet F (2012) Armodafinil in patients with excessive sleepiness associated with shift work disorder: a pharmacokinetic/pharmacodynamic model for predicting and comparing their concentration-effect relationships. *J Clin Pharmacol* 52: 1328–42.

Darwish M, Kirby M, D'Andrea DM, et al. (2010) Pharmacokinetics of armodafinil and modafinil after single and multiple doses in patients with excessive sleepiness associated with treated obstructive sleep apnea: a randomized, open-label, crossover study. *Clin Ther* 32: 2074–87.

Dauvilliers Y, Tafti M (2006) Molecular genetics and treatment of narcolepsy. *Ann Med* 38: 252–62.

De la Herran-Arita AK, Garcia-Garcia F (2014) Narcolepsy as an immune-mediated disease. *Sleep Disord* 2014: 792687.

Dinges DF, Weaver TE (2003) Effects of modafinil on sustained attention performance and quality of life in OSA patients with residual sleepiness while being treated with CPAP. *Sleep Med* 4: 393–402.

Dresler M, Spoormaker VI, Beitinger P, et al. (2014) Neuroscience-driven discovery and development of sleep therapeutics. *Pharmacol Ther* 141: 300–34.

Eckel-Mahan KL, Patel VR, de Mateo S, et al. (2013) Reprogramming of the circadian clock by nutritional challenge. *Cell* 155: 1464–78.

Ellis CM, Monk C, Simmons A, et al. (1999) Functional magnetic resonance imaging neuroactivation studies in normal subjects and subjects with the narcoleptic syndrome. Actions of modafinil. *J Sleep Res* 8: 85–93.

Epstein LJ, Kristo D, Strollo PJ, et al. (2009) Clinical guideline for the evaluation, management and long-term care of obstructive sleep apnea in adults. *J Clin Sleep Med* 5: 263–76.

Erman MK, Seiden DJ, Yang R, et al. (2011) Efficacy and tolerability of armodafinil: effect on clinical condition late in the shift and overall functioning of patients with excessive sleepiness associated with shift work disorder. *J Occup Environ Med* 53: 1460–5.

Froy O (2010) Metabolism and circadian rhythms: implications for obesity. *Endocr Rev* 31: 1–24.

Golombek DA, Casiraghi LP, Agostino PV, et al. (2013) The times they are a-changing: effects of circadian desynchronization on physiology and disease. *J Physiol Paris* 107: 310–22.

Guo X, Zheng L, Wang J, et al. (2013) Epidemiological evidence for the link between sleep duration and high blood pressure: a systematic review and meta-analysis. *Sleep Med* 14: 324–32.

Hampp G, Ripperger JA, Houben T, et al. (2008) Regulation of monoamine oxidase A by circadian-clock components implies influence on mood. *Curr Biol* 18: 678–83.

Harrison EM, Gorman MR (2012) Changing the waveform of circadian rhythms: considerations for shift-work. *Front Neurol* 3: 1–7.

Hart CL, Haney M, Vosburg SK, et al. (2006) Modafinil attenuates disruptions in cognitive performance during simulated night-shift work. *Neuropsychopharmacology* 31: 1526–36.

He B, Peng H, Zhao Y, et al. (2011) Modafinil treatment prevents REM sleep deprivation-induced brain function impairment by increasing MMP-9 expression. *Brain Res* 1426: 38–42.

Hirai N, Nishino S (2011) Recent advances in the treatment of narcolepsy. *Curr Treat Options Neurol* 13: 437–57.

Horne JA, Ostberg O (1976) A self-assessment questionnaire to determine morningness–eveningness in human circadian rhythms. *Int J Chronobiol* 4: 97–100.

Johansson C, Willeit M, Smedh C, et al. (2003) Circadian clock-related polymorphisms in seasonal affective disorder and their relevance to diurnal preference. *Neuropsychopharmacology* 28: 734–9.

Khalsa SB, Jewett ME, Cajochen C, et al. (2003) A phase response curve to single bright light pulses in human subjects. *J Physiol* 549(pt 3): 945–52.

Knudsen S, Biering-Sorensen B, Kornum BR, et al. (2012) Early IVIg treatment has no effect on post-H1N1 narcolepsy phenotype or hypocretin deficiency. *Neurology* 79: 102–3.

Krakow B, Ulibarri VA (2013) Prevalence of sleep breathing complaints reported by treatment-seeking chronic insomnia disorder patients on presentation to a sleep medical center: a preliminary report. *Sleep Breath* 17: 317–22.

Kripke DE, Nievergelt CM, Joo E, et al. (2009) Circadian polymorphisms associated with affective disorders. *J Circadian Rhythms* 27: 2.

Krystal AD, Harsh JR, Yang R et al. (2010) A double-blind, placebo-controlled study of armodafinil for excessive sleepiness in patients with treated obstructive sleep apnea and comorbid depression. *J Clin Psychiatry* 71: 32–40.

Lallukka T, Kaikkonen R, Harkanen T, et al. (2014) Sleep and sickness absence: a nationally representative register-based follow-up study. *Sleep* 37: 1413–25.

Landrigan CP, Rothschild JM, Cronin JW, et al. (2004) Effect of reducing interns work hours on serious medical errors in intensive care units. *New Engl J Med* 351: 1838–48.

Larson-Prior LJ, Ju Y, Galvin JE (2014) Cortical–subcortical interactions in hypersomnia disorders: mechanisms underlying cognitive and behavioral aspects of the sleep–wake cycle. *Front Neurol* 5: 1–13.

Laudon M, Frydman-Marom A (2014) Therapeutic effects of melatonin receptor agonists on sleep and comorbid disorders. *Int J Mol Sci* 15: 15924–50.

Liira J, Verbeek JH, Costa G, et al. (2014) Pharmacological interventions for sleepiness and sleep disturbances caused by shift work. *Cochrane Database Syst Rev* 8: CD009776.

Lim DC, Veasey SC (2010) Neural injury in sleep apnea. *Curr Neurol Neurosci Rep* 10: 47–52.

Liu Y, Wheaton AG, Chapman DP, et al. (2013) Sleep duration and chronic disease among US adults age 45 years and older: evidence from the 2010 behavioral risk factor surveillance system. *Sleep* 36: 1421–7.

Madras BK, Xie Z, Lin Z, et al. (2006) Modafinil occupies dopamine and norepinephrine transporters in vivo and modulates the transporters and trace amine activity in vitro. *J Pharmacol Exp Ther* 319: 561–9.

Makris AP, Rush CR, Frederich RC, Kelly TH (2004) Wake-promoting agents with different mechanisms of action: comparison of effects of modafinil and amphetamine on food intake and cardiovascular activity. *Appetite* 42: 185–95.

Mansour HA, Wood J, Logue T, et al. (2006) Association of eight circadian genes with bipolar I disorder, schizoaffective disorder and schizophrenia. *Genes Brain Behav* 5: 150–7.

Martin JL, Hakim AD (2011) Wrist actigraphy. *Chest* 139: 1514–27.

Masri S, Kinouchi K, Sassone-Corsi P (2015) Circadian clocks, epigenetics, and cancer. *Curr Opin Oncol* 27: 50–6.

Mignot EJM (2012) A practical guide to the therapy of narcolepsy and hypersomnia syndromes. *Neurotherapeutics* 9: 739–52.

Miletic V, Relja M (2011) Restless legs syndrome. *Coll Antropol* 35: 1339–47.

Morgenthaler TI, Kapur VK, Brown T, et al. (2007) Practice parameters for the treatment of narcolepsy and other hypersomnias of central origin. *Sleep* 30: 1705–11.

Morgenthaler TI, Lee-Chiong T, Alessi C, et al. (2007) Practice parameters for the clinical evaluation and treatment of circadian rhythm sleep disorders. *Sleep* 30: 1445–59.

Morrissette DA (2013) Twisting the night away: a review of the neurobiology, genetics, diagnosis, and treatment of shift work disorder. *CNS Spectrums* 18 (Suppl 1): 45–53.

Niervergelt CM, Kripke DF, Barrett TB, et al. (2006) Suggestive evidence for association of circadian genes *PERIOD3* and *ARNTL* with bipolar disorder. *Am J Med Genet B, Neuropsychiatr Genet* 141: 234–41.

Norman D, Haberman PB, Valladares EM (2012) Medical consequences and associations with untreated sleep-related breathing disorders and outcomes of treatments. *J Calif Dent Assoc* 40: 141–9.

O'Donoghue FJ, Wellard RM, Rochford PD, et al. (2012) Magnetic resonance spectroscopy and neurocognitive dysfunction in obstructive sleep apnea before and after CPAP treatment. *Sleep* 35: 41–8.

Ohayon MM (2012) Determining the level of sleepiness in the American population and its correlates. *J Psychiatr Res* 46: 422–7.

Oosterman JE, Kalsbeek A, la Fleur SE, et al. (2015) Impact of nutrition on circadian rhythmicity. *Am J Physiol Regul Integr Comp Physiol* 308: R337–50.

Pail G, Huf W, Pjrek E, et al. (2011) Bright-light therapy in the treatment of mood disorders. *Neuropsychobiology* 64: 152–62.

Palagini L, Biber K, Riemann D (2014) The genetics of insomnia: evidence for epigenetic mechanisms? *Sleep Med Rev* 18: 225–35.

Partonen T, Treutlein J, Alpman A, et al. (2007) Three circadian clock genes *Per2*, *Arntl*, and *Npas2* contribute to winter depression. *Ann Med* 39: 229–38.

Pigeon WR, Pinquart M, Conner K (2012) Meta-analysis of sleep disturbance and suicidal thoughts and behaviors. *J Clin Psychiatry* 73: e1160–7.

Qureshi IA, Mehler MF (2014) Epigenetics of sleep and chronobiology. *Curr Neurol Neurosci Rep* 14: 432.

Rogers RR (2012) Past, present, and future use of oral appliance therapies in sleep-related breathing disorders. *J Calif Dent Assoc* 40: 151–7.

Sangal RB, Thomas L, Mitler MM (1992) Maintenance of wakefulness test and multiple sleep latency test. Measurement of different abilities in patients with sleep disorders. *Chest* 101: 898–902.

Saper CB, Lu J, Chou TC, Gooley J (2005) The hypothalamic integrator for circadian rhythms. *Trends Neurosci* 3: 152–7.

Saper CB, Scammell TE, Lu J (2005) Hypothalamic regulation of sleep and circadian rhythms. *Nature* 437: 1257–63.

Schwartz JRL, Nelson MT, Schwartz ER, Hughes RJ (2004) Effects of modafinil on wakefulness and executive function in patients with narcolepsy experiencing late-day sleepiness. *Clin Neuropharmacol* 27: 74–9.

Severino G, Manchia M, Contu P, et al. (2009) Association study in a Sardinian sample between bipolar disorder and the nuclear receptor REV-ERBalpha gene, a critical component of the circadian clock system. *Bipolar Disord* 11: 215–20.

Soria V, Martinez-Amoros E, Escaramis G, et al. (2010) Differential association of circadian genes with mood disorders: CRY1 and NPAS2 are associated with unipolar major depression and CLOCK and VIP with bipolar disorder. *Neuropsychopharmacology* 35: 1279–89.

Stahl SM (2014) Mechanism of action of tasimelteon in non-24 sleep–wake syndrome: treatment for a circadian rhythm disorder in blind patients. *CNS Spectrums* 19: 475–87.

Stippig A, Hubers U, Emerich M (2015) Apps in sleep medicine. *Sleep Breath* 19: 411–17.

Tafti M, Dauvilliers Y, Overeem S (2007) Narcolepsy and familial advanced sleep-phase syndrome: molecular genetics of sleep disorders. *Curr Opin Genet Dev* 17: 222–7.

Tahara Y, Shibata S (2014) Chrono-biology, chrono-pharmacology, and chrononutrition. *J Pharmacol Sci* 124: 320–35.

Takahashi S, Hong HK, McDearmon EL (2008) The genetic of mammalian circadian order and disorder: implications for physiology and disease. *Nat Rev Genet* 9: 764–75.

Takao T, Tachikawa H, Kawanishi Y, et al. (2007) CLOCK gene *T3111C* polymorphism is associated with Japanese schizophrenics: a preliminary study. *Eur Neuropsychopharmacol* 17: 273–6.

Tarasiuk A, Reuveni H (2013) The economic impact of obstructive sleep apnea. *Curr Opin Pulm Med* 19: 639–44.

Thaiss CA, Zeevi D, Levy M, et al. (2014) Transkingdom control of microbiota diurnal oscillations promotes metabolic homeostasis. *Cell* 159: 514–29.

Thomas RJ, Kwong K (2006) Modafinil activates cortical and subcortical sites in the sleep-deprived state. *Sleep* 29: 1471–81.

Thomas RJ, Rosen BR, Stern CE, Weiss JW, Kwong KK (2005) Functional imaging of working memory in obstructive sleep-disordered breathing. *J Appl Physiol* 98: 2226–34.

Thorpy MJ, Dauvilliers Y (2015) Clinical and practical consideration in the pharmacologic management of narcolepsy. *Sleep Med* 16: 9–18.

Trotti LM, Saini P, Bliwise DL, et al. (2015) Clarithromycin in gamma-aminobutyric acid-related hypersomnolence: a randomized, crossover trial. *Ann Neurol* 78: 454–65.

Trotti LM, Saini P, Freeman AA, et al. (2013) Improvement in daytime sleepiness with clarithromycin in patients with GABA-related hypersomnia: clinical experience. *J Psychopharmacol* 28: 697–702.

Van Someren EJ, Riemersma-Van Der Lek RF (2007) Live to the rhythm, slave to the rhythm. *Sleep Med Rev* 11: 465–84.

Wulff K, Gatti S, Wettstein JG, Foster RG (2010) Sleep and circadian rhythm disruption in psychiatric and neurodegenerative disease. *Nat Rev Neurosci* 11: 589–99.

Zaharna M, Dimitriu A, Guilleminault C (2010) Expert opinion on pharmacotherapy of narcolepsy. *Expert Opin Pharmacother* 11: 1633–45.

Zawilska JB, Skene DJ, Arendt J (2009) Physiology and pharmacology of melatonin in relation to biological rhythms. *Pharmacol Rep* 61: 383–410.

第11章〔注意欠如・多動症（ADHD）〕

Arnsten AFT (2006) Fundamentals of attention deficit/hyperactivity disorder: circuits and pathways. *J Clin*

Psychiatry 67 (Suppl 8): 7–12.

Arnsten AFT (2006) Stimulants: therapeutic actions in ADHD. *Neuropsychopharmacology* 31: 2376–83.

Arnsten AFT (2009) Stress signaling pathways that impair prefrontal cortex structure and function. *Nat Rev Neurosci* 10: 410–22.

Arnsten AFT, Li BM (2005) Neurobiology of executive functions: catecholamine influences on prefrontal cortical functions. *Biol Psychiatry* 57: 1377–84.

Avery RA, Franowicz JS, Phil M, et al. (2000) The alpha 2a adrenoceptor agonist, guanfacine, increases regional cerebral blood flow in dorsolateral prefrontal cortex of monkeys performing a spatial working memory task. *Neuropsychopharmacology* 23: 240–9.

Berridge CW, Devilbiss DM, Andrzejewski ME, et al. (2006) Methylphenidate preferentially increases catecholamine neurotransmission within the prefrontal cortex at low doses that enhance cognitive function. *Biol Psychiatry* 60: 1111–20.

Berridge CW, Shumsky JS, Andrzejewski ME, et al. (2012) Differential sensitivity to psychostimulants across prefrontal cognitive tasks: differential involvement of noradrenergic α_1- and α_2-receptors. *Biol Psychiatry* 71: 467–73.

Biederman J (2004) Impact of comorbidity in adults with attention deficit/hyperactivity disorder. *J Clin Psychiatry* 65 (Suppl 3): 3–7.

Biederman J, Petty CR, Fried R, et al. (2007) Stability of executive function deficits into young adult years: a prospective longitudinal follow-up study of grown up males with ADHD. *Acta Psychiatr Scand* 116: 129–36.

Clerkin SM, Schulz KP, Halperin JM (2009) Guanfacine potentiates the activation of prefrontal cortex evoked by warning signals. *Biol Psychiatry* 66: 307–12.

Cortese S, Adamo N, Del Giovane C, et al. (2018) Comparative efficacy and tolerability of medications for attention deficit hyperactivity disorder in children, adolescents, and adults: a systematic review and network meta-analysis. *Lancet Psychiatry* 5: 727–38.

Easton N, Shah YB, Marshall FH, Fone KC, Marsden CA (2006) Guanfacine produces differential effects in frontal cortex compared with striatum: assessed by phMRI BOLD contrast. *Psychopharmacology* 189: 369–85.

Faraone SV, Biederman J, Spencer T (2006) Diagnosing adult attention deficit hyperactivity disorder: are late onset and subthreshold diagnoses valid? *Am J Psychiatry* 163: 1720–9.

Franke B, Nucgekubu G, Asherson P, et al. (2018) Live fast, die young? A review on the developmental trajectories of ADHD across the lifespan. *Eur Neuropsychopharmacol* 28: 1059–88.

Fusar-Poli P, Rubia K, Rossi G, Sartori G, Balottin U (2012) Striatal dopamine transporter alterations in ADHD: pathophysiology or adaptation to psychostimulants? a meta-analysis. *Am J Psychiatry* 169: 264–72.

Grady M, Stahl SM (2012) A horse of a different color: how formulation influences medication effects. *CNS Spectrums* 17: 63–9.

Hannestad J, Gallezot JD, Planeta-Wilson B, et al. (2010) Clinically relevant doses of methylphenidate significantly occupy norepinephrine transporters in humans in vivo. *Biol Psychiatry* 68: 854–60.

Jakala P, Riekkinen M, Sirvio J, et al. (1999) Guanfacine, but not clonidine, improves planning and working memory performance in humans. *Neuropsychopharmacology* 20: 460–70.

Johnson K, Liranso T, Saylor K, et al. (2020) A phase II double blind placebo controlled efficacy and safety study of SPN-812 (extended release vilaxazine) in children with ADHD. *J Atten Disord* 24: 348–58.

Kessler RC, Adler L, Barkley R (2006) The prevalence and correlates of adult ADHD in the United States: results from the National Comorbidity Survey Replication. *Am J Psychiatry* 163: 716–23.

Kessler RC, Green JG, Adler LA, et al. (2010) Structure and diagnosis of adult attention-deficit/hyperactivity disorder. *Arch Gen Psychiatry* 67: 1168–78.

Kollins SH, McClernon JM, Fuemmeler BF (2005) Association between smoking and attention deficit/hyperactivity disorder symptoms in a population based sample of young adults. *Arch Gen Psychiatry* 62: 1142–7.

Madras BK, Miller GM, Fischman AJ (2005) The dopamine transporter and attention deficit disorder. *Biol Psychiatry* 57: 1397–409.

Matthijssen AFM, Dietrich A, Bierens M, et al. (2019) Continued benefits of methylphenidate in ADHD after 2 years in clinical practice: a randomized placebo-controlled discontinuation study. *Am J Psychiatry* 176: 754–62.

Mattingly G, Anderson RH (2016) Optimizing outcomes of ADHD treatment: from clinical targets to novel delivery systems. *CNS Spectrums* 21: 48–58.

Pinder RM, Brogden RN, Speight TM, et al. (1977) Voloxazine: a review of its pharmacological properties and therapeutic efficacy in depressive illness. *Drugs* 13: 401–21.

Pingault JB, Tremblay RE, Vitaro F, et al. (2011) Childhood trajectories of inattention and hyperactivity and prediction of educational attainment in early adulthood: a 16-year longitudinal population-based study. *Am J Psychiatry* 168: 1164–70.

Seidman LJ, Valera EM, Makris N, et al. (2006) Dorsolateral prefrontal and anterior cingulate cortex volumetric abnormalities in adults with attention-deficit/hyperactivity disorder identified by magnetic resonance imaging. *Biol Psychiatry* 60: 1071–80.

Shaw P, Stringaris A, Nigg J, et al. (2014) Emotion dysregulation in attention deficit hyperactivity disorder. *Am J Psychiatry* 171: 276–93.

Spencer TJ, Biederman J, Madras BK, et al. (2005) In vivo neuroreceptor imaging in attention deficit/hyperactivity disorder: a focus on the dopamine transporter. *Biol Psychiatry* 57: 1293–300.

Spencer TJ, Bonab AA, Dougherty DD, et al. (2012) Understanding the central pharmacokinetics of spheroidal oral drug absorption system (SODAS) dexmethylphenidate:

a positron emission tomography study of dopamine transporter receptor occupancy measured with C-11 altropane. *J Clin Psychiatry* 73: 346–52.

Stahl SM (2009) The prefrontal cortex is out of tune in attention-deficit/hyperactivity disorder. *J Clin Psychiatry* 70: 950–1.

Stahl SM (2009) Norepinephrine and dopamine regulate signals and noise in the prefrontal cortex. *J Clin Psychiatry* 70: 617–18.

Stahl SM (2010) Mechanism of action of stimulants in attention deficit/hyperactivity disorder. *J Clin Psychiatry* 71: 12–13.

Stahl SM (2010) Mechanism of action of α2A-adrenergic agonists in attention-deficit/hyperactivity disorder with or without oppositional symptoms. *J Clin Psychiatry* 71: 223–24.

Steere JC, Arnsten AFT (1997) The alpha 2A noradrenergic receptor agonist guanfacine improves visual object discrimination reversal performance in aged rhesus monkeys. *Behav Neurosci* 111: 883–91.

Surman CBH, Biederman J, Spencer T (2011) Deficient emotional self regulation and adult attention deficit hyperactivity disorder: a family risk analysis. *Am J Psychiatry* 168: 617–23.

Swanson J, Baler RD, Volkow ND (2011) Understanding the effects of stimulant medications on cognition in individuals with attention-deficit hyperactivity disorder: a decade of progress. *Neuropsychopharmacology* 36: 207–26.

Turgay A, Goodman DW, Asherson P, et al. (2012) Lifespan persistance of ADHD: the lift transition model and its application. *J Clin Psychiatry* 73: 192–201.

Turner DC, Clark L, Dowson J, Robbins TW, Sahakian BJ (2004) Modafinil improves cognition and response inhibition in adult attention deficit/hyperactivity disorder. *Biol Psychiatry* 55: 1031–40.

Turner DC, Robbins TW, Clark L, et al. (2003) Cognitive enhancing effects of modafinil in healthy volunteers. *Psychopharmacology* 165: 260–9.

Vaughan BS, March JS, Kratochvil CJ (2012) The evidence-based pharmacological treatment of pediatric ADHD. *Int J Neuropsychopharmacol* 15: 27–39.

Volkow ND, Wong GJ, Kollins SH, et al. (2009) Evaluating dopamine reward pathway in ADHD: Clinical implications. *JAMA* 302: 1084–91.

Wang M, Ramos BP, Paspalas CD, et al. (2007) α2A-Adrenoceptors strengthen working memory networks by inhibiting cAMP-HCN channel signaling in prefrontal cortex. *Cell* 129: 397–410.

Wigal T, Brams M, Gasior M, et al. (2010) Randomized, double-blind, placebo-controlled, crossover study of the efficacy and safety of lisdexamfetamine dimesylate in adults with attention-deficit/hyperactivity disorder: novel findings using a simulated adult workplace environment design. *Behav Brain Funct* 6: 34–48.

Wilens TE (2007) Lisdexamfetamine for ADHD. *Curr Psychiatry* 6: 96–105.

Yang L, Cao Q, Shuai L (2012) Comparative study of OROS-MPH and atomoxetine on executive function improvement in ADHD: a randomized controlled trial. *Int J Neuropsychopharmacol* 15: 15–16.

Zang YF, Jin Z, Weng XC, et al. (2005) Functional MRI in attention deficit hyperactivity disorder: evidence for hypofrontality. *Brain Dev* 27: 544–50.

Zuvekas SH, Vitiello B (2012) Stimulant medication use in children: a 12-year perspective. *Am J Psychiatry* 169: 160–6.

第12章（認知症）とアセチルコリン
神経経路：アセチルコリン

Bacher I, Rabin R, Woznica A, Sacvco KA, George TP (2010) Nicotinic receptor mechanisms in neuropsychiatric disorders: therapeutic implications. *Prim Psychiatry* 17: 35–41.

Fryer AD, Christopoulos A, Nathanson NM (eds.) (2012) *Muscarinic Receptors*. Berlin: Springer-Verlag.

Geldmacher DS, Provenano G, McRae T, et al. (2003) Donepezil is associated with delayed nursing home placement in patients with Alzheimer's disease. *J Am Geriatr Soc* 51: 937–44.

Grothe M, Heinsen H, Teipel SF (2012) Atrophy of the cholinergic basal forebrain over the adult age range and in early states of Alzheimer's disease. *Biol Psychiatry* 71: 805–13.

Hasselmo ME, Sarter M (2011) Nodes and models of forebrain cholinergic neuromodulation of cognition. *Neuropsychopharmacology* 36: 52–73.

Lane RM, Potkin SG, Enz A (2006) Targeting acetylcholinesterase and butyrylcholinesterase in dementia. *Int J Neuropsychopharmacol* 9: 101–24.

Ohta Y, Darwish M, Hishikawa N, et al. (2017) Therapeutic effects of drug switching between acetylcholinesterase inhibitors in patients with Alzheimer's disease. *Geriatr Gerontol Int* 17: 1843–8.

Pepeu G, Giovannini M (2017) The fate of the brain cholinergic neurons in neurodegenerative diseases. *Brain Res* 1670: 173–84.

Tariot PN, Farlow MR, Grossberg GT, et al. (2004) Memantine treatment in patients with moderate to severe Alzheimer's disease already receiving donepezil. *JAMA* 291: 317–24.

食事，運動，遺伝，加齢

Anastasiou CA, Yannakoulia M, Kosmidis MH, et al. (2017) Mediterranean diet and cognitive health: initial results from the Hellenic Longitudinal Investigation of ageing and diet. *PLOS ONE* 12: e0182048.

Aridi YS, Walker JL, Wright ORL (2017) The association between the Mediterranean dietary pattern and cognitive health: a systematic review. *Nutrients* 9: E674.

Ballard C, Khan Z, Clack H, et al. (2011) Nonpharmacological treatment of Alzheimer disease. *Can J Psychiatry* 56: 589–95.

Buchman AS, Boyle PA, Yu L, et al. (2012) Total daily physical activity and the risk of AD and cognitive decline in older adults. *Neurology* 78: 1323–9.

Burmester B, Leathem J, Merrick P (2016) Subjective cognitive complaints and objective cognitive function in aging: a systematic review and meta-analysis of recent cross-sectional findings. *Neuropsychol Rev* 26: 376–93.

Cederholm T (2017) Fish consumption and omega-3 fatty acid supplementation for prevention or treatment of cognitive decline, dementia or Alzheimer's disease in older adults: any news? *Curr Opin Clin Nutr Metab Care* 20: 104–9.

Cepoiu-Martin M, Tam-Tham H, Patten S, et al. (2016) Predictors of long-term care placement in persons with dementia: a systematic review and metaanalysis. *Int J Geriatr Psychiatry* 31: 1151–71.

Ercoli L, Siddarth P, Huang SC, et al. (2006) Perceived loss of memory ability and cerebral metabolic decline in persons with the apolipoprotein E-IV genetic risk for Alzheimer disease. *Arch Gen Psychiatry* 63: 442–8.

Gu Y, Brickman AM, Stern Y, et al. (2015) Mediterranean diet and brain structure in a multiethnic elderly cohort. *Neurology* 85: 1744–51.

Hardman RJ, Kennedy G, Macpherson H, et al. (2016) Adherence to a Mediterranean-style diet and effects on cognition in adults: a qualitative evaluation and systematic review of longitudinal and prospective trials. *Front Nutr* 3: 1–13.

Hinz FI, Geschwind DH (2017) Molecular genetics of neurodegenerative dementias. *Cold Spring Harb Perspect Biol* 9: a023705.

Knight A, Bryan J, Murphy K (2016) Is the Mediterranean diet a feasible approach to preserving cognitive function and reducing risk of dementia for older adults in Western countries? New insights and future directions. *Ageing Res Rev* 25: 85–101.

Kullmann S, Heni M, Hallschmid M, et al. (2016) Brain insulin resistance at the crossroads of metabolic and cognitive disorders in humans. *Physiol Rev* 96: 1169–209.

Larson EB, Wang L, Bowen JD, et al. (2006) Exercise is associated with reduced risk for incident dementia among persons 65 years of age and older. *Ann Intern Med* 144: 73–81.

Lee HS, Park SW, Park YJ (2016) Effects of physical activity programs on the improvement of dementia symptom: a meta-analysis. *Biomed Res Int* 2016: 2920146.

Lee SH, Zabolotny JM, Huang H, et al. (2016) Insulin in the nervous system and the mind: functions in metabolism, memory, and mood. *Mol Metab* 5: 589–601.

Li Y, Sekine T, Funayama M, et al. (2014) Clinicogenetic study of GBA mutations in patients with familial Parkinson's disease. *Neurobiol Aging* 35: 935.e3–8.

Lim SY, Kim EJ, Kim A, et al. (2016) Nutritional factors affecting mental health. *Clin Nutr Res* 5: 143–52.

Marcason W (2015) What are the components of the MIND diet? *J Acad Nutr Diet* 115: 1744.

Matsuzaki T, Sasaki K, Tanizaki Y, et al. (2010) Insulin resistance is associated with the pathology of Alzheimer disease. *Neurology* 75: 764–70.

Ngandu T, Lehtisalo J, Solomon A, et al. (2015) A 2 year multidomain intervention of diet, exercise, cognitive training, and vascular risk monitoring versus control to prevent cognitive decline in at-risk elderly people (FINGER): a randomized controlled trial. *Lancet* 385: 2255–63.

O'Donnell CA, Browne S, Pierce M, et al. (2015) Reducing dementia risk by targeting modifiable risk factors in mid-life: study protocol for the Innovative Midlife Intervention for Dementia Deterrence (In-MINDD) randomized controlled feasibility trial. *Pilot Feasibility Stud* 1: 40.

Olszewska DA, Lonergan R, Fallon EM, et al. (2016) Genetics of frontotemporal dementia. *Curr Neurol Neurosci Rep* 16: 107.

Petersson SD, Philippou E (2016) Mediterranean diet, cognitive function, and dementia: a systematic review of the evidence. *Adv Nutr* 7: 889–904.

Qosa H, Mohamed LA, Batarseh YS, et al. (2015) Extra-virgin olive oil attenuates amyloid-β and tau pathologies in the brains of TgSwD1 mice. *J Nutr Biochem* 26: 1479–90.

Rigacci S (2015) Olive oil phenols as promising multi-targeting agents against Alzheimer's disease. *Adv Exp Med Biol* 863: 1–20.

Rosenberg RN, Lambracht-Washington D, Yu G, et al. (2016) Genomics of Alzheimer disease: a review. *JAMA Neurol* 73: 867–74.

Schellenberg GD, Montine TJ (2012) The genetics and neuropathology of Alzheimer's disease. *Acta Neuropathol* 124: 305–23.

Valenzuela MJ, Matthews FE, Brayne C, et al. for the Medical Research Council Cognitive Function and Ageing Study (2012) Multiple biological pathways link cognitive lifestyle to protection from dementia. *Biol Psychiatry* 71: 783–91.

Yang T, Sun Y, Lu Z, et al. (2017) The impact of cerebrovascular aging on vascular cognitive impairment and dementia. *Ageing Res Rev* 34: 15–29.

Zillox LA, Chadrasekaran K, Kwan JY, et al. (2016) Diabetes and cognitive impairment. *Curr Diab Rep* 16: 1–11.

Alzheimer病，血管性認知症，Lewy小体型認知症，認知症を伴うParkinson病，前頭側頭型認知症，他の認知症，認知症一般

Annus A, Csati A, Vecsei L (2016) Prion diseases: new considerations. *Clin Neurol Neurosurg* 150: 125–32.

Arai T (2014) Significance and limitation of the pathological classification of TDP-43 proteinopathy. *Neuropathology* 34: 578–88.

Arendt T, Steiler JT, Holzer M (2016) Tau and tauopathies. *Brain Res Bull* 126: 238–92.

Asken BM, Sullan MJ, Snyder AR, et al. (2016) Factors influencing clinical correlates of chronic traumatic encephalopathy (CTE): a review. *Neuropsychol Rev* 26: 340–63.

Atri A (2016) Imaging of neurodegenerative cognitive and behavioral disorders: practical considerations for dementia clinical practice. *Handb Clin Neurol* 136: 971–84.

Azizi SA, Azizi SA (2018) Synucleinopathies in neurodegenerative diseases: accomplices, an inside job and selective vulnerability. *Neurosci Lett* 672: 150–2.

Ballard C, Mobley W, Hardy J, Williams G, Corbett A (2016)

Dementia in Down's syndrome. *Lancet Neurol* 15: 622–36.

Ballard C, Ziabreva I, Perry R, et al. (2006) Differences in neuropathologic characteristics across the Lewy body dementia spectrum. *Neurology* 67: 1931–4.

Benskey MJ, Perez RG, Manfredsson FP (2016) The contribution of alpha synuclein to neuronal survival and function: implications for Parkinson's disease. *J Neurochemistry* 137: 331–59.

Bonifacio G, Zamboni G (2016) Brain imaging in dementia. *Postgrad Med J* 92: 333–40.

Boxer AL, Yu JT, Golbe LI, et al. (2017) Advances in progressive supranuclear palsy: new diagnostic criteria, biomarkers, and therapeutic approaches. *Lancet Neurol* 166: 552–63.

Braak H, Del Tredici K, Rub U, et al. (2003) Staging of brain pathology related to sporadic Parkinson's disease. *Neurobiol Aging* 24: 197–211.

Burchell JT, Panegyres PK (2016) Prion diseases: immunotargets and therapy. *ImmunoTargets Ther* 5: 57–68.

Cheung CY, Ikram MK, Chen C, et al. (2017) Imaging retina to study dementia and stroke. *Prog Brain Retinal Eye Res* 57: 89–107.

Chutinet A, Rost NS (2014) White matter disease as a biomarker for long-term cerebrovascular disease and dementia. *Curr Treat Options Cardiovasc Med* 16: 292.

Dugger BN, Dickson DW (2017) Pathology of neurodegenerative diseases. *Cold Springs Harb Perspect Biol* 9: a028035.

Eddy CM, Parkinson EG, Rickards HE (2016) Changes in mental state and behavior in Huntington's disease. *Lancet Psychiatry* 3: 1079–86.

Emre M (2007) Treatment of dementia associated with Parkinson's disease. *Parkinsonism Relat Disord* 13 (Suppl 3): S457–61.

Eusebio A, Koric L, Felician O, et al. (2016) Progressive supranuclear palsy and corticobasal degeneration: diagnostic challenges and clinicopathological considerations. *Rev Neurol (Paris)* 172: 488–502.

Foo H, Mak E, Yong TT (2017) Progression of subcortical atrophy in mild Parkinson's disease and its impact on cognition. *Eur J Neurol* 24: 341–8.

Ford AH (2016) Preventing delirium in dementia: managing risk factors. *Maturitas* 92: 35–40.

Galvin JE (2015) Improving the clinical detection of Lewy body dementia with the Lewy Body Composite Risk Score. *Alzheimers Dement (Amst)* 1: 316–24.

Giri M, Zhang M, Lu Y (2016) Genes associated with Alzheimer's disease: an overview and current status. *Clin Interv Aging* 11: 665–81.

Goetz CG, Emre M, Dubois B (2008) Parkinson's disease dementia: definitions, guidelines, and research perspectives in diagnosis. *Ann Neurol* 64 (Suppl 2): S81–92.

Goodman RA, Lochner KA, Thambisetty M, et al. (2017) Prevalence of dementia subtypes in United States Medicare fee-for-service beneficiaries, 2011-2013. *Alzheimers Dement* 13: 28–37.

Gordon E, Rohrer JD, Fox NC (2016) Advances in neuroimaging in frontotemporal dementia. *J Neurochem* 138 (Suppl 1): 193–210.

Gray SL, Hanlon JT (2016) Anticholinergic medication use and dementia: latest evidence and clinical implications. *Ther Adv Drug Saf* 7: 217–24.

Harper L, Barkhof F, Scheltens P, et al. (2014) An algorithmic approach to structural imaging in dementia. *J Neurol Neurosurg Psychiatry* 85: 692–8.

Hasegawa M, Nonaka T, Masuda-Suzukake M (2017) Prion-like mechanisms and potential therapeutic targets in neurodegenerative disorders. *Pharmacol Ther* 172: 22–33.

Hithersay R, Hamburg S, Knight B, et al. (2017) Cognitive decline and dementia in Down syndrome. *Curr Opin Psychiatry* 30: 102–7.

Huey ED, Putnam KT, Grafman J (2006) A systematic review of neurotransmitter deficits and treatments in frontotemporal dementia. *Neurology* 66: 17–22.

Ince PG, Perry EK, Morris CM (1998) Dementia with Lewy bodies: a distinct non-Alzheimer dementia syndrome? *Brain Pathol* 8: 299–324.

Jellinger KA (2018) Dementia with Lewy bodies and Parkinson's disease-dementia: current concepts and controversies. *J Neural Transm* 125: 615–50.

Jena A, Renjen PN, Taneja S, et al. (2015) Integrated (18) F-fluorodeoxyglucose positron emission tomography magnetic resonance imaging (^{18}F-FDG PET/MRI), a multimodality approach for comprehensive evaluation of dementia patients: a pictorial essay. *Indian J Radiol Imaging* 25: 342–52.

Jennings LA, Palimaru A, Corona MG, et al. (2017) Patient and caregiver goals for dementia care. *Qual Life Res* 26: 685–93.

Johnson BP, Westlake KP (2018) Link between Parkinson disease and rapid eye movement sleep behavior disorder with dream enactment: possible implications for early rehabilitation. *Arch Phys Med Rehab* 99: 410–15.

Kapasi A, DeCarli C, Schneider JA (2017) Impact of multiple pathologies on the threshold for clinically overt dementia. *Acta Neuropathol* 134: 171–86.

Karantzoulis S, Galvin JE (2011) Distinguishing Alzheimer's disease from other major forms of dementia. *Expert Rev Neurother* 11: 1579–91.

Kertesz A, Munoz DG (2002) Frontotemporal dementia. *Med Clin North Am* 86: 501–18.

Knopman DS, Kramer JH, Boeve BF, et al. (2008) Development of methodology for conducting clinical trials in frontotemporal lobar degeneration. *Brain* 131 (Pt 11): 2957–68.

Kobylecki C, Jones M, Thompson JC, et al. (2015) Cognitive-behavioural features of progressive supranuclear palsy syndrome overlap with frontotemporal dementia. *J Neurol* 262: 916–22.

Kolb HC, Andres JI (2017) Tau positron emission tomography

imaging. *Cold Spring Harb Perspect Biol* 9: a023721.

Koronyo Y, Biggs D, Barron E, et al. (2017) Retinal amyloid pathology and proof-of-concept imaging trial in Alzheimer's disease. *JCI Insight* 2: 93621.

Landin-Romero R, Tan R, Hodges HR, et al. (2016) An update on semantic dementia: genetics, imaging, and pathology. *Alz Res Ther* 8: 52.

Levy RH, Collins C (2007) Risk and predictability of drug interactions in the elderly. *Int Rev Neurobiol* 81: 235–51.

Ling H (2016) Clinical approach to progressive supranuclear palsy. *J Mov Disord* 9: 3–13.

Lippmann S, Perugula ML (2016) Delirium or dementia? *Innov Clin Neurosci* 13: 56–7.

Liscic RM, Srulijes K, Groger A, et al. (2013) Differentiation of progressive supranuclear palsy: clinical, imaging and laboratory tools. *Acta Neurol Scand* 127: 361–70.

Llorens F, Karch A, Golanska E, et al. (2017) Cerebrospinal fluid biomarker-based diagnosis of sporadic Creutzfeldt–Jakob disease: a validation study for previously established cutoffs. *Dement Geriatr Cogn Disord* 43: 71–80.

Mackenzie IR, Neumann M (2016) Molecular neuropathology of frontotemporal dementia: insights into disease mechanisms from postmortem studies. *J Neurochem* 138 (Suppl 1): 54–70.

Mackenzie IR, Munoz DG, Kusaka H, et al. (2011) Distinct subtypes of FTLD-FUS. *Acta Neuropathol* 121: 207–18.

Maloney B, Lahiri DK (2016) Epigenetics of dementia: understanding the disease as a transformation rather than a state. *Lancet Neurol* 15: 760–74.

McCarter S, St Louis EK, Boeve BF (2016) Sleep disturbances in frontotemporal dementia. *Curr Neurol Neurosci Rep* 16: 85.

McCleery J, Cohen DA, Sharpley AL (2016) Pharmacotherapies for sleep disturbances in dementia (review). *Cochrane Database Syst Rev* 11: CD009178.

McGirt MJ, Woodworth G, Coon AL, et al. (2005) Diagnosis, treatment, and analysis of long-term outcomes in idiopathic normal-pressure hydrocephalus. *Neurosurgery* 57: 699–705.

McKeith IG, Dickson DW, Lowe J, et al. (2005) Diagnosis and management of dementia with Lewy bodies: third report of the DLB consortium. *Neurology* 65: 1863–72.

Meyer PT, Frings L, Rucker G, et al. (2017) ^{18}F-FDG PET in Parkinsonism: differential diagnosis and evaluation of cognitive impairment. *J Nucl Med* 58: 1888–98.

Michel J-P (2016) Is it possible to delay or prevent age-related cognitive decline? *Korean J Fam Med* 37: 263–6.

Mioshi E, Flanagan E, Knopman D (2017) Detecting change with the CDR-FTLD: differences between FTLD and AD dementia. *Int J Geriatr Psychiatry* 32: 977–82.

Mioshi E, Hsieh S, Savage S, et al. (2010) Clinical staging and disease progression in frontotemporal dementia. *Neurology* 74: 1591–7.

Montenigro PH, Baugh CM, Daneshvar DH, et al. (2014) Clinical subtypes of chronic traumatic encephalopathy: literature review and proposed research diagnostic criteria for traumatic encephalopathy syndrome. *Alz Res Ther* 6: 68.

Nalbandian A, Donkervoort S, Dec E, et al. (2011) The multiple faces of valosin-containing protein-associated diseases: inclusion body myopathy with Paget's disease of bone, frontotemporal dementia, and amyotrophic lateral sclerosis. *J Mol Neurosci* 45: 522–31.

Noe E, Marder K, Bell KL, et al. (2004) Comparison of dementia with Lewy bodies to Alzheimer's disease and Parkinson's disease with dementia. *Movement Disorders* 19: 60–7.

Pandya SY, Clem MA, Silva LM, et al. (2016) Does mild cognitive impairment always lead to dementia? A review. *J Neurol Sci* 369: 58–62.

Paoli RA, Botturi A, Ciammola A, et al. (2017) Neuropsychiatric burden in Huntington's disease. *Brain Sci* 7: 67.

Park HK, Park KH, Yoon B, et al. (2017) Clinical characteristics of parkinsonism in frontotemporal dementia according to subtypes. *J Neurol Sci* 372: 51–6.

Purandare N, Burns A, Morris J, et al. (2012) Association of cerebral emboli with accelerated cognitive deterioration in Alzheimer's disease and vascular dementia. *Am J Psychiatry* 169: 300–8.

Ransohoff RM (2016) How neuroinflammation contributes to neurodegeneration. *Science* 353: 777–83.

Raz L, Knoefel J, Bhaskar K (2016) The neuropathology and cerebrovascular mechanisms of dementia. *J Cereb Blood Flow Metab* 36: 179–86.

Roalf D, Moberg MJ, Turetsky BI, et al. (2017) A quantitative meta-analysis of olfactory dysfunction in mild cognitive impairment. *J Neurol Neurosurg Psychiatry* 88: 226–32.

Sachdeva A, Chandra M, Choudhary M, et al. (2016) Alcohol-related dementia and neurocognitive impairment: a review study. *Int J High Risk Behav Addict* 5: e27976.

Sarro L, Tosakulwong N, Schwarz CG, et al. (2017) An investigation of cerebrovascular lesions in dementia with Lewy bodies compared to Alzheimer's disease. *Alzheimers Dement* 13: 257–66.

Schott JM, Warren JD, Barhof F, et al. (2011) Suspected early dementia. *BMJ* 343: d5568.

Schroek JL, Ford J, Conway EL, et al. (2016) Review of safety and efficacy of sleep medicines in older adults. *Clin Ther* 38: 2340–72.

Schwartz M, Deczkowska A (2016) Neurological disease as a failure of brain-immune crosstalk: the multiple faces of neuroinflammation. *Trends Immunol* 37: 668–79.

Stahl SM (2017) Does treating hearing loss prevent or slow the progress of dementia? Hearing is not all in the ears, but who's listening? *CNS Spectrums* 22: 247–50.

Takada LT, Kim MO, Cleveland RW, et al. (2017) Genetic prion disease: experience of a rapidly progressive dementia center in the United States and a review of the literature. *Am J Med Genet B Neuropsychiatr Genet* 174: 36–69.

Tartaglia MC, Rosen JH, Miller BL (2011) Neuroimaging in dementia. *Neurotherapeutics* 8: 82–92.

Thomas AJ, Attems J, Colloby SJ, et al. (2017) Autopsy validation of ^{123}I-FP-CIT dopaminergic neuroimaging for the diagnosis of DLB. *Neurology* 88: 1–8.

Thomas AJ, Taylor JP, McKeith I, et al. (2017) Development of assessment toolkits for improving the diagnosis of Lewy body dementias: feasibility study within the DIAMOND Lewy study. *Int J Geriatr Psychiatry* 32: 1280–304.

Todd TW, Petrucelli L (2016) Insights into the pathogenic mechanisms of chromosome 9 open reading frame 72 (C9orf72) repeat expansions. *J Neurochem* 138 (Suppl 1): 145–62.

Togo T, Isojima D, Akatsu H, et al. (2005) Clinical features of argyrophilic grain disease: a retrospective survey of cases with neuropsychiatric symptoms. *Am J Geriatr Psychiatry* 13: 1083–91.

Tsai RM, Boxer AL (2016) Therapy and clinical trials in frontotemporal dementia: past, present, and future. *J Neurochem* 138 (Suppl 1): 211–21.

Tyebi S, Hannan AJ (2017) Synaptopathic mechanisms of neurodegeneration and dementia: insights from Huntington's disease. *Prog Neurobiol* 153: 18–45.

Weishaupt JH, Hyman T, Dikic I (2016) Common molecular pathways in amyotrophic lateral sclerosis and frontotemporal dementia. *Trends Mol Med* 22: 769–83.

Wenning GK, Tison F, Seppi K, et al. (2004) Development and validation of the Unified Multiple System Atrophy Rating Scale (UMSARS). *Mov Disord* 19: 1391–402.

Williams DR, Holton JL, Strand C, et al. (2007) Pathological tau burden and distribution distinguishes progressive supranuclear palsy-parkinsonism from Richardson's syndrome. *Brain* 130 (Pt 6): 1566–76.

Wimo A, Guerchet M, Ali GC, et al. (2017) The worldwide costs of dementia 2015 and comparisons with 2010. *Alzheimers Dement* 13: 1–7.

Xu Y, Yang J, Shang H (2016) Meta-analysis of risk factors for Parkinson's disease dementia. *Transl Neurodegen* 5: 1–8.

Yang L, Yan J, Jin X, et al. (2016) Screening for dementia in older adults: comparison of Mini-Mental State Examination, Min-Cog, Clock Drawing Test and AD8. *PLOS ONE* 11: e0168949.

Yang W, Yu S (2017) Synucleinopathies: common features and hippocampal manifestations. *Cell Mol Life Sci* 74: 8466–80.

認知症，記憶，認知機能，アミロイド，Alzheimer病

Albert MS, DeKosky ST, Dickson D, et al. (2011) The diagnosis of mild cognitive impairment due to Alzheimer's disease: recommendations from the National Institute on Aging and Alzheimer's Association Workgroup. *Alzheimers Dement* 7: 270–9.

Arbor SC, LaFontaine M, Cumbay M (2016) Amyloid-beta Alzheimer targets: protein processing, lipid rafts, and amyloid-beta pores. *Yale J Biol Med* 89: 5–21.

Bronzuoli MR, Iacomino A, Steardo L, et al. (2016) Targeting neuroinflammation in Alzheimer's disease. *J Inflamm Res* 9: 199–208.

Cardenas-Aguayo M. del C, Silva-Lucero, M. del C, Cortes-Ortiz M, et al. (2014) Physiological role of amyloid beta in neural cells: the cellular trophic activity. In *Neurochemistry*, Heinbockel T (ed.) InTech Open Access Publisher, doi:10.5772/57398.

Chakraborty A, de Wit NM, van der Flier WM, et al. (2017) The blood brain barrier in Alzheimer's disease. *Vasc Pharmacol* 89: 12–18.

Chetelat G, Villemagne VL, Villain N, et al. (2012) Accelerated cortical atrophy in cognitively normal elderly with high β-amyloid deposition. *Neurology* 78: 477–84.

Citron M (2004) β-Secretase inhibition for the treatment of Alzheimer's disease: promise and challenge. *Trends Pharmacol Services* 25: 92–7.

Clark CM, Schneider JA, Bedell BJ, et al. (2011) Use of florbetapir-PET for imaging β-amyloid pathology. *JAMA* 305: 275–83.

Cummings JL (2011) Biomarkers in Alzheimer's disease drug development. *Alzheimers Dement* 7: e13–44.

Cummings J (2011) Alzheimer's disease: clinical trials and the amyloid hypothesis. *Ann Acad Med Singapore* 40: 304–6.

Deutsch SI, Rosse RB, Deutsch LH (2006) Faulty regulation of tau phosphorylation by the reelin signal transduction pathway is a potential mechanism of pathogenesis and therapeutic target in Alzheimer's disease. *Eur Neuropsychopharmacol* 16: 547–51.

Dickerson BC, Stoub TR, Shah RC, et al. (2011) Alzheimer-signature MRI biomarker predicts AD dementia in cognitively normal adults. *Neurology* 76: 1395–402.

Ewers M, Sperling RA, Klunk WE, Weiner MW, Hampel H (2011) Neuroimaging markers for the prediction and early diagnosis of Alzheimer's disease dementia. *Trends Neurosci* 34: 430–42.

Fajardo VA, Fajardo VA, LeBlanc PJ, et al. (2018) Examining the relationship between trace lithium in drinking water and the rising rates of age-adjusted Alzheimer's disease mortality in Texas. *J Alzheimers Dis* 61: 425–34.

Fleisher AS, Chen K, Liu X, et al. (2011) Using positron emission tomography and florbetapir F 18 to image amyloid in patients with mild cognitive impairment or dementia due to Alzheimer disease. *Arch Neurol* 68: 1404–11.

Forster S, Grimmer T, Miederer I, et al. (2012) Regional expansion of hypometabolism in Alzheimer's disease follows amyloid deposition with temporal delay. *Biol Psychiatry* 71: 792–7.

Gehres SW, Rocha A, Leuzy A, et al. (2016) Cognitive intervention as an early nonpharmacological strategy in Alzheimer's disease: a translational perspective. *Front Aging Neurosci* 8: 1–4.

Gitlin LN, Hodgson NA (2016) Who should assess the needs of and care for a dementia patient's caregiver? *AMA J Ethics* 18: 1171–81.

Godyn J, Jonczyk J, Panek D, et al. (2016) Therapeutic

strategies for Alzheimer's disease in clinical trials. *Pharmacol Rep* 68: 127–38.

Gomar JJ, Bobes-Bascaran MT, Conejero-Goldberg C, et al. (2011) Utility of combinations of biomarkers, cognitive markers, and risk factors to predict conversion from mild cognitive impairment to Alzheimer disease in patients in the Alzheimer's Disease Neuroimaging Initiative. *Arch Gen Psychiatry* 68: 961–9.

Grimmer T, Tholen S, Yousefi BH, et al (2010) Progression of cerebral amyloid load is associated with the apolipoprotein E ε4 genotype in Alzheimer's disease. *Biol Psychiatry* 68: 879–84.

Gurnani AS, Gavett BE (2017) The differential effects of Alzheimer's disease and Lewy body pathology on cognitive performance: a meta-analysis. *Neuropsychol Rev* 27: 1–17.

Harrison JR, Owen MJ (2016) Alzheimer's disease: the amyloid hypothesis on trial. *Br J Psychiatry* 208: 1–3.

Herukka SK, Simonsen AH, Andreasen N, et al. (2017) Recommendations for CSF AD biomarkers in the diagnostic evaluation of MCI. *Alzheimers Dement* 13: 285–95.

Jack CR Jr., Albsert MS, Knopman DS, et al. (2011) Introduction to the recommendations from the National Institute on Aging and the Alzheimer's Association Workgroup on diagnostic guidelines for Alzheimer's disease. *Alzheimers Dement* 7: 257–62.

Jack CR Jr., Lowe VJ, Weigand SD, et al. (2009) Serial PIB and MRI in normal, mild cognitive impairment and Alzheimer's disease: implications for sequence of pathological events in Alzheimer's disease. *Brain* 132: 1355–65.

Jonsson T, Atwal JK, Steinberg S, et al. (2012) A mutation in APP protects against Alzheimer's disease and age-related cognitive decline. *Nature* 488: 96–9.

Kokjohn TA, Maarouf CL, Roher AE (2012) Is Alzheimer's disease amyloidosis a result of a repair mechanism gone astray? *Alzheimers Dement* 8: 574–83.

Kovari E, Herrmann FR, Hof PR, et al. (2013) The relationship between cerebral amyloid angiopathy and cortical microinfarcts in brain ageing and Alzheimer's disease. *Neuropathol Appl Neurobiol* 39: 498–509.

Li Y, Li Y, Li X, et al. (2017) Head injury as a risk factor for dementia and Alzheimer's disease: a systematic review and meta-analysis of 32 observational studies. *PLOS ONE* 12: e0169650.

Lieberman A, Deep A, Shi J, et al. (2018) Downward finger displacement distinguishes Parkinson disease dementia from Alzheimer disease. *Int J Neurosci* 128: 151–4.

Lim JK, Li QX, He Z, et al. (2016) The eye as a biomarker for Alzheimer's disease. *Front Neurosci* 10: 1–14.

MacLeod R, Hillert EK, Cameron RT, et al. (2015) The role and therapeutic targeting of α-, β-, and γ-secretase in Alzheimer's disease. *Future Sci OA* 1: FS011.

Mallik A, Drzezga A, Minoshima S (2017) Clinical amyloid imaging. *Semin Nucl Med* 47: 31–43.

Marciani DJ (2015) Alzheimer's disease vaccine development: a new strategy focusing on immune modulation. *J Neuroimmunol* 287: 54–63.

McKhann GM, Knopman DS, Chertkow H (2011) The diagnosis of dementia due to Alzheimer's disease: recommendations from the National Institute on Aging and the Alzheimer's Association Workgroup. *Alzheimers Dement* 7: 263–9.

Mendiola-Precoma J, Berumen LC, Padilla K, et al. (2016) Therapies for prevention and treatment of Alzheimer's disease. *BioMed Res Int* 2016: 2589276.

Panza F, Solfrizzi V, Seripa D, et al. (2016) Tau-centric targets and drugs in clinical development for the treatment of Alzheimer's disease. *BioMed Res Int* 2016: 3245935.

Pascoal TA, Mathotaarachchi S, Shin M, et al. (2017) Synergistic interaction between amyloid and tau predicts the progression to dementia. *Alzheimers Dement* 13: 644–53.

Rabinovici GD, Rosen HJ, Alkalay A, et al. (2011) Amyloid vs. FDG-PET in the differential diagnosis of AD and FTLD. *Neurology* 77: 2034–42.

Rapp MA, Schnaider-Beeri M, Grossman HT, et al. (2006) Increased hippocampal plaques and tangles in patients with Alzheimer disease with a lifetime history of major depression. *Arch Gen Psychiatry* 63: 161–7.

Reisberg B, Doody R, Stöffle A, et al. (2003) Memantine in moderate-to-severe Alzheimer's disease. *New Engl J Med* 348: 1333–41.

Ritter AR, Leger GC, Miller JB, et al. (2017) Neuropsychological testing in pathologically verified Alzheimer's disease and frontotemporal dementia. *Alzheimer Dis Assoc Disord* 31: 187–91.

Rodrigue KM, Kennedy KM, Devous MD Sr., et al. (2012) B-Amyloid burden in healthy aging. Regional distribution and cognitive consequences. *Neurology* 78: 387–95.

Ruthirakuhan M, Herrmann N, Seuridjan I, et al. (2016) Beyond immunotherapy: new approaches for disease modifying treatments for early Alzheimer's disease. *Expert Opin Pharmacother* 17: 2417–29.

Sabbagh MN, Schauble B, Anand K, et al. (2017) Histopathology and florbetaben PET in patients incorrectly diagnosed with Alzheimer's disease. *J Alzheimers Dis* 56: 441–6.

Scheinin NM, Aalto S, Kaprio J, et al. (2011) Early detection of Alzheimer disease. *Neurology* 77: 453–60.

Sharma N, Singh AN (2016) Exploring biomarkers for Alzheimer's disease. *J Clin Diag Res* 10: KE01–06.

Simonsen AH, Herukka SK, Andreasen N, et al. (2017) Recommendations for CSF AD biomarkers in the diagnostic evaluation of dementia. *Alzheimers Dement* 13: 285–95.

Sperling RA, Aisen PS, Beckett LA, et al. (2011) Toward defining the preclinical stages of Alzheimer's disease: recommendations from the National Institute on Aging and the Alzheimer's Association Workgroup. *Alzheimers Dement* 7: 280–92.

Spies PE, Claasen JA, Peer PG, et al. (2013) A prediction model to calculate probability of Alzheimer's disease using cerebrospinal fluid biomarkers. *Alzheimers Dement* 9: 262–8.

Spies PE, Verbeek MM, van Groen T, et al. (2012) Reviewing reasons for the decreased CSF Abeta42 concentration in Alzheimer disease. *Front Biosci (Landmark Ed)* 17: 2024–34.

Spira AP, Gottesman RF (2017) Sleep disturbance: an emerging opportunity for Alzheimer's disease prevention? *Int Psychogeriatr* 29: 529–31.

Tarawneh R, Holtzman DM (2012) The clinical problem of symptomatic Alzheimer disease and mild cognitive impairment. *Cold Spring Harbor Perspect Med* 2: a006148.

Tariot PN, Aisen PS (2009) Can lithium or valproate untie tangles in Alzheimer's disease? *J Clin Psychiatry* 70: 919–21.

Uzun S, Kozumplik O, Folnegovic-Smalc V (2011) Alzheimer's dementia: current data review. *Coll Antropol* 35: 1333–7.

Venkataraman A, Kalk N, Sewell G, et al. (2017) Alcohol and Alzheimer's disease: does alcohol dependence contribute to beta-amyloid deposition, neuroinflammation and neurodegeneration in Alzheimer's disease? *Alcohol Alcoholism* 52: 151–8.

Villemagne VL, Doré V, Bourgeat P, et al. (2017) Aβ-amyloid and tau imaging in dementia. *Semin Nucl Med* 47: 75–88.

Wagner M, Wolf S, Reischies FM, et al. (2012) Biomarker validation of a cued recall memory deficit in prodromal Alzheimer disease. *Neurology* 78: 379–86.

Weintraub S, Wicklund AH, Salmon DP (2012) The neuropsychological profile of Alzheimer disease. *Cold Spring Harb Perspect Med* 2 :a006171.

Williams MM, Xiong C, Morris JC, Galvin JE (2006) Survival and mortality differences between dementia with Lewy bodies vs. Alzheimer's disease. *Neurology* 67: 1935–41.

Wishart HA, Saykin AJ, McAllister TW, et al. (2006) Regional brain atrophy in cognitively intact adults with a single APOE ε4 allele. *Neurology* 67: 1221–4.

Wolk DA, Grachev ID, Buckley C, et al. (2011) Association between in vivo fluorine 18-labeled flutemetamol amyloid positron emission tomography imaging and in vivo cerebral cortical histopathology. *Arch Neurol* 68: 1398–403.

Yaffe K, Tocco M, Petersen RC, et al. (2012) The epidemiology of Alzheimer's disease: laying the foundation for drug design, conduct, and analysis of clinical trials. *Alzheimers Dement* 8: 237–42.

Yan R (2016) Stepping closer to treating Alzheimer's disease patients with BACE1 inhibitor drugs. *Transl Neurodegen* 5: 13.

Yeh HL, Tsai SJ (2008) Lithium may be useful in the prevention of Alzheimer's disease in individuals at risk of presenile familial Alzheimer's disease. *Med Hypotheses* 71: 948–51.

認知症の行動症状

Alexopoulos GS (2003) Role of executive function in late life depression. *J Clin Psychiatry* 64 (Suppl 14): 18–23.

Ballard C, Oyebode F (1995) Psychotic symptoms in patients with dementia. *Int J Geriatr Psychiatry* 10: 743–52.

Ballard C, Neill D, O'Brien J, et al. (2000) Anxiety, depression and psychosis in vascular dementia: prevalence and associations. *J Affect Disord* 59: 97–106.

Bao AM, Meynen G, Swaab DF (2008) The stress system in depression and neurodegeneration: focus on the human hypothalamus. *Brain Res Rev* 57: 531–53.

Barnes DE, Yaffe K, Byers AL, et al. (2012) Midlife vs. late-life depressive symptoms and risk of dementia. *Arch Gen Psychiatry* 6: 493–8.

Bassetti CL, Bargiotas P (2018) REM sleep behavior disorder. *Front Neurol Neurosci* 41: 104–16.

Bennett S, Thomas AJ (2014) Depression and dementia: cause, consequence or coincidence? *Maturita* 79:184–90.

Buoli M, Serati M, Caldiroli A, et al. (2017) Pharmacological management of psychiatric symptoms in frontotemporal dementia: a systematic review. *J Geriatr Psychiatry* 30: 162–9.

Burns A, Jacoby R, Levy R (1990) Psychiatric phenomena in Alzheimer's disease. II: disorders of perception. *Br J Psychiatry* 157: 76–81, 92–4.

Canevelli M, Valleta M, Trebbastoni A, et al. (2016) Sundowning in dementia: clinical relevance, pathophysiological determinants, and therapeutic approaches. *Front Med (Lausanne)* 3: 73.

Caraci F, Copani A, Nicoletti F, et al. (2010) Depression and Alzheimer's disease: neurobiological links and common pharmacological targets. *Eur J Pharmacol* 626: 64–71.

Cohen-Mansfield J, Billig N (1986) Agitated behaviors in the elderly. I. A conceptual review. *J Am Geriatr Soc* 34: 711–21.

Corcoran C, Wong ML, O'Keane V (2004) Bupropion in the management of apathy. *J Psychopharm* 18: 133–5.

Cummings J, Kohegyi E, Mergel V, et al. (2018) Efficacy and safety of flexibly dosed brexpiprazole for the treatment of agitation in Alzheimer type dementia: a randomized, double blind fixed dose 12 week placebo controlled global clinical trial. Abstract for the American Association of Geriatric Psychiatry, Honolulu, Hawaii.

Cummings JL, Lyketsos CG, Peskind ER, et al. (2015) Effect of dextromethorphan–quinidine on agitation in patients with Alzheimer's disease dementia: a randomized clinical trial. *JAMA* 314: 1242–54.

Dennis M, Shine L, John A, et al. (2017) Risk of adverse outcomes for older people with dementia prescribed antipsychotic medication: a population based e-cohort study. *Neurol Ther* 6: 57–77.

Ducharme S, Price BH, Dickerson BC (2018) Apathy: a neurocircuitry model based on frontotemporal dementia. *J Neural Neurosurg Psychiatry* 89: 389–96.

Evan C, Weintraub D (2010) Case for and against specificity of depression in Alzheimer's disease. *Psychiatry Clin Neurosci* 64: 358–66.

Farina N, Morrell L, Banerjee S (2017) What is the therapeutic value of antidepressants in dementia? A narrative review. *Geriatr Psychiatry* 32: 32–49.

Fernandez-Matarrubia M, Matias-Guiu JA, Cabrera-Martin MN, et al. (2018) Different apathy clinical profile and neural correlates in behavioral variant frontotemporal dementia and Alzheimer's disease. *Int J Geriatr Psychiatry* 33: 141–50.

Fernandez-Matarrubia M, Matias-Guiu JA, Moreno-Ramos T, et al. (2016) Validation of the Lille's Apathy Rating Scale in very mild to moderate dementia. *Am J Geriatr Psychiatry* 24: 517–27.

Ford AH, Almeida OP (2017) Management of depression in patients with dementia: is pharmacological treatment justified? *Drugs Aging* 34: 89–95.

Fraker J, Kales HC, Blazek M (2014) The role of the occupational therapist in the management of neuropsychiatric symptoms of dementia in clinical settings. *Occup Ther Health Care* 28: 4–20.

Frakey LL, Salloway S, Buelow M, Malloy P (2012) A randomized, double-blind, placebo-controlled trial of modafinil for the treatment of apathy in individuals with mild-to-moderate Alzheimer's disease. *J Clin Psychiatry* 73: 796–801.

Garay RP, Grossberg GT (2017) AVP-786 for the treatment of agitation in dementia of the Alzheimer's type. *Expert Opin Invest Drugs* 26: 121–32.

Geerlings MI, den Hijer T, Koudstaal PJ, et al. (2008) History of depression, depressive symptoms, and medial temporal lobe atrophy and the risk of Alzheimer's disease. *Neurology* 70: 1258–64.

Gessing LV, Sondergard L, Forman JL, et al. (2009) Antidepressants and dementia. *J Affect Disord* 117: 24–9.

Goldman JG, Holden S (2014) Treatment of psychosis and dementia in Parkinson's disease. *Curr Treat Options Neurol* 16: 281.

Goodarzi Z, Mele B, Guo S, et al. (2016) Guidelines for dementia or Parkinson's disease with depression or anxiety: a systematic review. *BMC Neurol* 16(1): 244.

Grossberg G, Kohegyi E, Amatniek J, et al. (2018) Efficacy and safety of fixed dose brexpiprazole for the treatment of agitation in Alzheimer type dementia: a randomized, double blind fixed dose 12-week placebo controlled global clinical trial. Abstract for the American Association of Geriatric Psychiatry, Honolulu, Hawaii.

Hackshell U, Burstein ES, McFarland K, et al. (2014) On the discovery and development of pimavanserin: a novel drug candidate for Parkinson's disease. *Neurochem Res* 39: 2008–17.

Hongiston K, Hallikainen I, Seldander T, et al. (2018) Quality of life in relation to neuropsychiatric symptoms in Alzheimer's disease: 5-year prospective ALSOVA cohort study. *Int J Geriatr Psychiatry* 33: 47–57.

Jack Jr. CR, Wiste HJ, Weigland SD, et al. (2017) Defining imaging biomarker cut point for brain aging and Alzheimer's disease. *Alzheimers Dement* 13: 205–16.

Johnson DK, Watts AS, Chapin BA, et al. (2011) Neuropsychiatric profiles in dementia. *Alzheimer Dis Assoc Disord* 25: 326–32.

Kales, HC, Kim HM, Zivin K, et al. (2012) Risk of mortality among individual antipsychotics in patients with dementia. *Am J Psychiatry* 169: 71–9.

Kales HC, Lyketsos CG, Miller EM, et al. (2019) Management of behavioral and psychological symptoms in people with Alzheimer's disease: an international Delphi consensus. *Int Psychogeriatr* 31: 83–90.

Kok RM, Reynolds CF (2017) Management of depression in older adults: a review. *JAMA* 317: 2114–22.

Kong EH (2005) Agitation in dementia: concept clarification. *J Adv Nurs* 52: 526–36.

Kumfor F, Zhen A, Hodges JR, et al. (2018) Apathy in Alzheimer's disease and frontotemporal dementia: distinct clinical profiles and neural correlates. *Cortex* 103: 350–9.

Lanctot KL, Amatniek J, Ancoli-Israel S, et al. (2017) Neuropsychiatric signs and symptoms of Alzheimer's disease: new treatment paradigms. *Alzheimers Dement (NY)* 3: 440–9.

Lee GJ, Lu PH, Hua X, et al. (2012) Depressive symptoms in mild cognitive impairment predict greater atrophy in Alzheimer's disease-related regions. *Biol Psychiatry* 71: 814–21.

Leroi I, Voulgari A, Breitner JC, et al. (2003) The epidemiology of psychosis in dementia. *Am J Geriatr Psychiatry* 11: 83–91.

Lochhead JD, Nelson MA, Maguire GA (2016) The treatment of behavioral disturbances and psychosis associated with dementia. *Psychiatr Pol* 50: 311–22.

Lopez OL, Becker JT, Sweet RA, et al. (2003) Psychiatric symptoms vary with the severity of dementia in probable Alzheimer's disease. *J Neuropsychiatry Clin Neurosci* 15: 346–53.

Lyketsos CG, Carillo MC, Ryan JM, et al. (2011) Neuropsychiatric symptoms in Alzheimer's disease. *Alzheimers Dement* 7: 532–9.

Lyketsos CG, Lopez O, Jones B, et al. (2002) Prevalence of neuropsychiatric symptoms in dementia and mild cognitive impairment: results from the cardiovascular health study. *JAMA* 288: 1475–83.

Lyketsos CG, Steinberg M, Tschanz JT, et al. (2000) Mental and behavioral disturbances in dementia: findings from the Cache County Study on memory in aging. *Am J Psychiatry* 157: 704–7.

Macfarlane S, O'Connor D (2016) Managing behavioural and psychological symptoms in dementia. *Aust Prescr* 39: 123–5.

Marin RS, Fogel BS, Hawkins J, et al. (1995) Apathy: a treatable symptom. *J Neuropsychiatry* 7: 23–30.

Maust DT, Kim HM, Seyfried LS, et al. (2015) Antipsychotics, other psychotropics, and the risk of death in patients with dementia: number needed to harm. *JAMA Psychiatry* 72: 438–45.

Moraros J, Nwankwo C, Patten SB, et al. (2017) The association of antidepressant drug usage with cognitive impairment or dementia, including Alzheimer disease: a systematic review and meta-analysis. *Depress Anxiety* 34: 217–26.

Mossello E, Boncinelli M, Caleri V, et al. (2008) Is antidepressant treatment associated with reduced cognitive decline in Alzheimer's disease? *Dement Geriatr Cogn Disord* 25: 372–9.

Norgaard A, Jensen-Dahm C, Gasse C, et al. (2017) Psychotropic polypharmacy in patients with dementia: prevalence and predictors. *J Alz Dis* 56: 707–16.

O'Gorman C (2020) Advance 1 phase 2/3 trial of AXS-05 in Alzheimer's disease agitation, personal communication.

Porsteinsson AP, Antonsdottir IM (2017) An update on the advancements in the treatment of agitation in Alzheimer's disease. *Expert Opin Pharmacother* 18: 611–20.

Preuss UW, Wong JW, Koller G (2016) Treatment of behavioral and psychological symptoms of dementia: a systematic review. *Psychiatr Pol* 50: 679–715.

Rosenberg PB, Nowrangi MA, Lyketsos CG (2015) Neuropsychiatric symptoms in Alzheimer's disease: what might be associated brain circuits? *Mol Aspects Med* 43–44: 25–37.

Sadowsky CH, Galvin JE (2012) Guidelines for the management of cognitive and behavioral problems in dementia. *J Am Board Fam Med* 25: 350–66.

Schneider LS, Dagerman KS, Insel P (2005) Risk of death with atypical antipsychotic drug treatment for dementia. *JAMA* 294: 1935–43.

Siever LJ (2008) Neurobiology of aggression and violence. *Am J Psychiatry* 165: 429–42.

Sink KM, Holden KF, Yaffe K (2005) Pharmacological treatment of neuropsychiatric symptoms of dementia. *JAMA* 293: 596–608.

Stahl SM (2016) Parkinson's disease psychosis as a serotonin-dopamine imbalance syndrome. *CNS Spectrums* 21: 271–5.

Stahl SM (2016) Mechanism of action of pimavanserin in Parkinson's disease psychosis: targeting serotonin $5HT_{2A}$ and $5HT_{2C}$ receptors. *CNS Spectrums* 21: 271–5.

Stahl SM (2018) New hope for Alzheimer's dementia as prospects for disease modification fade: symptomatic treatments for agitation and psychosis. *CNS Spectrums* 23: 291–7.

Stahl SM, Morrissette DA, Cummings M, et al. (2014) California State Hospital violence assessment and treatment (Cal-VAT) guidelines. *CNS Spectrums* 19: 449–65.

Torrisi M, Cacciola A, Marra A, et al. (2017) Inappropriate behaviors and hypersexuality in individuals with dementia: an overview of a neglected issue. *Geriatr Gerontol Int* 17: 865–74.

Tsuno N, Homma A (2009) What is the association between depression and Alzheimer's disease? *Exp Rev Neurother* 9: 1667–76.

Van der Linde RM, Dening T, Stephan BC, et al. (2016) Longitudinal course of behavioural and psychological symptoms of dementia: systematic review. *Br J Psychiatry* 209: 366–77.

Van der Spek K, Gerritsen DL, Smallbrugge M, et al. (2016) Only 10% of the psychotropic drug use for neuropsychiatric symptoms in patients with dementia is fully appropriate: the PROPER I-study. *Int Psychogeriatr* 28: 1589–95.

Vigen CLP, Mack WJ, Keefe RSE, et al. (2011) Cognitive effects of atypical antipsychotic medications in patients with Alzheimer's disease: outcomes from CATIE-AD. *Am J Psychiatry* 168: 831–9.

Volicer L, Citrome L, Volavka J (2017) Measurement of agitation and aggression in adult and aged neuropsychiatric patients: review of definitions and frequently used measurement scales. *CNS Spectrums* 22: 407–14.

Wisniewski T, Drummond E (2016) Developing therapeutic vaccines against Alzheimer's disease. *Expert Rev Vaccines* 15: 401–15.

Wuwongse S, Chang RC, Law AC (2010) The putative neurodegenerative links between depression and Alzheimer's disease. *Prog Neurobiol* 92: 362–75.

Zhang Y, Cai J, An L, et al. (2017) Does music therapy enhance behavioral and cognitive function in elderly dementia patients? A systematic review and metaanalysis. *Ageing Res Rev* 35: 1–11.

第13章（衝動性，強迫性，および嗜癖）

強迫症（OCD）

Bloch MH, Wasylink S, Landeros A, et al. (2012) Effects of ketamine in treatment refractory obsessive compulsive disorder. *Biol Psychiatry* 72: 964–70.

Chamberlain SR, Menzies L, Hampshire A, et al. (2008) Orbitofrontal dysfunction in patients with obsessive-compulsive disorder and their unaffected relatives. *Science* 321: 421–2.

Dougherty DD, Brennan BP, Stewart SE, et al. (2018) Neuroscientifically informed formulation and treatment planning for patients with obsessive compulsive disorder: a review. *JAMA Psychiatry* 75: 1081–7.

Fineberg NA, Potenza MN, Chamberlain SR, et al. (2010) Probing compulsive and impulsive behaviors, from animal models to endophenotypes: a narrative review. *Neuropsychopharmacology* 35: 591–604.

Gillan CM, Papmeyer M, Morein-Zamir S, et al. (2011) Disruption in the balance between goal-directed behavior and habit learning in obsessive–compulsive disorder. *Am J Psychiatry* 168: 719–26.

Greenberg BD, Malone DA, Friehs GM, et al. (2006) Three year outcomes in deep brain stimulation for highly resistant obsessive–compulsive disorder. *Neuropsychopharmacology* 31: 2384–93.

Greenberg BD, Rauch SL, Haber SN (2010) Invasive circuitry-based neurotherapeutics: stereotactic ablation and deep brain stimulation for OCD. *Neuropsychopharmacology* 35: 317–36.

Greeven A, van Balkom AJLM, van Rood YR, van Oppen P, Spinhoven P (2006) The boundary between hypochondriasis and obsessive–compulsive disorder: a cross-sectional study from the Netherlands. *J Clin Psychiatry* 67: 1682–9.

Kisely S, Hall K, Siskind D, et al. (2014) Deep brain stimulation for obsessive compulsive disorder: a systematic review and meta analysis. *Psychol Med* 44: 3533–42.

Menzies L, Chamberlain SR, Laird AR, et al. (2008) Integrating evidence from neuroimaging and neuropsychological studies of obsessive–compulsive disorder: the orbito-fronto-striatal model revisited. *Neurosci Biobehav Rev* 32:

525–49.

Milad MR, Rauch SL (2012) Obsessive–compulsive disorder: beyond segregated cortico-striatal pathways. *Trends Cogn Sci* 16: 43–51.

Rasmussen SA, Noren G, Greenberg BD (2018) Gamma ventral capsulotomy in intractable obsessive–compulsive disorder. *Biol Psychiatry* 84: 355–64.

Richter MA, de Jesus DR, Hoppenbrouwers S, et al. (2012) Evidence for cortical inhibitory and excitatory dysfunction in obsessive compulsive disorder. *Neuropsychopharmacology* 37: 1144–51.

Wilhelm S, Buhlmann U, Tolin DF (2008) Augmentation of behavior therapy with D-cycloserine for obsessive compulsive disorder. *Am J Psychiatry* 165: 335–41.

Yin D, Zhang C, Lv Q, et al. (2018) Dissociable frontostriatal connectivity: mechanism and predictor of the clinical efficacy of capsulotomy in obsessive compulsive disorder. *Biol Psychiatry* 84: 926–36.

薬物乱用：全般

Bedi G (2018) 3, 4-Methylenedioxymethamphetamine as a psychiatric treatment. *JAMA Psychiatry* 75: 419–20.

Clark L, Robbins TW, Ersche KD, Sahakian BJ (2006) Reflection impulsivity in current and former substance users. *Biol Psychiatry* 60: 515–22.

Dalley JW, Everitt BJ (2009) Dopamine receptors in the learning, memory and drug reward circuitry. *Semin Cell Dev Biol* 20: 403–10.

Ersche KD, Turton AJ, Pradhan S, Bullmore ET, Robbins TW (2010) Drug addiction endophenotypes: impulsive versus sensation-seeking personality traits. *Biol Psychiatry* 68: 770–3.

Field M, Marhe R, Franken I (2014) The clinical relevance of attentional bias in substance use disorders. *CNS Spectrums* 19: 225–30.

Haber SN, Knutson B (2010) The reward circuit: linking primate anatomy and human imaging. *Neuropsychopharmacology* 35: 4–26.

Koob GF, Le Moal M (2008) Addiction and the brain antireward system. *Ann Rev Psychol* 59: 29–53.

Koob GF, Volkow ND (2010) Neurocircuitry of addiction. *Neuropsychopharmacology* 35: 217–38.

Mandyam CD, Koob GF (2012) The addicted brain craves new neurons: putative role for adult-born progenitors in promoting recovery. *Trends Neurosci* 35: 250–60.

Nestler EJ (2005) Is there a common molecular pathway for addiction? *Nat Neurosci* 11: 1445–9.

Nutt DJ, Hughes AL, Erritzoe D, et al. (2015) The dopamine theory of addiction: 40 years of highs and lows. *Nat Rev Neurosci* 16: 305–22.

Schneider S, Peters J, Bromberg U, et al. (2012) Risk taking and the adolescent reward system: a potential common link to substance abuse. *Am J Psychiatry* 169: 39–46.

Solway A, Gu X, Montague PR (2017) Forgetting to be addicted: reconsolidation and the disconnection of things past. *Biol Psychiatry* 82: 774–5.

Volkow ND, Wang GJ, Fowler JS, Tomasi D, Telang F (2011) Addiction: beyond dopamine reward circuitry. *Proc Natl Acad Sci USA* 108: 15037–42.

薬物乱用：アルコール

Anton RF, O'Malley SS, Ciraulo DA, et al. (2006) Combined pharmacotherapies and behavioral interventions for alcohol dependence. The combine study: a randomized controlled trial. *JAMA* 295: 2003–17.

Anton RF, Pettinati H, Zweben A, et al. (2004) A multi site dose ranging study of nalmefene in the treatment of alcohol dependence. *J Clin Psychopharmacol* 24: 421–8.

Braus DH, Schumann G, Machulla HJ, Bares R, Mann K (2005) Correlation of stable elevations in striatal μ-opioid receptor availability in detoxified alcoholic patients with alcohol craving. A positron emission tomography study using carbon 11-labeled carfentanil. *Arch Gen Psychiatry* 62: 57–64.

Crevecoeur D, Cousins SJ, Denering L, et al. (2018) Effectiveness of extended release naltrexone to reduce alcohol cravings and use behaviors during treatment and at follow-up. *J Subst Abuse Treat* 85: 105–8.

Dahchour A, DeWitte P (2003) Effects of acamprosate on excitatory amino acids during multiple ethanol withdrawal periods. *Alcohol Clin Exp Res* 3: 465–70.

Dakwar E, Levin F, Hart CL, et al. (2020) A single ketamine infusion combined with motivational enhancement therapy for alcohol use disorder: a randomized midazolam controlled pilot study. *Am J Psychiatry* 172: 125–33.

DeWitte P (2004) Imbalance between neuroexcitatory and neuroinhibitory amino acids causes craving for ethanol. *Addict Behav* 29: 1325–39.

DeWitte P, Littleton J, Parot P, Koob G (2005) Neuroprotective and abstinence-promoting effects of acamprosate. Elucidating the mechanism of action. *CNS Drugs* 6: 517–37.

Garbutt JC, Kranzler HR, O'Malley SS, et al. (2005) Efficacy and tolerability of long-acting injectable naltrexone for alcohol dependence. A randomized controlled trial. *JAMA* 293: 1617–25.

Kiefer F, Wiedemann K (2004) Combined therapy: what does acamprosate and naltrexone combination tell us? *Alcohol Alcohol* 39: 542–7.

Kiefer F, Jahn H, Tarnaske T, et al. (2003) Comparing and combining naltrexone and acamprosate in relapse prevention of alcoholism. *Arch Gen Psychiatry* 60: 92–9.

Mann K, Bladstrom A, Torup T, et al. (2013) Extending the treatment options in alcohol dependence: a randomized controlled study of as-needed nalmefene. *Biol Psychiatry* 73: 706–13.

Martinez D, Gil R, Slifstein M, et al. (2005) Alcohol dependence is associated with blunted dopamine transmission in the ventral striatum. *Biol Psychiatry* 58: 779–86.

Mason BJ (2003) Acamprosate and naltrexone treatment for alcohol dependence: an evidence-based risk-benefits assessment. *Eur Neuropsychopharmacol* 13: 469–75.

Mason BJ (2005) Acamprosate in the treatment of alcohol dependence. *Expert Opin Pharmacother* 6: 2103–15.

Mason BJ, Goodman AM, Chabac S, Lehert P (2006) Effect of oral acamprosate on abstinence in patients with alcohol dependence in a double-blind, placebo-controlled trial: the role of patient motivation. *J Psychiatr Res* 40: 382–92.

Netzeband JG, Gruol DL (1995) Modulatory effects of acute ethanol on metabotropic glutamate responses in cultured Purkinje neurons. *Brain Res* 688: 105–13.

O'Brien CO (2015) In treating alcohol use disorders, why not use evidence-based treatment? *Am J Psychiatry* 172: 305–7.

Palpacuer C, Duprez R, Huneau A, et al. (2017) Pharmacologically controlled drinking in the treatment of alcohol dependence or alcohol use disorders: a systematic review with direct and network meta analyses on nalmefene, naltrexone, acamprosate, baclofen and topiramate. *Addiction* 113: 220–37.

Petrakis IL, Poling J, Levinson C (2005) Naltrexone and disulfiram in patients with alcohol dependence and comorbid psychiatric disorders. *Biol Psychiatry* 57: 1128–37.

Pettinati HM, O'Brien CP, Rabinowitz AR (2006) The status of naltrexone in the treatment of alcohol dependence. Specific effects on heavy drinking. *J Clin Psychopharmacol* 26: 610–25.

Roozen HG, de Waart R, van der Windt DAW, et al. (2005) A systematic review of the effectiveness of naltrexone in the maintenance treatment of opioid and alcohol dependence. *Eur Neuropsychopharmacol* 16: 311–23.

Smith-Bernardin S, Rowe C, Behar E, et al. (2018) Low threshold extended release naltrexone for high utilizers of public services with severe alcohol use disorder: a pilot study. *J Subst Abuse Treat* 85: 109–15.

Soyka M (2014) Nalmefene for the treatment of alcohol dependence: a current update. *Int J Neuropsychopharmacol* 17: 675–84.

Van Amsterdam J, van den Brink W (2013) Reduced risk drinking as a viable treatment goal in problematic alcohol use and alcohol dependence. *J Psychopharmacol* 27: 987–97.

Wiers CE, Stelzel C, Gladwin TE, et al. (2015) Effects of cognitive bias modification training on neural alcohol cue reactivity in alcohol dependence. *Am J Psychiatry* 172: 334–43.

薬物乱用：大麻

Black N, Stockings E, Campbell G, et al. (2019) Cannabinoids for the treatment of mental disorders and symptoms of mental disorders: a systematic review and meta analysis. *Lancet Psychiatry* 6: 995–1010.

Haney M, Hill MN (2018) Cannabis and cannabinoids: from synapse to society. *Neuropsychopharm Rev* 43: 1–212.

Hindley G, Beck K, Borgan B (2020) Psychiatric symptoms caused by cannabis constituents: a systematic review and meta-analysis. *Lancet Psychiatry* 7: 344–53.

Hines LA, Freeman TP, Gage SH, et al. (2020) Association of high potency cannabis use with mental and substance use in adolescence. *JAMA Psychiatry* 77: 1044–51.

Hurd YL, Spriggs S, Alishayev J, et al. (2019) Cannabidiol for the reduction of cue-induced craving and anxiety in drug abstinent individuals with heroin use disorder: a double blind randomized placebo controlled trial. *Am J Psychiatry* 176: 911–22.

James S (2020) *A Clinician's Guide to Cannabinoid Science*. Cambridge: Cambridge University Press.

Kovacs FE, Knop T, Urbanski MJ, et al. (2012) Exogenous and endogenous cannabinoids suppress inhibitory neurotransmission in the human neocortex. *Neuropsychopharmacology* 37: 1104–14.

Mason BJ, Crean R, Goodell V, et al. (2012) A proof-of-concept randomized controlled study of gabapentin: effects on cannabis use, withdrawal and executive function deficits in cannabis-dependent adults. *Neuropsychopharmacology* 37: 1689–98.

Nugent SM, Morasco BJ, O'Neil ME, et al. (2017) The effects of cannabis among adults with chronic pain and an overview of general harms: a systematic review. *Ann Intern Med* 167: 319–31.

薬物乱用：ニコチン

Akkus F, Ametamey SM, Treyer V, et al. (2013) Market global reduction in mGlutR5 receptor binding in smokers and ex smokers determined by ^{11}C-ABP688 positron emission tomography. *Proc Natl Acad Sci USA* 10: 737–42.

Akkus F, Treyer V, Johayem A, et al. (2016) Association of long-term nicotine abstinence with normal metabotropic glutamate receptor 5 binding. *Biol Psychiatry* 79: 474–80.

Crunelle CL, Miller ML, Booij J, van den Rink W (2010) The nicotinic acetylcholine receptor partial agonist varenicline and the treatment of drug dependence: a review. *Eur Neuropsychopharmacol* 20: 69–79.

Culbertson CS, Bramen J, Cohen MS (2011) Effect of bupropion treatment on brain activation induced by cigarette-related cues in smokers. *Arch Gen Psychiatry* 68: 505–15.

Evins AE, Culhane MA, Alpert JE, et al. (2008) A controlled trial of bupropion added to nicotine patch and behavioral therapy for smoking cessation in adults with unipolar depressive disorders. *J Clin Psychopharmacol* 28: 660–6.

Franklin T, Wang Z, Suh JJ, et al. (2011) Effects of varenicline on smoking cue-triggered neural and craving responses. *Arch Gen Psychiatry* 68: 516–26.

King DP, Paciga S, Pickering E, et al. (2012) Smoking cessation pharmacogenetics: analysis of varenicline and bupropion in placebo-controlled clinical trials. *Neuropsychopharmacology* 37: 641–50.

Lotipour S, Mandelkern M, Alvarez-Estrada M, Brody AL (2012) A single administration of low-dose varenicline saturates α4β2* nicotinic acetylcholine receptors in the human brain. *Neuropsychopharmacology* 37: 1738–48.

Steinberg MB, Greenhaus S, Schmelzer AC, et al. (2009) Triple-combination pharmacotherapy for medically ill smokers. A randomized trial. *Ann Intern Med* 150: 447–54.

薬物乱用：オピオイド

Bell J, Strang J (2020) Medication treatment of opioid use disorder. *Biol Psychiatry* 87: 82–8.

Chutuape MA, Jasinski DR, Finerhood MI, Stitzer ML (2001) One-, three-, and six-month outcomes after brief inpatient opioid detoxification. *Am J Drug Alcohol Abuse* 27: 19–44.

Davids E, Gastpar M (2004) Buprenorphine in the treatment of opioid dependence. *Eur Neuropsychopharmacol* 14: 209–16.

Elkader A, Sproule B (2005) Buprenorphine: clinical pharmacokinetics in the treatment of opioid dependence. *Clin Pharmacokinet* 44: 661–80.

Han B, Compton WM, Blanco C, et al. (2017) Prescription opioid use, misuse and use disorders in US adults: 2015 national survey on drug use and health. *Ann Intern Med* 167: 293–301.

Johansson J, Hirvonen J, Lovro Z, et al. (2019) Intranasal naloxone rapidly occupies brain mu opioid receptors in human subjects. *Neuropsychopharmacology* 44: 1667–73.

Kowalczyk WJ, Phillips KA, Jobes ML, et al. (2015) Clonidine maintenance prolongs opioid abstinence and decouples stress from craving in daily life: a randomized controlled trial with ecological momentary assessment. *Am J Psychiatry* 172: 760–7.

Krupitsky E, Nunes EV, Ling W, et al. (2011) Injectable extended-release naltrexone for opioid dependence: a double-blind, placebo-controlled, multicenter randomized trial. *Lancet* 377: 1506–13.

Lee JD, Nunes EV, Novo P, et al. (2018) Comparative effectiveness of extended-release naltrexone versus buprenorphine–naloxone for opioid relapse prevention (X:BOT): a multicentre, open label, randomized controlled trial. *Lancet* 391: 309–18.

Marquet P (2002) Pharmacology of high-dose buprenorphine. In *Buprenorphine Therapy of Opiate Addiction*, Kintz P and Marquet P (eds.), Totawa, NJ: Humana Press, 1–11.

National Institute on Drug Abuse. Drugs, brains, and behavior. www.drugabuse.gov/sites/default/files/soa_2014.pdf. Accessed January 2018.

Patel B, Koston TR (2019) Keeping up with clinical advances: opioid use disorder. *CNS Spectrums* 24: 17–23.

Saanijoki T, Tuominen L, Tuulari JJ et al. (2018) Opioid release after high intensity interval training in healthy human subjects. *Neuropsychopharmacology* 43: 246–54.

Smyth BP, Barry J, Keenan E, Ducray K (2010) Lapse and relapse following inpatient treatment of opiate dependence. *Ir Med J* 103: 176–9.

Spagnolo PA, Kimes A, Schwandt ML, et al. (2019) Striatal dopamine release in response to morphine: a ^{11}C-raclopride positron emission tomography study in healthy men. *Biol Psychiatry* 86: 356–64.

Stahl SM (2018) Antagonist treatment is just as effective as replacement therapy for opioid addition but neither is used often enough. *CNS Spectrums* 23: 113–16.

Substance Abuse and Mental Health Services Administration. Key substance use and mental health indicators in the United States: results from the 2016 National Survey on Drug Use and Health. www.samhsa.gov/data/sites/default/files/NSDUH-FFR1-2016/NSDUH-FFR1-2016.htm#opioid1. Accessed January 2018.

Sullivan MA, Bisage A, Bavlicova M, et al. (2019) A randomized trial comparing extended release injectable suspension and oral naltrexone, both combined with behavioral therapy, for the treatment of opioid use disorder. *Am J Psychiatry* 176: 129–37.

Tanum L, Solli KK, Latif ZE, et al. (2017) Effectiveness of injectable extended-release naltrexone vs. daily buprenorphine–naloxone for opioid dependence: a randomized clinical noninferiority trial. *JAMA Psychiatry* 74: 1197–205.

Tiihonen J, Krupitsky E, Verbitskaya E, et al. (2012) Naltrexone implant for the treatment of polydrug dependence: a randomized controlled trial. *Am J Psychiatry* 169: 531–6.

Volkow ND (2014) America's addiction to opioids: Heroin and prescription drug abuse. Presented at the Senate Caucus on International Narcotics Control. https://archives.drugabuse.gov/testimonies/2014/americas-addiction-to-opioids-heroin-prescription-drug-abuse.

Volkow ND, Frieden TR, Hyde PS, Cha SS (2014) Medication-assisted therapies: tackling the opioid-overdose epidemic. *N Engl J Med* 370: 2063–6.

World Health Organization (2009) *Guidelines for the Psychosocially Assisted Pharmacological Treatment of Opioid Dependence*. Geneva: World Health Organization.

薬物乱用：精神刺激薬

Bauman MH, Ayestas MA Jr., Partilla JS, et al. (2012) The designer methcathinone analogs, mephedrone and methylone, are substrates for monoamine transporters in brain tissue. *Neuropsychopharmacology* 37, 1192–203.

Bradberry CW (2002) Dose-dependent effect of ethanol on extracellular dopamine in mesolimbic striatum of awake rhesus monkeys: comparison with cocaine across individuals. *Psychopharmacology* 165: 67–76.

Collins GT, Narasimhan D, Cunningham AR, et al. (2012) Long-lasting effects of a PEGylated mutant cocaine esterase (CocE) on the reinforcing and discriminative stimulus effects of cocaine in rats. *Neuropsychopharmacology* 37: 1092–103.

Dakwar E, Nunes EV, Hart CL, et al. (2019) A single ketamine infusion combined with mindfulness based behavioral modification to treat cocaine dependence: a randomized clinical trial. *Am J Psychiatry* 176: 923–30.

Ersche KD, Bullmore ET, Craig KJ, et al. (2010) Influence of compulsivity of drug abuse on dopaminergic modulation of attentional bias in stimulant dependence. *Arch Gen Psychiatry* 67: 632–44.

Ersche KD, Jones PS, Williams GB, et al. (2012) Abnormal

brain structure implicated in stimulant drug addiction. *Science* 335: 601–4.

Ferris MJ, Calipari ES, Mateo Y, et al. (2012) Cocaine self-administration produces pharmacodynamic tolerance: differential effects on the potency of dopamine transporter blockers, releasers, and methylphenidate. *Neuropsychopharmacology* 37: 1708–16.

Hart CL, Marvin CB, Silver R, Smith EE (2012) Is cognitive functioning impaired in methamphetamine users? A critical review. *Neuropsychopharmacology* 37: 586–608.

Heinz A, Reimold M, Wrase J, et al. (2005) Stimulant actions in rodents: implications for attention-deficit/hyperactivity disorder treatment and potential substance abuse. *Biol Psychiatry* 57: 1391–6.

Leyton M, Boileau I, Benkelfat C, et al. (2002) Amphetamine-induced increases in extracellular dopamine, drug wanting, and novelty seeking: a PET/[^{11}C]raclopride study in healthy men. *Neuropsychopharmacology* 27: 1027–35.

Lindsey KP, Wilcox KM, Votaw JR, et al. (2004) Effect of dopamine transporter inhibitors on cocaine self-administration in rhesus monkeys: relationship to transporter occupancy determined by positron emission tomography neuroimaging. *J Pharmacol Exp Ther* 309: 959–69.

Little KY, Krolewski DM, Zhang L, Cassin BJ (2003) Loss of striatal vesicular monoamine transporter protein (VMAT2) in human cocaine users. *Am J Psychiatry* 160: 47–55.

Livni E, Parasrampuria DA, Fischman AJ (2006) PET study examining pharmacokinetics, detection and likeability, and dopamine transporter receptor occupancy of short- and long-acting oral methylphenidate. *Am J Psychiatry* 163: 387–95.

Martinez D, Narendran R, Foltin RW, et al. (2007) Amphetamine-induced dopamine release: markedly blunted in cocaine dependence and predictive of the choice to self-administer cocaine. *Am J Psychiatry* 164: 622–9.

Narendran R, Lopresti BJ, Martinez D, et al. (2012) In vivo evidence for low striatal vesicular monoamine transporter 2 (VMAT2) availability in cocaine abusers. *Am J Psychiatry* 169: 55–63.

Overtoom CCE, Bekker EM, van der Molen MW, et al. (2009) Methylphenidate restores link between stop-signal sensory impact and successful stopping in adults with attention deficit/hyperactivity disorder. *Biol Psychiatry* 65: 614–19.

Peng, XO, Xi ZX, Li X, et al. (2010) Is slow-onset long-acting monoamine transport blockade to cocaine as methadone is to heroin? Implication for anti-addiction medications. *Neuropsychopharmacology* 35: 2564–78.

Santos MD, Salery M, Forget B, et al. (2017) Rapid synaptogenesis in the nucleus accumbens is induced by a single cocaine administration and stabilized by mitogen-activated protein kinase interacting kinase-1 activity. *Biol Psychiatry* 82: 806–18.

Selzer J (2006) Buprenorphine: reflections of an addictions psychiatrist. *J Clin Psychiatry* 67: 1466–7.

Spencer TJ, Biederman J, Ciccone PE, et al. (2006) Stimulant medications: how to minimize their reinforcing effects? *Am J Psychiatry* 163: 359–61.

Wee S, Hicks MJ, De BP, et al. (2012) Novel cocaine vaccine linked to a disrupted adenovirus gene transfer vector blocks cocaine psychostimulant and reinforcing effects. *Neuropsychopharmacology* 37: 1083–91.

薬物乱用：幻覚薬，エンタクトゲン，解離性薬物

Brawley P, Dufield JC (1972) The pharmacology of hallucinogens. *Pharmacol Rev* 34: 31–66.

Carhart-Harris RL, Goodwin GM (2017) The therapeutic potential of psychedelic drugs: past, present and future. *Neuropsychopharmacology* 42: 2105–13.

Carhart-Harris RL, Bolstridge M, Day CMG, et al. (2018) Psilocybin with psychological support for treatment-resistant depression: six month follow up. *Psychopharmacology* 235: 399–408.

Carhart-Harris RL, Bolstridge M, Rucker J, et al. (2016) Psilocybin with psychological support for treatment-resistant depression: an open label feasibility study. *Lancet Psychiatry* 3: 619–27.

Carhart-Harris RL, Erritzoe D, Williams T, et al. (2012) Neural correlates of the psychedelic state as determined by fMRI studies with psilocybin. *Proc Natl Acad Sci USA* 109: 2138–43.

Carhart-Harris RL, Leech R, Williams TM, et al. (2012) Implications for psychedelic assisted psychotherapy: a functional magnetic resonance imaging study with psilocybin. *Br J Psychiatry* 200: 238–44.

DiIorio CR, Watkins TJ, Dietrich MS (2012) Evidence for chronically altered serotonin function in the cerebral cortex of female 3,4-methylenedioxymethamphetamine polydrug users. *Arch Gen Psychiatry* 69: 399–409.

Erritzoe D, Frokjaer VG, Holst KK, et al. (2011) In vivo imaging of cerebral serotonin transporter and serotonin 2a receptor binding in 3,4-methylenedioxymethamphetamine (MDMA or "Ecstasy") and hallucinogen users. *Arch Gen Psychiatry* 68: 562–76.

Fantegrossi WE, Murnane KS, Reissig CJ (2008) The behavioral pharmacology of hallucinogens. *Biochem Pharmacol* 25: 17–33.

Feduccia AA, Mithoefer MC (2018) MDMA-assisted psychotherapy for PTSD: are memory reconsolidation and fear extinction underlying mechanisms. *Prog Neuropsychopharmacol Biol Psychiatry* 84: 221–8.

Liechti ME (2017) Modern clinical research on LSD. *Neuropsychopharmacology* 42: 2114–27.

Madsen MK, Fisher PM, Burmester D, et al. (2019) Psychedelic effects of psilocybin correlate with serotonin 2A receptor occupancy and plasma psilocin levels. *Neuropsychopharmacology* 44: 1328–34.

Mithoefer MC, Wagner MT, Mithoefer AT, et al. (2011) The safety and efficacy of {+/−} 3,4-methylenedioxymethamphetamine-assisted psychotherapy in subjects with chronic, treatment-resistant posttraumatic stress disorder: the first randomized controlled pilot study. *J Psychopharmacol* 25: 439–52.

Passie T, Halpern JH, Stichtenoth DO, et al. (2008) The pharmacology of lysergic acid diethylamide: a review. *CNS Neurosci Ther* 14: 295–314.

Pitts EG, Minerva AR, Chandler EB, et al. (2017) 3,4-Methylenedioxymethamphetamine increases affiliative behaviors in squirrel moneys in a serotonin 2A receptor dependent manner. *Neuropsychopharmacology* 42: 1962–71.

Quednow BB, Komeer M, Geyer MA, et al. (2012) Psilocybin induced deficits in autonomic and controlled inhibition are attenuated by ketanserin in healthy human volunteers. *Neuropsychopharmacology* 37: 630–40.

Schmid Y, Enzler F, Gasser P, et al. (2015) Acute effects of lysergic acid diethylamine in healthy subjects. *Biol Psychiatry* 78: 544–53.

Titeler M, Lyon RA, Gleenon RA (1988) Radioligand binding evidence implicates the brain $5HT_2$ receptor as a site of action for LSD and phenylisopropylamine hallucinogens. *Psychopharmacology* 94: 213–16.

Urban NBL, Girgis RR, Talbot PS, et al. (2012) Sustained recreational use of Ecstasy is associated with altered pre and postsynaptic markers of serotonin transmission in neocortical areas: a PET study with [^{11}C]DASB and [^{11}C]MDL 100907. *Neuropsychopharmacology* 37: 1465–73.

やけ食い，賭博

Balodis IM, Kober H, Worhunsky PD, et al. (2012) Diminished frontostriatal activity during processing of monetary rewards and losses in pathological gambling. *Biol Psychiatry* 71: 749–57.

Gearhardt AN, Yokum S, Orr PT, et al. (2011) Neural correlates of food addiction. *Arch Gen Psychiatry* 68: 808–16.

Grant JE, Kim SW, Hartman BK (2008) A double-blind, placebo-controlled study of the opiate antagonist naltrexone in the treatment of pathological gambling urges. *J Clin Psychiatry* 69: 783–9.

Lawrence AJ, Luty J, Bogdan NA, Sahakian BJ, Clark L (2009) Impulsivity and response inhibition in alcohol dependence and problem gambling. *Psychopharmacology* 207: 163–72.

Lobo DSS, Kennedy JL (2006) The genetics of gambling and behavioral addictions. *CNS Spectrums* 11: 931–9.

McElroy SL, Hudson JI, Capece JA, et al. (2007) Topiramate for the treatment of binge eating disorder associated with obesity: a placebo-controlled study. *Biol Psychiatry* 61: 1039–48.

Miedl SF, Peters J, Buchel C (2012) Altered neural reward representations in pathological gamblers revealed by delay and probability discounting. *Arch Gen Psychiatry* 69: 177–86.

Salamone JD, Correa M, Mingote S, Weber SM (2002) Nucleus accumbens dopamine and the regulation of effort in food-seeking behavior: implications for studies of natural motivation, psychiatry, and drug abuse. *J Pharmacol Exp Ther* 305: 1–8.

Van Holst RJ, Veltman DJ, Buchel C, van den Brink W, Goudriaan AE. (2012) Distorted expectancy coding in problem gambling: is the addictive in the anticipation? *Biol Psychiatry* 71: 741–8.

Zack M, Poulos CX (2007) A D_1 antagonist enhances the rewarding and priming effects of a gambling episode in pathological gamblers. *Neuropsychopharmacology* 32: 1678–86.

衝動性，強迫性

Berlin HA, Rolls ET, Iversen SD (2005) Borderline personality disorder, impulsivity, and the orbitofrontal cortex. *Am J Psychiatry* 162: 2360–73.

Chamberlain SR, del Campo N, Dowson J, et al. (2007) Atomoxetine improved response inhibition in adults with attention deficit/hyperactivity disorder. *Biol Psychiatry* 62: 977–84.

Chamberlain SR, Muller U, Blackwell AD, et al. (2006) Neurochemical modulation of response inhibition and probabilistic learning in humans. *Science* 311: 861–3.

Chamberlain SR, Robbins TW, Winder-Rhodes S, et al. (2011) Translational approaches to frontostriatal dysfunction in attention-deficit/hyperactivity disorder using a computerized neuropsychological battery. *Biol Psychiatry* 69: 1192–203.

Dalley JW, Everitt BJ, Robbins TW (2011) Impulsivity, compulsivity, and top-down cognitive control. *Neuron* 69: 680–94.

Dalley JW, Mar AC, Economidou D, Robbins TW (2008) Neurobehavioral mechanisms of impulsivity: fronto-striatal systems and functional neurochemistry. *Pharmacol Biochem Behav* 90: 250–60.

Fineberg NA, Chamberlain SR, Goudriaan AR (2014) New developments in human neurocognition: clinical, genetic, and brain imaging correlates of impulsivity and compulsivity. *CNS Spectrums* 19: 69–89.

Lodge DJ, Grace AA (2006) The hippocampus modulates dopamine neuron responsivity by regulating the intensity of phasic neuron activation. *Neuropsychopharmacology* 31: 1356–61.

Robbins TW, Gillan CM, Smith DG, de Wit S, Ersche KD (2012) Neurocognitive endophenotypes of impulsivity and compulsivity: towards dimensional psychiatry. *Trends Cogn Sci* 16: 81–91.

Shaw P, Gilliam M, Liverpool M, et al. (2011) Cortical development in typically developing children with symptoms of hyperactivity and impulsivity: support for a dimensional view of attention deficit hyperactivity disorder. *Am J Psychiatry* 168: 143–51.

Sugam JA, Day JJ, Wightman RM, Carelki RM (2012) Phasic nucleus accumbens dopamine encodes risk-based decision-making behavior. *Biol Psychiatry* 71: 199–205.

Weathers JD, Stringaris AR, Deveney CM, et al. (2012) A development study of the neural circuitry mediating motor inhibition in bipolar disorder. *Am J Psychiatry* 16: 633–41.

索引

和文，欧文（数字，ギリシア文字，アルファベット），略語の順に収載。fは図，tは表を表す。

和文索引

あ

アイソフォーム，Aβアイソフォーム 546f
アカシジア 192
アカンプロサート，作用 608f
悪性症候群，神経遮断薬性── 192
アゴニスト 46, 70f, 78f
　$α_{2A}$── 526, 529f
　$5HT_{1A}$受容体部分── 219f
　$5HT_{1A}$部分── 218, 219
　$D_2/5HT_{1A}$部分── 231
　D_2部分── 213, 214
　イオンチャネルの開口 78f
　完全── 46, 47f, 68
　逆── 54, 54f, 73, 74f
　コリン作動性── 267
　作用 70f
　セロトニン/ドーパミンアンタゴニスト/部分── 378
　脱感作 78f
　ニコチン受容体部分── 601f
　微量アミン受容体── 265
　不活性化 78f
　部分── 51, 51f, 70, 72f, 73f, 382f
アゴニスト作用
　$5HT_{1A}$── 352
　セロトニン/ドーパミンアンタゴニスト作用/部分── 360, 378
アゴニスト作用/ヘテロ受容体, $5HT_{1B}$部分── 352
アゴニスト・スペクトラム 45, 45f, 53f, 55f, 68, 70f, 208f
　受容体構造 217f
アセチルコリン

Alzheimer病 553
　D_2アンタゴニスト作用 191f
　経路 553
　合成 553
　作用の終結 554f
　産生 553f
　受容体 553
　睡眠サイクル 457f
　代謝 553
　投射と覚醒状態 452f
　ドーパミンとの相互関係 190f
アセチルコリンエステラーゼ, Alzheimer病 557
アセチルコリン受容体
　ニコチン性── 556f
　ムスカリン性── 555f
アセナピン 249
　結合特性 250f
アトモキセチン 525, 526f
　注意欠如・多動症（ADHD） 527f, 528f
アパシー 584
　神経回路仮説と治療 585f
アポリポタンパクE 546f
アミノ酸オキシダーゼ，D-── 268
アミノ酸トランスポーター 38t
　興奮性── 113
　特異的中性── 113
アミン，微量── 266t
アミン受容体アゴニスト，微量── 265
アラニン・セリン・システイントランスポーター（ASC-T） 113
アリピプラゾール 257, 361
　結合特性 259f
アルゴリズム，うつ病 309f, 310f
アルコール 604

作用 606f
アルコール症, 治療 604
アロステリック調節
　$GABA_A$受容体 290f
　ニコチン受容体 558f
アロステリック調節物質
　NAM 78
　PAM 78
　正の── 79f
　負の── 80f, 122f
アロプレグナノロン 356
アロプレグナノロン類似体 359f
アンタゴニスト 47, 50f, 68, 71f, 74f, 75f
　$5HT_{2A}/D_2$── 231
　$5HT_7$ 354
　μオピオイド── 607f
　D_3── 264
　アゴニスト存在下 71f
　オレキシン受容体── 467f
　逆アゴニスト存在下 75f
　セロトニン/ドーパミン── 361t
　選択的$5HT_{2A}$── 262
　単独の作用 71f
　二重オレキシン受容体── 465, 469f
　ヒスタミンH_1── 467
　部分アゴニスト存在下 74f
アンタゴニスト/再取り込み阻害薬, セロトニン受容体── 346, 347f, 350f
アンタゴニスト/部分アゴニスト, セロトニン/ドーパミン── 378
アンタゴニスト作用
　$5HT_{1B/D}$── 352
　$5HT_{1B}$部分アゴニスト作用/ヘテロ受容体 352
　$5HT_{2A}$── 212

665

5HT$_{2C}$── 323
5HT$_3$── 344, 353
α$_1$── 362f
α$_2$── 341, 343f
D$_3$── 382f
アンタゴニスト作用/部分アゴニスト作用, セロトニン/ドーパミン── 360, 378
アンヘドニア 162

い

イオンチャネル
　電位依存性── 63
　電位感受性── 63, 81
　リガンド依存性── 63, 64, 65f, 67f, 67t, 68t, 69f, 69t, 75, 77f
イオンチャネル結合型受容体 63
イオン調節型受容体 63
痛み 419
　急性痛 426f
　上分節性中枢性感作 427f
　神経伝達物質が調節する脊髄での処理 423f
　セロトニン 437f
　セロトニン神経細胞 436f
　定義 420t
　電位感受性カルシウムチャネル（VSCC） 421
　ノルエピネフリン 435f
　ノルエピネフリン神経細胞 434f
　慢性痛 427f
一次求心性神経細胞（PAN） 421
一次メッセンジャー 15f
　Gタンパク 15f
遺伝子
　活性化 23f, 29f
　後期── 24f, 27f
　最早期── 24f
　前初期── 24f
　統合失調症 168
遺伝子検査, 単極性うつ病 359
遺伝子サイレンシング 29f
遺伝子発現 21
　分子機序 21
遺伝性疾患, 古典的仮説 169f
インスリン抵抗性 223f

陰性症状 161, 162f, 163t, 178, 185
　観察による同定 163f
　質問による同定 164f
　統合失調症 162t, 207
　二次性── 184, 185
インターネットゲーム 628

う

うつ病 274f, 280f, 314
　海馬の萎縮 299f
　覚醒のコンボ 370, 370f
　カリフォルニアロケット燃料 368, 369f
　寛解 315f
　再燃 315f
　サーカディアンリズム 302f
　三重作用をもつコンボ 368, 369f
　視床下部-下垂体-副腎系（HPA軸）の過活動 299f
　樹状突起の喪失 297f
　症状にもとづいたアルゴリズム 309f, 310f
　神経栄養仮説 294
　神経炎症 300f, 301f
　神経可塑性 294
　神経進行 298f
　精神病性── 94, 178
　セロトニン/ドーパミンアンタゴニスト/部分アゴニスト 378
　双極性── 220, 273, 278f, 278t
　単極性── 220, 273, 278t, 316, 316f, 317f, 319, 359, 360
　単剤治療 370
　治療 319f
　治療効果の定義 314
　治療抵抗性 367, 370
　認知症 583f
　反応 315f
　反復 315f
　不安症と重複する症状 398, 398f
　モノアミン仮説 292f, 293f
　薬物効果の時間経過 294f

　薬物の組み合わせ 367
　ウルトラディアンサイクル 456
　　神経伝達物質 456
運動機能障害 94
運動系副作用 186
　黒質線条体D$_2$受容体 186
運動制御, ドーパミン 202f

え

エスシタロプラム 327, 327f
エピゲノム 26
エピジェネティクス 25
　表現型の状態維持 29
　分子機序 28
エンドカンナビノイド系
　逆行性神経伝達 616f
　受容体とリガンド 615f
エンパソーゲン 620
エンハンサー 21

お

オピエート 609
オピオイド 609
　急性侵害受容性疼痛 432f
　持続期間 612f
　離脱の重症度 612f
オピオイド嗜癖 610
　治療 611
オピオイド神経伝達系 609
オピオイド神経伝達物質 610f
オランザピン 245, 360, 379
　結合特性 246f
オレキシン 448
　覚醒神経伝達物質との相互作用 450f
　受容体遮断 468f
　睡眠サイクル 457f
　適応行動の調整 452f
　投射と覚醒状態 449f
オレキシン受容体 451f
オレキシン受容体アンタゴニスト 467f

か

概日性覚醒駆動 451
概日治療 480
概日リズム睡眠-覚醒障害
　交代勤務型── 478f, 487
　睡眠相後退型── 479f

睡眠相前進型―― 479f
非24時間睡眠‐覚醒型――
　479f
解体型/興奮性精神病　94
カイニン酸受容体，グルタミン酸
　122f
海馬，再体験　404f
灰白質，中脳水道周囲――（PAG）
　431
海馬側坐核グルタミン酸経路
　122
解離性麻酔　622
解離性麻酔薬　96t
解離性薬物　622
過覚醒，注意欠如・多動症
　（ADHD）　504f
可逆的酵素阻害薬　57，57f
覚醒　444
　　神経生物学　444
　　神経伝達物質　207f
　　スペクトラム　445f
　　皮質　207f
覚醒駆動，概日性――　451
覚醒促進薬　482
覚醒度スペクトラム　444
過食性障害　627
カスケード
　　シグナル伝達――　11，12f，
　　14f
　　リンタンパク――　18
ガバペンチン　390，440f
カフェイン　483，484f
過眠　473
　　関連する症状　475f
　　原因　474
過眠症，特発性――　476f
ガランタミン　561
　　作用　565f，566f
カルシウムチャネル，電位感受
　性――（VSCC）　10，82f，85，
　86f，87f，87t，421
カルシウムチャネル阻害薬，L
　型――　390
カルバマゼピン　387，387f
　　結合部位　388f
眼窩前頭皮質（OFC）　498
完全アゴニスト　46，47f，68

き

キナーゼ，三次メッセンジャー
　19f
キニジン　390，391f
機能障害，運動――　94
気分安定薬　390
　　抗痙攣薬　383，383t
　　再定義　318
　　双極性障害　390
気分エピソード　274f
気分障害　271
　　症状と神経回路　304f
　　神経生物学　279
　　神経伝達物質　279
　　疼痛性障害　425
　　慢性神経障害性疼痛症候群ま
　　　でのスペクトラム　428f
気分障害スペクトラム　276f
気分スペクトラム　271
逆アゴニスト　54，54f，73，74f，
　76f
　　作用　74f
　　作用の逆転　76f
逆行性神経伝達　7，8f
　　エンドカンナビノイド系
　　　616f
ギャンブル　628
急性侵害受容性疼痛，オピオイド
　432f
急性痛　426f，438f
強迫，神経回路　405f
強迫症（OCD）　628，629f
　　関連疾患　628
強迫性　587
　　運動反応抑制の神経回路
　　　589f
強迫性障害，神経回路と衝動性
　589
恐怖
　　運動反応　402f
　　感情　402f
　　抗不安薬　406f
　　自律神経系出力　404f
　　神経生物学　402
　　内分泌的出力　403f
　　ノルエピネフリン系の過活動
　　　409f
恐怖記憶　413
恐怖消去　410，411f，412

　　NMDA受容体活性化　414f
　　治療的な促進　413
恐怖条件づけ　410，411f，413
　　再固定の阻害　415f

く

グアンファシン　528f
　　作用機序　529f
クエチアピン　247，360，379
　　結合特性　247f，248f
　　異なる投与量　248，248f
グリシン
　　グルタミン酸　114
　　産生　117f
グルタミン酸　112
　　5HT$_3$受容体　345f
　　5HT$_7$受容体　357f，358f
　　Alzheimer病　561，567f，
　　　568f，569f，580
　　AMPA受容体　122f
　　D-セリン　114
　　カイニン酸受容体　122f
　　機能異常の仮説　125f-127f
　　グリシン　114
　　再利用と再生　114f，115f，
　　　116f
　　産生　112
　　神経回路　111
　　不完全なNMDA神経伝達
　　　124
　　ラモトリギン　389f
グルタミン酸経路　119
　　海馬側坐核――　122
　　視床皮質――　122
　　脳　124f
　　皮質視床――　123
　　皮質線条体――　120
　　皮質脳幹――　120
　　皮質皮質――　123
グルタミン酸作動性神経細胞，
　5HT$_{1A}$部分アゴニスト　218，
　219
グルタミン酸受容体　116，119f，
　120t
　　シグナル伝播　123f
　　代謝調節型――（mGluR）
　　　121f
クロザピン　234
　　結合特性　244f

副作用　245t
クロニジン　528f
　　　作用機序　529f
クロルプロマジン　228
　　　結合特性　227f

け

軽躁病, エピソードの混合性の特徴　276t
軽度認知障害(MCI)　534, 535f
ケタミン　363, 364f
　　　mTOR　366f
　　　血管内皮成長因子(VEGF)　367f
　　　作用機序　365f
　　　作用部位　128f
　　　精神療法　626
　　　脳由来神経栄養因子(BDNF)　367f
血管性認知症　536
　　　Alzheimer病　540f
　　　FDG-PET　539f
　　　MRI　539f
　　　精神病症状・妄想・幻覚の有症率　572t
血管内皮成長因子(VEGF)　364
　　　AMPA受容体　367f
　　　ケタミン　367f
結合, 興奮-分泌——　10, 90f
ケトアシドーシス, 糖尿病性——　224
幻覚　161, 620
幻覚薬　96t, 617
　　　$5HT_{2A}$受容体　155f, 158f, 619f
　　　精神療法　393

こ

抗うつ作用, 神経伝達物質受容体仮説　295f
抗うつ薬, 三環系——(TCA)　370, 371f, 371t, 372f
抗痙攣薬
　　　気分安定薬　383, 383t
　　　睡眠薬　468
　　　双極性障害　384
高血糖高浸透圧症候群(HHS)　224
抗コリン受容体, 結合特性　242f
抗コリン薬, D_2アンタゴニスト作用　191f
恒常性睡眠駆動　451
甲状腺ホルモン　368
恒常的活性　45, 46f
高照度光療法　481f
抗精神病薬, モニタリング　222f
向精神薬
　　　Gタンパク結合型受容体　45, 48t, 49t
　　　SLC1遺伝子ファミリー　41
　　　SLC6遺伝子ファミリー　39, 41
　　　SLC18遺伝子ファミリー　43
　　　シトクロムP450　59
　　　標的酵素　55
　　　分子標的　36f
　　　リガンド依存性イオンチャネル　68t
酵素　56f
酵素阻害薬
　　　可逆的——　57, 57f
　　　不可逆的——　56, 56f
交代勤務型概日リズム睡眠-覚醒障害　478f, 487
行動嗜癖　627
行動障害型前頭側頭型認知症(bvFTD)　543t
行動療法, 不眠症　473
広範囲疼痛指数(WPI)　429f
抗ヒスタミン受容体, 結合特性　242f
抗不安作用　220
抗不安薬
　　　恐怖　406f
　　　不安　406f
　　　憂慮　407f
高プロラクチン血症　207
　　　$5HT_{2A}$アンタゴニスト作用　212
　　　D_2部分アゴニスト　217
興奮, 焦燥性——　570, 571t, 576, 576f, 581f, 582f
　　　認知症　221
興奮回路, 焦燥性——　578f, 579f
興奮性アミノ酸トランスポーター(EAAT)　113
興奮-分泌結合　10, 90f
黒質線条体ドーパミン2(D_2)受容体　186
　　　運動系副作用　186
黒質線条体ドーパミン経路　104, 104f, 188f
　　　D_2アンタゴニスト　188f
古典的神経伝達　6
コード化領域　21
五量体サブタイプ　66
コリン作動性アゴニスト　267
コリン作動性受容体遮断, ムスカリン性——　192f
コリン作動性投射　558f
　　　記憶への影響　559f
　　　コリン療法の効果　560f
混合型認知症　542, 544f

さ

サイクル
　　　ウルトラディアン——　456
　　　睡眠/覚醒——　451
サイケデリック　620
細胞内シナプス小胞トランスポーター　39
細胞膜トランスポーター　38
催眠作用
　　　鎮静——　221
　　　薬物動態　468
催眠薬, 鎮静——　605f, 609
サイレンシング, 遺伝子——　29f
サーカディアンリズム
　　　うつ病　302f
　　　調整　303f
　　　メラトニン　303f
　　　リセット　481f
サーカディアンリズム障害　478f, 480
錯覚　620
サブタイプ
　　　五量体——　66
　　　四量体——　66
三環系抗うつ薬(TCA)　370, 371f, 371t
　　　過量服薬　372f
三次メッセンジャー　17f
　　　キナーゼ　19f
　　　プロテインキナーゼ　17f

ホスファターゼ　18f, 20f

し

磁気共鳴画像（MRI）
　　血管性認知症　539f
　　認知症　538f
軸索細胞体　3f
軸索樹状突起　3f
シグナル　89f
　　伝播　89f
シグナル伝達
　　時間経過　13f
　　モノアミン——　295f
シグナル伝達カスケード　11, 12f, 14f
刺激-反応条件づけ　623
自己受容体
　　$5HT_{1A}$——　135f
　　$5HT_{1B/D}$——　137f
　　$5HT_{2B}$——　136f
　　ドーパミン——　99f, 100f, 101f
　　モノアミン——　10f
視床下部-下垂体-副腎系（HPA軸）　298f
　　うつ病　299f
視床ドーパミン経路　104
視床皮質グルタミン酸経路　122
ジスキネジア，遅発性——　189f, 192
ジストニア，薬物誘発性急性——　190
シトクロム P450（CYP450）　59f, 359
　　向精神薬　59
シナプス　5f
　　形成の経時的変化　173f
　　脊髄シナプス　431
シナプス結合　3f
シナプス後ドーパミン受容体　98f
シナプス小胞神経伝達物質トランスポーター　39t
シナプス小胞トランスポーター　37f
　　サブタイプと機能　43
シナプス小胞モノアミントランスポーター2（VMAT2），遅発性ジスキネジア（TD）　197

ドーパミン　198f
シナプス性神経伝達　4f
シナプス前モノアミントランスポーター　38t
ジフェンヒドラミン　469f
嗜癖
　　オピオイド——　610, 611
　　行動　627
　　精神刺激薬——　597
　　ドーパミン仮説　590
　　ニコチン——　599
　　物質——　591
社交不安症　400f, 416
習慣　588
習慣学習，転換　625f
重水素化　199
　　デキストロメトルファン　392f
重水素化テトラベナジン　200
　　効能　200f
縮日周期　456
樹状突起，軸索樹状突起　3f
受容体
　　α_2——　284f, 285f
　　$\alpha_4\beta_2$ニコチン——　600f
　　$5HT_{1A}$自己——　135f
　　$5HT_{1A}$——　134, 139
　　$5HT_{1B}$——　141
　　$5HT_{1B/D}$自己——　137f
　　$5HT_{1B/D}$——　138
　　$5HT_{2A}$——　144, 619f
　　$5HT_{2B}$自己——　136f
　　$5HT_{2C}$——　144, 146f, 147f
　　$5HT_3$——　144, 345f, 346f
　　$5HT_6$——　146
　　$5HT_7$——　147, 354f, 355f, 356f, 357f
　　D_2——　182
　　GABA——　287f
　　$GABA_A$——　283, 288f, 359f
　　Gタンパク結合型神経伝達物質——　15f
　　H_1——　447f
　　H_2——　447f
　　H_3——　447f
　　アセチルコリン　553
　　イオンチャネル結合型——　63

　　イオン調節型——　63
　　オレキシン——　451f
　　グルタミン酸——　116, 119f, 120t
　　セロトニン——　134, 134f
　　代謝調節型グルタミン酸——（mGluR）　121f
　　中脳辺縁系D_2——　184
　　ドーパミン——　98
　　ニコチン——　558f
　　ニコチン性アセチルコリン——　556f
　　ニコチン性ヘテロ——　557f
　　ノルエピネフリン——　283f
　　ヒスタミン——　446f
　　ヒポクレチン——　451f
　　ムスカリン性アセチルコリン——　555f
　　ムスカリン性ヘテロ——　556f
受容体結合特性，精神病治療薬　219
受容体チロシンキナーゼ　58f
受容体部分アゴニスト，ニコチン——　601f
条件刺激　588
条件反応　588
焦燥性興奮
　　Alzheimer病　570, 576, 576f, 580
　　NMDAアンタゴニスト療法　582f
　　評価　571t
　　モノアミン療法　581f
焦燥性興奮回路
　　運動出力　578f
　　情動出力　579f
焦燥性興奮・衝動性の回路　577f
衝動性　587
　　報酬の神経回路　589f
衝動性-強迫性障害　588t
　　構成概念　591f
衝動制御障害　630
衝動性暴力　167
情動脱力発作　490
情動調節障害　584
小胞トランスポーター，細胞内シ

ナプス―― 39
シロシビン 395, 395f, 626
　　精神療法 626
シロシン 395f
侵害刺激，痛みに至る過程 424f
侵害受容神経線維 421, 421f
侵害受容性疼痛経路 421
　　脊髄から脳へ 422
神経栄養因子 292f
　　損失 296f
　　脳由来―― 295f, 296f, 364
神経炎症，うつ病 300f, 301f
神経可塑性
　　うつ病 294
　　下流への影響 305f
神経活性ステロイド 356
　　GABA_A受容体 359f
神経細胞
　　一次求心性―― 421
　　グルタミン酸作動性――
　　　218, 219
　　セロトニン―― 436f
　　全体構造 2f, 3
　　中脳皮質系―― 102f
　　中脳辺縁系―― 102f
　　ノルエピネフリン――
　　　434f
神経遮断薬性悪性症候群 192
神経障害性疼痛 424, 439f
　　中枢性機序 424
　　末梢性機序 424
神経生物学
　　覚醒 444
　　睡眠 444
　　扁桃体と恐怖 402
神経線維，侵害受容―― 421,
　421f
神経伝達
　　オピオイド 609
　　逆行性―― 7, 8f, 616f
　　古典的―― 6
　　シナプス性―― 4f
　　容量―― 7, 8f, 9f, 10f
神経伝達物質 6
　　遺伝子調節 26f
　　ウルトラディアンサイクル
　　　456
　　オピオイド 610f
　　気分障害 279

神経伝達物質受容体，Gタンパク
　結合型 15f
神経伝達物質トランスポーター
　　シナプス小胞―― 39t
　　分類と構造 36
神経発達 172f
　　注意欠如・多動症（ADHD）
　　　502
神経変性 131f
　　統合失調症 175
心代謝系作用 221
心的外傷後ストレス障害（PTSD）
　400f, 416
浸透圧症候群，高血糖高――
　224

す

錐体外路症状（EPS） 187
睡眠 444
　　神経生物学 444
　　スペクトラム 445f
　　促進 465f
　　調節の過程 455f
　　認知 459f
　　肥満 460f
睡眠衛生 473f
睡眠/覚醒サイクル 451
睡眠覚醒障害，代償 458f
睡眠駆動，恒常性―― 451
睡眠サイクル
　　GABAレベル 456f
　　アセチルコリンレベル
　　　457f
　　オレキシン/ヒポクレチンレ
　　　ベル 457f
　　モノアミンレベル 458f
睡眠相後退型概日リズム睡眠–覚
　醒障害 479f
睡眠相前進型概日リズム睡眠–覚
　醒障害 479f
睡眠薬
　　抗痙攣薬 468
　　セロトニン系―― 466
　　ヒスタミンH_1アンタゴニス
　　　ト 467
　　ベンゾジアゼピン 466f
　　メラトニン系―― 481
　　薬物動態 471f, 472f
ステロイド，神経活性――

356, 359f
ストレス
　　注意欠如・多動症（ADHD）
　　　513f
　　慢性ストレス 513f
スネアタンパク 88f
スプライシング，選択的――
　30, 31f
スペクトラム
　　アゴニスト―― 208f, 217f
　　覚醒 445f
　　覚醒度―― 444
　　気分障害―― 276f
　　気分―― 271
　　睡眠 445f
　　ドーパミン神経伝達の――
　　　215f
スペクトラム障害，双極――
　377
スルピリド 229
　　結合特性 230f

せ

精神異常発現性 620
精神刺激薬 96t, 593
　　注意欠如・多動症（ADHD）
　　　512, 520f, 523, 523f
　　非定型 597
　　乱用の進行 596f
精神刺激薬嗜癖，治療法 597
精神病 93, 95
　　5HT_{2A}受容体 154f, 155f,
　　　156f, 157f, 158f, 159f,
　　　160f
　　NMDAグルタミン酸機能低
　　　下仮説 124
　　NMDAグルタミン酸機能低
　　　下仮説とドーパミン仮説と
　　　の結合 129
　　NMDA受容体 131f
　　Parkinson病―― 178
　　解体型/興奮性―― 94
　　気分 178
　　グルタミン酸仮説 111
　　症状 93
　　初期の薬物 206t
　　神経伝達物質ネットワークの
　　　仮説 95
　　セロトニン過活動仮説

150, 155
　　セロトニン仮説　132
　　ドーパミン過活動仮説　155
　　ドーパミン仮説　95
　　認知症　131f, 178
　　　認知症関連――　207
　　　妄想性――　94
　　陽性症状　162t
精神病障害　161
精神病症状
　　合併症状　177t
　　基本的な回路　574f
　　限定的な特徴である障害
　　　177t
精神病性うつ病　94, 178
　　気分　178
精神病性躁病　178
　　気分　178
精神病性暴力　167
精神病治療薬
　　作用と副作用　219
　　受容体結合特性　219
　　治療メカニズム　183f
精神療法
　　MDMA　627
　　ケタミン　626
　　幻覚薬　393
　　シロシビン　626
正のアロステリック調節，
　　GABA$_A$受容体　290f
セイリエンス誘発性ドーパミン発
　火　500f
脊髄シナプス　431
セルトラリン　324, 325f
セロトニン
　　MDMA　621f
　　痛み　437f
　　グルタミン酸の制御　140f
　　グルタミン酸放出の制御
　　　145f
　　作用の終結　133, 133f
　　産生　133, 133f
　　神経回路　132
　　神経回路網　139
　　神経細胞回路網との相互作用
　　　141f
　　神経伝達物質系の制御
　　　138, 141f
　　神経伝達物質の放出　142f

　　神経伝達物質の放出減少
　　　143f
　　投射と覚醒状態　454f
　　認知症　572
　　不安　406
　　プロラクチン　212f, 213f
　　セロトニン1A（5HT$_{1A}$）自己受容
　　　体　135f
　　セロトニン1A（5HT$_{1A}$）受容体，
　　　部分アゴニスト　213
　　セロトニン1B（5HT$_{1B}$）ヘテロ受
　　　容体　353f
　　セロトニン1B/D（5HT$_{1B/D}$）自己
　　　受容体　137f
　　セロトニン2A（5HT$_{2A}$）受容体
　　　Parkinson病患者の精神病
　　　　156f, 159f
　　　幻覚薬　155f, 158f
　　　精神病　154f, 155f, 156f,
　　　　157f, 158f, 159f, 160f
　　　ドーパミン放出の制御
　　　　209f
　　　認知症　157f, 160f
　　　ベースライン　154f
　　　薬物　205
　　セロトニン2B（5HT$_{2B}$）自己受容
　　　体　136f
　　セロトニン2C（5HT$_{2C}$），刺激
　　　146f, 147f
　　セロトニン3（5HT$_3$）
　　　5HT放出の制御　149f
　　　神経伝達物質の制御　148f
　　セロトニン7（5HT$_7$）
　　　5HTの放出抑制　152f, 153f
　　　グルタミン酸の放出抑制
　　　　150f, 151f
　　セロトニン7（5HT$_7$）受容体
　　　354f, 355f, 356f
　　　グルタミン酸　357f, 358f
　　セロトニン系睡眠薬　466
　　セロトニン再取り込み阻害
　　　352, 353
　　　5HT$_7$アンタゴニスト作用
　　　　354
　　セロトニン受容体　134, 134f
　　セロトニン受容体アンタゴニス
　　　ト/再取り込み阻害薬（SARI）
　　　346, 347f
　　　選択的セロトニン再取り込み

　　　阻害薬（SSRI）　350f
　　セロトニン受容体部分アゴニス
　　　ト/再取り込み阻害薬（SPARI）
　　　327
　　　作用機序　328f, 329f, 330f
　　セロトニン神経細胞，痛み　436f
　　セロトニン/ドーパミンアンタゴ
　　　ニスト　361t
　　セロトニン/ドーパミンアンタゴ
　　　ニスト/部分アゴニスト　378
　　　うつ病　378
　　　単極性うつ病　378
　　セロトニン/ドーパミンアンタゴ
　　　ニスト作用/部分アゴニスト作
　　　用　360
　　　躁病　378
　　セロトニン/ドーパミン遮断薬
　　　377
　　セロトニン・ノルエピネフリン再
　　　取り込み阻害薬（SNRI）　330
　　　作用　332f
　　線維筋痛症　428, 430f
　　　症状　429f
　　　随伴症状を標的とした治療
　　　　437
　　　治療アルゴリズム　430f
　　選択的5HT$_{2A}$アンタゴニスト
　　　262
　　選択的スプライシング　30, 31f
　　選択的セロトニン再取り込み阻害
　　　薬（SSRI）　320f, 322f
　　　5HT$_{2C}$アンタゴニスト作用
　　　　323
　　　σ$_1$受容体結合特性　324, 326
　　　共通する特徴　319
　　　作用　320f
　　　作用機序　320f, 321f, 322f,
　　　　323f
　　　セロトニン受容体アンタゴニ
　　　　スト/再取り込み阻害薬
　　　　（SARI）　350f
　　　単極性うつ病　319
　　　特性　323
　　　ドーパミントランスポーター
　　　　（DAT）阻害作用　324
　　　ノルエピネフリントランス
　　　　ポーター（NET）　326
　　　ムスカリン性抗コリン作用
　　　　326

前頭前皮質，背外側――
　　（DLPFC）　493
前頭側頭型認知症（FTD）　542,
　543f
　　行動障害型――（bvFTD）
　　　543t
　　精神病症状・妄想・幻覚の有
　　　症率　572t
前頭皮質，眼窩――（OFC）　498
全般不安症　399f, 415

そ

双極Ⅰ型障害　275f
双極Ⅱ型障害　275f
双極スペクトラム障害, 治療薬
　377
双極性うつ病
　　鑑別　273
　　抗うつ作用　220
　　質問すべき事項　278t
　　特定　278f
双極性障害
　　気分安定薬　390
　　抗痙攣薬　384
　　治療薬の組み合わせ　391f
　　二分法疾患モデル　277f
　　連続体疾患モデル　277f
躁症状, 神経回路　307f
躁病　220
　　エピソードの混合性の特徴
　　　276t
　　精神病性――　178
　　セロトニン/ドーパミンアン
　　　タゴニスト作用/部分アゴ
　　　ニスト作用　378
　　治療　318f
躁病エピソード　272f
ゾテピン　249
　　結合特性　251f

た

代謝調節型グルタミン酸受容体
　（mGluR）　121f
大麻　614
　　利益とリスク　618t
単極性うつ病
　　選択的セロトニン再取り込み
　　　阻害薬（SSRI）　319
　　遺伝子検査　359

寛解　316f
鑑別　273
抗うつ作用　220
再燃率　317f
残遺症状　316f
質問すべき事項　278t
セロトニン/ドーパミンアン
　タゴニスト/部分アゴニス
　ト　378
セロトニン/ドーパミン遮断
　薬　360
増強薬　360
増強療法　360
治療抵抗性　359, 360
治療薬　319
モノアミン再取り込み阻害薬
　316
タンパク, スネア――　88f
タンパクタウ, 微小管結合――
　544f

ち

知覚のゆがみ　94
遅発性ジスキネジア（TD）
　189f, 192
　　D₂受容体のアップレギュ
　　　レーション　203f
　　シナプス小胞モノアミントラ
　　　ンスポーター2（VMAT2）
　　　197
　　シナプス小胞モノアミントラ
　　　ンスポーター2（VMAT2）
　　　阻害　204f, 205f
　　治療　197
　　病態生理　192
注意欠如・多動症（ADHD）
　493
　　α₂Aアゴニスト　526
　　α₂Aアゴニスト作用　529f
　　α₂A受容体でのノルエピネフ
　　　リン　506f
　　amphetamineの作用機序
　　　519f
　　D₁受容体でのドーパミン
　　　506f
　　Nバック課題　495f
　　Stroop課題　495f
　　アトモキセチン　527f
　　アトモキセチンの長期治療

　　　528f
　　過覚醒　504f
　　覚醒不足　502f
　　シグナル対ノイズ比　504f
　　持続性薬物送達　524f
　　樹状突起棘におけるシグナル
　　　分布　505f
　　症状　494f
　　症状と神経回路　493
　　衝動性　496f
　　神経回路　494f
　　神経発達　502
　　精神刺激薬　512, 520f, 523f
　　精神刺激薬（緩徐放出と即時
　　　放出）　523
　　精神疾患の発症　509f
　　多動性　496f
　　中核症状　497f
　　治療法　510
　　ドーパミン　498, 499f,
　　　507f, 512f, 515f
　　ドーパミントランスポーター
　　　（DAT）　518, 522f
　　認知機能　501f, 503f
　　脳の発達過程　509f
　　ノルエピネフリン　498,
　　　499f, 507f, 512f
　　ノルエピネフリン作動性治療
　　　薬　525
　　発達の影響　510f
　　反抗性症状　530f
　　皮質の発達　508f
　　併存症　497f, 511f
　　慢性ストレス　513f
　　メチルフェニデートの作用機
　　　序　516f
中枢性感作, 上分節性――　427f
中性脂肪の上昇　223f
中脳水道周囲灰白質（PAG）　431
中脳線条体, D₂受容体　182
中脳線条体ドーパミン経路
　184f
　　D₂アンタゴニスト　184f
中脳皮質ドーパミン2（D₂）受容体
　185
　　二次性陰性症状　185
中脳皮質系神経細胞　102f
中脳皮質経路ドーパミン仮説
　113f

中脳皮質ドーパミン経路　111,
　　112f, 186f
　　　D$_2$アンタゴニスト　186f
中脳辺縁系
　　　D$_2$受容体　182
　　　ドーパミン過剰　107, 110f
　　　報酬の調節　593f
中脳辺縁系神経細胞　102f
中脳辺縁系ドーパミン2(D$_2$)受容
　　体　184
中脳辺縁系ドーパミン経路
　　106, 108f, 184f
　　　D$_2$アンタゴニスト　184f
　　　精神刺激薬の作用　594f
長期増強（LTP）　173
調節領域　21
チラミン，食事制限　377
チロシンキナーゼ，受容体――
　　58f
鎮静催眠作用　221
鎮静催眠薬　605f, 609
　　　結合部位　605f
鎮静作用　221

て

デキストロメトルファン　390,
　　391f
　　　重水素化――　392f
テトラベナジン
　　　効能　199f
　　　重水素化――　200
デュロキセチン　331f, 334
電位依存性イオンチャネル　63
電位感受性イオンチャネル　63,
　　81
　　　構造と機能　81
電位感受性カルシウムチャネル
　　（VSCC）　10, 82f, 85, 86f,
　　87f, 87t, 421
　　　α$_1$細孔（ポア）　86f
　　　N型およびP/Q型　87f
　　　痛み　421
　　　サブタイプ　87t
電位感受性ナトリウムチャネル
　　（VSSC）　10, 82, 82f, 83f,
　　84f
　　　3つの状態　84f
　　　α細孔（ポア）　83f
　　　バルプロ酸　385f

と

統合失調症　95, 161, 207
　　NMDA受容体　129f, 130f,
　　　132f
　　遺伝子　168
　　陰性症状　162t, 207
　　生まれつきの性質と育ち方
　　　170f
　　感受性リスク遺伝子　169t
　　グルタミン酸仮説　111
　　原因　168
　　疾患経過　175f
　　神経発達　171
　　神経発達仮説　174f
　　神経変性　175
　　セロトニン仮説　132
　　ドーパミン仮説　95
　　二分法疾患モデル　277f
　　認知症状　165t
　　陽性症状　162t
　　陽性症状と陰性症状以外の症
　　　状　163
　　連続体疾患モデル　277f
疼痛
　　急性侵害受容性――　432f
　　神経障害性――　424, 439f
疼痛経路，侵害受容性――
　　421, 422
疼痛指数，広範囲――　429f
疼痛症候群，慢性――　428
疼痛状態，慢性――　433
疼痛神経路　438f, 439f
疼痛性障害
　　気分障害　425
　　不安症　425
糖尿病性ケトアシドーシス
　　（DKA）　224
特異的中性アミノ酸トランスポー
　　ター（SNAT）　113
特発性過眠症　476f
ドネペジル　558
　　作用　562f
ドーパミン　95, 96, 500f
　　α$_1$アンタゴニスト作用
　　　362f
　　D$_2$アンタゴニスト作用
　　　191f
　　アセチルコリンとの相互関係
　　　190f

　　運動制御　202f
　　経路と重要な脳部位　101
　　合成と不活性化　96
　　作用の終結　97f
　　産生　97f
　　シナプス小胞モノアミントラ
　　　ンスポーター2（VMAT2）
　　　198f
　　神経回路　95
　　神経伝達のスペクトラム
　　　215f
　　セイリエンス誘発性　500f
　　注意欠如・多動症（ADHD）
　　　498, 499f, 507f, 512f,
　　　515f
　　投射と覚醒状態　453f
　　ノルエピネフリントランス
　　　ポーター（NET）　333f
　　ノルエピネフリントランス
　　　ポーター（NET）阻害作用
　　　331
　　プロラクチン　212f, 213f
ドーパミン2（D$_2$）受容体
　　経路の抑制　194f
　　シナプス前とシナプス後での
　　　結合　258f
　　中脳線条体　182
　　中脳辺縁系　182
ドーパミン3（D$_3$）
　　アンタゴニスト作用　382f
　　結合親和性　381f
　　部分アゴニスト作用　382f
ドーパミンアンタゴニスト，セロ
　　トニン/――　361t
ドーパミンアンタゴニスト/部分
　　アゴニスト，セロトニン/――
　　378
ドーパミンアンタゴニスト作用/
　　部分アゴニスト作用，セロトニ
　　ン/――　360, 378
ドーパミン回路，中脳辺縁系――
　　594f
ドーパミン過剰，中脳辺縁系
　　107, 110f
ドーパミン仮説
　　中脳皮質経路――　113f
　　中脳辺縁系――　109f
ドーパミン経路　103f, 105f,
　　106f

間接的経路　106f
黒質線条体──　104, 104f, 188f
　視床──　104
　中脳線条体──　184f
　中脳皮質──　111, 112f, 186f
　中脳辺縁系──　106, 108f, 184f
　直接的経路　106f
　直接的および間接的経路　105f
　漏斗下垂体──　102, 103f, 187f
ドーパミン自己受容体　99f, 100f, 101f
　細胞体樹状突起　101f
ドーパミン遮断薬, セロトニン／──　377
ドーパミン受容体　98, 99f
　シナプス後──　98f
　出力　216f
ドーパミントランスポーター（DAT），注意欠如・多動症（ADHD）　518, 522f
ドーパミントランスポーター（DAT）阻害作用，選択的セロトニン再取り込み阻害薬（SSRI）　324
トラゾドン　347f
　徐放性製剤（XR）　349f
　親和性　347f
　即放性製剤（IR）　349f
　用量　348, 348f
トランスポーター
　D-セリン──（D-SER-T）　116
　GABA──　38t
　L-セリン──（L-SER-T）　115
　アミノ酸──　38t
　アラニン・セリン・システイン──（ASC-T）　113
　興奮性アミノ酸──（EAAT）　113
　細胞内シナプス小胞──　39
　細胞膜──　38
　シナプス小胞神経伝達物質──　39t
　シナプス小胞──　37f, 43
　シナプス前モノアミン──　38t
　神経伝達物質──　36
　特異的中性アミノ酸──（SNAT）　113
モノアミン──　39

な

ナトリウムチャネル，電位感受性──（VSSC）　10, 82, 82f, 83f, 385f
ナルコレプシー　476f, 486, 490
　神経生物学　477f

に

ニコチン　597
　作用　598f
ニコチン嗜癖，治療法　599
ニコチン受容体
　$\alpha_4\beta_2$──　600f
　アロステリック調節　558f
ニコチン受容体部分アゴニスト，分子作用　601f
ニコチン性アセチルコリン受容体　556f
ニコチン性ヘテロ受容体　557f
二次性陰性症状　184, 185
　中脳皮質 D_2 受容体　185
二次メッセンジャー　12, 16f
　Gタンパク　16f
二重オレキシン受容体アンタゴニスト（DORA）　465, 469f
認知, 睡眠　459f
認知機能
　注意欠如・多動症（ADHD）　501f, 503f
　ファブフォー　351f
認知症　534
　5HT$_{2A}$受容体　157f, 160f
　FDG-PET　538f
　Lewy小体型──（DLB）　540t, 541f, 572t
　Lewy小体──（LBD）　537, 573f
　MRI　538f
　うつ病　583f
　運動出力　578f
　関連精神病症状の対症療法　572
　血管性──　536, 539f, 540f, 572t
　行動障害型前頭側頭型──（bvFTD）　543t
　行動症状　569f
　行動症状に対する治療　570, 586
　行動・心理症状（BPSD）　570t
　興奮　221
　混合型──　542, 544f
　主要原因疾患　535
　情動出力　579f
　神経画像所見　536t
　診断　534t
　診断と原因　534
　精神病　131f, 178
　精神病症状の回路　574f, 575f
　セロトニン　572
　前頭側頭型──（FTD）　542, 543f, 572t
　対症療法　551
　治療可能な症状の神経回路　552f
　非薬物的対応　571t
　薬物療法　571
　抑うつの治療　582, 583f
　臨床所見　536t
認知障害，軽度──（MCI）　534, 535f
認知症関連精神病　207
認知症状　178
認知症を伴う Parkinson 病（PDD）　541f
　鑑別診断　541f
　精神病症状・妄想・幻覚の有症率　572t

ね

眠気　473

の

脳経路の機能不全と症状　164f
脳由来神経栄養因子（BDNF）　295f, 364
　AMPA受容体　367f

ケタミン 367f
産生の抑制 296f
ノルエピネフリン 279
  痛み 435f
  恐怖 409f
  作用の終結 282f
  産生 281f
  注意欠如・多動症（ADHD）
    498, 499f, 507f, 512f
  投射と覚醒状態 453f
  不安 408, 409f
  憂慮 410f
ノルエピネフリン作動性治療薬,
  注意欠如・多動症（ADHD）
  525
ノルエピネフリン受容体 283f
ノルエピネフリン神経細胞, 痛み
  434f
ノルエピネフリン・ドーパミン再
  取り込み阻害薬（NDRI）
  336, 336f
  作用 337f, 338f
ノルエピネフリントランスポー
  ター（NET）
  選択的セロトニン再取り込み
    阻害薬（SSRI） 326
  ドーパミン 333f
ノルエピネフリントランスポー
  ター（NET）阻害作用, ドーパ
  ミン 331

は

背外側前頭前皮質（DLPFC）
  493
背側前帯状皮質（dACC） 498
パーキンソニズム, 薬物誘発
  性——（DIP） 188
パニック症 399f, 416
パリペリドン 250
  結合特性 253f
バルプロ酸 384, 384f
  GABA 385f
  作用機序 386f
  電位感受性ナトリウムチャネ
    ル（VSSC） 385f
バルベナジン, 効能 201f
バレニクリン, 作用 602f
パロキセチン 325f, 326
ハロペリドール 229
  結合特性 229f

ひ

非24時間睡眠-覚醒型概日リズ
  ム睡眠-覚醒障害 479f
光療法, 高照度—— 481f
皮質視床グルタミン酸経路 123
皮質線条体グルタミン酸経路
  120
皮質-線条体-視床-皮質（CSTC）
  回路 104f-107f, 403
皮質脳幹グルタミン酸経路 120
皮質皮質グルタミン酸経路 123
微小管結合タンパクタウ
  （MAPT） 544f
ヒスタミン 444
  作用の終結 446f
  産生 446f
  投射と覚醒状態 448f
ヒスタミン1（H_1）アンタゴニス
  ト, 睡眠薬 467
ヒスタミン1（H_1）拮抗作用 470f
ヒスタミン1（H_1）受容体 447f
  遮断 206f
ヒスタミン2（H_2）受容体 447f
ヒスタミン3（H_3）受容体 447f
ヒスタミン受容体 446f
ヒポクレチン 448
  覚醒神経伝達物質との相互作
    用 450f
  睡眠サイクル 457f
  適応行動の調整 452f
  投射と覚醒状態 449f
ヒポクレチン受容体 451f
肥満, 睡眠 460f
微量アミン, 受容体 266t
微量アミン関連受容体1型
  （TAAR1）
  アゴニスト作用 268f
  局在 267f
微量アミン受容体アゴニスト
  265

ふ

不安
  抗不安薬 406f
  セロトニン 406
  ノルエピネフリン系の過活動
    408, 409f
  表現型 401f
不安症 398
  新たなアプローチ 412
  うつ病と重複する症状
    398, 398f
  社交—— 400f, 416
  重複する症状 400
  症状の階層 398
  全般—— 399f, 415
  治療 415
  疼痛性障害 425
  慢性神経障害性疼痛症候群ま
    でのスペクトラム 428f
不安症状
  神経回路 401f
  神経回路と神経伝達物質との
    関係 405f
不可逆的酵素阻害薬 56, 56f
副作用, 運動系—— 186
物質嗜癖 591
ブプレノルフィン
  持続期間 613f
  離脱の重症度 613f
部分アゴニスト 51, 51f, 70,
  72f, 73f
  $5HT_{1A}$受容体—— 219f
  $5HT_{1A}$—— 218, 219
  $D_2/5HT_{1A}$—— 231
  D_2—— 213, 214
  作用 72f
  正味の作用 73f
  セロトニン/ドーパミンアン
    タゴニスト/—— 378
  ニコチン受容体—— 601f
部分アゴニスト/再取り込み阻害
  薬, セロトニン受容体——
  （SPARI） 327, 328f, 329f,
  330f
部分アゴニスト作用
  セロトニン/ドーパミンアン
    タゴニスト作用/——
    360, 378
  D_3 382f
部分アゴニスト作用/ヘテロ受容
  体, $5HT_{1B}$—— 352
不眠 459
  関連状態 462f
  診断と併存症 460
  精神疾患 463f

生物学　462f
　　　非薬物的治療　473f
　　　夜間の過覚醒　461f
不眠症
　　　行動療法　473
　　　診断基準　464f
　　　治療　461
　　　ベンゾジアゼピン　461
フルフェナジン　228
　　　結合特性　228f
フルボキサミン　326，326f
フルマゼニル　291f
プレガバリン　390，440f
ブレクスピプラゾール　260，361
　　　結合特性　260f
プロテインキナーゼ，三次メッセンジャー　17f
ブロナンセリン　264
　　　結合特性　265f
プロモーター　21
プロラクチン
　　　セロトニン　212f
　　　ドーパミン　212f
プロラクチン上昇，漏斗下垂体D₂受容体　185

へ

閉塞性睡眠時無呼吸（OSA）　477f，487
　　　治療　488f
ヘテロ受容体
　　　5HT₁B部分アゴニスト作用/──　352
　　　5HT₁B──　353f
　　　ニコチン性──　557f
　　　ムスカリン性──　556f
ペプチド，Aβ──　545f
ペロスピロン　263
　　　結合特性　264f
ベンゾジアゼピン　404
　　　睡眠薬　466f
　　　不眠症　461
扁桃体，神経生物学　402
ベンラファキシン　331f，334

ほ

報酬経路，適応不全　624f
暴力
　　　3つのタイプ　167f

　　　衝動性──　167
　　　精神病質または計画的──　167
　　　精神病性──　167
　　　多様性　631
ホスファターゼ，三次メッセンジャー　18f，20f
発作，情動脱力──　490
ボルチオキセチン　349，351f

ま

マグネシウムイオン，負のアロステリック調節物質　122f
麻酔，解離性──　622
麻酔薬，解離性──　96t
慢性痛　427f
　　　灰白質の減少　430f
　　　治療　431
慢性疼痛症候群，灰白質の減少　428
慢性疼痛状態　419
　　　治療　433

み

ミアンセリン　342f
ミルタザピン　340，342f
ミルナシプラン　331f，335
　　　S-──　332f

む

ムスカリン性アセチルコリン受容体　555f
ムスカリン性コリン作動性受容体遮断，副作用　192f
ムスカリン性ヘテロ受容体　556f

め

メサドン
　　　持続期間　613f
　　　離脱の重症度　613f
メタボリックハイウェイ　222f
メチルフェニデート　483，485f，514，530
　　　D,L-──　515f
　　　注意欠如・多動症（ADHD）　516f
メチルフェニデート製剤
　　　D-──　517t

　　　D,L-──　517t
メッセンジャー
　　　一次──　15f
　　　三次──　17f，18f，19f，20f
　　　二次──　12，16f
　　　リンタンパク──　15
メマンチン　563，569f
メラトニン，サーカディアンリズム　303f
メラトニン系薬　481，482f

も

妄想　161
妄想性精神病　94
モダフィニル　486f
　　　覚醒回路　487f
　　　作用機序　485，486f
モノアミン
　　　睡眠サイクル　458f
　　　投射　308f
モノアミンオキシダーゼ（MAO）　279
　　　サブタイプ　373
モノアミンオキシダーゼ（MAO）阻害薬　372
モノアミンオキシダーゼA（MAO-A）
　　　阻害　374f
　　　同時阻害　376f
モノアミンオキシダーゼB（MAO-B）
　　　阻害　375f
　　　同時阻害　376f
モノアミン仮説，うつ病　292f
モノアミン再取り込み阻害薬，単極性うつ病　316
モノアミンシグナル伝達　295f
モノアミン自己受容体，容量神経伝達　10f
モノアミン受容体仮説，うつ病　293f
モノアミントランスポーター　39
　　　結合特性　235f
　　　シナプス前──　38t

や

薬物，解離性──　622
薬物誘発性急性ジストニア　190

薬物誘発性パーキンソニズム
　（DIP）　188
薬理学的消去　624

ゆ

憂慮
　　抗不安薬　407f
　　神経回路　405f
　　神経回路と神経伝達物質との
　　　関係　405f
　　ノルエピネフリン系の過活動
　　　410f

よ

陽性症状　161，162f
　　精神病　162t
　　統合失調症　162t
容量神経伝達　7，8f，9f，10f
　　モノアミン自己受容体　10f
抑うつ
　　エピソードの混合性の特徴
　　　276t
　　認知症　582，583f

抑うつエピソード　272f
抑うつ症状，神経回路　306f
四量体サブタイプ　66

ら

ラモトリギン　387，388f
　　グルタミン酸　389f
　　作用部位　389f

り

リガンド　64
　　$\alpha_2\delta$——　404，440f，441f
リガンド依存性イオンチャネル
　63，65f，67f
　　5つの状態　77f
　　向精神薬　68t
　　構造　67f
　　構造と機能　64
　　五量体　66，67t
　　多様な形態　75
　　直接標的　68t
　　四量体　66，69f，69t
リスデキサンフェタミン　518f

リスペリドン　249
　　結合特性　252f
リチウム　367，382
　　作用機序　383f
リバスチグミン　561
　　作用　563f，564f
リルゾール　390
リンタンパクカスケード　18
リンタンパクメッセンジャー
　15

る

ルラシドン　254，379
　　結合特性　256f

ろ

漏斗下垂体ドーパミン2(D_2)受容体　185
　　プロラクチン上昇　185
漏斗下垂体ドーパミン経路
　102，103f，187f
　　D_2アンタゴニスト　187f

欧文索引

数字

3,4-メチレン-ジオキシメタンフェタミン（MDMA） 394, 394f
5HT$_{1A}$アゴニスト作用 352
5HT$_{1A}$自己受容体 135f
5HT$_{1A}$受容体 134, 139
　　結合特性 233f
5HT$_{1A}$受容体部分アゴニスト 219f
　　ドーパミンの放出 219f
5HT$_{1A}$部分アゴニスト 218, 219
　　グルタミン酸作動性神経細胞 218, 219
5HT$_{1B}$受容体 141
5HT$_{1B}$部分アゴニスト作用／ヘテロ受容体，アンタゴニスト作用 352
5HT$_{1B/D}$，アンタゴニスト作用 352
5HT$_{1B/D}$自己受容体 137f
5HT$_{1B/D}$受容体 138
　　結合特性 241f
5HT$_{2A}$アンタゴニスト，選択的── 262
5HT$_{2A}$アンタゴニスト作用，高プロラクチン血症 212
5HT$_{2A}$受容体 144
　　アンタゴニスト作用 210f
　　結合特性 232f
　　幻覚薬 619f
　　ドーパミンの放出 210f
　　ドーパミン放出の制御 207
5HT$_{2A}$/D$_2$アンタゴニスト，薬理学的特性 231
5HT$_{2B}$自己受容体 136f
5HT$_{2C}$アンタゴニスト作用，選択的セロトニン再取り込み阻害薬（SSRI） 323
5HT$_{2C}$受容体 144, 146f, 147f
　　結合特性 238f
5HT$_3$アンタゴニスト作用 344, 353
5HT$_3$受容体 144
　　アセチルコリン 346f
　　グルタミン酸 345f
　　結合特性 239f
　　ノルエピネフリン 346f
5HT$_6$受容体 146
　　結合特性 240f
5HT$_7$アンタゴニスト作用，セロトニン再取り込み阻害 354
5HT$_7$受容体 147
　　結合特性 240f

ギリシア文字

α_1アンタゴニスト作用，ドーパミン 362f
α_1受容体
　　結合特性 243f
　　遮断 206f
α_2アンタゴニスト作用 341
　　セロトニン 343f
　　ノルエピネフリン 343f
α_2受容体 284f, 285f
　　結合特性 236f
$\alpha_2\delta$リガンド 404
　　解剖学的作用機序 440f
　　結合 441f
α_{2A}アゴニスト，注意欠如・多動症（ADHD） 526, 529f
$\alpha_4\beta_2$ニコチン受容体 600f
γ-ヒドロキシ酪酸（GHB） 609
γ-hydroxybutyrate（GHB） 609
μオピオイドアンタゴニスト，作用 607f

A

Aβアイソフォーム 546f
Aβペプチド 545f
Aβ，Alzheimer病 550f
affective blunting or flattening 162
agomelatine 339, 340f
　　サーカディアンリズム 342f
　　ドーパミン 341f
　　ノルエピネフリン 341f
agonist 46
agonist spectrum 45, 68
alanine-serine-cysteine transporter（ASC-T） 113
allopregnanolone 356
allosteric modulator 78
alogia 162
alternative splicing 31

Alzheimer病 179, 535, 580
　　3つの病期 548f
　　Aβ 550f
　　アセチルコリン 553
　　アセチルコリンエステラーゼ 557
　　アミロイドPET画像 549f
　　アミロイドカスケード仮説 542
　　記憶に対する対症療法 552, 557
　　グルタミン酸 561, 568f, 580
　　グルタミン酸神経伝達 567f, 569f
　　軽度認知障害（MCI） 547
　　血管性認知症 540f
　　疾患修飾療法 546t
　　焦燥性興奮 570, 576, 576f
　　焦燥性興奮に対する対症療法 580
　　神経細胞死 537f
　　診断 547
　　精神病症状 573f
　　精神病症状・妄想・幻覚の有症率 572t
　　精神病症状の定義 570
　　前症候期 547
　　早期発見の重要性 545f
　　認知機能に対する対症療法 552, 557, 561
　　認知症 551
　　病理 550f
　　病理所見 537f
Alzheimer病スペクトラム仮説，Parkinson病- ── 543f
amisulpride 231
　　結合特性 230f
AMPA受容体
　　mTOR 366f
　　グルタミン酸 122f
　　血管内皮成長因子（VEGF） 367f
　　脳由来神経栄養因子（BDNF） 367f
amphetamine 483, 485f, 514, 530
　　D,L- ── 518f
　　注意欠如・多動症（ADHD）

519f
amphetamine 製剤
　　D- —— 521t
　　D,L- —— 521t
anhedonia　162
antagonist　68
armodafinil　486f
　　覚醒回路　487f
　　作用機序　485，486f
asociality　162
attention-deficit/hyperactivity disorder(ADHD)　493
avolition　162

B
binge-eating disorder(BED)　627
brexanolone　356，358f
bupropion　336，390，391f，526f
　　作用機序　603f
buspirone　368

C
cannabidiol(CBD)　616f，619t
　　精神疾患への影響　617f
cariprazine　261，363，380
　　結合特性　261f
centanafadine　531
cFos　22
chronic pain condition　419
circadian wake drive　451
citalopram　326，327f
cJun　22
classic neurotransmission　6
coding region　21
compulsivity　587
conditioned response　588
conditioned stimulus　588
constitutive activity　45
CSTC回路　104f-107f，403
cytochrome P450(CYP450)　59，59f

D
D-アミノ酸オキシダーゼ(DAO)　268
D-セリン
　　グルタミン酸　114
　　産生　118f

D-セリントランスポーター(D-SER-T)　116
D-メチルフェニデート製剤　517t
D_2アンタゴニスト
　　中脳線条体ドーパミン経路　184f
　　中脳辺縁系ドーパミン経路　184f
　　薬理学的特性　226
　　漏斗下垂体ドーパミン経路　187f
D_2アンタゴニスト作用
　　アセチルコリン　191f
　　抗コリン薬　191f
　　ドーパミン　191f
D_2受容体
　　アップレギュレーション　203f
　　黒質線条体——　186
　　初期の薬物　202
　　中脳皮質——　185
　　部分アゴニスト　213
　　薬物　205
　　漏斗下垂体——　185
D_2受容体遮断
　　経路の過剰抑制　196f
　　経路の活性化　195f
D_2部分アゴニスト　213
　　運動系副作用　214
　　高プロラクチン血症　217
$D_2/5HT_{1A}$部分アゴニスト，薬理学的特性　231
D_3アンタゴニスト　264
D_3受容体，結合特性　237f
D-amphetamine 製剤　521t
delusion　161
depressive psychosis　94
desvenlafaxine　331f，334
deuterated tetrabenazine　200
deutetrabenazine　200f
dextromethadone　393，393f
diabetic ketoacidosis(DKA)　224
disorganized/excited psychosis　94
dissociative anesthesia　622
dissociatives　622
D,L-メチルフェニデート　515f

D,L-メチルフェニデート製剤　517t
D,L-amphetamine　518f
D,L-amphetamine 製剤　521t
dorsal anterior cingulate cortex (dACC)　498
dorsolateral prefrontal cortex (DLPFC)　493
doxepin　470f
drug-induced parkinsonism (DIP)　188
D-serine transporter(D-SER-T)　116
dual orexin receptor antagonist (DORA)　465

E
empathogen　620
enhancer　21
epigenetics　25
epigenome　26
esketamine　366，368f
eslicarbazepine　389
excitation-secretion coupling　10
excitatory amino acid transporter(EAAT)　113
extrapyramidal symptom(EPS)　187

F
FDG-PET
　　血管性認知症　539f
　　認知症　538f
fear conditioning　410
fear extinction　412
fluoxetine　323，324f，360，379
frontotemporal dementia(FTD)　542
full agonist　46，68

G
Gタンパク　16f
　　一次メッセンジャー　15f
　　二次メッセンジャー　16f
Gタンパク結合型受容体
　　間接標的　49t
　　向精神薬　45，48t，49t
　　構造と機能　44

直接標的　48t
Gタンパク結合型神経伝達物質受
　　容体　15f
GABA　282
　　作用の終結　286f
　　産生　286f
　　睡眠サイクル　456f
　　投射と睡眠　454f
　　バルプロ酸　385f
GABA受容体　287f
GABAトランスポーター　38t
GABA$_A$受容体　288f
　　持続性および相動性抑制の調
　　　節　289f
　　神経活性ステロイド　359f
　　正のアロステリック調節
　　　290f
GABA$_A$受容体サブタイプ　283
glutamate　112
glutamic acid　112
G protein-linked receptor　44

H
habit　588
hallucination　161, 620
homeostatic sleep drive　451
HPA軸　298f
　　うつ病　299f
hyperglycemic hyperosmolar
　　syndrome(HHS)　224

I
illusion　620
iloperidone　253
　　結合特性　255f
impulse-control disorder　630
impulsivity　587
intracellular synaptic vesicle
　　transporter　39
inverse agonist　73
ion channel-linked receptor
　　63
ionotropic receptor　63
iRNA　32
irreversible enzyme inhibitor
　　56

L
L型カルシウムチャネル阻害薬
　　390
L-セリントランスポーター（L-
　　SER-T）　115
levomilnacipran　332f, 336
Lewy小体　540f
Lewy小体型認知症（DLB）
　　鑑別診断　541f
　　診断基準　540t
　　精神病症状・妄想・幻覚の有
　　　症率　572t
Lewy小体認知症（LBD）　537
　　精神病症状　573f
Lewy神経突起　540f
ligand　64
ligand-gated ion channel　63
long-term potential（LTP）　173
L-serine transporter（L-SER-T）
　　115
lumateperone　255
　　結合特性　257f

M
MAO，サブタイプ　373
MAO阻害薬　372
　　薬物相互作用　377
MDMA　394, 394f
　　精神療法　627
　　セロトニン　621f
mild cognitive impairment
　　（MCI）　534
miRNA　32
monoamine oxidase（MAO）
　　279
MRI
　　血管性認知症　539f
　　認知症　538f
mTOR
　　AMPA受容体　366f
　　ケタミン　366f
mTOR経路　365

N
Nバック課題，注意欠如・多動症
　　（ADHD）　495f
Na$^+$/K$^+$-ATPase　37f
naltrexone製剤　614f
nefazodone　347f
negative allosteric modulator
　　（NAM）　79

negative symptom　161, 185
neuropathic pain　424
NMDA受容体
　　機能低下　129f, 130f, 132f
　　ケタミン乱用　131f
　　精神病　131f
　　統合失調症　129f, 130f,
　　　132f
norepinephrine　279

O
obsessive-compulsive disorder
　　（OCD）　628
opiate　609
opioid　609
orbitofrontal cortex（OFC）
　　498
oxcarbazepine　389

P
paranoid psychosis　94
Parkinson病
　　精神病　207
　　精神病症状　573f
　　認知症関連精神病　207
　　認知症を伴う——（PDD）
　　　541f, 572t
Parkinson病-Alzheimer病スペ
　　クトラム仮説　543f
Parkinson病精神病　178
　　5HT$_{2A}$受容体　156f, 159f
partial agonist　70
periaqueductal gray（PAG）
　　431
PET画像，Alzheimer病　549f
phencyclidine（PCP），作用部位
　　128f
pimavanserin　262
　　結合特性　262f
pitolisant　488, 489f
　　作用機序　489f
plasma membrane transporter
　　38
positive allosteric modulator
　　（PAM）　79
positive symptom　161
primary afferent neuron（PAN）
　　421
promoter　21

psilocybin　395，395f
psychedelic　620
psychosis　93
psychotomimetic　620

R

regulatory region　21
retrograde neurotransmission　7
reversible enzyme inhibitor　57
RNA　30
RNA干渉　32，33f
RNA polymerase　22
roluperidone(MIN-101)　264
　　結合特性　266f

S

S-ミルナシプラン　332f
SAGE-217　359f
secondary negative symptom　185
selective serotonin reuptake inhibitor(SSRI)　319
SEP-363856　265
　　結合特性　269f

serotonin partial agonist reuptake inhibitor(SPARI)　327
sertindole　262
　　結合特性　263f
signal transduction cascade　11
SLC1遺伝子ファミリー　41
SLC6遺伝子ファミリー　39，41
SLC18遺伝子ファミリー　43
sodium oxybate　490，490f
　　作用機序　490f
solriamfetol　488
specific neutral amino acid transporter(SNAT)　113
stimulus-response conditioning　623
Stroop課題，注意欠如・多動症（ADHD）　495f

T

tardive dyskinesia(TD)　192
tetrahydrocannabinol(THC)　616f，619t
　　精神疾患への影響　617f
tyrosine kinase　58f

V

vesicular monoamine transporter type 2(VMAT2)　197
vilazodone　328f
viloxazine　531
　　徐放型——　531f
voltage-gated ion channel　63
voltage-sensitive calcium channel(VSCC)　10，81，421
voltage-sensitive ion channel　63
voltage-sensitive sodium channel(VSSC)　10，81
volume neurotransmission　7

X

xanomeline　267
　　結合特性　269f

Z

Zドラッグ　464，467f
ziprasidone　252
　　結合特性　254f

略語

5HT→5-hydroxytryptamine
A→amygdala
AAADC→aromatic amino acid decarboxylase
ACC→anterior cingulate cortex
ACh→acetylcholine
AChE→acetylcholinesterase
ACTH→adrenocorticotropic hormone
ADHD→attention-deficit/hyperactivity disorder
ALS→amyotrophic lateral sclerosis
AMPA→α-amino-3-hydroxy-5-methyl-4-isoxazole-propionic acid
APP→amyloid precursor protein
ASC-T→alanine-serine-cysteine transporter
BDNF→brain-derived neurotrophic factor
BED→binge-eating disorder
BF→basal forebrain
BMI→body mass index
BuChE→butyrylcholinesterase
BZ→benzodiazepine
C→cerebellum
cAMP→cyclic adenosine monophosphate
CBD→cannabinoid
CBT→cognitive behavioral therapy
CCK→cholecystokinin
CGR→calcitonin-gene-related peptide
ChAT→choline acetyl-transferase
CNS→central nervous system
COMT→catechol-O-methyl-transferase
CREB→cyclic AMP response element-binding protein
CRF→corticotropin-releasing factor
CSTC→cortico-striato-thalamo-cortical
CYP 450→cytochrome P450

DA→dopamine
dACC→dorsal anterior cingulate cortex
DAO→D-amino acid oxidase
DAOA→D-amino acid oxidase activator
DAT→dopamine transporter
DBH→dopamine β hydroxylase
DDC→dopa decarboxylase
DIP→drug-induced parkinsonism
DISC1→disrupted in schizophrenia-1
DKA→diabetic ketoacidosis
DLPFC→dorsolateral prefrontal cortex
DNA→deoxyribonucleic acid
DNMT→DNA methyl-transferase
DORA→dual orexin receptor antagonist
DPA→dopamine partial agonist
DRG→dorsal root ganglion
D-SER-T→D-serine transporter
DSM→Diagnostic and Statistical Manual of Mental Disorders
EAAT→excitatoty amino acid tansporter
EC→endocannabinoid
ECT→electroconvulsive therapy
EPS→extrapyramidal symptom
ERK→extracelluar signal-regulated kinase
ERT→estrogen replacement therapy
FDA→Food and Drug Administration
FDG-PET→^{18}F-2-deoxy-D-glucose positron emission tomography
FTD→frontotemporal dementia
GABA→γ-aminobutyric acid
GABA-T→GABA transaminase
GAD→glutamic acid decarboxylase
GAT→GABA transporter
GHB→γ hydroxybutyrate
GIRK→G protein-coupled inwardly rectifying potassium channel
GSK→glycogen synthase kinase
HCN→hyperpolarization-activated cyclic nucleotide-gated
HDAC→histone deacetylase
HHS→hyperglycemic hyperosmolar syndrome
HIV→human immunodeficiency virus
HPA→hypothalamic-pituitary-adrenal axis
HRE→hormone response element
Hy→hypothalamus
ICD→International Classification of Diseases(International Statistical Classification of Diseases and Related Health Problems)
IR→immediate-release
LC→locus coeruleus
LHA→lateral hypothalamic area
LSD→lysergic acid diethylamide
L-SER-T→L-serine transporter
LTP→long-term potential
MAO→monoamine oxidase
MAPK→mitogen-activated protein kinase
MARCKS→myristolated alanine-rich C kinase substrate
MCI→mild cognitive impairment
MDMA→3,4-methylenedioxy-methamphetamine
MDPV→methylenedioxypyrovalerone
MEK→MAPK/ERK kinase
mRNA→messenger ribonucleic acid
mTOR→mammalian target of rapamycin
NA→nucleus accumbens
NAM→negative allosteric modulator
NDRI→norepinephrine-dopamine reuptake inhibitor

NE→norepinephrine
NET→norepinephrine transporter
NGF→nerve growth factor
NMDA→*N*-methyl-D-aspartate
NO→nitric oxide
NOS→nitric oxide synthase
NRI→norepinephrine reuptake inhibitor
NSAID→nonsteroidal anti-inflammatory drug
NT：brainstem neurotransmitter center
OCD→obsessive-compulsive disorder
OFC→orbitofrontal cortex
PAG→periaqueductal gray
PAM→positive allosteric modulator
PAN→primary afferent neuron
PCP→phencyclidine
PDE→phosphodiesterase
PET→positron emission tomography
PH→posterior hypothalamus
PI→phosphatidylinositol
PKA→protein kinase A
PKC→phosphokinase C
POMC→pro-opiomelanocortin
PTSD→posttraumatic stress disorder
RGS→regulator of G-protein signaling
RLS→restless legs syndrome
RNA→ribonucleic acid
RSK→ribosomal S6 kinase
rTMS→repetitive transcranial magnetic stimulation
S→striatum
SAMe→S-adenosyl-methionine
SARI→serotonin antagonist/reuptake inhibitor
SC→spinal cord
SCN→suprachiasmatic nucleus
SDA→serotonin-dopamine antagonist
SERT→serotonin transporter
SHMT→serine hydroxymethyl-transferase
SNAT→specific neutral amino acid transporter
SNRI→serotonin-norepinephrine reuptake inhibitor
SORA→single orexin receptor antagonists
SP→substance P
SPARI→serotonin partial agonist/reuptake inhibitor
SPECT→single photon emission computed tomography
SSRI→selective serotonin reuptake inhibitor
T→thalamus
TCA→tricyclic antidepressant
TD→tardive dyskinesia
TF→transcription factor
THC→tetrahydrocannabinol
TMN→tuberomammillary nucleus
TMS→transcranial magnetic stimulation
TOH→tyrosine hydroxylase
VAChT→vesicular acetylcholine transporter
VGLUT→vesicular glutamate transporter
VIAAT→vesicular inhibitory amino acid transporter
VLPO→ventrolateral preoptic area
VMAT→vesicular monoamine transporter
VMPFC→ventromedial prefrontal cortex
VR→vanilloid receptor
VSCC→voltage-sensitive calcium channel
VSSC→voltage-sensitive sodium channel
XR→extended-release

ストール精神薬理学エセンシャルズ
神経科学的基礎と応用　第5版　　　定価：本体12,500円＋税

1999年 5月28日発行　　第1版第1刷
2002年 5月 9日発行　　第2版第1刷
2010年 5月20日発行　　第3版第1刷
2015年 2月25日発行　　第4版第1刷
2023年 3月30日発行　　第5版第1刷Ⓒ

著　者　スティーブン M. ストール

監訳者　仙　波　純　一
　　　　せん　ば　じゅん　いち

　　　　松　浦　雅　人
　　　　まつ　うら　まさ　と

　　　　太　田　克　也
　　　　おお　た　かつ　や

発行者　株式会社 メディカル・サイエンス・インターナショナル
　　　　代表取締役　金子　浩平
　　　　東京都文京区本郷 1-28-36
　　　　郵便番号 113-0033　電話 (03)5804-6050

印刷・表紙トレース：三報社印刷/表紙装丁・本文デザイン：岩崎邦好デザイン事務所

ISBN 978-4-8157-3069-7　C3047

本書の複製権・翻訳権・上映権・譲渡権・貸与権・公衆送信権（送信可能化権を含む）は（株）メディカル・サイエンス・インターナショナルが保有します。本書を無断で複製する行為（複写，スキャン，デジタルデータ化など）は，「私的使用のための複製」など著作権法上の限られた例外を除き禁じられています。大学，病院，診療所，企業などにおいて，業務上使用する目的（診療，研究活動を含む）で上記の行為を行うことは，その使用範囲が内部的であっても，私的使用には該当せず，違法です。また私的使用に該当する場合であっても，代行業者等の第三者に依頼して上記の行為を行うことは違法となります。

JCOPY 〈出版者著作権管理機構　委託出版物〉
本書の無断複製は著作権法上での例外を除き禁じられています。複製される場合は，そのつど事前に，出版者著作権管理機構（電話 03-5244-5088, FAX 03-5244-5089, info@jcopy.or.jp）の許諾を得てください。